中國國家圖書館編

國家圖書館藏敦煌遺書

第四十二册　北敦〇三〇六六號——北敦〇三一三一號

北京圖書館出版社

圖書在版編目(CIP)數據

國家圖書館藏敦煌遺書·第四十二册/中國國家圖書館編;任繼愈主編.—北京:北京圖書館出版社,2006.11

ISBN 7-5013-2984-2

Ⅰ.國… Ⅱ.①中…②任… Ⅲ.敦煌學—文獻 Ⅳ.K870.6

中國版本圖書館 CIP 數據核字(2006)第 118571 號

ISBN 7-5013-2984-2

9 787501 329847 >

書　名　國家圖書館藏敦煌遺書·第四十二册
著　者　中國國家圖書館編　任繼愈主編
責任編輯　徐　蜀　孫　彦
封面設計　李　璀

出　版　北京圖書館出版社　(100034　北京西城區文津街 7 號)
發　行　010-66139745　66151313　66175620　66126153
66174391(傳真)　66126156(門市部)
E-mail　cbs@nlc.gov.cn(投稿)　btsfxb@nlc.gov.cn(郵購)
Website　www.nlcpress.com
經　銷　新華書店
印　刷　北京文津閣印務有限責任公司

開　本　八開
印　張　51.5
版　次　2006 年 11 月第 1 版第 1 次印刷
印　數　1-250 册(套)

書　號　ISBN 7-5013-2984-2/K·1267
定　價　990.00 圓

目録

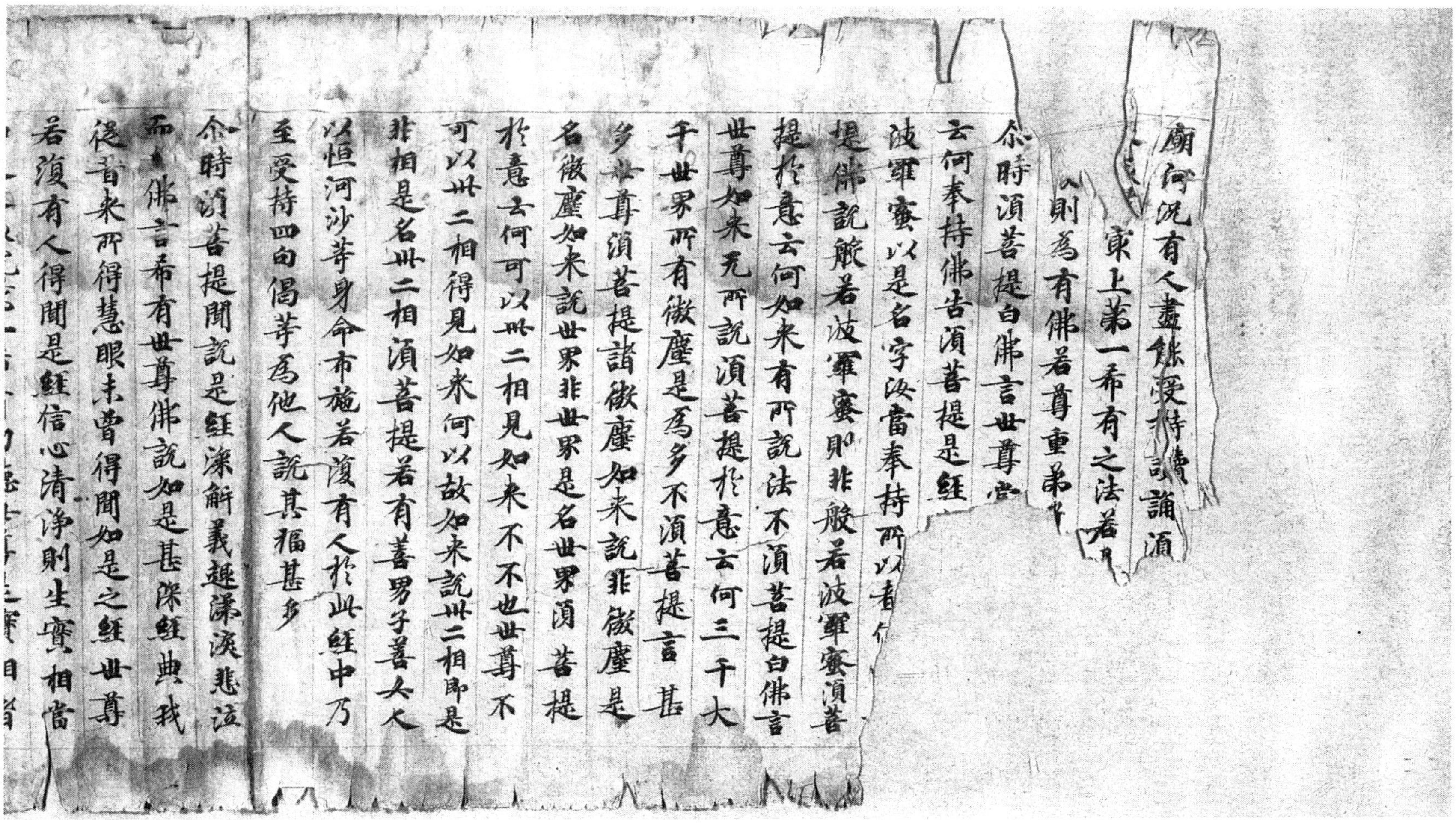
廟何況有人盡能受持讀誦須
最上第一希有之法若
則為有佛若尊重弟子
尒時須菩提白佛言世尊當
云何奉持佛告須菩提是經
波羅蜜以是名字汝當奉持所以者何
提佛說般若波羅蜜則非般若波羅蜜須菩
提於意云何如來有所說法不須菩提白佛言
世尊如來无所說須菩提於意云何三千大
千世界所有微塵是為多不須菩提言甚
多世尊須菩提諸微塵如來說非微塵是
名微塵如來說世界非世界是名世界須菩提
於意云何可以卅二相見如來不不也世尊不
可以卅二相得見如來何以故如來說卅二相即是
非相是名卅二相須菩提若有善男子善女人
以恒河沙等身命布施若復有人於此經中乃
至受持四句偈等為他人說其福甚多
尒時須菩提聞說是經深解義趣涕淚悲泣
而白佛言希有世尊佛說如是甚深經典我
從昔來所得慧眼未曾得聞如是之經世尊
若復有人得聞是經信心清淨則生實相當

BD03066號　金剛般若波羅蜜經　（3–1）

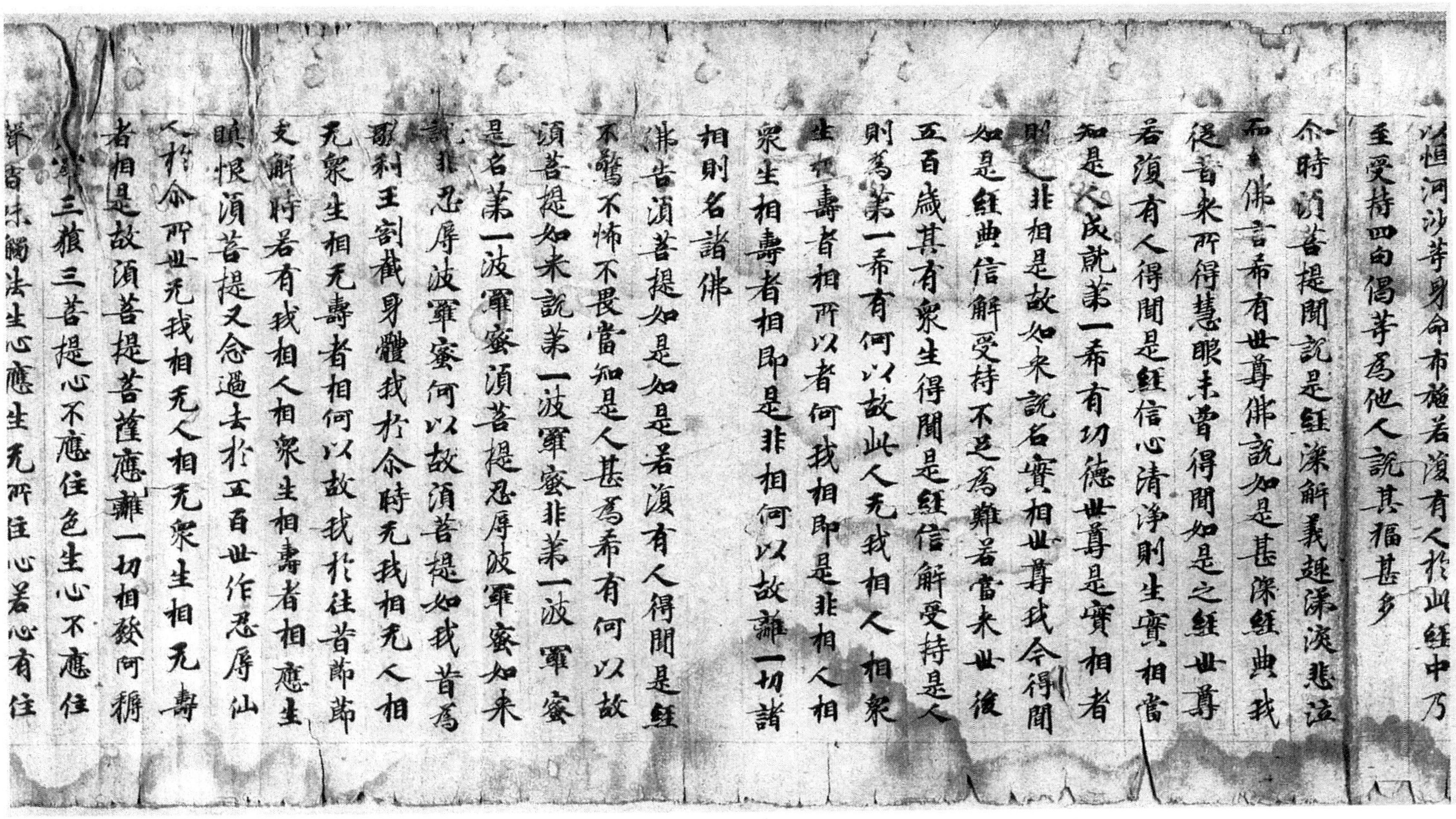
以恒河沙等身命布施若復有人於此經中乃
至受持四句偈等為他人說其福甚多
尒時須菩提聞說是經深解義趣涕淚悲泣
而白佛言希有世尊佛說如是甚深經典我
從昔來所得慧眼未曾得聞如是之經世尊
若復有人得聞是經信心清淨則生實相當
知是人成就第一希有功德世尊是實相者
則是非相是故如來說名實相世尊我今得聞
如是經典信解受持不足為難若當來世後
五百歲其有眾生得聞是經信解受持是人
則為第一希有何以故此人无我相人相眾
生相壽者相所以者何我相即是非相人相
眾生相壽者相即是非相何以故離一切諸
相則名諸佛
佛告須菩提如是如是若復有人得聞是經
不驚不怖不畏當知是人甚為希有何以故
須菩提如來說第一波羅蜜非第一波羅蜜
是名第一波羅蜜須菩提忍辱波羅蜜如來
說非忍辱波羅蜜何以故須菩提如我昔為
歌利王割截身體我於尒時无我相无人相
无眾生相无壽者相何以故我於往昔節節
支解時若有我相人相眾生相壽者相應生
瞋恨須菩提又念過去於五百世作忍辱仙
人於尒所世无我相无人相无眾生相无壽
者相是故須菩提菩薩應離一切相發阿耨
多羅三藐三菩提心不應住色生心不應住
聲香味觸法生心應生无所住心若心有住

BD03066號　金剛般若波羅蜜經　（3–2）

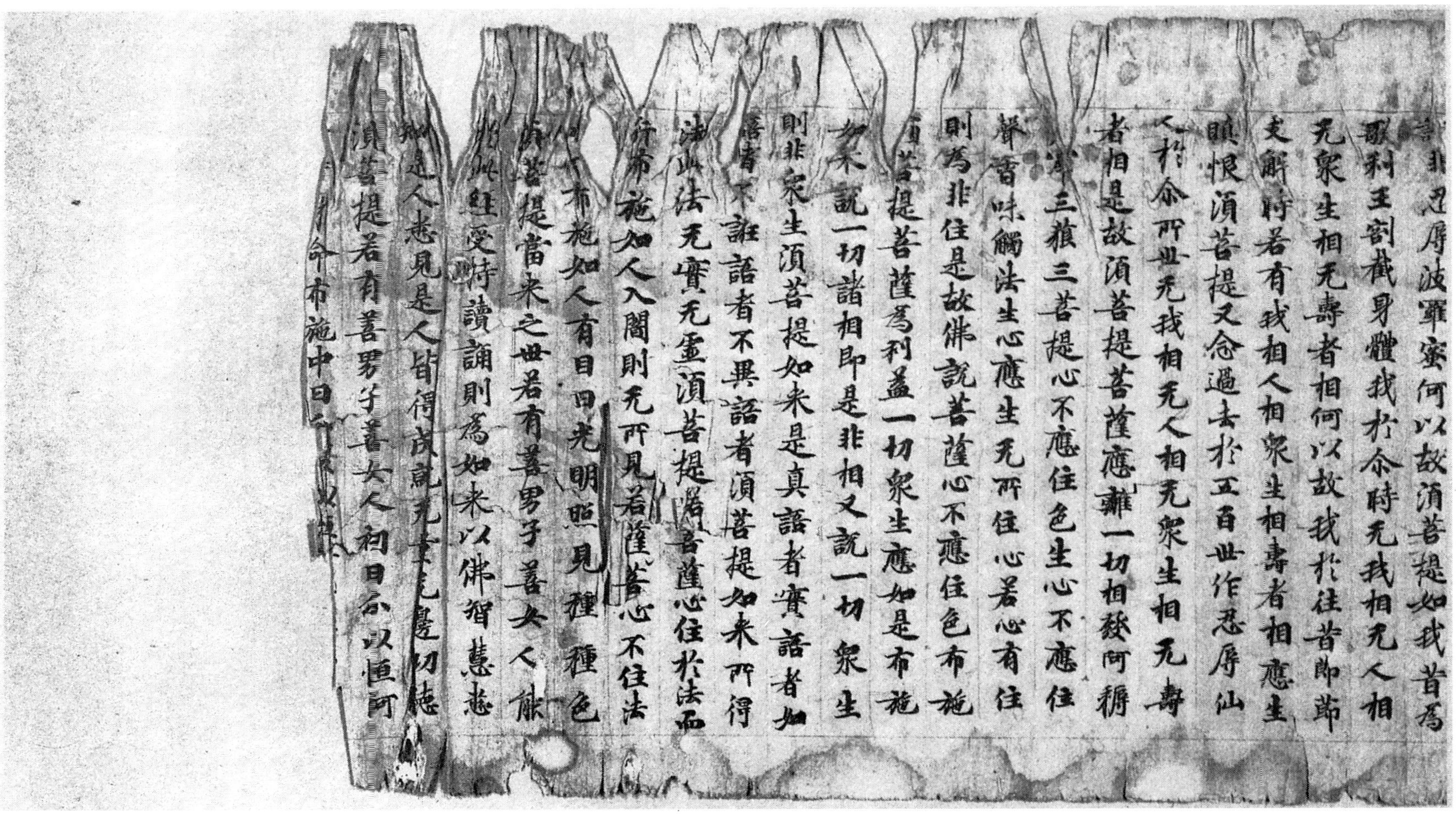
非忍辱波羅蜜何以故須菩提如我昔為
歌利王割截身體我於爾時无我相无人相
无衆生相无壽者相何以故我於往昔節節
支解時若有我相人相衆生相壽者相應生
瞋恨須菩提又念過去於五百世作忍辱仙
人於爾所世无我相无人相无衆生相无壽
者相是故須菩提菩薩應離一切相發阿耨
多羅三藐三菩提心不應住色生心不應住
聲香味觸法生心應生无所住心若心有住
則為非住是故佛說菩薩心不應住色布施
須菩提菩薩為利益一切衆生應如是布施
如來說一切諸相即是非相又說一切衆生
則非衆生須菩提如來是真語者實語者如
語者不誑語者不異語者須菩提如來所得
法此法无實无虛須菩提若菩薩心住於法而
行布施如人入闇則无所見若菩薩心不住法
而行布施如人有目日光明照見種種色
須菩提當來之世若有善男子善女人能
於此經受持讀誦則為如來以佛智慧悉
知是人悉見是人皆得成就无量无邊功德
須菩提若有善男子善女人初日分以恒河
命布施中日分

BD03066 號　金剛般若波羅蜜經　（3–3）

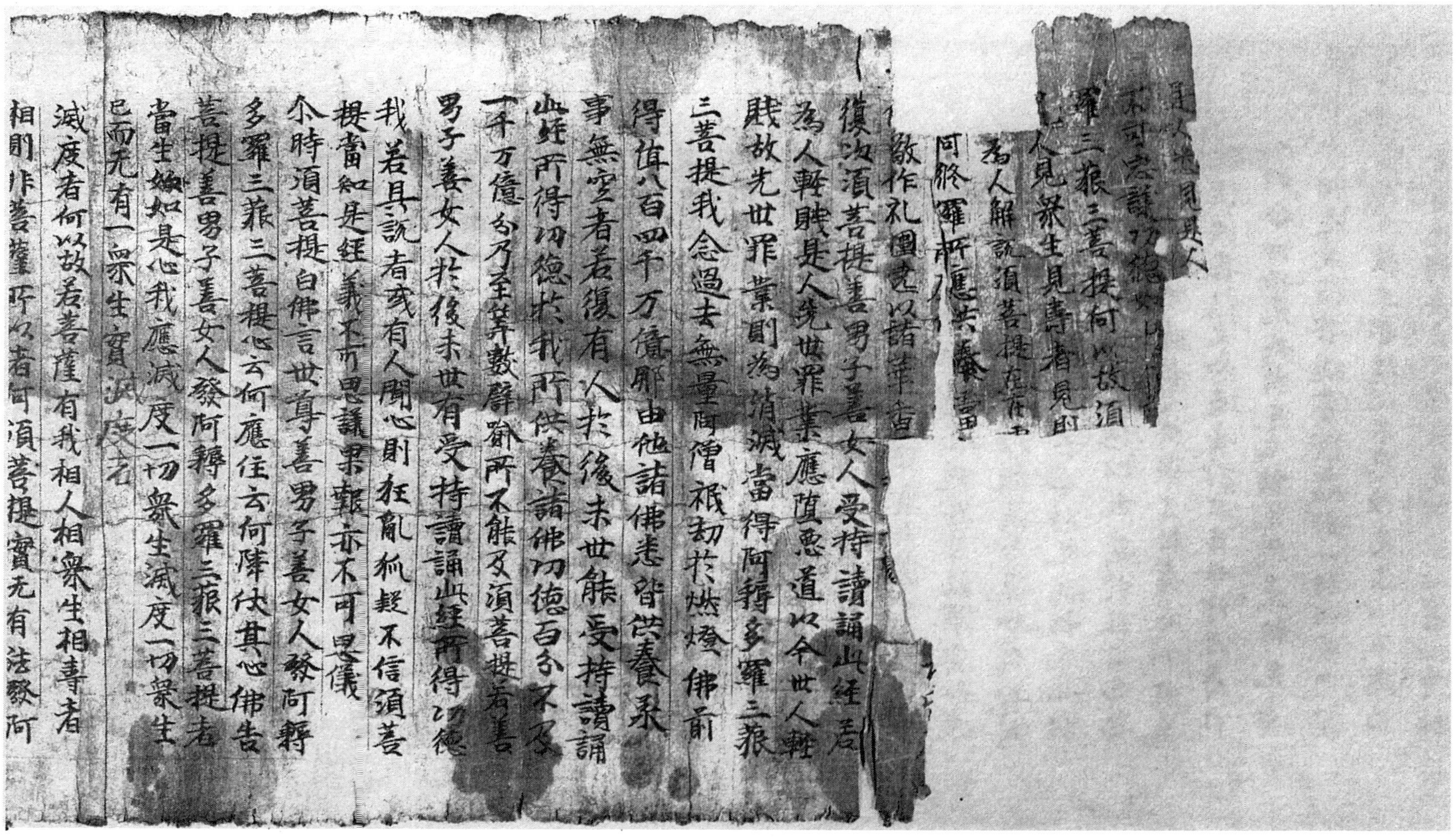
是人悉見是人
不可思議功德
羅三藐三菩提何以故須
人見衆生見壽者見則
為人解說須菩提在在處處
阿脩羅所應供養當知
敬作禮圍遶以諸華香
復次須菩提善男子善女人受持讀誦此經若
為人輕賤是人先世罪業應墮惡道以今世人輕
賤故先世罪業則為消滅當得阿耨多羅三藐
三菩提我念過去無量阿僧祇劫於燃燈佛前
得值八百四千万億那由他諸佛悉皆供養承
事無空過者若復有人於後末世能受持讀誦
此經所得功德於我所供養諸佛功德百分不及
一千万億分乃至筭數譬喻所不能及須菩提若善
男子善女人於後末世有受持讀誦此經所得功德
我若具說者或有人聞心則狂亂狐疑不信須菩
提當知是經義不可思議果報亦不可思議
爾時須菩提白佛言世尊善男子善女人發阿耨
多羅三藐三菩提心云何應住云何降伏其心佛告
須菩提善男子善女人發阿耨多羅三藐三菩提者
當生如是心我應滅度一切衆生滅度一切衆生
已而无有一衆生實滅度者
滅度者何以故若菩薩有我相人相衆生相壽者
相則非菩薩所以者何須菩提實无有法發阿

BD03067 號　金剛般若波羅蜜經　（6–1）

提當知是經義不可思議果報亦不可思議
尒時須菩提白佛言世尊善男子善女人發阿耨
多羅三藐三菩提心云何應住云何降伏其心佛告
菩提善男子善女人發阿耨多羅三藐三菩提者
當生如是心我應滅度一切衆生滅度一切衆生
已而无有一衆生實滅度者
滅度者何以故若菩薩有我相人相衆生相壽者
相則非菩薩所以者何須菩提實无有法發阿
耨多羅三藐三菩提者
須菩提於意云何如來於然燈佛所有法得阿
耨多羅三藐三菩提不不也世尊如我解佛所說
義佛於然燈佛所无有法得阿耨多羅三藐三
菩提佛言如是如是須菩提實无有法如來
得阿耨多羅三藐三菩提須菩提若有法如來
得阿耨多羅三藐三菩提者然燈佛則不與我
受記汝於來世當得作佛号釋迦牟尼以實无有
法得阿耨多羅三藐三菩提是故然燈佛與我受
記作如是言汝於來世
當得作佛号釋迦牟尼何以故如來者即諸法
如義若有人言如來得阿耨多羅三藐三菩
提須菩提實无有法佛得阿耨多羅三藐三
菩提須菩提如來所得阿耨多羅三藐三
菩提於是中无實无虛是故如來說一切法皆
是佛法須菩提所言一切法者即非一切法是
故名一切法
須菩提譬如人身長大須菩提言世尊如來
說人身長大則為非大身是名大身
須菩提菩薩亦如是若作是言我當滅度无
量衆生則不名菩薩何以故須菩提實无有
法名為菩薩是故佛說一切法无我无人无衆
生无壽者須菩提若菩薩作是言我當莊嚴

BD03067 號　金剛般若波羅蜜經　（6–2）

須菩提譬如人身長大須菩提言世尊如來
說人身長大則為非大身是名大身
須菩提菩薩亦如是若作是言我當滅度无
量衆生則不名菩薩何以故須菩提實无有
法名為菩薩是故佛說一切法无我无人无衆
生无壽者須菩提若菩薩作是言我當莊嚴
佛土是不名菩薩何以故如來說莊嚴佛土
者即非莊嚴是名莊嚴須菩提若菩薩通達
无我法者如來說名真是菩薩
須菩提於意云何如來有肉眼不如是世尊
如來有肉眼須菩提於意云何如來有天眼不
如是世尊如來有天眼須菩提於意云何
如來有慧眼不如是世尊如來有慧眼須菩
提於意云何如來有法眼不如是世尊如來
有法眼須菩提於意云何如來有佛眼不如是
世尊如來有佛眼須菩提於意云何如恒何
中所有沙佛說是沙不如是世尊如來說是
沙須菩提於意云何如一恒河中所有沙有
如是等恒河是諸恒河所有沙數佛世界如
是寧為多不甚多世尊佛告須菩提尒所國
土中所有衆生若干種心如來悉知何以故如
來說諸心皆為非心是名為心所以者何須菩
提過去心不可得現在心不可得未來心
不可得須菩提於意云何若有人滿三千
大千世界七寶以用布施是人以是因緣得
福多不如是世尊此人以是因緣得福甚多
須菩提若福德有實如來不說得福德多以
福德无故如來說得福德多
須菩提於意云何佛可以具足色身見不不
也世尊如來不應以具足色身見何以故如來
說具足色身即非具足色身是名具足色

BD03067 號　金剛般若波羅蜜經　（6–3）

須菩提若福德有實如来不説得福德多以
福德无故如来説得福德多
須菩提於意云何佛可以具足色身見不不
也世尊如来不應以具足色身見何以故如来
説具足色身即非具足色身是名具足色
身須菩提於意云何如来可以具足諸相見
不不也世尊如来不應以具足諸相見何以
故如来説諸相具足即非具足是名諸相具
足須菩提汝勿謂如来作是念我當有所説
法莫作是念何以故若人言如来有所説法
即為謗佛不能解我所説故須菩提説法者
无法可説是名説法
須菩提白佛言世尊佛得阿耨多羅三藐三
菩提為無所得耶如是如是須菩提我於阿
耨多羅三藐三菩提乃至无有少法可得是
名阿耨多羅三藐三菩提復次須菩提是法
平等无有高下是名阿耨多羅三藐三菩提以
无我无人无衆生无壽者脩一切善法則得
阿耨多羅三藐三菩提須菩提所言善法者
如来説非善法是名善法
須菩提若三千大千世界中所有諸須弥山
王如是等七寶聚有人持用布施若人以此般
若波羅蜜經乃至四句偈等受持讀誦為
他人説於前福德百分不及一百千万億分
乃至筭數譬喻所不能及
須菩提於意云何汝等勿謂如来作是念我
當度衆生須菩提莫作是念何以故實无有
衆生如来度者若有衆生如来度者如来則
有我人衆生壽者須菩提如来説有我者則

BD03067 號　金剛般若波羅蜜經　（6–4）

須菩提於意云何汝等勿謂如来作是念我
當度衆生須菩提莫作是念何以故實无有
衆生如来度者若有衆生如来度者如来則
有我人衆生壽者須菩提如来説有我者則
非有我而凡夫之人以為有我須菩提凡夫
者如来説則非凡夫
須菩提於意云何可以卅二相觀如来不須
菩提言如是如是以卅二相觀如来佛言
須菩提若以卅二相觀如来者轉輪聖王則是
如来須菩提白佛言世尊如我解佛所説義
不應以卅二相觀如来尒時世尊而説偈言
若以色見我　以音聲求我　是人行邪道　不能見如来
須菩提汝若作是念如来不以具足相故得
阿耨多羅三藐三菩提須菩提莫作是念如
来不以具足相故得阿耨多羅三藐三菩提
須菩提汝若作是念發阿耨多羅三藐三菩
提者説諸法斷滅莫作是念何以故發阿耨
多羅三藐三菩提者於法不説斷滅相須
菩提若菩薩以恒河沙等世界七寶布施若
復有人知一切法无我得成於忍此菩薩勝前
菩薩所得功德須菩提以諸菩薩不受福
德故須菩提白佛言世尊云何菩薩不受福
德須菩提菩薩所作福德不應貪著是故説
不受福德
須菩提若有人言如来若来若去若坐若
卧是人不解我所説義何以故如来者无所従
来亦無所去故名如来
須菩提若善男子善女人以三千大千世界碎
為微塵於意云何是微塵衆寧為多不甚
多世尊何以故若是微塵衆實有者佛則不

BD03067 號　金剛般若波羅蜜經　（6–5）

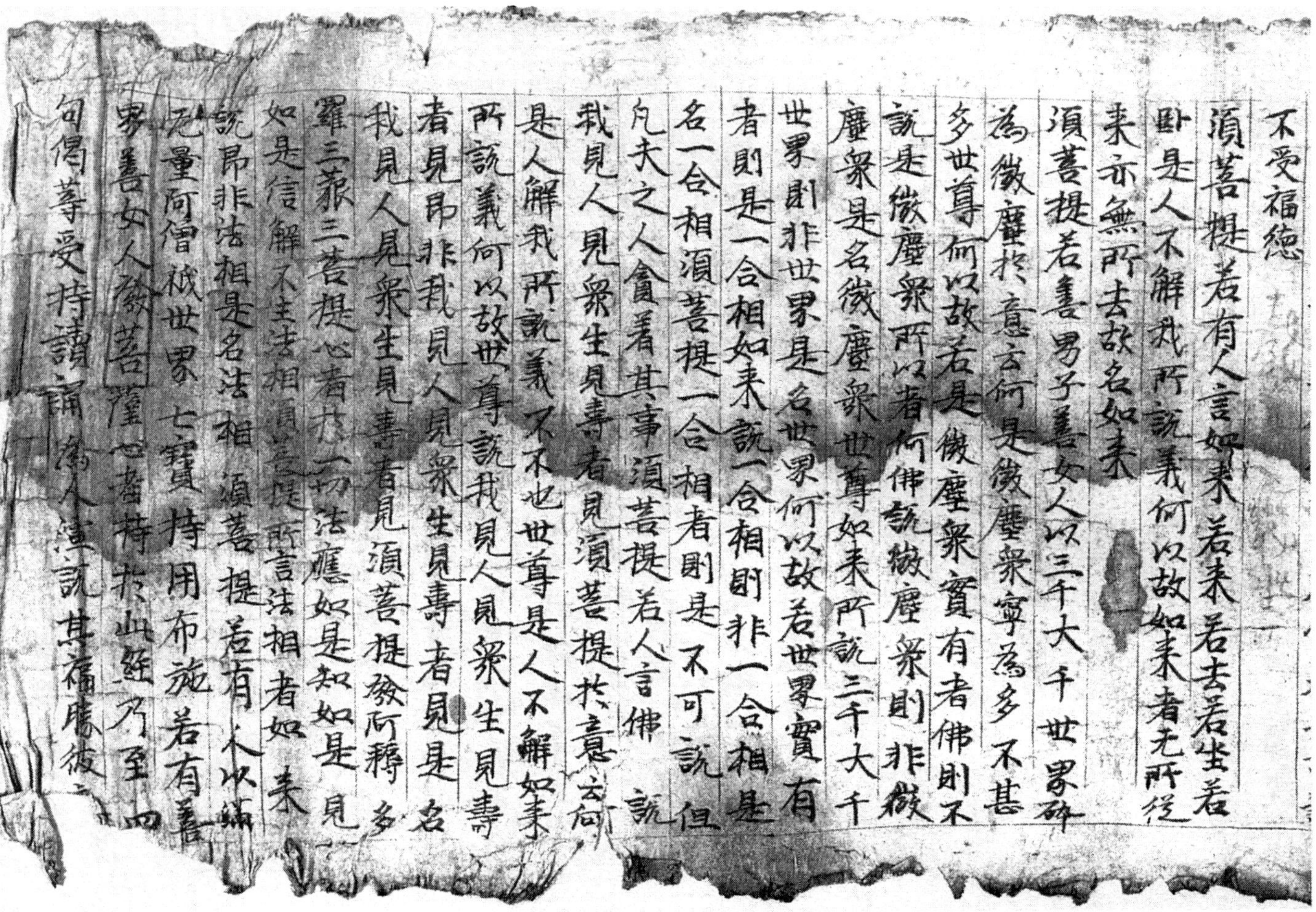

不受福德
須菩提若有人言如來若來若去若坐若
卧是人不解我所說義何以故如來者无所從
來亦無所去故名如來
須菩提若善男子善女人以三千大千世界碎
為微塵於意云何是微塵衆寧為多不甚
多世尊何以故若是微塵衆實有者佛則不
說是微塵衆所以者何佛說微塵衆則非微
塵衆是名微塵衆世尊如來所說三千大千
世界則非世界是名世界何以故若世界實有
者則是一合相如來說一合相則非一合相是
名一合相須菩提一合相者則是不可說但
凡夫之人貪著其事須菩提若人言佛說
我見人見衆生見壽者見須菩提於意云何
是人解我所說義不不也世尊是人不解如來
所說義何以故世尊說我見人見衆生見壽
者見則非我見人見衆生見壽者見是名
我見人見衆生見壽者見須菩提發阿耨多
羅三藐三菩提心者於一切法應如是知如是見
如是信解不生法相須菩提所言法相者如來
說則非法相是名法相須菩提若有人以滿
无量阿僧祇世界七寶持用布施若有善
男善女人發菩薩心者持於此經乃至四
句偈等受持讀誦為人演說其福勝彼

BD03067 號　金剛般若波羅蜜經　（6–6）

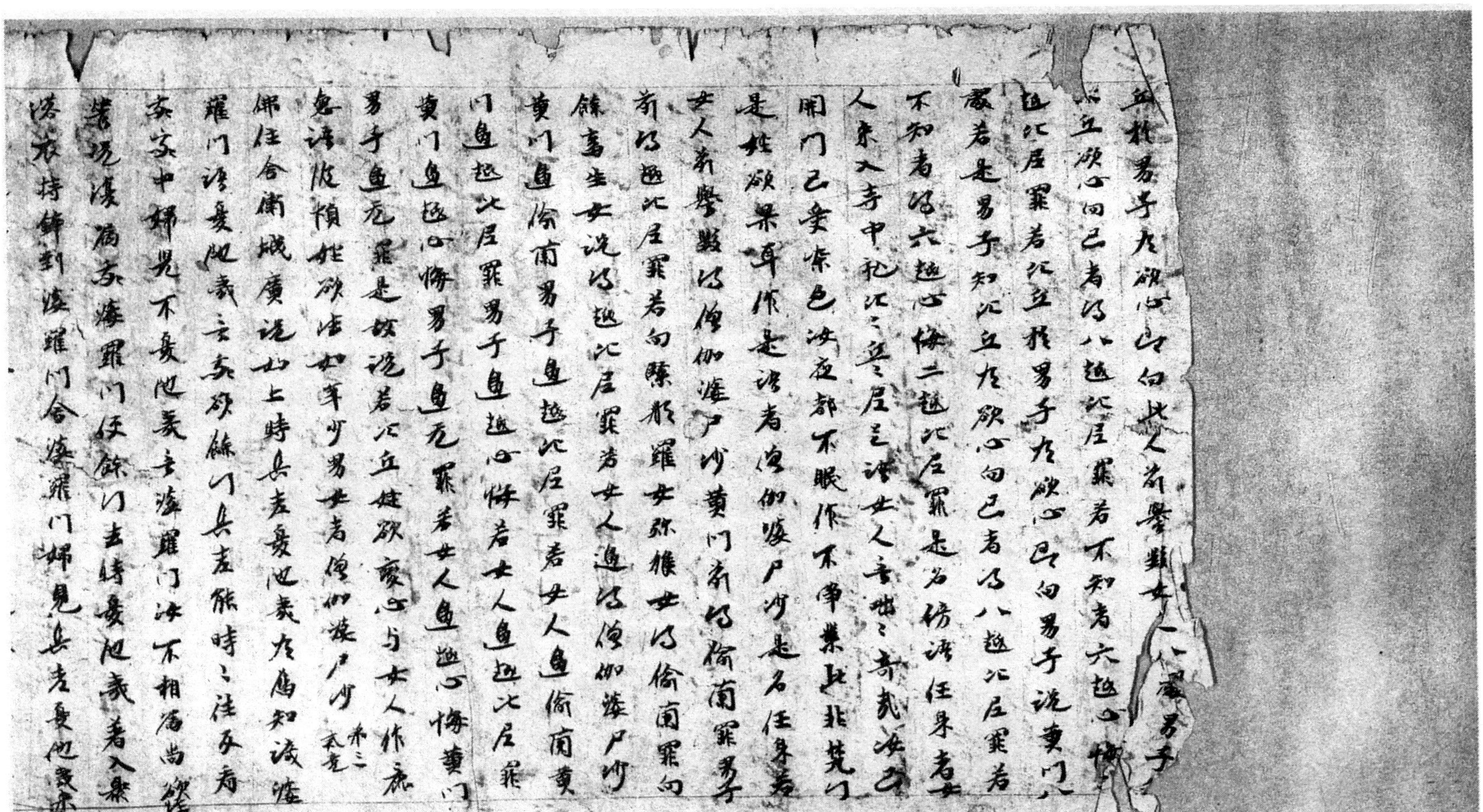

丘於男子前欲心自向說女人前譽毀女人一人處男子
比丘欲心向已者得八越比尼罪若不知者六越心悔
越比尼罪若比丘於男子前欲心自向男子說黃門八
處若是男子知比丘前欲心向已者得八越比尼罪若
不知者得六越心悔二越比尼罪是名傍語任身者女
人來入寺中比丘見已語女人言姊姊善哉汝已
開門已受樂色汝夜都不眠作不淨業非梵行
是婬欲果耳作是語者偷伽婆尸沙是名任身者
女人前譽毀得偷伽婆尸沙黃門前得偷蘭罪男子
前得越比尼罪若向藤那羅女彌猴女得偷蘭罪向
餘畜生女說得越比尼罪若女人邊得偷伽婆尸沙
黃門邊偷蘭男子邊越比尼罪若女人邊偷蘭黃
門邊越比尼罪男子邊越心悔若女人邊越比尼罪
黃門邊越心悔男子邊无罪若女人邊越心悔黃門
男子邊无罪是故說若比丘婬欲變心与女人作麁
惡語隨順婬欲法如年少男女者偷伽婆尸沙 第三戒竟
佛住舍衛城廣說如上時有長老優陀夷在鳥知識婆
羅門語優陀夷言我欲餘門有長老能時時往我看
我家中婦見不優陀夷言婆羅門汝不相屬當從
善護汝婦家婆羅門便餘門去時優陀夷著入聚
落衣持鉢到婆羅門舍婆羅門婦見長老優陀夷來

BD03068 號　摩訶僧祇律卷五　（5–1）

[illegible]
男子過惡是故說若比丘婬欲變心與女人作麁
惡語隨順婬欲法如年少男女者僧伽婆尸沙 第三戒竟
佛住舍衛城廣說如上時長老優陀夷有知識婆
羅門語優陀夷言我欲餘行長老能時時往我家看
我家中婦兒不長優陀夷言婆羅門汝不相看當從
是說後病我婆羅門便餘行去時優陀夷著入聚
落衣持鉢到婆羅門舍婆羅門婦見長老優陀夷來
供敬迎坐言善來阿闍梨久不相見今乃屈顧諸
令大生心便施坐優陀夷言家今希來汝能少有所
與不婆羅門婦言有種種飯食從有所須盡當相
與優陀夷言此諸飯食諸俗人家家皆有但出
家人所難得者汝得自在當持與我婆羅門婦言不
知何者是出家人所難得物我得自在當見示語者
我家有當持相與家中无者當於餘家求索相與
優陀夷言汝知是不何以不知汝多情詐如賊
有四眼何所不知婆羅門婦復言我實不知當見
告語家中有者當持相與家中无者當於餘家貿
索相與有何所須優陀夷言汝知是不何以不知
此家第一供養所謂交通如我沙門持戒修善法
梵行以此法供養我所謂隨順婬欲法時婆羅
門諸婦中有年少者已便慚愧低頭徐行各還自
房中有年老者各慚愧低頭而住有老年者已便
呵嘖言阿闍梨優陀夷此非善事不應作是非類
語此是婆羅門家而作婬女家法相待我家當以是
事白諸比丘優陀夷言白與不白當隨汝意作是語已
便捨出去出是家已復入諸姓女舍諸姓女輩皆起迎

BD03068號　摩訶僧祇律卷五　（5–2）

房中有年老者各慚愧低頭而住有老年者已便
呵嘖言阿闍梨優陀夷此非善事不應作是非類
語此是婆羅門家而作婬女家法相待我家當以是
事白諸比丘優陀夷言白與不白當隨汝意作是語已
便捨出去出是家已復入諸姓女舍諸姓女輩皆起迎
逆供敬問訊言善來阿闍梨優陀夷久不相見今乃
屈意便請令坐坐已優陀夷言今我久來汝能少有所
須不諸姓女言有種種飯食從有所須有所勅當
相與優陀夷言此飯食諸俗人家家皆有但
家人所難得者汝得自在當持與我者善諸姓女言
我今知何物是出家人所難得者當見示語家中有
者當持相與家中无者當於餘家求索相與優陀夷言
汝足知是不何以不知汝多情詐如賊有四眼何所不知
如是乃至三說諸姓女輩猶言不知優陀夷言汝知是
不何以不知此家第一供養所謂交通女為沙門持戒修
善法梵行以此法供養我所謂隨順婬欲法時姓
女中有年少者掬手大笑有中年者便作是言我心御是
法命汝若是男子者便來中有老年者便作是言阿
闍梨優陀夷家權以是自活汝不復沙門法我當以
是事白諸比丘優陀夷言白與不白自隨汝意作是
語已便捨而去諸姓女輩白諸比丘比丘以是事具白
世尊佛言喚優陀夷來來已佛以上事廣問優陀夷汝
實尔不答言實尔世尊佛言優陀夷此是惡事汝常不
聞我種種因緣呵責婬欲種種因緣讚嘆離欲汝今何
作此惡不善事優陀夷言此非法非律非如佛教不可
以是長養善法佛告諸比丘依止舍衛城比丘皆悉令集
以十利故為諸比丘制戒乃至已聞者當重聞若比丘姓

BD03068號　摩訶僧祇律卷五　（5–3）

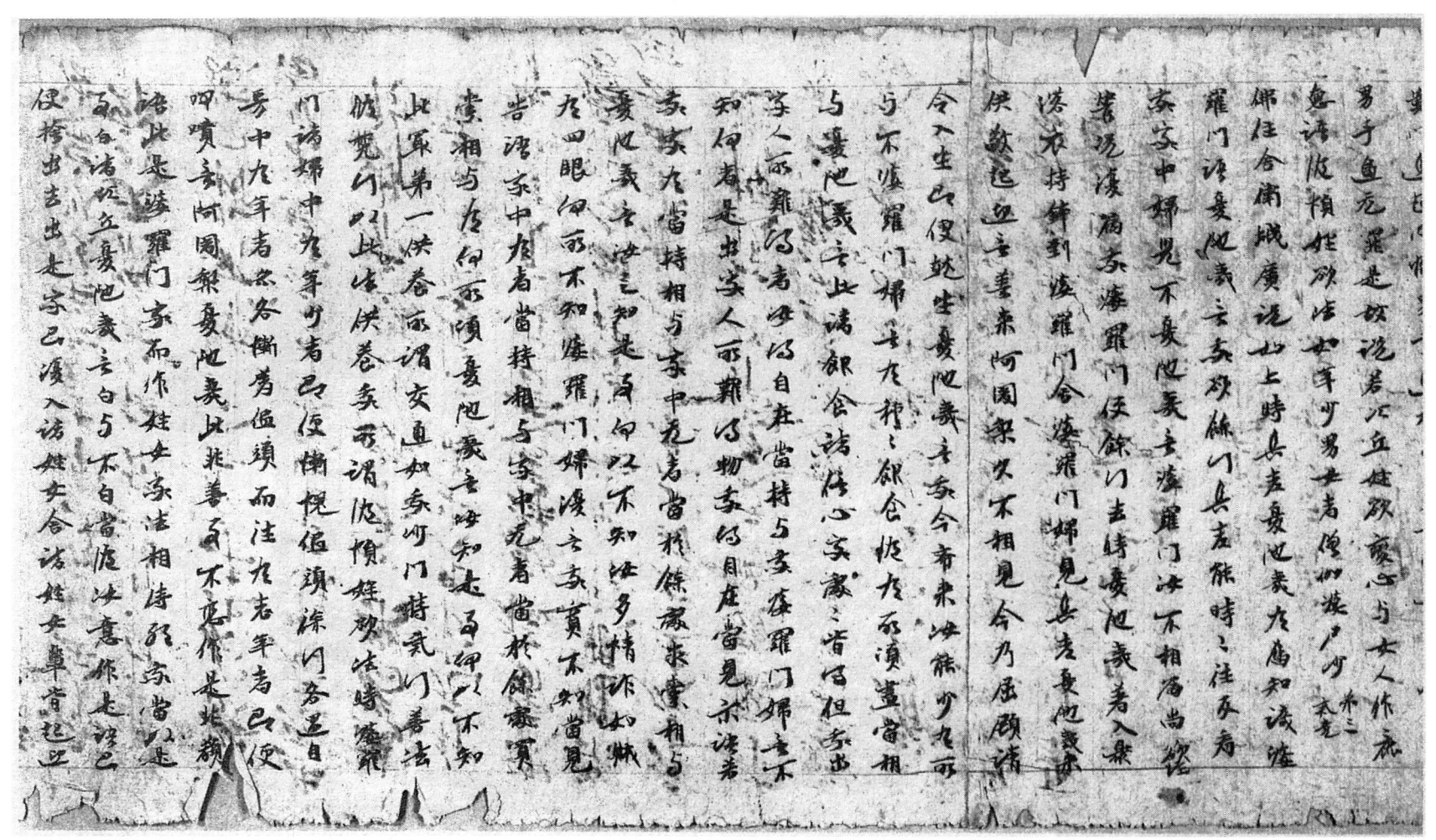

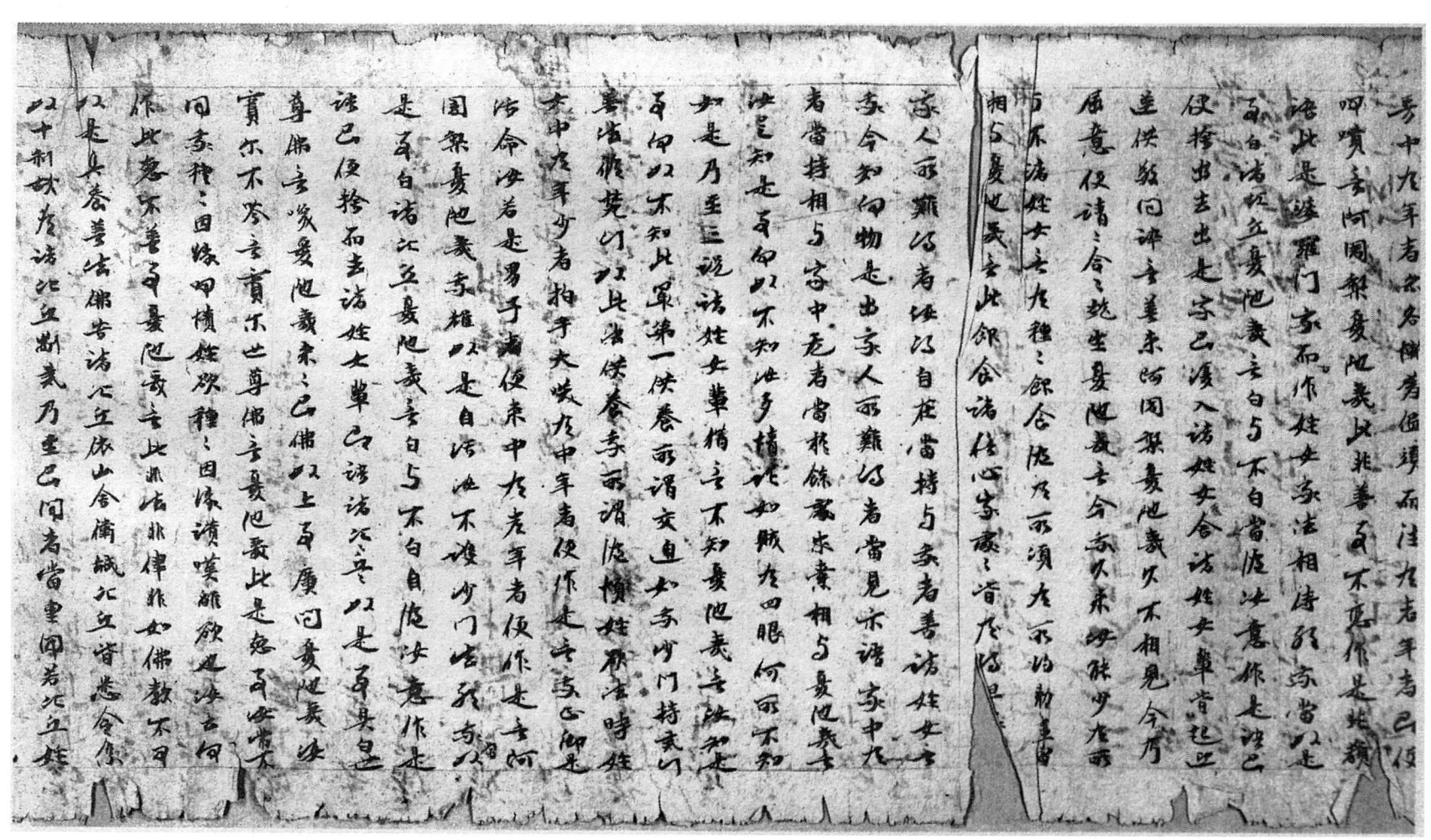

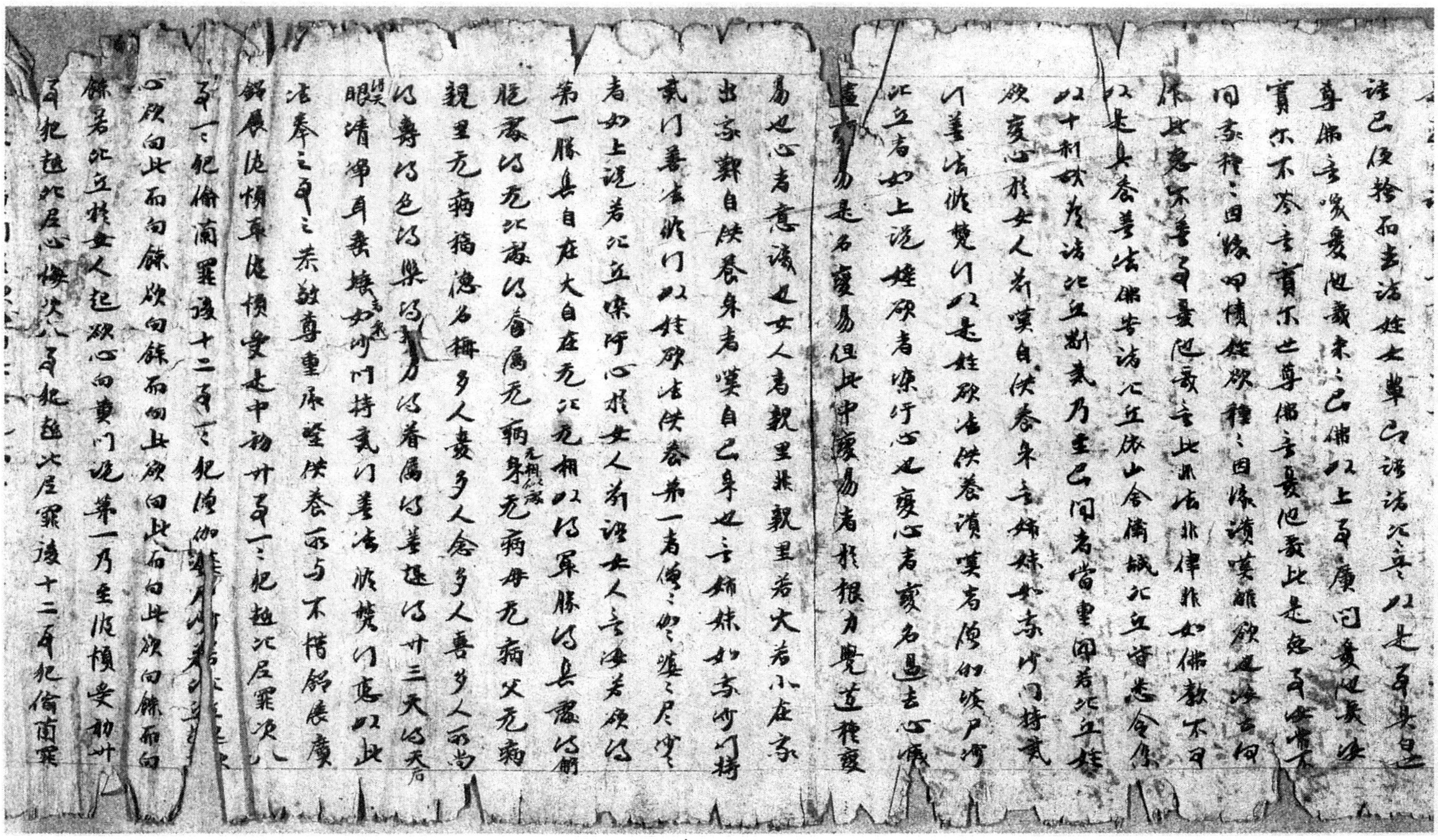

BD03068號　摩訶僧祇律卷五　（5–4）

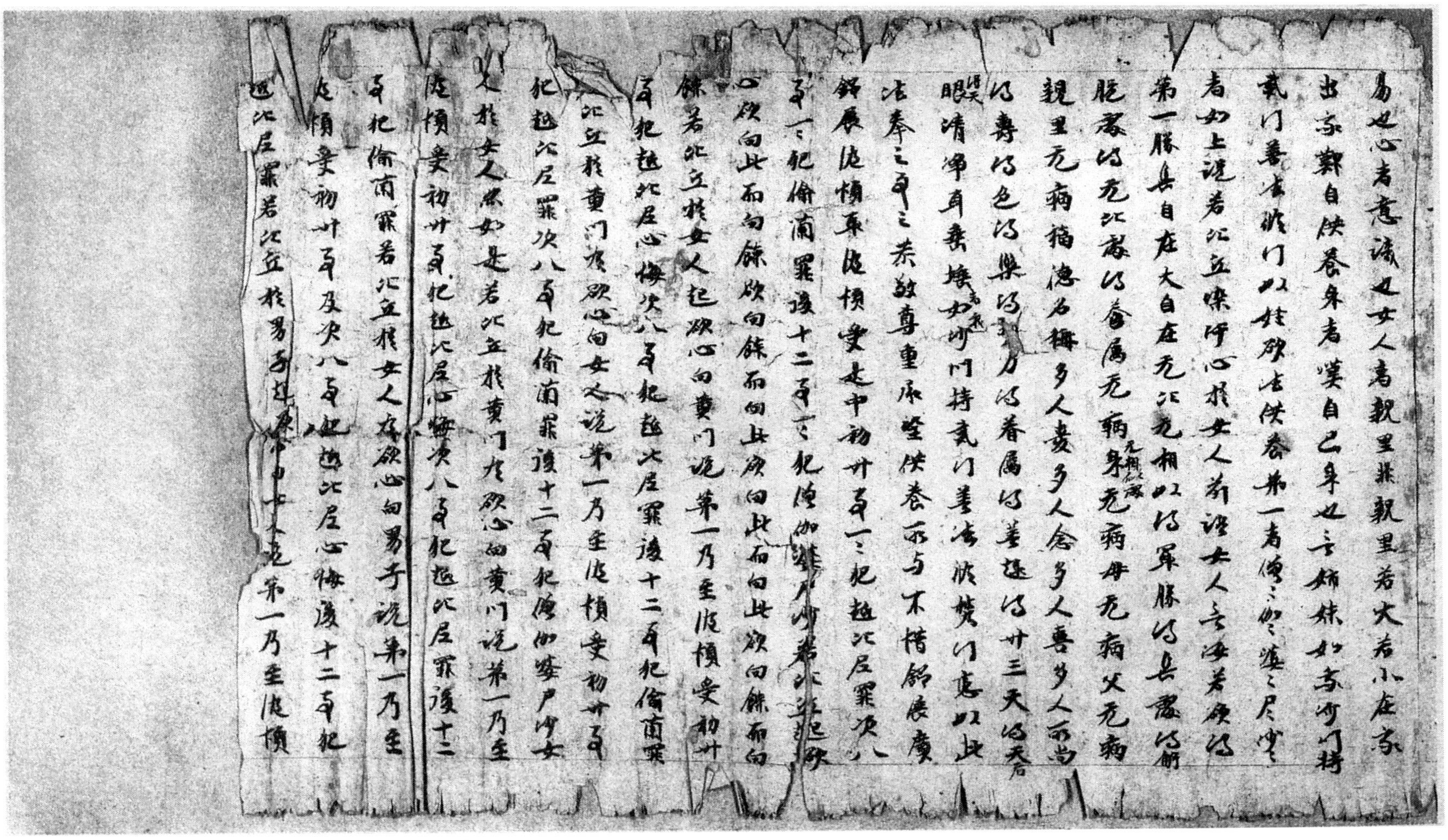

BD03068號　摩訶僧祇律卷五　（5–5）

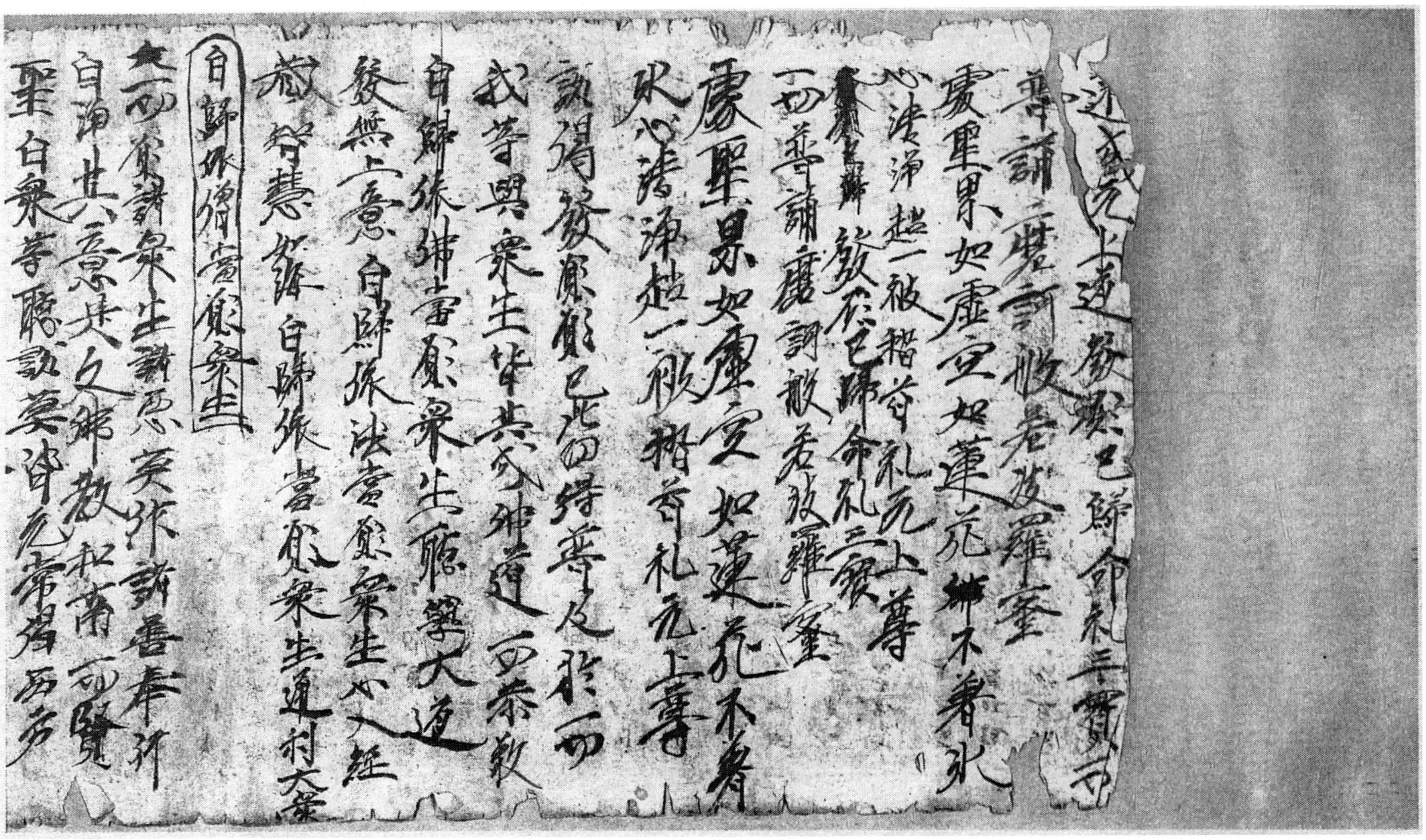

BD03068 號背　七階禮懺文雜抄（擬）　（3–1）

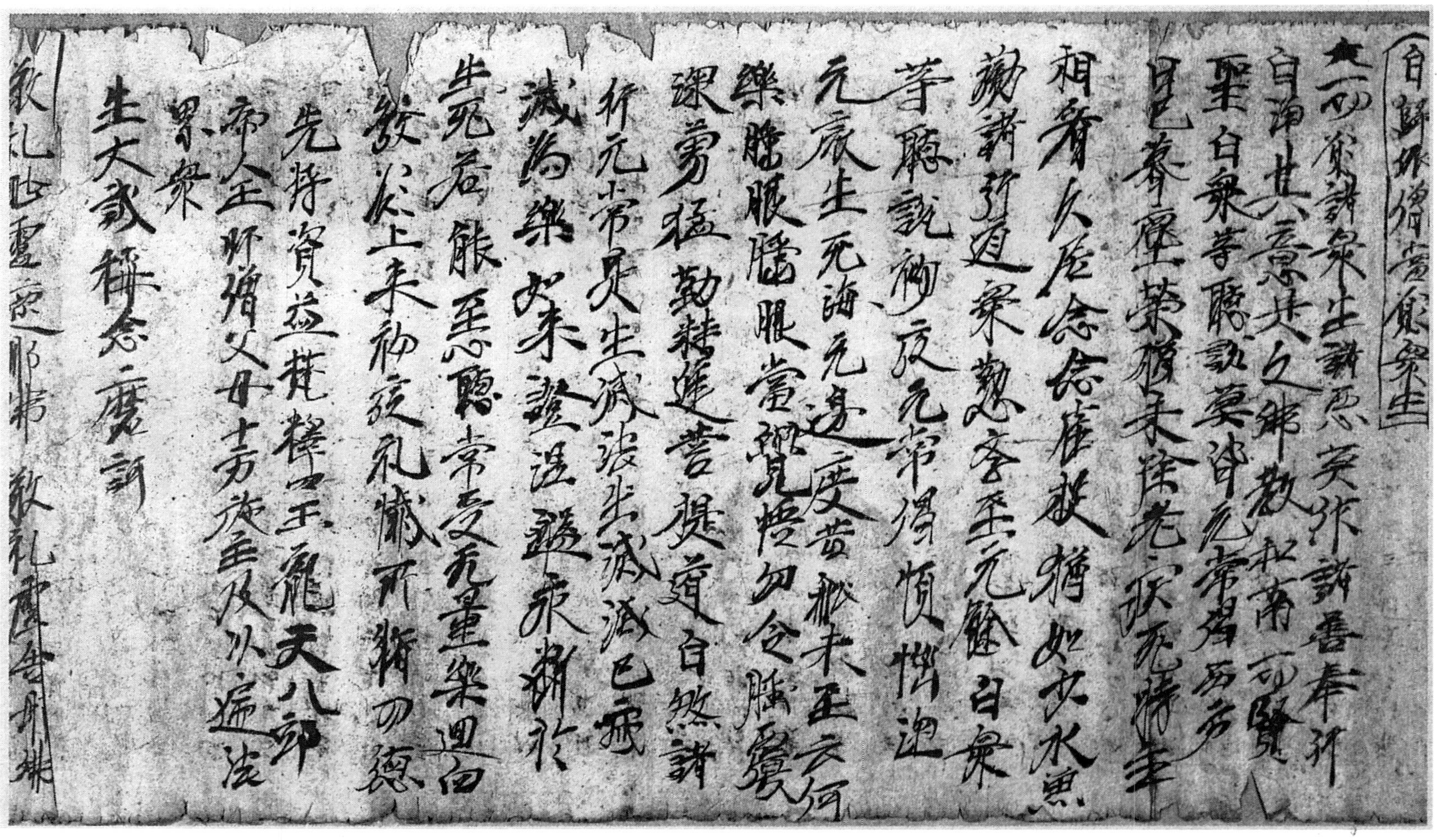

BD03068 號背　七階禮懺文雜抄（擬）　（3–2）

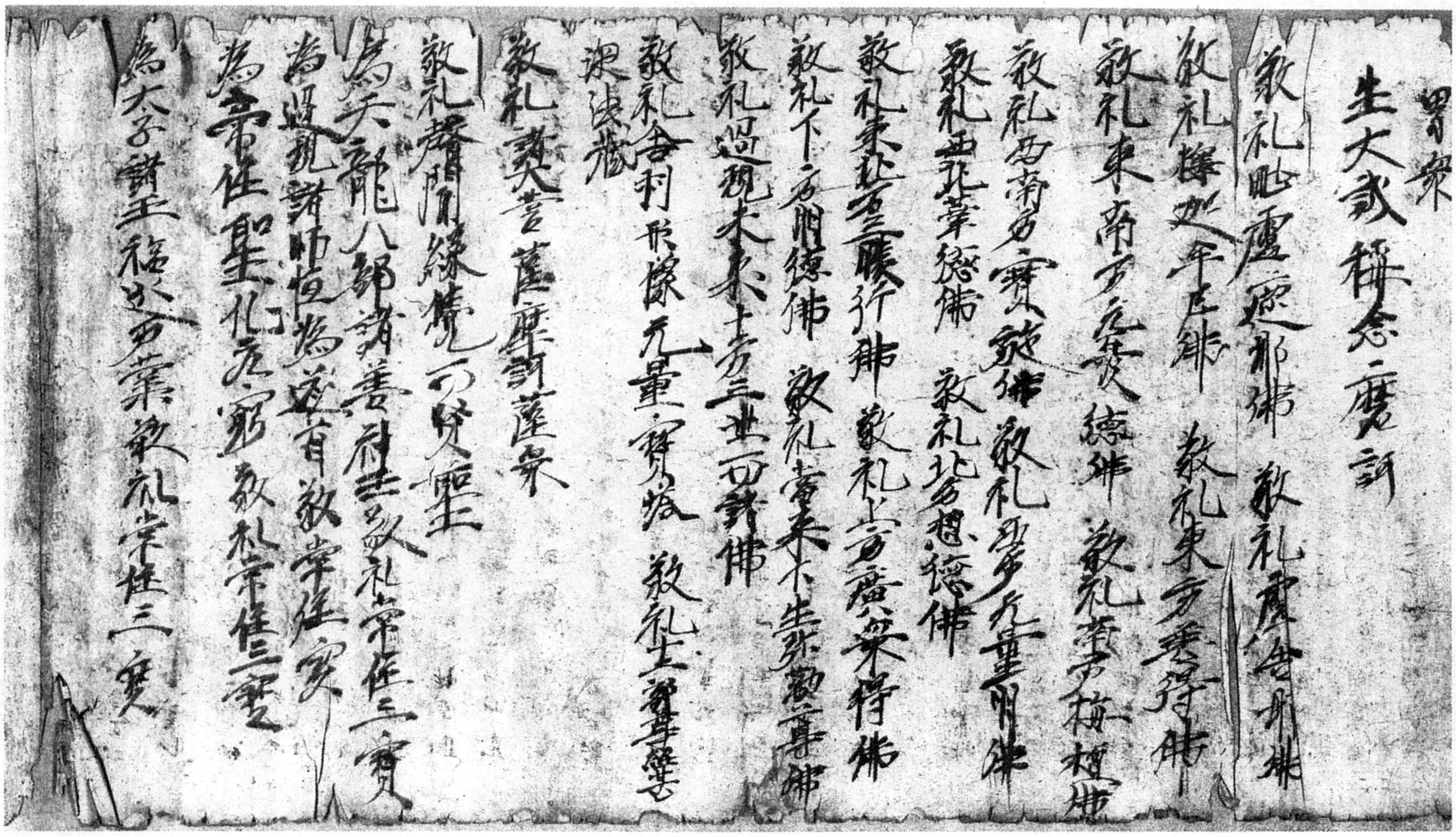

BD03068 號背　七階禮懺文雜抄（擬）　　（3–3）

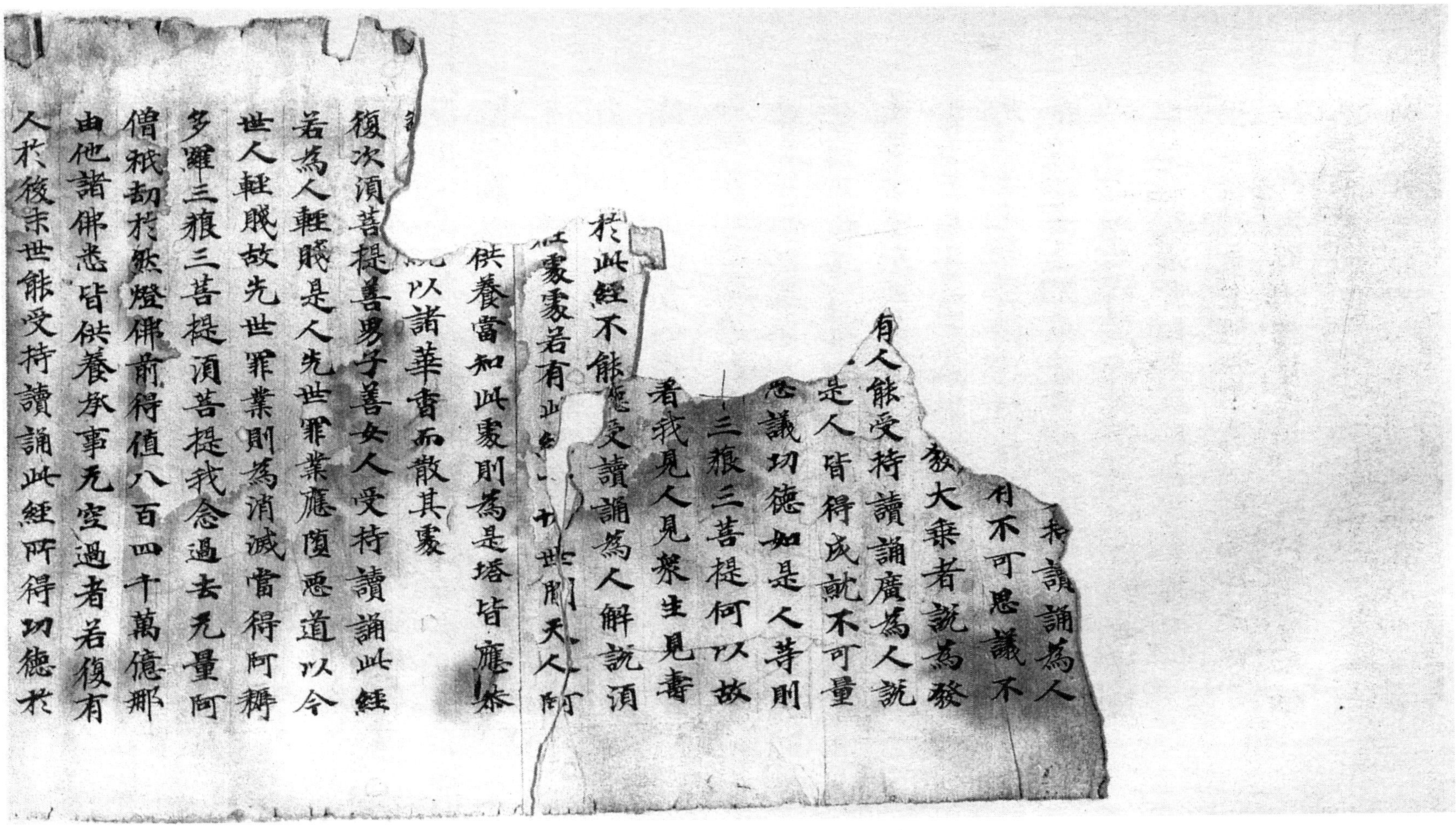

讀誦為人
有不可思議不
敎大乘者說為發
有人能受持讀誦廣為人說
是人皆得成就不可量
思議功德如是人等則
三藐三菩提何以故
者我見人見衆生見壽
於此經不能聽受讀誦為人解說須
在處處若有此……世間天人阿
供養當知此處則為是塔皆應恭
繞以諸華香而散其處
復次須菩提善男子善女人受持讀誦此經
若為人輕賤是人先世罪業應墮惡道以今
世人輕賤故先世罪業則為消滅當得阿耨
多羅三藐三菩提須菩提我念過去无量阿
僧祇劫於然燈佛前得值八百四千萬億那
由他諸佛悉皆供養承事无空過者若復有
人於後末世能受持讀誦此經所得功德於

BD03069 號　金剛般若波羅蜜經　　（8–1）

多羅三藐三菩提須菩提我念過去无量阿
僧祇劫於然燈佛前得值八百四千萬億那
由他諸佛悉皆供養承事无空過者若復有
人於後末世能受持讀誦此經所得功德於
我所供養諸佛功德百分不及一千萬億分
乃至筭數譬喻所不能及須菩提若善男子
善女人於後末世有受持讀誦此經所得功
德我若具說者或有人聞心則狂亂狐疑不
信須菩提當知是經義不可思議果報亦不
可思議
尒時須菩提白佛言世尊善男子善女人發
阿耨多羅三藐三菩提心云何應住云何降
伏其心佛告須菩提善男子善女人發阿耨
多羅三藐三菩提者當生如是心我應滅度
一切衆生滅度一切衆生已而无有一衆生
實滅度者何以故若菩薩有我相人相衆生
相壽者相則非菩薩所以者何須菩提實无
有法發阿耨多羅三藐三菩提者須菩提於
意云何如來於然燈佛所有法得阿耨多羅
三藐三菩提不不也世尊如我解佛所說義
佛於然燈佛所无有法得阿耨多羅三藐三
菩提佛言如是如是須菩提實无有法如來
得阿耨多羅三藐三菩提須菩提若有法如
來得阿耨多羅三藐三菩提者然燈佛則不
與我受記汝於來世當得作佛号釋迦牟尼
以實无有法得阿耨多羅三藐三菩提是故

BD03069 號　金剛般若波羅蜜經　（8–2）

菩提佛言如是如是須菩提實无有法如來
得阿耨多羅三藐三菩提須菩提若有法如
來得阿耨多羅三藐三菩提者然燈佛則不
與我受記汝於來世當得作佛号釋迦牟尼
以實无有法得阿耨多羅三藐三菩提是故
然燈佛與我受記作是言汝於來世當得作
佛号釋迦牟尼何以故如來者即諸法如義
若有人言如來得阿耨多羅三藐三菩提須
菩提實无有法佛得阿耨多羅三藐三菩提
須菩提如來所得阿耨多羅三藐三菩提於
是中无實无虚是故如來說一切法皆是佛
法須菩提所言一切法者即非一切法是故名
一切法須菩提譬如人身長大須菩提言
世尊如來說人身長大則爲非大身是名大
身須菩提菩薩亦如是若作是言我當滅度
无量衆生則不名菩薩何以故須菩提實无
有法名爲菩薩是故佛說一切法无我无人
无衆生无壽者須菩提若菩薩作是言我當
莊嚴佛土是不名菩薩何以故如來說莊嚴
佛土者即非莊嚴是名莊嚴須菩提若菩薩
通達无我法者如來說名真是菩薩
須菩提於意云何如來有肉眼不如是世尊
如來有肉眼須菩提於意云何如來有天眼
不如是世尊如來有天眼須菩提於意云何
如來有慧眼不如是世尊如來有慧眼須菩

BD03069 號　金剛般若波羅蜜經　（8–3）

須菩提於意云何如來有肉眼不如是世尊
如來有肉眼須菩提於意云何如來有天眼
不如是世尊如來有天眼須菩提於意云何
如來有慧眼不如是世尊如來有慧眼須菩
提於意云何如來有法眼不如是世尊如來
有法眼須菩提於意云何如來有佛眼不如
是世尊如來有佛眼須菩提於意云何如恒河
中所有沙佛說是沙不如是世尊如來說是
沙須菩提於意云何如一恒河中所有沙有
如是等恒河是諸恒河所有沙數佛世界如
是寧為多不甚多世尊佛告須菩提尒所國
土中所有衆生若干種心如來悉知何以故
如來說諸心皆為非心是名為心所以者何
須菩提過去心不可得現在心不可得未來
心不可得須菩提於意云何若有人滿三千
大千世界七寶以用布施是人以是因緣得
福多不如是世尊此人以是因緣得福甚多
須菩提若福德有實如來不說得福德多以
福德无故如來說得福德多
須菩提於意云何佛可以具足色身見不不也
世尊如來不應以具足色身見何以故如來說
具足色身即非具足色身是名具足色身須
菩提於意云何如來可以具足諸相見不不
也世尊如來不應以具足諸相見何以故如
來說諸相具足即非具足是名諸相具足須

BD03069 號　金剛般若波羅蜜經　（8–4）

世尊如來不應以具足色身見何以故如來說
具足色身即非具足色身是名具足色身須
菩提於意云何如來可以具足諸相見不不
也世尊如來不應以具足諸相見何以故如
來說諸相具足即非具足是名諸相具足須
菩提汝勿謂如來作是念我當有所說法莫
作是念何以故若人言如來有所說法即為
謗佛不能解我所說故須菩提說法者无法
可說是名說法須菩提白佛言世尊佛得阿
耨多羅三藐三菩提為无所得耶如是如是
須菩提我於阿耨多羅三藐三菩提乃至无
有少法可得是名阿耨多羅三藐三菩提復
次須菩提是法平等无有高下是名阿耨多
羅三藐三菩提以无我无人无衆生无壽者
脩一切善法則得阿耨多羅三藐三菩提須
菩提所言善法者如來說非善法是名善法
須菩提若三千大千世界中所有諸須弥山
王如是等七寶聚有人持用布施若人以此
般若波羅蜜經乃至四句偈等受持讀誦為
他人說於前福德百分不及一百千萬億分
乃至算數譬喻所不能及
須菩提於意云何汝等勿謂如來作是念我
當度衆生須菩提莫作是念何以故實无有
衆生如來度者若有衆生如來度者如來則
有我人衆生壽者須菩提如來說有我者則

BD03069 號　金剛般若波羅蜜經　（8–5）

須菩提於意云何汝等勿謂如來作是念我
當度衆生須菩提莫作是念何以故實无有
衆生如來度者若有衆生如來度者如來則
有我人衆生壽者須菩提如來說有我者則
非有我而凡夫之人以為有我須菩提凡夫
者如來說則非凡夫須菩提於意云何可以
三十二相觀如來不須菩提言如是如是以
三十二相觀如來佛言須菩提若以三十二
相觀如來者轉輪聖王則是如來須菩提白
佛言世尊如我解佛所說義不應以三十二
相觀如來尒時世尊而說偈言
若以色見我 以音聲求我 是人行邪道 不能見如來
須菩提汝若作是念如來不以具足相故得
阿耨多羅三藐三菩提須菩提莫作是念如
來不以具足相故得阿耨多羅三藐三菩提
須菩提汝若作是念發阿耨多羅三藐三菩
提者說諸法斷滅相莫作是念何以故發阿
耨多羅三藐三菩提者於法不說斷滅相須
菩提若菩薩以滿恒河沙等世界七寶布施
若復有人知一切法无我得成於忍此菩薩
勝前菩薩所得功德須菩提以諸菩薩不受
福德故須菩提白佛言世尊云何菩薩不受
福德須菩提菩薩所作福德不應貪著是故
佛說不受福德須菩提若有人言如來若來
若去若坐若卧是人不解我所說義何以故
如來者无所從來亦无所去故名如來

BD03069 號　金剛般若波羅蜜經　（8–6）

若復有人知一切法无我得成於忍此菩薩
勝前菩薩所得功德須菩提以諸菩薩不受
福德故須菩提白佛言世尊云何菩薩不受
福德須菩提菩薩所作福德不應貪著是故
佛說不受福德須菩提若有人言如來若來
若去若坐若卧是人不解我所說義何以故
如來者无所從來亦无所去故名如來
須菩提若善男子善女人以三千大千世界
碎為微塵於意云何是微塵衆寧為多不甚
多世尊何以故若是微塵衆實有者佛則不
說是微塵衆所以者何佛說微塵衆則非微
塵衆是名微塵衆世尊如來所說三千大千
世界則非世界是名世界何以故若世界實
有者則是一合相如來說一合相則非一合
相是名一合相須菩提一合相者則是不可
說但凡夫之人貪著其事須菩提若人言佛
說我見人見衆生見壽者見須菩提於意云
何是人解我所說義不世尊是人不解如來
所說義何以故世尊說我見人見衆生見壽
者見即非我見人見衆生見壽者見是名我
見人見衆生見壽者見須菩提發阿耨多羅
三藐三菩提心者於一切法應如是知如是
見如是信解不生法相須菩提所言法相者
如來說即非法相是名法相須菩提若有人
以滿无量阿僧祇世界七寶持用布施若有
善男子善女人發菩薩心者持於此經乃至

BD03069 號　金剛般若波羅蜜經　（8–7）

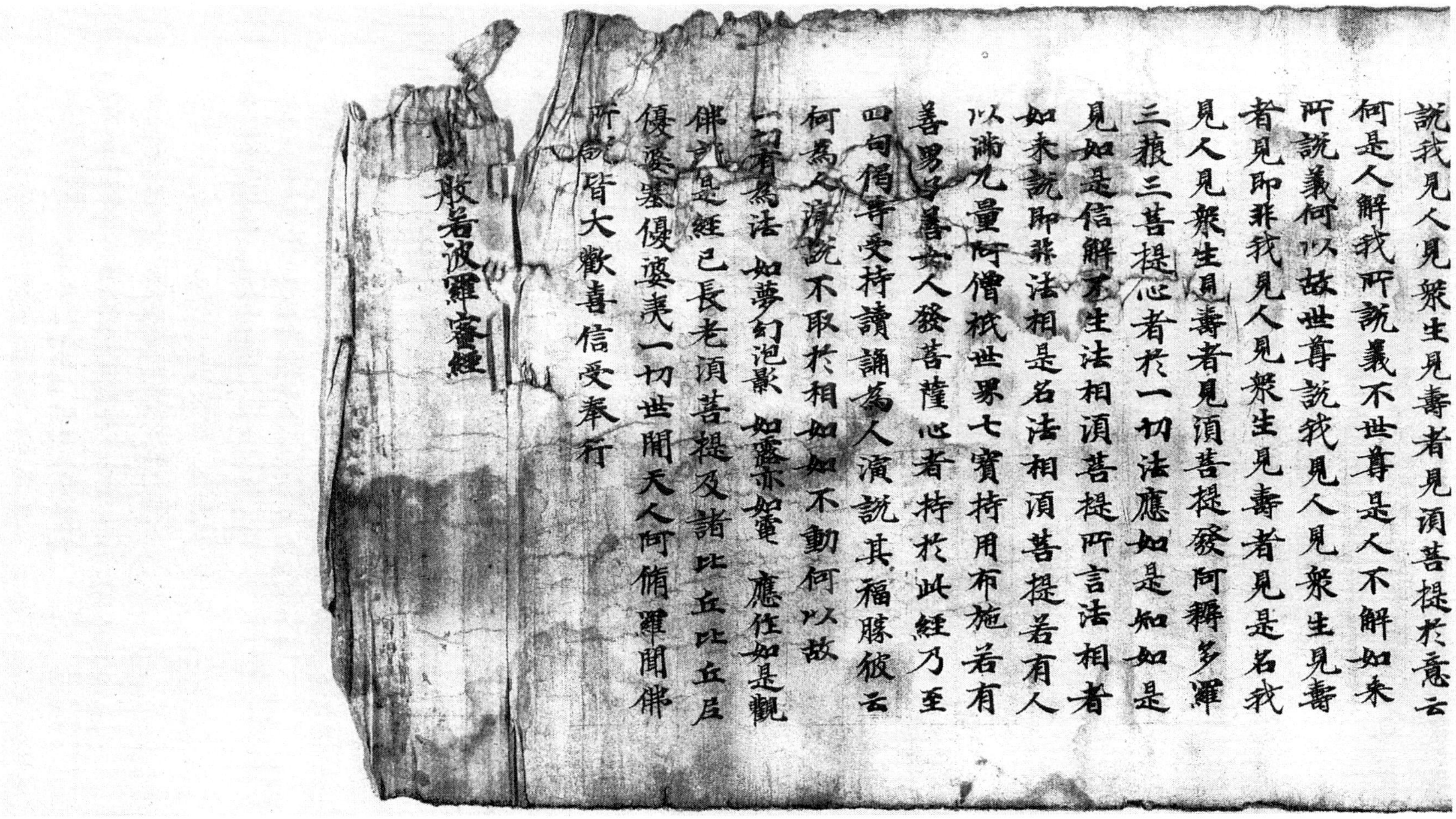

說我見人見衆生見壽者見須菩提於意云
何是人解我所說義不世尊是人不解如來
所說義何以故世尊說我見人見衆生見壽
者見即非我見人見衆生見壽者見是名我
見人見衆生見壽者見須菩提發阿耨多羅
三藐三菩提心者於一切法應如是知如是
見如是信解不生法相須菩提所言法相者
如來說即非法相是名法相須菩提若有人
以滿无量阿僧祇世界七寶持用布施若有
善男子善女人發菩薩心者持於此經乃至
四句偈等受持讀誦為人演說其福勝彼云
何為人演說不取於相如如不動何以故
一切有為法　如夢幻泡影　如露亦如電　應作如是觀
佛說是經已長老須菩提及諸比丘比丘尼
優婆塞優婆夷一切世間天人阿脩羅聞佛
所說皆大歡喜信受奉行
金剛般若波羅蜜經

BD03069 號　金剛般若波羅蜜經　　（8–8）

大乘无量壽經
如是我聞一時薄伽梵在舍衛國祇樹給孤獨園與大苾芻僧千二百五十人大菩薩
摩訶薩衆俱時會坐尒時世尊告曼殊室利童子曰曼殊上方有界名无量功德聚
彼土有佛號无量智决定王如來阿耨多羅三藐三菩提現為衆生開示說法曼殊諦聽
南閻浮提人皆短壽大限百年於中夭枉横死者衆曼殊如是无量壽如來功德名稱法要若
有衆生得聞名号若自書或使人書能為經卷受持讀誦若於舍宅所住之處
以種種花鬘瓔珞塗香末香而為供養如其命盡復得延年滿足百歲如來曼殊
若有衆生得聞是无量壽智决定王如來百八名号者益其長壽若有衆生大命將盡
憶念是如來名号更得增壽如是曼殊若有善男子善女人欲求長壽於是无量
壽如來百八名号有得聞者或自書或使人書受持讀誦得如是等果報福德具足陁羅尼曰
南謨薄伽勃底一阿波唎蜜哆二阿喻紇硯娜三須毗你失指陁四囉佐耶五怛他羯他耶六怛姪他
唵七薩婆桑塞迦囉八鉢唎輸底九達磨底十伽伽娜十一莎訶某特迦底十二莎
婆婆毗輸底十三摩訶娜耶十三波唎婆唎莎訶十四
若有曼殊室利如是如來百八名号若有自書或使人書為經卷受持讀誦
如壽命盡復滿百年壽於此身後得往生无量福智世界无量壽淨土陁羅尼曰
南謨薄伽勃底一阿波唎蜜哆二阿喻紇硯娜二須毗你斯指陁四囉佐耶五怛他羯他
耶六怛姪他唵七薩婆桑塞迦囉八鉢唎輸底九達磨底十伽迦娜十一莎訶某特
迦底十二莎婆婆毗輸底十三摩訶娜耶十四波唎婆囉莎訶十五
尒時有九十九姟佛等一時同聲說是无量壽宗要經陁羅尼曰
南謨薄伽勃底一阿波唎蜜哆二阿喻硯紇娜三須毗你失指陁四囉佐耶五怛他羯他耶六
怛姪他唵七薩婆桑塞迦囉八鉢唎輸底九達磨底十伽迦娜十一莎訶某特迦底十二
莎婆婆毗輸底十三摩訶娜耶十四波唎婆唎莎訶
尒時復有一百四姟佛一時同聲說是无量壽宗要經陁羅尼曰
南謨薄伽勃底一阿波唎蜜哆二阿喻紇硯娜三須毗你失指陁四囉佐耶五怛他羯他耶六
怛姪他唵七薩婆桑塞迦囉八鉢唎輸底九達磨底十伽迦娜十一莎訶某特迦底十二
莎婆婆毗輸底十三摩訶娜耶十四波唎婆唎莎訶
尒時復有七姟佛一時同聲說是无量壽宗要經陁羅尼曰

BD03070 號　無量壽宗要經　　（5–1）

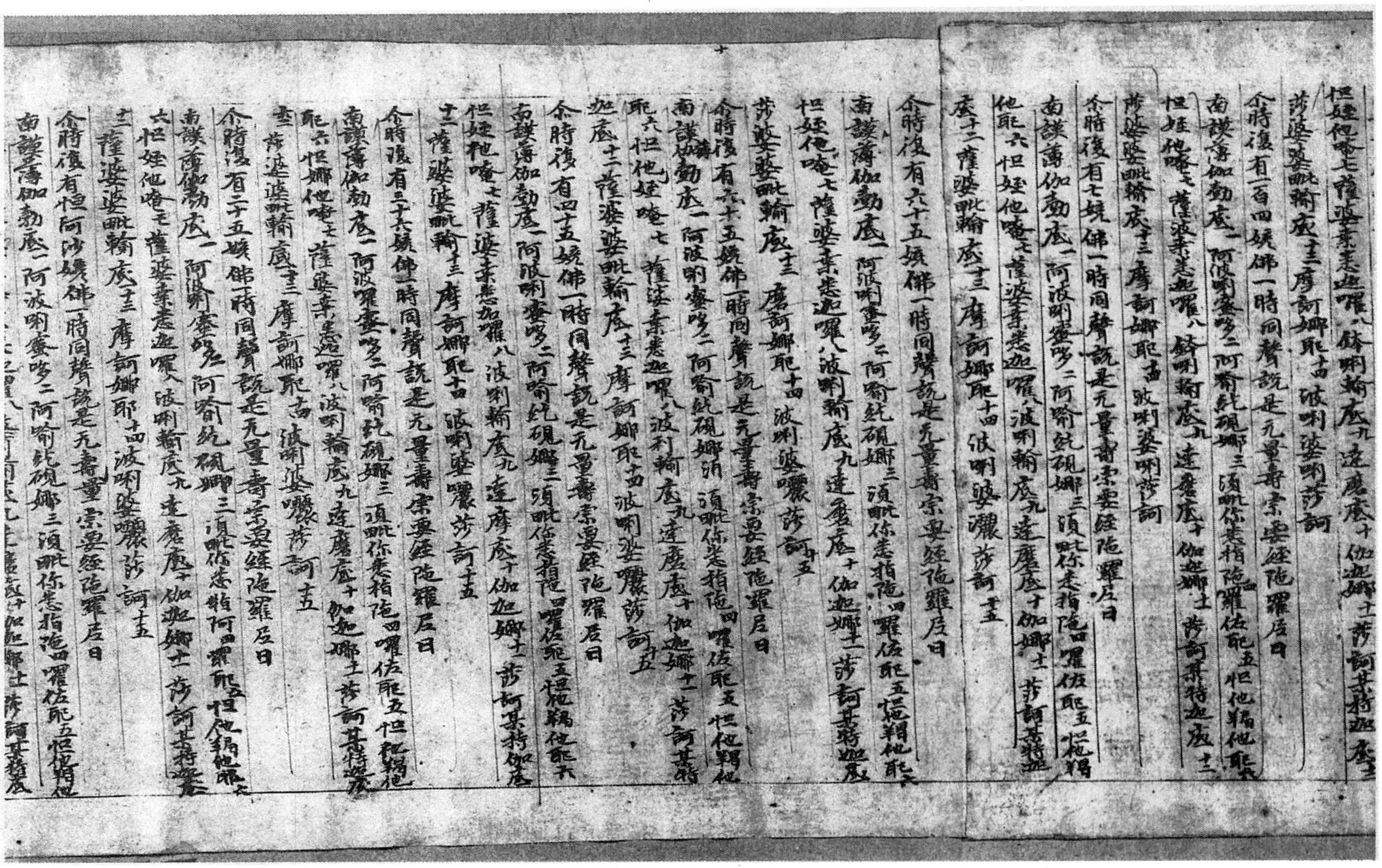

BD03070 號　無量壽宗要經　（5–2）

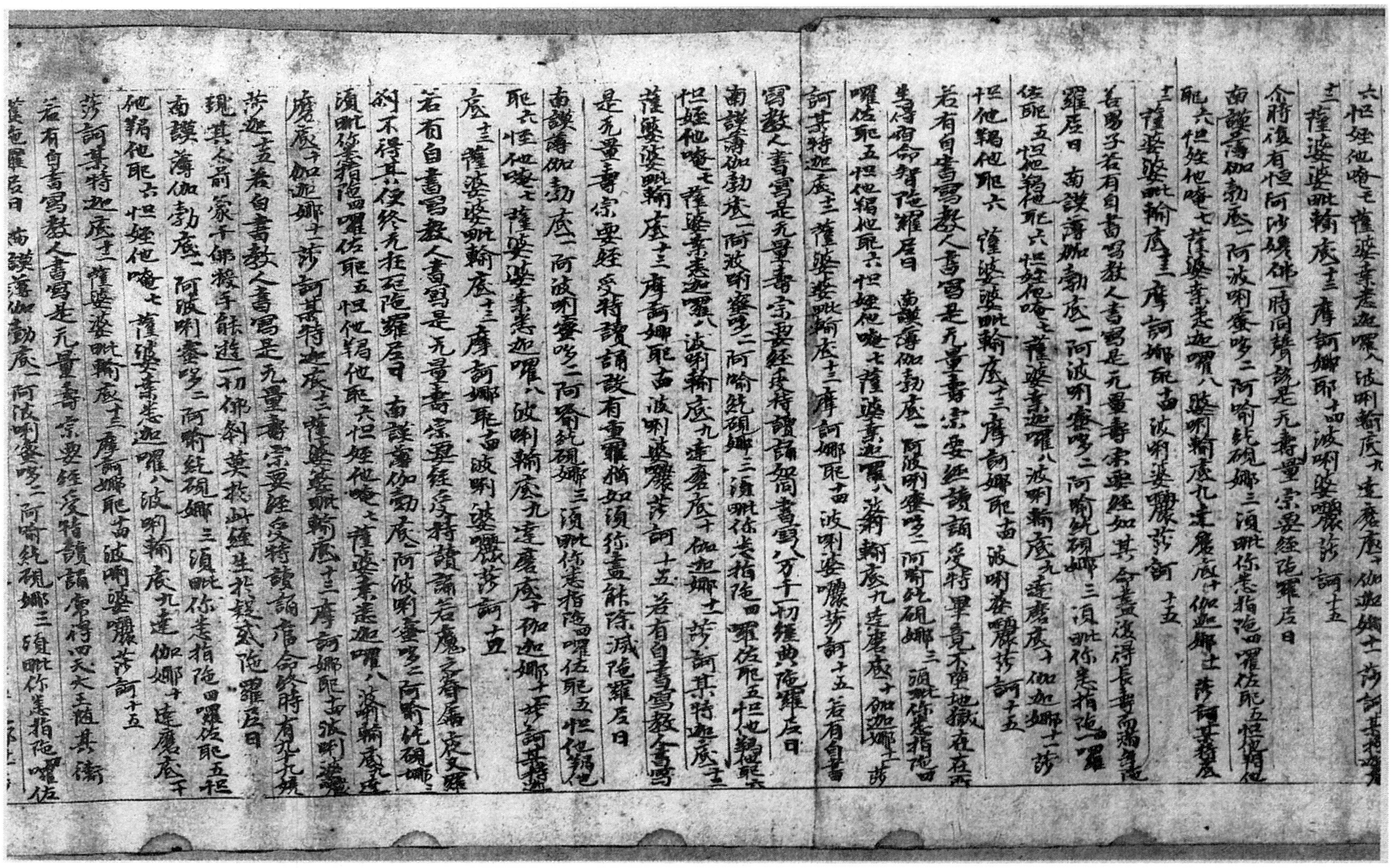

BD03070 號　無量壽宗要經　（5–3）

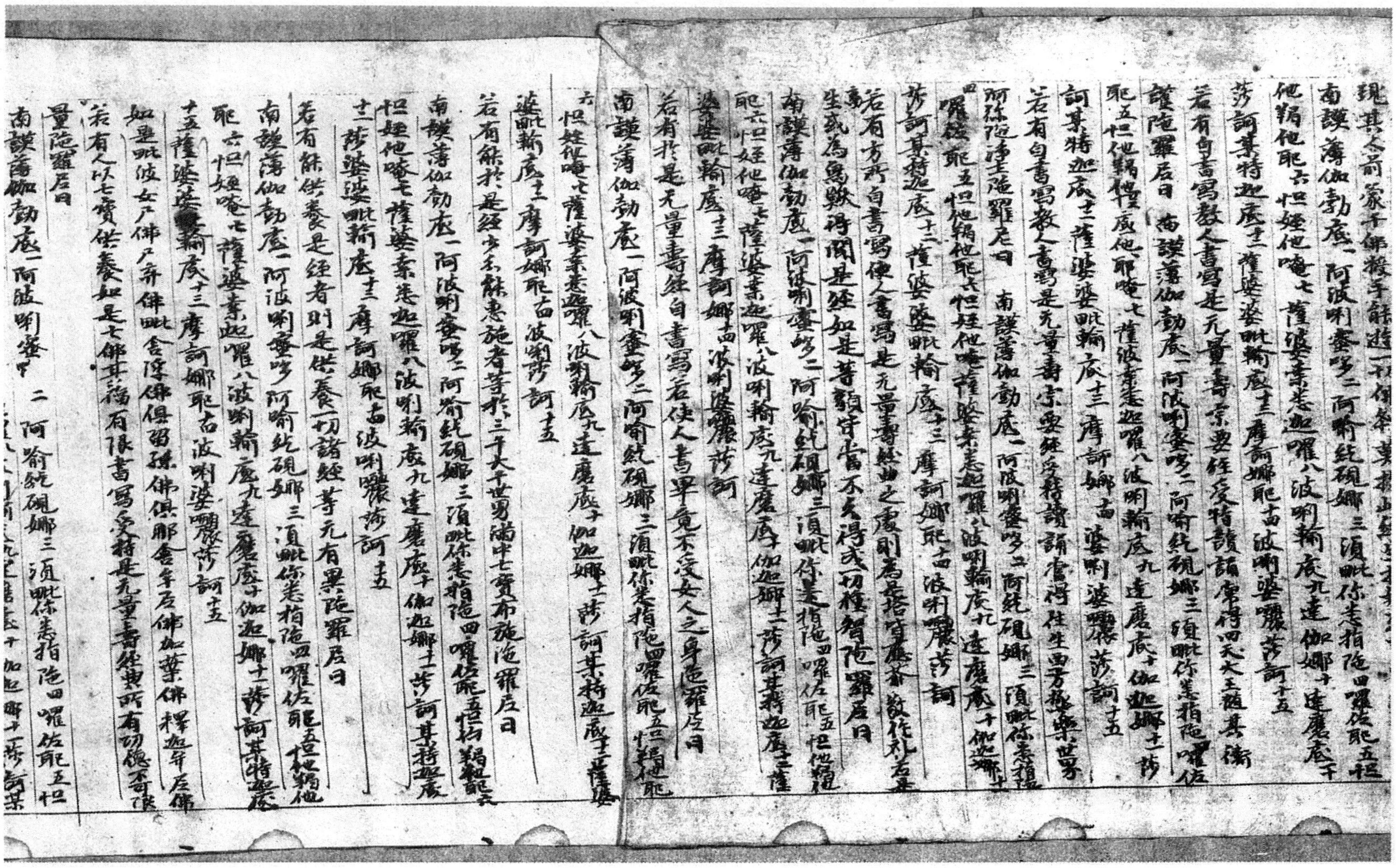

現其人前蒙千佛授手能遊一切佛剎莫於此[illegible]
南謨薄伽勃底一阿波唎蜜哆二阿喻紇硯娜三須毗你失指陀四囉佐耶五怛
他羯他耶六怛姪他唵七薩婆桑悉迦囉八波唎輸底九達磨底十伽迦娜十一
莎訶某特迦底十二薩婆婆毗輸底十三摩訶娜耶十四波唎婆囉莎訶十五
若有自書寫教人書寫是無量壽宗要經受持讀誦當得四天大王隨其衛
護陀羅尼曰 南謨薄伽勃底一阿波唎蜜哆二阿喻紇硯娜三須毗你失指陀四囉佐
耶五怛他羯他耶六怛他耶唵七薩婆桑悉迦囉八波唎輸底九達磨底十伽迦娜十一莎
訶某特迦底十二薩婆婆毗輸底十三摩訶娜耶十四波唎婆囉莎訶十五
若有自書寫教人書寫是無量壽宗要經受持讀誦當得往生西方極樂世界
阿弥陀淨土陀羅尼曰 南謨薄伽勃底一阿波唎蜜哆二阿紇硯娜三須毗你失指
陀四囉佐耶五怛他羯他耶六怛姪他唵七薩婆桑悉迦囉八波唎輸底九達磨底十伽迦娜十
一莎訶某特迦底十二薩婆婆毗輸底十三摩訶娜耶十四波唎婆囉莎訶
若有方所自書寫使人書寫是無量壽經典之處則為是塔皆應恭敬作禮右遶
畜生或為鳥獸得聞是經如是等類皆當不久得成一切種智陀羅尼曰
南謨薄伽勃底一阿波唎蜜哆二阿喻紇硯娜三須毗你失指陀四囉佐耶五怛他羯他
耶六怛姪他唵七薩婆桑悉迦囉八波唎輸底九達磨底十伽迦娜十一莎訶某特迦底十二薩
婆婆毗輸底十三摩訶娜耶十四波唎婆囉莎訶
若有於是無量壽經自書寫若使人書畢竟不受女人之身陀羅尼曰
南謨薄伽勃底一阿波唎蜜哆二阿喻紇硯娜三須毗你失指陀四囉佐耶五怛他羯他耶
六怛姪他唵七薩婆桑悉迦囉八波唎輸底九達磨底十伽迦娜十一莎訶某特迦底十二薩婆
婆毗輸底十三摩訶娜耶十四波唎婆囉莎訶十五
若有能於是經少分施者等於三千大千世界滿中七寶布施陀羅尼曰
南謨薄伽勃底一阿波唎蜜哆二阿喻紇硯娜三須毗你失指陀四囉佐耶五怛他羯他耶六
怛姪他唵七薩婆桑悉迦囉八波唎輸底九達磨底十伽迦娜十一莎訶某特迦底
十二莎婆婆毗輸底十三摩訶娜耶十四波唎婆囉莎訶十五
若有能供養是經者則是供養一切諸經等無有異陀羅尼曰
南謨薄伽勃底一阿波唎蜜哆阿喻紇硯娜三須毗你失指陀四囉佐耶五怛他羯他
耶六怛姪他唵七薩婆桑悉迦囉八波唎輸底九達磨底十伽迦娜十一莎訶某特迦底
十二薩婆婆毗輸底十三摩訶娜耶十四波唎婆囉莎訶十五
如是毗婆尸佛尸棄佛毗舍浮佛俱留孫佛俱那含牟尼佛迦葉佛釋迦牟尼佛
若有人以七寶供養如是七佛其福有限書寫受持是無量壽經典所有功德不可限
量陀羅尼曰
南謨薄伽勃底一阿波唎蜜哆二阿喻紇硯娜三須毗你失指陀四囉佐耶五怛

BD03070 號　無量壽宗要經　（5–4）

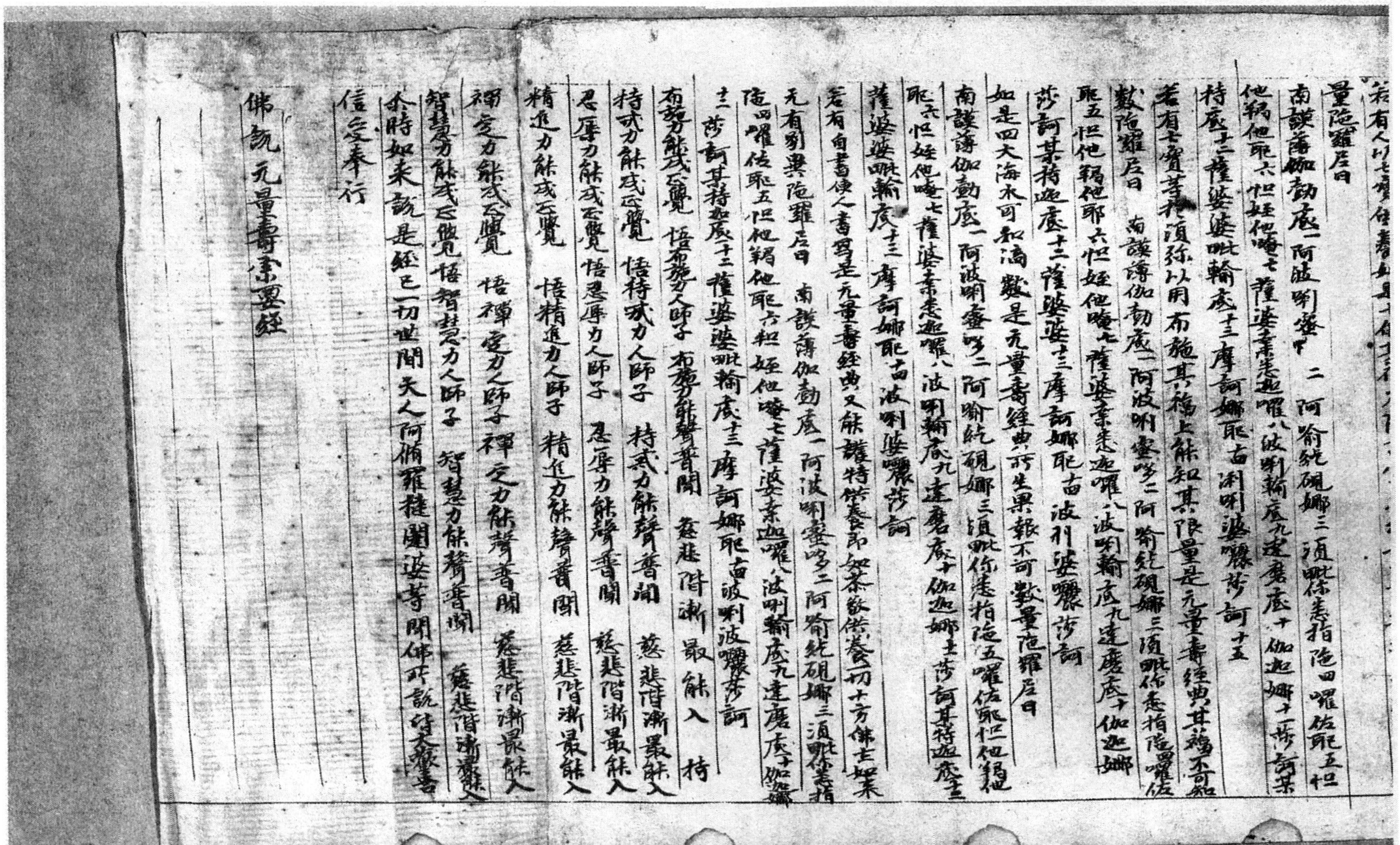

量陀羅尼曰
南謨薄伽勃底一阿波唎蜜哆二阿喻紇硯娜三須毗你失指陀四囉佐耶五怛
他羯他耶六怛姪他唵七薩婆桑悉迦囉八波唎輸底九達磨底十伽迦娜十一莎訶某
特迦底十二薩婆婆毗輸底十三摩訶娜耶十四波唎婆囉莎訶十五
若有七寶等於須弥以用布施其福上能知其限量是無量壽經典其福不可知
數陀羅尼曰 南謨薄伽勃底一阿波唎蜜哆二阿喻紇硯娜三須毗你失指陀囉佐
耶五怛他羯他耶六怛姪他唵七薩婆桑悉迦囉八波唎輸底九達磨底十伽迦娜
莎訶某特迦底十二薩婆婆十三摩訶娜耶十四波利婆囉莎訶
如是四大海水可知滴數是無量壽經典所生果報不可數量陀羅尼曰
南謨薄伽勃底一阿波唎蜜哆二阿喻紇硯娜三須毗你失指陀五囉佐耶怛他羯他
耶六怛姪他唵七薩婆桑悉迦囉八波唎輸底九達磨底十伽迦娜十一莎訶某特迦底十二
薩婆婆毗輸底十三摩訶娜耶十四波唎婆囉莎訶
若有自書使人書寫是無量壽經典又能護持供養即如恭敬供養一切十方佛土如來
無有別異陀羅尼曰 南謨薄伽勃底一阿波唎蜜哆二阿喻紇硯娜三須毗你失指
陀四囉佐耶五怛他羯他耶六怛姪他唵七薩婆桑悉迦囉八波唎輸底九達磨底十伽迦娜
十一莎訶某特迦底十二薩婆婆毗輸底十三摩訶娜耶十四波唎婆囉莎訶
布施力能成正覺　悟布施力人師子　布施力能聲普聞　慈悲階漸最能入　持
持戒力能成正覺　悟持戒力人師子　持戒力能聲普聞　慈悲階漸最能入
忍辱力能成正覺　悟忍辱力人師子　忍辱力能聲普聞　慈悲階漸最能入
精進力能成正覺　悟精進力人師子　精進力能聲普聞　慈悲階漸最能入
禪定力能成正覺　悟禪定力人師子　禪定力能聲普聞　慈悲階漸最能入
智慧力能成正覺　悟智慧力人師子　智慧力能聲普聞　慈悲階漸最能入
尒時如來說是經已一切世間天人阿脩羅揵闥婆等聞佛所說皆大歡喜
信受奉行
佛說無量壽宗要經

BD03070 號　無量壽宗要經　（5–5）

婆是中有佛名釋迦牟尼今為諸菩薩摩訶
薩說大乘經名妙法蓮華教菩薩法佛所護
念汝等當深心隨喜亦當礼拜供養釋迦牟
尼佛彼諸衆生聞虛空中聲已合掌向娑婆
世界作如是言南无釋迦牟尼佛南无釋迦
牟尼佛以種種華香瓔珞幡蓋及諸嚴身之
具珎寶妙物皆共遥散娑婆世界所散諸物
從十方來譬如雲集變成寶帳遍覆此間諸
佛之上于時十方世界通達无礙如一佛土
尒時佛告上行等菩薩大衆諸佛神力如是
无量无邊不可思議若我以是神力於无量
无邊百千万億阿僧祇劫為囑累故說此經
功德猶不能盡以要言之如來一切所有之
法如來一切自在神力如來一切秘要之藏
如來一切甚深之事皆於此經宣示顯說是
故汝等於如來滅後應一心受持讀誦解說
書寫如說脩行所在國土若有受持讀誦解
說書寫如說脩行若經卷所住之處若於園
中若於林中若於樹下若於僧坊若白衣舍

BD03071 號　妙法蓮華經卷六　（12-1）

法如來一切自在神力如來一切秘要之藏
如來一切甚深之事皆於此經宣示顯說是
故汝等於如來滅後應一心受持讀誦解說
書寫如說脩行所在國土若有受持讀誦解
說書寫如說脩行若經卷所住之處若於園
中若於林中若於樹下若於僧坊若白衣舍
若在殿堂若山谷曠野是中皆應起塔供養
所以者何當知是處即是道場諸佛於此得
阿耨多羅三藐三菩提諸佛於此轉于法輪
諸佛於此而般涅槃尒時世尊欲重宣此義
而說偈言
諸佛救世者　住於大神通　為悅衆生故　現无量神力
舌相至梵天　身放无數光　為求佛道者　現此希有事
諸佛謦欬聲　及彈指之聲　周聞十方國　地皆六種動
以佛滅度後　能持是經故　諸佛皆歡喜　現无量神力
囑累是經故　讚美受持者　於无量劫中　猶故不能盡
是人之功德　无邊无有窮　如十方虛空　不可得邊際
能持是經者　則為已見我　亦見多寶佛　及諸分身者
又見我今日　教化諸菩薩　能持是經者　令我及分身
滅度多寶佛　一切皆歡喜　十方現在佛　并過去未來
亦見亦供養　亦令得歡喜　諸佛坐道場　所得秘要法
能持是經者　不久亦當得　能持是經者　於諸法之義
名字及言辭　樂說无窮盡　如風於空中　一切无障礙
於如來滅後　知佛所說經　因緣及次第　隨義如實說
如日月光明　能除諸幽冥　斯人行世間　能滅衆生闇
教无量菩薩　畢竟住一乘　是故有智者　聞此功德利

BD03071 號　妙法蓮華經卷六　（12-2）

能持是經者　不久亦當得　能持是經者　於諸法之義
名字及言辭　樂說无窮盡　如風於空中　一切无障礙
於如來滅後　知佛所說經　因緣及次第　隨義如實說
如日月光明　能除諸幽冥　斯人行世間　能滅衆生闇
教无量菩薩　畢竟住一乘　是故有智者　聞此功德利
於我滅度後　應受持斯經　是人於佛道　決定无有疑
妙法蓮華經囑累品第二十二
尒時釋迦牟尼佛從法座起現大神力以右
手摩无量菩薩摩訶薩頂而作是言我於无
量百千万億阿僧祇劫脩習是難得阿耨多
羅三藐三菩提法今以付囑汝等汝等應當
一心流布此法廣令增益如是三摩諸菩薩
摩訶薩頂而作是言我於无量百千万億阿
僧祇劫脩習是難得阿耨多羅三藐三菩提
法今以付囑汝等汝等當受持讀誦廣宣此
法令一切衆生普得聞知所以者何如來有
大慈悲无諸慳悋亦无所畏能與衆生佛之
智慧如來智慧自然智慧如來是一切衆生
之大施主汝等亦應隨學如來之法勿生慳
悋於未來世若有善男子善女人信如來智
慧者當為演說此法華經使得聞知為令其
人得佛慧故若有衆生不信受者當於如來
餘深法中示教利喜汝等若能如是則為已
報諸佛之恩時諸菩薩摩訶薩聞佛作是說
已皆大歡喜遍滿其身益加恭敬曲躬低頭
合掌向佛俱發聲言如世尊勅當具奉行唯
然世尊願不有慮諸菩薩摩訶薩衆如是三

餘深法中示教利喜汝等若能如是則為已
報諸佛之恩時諸菩薩摩訶薩聞佛作是說
已皆大歡喜遍滿其身益加恭敬曲躬低頭
合掌向佛俱發聲言如世尊勅當具奉行唯
然世尊願不有慮諸菩薩摩訶薩衆如是三
反俱發聲言如世尊勅當具奉行唯然世尊
願不有慮尒時釋迦牟尼佛令十方來諸分
身佛各還本土而作是言諸佛各隨所安多
寶佛塔還可如故說是語時十方无量分身
諸佛坐寶樹下師子座上者及多寶佛并上
行等无邊阿僧祇菩薩大衆舍利弗等聲聞
四衆及一切世間天人阿脩羅等聞佛所說
皆大歡喜
妙法蓮華經藥王菩薩本事品第二十三
尒時宿王華菩薩白佛言世尊藥王菩薩云
何遊於娑婆世界世尊是藥王菩薩有若干
百千万億那由他難行苦行善哉世尊願少
解說諸天龍神夜叉乾闥婆阿脩羅迦樓羅
緊那羅摩睺羅伽人非人等又他國土諸來
菩薩及此聲聞衆聞皆歡喜尒時佛告宿王
華菩薩乃往過去无量恒河沙劫有佛号日
月淨明德如來應供正遍知明行足善逝世
間解无上士調御丈夫天人師佛世尊其佛
有八十億大菩薩摩訶薩七十二恒河沙大
聲聞衆佛壽四万二千劫菩薩壽命亦等彼
國无有女人地獄餓鬼畜生阿脩羅等及以
諸難地平如掌瑠璃所成寶樹莊嚴寶帳覆

月淨明德如來應供正遍知明行足善逝世
間解无上士調御丈夫天人師佛世尊其佛
有八十億大菩薩摩訶薩七十二恒河沙大
聲聞衆佛壽四万二千劫菩薩壽命亦等彼
國无有女人地獄餓鬼畜生阿脩羅等及以
諸難地平如掌琉璃所成寶樹莊嚴寶帳覆
上垂寶華幡寶瓶香爐周遍國界七寶為臺
一樹一臺其樹去臺盡一箭道此諸寶樹皆
有菩薩聲聞而坐其下諸寶臺上各有百億
諸天作天伎樂歌嘆於佛以為供養尒時彼
佛為一切衆生憙見菩薩及衆菩薩諸聲聞
衆說法華經是一切衆生憙見菩薩樂習苦
行於日月淨明德佛法中精進經行一心求
佛滿万二千歲已得現一切色身三昧得此
三昧已心大歡喜即作念言我得現一切色
身三昧皆是得聞法華經力我今當供養日
月淨明德佛及法華經即時入是三昧於虛
空中雨曼陀羅華摩訶曼陀羅華細末堅黑
栴檀滿虛空中如雲而下又雨海此岸栴檀
之香此香六銖價直娑婆世界以供養佛作
是供養已從三昧起而自念言我雖以神力
供養於佛不如以身供養即服諸香栴檀薰
陸兜樓婆畢力迦沉水膠香又飲瞻蔔諸華
香油滿千二百歲已香油塗身於日月淨明
德佛前以天寶衣而自纏身灌諸香油以神
通力願而自燃身光明遍照八十億恒河沙世
界其中諸佛同時讚言善哉善哉善男子

BD03071 號　妙法蓮華經卷六　（12–5）

陸兜樓婆畢力迦沉水膠香又飲瞻蔔諸華
香油滿千二百歲已香油塗身於日月淨明
德佛前以天寶衣而自纏身灌諸香油以神
通力願而自燃身光明遍照八十億恒河沙世
界其中諸佛同時讚言善哉善哉善男子
是真精進是名真法供養如來若以華香瓔
珞燒香末香塗香天繒幡蓋及海此岸栴檀
之香如是等種種諸物供養所不能及假使
國城妻子布施亦所不及善男子是名第一
之施於諸施中最尊最上以法供養諸如來
故作是語已而各嘿然其身火燃千二百歲
過是已後其身乃盡一切衆生憙見菩薩作
如是法供養已命終之後復生日月淨明德
佛國中於淨德王家結加趺坐忽然化生即
為其父而說偈言
大王今當知　我經行彼處　即時得一切　現諸身三昧
勤行大精進　捨所愛之身
說是偈已而白父言日月淨明德佛今故現
在我先供養佛已得解一切衆生語言陀羅
尼復聞是法華經八百千万億那由他甄迦
羅頻婆羅阿閦婆等偈大王我今當還供養
此佛白已即坐七寶之臺上昇虛空高七多
羅樹往到佛所頭面礼足合十指爪以偈讚
佛
容顏甚奇妙　光明照十方　我適曾供養　今復還親近
尒時一切衆生憙見菩薩說是偈已而白佛

BD03071 號　妙法蓮華經卷六　（12–6）

羅樹往到佛所頭面禮足合十指爪以偈讚
佛
容顏甚奇妙　光明照十方　我適曾供養　今復還親近
尒時一切衆生憙見菩薩說是偈已而白佛
言世尊世尊猶故在世尒時日月淨明德佛
告一切衆生憙見菩薩善男子我涅槃時到
滅盡時至汝可安施床座我於今夜當般涅
槃又勅一切衆生憙見菩薩善男子我以佛
法囑累於汝及諸菩薩大弟子并阿耨多羅
三藐三菩提法亦以三千大千七寶世界諸
寶樹寶臺及給侍諸天悉付於汝我滅度後
所有舍利亦付囑汝當令流布廣設供養應
起若干千塔如是日月淨明德佛勅一切衆
生憙見菩薩已於夜後分入於涅槃尒時一
切衆生憙見菩薩見佛滅度悲感懊惱戀慕
於佛即以海此岸栴檀為𧂐供養佛身而以
燒之火滅已後收取舍利作八万四千寶瓶
以起八万四千塔高三世界表刹莊嚴垂諸
幡蓋懸衆寶鈴尒時一切衆生憙見菩薩復
自念言我雖作是供養心猶未足我今當更
供養舍利便語諸菩薩大弟子及天龍夜叉
等一切大衆汝等當一心念我今供養日月
淨明德佛舍利作是語已即於八万四千塔
前燃百福莊嚴臂七万二千歲而以供養令
无數求聲聞衆无量阿僧祇人發阿耨多羅
三藐三菩提心皆使得住現一切色身三昧
尒時諸菩薩天人阿脩羅等見其无臂憂惱

等一切大衆汝等當一心念我今供養日月
淨明德佛舍利作是語已即於八万四千塔
前燃百福莊嚴臂七万二千歲而以供養令
无數求聲聞衆无量阿僧祇人發阿耨多羅
三藐三菩提心皆使得住現一切色身三昧
尒時諸菩薩天人阿脩羅等見其无臂憂惱
悲哀而作是言此一切衆生憙見菩薩是我
等師教化我者而今燒臂身不具足于時一
切衆生憙見菩薩於大衆中立此誓言我捨
兩臂必當得佛金色之身若實不虛令我兩
臂還復如故作是誓已自然還復由斯菩薩
福德智慧淳厚所致當尒之時三千大千世
界六種震動天雨寶華一切人天得未曾有
佛告宿王華菩薩於汝意云何一切衆生憙
見菩薩豈異人乎今藥王菩薩是也其所捨
身布施如是无量百千万億那由他數宿王
華若有發心欲得阿耨多羅三藐三菩提者
能燃手指乃至足一指供養佛塔勝以國城
妻子及三千大千國土山林河池諸珍寶物
而供養者若復有人以七寶滿三千大千世
界供養於佛及大菩薩辟支佛阿羅漢是人
所得功德不如受持此法華經乃至一四句
偈其福冣多宿王華譬如一切川流江河諸
水之中海為第一此法華經亦復如是於諸
如來所說經中冣為深大又如土山黑山小
鐵圍山大鐵圍山及十寶山衆山之中須弥
山為第一此法華經亦復如是於諸經中冣

偈其福冣多宿王華譬如一切川流江河諸
水之中海為第一此法華經亦復如是於諸
如來所說經中冣為深大又如土山黑山小
鐵圍山大鐵圍山及十寶山衆山之中須弥
山為第一此法華經亦復如是於諸經中冣
為其上又如衆星之中月天子冣為第一此
法華經亦復如是於千万億種諸經法中冣
為照明又如日天子能除諸闇此經亦復如
是能破一切不善之闇又如諸小王中轉輪
聖王冣為第一此經亦復如是於衆經中冣
為其尊又如帝釋於三十三天中王此經亦
復如是諸經中王又如大梵天王一切衆生
之父此經亦復如是一切賢聖學无學及發
菩薩心者之父又如一切凡夫人中須陁洹
斯陁含阿那含阿羅漢辟支佛為第一此經
亦復如是一切如來所說若菩薩所說若聲
聞所說諸經法中冣為第一有能受持是經
典者亦復如是於一切衆生中亦為第一一
切聲聞辟支佛中菩薩為第一此經亦復如
是於一切諸經法中冣為第一如佛為諸法
王此經亦復如是諸經中王宿王華此經能
救一切衆生者此經能令一切衆生離諸苦
惱此經能大饒益一切衆生充滿其願如清
涼池能滿一切諸渴乏者如寒者得火如裸
者得衣如商人得主如子得母如渡得船如
病得醫如暗得燈如貧得寶如民得王如賈
客得海如炬除暗此法華經亦復如是能令
衆生離一切苦一切病痛能解一切生死之

BD03071 號　妙法蓮華經卷六　（12-9）

惱此經能大饒益一切衆生充滿其願如清
涼池能滿一切諸渴乏者如寒者得火如裸
者得衣如商人得主如子得母如渡得船如
病得醫如暗得燈如貧得寶如民得王如賈
客得海如炬除暗此法華經亦復如是能令
衆生離一切苦一切病痛能解一切生死之
縛若人得聞此法華經若自書若使人書所
得功德以佛智慧籌量多少不得其邊若書
是經卷華香瓔珞燒香末香塗香幡蓋衣服
種種之燈蘇燈油燈諸香油燈瞻蔔油燈須
曼油燈波羅羅油燈婆利師迦油燈那婆摩
利油燈供養所得功德亦復无量宿王華若
有人聞是藥王菩薩本事品者亦得无量无
邊功德若有女人聞是藥王菩薩本事品能
受持者盡是女身後不復受若如來滅後後
五百歲中若有女人聞是經典如說脩行於
此命終即往安樂世界阿弥陁佛大菩薩衆
圍繞住處生蓮華中寶座之上不復為貪欲
所惱亦復不為瞋恚愚癡所惱亦復不為憍
慢嫉妬諸垢所惱得菩薩神通无生法忍得
是忍已眼根清淨以是清淨眼根見七百万
二千億那由他恒河沙等諸佛如來是時諸
佛遥共讚言善哉善哉善男子汝能於釋迦
牟尼佛法中受持讀誦思惟是經為他人說
所得福德无量无邊火不能燒水不能漂汝
之功德千佛共說不能令盡汝今已能破諸
魔賊壞生死軍諸餘怨敵皆悉摧滅善男子

BD03071 號　妙法蓮華經卷六　（12-10）

二千億那由他恒河沙等諸佛如來是時諸
佛遥共讚言善哉善哉善男子汝能於釋迦
牟尼佛法中受持讀誦思惟是經為他人說
所得福德无量无邊火不能燒水不能漂汝
之功德千佛共說不能令盡汝今已能破諸
魔賊壞生死軍諸餘怨敵皆悉摧滅善男子
百千諸佛以神通力共守護汝於一切世間
天人之中无如汝者唯除如來其諸聲聞辟
支佛乃至菩薩智慧禪定无有與汝等者宿
王華此菩薩成就如是功德智慧之力若有
人聞是藥王菩薩本事品能隨喜讚善者是
人現世口中常出青蓮華香身毛孔中常出
牛頭栴檀香所得功德如上所說是故宿王
華以此藥王菩薩本事品囑累於汝我滅度
後後五百歲中廣宣流布於閻浮提无令斷
絕惡魔魔民諸天龍夜叉鳩槃荼等得其便
也宿王華汝當以神通之力守護是經所以
者何此經則為閻浮提人病之良藥若人有
病得聞是經病即消滅不老不死宿王華汝
若見有受持是經者應以青蓮華盛滿末香
供散其上散已作是念言此人不久必當取
草坐於道場破諸魔軍當吹法螺擊大法鼓
度脫一切衆生老病死海是故求佛道者見
有受持是經典人應當如是生恭敬心說是
藥王菩薩本事品時八万四千菩薩得解一
切衆生語言陀羅尼多寶如來於寶塔中讚
宿王華菩薩言善哉善哉宿王華汝成就不

BD03071號　妙法蓮華經卷六　（12–11）

華以此藥王菩薩本事品囑累於汝我滅度
後後五百歲中廣宣流布於閻浮提无令斷
絕惡魔魔民諸天龍夜叉鳩槃荼等得其便
也宿王華汝當以神通之力守護是經所以
者何此經則為閻浮提人病之良藥若人有
病得聞是經病即消滅不老不死宿王華汝
若見有受持是經者應以青蓮華盛滿末香
供散其上散已作是念言此人不久必當取
草坐於道場破諸魔軍當吹法螺擊大法鼓
度脫一切衆生老病死海是故求佛道者見
有受持是經典人應當如是生恭敬心說是
藥王菩薩本事品時八万四千菩薩得解一
切衆生語言陀羅尼多寶如來於寶塔中讚
宿王華菩薩言善哉善哉宿王華汝成就不
可思議功德乃能問釋迦牟尼佛如此之事
利益无量一切衆生

妙法蓮華經卷第六

BD03071號　妙法蓮華經卷六　（12–12）

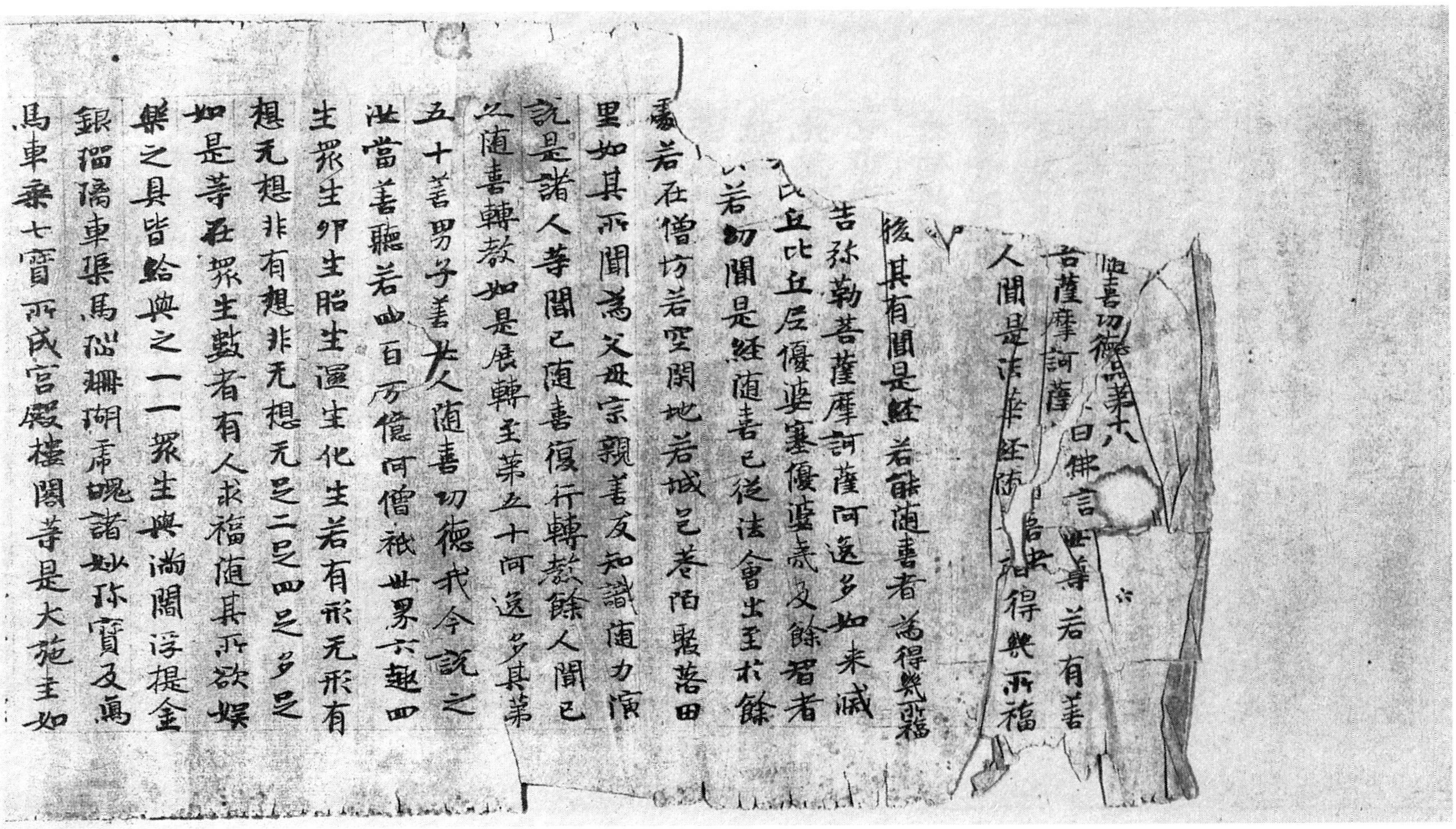
隨喜功德品第十八
菩薩摩訶薩　白佛言世尊若有善
人聞是法華經隨喜者得幾所福
後　其有聞是經　若能隨喜者　為得幾所福
告弥勒菩薩摩訶薩阿逸多如來滅
比丘比丘尼優婆塞優婆夷及餘智者
若幼聞是經隨喜已從法會出至於餘
處若在僧坊若空閑地若城邑巷陌聚落田
里如其所聞為父母宗親善友知識隨力演
說是諸人等聞已隨喜復行轉教餘人聞已
亦隨喜轉教如是展轉至第五十阿逸多其第
五十善男子善女人隨喜功德我今說之
汝當善聽若四百万億阿僧祇世界六趣四
生衆生卵生胎生濕生化生若有形无形有
想无想非有想非无想无足二足四足多足
如是等在衆生數者有人求福隨其所欲娛
樂之具皆給與之一一衆生與滿閻浮提金
銀瑠璃車渠馬瑙珊瑚虎魄諸妙珎寶及象
馬車乘七寶所成宮殿樓閣等是大施主如

BD03072 號　妙法蓮華經卷六　（12–1）

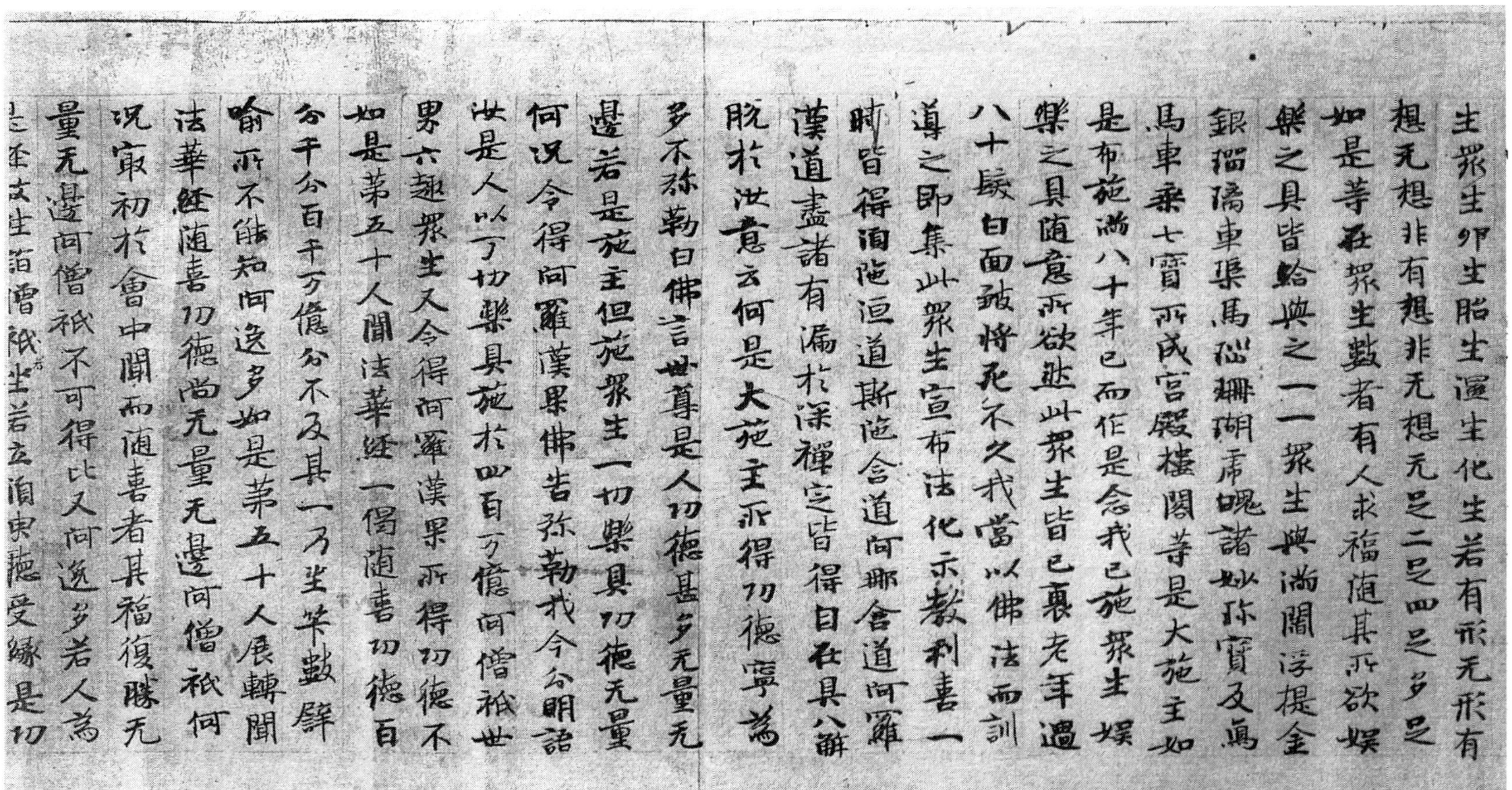
生衆生卵生胎生濕生化生若有形无形有
想无想非有想非无想无足二足四足多足
如是等在衆生數者有人求福隨其所欲娛
樂之具皆給與之一一衆生與滿閻浮提金
銀瑠璃車渠馬瑙珊瑚虎魄諸妙珎寶及象
馬車乘七寶所成宮殿樓閣等是大施主如
是布施滿八十年已而作是念我已施衆生娛
樂之具隨意所欲然此衆生皆已衰老年過
八十髮白面皺將死不久我當以佛法而訓
導之即集此衆生宣布法化示教利喜一
時皆得須陀洹道斯陀含道阿那含道阿羅
漢道盡諸有漏於深禪定皆得自在具八解
脫於汝意云何是大施主所得功德寧為
多不弥勒白佛言世尊是人功德甚多无量无
邊若是施主但施衆生一切樂具功德无量
何況令得阿羅漢果佛告弥勒我今分明語
汝是人以一切樂具施於四百万億阿僧祇世
界六趣衆生又令得阿羅漢果所得功德不
如是第五十人聞法華經一偈隨喜功德百
分千分百千万億分不及其一乃至筭數譬
喻所不能知阿逸多如是第五十人展轉聞
法華經隨喜功德尚无量无邊阿僧祇何
況最初於會中聞而隨喜者其福復勝无
量无邊阿僧祇不可得比又阿逸多若人為
是經故往詣僧坊若坐若立須臾聽受緣是功

BD03072 號　妙法蓮華經卷六　（12–2）

喻所不能知阿逸多如是第五十人展轉聞
法華經隨喜功德尚无量无邊阿僧祇何
况最初於會中聞而隨喜者其福復勝无
量无邊阿僧祇不可得比又阿逸多若人為
是經故往詣僧坊若坐若立須臾聽受緣是功
德轉身所生得好上妙象馬車乘珎寶輦輿
及乘天宮若復有人於講法處坐更有人來
勸令坐聽若分座令坐是人功德轉身得帝
釋坐處若梵王坐處若轉輪聖王所坐之處
阿逸多若復有人語餘人言有經名法華可
共往聽即受其教乃至須臾間聞是人功德
轉身得與陀羅尼菩薩共生一處利根智慧
百千万世終不瘖瘂口氣不臭舌常无病口亦
无病齒不垢黑不黃不踈亦不缺落不差不
曲脣不下垂亦不褰縮不麁澁不瘡胗亦
不缺壞亦不喎邪不厚不大亦不黧黑无諸
可惡鼻不匾𥇄亦不曲戾面色不黑亦不狹
長亦不窪曲无有一切不可喜相脣舌牙齒
悉皆嚴好鼻脩高直面皃圓滿眉高而長
額廣平正人相具足世世所生見佛聞法信受
教誨阿逸多汝且觀是勸於一人令往聽法
功德如此何况一心聽說讀誦而於大眾為
人分別如說脩行尒時世尊欲重宣此義而
說偈言

教誨阿逸多汝且觀是勸於一人令往聽法
功德如此何况一心聽說讀誦而於大眾為
人分別如說脩行尒時世尊欲重宣此義而
說偈言
若人於法會　得聞是經典　乃至於一偈　隨喜為他說
如是展轉教　至于第五十　最後人獲福　今當分別之
如有大施主　供給无量眾　具滿八十歲　隨意之所欲
見彼衰老相　髮白而面皺　齒踈形枯竭　念其死不久
我今應當教　令得於道果　即為方便說　涅槃真實法
世皆不牢固　如水沫泡焰　汝等咸應當　疾生猒離心
諸人聞是法　皆得阿羅漢　具足六神通　三明八解脫
最後第五十　聞一偈隨喜　是人福勝彼　不可為譬喻
如是展轉聞　其福尚无量　何况於法會　初聞隨喜者
若有勸一人　將引聽法華　言此經深妙　千万劫難遇
即受教往聽　乃至須臾聞　斯人之福報　今當分別說
世世无口患　齒不踈黃黑　脣不厚褰缺　无有可惡相
舌不乾黑短　鼻高脩且直　額廣而平正　面目悉端嚴
為人所喜見　口氣无臭穢　優鉢華之香　常從其口出
若故詣僧坊　欲聽法華經　須臾聞歡喜　今當說其福
後生天人中　得妙象馬車　珎寶之輦輿　及乘天宮殿
若於講法處　勸人坐聽法　是福因緣得　釋梵轉輪座
何况一心聽　解說其義趣　如說而脩行　其福不可限

妙法蓮華經法師功德品第十九

尒時佛告常精進菩薩摩訶薩若善男子善
女人受持是法華經若讀若誦若解說若書

若於講法處　勸人坐聽法　是福因緣得　釋梵轉輪座
何況一心聽　解說其義趣　如說而修行　其福不可限
妙法蓮華經法師功德品第十九
尒時佛告常精進菩薩摩訶薩　若善男子善
女人受持是法華經　若讀若誦若解說若書
寫　是人當得八百眼功德千二百耳功德八
百鼻功德千二百舌功德八百身功德千二
百意功德　以是功德莊嚴六根皆令清淨　是
善男子善女人父母所生清淨肉眼見於三
千大千世界內外所有山林河海　下至阿鼻
地獄上至有頂　亦見其中一切衆生　及業因
緣果報生處悉見悉知　尒時世尊欲重宣
此義而說偈言
若於大衆中　以无所畏心　說是法華經　汝聽其功德
是人得八百　功德殊勝眼　以是莊嚴故　其目甚清淨
父母所生眼　悉見三千界　內外彌樓山　須彌及鐵圍
并諸餘山林　大海江河水　下至阿鼻獄　上至有頂處
其中諸衆生　一切皆悉見　雖未得天眼　肉眼力如是
復次常精進　若善男子善女人受持此經　若讀
若誦若解說若書寫　得千二百耳功德　以是清
淨耳聞三千大千世界　下至阿鼻地獄上至有
頂　其中內外種種語言音聲　象聲馬聲牛聲
車聲啼哭聲愁歎聲　螺聲鼓聲鍾聲鈴聲
笑聲語聲男聲女聲童子聲童女聲法聲
非法聲苦聲樂聲凡夫聲聖人聲喜聲不喜

BD03072號　妙法蓮華經卷六　（12–5）

淨耳聞三千大千世界下至阿鼻地獄上至有
頂其中內外種種語言音聲象聲馬聲牛聲
車聲啼哭聲愁歎聲螺聲鼓聲鍾聲鈴聲
笑聲語聲男聲女聲童子聲童女聲法聲
非法聲苦聲樂聲凡夫聲聖人聲喜聲不喜
聲天聲龍聲夜叉聲乾闥婆聲阿脩羅聲迦
樓羅聲緊那羅聲摩睺羅伽聲火聲水聲風
聲地獄聲畜生聲餓鬼聲比丘聲比丘尼聲
聲聞聲辟支佛聲菩薩聲佛聲　以要言之三
千大千世界中一切內外所有諸聲　雖未得天
耳　以父母所生清淨常耳皆悉聞知　如是分
別種種音聲而不壞耳根　尒時世尊欲重宣
此義而說偈言
父母所生耳　清淨无濁穢　以此常耳聞　三千世界聲
象馬車牛聲　鍾鈴螺鼓聲　琴瑟箜篌聲　簫笛之音聲
清淨好歌聲　聽之而不著　无數種人聲　聞悉能解了
又聞諸天聲　微妙之歌音　及聞男女聲　童子童女聲
山川嶮谷中　迦陵頻伽聲　命命等諸鳥　悉聞其音聲
地獄衆苦痛　種種楚毒聲　餓鬼飢渴逼　求索飲食聲
諸阿脩羅等　居在大海邊　自共語言時　出于大音聲
如是說法者　安住於此間　遙聞是衆聲　而不壞耳根
十方世界中　禽獸鳴相呼　其說法之人　於此悉聞之
其諸梵天上　光音及遍淨　乃至有頂天　言語之音聲
法師住於此　悉皆得聞之　一切比丘衆　及諸比丘尼
若讀誦經典　若為他人說　法師住於此　悉皆得聞之

BD03072號　妙法蓮華經卷六　（12–6）

十方世界中　禽獸鳴相呼　其說法之人　於此悉聞之
其諸梵天上　光音及遍淨　乃至有頂天　言語之音聲
法師住於此　悉皆得聞之　一切比丘眾　及諸比丘尼
若讀誦經典　若為他人說　法師住於此　悉皆得聞之
復有諸菩薩　讀誦於經法　若為他人說　撰集解其義
如是諸音聲　悉皆得聞之
諸佛大聖尊　教化眾生者　於諸大會中　演說微妙法
持此法華者　悉皆得聞之
三千大千界　內外諸音聲　下至阿鼻獄　上至有頂天
皆聞其音聲　而不壞耳根　其耳聰利故　悉能分別知
持是法華者　雖未得天耳　但用所生耳　功德已如是
復次常精進，若善男子善女人受持是經，若
讀若誦若解說若書寫，成就八百鼻功德。
以是清淨鼻根，聞於三千大千世界上下內外
種種諸香：須曼那華香、闍提華香、末利華香、
瞻蔔華香、波羅羅華香、赤蓮華香、青蓮華香、
白蓮華香、華樹香、菓樹香、栴檀香、沉水香、多
摩羅跋香、多伽羅香，及千万種和香，若末若
丸若塗香，持是經者於此間住，悉能分別。又
復別知眾生之香，象香、馬香、牛羊等香、男香、
女香、童子香、童女香，及草木叢林香，若近若
遠，所有諸香，悉皆得聞，分別不錯。持是經者，
雖住於此，亦聞天上諸天之香，波利質多羅、
拘鞞陀羅樹香，及曼陀羅華香、摩訶曼陀羅
華香、曼殊沙華香、摩訶曼殊沙華香、栴檀、沉

遠，所有諸香，悉皆得聞，分別不錯。持是經者，
雖住於此，亦聞天上諸天之香，波利質多羅、
拘鞞陀羅樹香，及曼陀羅華香、摩訶曼陀羅
華香、曼殊沙華香、摩訶曼殊沙華香、栴檀、沉
水種種末香，諸雜華香，如是等天香和合所
出之香，無不聞知。又聞諸天身香，釋提桓因
在勝殿上，五欲娛樂嬉戲時香；若在妙法堂
上，為忉利諸天說法時香；若於諸園遊戲時
香；及餘天等男女身香，皆悉遙聞。如是展轉
乃至梵世，上至有頂諸天身香，亦皆聞之。并
聞諸天所燒之香，及聲聞香、辟支佛香、菩薩
香、諸佛身香，亦皆遙聞，知其所在。雖聞此香，
然於鼻根不壞不錯，若欲分別為他人說，憶念
不謬。尒時世尊欲重宣此義，而說偈言：
是人鼻清淨　於此世界中　若香若臭物　種種悉聞知
須曼那闍提　多摩羅栴檀　沉水及桂香　種種華菓香
及知眾生香　男子女人香　說法者遠住　聞香知所在
大勢轉輪王　小轉輪及子　群臣諸宮人　聞香知所在
身所著珍寶　及地中寶藏　轉輪王寶女　聞香知所在
諸人嚴身具　衣服及瓔珞　種種所塗香　聞則知其身
諸天若行坐　遊戲及神變　持是法華者　聞香悉能知
諸樹華菓實　及酥油香氣　持經者住此　悉知其所在
諸山深嶮處　栴檀樹華敷　眾生在中者　聞香皆能知
鐵圍山大海　地中諸眾生　持經者聞香　悉知其所在
阿脩羅男女　及其諸眷屬　鬪諍遊戲時　聞香皆能知

諸樹華菓實　及蘇油香氣　持經者住此　悉知其所在
諸山深嶮處　栴檀樹華敷　衆生在中者　聞香皆能知
鐵圍山大海　地中諸衆生　持經者聞香　悉知其所在
阿脩羅男女　及其諸眷屬　鬪諍遊戲時　聞香皆能知
曠野嶮隘處　師子象虎狼　野牛水牛等　聞香知所在
若有懷妊者　未辯其男女　无根及非人　聞香悉能知
以聞香力故　知其初懷妊　成就不成就　安樂產福子
以聞香力故　知男女所念　染欲癡恚心　亦知脩善者
地中衆伏藏　金銀諸珎寶　銅器之所盛　聞香悉能知
種種諸瓔珞　无能識其價　聞香知貴賤　出處及所在
天上諸華等　曼陁曼殊沙　波利質多樹　聞香悉能知
天上諸宮殿　上中下差別　衆寶華莊嚴　聞香悉能知
天園林勝殿　諸觀妙法堂　在中而娛樂　聞香悉能知
諸天若聽法　或受五欲時　来往行坐卧　聞香悉能知
天女所著衣　好華香莊嚴　周旋遊戲時　聞香悉能知
如是展轉上　乃至於梵世　入禪出禪者　聞香悉能知
光音遍淨天　乃至于有頂　初生及退沒　聞香悉能知
諸比丘衆等　於法常精進　若坐若經行　及讀誦經法
或在林樹下　專精而坐禪　持經者聞香　悉知其所在
菩薩志堅固　坐禪若誦經　或為人說法　聞香悉能知
在在方世尊　一切所恭敬　愍衆而說法　聞香悉能知
衆生在佛前　聞經皆歡喜　如法而脩行　聞香悉能知
雖未得菩薩　无漏法生鼻　而是持經者　先得此鼻相
復次常精進若善男子善女人受持是經若
讀若誦若解說若書寫得千二百舌功德若

在在方世尊　一切所恭敬　愍衆而說法　聞香悉能知
衆生在佛前　聞經皆歡喜　如法而脩行　聞香悉能知
雖未得菩薩　无漏法生鼻　而是持經者　先得此鼻相
復次常精進若善男子善女人受持是經若
讀若誦若解說若書寫得千二百舌功德若
好若醜若美不美及諸苦澁物在舌根皆變
成上味如天甘露无不美者若以舌根於大
衆中有所演說出深妙聲能入其心皆令歡
喜快樂又諸天子天女釋梵諸天聞是深
妙音聲有所演說言論次第皆悉来聽及諸
龍龍女夜叉夜叉女揵闥婆揵闥婆女阿脩
羅阿脩羅女迦樓羅迦樓羅女緊那羅緊那
羅女摩睺羅伽摩睺羅伽女為聽法故皆来
親近恭敬供養及比丘比丘尼優婆塞優婆
夷國王王子羣臣眷屬小轉輪王大轉輪王
七寶千子內外眷屬乘其宮殿俱来聽法
以是菩薩善說法故婆羅門居士國內人民
盡其形壽隨侍供養又諸聲聞辟支佛菩
薩諸佛常樂見之是人所在方面諸佛皆向
其處說法悉能受持一切佛法又能出於深
妙法音尒時世尊欲重宣此義而說偈言
是人舌根淨　終不受惡味　其有所食噉　悉皆成甘露
以深淨妙聲　於大衆說法　以諸因緣喻　引導衆生心
聞者皆歡喜　設諸上妙供
諸天龍夜叉　及阿脩羅等　皆以恭敬心　而共来聽法

妙法音　尒時世尊欲重宣此義而說偈言
是人舌根淨　終不受惡味　其有所食噉　悉皆成甘露
以深淨妙聲　於大衆說法　以諸因緣喻　引導衆生心
聞者皆歡喜　設諸上供養
諸天龍夜叉　及阿脩羅等　皆以恭敬心　而共來聽法
是說法之人　若欲以妙音　遍滿三千界　隨意即能至
大小轉輪王　及千子眷屬　合掌恭敬心　常來聽受法
諸天龍夜叉　羅剎毗舍闍　亦以歡喜心　常樂來供養
梵天王魔王　自在大自在　如是諸天衆　常來至其所
諸佛及弟子　聞其說法音　常念而守護　或時為現身
復次常精進若善男子善女人受持是經若
讀若誦若解說若書寫得八百身功德得清
淨身如淨瑠璃衆生憙見其身淨故三千大千
世界衆生生時死時上下好醜生善處惡處
悉於中現及鐵圍大鐵圍弥樓山摩訶弥樓
山等諸山及其中衆生悉於中現下至阿鼻
地獄上至有頂所有及衆生悉於中現若聲
聞辟支佛菩薩諸佛說法皆於身中現其
色像尒時世尊欲重宣此義而說偈言
若持法華者　其身甚清淨　如淨淨瑠璃　衆生皆憙見
又如淨明鏡　悉見諸色像　菩薩於淨身　皆見世所有
唯獨自明了　餘人所不見　三千世界中　一切諸群萌
天人阿脩羅　地獄鬼畜生　如是諸色像　皆於身中現
諸天等宮殿　乃至於有頂　鐵圍及弥樓　摩訶弥樓山
諸大海水等　皆於身中現
諸佛及聲聞　佛子菩薩等　若獨若在衆　說法悉皆現

BD03072號　妙法蓮華經卷六　（12–11）

聞辟支佛菩薩諸佛說法皆於身中現其
色像尒時世尊欲重宣此義而說偈言
若持法華者　其身甚清淨　如淨淨瑠璃　衆生皆憙見
又如淨明鏡　悉見諸色像　菩薩於淨身　皆見世所有
唯獨自明了　餘人所不見　三千世界中　一切諸群萌
天人阿脩羅　地獄鬼畜生　如是諸色像　皆於身中現
諸天等宮殿　乃至於有頂　鐵圍及弥樓　摩訶弥樓山
諸大海水等　皆於身中現
諸佛及聲聞　佛子菩薩等　若獨若在衆　說法悉皆現
雖未得无漏　法性之妙身　以清淨常體　一切於中現
復次常精進若善男子善女人如來滅後受
持是經若讀若誦若解說若書寫得千二百
意功德以是清淨意根乃至聞一偈一句通達
无量无邊之義解是義已能演說一句一偈
至於一月四月乃至一歲諸所說法隨其義
趣皆與實相不相違背若說俗間經書治
世語言資生業等皆順正法三千大千世界
六趣衆生心之所行心所動作心所戲論皆
悉知之雖未得无漏智慧而其意根清淨如

BD03072號　妙法蓮華經卷六　（12–12）

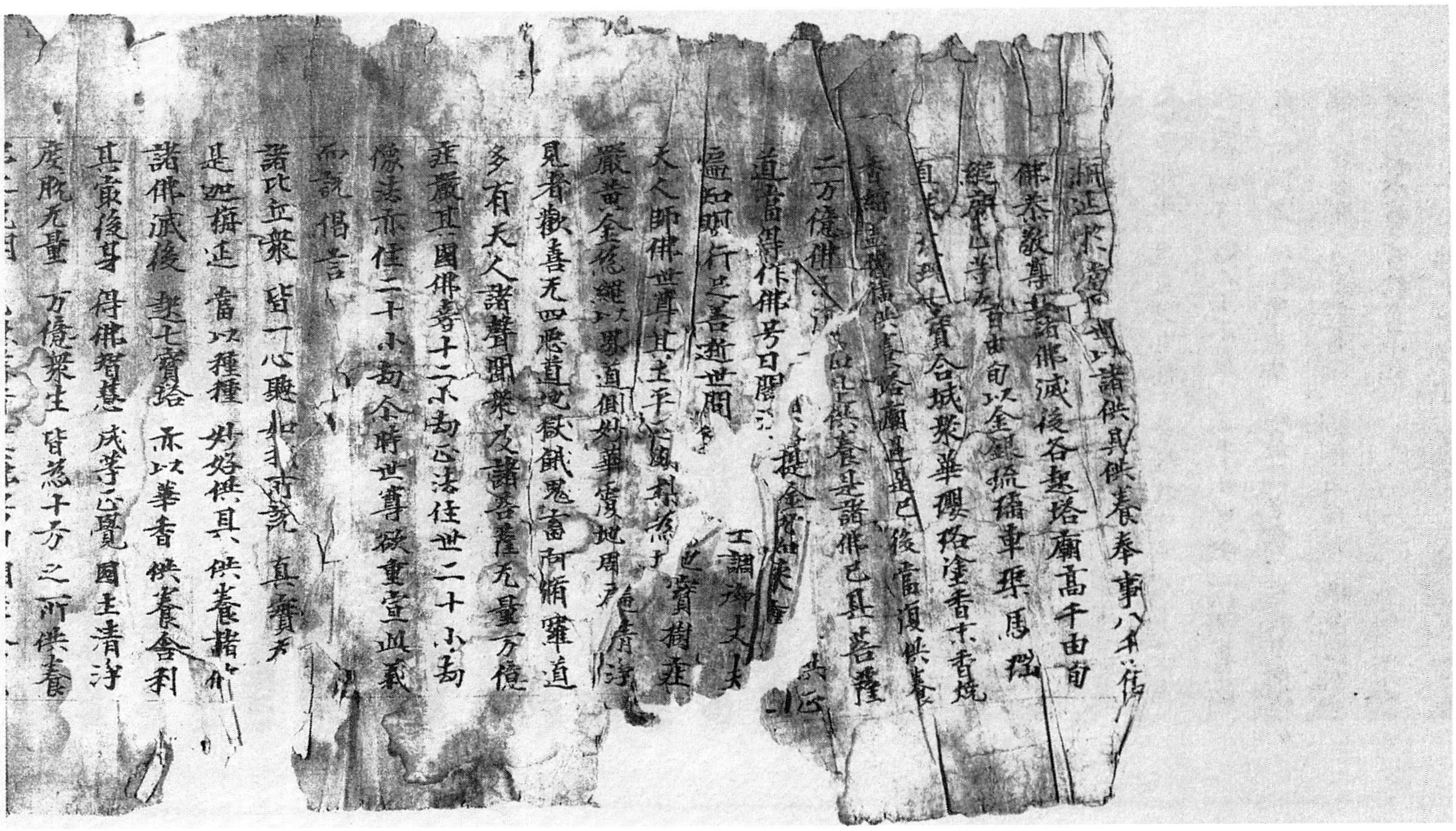

摩訶迦旃延於當來世以諸供具供養奉事八千億
佛恭敬尊重諸佛滅後各起塔廟高千由旬
縱廣正等五百由旬以金銀琉璃車𤦲馬瑙
真珠玫瑰七寶合成衆華瓔珞塗香末香燒
香繒蓋幢幡供養塔廟過是已後當復供養
二万億佛亦復如是供養是諸佛已具菩薩
道當得作佛号曰閻浮那提金光如來應供正
遍知明行足善逝世間解无上士調御丈夫
天人師佛世尊其土平正頗梨為地寶樹莊
嚴黃金為繩以界道側妙華覆地周遍清淨
見者歡喜无四惡道地獄餓鬼畜生阿脩羅道
多有天人諸聲聞衆及諸菩薩无量万億
莊嚴其國佛壽十二小劫正法住世二十小劫
像法亦住二十小劫尒時世尊欲重宣此義
而說偈言
諸比丘衆　皆一心聽　如我所說　真實无異
是迦旃延　當以種種　妙好供具　供養諸佛
諸佛滅後　起七寶塔　亦以華香　供養舍利
其最後身　得佛智慧　成等正覺　國土清淨
度脫无量　万億衆生　皆為十方　之所供養

BD03073 號　妙法蓮華經卷三　（20–1）

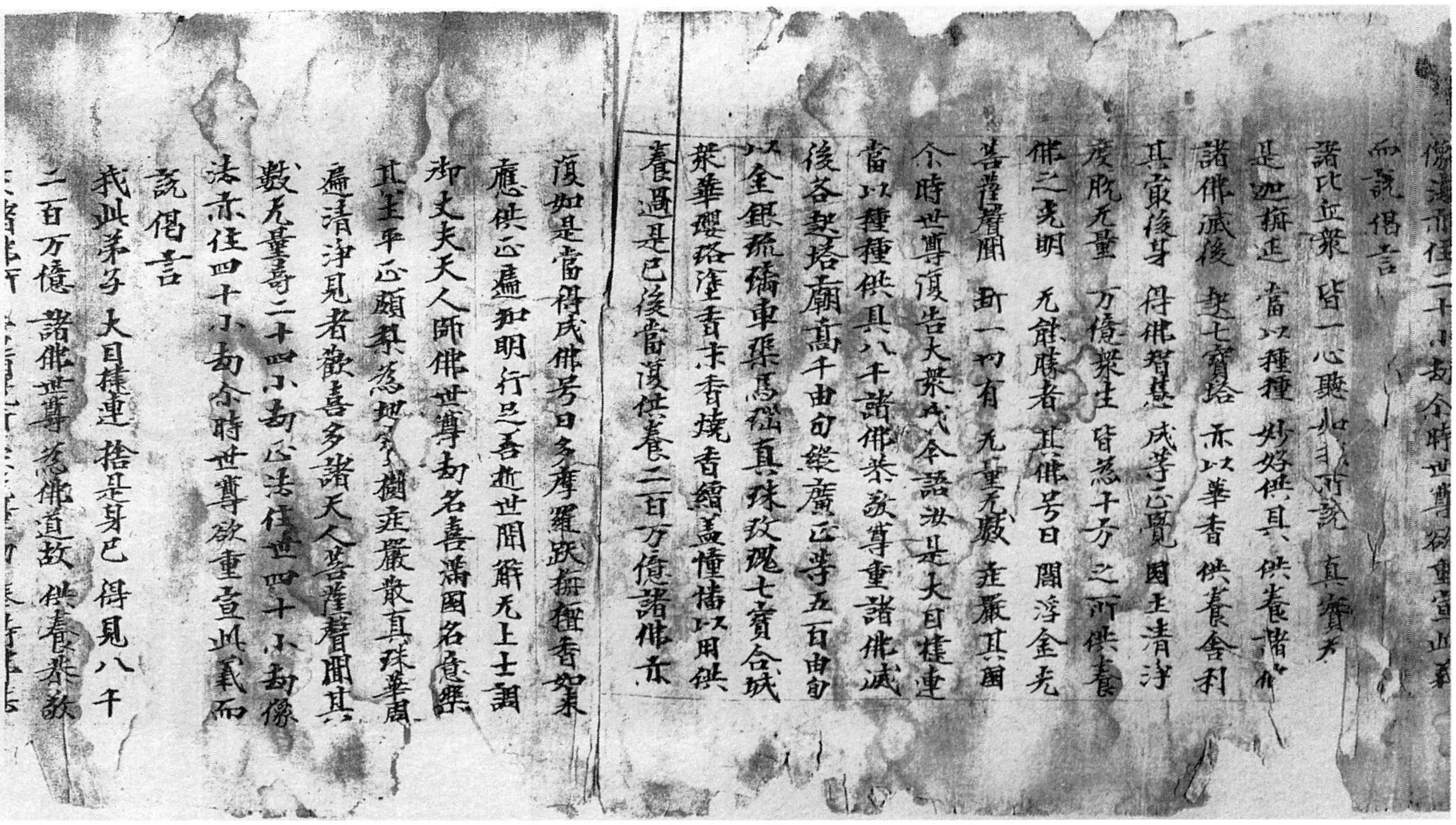

像法亦住二十小劫尒時世尊欲重宣此義
而說偈言
諸比丘衆　皆一心聽　如我所說　真實无異
是迦旃延　當以種種　妙好供具　供養諸佛
諸佛滅後　起七寶塔　亦以華香　供養舍利
其最後身　得佛智慧　成等正覺　國土清淨
度脫无量　万億衆生　皆為十方　之所供養
佛之光明　无能勝者　其佛号曰　閻浮金光
菩薩聲聞　斷一切有　无量无數　莊嚴其國
尒時世尊復告大衆我今語汝是大目揵連
當以種種供具供養八千諸佛恭敬尊重諸佛滅
後各起塔廟高千由旬縱廣正等五百由旬
以金銀琉璃車𤦲馬瑙真珠玫瑰七寶合成
衆華瓔珞塗香末香燒香繒蓋幢幡以用供
養過是已後當復供養二百万億諸佛亦
復如是當得成佛号曰多摩羅跋栴檀香如來
應供正遍知明行足善逝世間解无上士調
御丈夫天人師佛世尊劫名喜滿國名意樂
其土平正頗梨為地寶樹莊嚴散真珠華周
遍清淨見者歡喜多諸天人菩薩聲聞其
數无量佛壽二十四小劫正法住世四十小劫像
法亦住四十小劫尒時世尊欲重宣此義而
說偈言
我此弟子　大目揵連　捨是身已　得見八千
二百万億　諸佛世尊　為佛道故　供養恭敬

BD03073 號　妙法蓮華經卷三　（20–2）

法亦住四十小劫。尒時世尊欲重宣此義而
說偈言：
我此弟子　大目揵連　捨是身已　得見八千
二百万億　諸佛世尊　為佛道故　供養恭敬
於諸佛所　常脩梵行　於无量劫　奉持佛法
諸佛滅後　起七寶塔　長表金刹　華香伎樂
而以供養　諸佛塔廟　漸漸具足　菩薩道已
於意樂國　而得作佛　号多摩羅　栴檀之香
其佛壽命　二十四劫　常為天人　演說佛道
聲聞无量　如恒河沙　三明六通　有大威德
菩薩无數　志固精進　於佛智慧　皆不退轉
佛滅度後　正法當住　四十小劫　像法亦尒
我諸弟子　威德具足　其數五百　皆當授記
於未來世　咸得成佛
我及汝等　宿世因緣　吾今當說　汝等善聽
妙法蓮華經化城喻品第七
佛告諸比丘：乃往過去无量无邊不可思議
阿僧祇劫，尒時有佛，名大通智勝如來、應供、
正遍知、明行足、善逝、世間解、无上士、調御丈
夫、天人師、佛世尊。其國名好成，劫名大相。諸比
丘，彼佛滅度已來，甚大久遠。譬如三千大
千世界所有地種，假使有人磨以為墨，過於
東方千國土乃下一點，大如微塵；又過千國
土復下一點。如是展轉盡地種墨，於汝等意
云何？是諸國土，若筭師、若筭師弟子，能得邊

千世界所有地種，假使有人磨以為墨，過於
東方千國土乃下一點，大如微塵；又過千國
土復下一點。如是展轉盡地種墨，於汝等意
云何？是諸國土，若筭師、若筭師弟子，能得邊
際，知其數不？不也，世尊。諸比丘，是人所經國土，
若點不點，盡末為塵，一塵一劫。彼佛滅度已
來，復過是數无量无邊百千万億阿僧祇
劫。我以如來知見力故，觀彼久遠，猶若今日。
尒時世尊欲重宣此義而說偈言：
我念過去世　无量无邊劫　有佛兩足尊　名大通智勝
如人以力磨　三千大千土　盡此諸地種　皆悉以為墨
過於千國土　乃下一塵點　如是展轉點　盡此諸塵墨
如是諸國土　點與不點等　復盡末為塵　一塵為一劫
此諸微塵數　其劫復過是　彼佛滅度來　如是无量劫
如來无礙智　知彼佛滅度　及聲聞菩薩　如見今滅度
諸比丘當知　佛智淨微妙　无漏无所礙　通達无量劫
佛告諸比丘：大通智勝佛壽五百四十万億
那由他劫。其佛本坐道場，破魔軍已，垂得阿
耨多羅三藐三菩提，而諸佛法不現在前。如
是一小劫乃至十小劫，結加趺坐，身心不動，
而諸佛法猶不在前。尒時忉利諸天先為彼
佛於菩提樹下敷師子座，高一由旬，佛於此
坐當得阿耨多羅三藐三菩提。適坐此座，
時諸梵天王雨衆天華，面百由旬，香風時來，吹
去萎華，更雨新者。如是不絶，滿十小劫，供養
於佛。乃至滅度，常雨此華。四王諸天為供養

佛於菩提樹下敷師子座高一由旬佛於此
座當得阿耨多羅三藐三菩提適坐此座
時諸梵天王雨眾天華面百由旬香風時來吹
去萎華更雨新者如是不絕滿十小劫供養
於佛乃至滅度常雨此華四王諸天為供養
佛常擊天鼓其餘諸天作天伎樂滿十小劫
至于滅度亦復如是諸比丘大通智勝佛過
十小劫諸佛之法乃現在前成阿耨多羅三
藐三菩提其佛未出家時有十六子其第一
者名曰智積諸子各有種種珍異玩好之具
聞父得成阿耨多羅三藐三菩提皆捨所珍
往詣佛所諸母涕泣而隨送之其祖轉輪聖
王與一百大臣及餘百千万億人民皆共圍
遶隨至道場咸欲親近大通智勝如來供養
恭敬尊重讚歎到已頭面礼足遶佛畢已一
心合掌瞻仰世尊以偈頌曰

大威德世尊　為度眾生故　於无量億歲　尒乃得成佛
諸願已具足　善哉吉无上　世尊甚希有　一坐十小劫
身體及手足　靜然安不動　其心常憺怕　未曾有散亂
究竟永寂滅　安住无漏法　今者見世尊　安隱成佛道
我等得善利　稱慶大歡喜　眾生常苦惱　盲瞑无導師
不識苦盡道　不知求解脫　長夜增惡趣　減損諸天眾
從瞑入於瞑　永不聞佛名　今佛得最上　安隱无漏道
我等及天人　為得最大利　是故咸稽首　歸命无上尊

尒時十六王子偈讚佛已勸請世尊轉於法
輪咸作是言世尊說法多所安隱憐愍饒益

BD03073號　妙法蓮華經卷三　（20–5）

不識苦盡道　不知求解脫　長夜增惡趣　減損諸天眾
從瞑入於瞑　永不聞佛名　今佛得最上　安隱无漏道
我等及天人　為得最大利　是故咸稽首　歸命无上尊
尒時十六王子偈讚佛已勸請世尊轉於法
輪咸作是言世尊說法多所安隱憐愍饒益
諸天人民重說偈言

世雄无等倫　百福自莊嚴　得无上智慧　願為世間說
度脫於我等　及諸眾生類　為分別顯示　令得是智慧
若我等得佛　眾生亦復然　世尊知眾生　深心之所念
亦知所行道　又知智慧力　欲樂及修福　宿命所行業
世尊悉知已　當轉无上輪

佛告諸比丘大通智勝佛得阿耨多羅三藐
三菩提時十方各五百万億諸佛世界六種
震動其國中間幽冥之處日月威光所不能
照而皆大明其中眾生各得相見咸作是言
此中云何忽生眾生又其國界諸天宮殿乃
至梵宮六種震動大光普照遍滿世界勝諸
天光尒時東方五百萬億諸國土中梵天宮
殿光明照曜倍於常明諸梵天王各作是念
今者宮殿光明昔所未有以何因緣而現此
相是時諸梵天王即各相詣共議此事而彼
眾中有一大梵天王名救一切為諸梵眾而說
偈言

我等諸宮殿　光明昔未有　此是何因緣　宜各共求之
為大德天生　為佛出世間　而此大光明　遍照於十方

BD03073號　妙法蓮華經卷三　（20–6）

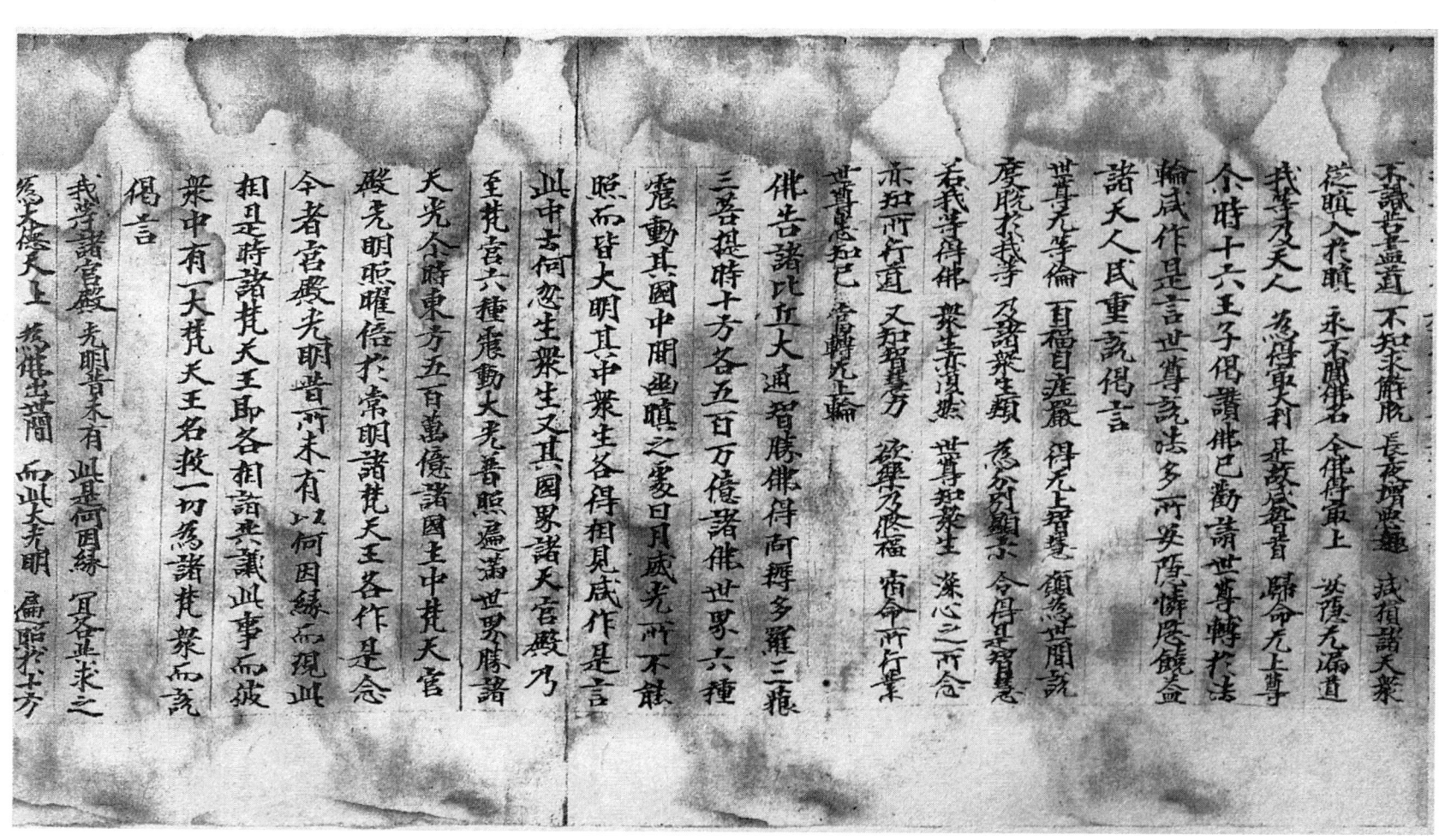

衆中有一大梵天王名救一切為諸梵衆而說
偈言
我等諸宮殿　光明昔未有　此是何因緣　宜各共求之
為大德天生　為佛出世間　而此大光明　遍照於十方
尒時五百萬億國土諸梵天王與宮殿俱各
以衣裓盛諸天華共詣西方推尋是相見大
通智勝如來處于道場菩提樹下坐師子座
諸天龍王乾闥婆緊那羅摩睺羅伽人非人
等恭敬圍繞及見十六王子請佛轉法輪即
時諸梵天王頭面礼佛繞百千帀即以天華
而散佛上其所散華如須弥山并以供養佛
菩提樹其菩提樹高十由旬華供養已各以
宮殿奉上彼佛而作是言唯見哀愍饒益我
等所獻宮殿願垂納處時諸梵天王即於
佛前一心同聲以偈頌曰
世尊甚希有　難可得值遇　具无量功德　能救護一切
天人之大師　哀愍於世間　十方諸衆生　普皆蒙饒益
我等所從來　五百萬億國　捨深禪定樂　為供養佛故
我等先世福　宮殿甚嚴飾　今以奉世尊　唯願哀納受
尒時諸梵天王偈讚佛已各作是言唯願世
尊轉於法輪度脫衆生開涅槃道時諸梵天
王一心同聲而說偈言
世雄兩足尊　唯願演說法　以大慈悲力　度苦惱衆生
尒時大通智勝如來默然許之又諸比丘東
南方五百萬億國土諸大梵王各自見宮殿
光明照曜昔所未有歡喜踊躍生希有心即

BD03073號　妙法蓮華經卷三　（20–7）

王一心同聲而說偈言
世雄兩足尊　唯願演說法　以大慈悲力　度苦惱衆生
尒時大通智勝如來默然許之又諸比丘東
南方五百萬億國土諸大梵王各自見宮殿
光明照曜昔所未有歡喜踊躍生希有心即
各相詣共議此事而彼衆中有一大梵天王
名曰大悲為諸梵衆而說偈言
是事何因緣　而現如此相　我等諸宮殿　光明昔未有
為大德天生　為佛出世間　未曾見此相　當共一心求
過千萬億土　尋光共推之　多是佛出世　度脫苦衆生
尒時五百万億諸梵天王與宮殿俱各以衣
裓盛諸天華共詣西方推尋是相見大通智
勝如來處于道場菩提樹下坐師子座諸天
龍王乾闥婆緊那羅摩睺羅伽人非人等恭
敬圍繞及見十六王子請佛轉法輪時諸梵天
王頭面礼佛繞百千帀即以天華而散佛上
所散之華如須弥山并以供養佛菩提樹華供
養已各以宮殿奉上彼佛而作是言唯見
哀愍饒益我等所獻宮殿願垂納處尒時
諸梵天王即於佛前一心同聲以偈頌曰
聖主天中天　迦陵頻伽聲　哀愍衆生者　我等今敬礼
世尊甚希有　久遠乃一現　一百八十劫　空過无有佛
三惡道充滿　諸天衆減少　今佛出於世　為衆生作眼
世間所歸趣　救護於一切　為衆生之父　哀愍饒益者
我等宿福慶　今得值世尊

BD03073號　妙法蓮華經卷三　（20–8）

聖主天中天　迦陵頻伽聲　哀愍衆生者　我等今敬礼
世尊甚希有　久遠乃一現　一百八十劫　空過无有佛
三惡道充滿　諸天衆減少　今佛出於世　為衆生作眼
世間所歸趣　救護於一切　為衆生之父　哀愍饒益者
我等宿福慶　今得值世尊
尒時諸梵天王偈讚佛已各作是言唯願世尊
哀愍一切轉於法輪度脫衆生時諸梵天王
一心同聲而說偈言
大聖轉法輪　顯示諸法相　度苦惱衆生　令得大歡喜
衆生聞此法　得道若生天　諸惡道減少　忍善者增益
尒時大通智勝如來默然許之又諸比丘南方
五百万億國土諸大梵王各自見宮殿光明照
曜昔所未有歡喜踊躍生希有心即各相詣
共議此事以何因緣我等宮殿有此光曜而
彼衆中有一大梵天王名曰妙法為諸梵衆
而說偈言
我等諸宮殿　光明甚威曜　此非无因緣　是相宜求之
過於百千劫　未曾見是相　為大德天生　為佛出世間
尒時五百万億諸梵天王與宮殿俱各以衣
裓盛諸天華共詣北方推尋是相見大通智
勝如來處于道場菩提樹下坐師子座諸天龍
王乾闥婆緊那羅摩睺羅伽人非人等恭敬
圍繞及見十六王子請佛轉法輪時諸梵天
王頭面礼佛繞百千匝即以天華而散佛上
所散之華如須弥山并以供養佛菩提樹華

BD03073 號　妙法蓮華經卷三　(20–9)

勝如來處于道場菩提樹下坐師子座諸天龍
王乾闥婆緊那羅摩睺羅伽人非人等恭敬
圍繞及見十六王子請佛轉法輪時諸梵天
王頭面礼佛繞百千匝即以天華而散佛上
所散之華如須弥山并以供養佛菩提樹華
供養已各以宮殿奉上彼佛而作是言唯見
哀愍饒益我等所獻宮殿願垂納受尒時
諸梵天王即於佛前一心同聲以偈頌曰
世尊甚難見　破諸煩惱者　過百三十劫　今乃得一見
諸飢渴衆生　以法雨充滿　昔所未曾有　无量智慧者
如優曇鉢羅　今日乃值遇　我等諸宮殿　蒙光故嚴飾
世尊大慈愍　唯願垂納受
尒時諸梵天王偈讚佛已各作是言唯願世
尊轉於法輪令一切世間諸天魔梵沙門婆羅
門皆獲安隱而得度脫時諸梵天王一心同聲
以偈頌曰
唯願天人尊　轉无上法輪　擊于大法鼓　而吹大法螺
普雨大法雨　度无量衆生　我等咸歸請　當演深遠音
尒時大通智勝如來默然許之西南方乃至
下方亦復如是尒時上方五百万億國土諸
大梵王皆悉自覩所止宮殿光明威曜昔所
未有歡喜踊躍生希有心即各相詣共議此
事以何因緣我等宮殿有斯光明時彼衆中
有一大梵天王名曰尸棄為諸梵衆而說偈言
今以何因緣　我等諸宮殿　威德光明曜　嚴飾未曾有
如是之妙相　昔所未聞見　為大德天生　為佛出世間

BD03073 號　妙法蓮華經卷三　(20–10)

未有歡喜踊躍生希有心即各相詣共議此
事以何因緣我等宮殿有斯光明時彼衆中
有一大梵天王名曰尸棄為諸梵衆而說偈言
今以何因緣 我等諸宮殿 威德光明曜 嚴飾未曾有
如是之妙相 昔所未聞見 為大德天生 為佛出世間
尒時五百万億諸梵天王與宮殿俱各以衣
裓盛諸天華共詣下方推尋是相見大通智
勝如來處于道場菩提樹下坐師子座諸天
龍王乾闥婆緊那羅摩睺羅伽人非人等恭
敬圍繞及見十六王子請佛轉法輪時諸梵
天王頭面礼佛繞百千帀即以天華而散佛
上所散之華如須弥山并以供養佛菩提樹
華供養已各以宮殿奉上彼佛而作是言唯
見哀愍饒益我等所獻宮殿願垂納受時諸
梵天王即於佛前一心同聲以偈頌曰
善哉見諸佛 救世之聖尊 能於三界獄 勉出諸衆生
普智天人尊 哀愍群萌類 能開甘露門 廣度於一切
於昔无量劫 空過无有佛 世尊未出時 十方常暗瞑
三惡道增長 阿脩羅亦盛 諸天衆轉减 死多墮惡道
不從佛聞法 常行不善事 色力及智慧 斯等皆减少
罪業因緣故 失樂及樂想 住於邪見法 不識善儀則
不蒙佛所化 常墮於惡道 佛為世間眼 久遠時乃出
哀愍諸衆生 故現於世間 超出成正覺 我等甚欣慶
及餘一切衆 喜歎未曾有 我等諸宮殿 蒙光故嚴飾
今以奉世尊 唯垂哀納受 願以此功德 普及於一切

BD03073號　妙法蓮華經卷三　（20–11）

罪業因緣故 失樂及樂想 住於邪見法 不識善儀則
不蒙佛所化 常墮於惡道 佛為世間眼 久遠時乃出
哀愍諸衆生 故現於世間 超出成正覺 我等甚欣慶
及餘一切衆 喜歎未曾有 我等諸宮殿 蒙光故嚴飾
今以奉世尊 唯垂哀納受 願以此功德 普及於一切
我等與衆生 皆共成佛道
尒時五百万億諸梵天王偈讚佛已各白佛言
唯願世尊轉於法輪多所安隱多所度脫時
諸梵天王而說偈言
世尊轉法輪 擊甘露法鼓 度苦惱衆生 開示涅槃道
唯願受我請 以大微妙音 哀愍而敷演 无量劫習法
尒時大通智勝如來受十方諸梵天王及十
六王子請即時三轉十二行法輪若沙門婆
羅門若天魔梵及餘世間所不能轉謂是苦
是苦集是苦滅是苦滅道及廣說十二因緣
法无明緣行行緣識識緣名色名色緣六入
六入緣觸觸緣受受緣愛愛緣取取緣有有
緣生生緣老死憂悲苦惱无明滅則行滅行
滅則識滅識滅則名色滅名色滅則六入滅
六入滅則觸滅觸滅則受滅受滅則愛滅愛
滅則取滅取滅則有滅有滅則生滅生滅則
老死憂悲苦惱滅佛於天人大衆之中說是
法時六百万億那由他人以不受一切法故而於
諸漏心得解脫皆得深妙禪定三明六通
具八解脫第二第三第四說法時千万億

BD03073號　妙法蓮華經卷三　（20–12）

老死憂悲苦惱滅佛於天人大衆之中說是
法時六百万億那由他人以不受一切法故而於
諸漏心得解脫皆得深妙禪定三明六通
具八解脫第二第三第四說法時千万億
恒河沙那由他等衆生亦以不受一切法故
而於諸漏心得解脫從是已後諸聲聞衆无
量无邊不可稱數尒時十六王子皆以童子
出家而為沙弥諸根通利智慧明了已曾供
養百千万億諸佛淨修梵行求阿耨多羅三
藐三菩提俱白佛言世尊是諸无量千万億
大德聲聞皆已成就世尊亦當為我等說阿
耨多羅三藐三菩提法我等聞已皆共修學
世尊我等志願如來知見深心所念佛自證
知尒時轉輪聖王所將衆中八万億人見十六
王子出家亦求出家王即聽許尒時彼佛
受沙弥請過二万劫已乃於四衆之中說是
大乘經名妙法蓮華教菩薩法佛所護念說
是經已十六沙弥為阿耨多羅三藐三菩提
故皆共受持諷誦通利說是經時十六菩薩
沙弥皆悉信受聲聞衆中亦有信解其餘衆
生千万億種皆生疑惑佛說是經於八千劫
未曾休廢說此經已即入靜室住於禪定八
万四千劫是時十六菩薩沙弥知佛入室寂
然禪定各昇法座亦於八万四千劫為四部
衆廣說分別妙法華經一一皆度六百万億

BD03073號　妙法蓮華經卷三　（20–13）

沙弥皆悉信受聲聞衆中亦有信解其餘衆
生千万億種皆生疑惑佛說是經於八千劫
未曾休廢說此經已即入靜室住於禪定八
万四千劫是時十六菩薩沙弥知佛入室寂
然禪定各昇法座亦於八万四千劫為四部
衆廣說分別妙法華經一一皆度六百万億
那由他恒河沙等衆生示教利喜令發阿
耨多羅三藐三菩提心大通智勝佛過八万四
千劫已從三昧起往詣法座安詳而坐普告
大衆是十六菩薩沙弥甚為希有諸根通利
智慧明了已曾供養无量千万億數諸佛於諸
佛所常修梵行受持佛智開示衆生令入
其中汝等皆當數數親近而供養之所以者
何若聲聞辟支佛及諸菩薩能信是十六菩
薩所說經法受持不毀者是人皆當得阿耨
多羅三藐三菩提如來之慧佛告諸比丘是
十六菩薩常樂說是妙法華經一一菩薩
所化六百万億那由他恒河沙等衆生世世
所生與菩薩俱從其聞法悉皆信解以此因
緣得值四万億諸佛世尊于今不盡諸比丘
我今語汝彼佛弟子十六沙弥今皆得阿耨
多羅三藐三菩提於十方國土現在說法有
无量百千万億菩薩聲聞以為眷屬其二沙
弥東方作佛一名阿閦在歡喜國二名須弥
頂東南方二佛一名師子音二名師子相南

BD03073號　妙法蓮華經卷三　（20–14）

我今語汝彼佛弟子十六沙彌今皆得阿耨
多羅三藐三菩提於十方國土現在說法有
无量百千万億菩薩聲聞以為眷屬其二沙
弥東方作佛一名阿閦在歡喜國二名須弥
頂東南方二佛一名師子音二名師子相南
方二佛一名虛空住二名常滅西南方二佛
一名帝相二名梵相西方二佛一名阿弥陁
二名度一切世間苦惱西北方二佛一名多
摩羅跋栴檀香神通二名須弥相北方二佛
一名雲自在二名雲自在王東北方佛名壞
一切世間怖畏第十六我釋迦牟尼佛於娑
婆國土成阿耨多羅三藐三菩提諸比丘我
等為沙弥時各各教化无量百千万億恒河
沙等衆生從我聞法為阿耨多羅三藐三菩
提此諸衆生于今有住聲聞地者我常教化
阿耨多羅三藐三菩提是諸人等應以是法
漸入佛道所以者何如来智慧難信難解尒
時所化无量恒河沙等衆生者汝等諸比丘
及我滅度後未来世中聲聞弟子是也我滅
度後復有弟子不聞是經不知不覺菩薩所
行自於所得功德生滅度想當入涅槃我於
餘國作佛更有異名是人雖生滅度之想入
於涅槃而於彼土求佛智慧得聞是經唯以
佛乘而得滅度更无餘乘除諸如来方便說
法諸比丘若如来自知涅槃時到衆又清淨
信解堅固了達空法深入禪定便集諸菩薩

BD03073號　妙法蓮華經卷三　(20–15)

餘國作佛更有異名是人雖生滅度之想入
於涅槃而於彼土求佛智慧得聞是經唯以
佛乘而得滅度更无餘乘除諸如来方便說
法諸比丘若如来自知涅槃時到衆又清淨
信解堅固了達空法深入禪定便集諸菩薩
及聲聞衆為說是經世間无有二乘而得滅
度唯一佛乘得滅度耳比丘當知如来方便
深入衆生之性知其志樂小法深著五欲為
是等故說於涅槃是人若聞則便信受譬如
五百由旬險難惡道曠絕无人怖畏之處若
有多衆欲過此道至珎寶處有一導師聰慧
明達善知險道通塞之相將導衆人欲過此
難所將人衆中路懈退白導師言我等疲極
而復怖畏不能復進前路猶遠今欲退還導
師多諸方便而作是念此等可愍云何捨大
珎寶而欲退還作是念已以方便力於險道
中過三百由旬化作一城告衆人言汝等勿
怖莫得退還今此大城可於中止隨意所作
若入是城快得安隱若能前至寶所亦可得
去是時疲極之衆心大歡喜歎未曾有我等
今者免斯惡道快得安隱於是衆人前入化
城生已度想生安隱想尒時導師知此人衆
既得止息无復疲惓即滅化城語衆人言汝
等去来寶處在近向者大城我所化作為止
息耳諸比丘如来亦復如是今為汝等作大
導師知諸生死煩惱惡道險難長遠應去應度

BD03073號　妙法蓮華經卷三　(20–16)

城生已度想生安隱想尒時導師知此人衆
既得止息无復疲惓即滅化城語衆人言汝
等去來寶處在近向者大城我所化作爲止
息耳諸比丘如來亦復如是今爲汝等作大
導師知諸生死煩惱惡道險難長遠應去應
度若衆生但聞一佛乘者則不欲見佛不欲親
近便作是念佛道長遠久受懃苦乃可得
成佛知是心怯弱下劣以方便力而於中道
爲止息故說二涅槃若衆生住於二地如來
尒時即便爲說汝等所作未辦汝所住地近
於佛慧當觀察籌量所得涅槃非真實也但
是如來方便之力於一佛乘分別說三如彼導
師爲止息故化作大城既知息已而告之言
寶處在近此城非實我化作耳尒時世尊欲
重宣此義而說偈言
大通智勝佛　十劫坐道場　佛法不現前　不得成佛道
諸天神龍王　阿脩羅衆等　常雨於天華　以供養彼佛
諸天擊天鼓　并作衆伎樂　香風吹萎華　更雨新好者
過十小劫已　乃得成佛道　諸天及世人　心皆懷踊躍
彼佛十六子　皆與其眷屬　千万億圍遶　俱行至佛所
頭面礼佛足　而請轉法輪　聖師子法雨　充我及一切
世尊甚難值　久遠時一現　爲覺悟群生　震動於一切
東方諸世界　五百万億國　梵宮殿光曜　昔所未曾有
諸梵見此相　尋來至佛所　散華以供養　并奉上宮殿
請佛轉法輪　以偈而讚歎　佛知時未至　受請嘿然坐
三方及四維　上下亦復尒　散華奉宮殿　請佛轉法輪

東方諸世界　五百万億國　梵宮殿光曜　昔所未曾有
諸梵見此相　尋來至佛所　散華以供養　并奉上宮殿
請佛轉法輪　以偈而讚歎　佛知時未至　受請嘿然坐
三方及四維　上下亦復尒　散華奉宮殿　請佛轉法輪
世尊甚難值　願以大慈悲　廣開甘露門　轉无上法輪
无量慧世尊　受彼衆人請　爲宣種種法　四諦十二緣
无明至老死　皆從生緣有　如是衆過患　汝等應當知
宣暢是法時　六百万億姟　得盡諸苦際　皆成阿羅漢
第二說法時　千万恒沙衆　於諸法不受　亦得阿羅漢
從是後得道　其數无有量　万億劫筭數　不能得其邊
時十六王子　出家作沙彌　皆共請彼佛　演說大乘法
我等及營從　皆當成佛道　願得如世尊　慧眼第一淨
佛知童子心　宿世之所行　以无量因緣　種種諸譬喻
說六波羅蜜　及諸神通事　分別真實法　菩薩所行道
說是法華經　如恒河沙偈　彼佛說經已　靜室入禪定
一心一處坐　八万四千劫　是諸沙彌等　知佛禪未出
爲无量億衆　說佛无上慧　各各坐法座　說是大乘經
於佛宴寂後　宣揚助法化　一一沙彌等　所度諸衆生
有六百万億　恒河沙等衆　彼佛滅度後　是諸聞法者
在在諸佛土　常與師俱生　是十六沙彌　具足行佛道
今現在十方　各得成正覺　尒時聞法者　各在諸佛所
其有住聲聞　漸教以佛道　我在十六數　曾亦爲汝說
是故以方便　引汝趣佛慧　以是本因緣　今說法華經
令汝入佛道　慎勿懷驚懼　譬如險惡道　迥絕多毒獸
又復无水草　人所怖畏處　无數千万衆　欲過此險道

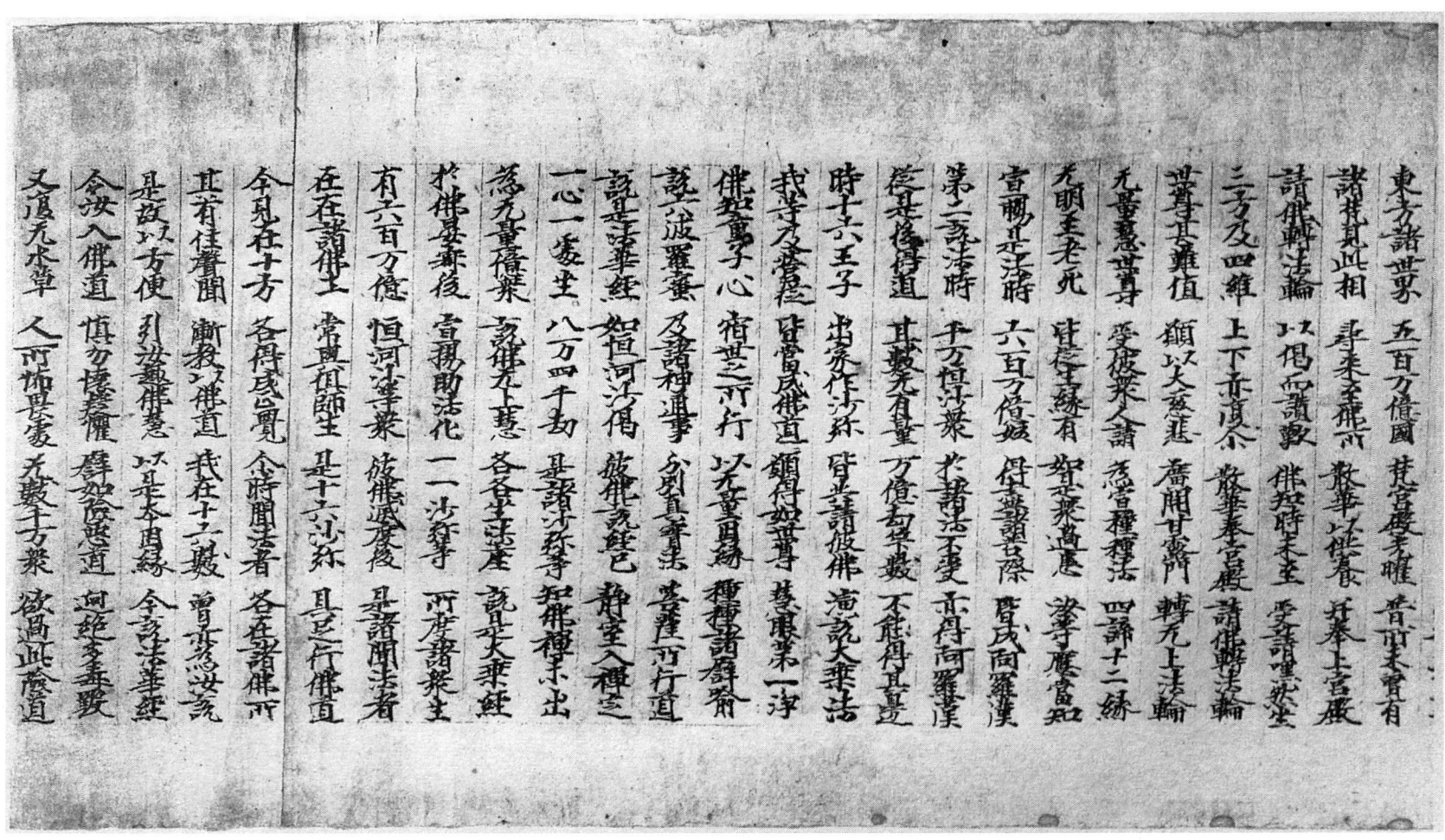

在在諸佛土 常與師俱生 是十六沙彌 具足行佛道
今現在十方 各得成正覺 爾時聞法者 各在諸佛所
其有住聲聞 漸教以佛道 我在十六數 曾亦為汝說
是故以方便 引汝趣佛慧 以是本因緣 今說法華經
令汝入佛道 慎勿懷驚懼 譬如險惡道 迥絕多毒獸
又復無水草 人所怖畏處 無數千萬眾 欲過此險道
其路甚曠遠 經五百由旬 時有一導師 強識有智慧
明了心決定 在險濟眾難 眾人皆疲惓 而白導師言
我等今頓乏 於此欲退還 導師作是念 此輩甚可愍
如何欲退還 而失大珍寶 尋時思方便 當設神通力
化作大城郭 莊嚴諸舍宅 周匝有園林 渠流及浴池
重門高樓閣 男女皆充滿 即作是化已 慰眾言勿懼
汝等入此城 各可隨所樂 諸人既入城 心皆大歡喜
皆生安隱想 自謂已得度 導師知息已 集眾而告言
汝等當前進 此是化城耳 我見汝疲極 中路欲退還
故以方便力 權化作此城 汝今勤精進 當共至寶所
我亦復如是 為一切導師 見諸求道者 中路而懈廢
不能度生死 煩惱諸險道 故以方便力 為息說涅槃
言汝等苦滅 所作皆已辦 既知到涅槃 皆得阿羅漢
爾乃集大眾 為說真實法 諸佛方便力 分別說三乘
唯有一佛乘 息處故說二 今為汝說實 汝所得非滅
為佛一切智 當發大精進 汝證一切智 十力等佛法
具三十二相 乃是真實滅 諸佛之導師 為息說涅槃
既知是息已 引入於佛慧
妙法蓮華經卷第三

BD03073號　妙法蓮華經卷三　（20–19）

如何欲退還 而失大珍寶 尋時思方便 當設神通力
化作大城郭 莊嚴諸舍宅 周匝有園林 渠流及浴池
重門高樓閣 男女皆充滿 即作是化已 慰眾言勿懼
汝等入此城 各可隨所樂 諸人既入城 心皆大歡喜
皆生安隱想 自謂已得度 導師知息已 集眾而告言
汝等當前進 此是化城耳 我見汝疲極 中路欲退還
故以方便力 權化作此城 汝今勤精進 當共至寶所
我亦復如是 為一切導師 見諸求道者 中路而懈廢
不能度生死 煩惱諸險道 故以方便力 為息說涅槃
言汝等苦滅 所作皆已辦 既知到涅槃 皆得阿羅漢
爾乃集大眾 為說真實法 諸佛方便力 分別說三乘
唯有一佛乘 息處故說二 今為汝說實 汝所得非滅
為佛一切智 當發大精進 汝證一切智 十力等佛法
具三十二相 乃是真實滅 諸佛之導師 為息說涅槃
既知是息已 引入於佛慧
妙法蓮華經卷第三

BD03073號　妙法蓮華經卷三　（20–20）

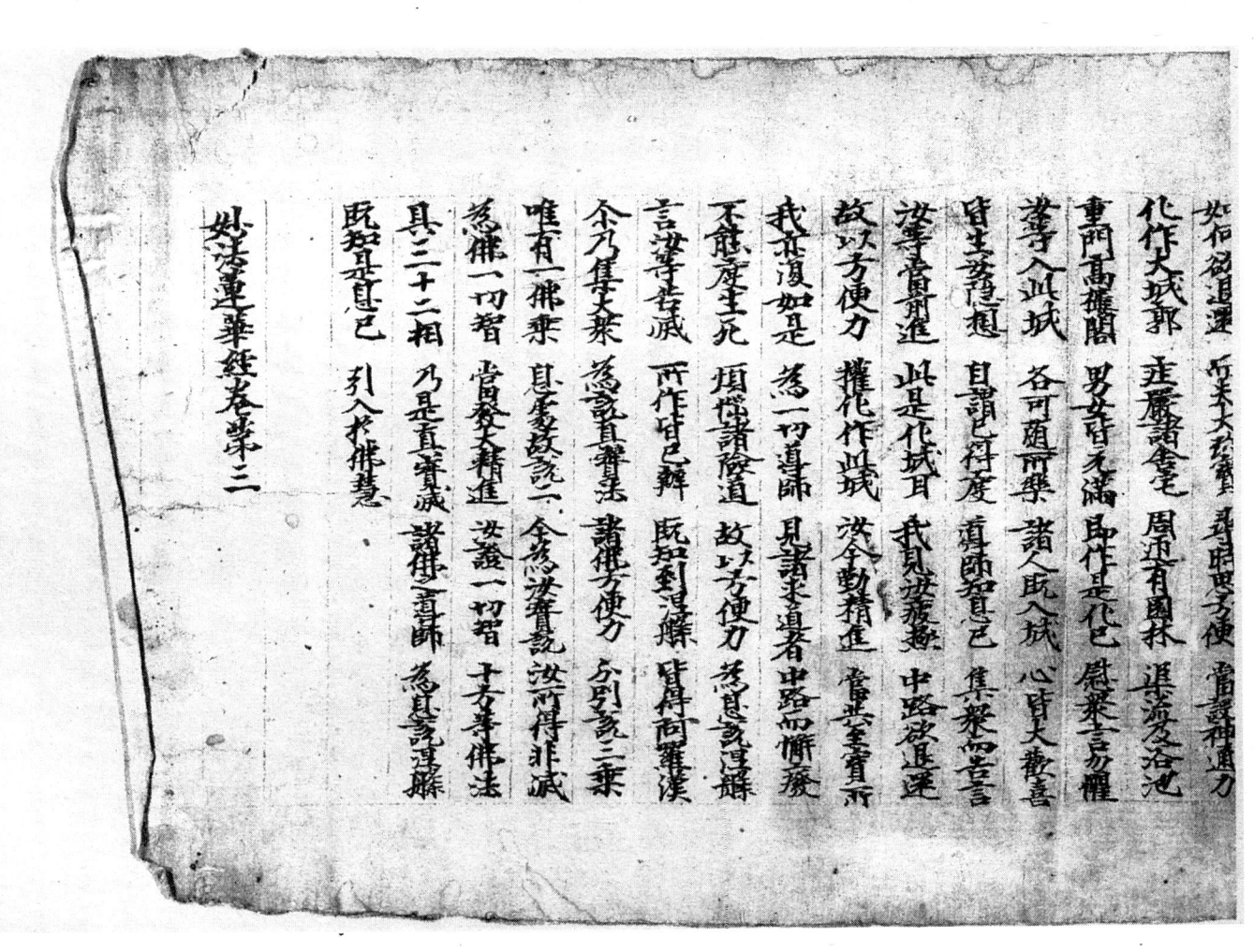

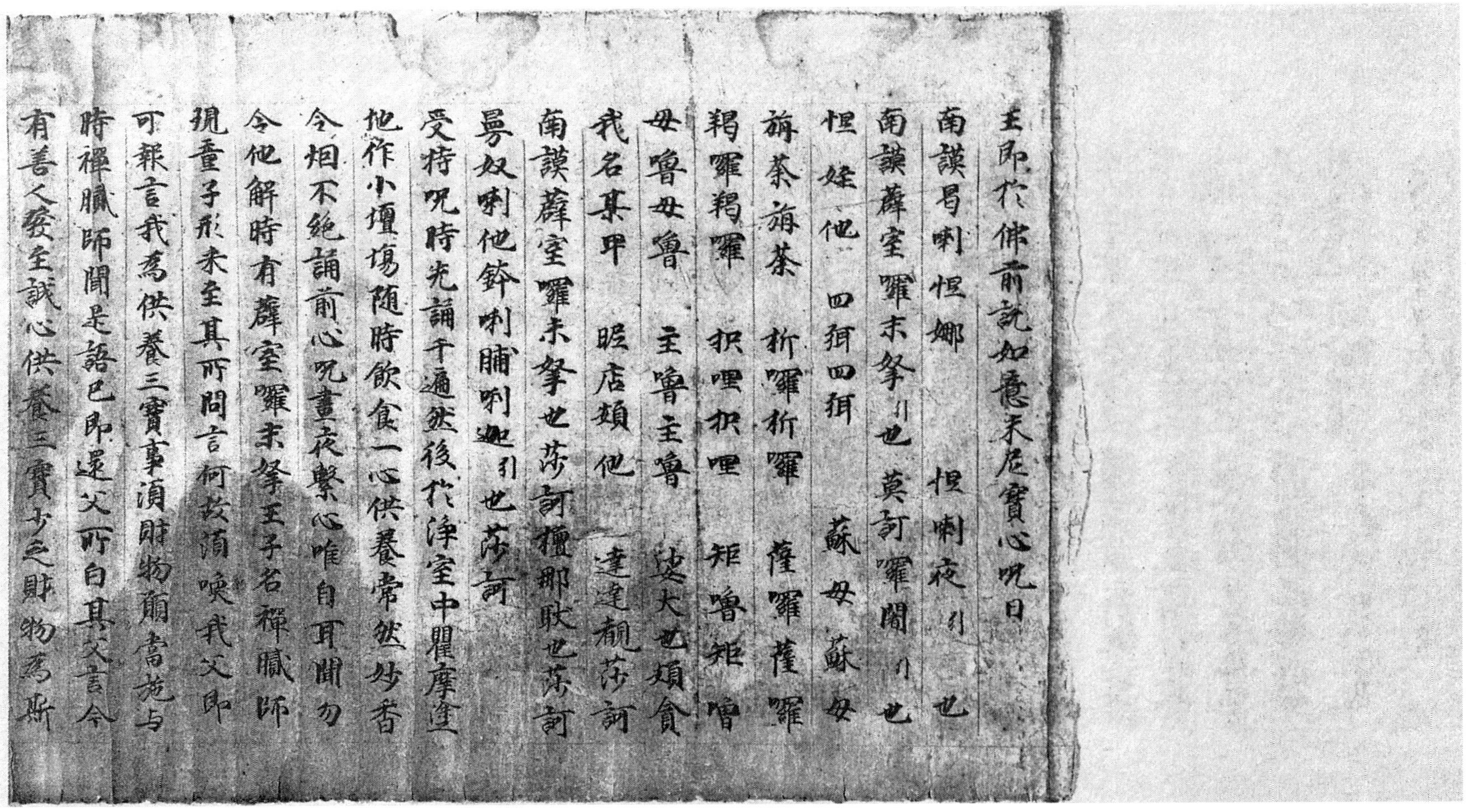

王即於佛前說如意末尼寶心呪曰
南謨曷喇怛娜 怛喇夜引也
南謨薜室羅末拏引也 莫訶囉闍引也
怛姪他 四現四現 蘇母蘇母
旃荼旃荼 折囉折囉 薩囉薩囉
羯囉羯囉 枳哩枳哩 矩嚕矩嚕
母嚕母嚕 主嚕主嚕 娑大也頞貪
我名某甲 昵店頞他 達達覩莎訶
南謨薜室囉末拏也莎訶 檀那馱也莎訶
曼奴喇他鉢喇脯喇迦引也莎訶
受持呪時先誦千遍然後於淨室中瞿摩塗
地作小壇場隨時飲食一心供養常然妙香
令烟不絕誦前心呪晝夜繫心唯自耳聞勿
令他解時有薜室囉末拏王子名禪膩師
現童子形來至其所問言何故須喚我父即
可報言我為供養三寶事須財物願當施与
時禪膩師聞是語已即還父所白其父言今
有善人發至誠心供養三寶少乏財物為斯

BD03074 號　金光明最勝王經卷六　（2–1）

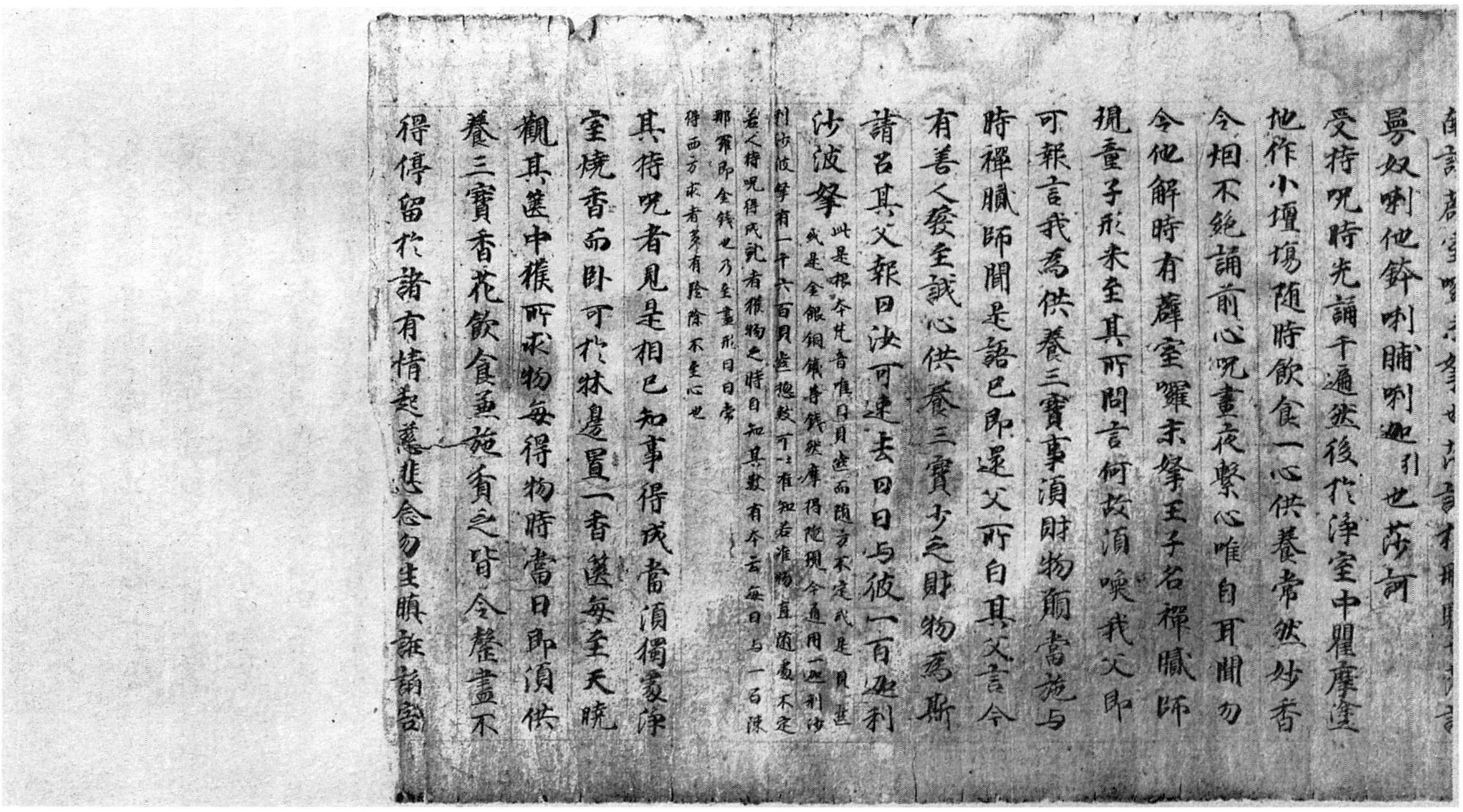

南謨薜室囉末拏也莎訶 檀那馱也莎訶
曼奴喇他鉢喇脯喇迦引也莎訶
受持呪時先誦千遍然後於淨室中瞿摩塗
地作小壇場隨時飲食一心供養常然妙香
令烟不絕誦前心呪晝夜繫心唯自耳聞勿
令他解時有薜室囉末拏王子名禪膩師
現童子形來至其所問言何故須喚我父即
可報言我為供養三寶事須財物願當施与
時禪膩師聞是語已即還父所白其父言今
有善人發至誠心供養三寶少乏財物為斯
請召其父報曰汝可速去日日与彼一百迦利
沙波拏 此是梵音准目貝齒而随方不定或是貝齒或是金銀銅鐵等錢然摩揭陀現今通用一迦利沙波拏有一千六百貝齒總數可以准知若准物直随處不定若人持呪得成就者獲物之時自知其數有本云每日与一百陳那羅即金錢也乃至盡形日日常得西方求者多有驗除不至心也
其持呪者見是相已知事得成當須獨處淨
室燒香而卧可於牀邊置一香篋每至天曉
觀其篋中獲所求物每得物時當日即須供
養三寶香花飲食兼施貧乏皆令罄盡不
得停留於諸有情起慈悲念勿生瞋誑諂

BD03074 號　金光明最勝王經卷六　（2–2）

比丘衆千二
鉢入舍衛大城乞食於其
飯食訖收衣鉢洗足已敷座而坐時長老須
在大衆中即從座起偏袒右肩右膝著地合掌恭敬
而白佛言希有世尊如來善護念諸菩薩善付囑諸
菩薩世尊善男子善女人發阿耨多羅三藐三菩提
心應云何住云何降伏其心佛言善哉善哉須菩提
如汝所說如來善護念諸菩薩善付囑諸菩薩
汝今諦聽當為汝說善男子善女人發阿耨多
羅三藐三菩提心應如是住如是降伏其心唯然世
樂欲聞
佛告須菩提諸菩薩摩訶薩應如是降伏其心所有
一切衆生之類若卵生若胎生若濕生若化生若有色若
无色若有想若无想若非有想若非无想我皆令入无餘
涅槃而滅度之如是滅度无量无數无邊衆生得滅
度者何以故須菩提若菩薩有我相人相衆生相壽
者相即非菩薩
復次須菩提菩薩於法應无所住行於布施所謂不住
施不住聲香味觸法布施須菩提菩薩應如是布施不
住於相何以故若菩薩不住相布施其福德不可思量須
菩提於意云何東方虛空可思量不不也世尊須菩提
南西北方四維上下虛空可思量不不也世尊須菩提菩薩无
住相布施福德亦復如是不可思量須菩提菩薩但應如

BD03075號1　金剛般若波羅蜜經　　（13–1）

復次須菩提
施不住聲香味觸法布施須菩提菩薩應如是布施不
住於相何以故若菩薩不住相布施其福德不可思量須
菩提於意云何東方虛空可思量不不也世尊須菩提
南西北方四維上下虛空可思量不不也世尊須菩提菩薩无
住相布施福德亦復如是不可思量須菩提菩薩但應如
所教住須菩提於意云何可以身相見如來不不也世尊不
可以身相得見如來何以故如來所說身相即非身相佛告須菩
提凡所有相皆是虛妄若見諸相非相則見如來
須菩提白佛言世尊頗有衆生得聞如是言說章句
生實信不佛告須菩提莫作是說如來滅後後五百歲
有持戒修福者於此章句能生信心以此為實當知是人
不於一佛二佛三四五佛而種善根已於无量千万佛所種諸
善根聞是章句乃至一念生淨信者須菩提如來悉知悉
見是諸衆生得如是无量福德何以故是諸衆生无復
我相人相衆生相壽者相无法相亦无非法相何以故是諸衆
生若心取相則為著我人衆生壽者若取法相則著我人
衆生壽者何以故若取非法相則著我人衆生壽者是故
不應取法不應取非法以是義故如來常說汝等比丘知我
說法如筏喻者法尚應捨何況非法
須菩提於意云何如來得阿耨多羅三藐三菩提耶
如來有所說法耶須菩提言如我解佛所說義无有定
法名阿耨多羅三藐三菩提亦无有定法如來可說何
以故如來所說法皆不可取不可說非法非非法所以者何一
切賢聖皆以无為法而有差別
須菩提於意云何若人滿三千大千世界七寶以用布
施是人所得福德寧為多不須菩提言甚多世尊

BD03075號1　金剛般若波羅蜜經　　（13–2）

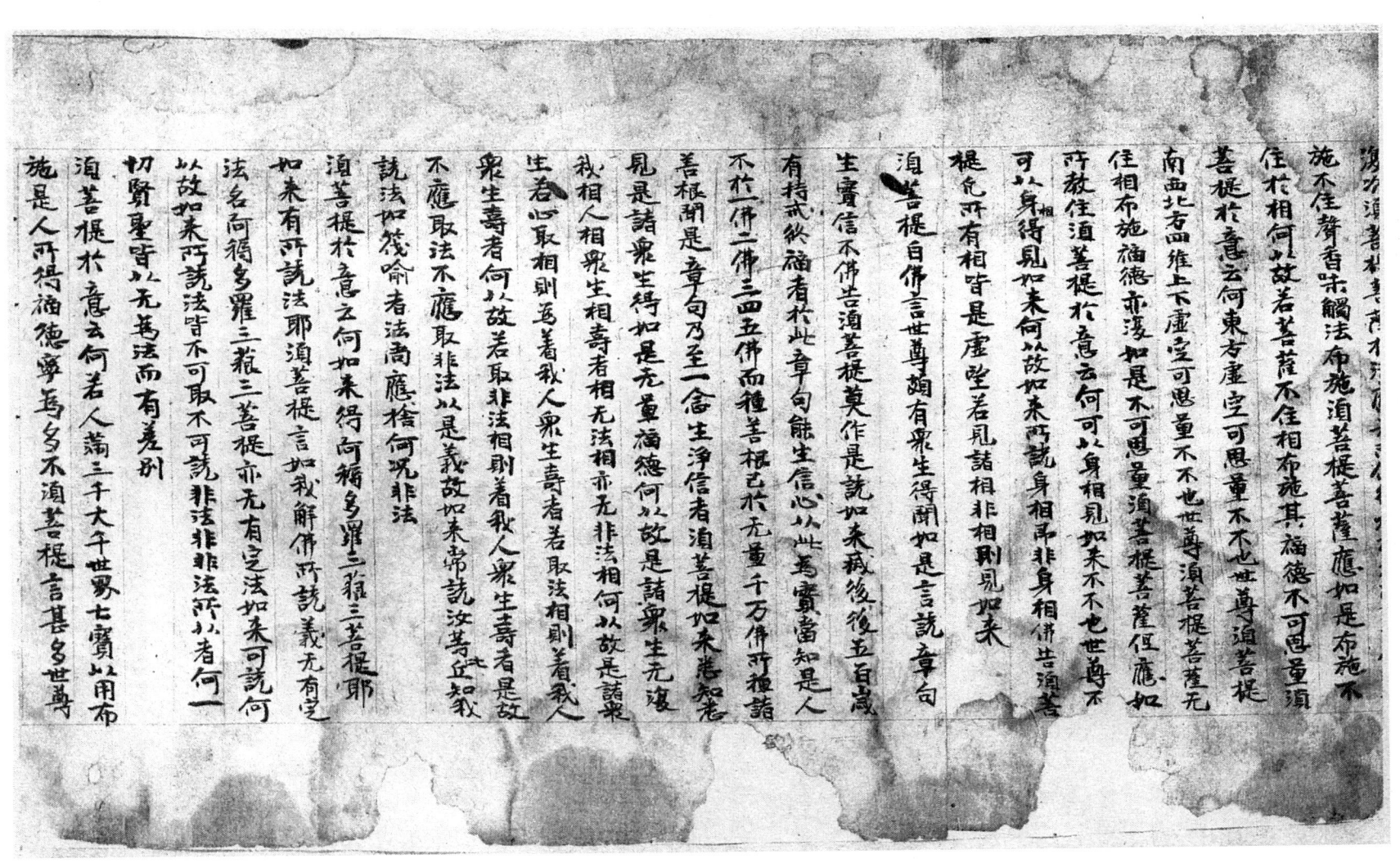

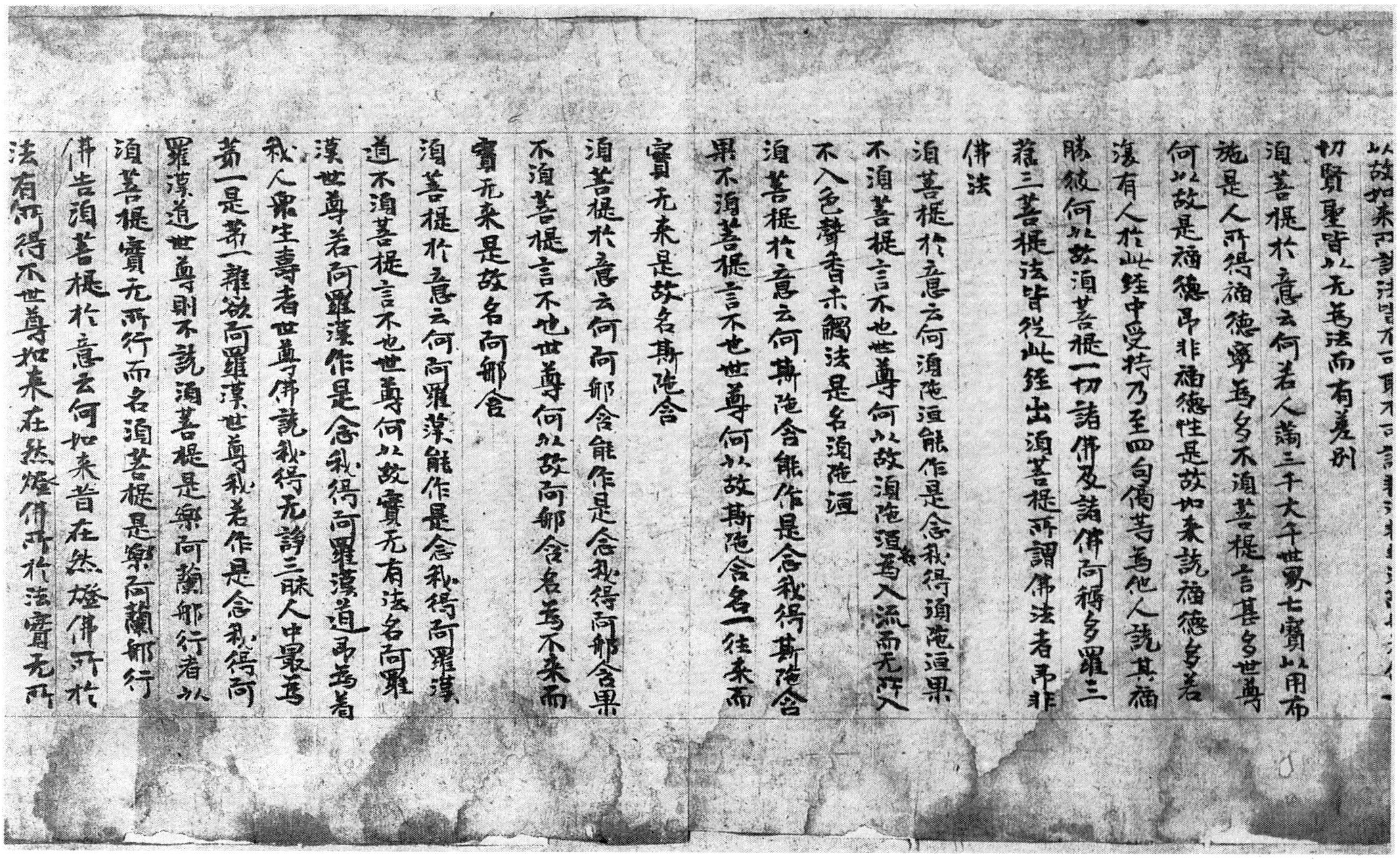

以故如來所說法皆不可取不可說非法非非法所以者何一
切賢聖皆以无為法而有差別
須菩提於意云何若人滿三千大千世界七寶以用布
施是人所得福德寧為多不須菩提言甚多世尊
何以故是福德即非福德性是故如來說福德多若
復有人於此經中受持乃至四句偈等為他人說其福
勝彼何以故須菩提一切諸佛及諸佛阿耨多羅三
藐三菩提法皆從此經出須菩提所謂佛法者即非
佛法
須菩提於意云何須陀洹能作是念我得須陀洹果
不須菩提言不也世尊何以故須陀洹名為入流而无所入
不入色聲香味觸法是名須陀洹
須菩提於意云何斯陀含能作是念我得斯陀含
果不須菩提言不也世尊何以故斯陀含名一往來而
實无來是故名斯陀含
須菩提於意云何阿那含能作是念我得阿那含果
不須菩提言不也世尊何以故阿那含名為不來而
實无來是故名阿那含
須菩提於意云何阿羅漢能作是念我得阿羅漢
道不須菩提言不也世尊何以故實无有法名阿羅
漢世尊若阿羅漢作是念我得阿羅漢道即為著
我人眾生壽者世尊佛說我得无諍三昧人中最為
第一是第一離欲阿羅漢世尊我若作是念我得阿
羅漢道世尊則不說須菩提是樂阿蘭那行者以
須菩提實无所行而名須菩提是樂阿蘭那行
佛告須菩提於意云何如來昔在然燈佛所於
法有所得不世尊如來在然燈佛所於法實无所

BD03075號1　金剛般若波羅蜜經　（13-3）

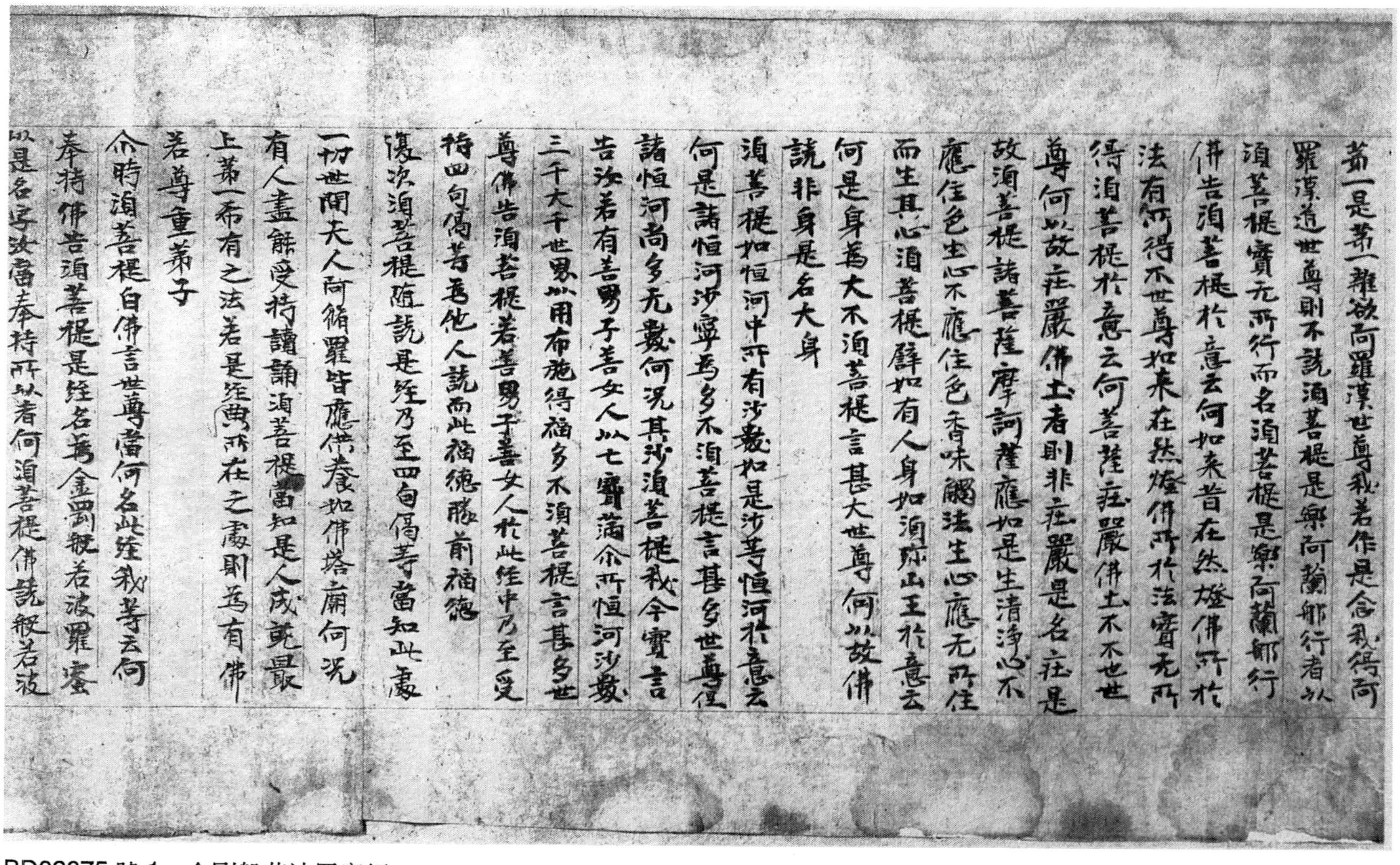

第一是第一離欲阿羅漢世尊我若作是念我得阿
羅漢道世尊則不說須菩提是樂阿蘭那行者以
須菩提實无所行而名須菩提是樂阿蘭那行
佛告須菩提於意云何如來昔在然燈佛所於
法有所得不世尊如來在然燈佛所於法實无所
得須菩提於意云何菩薩莊嚴佛土不不也世
尊何以故莊嚴佛土者則非莊嚴是名莊嚴是
故須菩提諸菩薩摩訶薩應如是生清淨心不
應住色生心不應住色香味觸法生心應无所住
而生其心須菩提譬如有人身如須彌山王於意云
何是身為大不須菩提言甚大世尊何以故佛
說非身是名大身
須菩提如恒河中所有沙數如是沙等恒河於意云
何是諸恒河沙寧為多不須菩提言甚多世尊但
諸恒河尚多无數何況其沙須菩提我今實言
告汝若有善男子善女人以七寶滿爾所恒河沙數
三千大千世界以用布施得福多不須菩提言甚多世
尊佛告須菩提若善男子善女人於此經中乃至受
持四句偈等為他人說而此福德勝前福德
復次須菩提隨說是經乃至四句偈等當知此處
一切世間天人阿脩羅皆應供養如佛塔廟何況
有人盡能受持讀誦須菩提當知是人成就最
上第一希有之法若是經典所在之處則為有佛
若尊重弟子
爾時須菩提白佛言世尊當何名此經我等云何
奉持佛告須菩提是經名為金剛般若波羅蜜
以是名字汝當奉持所以者何須菩提佛說般若波

BD03075號1　金剛般若波羅蜜經　（13-4）

有人盡能受持讀誦湏菩提當知是人成就最
上第一希有之法若是經典所在之處則為有佛
若尊重弟子
尒時湏菩提白佛言世尊當何名此經我等云何
奉持佛告湏菩提是經名為金剛般若波羅蜜
以是名字汝當奉持所以者何湏菩提佛說般若波
羅蜜則非般若波羅蜜湏菩提於意云何如來有所說
法不湏菩提白佛言世尊如來无所說湏菩提於意
云何三千大千世界所有微塵是為多不湏菩提言
甚多世尊湏菩提諸微塵如來說非微塵是名
微塵如來說世界非世界是名世界
湏菩提於意云何可以卅二相見如來不不也世尊不可
以卅二相得見如來何以故如來說卅二相即是非相是
名卅二相湏菩提若有善男子善女人以恒河沙等身
命布施若復有人於此經中乃至受持四句偈等為
他人說其福甚多
尒時湏菩提聞說是經深解義趣涕淚悲泣而白佛
言希有世尊佛說如是甚深經典我從昔來所得慧眼
未曾得聞如是之經世尊若復有人得聞是經信心清
淨則生實相當知是人成最上第一希有功德世尊是
實相者則是非相是故如來說名實相世尊我今得
聞如是經典信解受持不足為難若當來世後五百歲
其有衆生得聞是經信解受持是人則為第一希有
何以故此人无我相人相衆生相壽者相所以者何我相
即是非相人相衆生相壽者相亦是非相何以故離一切
諸相則名諸佛
佛告湏菩提如是如是若復有人得聞是經不驚不

BD03075號1　金剛般若波羅蜜經　（13–5）

則是非相人相衆生相壽者相亦是非相何以故離一切
諸相則名諸佛
佛告湏菩提如是如是若復有人得聞是經不驚不
怖不畏當知是人甚為希有何以故湏菩提如來說第
一波羅蜜則非第一波羅蜜是名第一波羅蜜湏菩提忍
辱波羅蜜何以故湏菩提如我昔為歌利王割截身體
我於尒時无我相无人相无衆生相无壽者相何以故我
於往昔節節支解時若有我相人相衆生相壽者相
應生瞋恨
湏菩提又念過去於五百世作忍辱仙人於尒所世无我
相无人相无衆生相无壽者相是故湏菩提菩薩
應離一切相發阿耨多羅三藐三菩提心不應
住色生心不應住聲香味觸法生心應生
无所住心若心有住則為非住是故佛說菩薩心
不應住色布施湏菩提菩薩為利益一切衆生
應如是布施如來說一切諸相亦是非相又
說一切衆生則非衆生
湏菩提如來是真語者實語者如語者不誑語
者不異語者湏菩提如來所得法此法无實
无虛湏菩提若菩薩心住於法而行布施如
人入闇則无所見若菩薩心不住於法而行布
施如人有目日光明照見種種色湏菩提當來
之世若有善男子善女人能於此經受持讀誦
則為如來以佛智慧悉知是人悉見是人皆得
成就无量无邊功德
湏菩提若有善男子善女人初日分以恒河沙等身
布施中日分復以恒河沙等身布施後日分亦

BD03075號1　金剛般若波羅蜜經　（13–6）

則為如來以佛智慧悉知是人悉見是人皆得
成就无量无邊功德
須菩提若善男子善女人初日分以恒河沙等身
布施中日分復以恒河沙等身布施後日分亦
以恒河沙等身布施如是无量百千万億劫以身
布施若復有人聞此經典信心不逆其福勝彼
何况書寫受持讀誦為人解說
須菩提以要言之是經有不可思議不可稱量
无邊功德如來為發大乘者說為發最上乘說
若有人能受持讀誦廣為人說如來悉知是人
悉見是人皆得成就不可量不可稱无有邊不可
思議功德如是人等則為荷擔如來阿耨多羅
三藐三菩提何以故須菩提若樂小法者着我見
人見衆生見壽者見則於此經不能聽受讀誦
為人解說須菩提在在處處若有此經一切世間
天人阿脩羅所應供養當知此處則為是塔皆
應供敬作禮圍遶以諸華香而散其處
復次須菩提若善男子善女人受持讀誦此經若
為人輕賤是人先世罪業應墮惡道以今世人輕
賤故先世罪業則為消滅當得阿耨多羅三藐三
菩提須菩提我念過去无量阿僧祇劫於然燈
佛前得值八百四千万億那由他諸佛悉皆供養承
事无空過者若復有人於後末世能受持讀誦
此經所得功德於我所供養諸佛功德百分不及一千
万億分乃至筭數譬喻所不能及須菩提若善男
子善女人於後末世受持讀誦此經所得功德我若

BD03075 號 1　金剛般若波羅蜜經　（13–7）

事无空過者若復有人於後末世能受持讀誦
此經所得功德於我所供養諸佛功德百分不及一千
万億分乃至筭數譬喻所不能及須菩提若善男
子善女人於後末世受持讀誦此經所得功德我若
具說者或有人聞心則狂亂狐疑不信須菩提當
知是經義不可思議果報亦不可思議
尒時須菩提白佛言世尊善男子善女人發阿耨
多羅三藐三菩提心云何應住云何降伏其心佛
告須菩提善男子善女人發阿耨多羅三藐三
菩提者當生如是心我應滅度一切衆生滅度一切衆
生已而无有一衆生實滅度者何以故若菩薩有我
相人相衆生相壽者相則非菩薩所以者須菩提實
无有法發阿耨多羅三藐三菩提者
須菩提於意云何如來於然燈佛所有法得阿耨
多羅三藐三菩提不不也世尊如我解佛所說義佛
於然燈佛所无有法得阿耨多羅三藐三菩提佛言
如是如是須菩提實无有法如來得阿耨多羅三藐
三菩提須菩提若有法如來得阿耨多羅三藐三
菩提然燈佛則不与我受記汝於來世當得作佛
号釋迦牟尼以實无有法得阿耨多羅三藐三菩提
是故然燈佛與我受記作是言汝於來世當得作
佛号釋迦牟尼何以故如來者即諸法如義若有人
言如來得阿耨多羅三藐三菩提須菩提實无有
法佛得阿耨多羅三藐三菩提須菩提如來所得
阿耨多羅三藐三菩提於是中无實无虛是故如
來說一切法皆是佛法須菩提所言一切法者即非一

BD03075 號 1　金剛般若波羅蜜經　（13–8）

佛號釋迦牟尼何以故如來者即諸法如義若有人
言如來得阿耨多羅三藐三菩提須菩提實无有
法佛得阿耨多羅三藐三菩提須菩提如來所得
阿耨多羅三藐三菩提於是中无實无虛是故如
來說一切法皆是佛法須菩提所言一切法者即非一
切法是故名一切法
須菩提譬如人身長大須菩提言世尊如來說人
身長大即非大身是名大身須菩提菩薩亦如
是若作是言我當滅度无量衆生則不名菩薩
何以故須菩提實无有法名為菩薩是故佛說
一切法无我无人无衆生无壽者須菩提若菩薩作
是言我當莊嚴佛土是不名菩薩何以故如來說
莊嚴佛土者即非莊嚴是名莊嚴
須菩提若菩薩通達无我法者如來說名真是菩
薩須菩提於意云何如來有肉眼不如是世尊如來
有肉眼須菩提於意云何如來有天眼不如是世尊
如來有天眼須菩提於意云何如來有慧眼不如是
世尊如來有慧眼須菩提於意云何如來有法眼不
如是世尊如來有法眼須菩提於意云何如來有佛
眼不如是世尊如來有佛眼須菩提於意云何恒河
中所有沙佛說是沙不如是世尊如來說是沙須
菩提於意云何如一恒河中所有沙有如是等恒
河是諸恒河所有沙數佛世界如是寧為多不甚
多世尊佛告須菩提介所國土中所有衆生若干種
心如來悉知何以故如來說諸心皆為非心是名為心
所以者何須菩提過去心不可得現在心不可得未來心
不可得須菩提於意云何若有人滿三千大千世界

河是諸恒河所有沙數佛世界如是寧為多不甚
多世尊佛告須菩提介所國土中所有衆生若干種
心如來悉知何以故如來說諸心皆為非心是名為心
所以者何須菩提過去心不可得現在心不可得未來心
不可得須菩提於意云何若有人滿三千大千世界
七寶以用布施是人以是因緣得福多不如是世尊
此人以是因緣得福甚多須菩提若福德有實
如來不說得福德多以福德无故如來說得福德多
須菩提於意云何佛可以具足色身見不不也
世尊如來不應以具足色身見何以故如來說具足
色身即非具足色身是名具足色身須菩
提於意云何如來可以具足諸相見不不也世尊
如來不應以具足諸相見何以故如來說諸相具
足即非諸相具足是名諸相具足須菩提汝勿
謂如來作是念我當有所說法莫作是念何
以故若人言如來有所說法即為謗佛不能解
我所說故須菩提說法者无法可說是名說法
須菩提白佛言世尊佛得阿耨多羅三藐三菩
提為无所得耶佛言如是如是須菩提我於阿
耨多羅三藐三菩提乃至无有少法可得是
名阿耨多羅三藐三菩提復次須菩提是法
平等无有高下是名阿耨多羅三藐三菩提以无
我无人无衆生无壽者脩一切善法則得阿耨多
羅三藐三菩提須菩提所言善法者如來說非善
法須菩提若三千大千世界中所有諸須弥山王如是
等七寶聚有人持用布施若人以此般若波羅蜜經
乃至四句偈等受持讀誦為他人說於前福德百

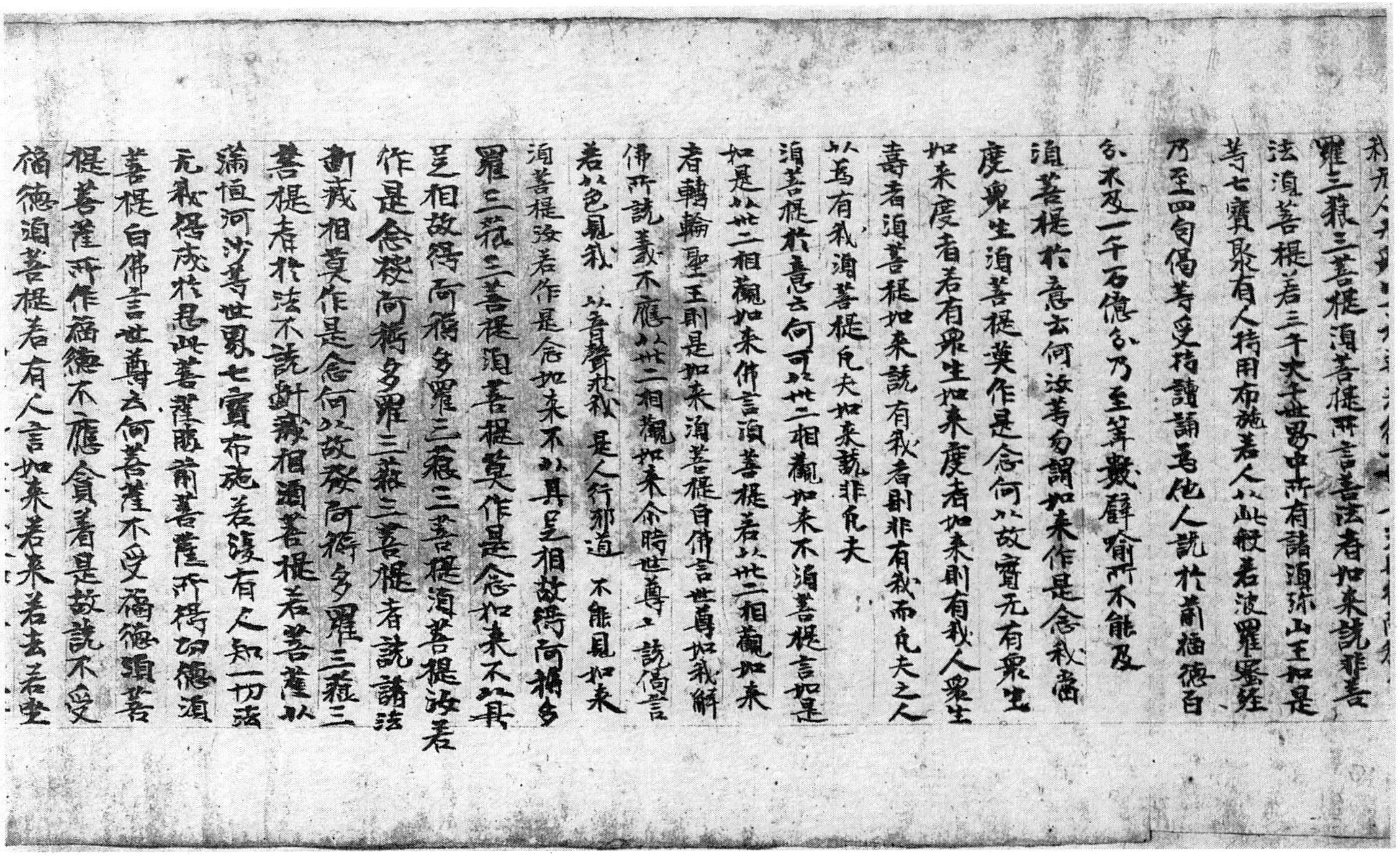

[illegible]
羅三藐三菩提須菩提所言善法者如来說非善
法須菩提若三千大千世界中所有諸須弥山王如是
等七寶聚有人持用布施若人以此般若波羅蜜經
乃至四句偈等受持讀誦為他人說於前福德百
分不及一千万億分乃至筭數譬喻所不能及
須菩提於意云何汝等勿謂如来作是念我當
度衆生須菩提莫作是念何以故實无有衆生
如来度者若有衆生如来度者如来則有我人衆生
壽者須菩提如来說有我者則非有我而凡夫之人
以為有我須菩提凡夫如来說非凡夫
須菩提於意云何可以卅二相觀如来不須菩提言如是
如是以卅二相觀如来佛言須菩提若以卅二相觀如来
者轉輪聖王則是如来須菩提白佛言世尊如我解
佛所說義不應以卅二相觀如来尒時世尊〻說偈言
若以色見我 以音聲求我 是人行邪道 不能見如来
須菩提汝若作是念如来不以具足相故得阿耨多
羅三藐三菩提須菩提莫作是念如来不以具
足相故得阿耨多羅三藐三菩提須菩提汝若
作是念發阿耨多羅三藐三菩提者說諸法
斷滅相莫作是念何以故發阿耨多羅三藐三
菩提者於法不說斷滅相須菩提若菩薩以
滿恒河沙等世界七寶布施若復有人知一切法
无我得成於忍此菩薩勝前菩薩所得功德須
菩提白佛言世尊云何菩薩不受福德須菩
提菩薩所作福德不應貪著是故說不受
福德須菩提若有人言如来若来若去若坐

BD03075 號 1　金剛般若波羅蜜經　（13–11）

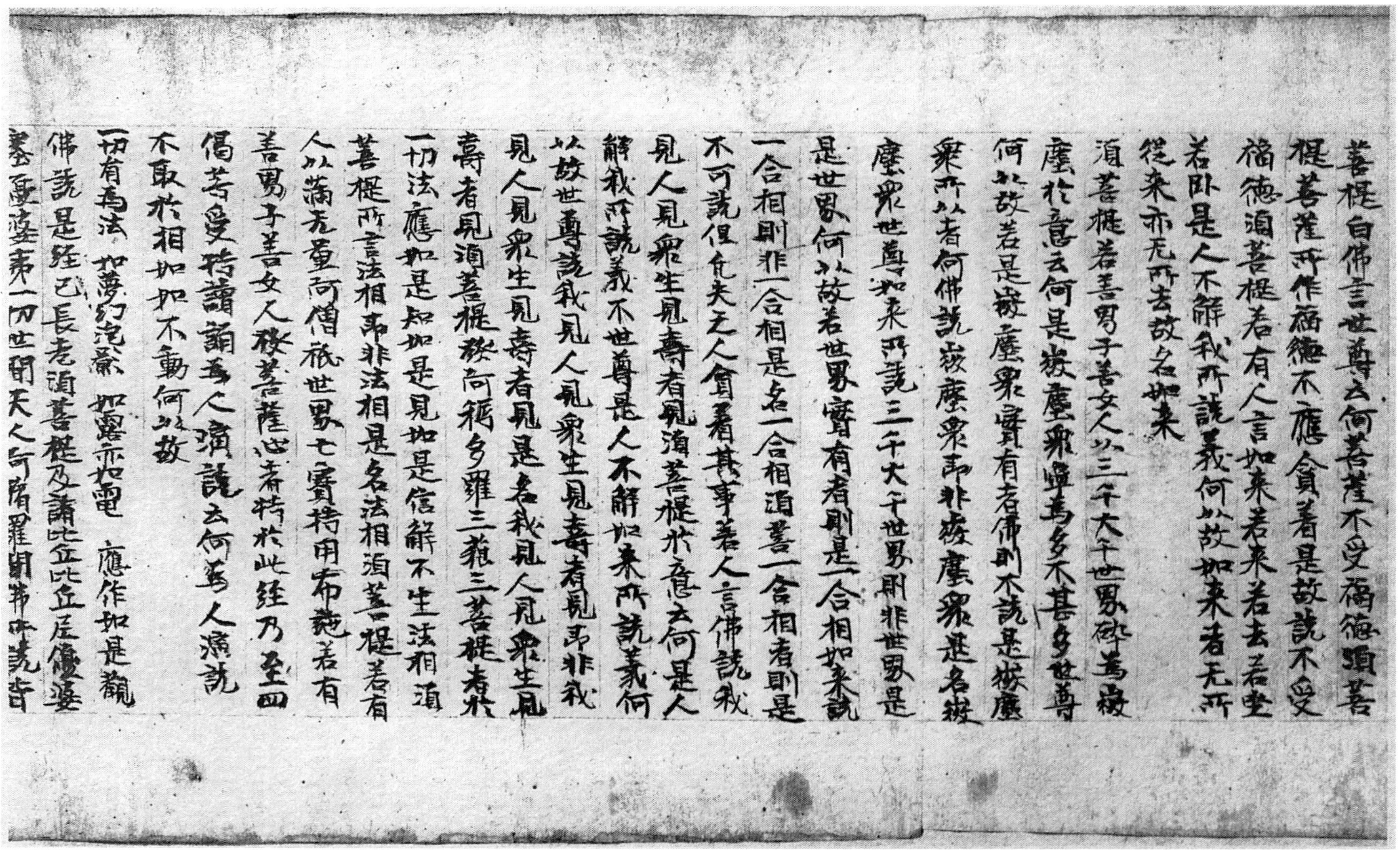

菩提白佛言世尊云何菩薩不受福德須菩
提菩薩所作福德不應貪著是故說不受
福德須菩提若有人言如来若来若去若坐
若卧是人不解我所說義何以故如来者无所
從来亦无所去故名如来
須菩提若善男子善女人以三千大千世界碎為微
塵於意云何是微塵衆寧為多不甚多世尊
何以故若是微塵衆實有者佛則不說是微塵
衆所以者何佛說微塵衆則非微塵衆是名微
塵衆世尊如来所說三千大千世界則非世界是
是世界何以故若世界實有者則是一合相如来說
一合相則非一合相是名一合相須菩提一合相者則是
不可說但凡夫之人貪著其事若人言佛說我
見人見衆生見壽者見須菩提於意云何是人
解我所說義不世尊是人不解如来所說義何
以故世尊說我見人見衆生見壽者見即非我
見人見衆生見壽者見是名我見人見衆生見
壽者見須菩提發阿耨多羅三藐三菩提者於
一切法應如是知如是見如是信解不生法相須
菩提所言法相即非法相是名法相須菩提若有
人以滿无量阿僧祇世界七寶持用布施若有
善男子善女人發菩薩心者持於此經乃至四
偈等受持讀誦為人演說云何為人演說
不取於相如如不動何以故
一切有為法 如夢幻泡影 如露亦如電 應作如是觀
佛說是經已長老須菩提及諸比丘比丘尼優婆
塞優婆夷一切世間天人阿脩羅聞佛所說皆

BD03075 號 1　金剛般若波羅蜜經　（13–12）

BD03075 號 1　金剛般若波羅蜜經　（13–13）

BD03075 號 2　金剛經陀羅尼

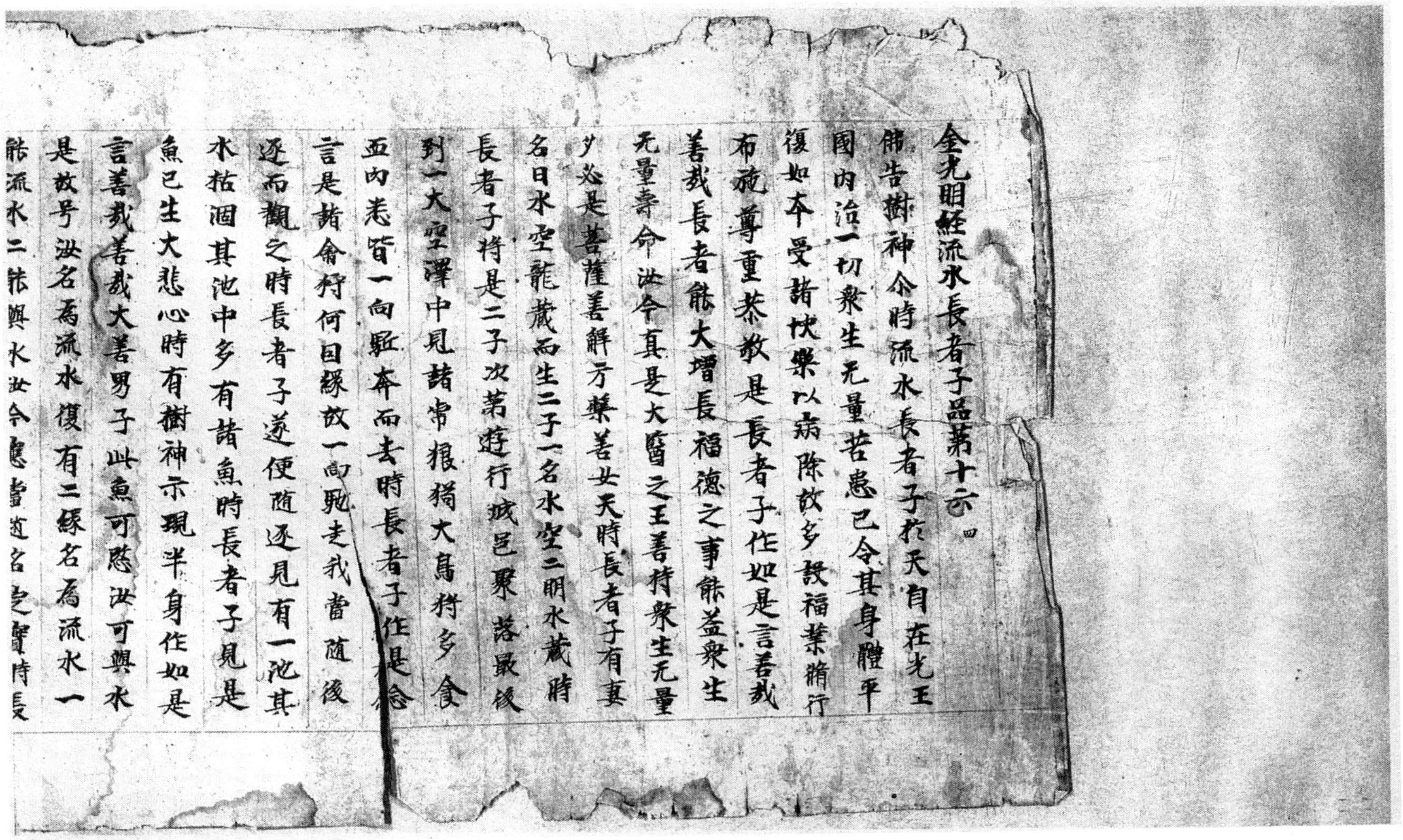

BD03076 號　金光明經卷四　（15–1）

逐而觀之時長者子遂便隨逐見有一池其
水枯涸其池中多有諸魚時長者子見是
魚已生大悲心時有樹神示現半身作如是
言善哉善哉大善男子此魚可愍汝可與水
是故号汝名為流水復有二緣名為流水一
能流水二能與水汝今應當隨名定實時長
者子問樹神言汝此魚頭數為有幾所樹神答
言其數具足滿十千善女天尒時流水聞是
數已倍復增益生大悲心善女天時此空池
為日所暴唯少水在是十千魚將入死門四
向婉轉見是長者心生特賴隨是長者所至
方面隨逐瞻視目未曾捨是時長者馳趣四
方推求索水了不能得便四顧望見有大
樹尋取枝葉還到池上與作陰涼作陰涼已
復更推求是池中水本從何來即出四向周
遍求覓莫知水處復更疾走遠至餘處見一
大河名曰水生尒時復有諸餘惡人為捕此
魚故於上流懸嶮之處決棄其水不令下過
然其決處懸嶮難補計當修治經九十日百
千人功猶不能成況我一身時長者子速疾
還反至大王所頭面礼拜却坐一面合掌向
王說其因緣作如是言我為大王國土人民
治種種病漸漸遊行至彼空澤見有一池其
水枯涸有十千魚為日所暴今日困厄將死
不久唯願大王借二十大象令得負水濟彼

BD03076號　金光明經卷四　（15–2）

治種種病漸漸遊行至彼空澤見有一池其
水枯涸有十千魚為日所暴今日困厄將死
不久唯願大王借二十大象令得負水濟彼
魚命如我與諸病人壽命尒時大王即勑大
臣速疾供給尒時大臣奉王告勑語是長者
善哉大士汝今自可至象廄中隨意選取利
益衆生令得快樂是時流水及其二子將二
十大象從城治中借索皮囊疾至彼河上流
決處盛水象負馳疾奔還至空澤池從上背
上下其囊水象置池中邊盡弥滿還復如本時
長者子於池四邊彷徉而行是魚尒時亦復
隨逐循岸而行時長者子復作是念是魚何
緣隨我而行是魚必為飢火所惱復欲從我
求索飲食我今當與善女天尒時流水長者
子告其二子言汝取一象最大力者速往家中
啓父長者家中所有可食之物及是父王所
噉之分及以妻子奴婢之分一切聚集悉載
象上急速來還尒時二子如父教勑乘最大
象往至家中白其祖父說如上事尒時二子
収取家中可食之物載象背上疾還父所至
空澤池時長者子見其子還心生歡喜踊躍无
量從子邊取飲食之物散著池中與魚食已
即自思惟我今已能與此魚食令飽滿未來
之世當施法食復更思惟曾聞過去空閑之
處有一比丘讀誦大乘方等經典其經中說
若有衆生臨命終時得聞寶勝如來名号

BD03076號　金光明經卷四　（15–3）

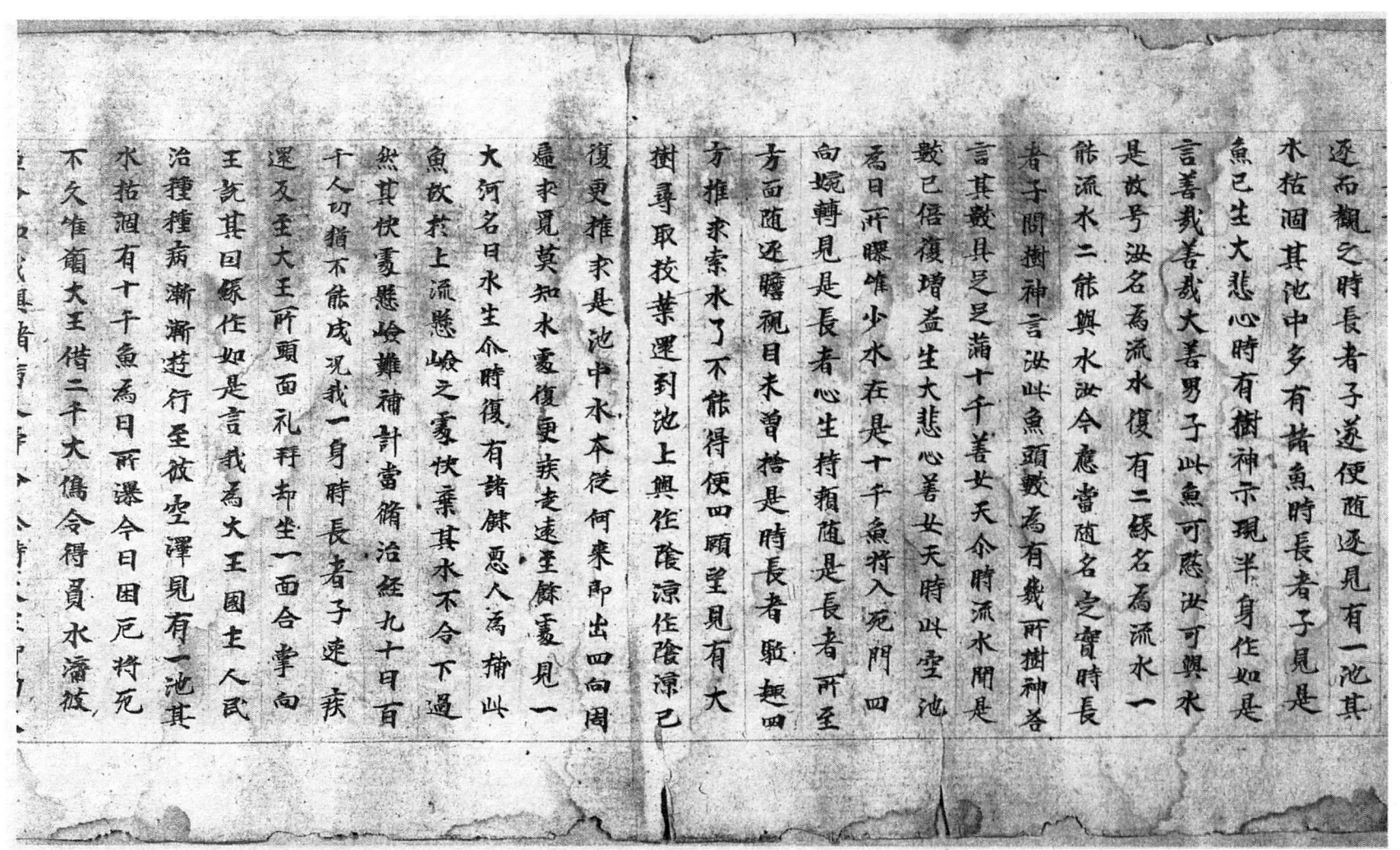

量從子邊取飲食之物散著池中與魚食已
即自思惟我今已能與此魚食令飽滿未來
之世當施法食復更思惟曾聞過去空閑之
處有一比丘讀誦大乘方等經典其經中說
若有衆生臨命終時得聞寶勝如來名號
即生天上我今當為是十千魚解說甚深十
二因緣亦當稱說寶勝佛名時閻浮提中有
二種人一者深信大乘方等二者毀呰不生信
樂時長者子作是思惟我今當入池水之中
為是諸魚說深妙法思惟是已即便入水
作如是言南无過去寶勝如來應正遍知明
行足善逝世間解无上士調御丈夫天人師
佛世尊寶勝如來本往昔時行菩薩道作是
誓願若有衆生於十方界臨命終時聞我名
者當令是事即命終已尋得上生三十三
天尒時流水復為是魚解說如是甚深妙法
所謂无明緣行行緣識識緣名色名色緣六入
六入緣觸觸緣受受緣愛愛緣取取緣有有
緣生生緣老死憂悲苦聚善女天尒時流水
長者子及其二子說是法已即共還家是長
者子復於後時賓客聚會醉酒而卧尒時其
地卒大震動時十千魚同日命終即命終已
生忉利天既生天已作是思惟我等以何善
業因緣得生於此忉利天中復相謂言我等
先於閻浮提內墮畜生中受於魚身流水長
者與我等水及以飲食復為我等解說甚

地卒大震動時十千魚同日命終即命終已
生忉利天既生天已作是思惟我等以何善
業因緣得生於此忉利天中復相謂言我等
先於閻浮提內墮畜生中受於魚身流水長
者與我等水及以飲食復為我等解說甚
深十二因緣并稱寶勝如來名號以是因緣令
我等輩得生此天是故我等今當往長者
子所報恩供養尒時十千天子從忉利天下
閻浮提至流水長者子大醫王家時長者子
在樓屋上露卧睡眠是十千天子以十千真
珠天妙瓔珞置其頭邊復以十千置其足邊
復以十千置右脅邊復以十千置其脅邊雨
曼陀羅華摩訶曼陀羅華積至于膝種種
天樂出妙音聲閻浮提中有睡眠者悉覺悟
流水長者子亦從睡悟是十千天子於上空
中飛騰遊行天自在光王國內處處皆雨天
妙蓮華是諸天子復至本處空澤池所復雨
天華便從此沒還忉利宮隨意自在受天五
欲時閻浮提過是夜已天自在光王問諸天
臣今夜何緣示現如是淨妙瑞相有大光明
大臣答言大王當知忉利諸天於流水長者
子家雨四十千真珠瓔珞及不可計曼陀羅
華王即告臣卿可往至彼長者家善言誘喻
喚令使來大臣受勅即至其家宣王教令喚
是長者是時長者尋至王所王問長者何緣
示現如是瑞相長者子言我必定知是十千

子家而四十千真珠瓔珞又不可計曼陁羅
華王即告臣卿可往至彼長者家善言誘哈
喚令使来大臣受勅即至其家宣王教令喚
是長者是時長者尋至王所王問長者何緣
示現如是瑞相長者子言我必定知是十千
魚其命已終時大王言今可遣人審實是
事尒時流水尋遣其子至彼池所看是諸魚
死活定實尒時其子聞是語已向於彼池既
至池已見其池中多有摩訶曼陁羅積聚
成積其中諸魚悉皆命終見即還白其父言
彼諸魚等悉已命終尒時流水知是事已復往
王所作如是言是十千魚悉皆命終王聞
是已心生歡喜尒時世尊告道場菩提樹神
善女天欲知尒時流水長者子今我身是長
子水空羅睺羅是次子水藏今阿難是時十
千魚者今十千天子是是故我今為其受阿
耨多羅三藐三菩提記尒時樹神現半身者
今汝身是
金光明經捨身品第十七
尒時道場菩提樹神復白佛言世尊我聞世
尊過去脩行菩薩道時具受无量百千苦行
行捐捨身命肉血骨髓唯願世尊少說往昔苦
行因緣為利衆生受諸快樂尒時世尊即現
神足神足力故令此大地六種震動於大講堂
衆會之中有七寶塔從地踊出衆寶羅網
彌滿其上尒時大衆見是事已生希有心尒

BD03076號　金光明經卷四　（15-6）

尊過去脩行菩薩道時具受无量百千苦行
行捐捨身命肉血骨髓唯願世尊少說往昔若
行因緣為利衆生受諸快樂尒時世尊即現
神足神足力故令此大地六種震動於大講堂
衆會之中有七寶塔從地踊出衆寶羅網
彌滿其上尒時大衆見是事已生希有心尒
時世尊即從坐起礼拜是塔恭敬圍繞還就
本坐尒時道場菩提樹神白佛言世尊如來
世雄出現於世常為一切之所恭敬於諸衆
生最勝最尊何因緣故礼拜是塔言善女
天我本脩行菩薩道時我身舍利安止是塔
因由是身令我早成阿耨多羅三藐三菩提
尒時佛告尊者阿難汝可開塔取中舍利示
此大衆是舍利者乃是无量六波羅蜜功德
所勳尒時阿難聞佛教勅即往塔所礼拜供
養開其塔戶見其塔中有七寶函以手開函
見其舍利色妙紅白而白佛言世尊是中舍
利其色紅白佛告阿難汝可持來此是大王
真身舍利尒時阿難即舉寶函還至佛所持
以上佛尒時佛告一切大衆汝等今可礼是舍
利此舍利者是戒定慧之所勳請甚難可
得最上福田尒時大衆聞是語已心懷歡喜
即從坐起合掌恭敬礼拜菩薩大士舍利尒
時世尊欲為大衆斷疑網故說是舍利往昔
因緣阿難過去之世有王名曰摩訶羅陁脩行
善法善持國土无有怨敵時有三子端正

BD03076號　金光明經卷四　（15-7）

時世尊欲為大衆斷疑網故說是舍利往昔
因緣阿難過去之世有王名曰摩訶羅陁脩行
善法善持國土无有怨敵時有三子端正
微妙形色殊特威德苐一苐一太子名曰摩
訶波那羅次子名曰摩訶提婆小子名曰摩
訶薩埵是三王子於諸園林遊戲觀看次第
漸到一大竹林憩駕心息苐一王子作如是
言我於今日心甚怖懼於是林中将无衰損
苐二王子復作是言我於今日不自惜身但
離所愛心憂愁耳苐三王子復作是言我
於今日獨无怖懼亦无愁惱山中空寂神仙所
讃是處閑靜能令行人安隱受樂時諸王子
說是語已轉復前行見有虎適産七日而
有七子圍繞周迊飢餓窮悴身體羸損命将
欲絕苐一王子見是虎已作如是言怪哉此虎
産來七日七子圍繞不得求食若為飢逼
必還噉子苐三王子言虎經常所食何物
苐一王子言此虎唯食雜熱肉血苐三王子
言君等誰能與此虎食苐二王子言此虎飢
餓身體羸瘦窮苦頓乏餘命无幾不容餘
處為其求食設餘求者命必不濟誰能與此
不惜身命苐一王子言一切難捨不過己身苐
三王子言我等今者以貪惜故於此身命不
能放捨智慧薄少故於是事而生驚怖若諸
大士欲益他生大悲心為衆生者捨此身命

BD03076號　金光明經卷四　（15–8）

不惜身命苐一王子言一切難捨不過己身苐
三王子言我等今者以貪惜故於此身命不
能放捨智慧薄少故於是事而生驚怖若諸
大士欲益他生大悲心為衆生者捨此身命
不足為難時諸王子心大愁憂久住視之
目未曾捨作是觀已尋便離去尒時苐三王
子作是念言我今捨身時已到矣何以故我
從昔來多棄是身都无所為亦常愛護處
之屋宅又復供給衣服飲食卧具醫藥象馬
車乘隨時将養令无所乏而不知恩反生怨害
然復不免无常敗壞復次是身不堅无所利
益可惡如賊猶若行廁我於今日當使此身
作无上業於生死海中作大橋梁復次若捨
此身則捨无量癰疽癩疾百千怖畏是身唯
有大小便利是身不堅如水上沫是身不淨
多諸虫戶是身不淨筋纏血塗皮骨髓腦
共相連持如是觀察甚可患猒是故我今應當
捨離以求寂滅无上涅槃永離憂患无常變
異生死休息无諸塵累无量禪定智慧功德
具足成就微妙法身百福莊嚴諸佛所讃證
成如是无上法輪與諸衆生无量法樂是時
王子勇猛堪任作是大願以上大悲動脩其
心慮其二兄心懷怖懼或恐固遮為作留難
即便語言兄等今者可與眷屬還其所止
尒時王子摩訶薩埵還至虎所脫身衣裳
置竹枝上作是誓言我今為利諸衆生故證於

BD03076號　金光明經卷四　（15–9）

王子勇猛堪任作是大願以上大悲動脩其
心慮其二兄心懷怖懼或恐固遮爲作留難
即便語言兄等今者可與眷屬還其所上
尒時王子摩訶薩埵還至虎所脫身衣裳
置竹枝上作是誓言我今爲利諸衆生故證於
最勝无上道故大悲不動捨難捨故爲求菩
提智所讚故欲度三有諸衆生故滅生死怖
衆惱熱故是時王子作是誓已即自放身卧
餓虎前是時王子以大慈力故虎无能爲王
子復作是念言虎今羸瘦身无勢力力不
能得我身血肉食即起求刀周遍求之了不
能得即以干竹刺頸出血於高山上投身虎前
是時大地六種震動日无精光如羅睺羅阿脩
羅王捉持鄣蔽又雨雜華種種妙香時虛
空中有諸餘天見是事已心生歡喜嘆未曾
有讚言善哉善哉大士汝今真是行大悲者
爲衆生故能捨難捨於諸學人第一勇健汝
已爲得諸佛所讚常樂住處不久當證无
惱无熱清淨涅槃是虎尒時見血流出汙王
子身即便䑛血噉食其肉唯留餘骨尒時第一
王子見地動大爲第二王子而說偈言
震動大地　及以大海　日无精光　如有覆蔽
於上虛空　雨於華香　必是我弟　捨所愛身
第二王子　復說偈言
彼虎産來　已經七日　七子圍繞　窮无飲食
氣力羸損　命不去遠　小弟大悲　知其窮悴
懼不堪忍　還食其子

震動大地　及以大海　日无精光　如有覆蔽
於上虛空　雨於華香　必是我弟　捨所愛身
第二王子　復說偈言
彼虎産來　已經七日　七子圍繞　窮无飲食
氣力羸損　命不去遠　小弟大悲　知其窮悴
懼不堪忍　還食其子　必定捨身　以救彼命
時二王子心大愁怖涕泣悲歎容貌憔悴復
共相將還至虎所見弟所著被服衣裳皆悉
在一竹枝之上骸骨髮爪布散狼藉流血處
處遍汙其地見已悶絶不自勝持身骨上
良久乃穌即從舉手號天而哭我弟幼稚才
能過人特爲父母之所愛念奄忽捨身以飴
餓虎我今還宮父母設問當云何荅我寧在
此併命一處不忍見是骸骨髮爪何心捨離
還見父母妻子眷屬朋友知識時二王子悲
號懊惱漸捨而去時小王子所將侍從各散
諸方互相謂言今者我天爲何所在尒時王
妃於睡中夢夢乳被割牙齒墮落得三鴿鷂
一爲鷹食尒時王妃大地動時即便驚悟心
大愁怖而說偈言
今日何故　大地大水　一切皆動　物不安所
日無精光　如有覆蔽　我心憂苦　目睫瞤動
如我今者　所見瑞相　必有災異　不祥苦惱
於是王妃　說是偈已時　有青衣在外已聞
王子消息驚惶怖懼即入內啓白王妃作如
是言向者在外聞諸徒從推覓王子不知所

如我今者　所見瑞相　必有災異　不祥苦惱
於是王妃　說是偈已　時有青衣　在外已聞
王子消息　驚惶怖懼　即入內啓　白王妃作如
是言　向者在外　聞諸侍從　推覓王子　不知所
在　王妃聞已　生大憂惱　涕泣滿目　至大王所
我於向者　傳聞外人　失我最小　所愛之子　大
今日失我　心中所愛　重者　尒時世尊　重宣
此義　而說偈言
我於往昔　無量劫中　捨所重身　以求菩提
若為國王　及作王子　常捨難捨　以求菩提
我念宿命　大有國王　其王名曰　摩訶羅陀
是王有子　能大布施　其子名曰　摩訶薩埵
復有二兄　長者名曰　大波那羅　次名大天
三人同遊　至一空山　見新產虎　飢窮無食
時勝大王　生大悲心　我今當捨　所重之身
此虎或為　飢餓所逼　儻能還食　自所生子
即上高山　自投虎前　為令虎子　得全性命
是時大地　及諸大山　皆悉震動　驚諸禽獸
虎狼師子　四散馳走　世間皆闇　无有光明
是時二兄　故在竹林　心懷憂惱　愁苦涕泣
漸漸推求　遂至虎所　見虎虎子　血汙其口
又見骸骨　髮毛爪齒　處處迸血　狼藉在地
是二王子　見是事已　心更悶絕　自躄於地
以灰塵土　自塗全身　忘失正念　生狂癡心
所將侍從　覩見是事　亦生悲慟　失聲號哭
手持冷水　共相噴灑　然後蘇息　而復得起

BD03076號　金光明經卷四　（15–12）

又見骸骨　髮毛爪齒　處處迸血　狼藉在地
是二王子　見是事已　心更悶絕　自躄於地
以灰塵土　自塗全身　忘失正念　生狂癡心
所將侍從　覩見是事　亦生悲慟　失聲號哭
手持冷水　共相噴灑　然後蘇息　而復得起
是時王子　當捨身時　正值後宮　妃后婇女
眷屬五百　共相娛樂　王妃是時　兩乳汁出
一切枝節　痛如針刺　心生愁惱　以喪愛子
是是王妃　疾至王所　其聲微細　悲泣而言
大王今當　諦聽諦聽　憂愁盛火　今來燒我
我今二乳　俱時汁出　身體苦切　如被針刺
我見如是　不祥瑞相　恐更不復　見所愛心
今以身命　奉上大王　願速遣人　求覓我子
夢三鴿鶵　在我懷中　其最小者　可適我心
有鷹飛來　奪我而去　夢是事已　即生憂惱
我今愁怖　恐命不濟　願速遣人　推求我子
是時王妃　說是語已　即時悶絕　而復躄地
王聞是語　復生憂惱　以不得見　所愛子故
其王大臣　及語眷屬　悉皆聚集　在王左右
號哭悲號　聲動天地　尒時城內　所有人民
聞是聲已　驚愕而出　各相謂言　今是王子
為活來耶　為已死亡　如是大士　常出軟語
為衆所愛　今難可見　各有語人　入林推求
不久自當　得定消息　諸人尒時　悼惶如是
而復悲號　哀動神祇
尒時大王　即從坐起　以水灑妃　良久乃蘇
還得正念　啼聲問王　我子今者　[illegible]

BD03076號　金光明經卷四　（15–13）

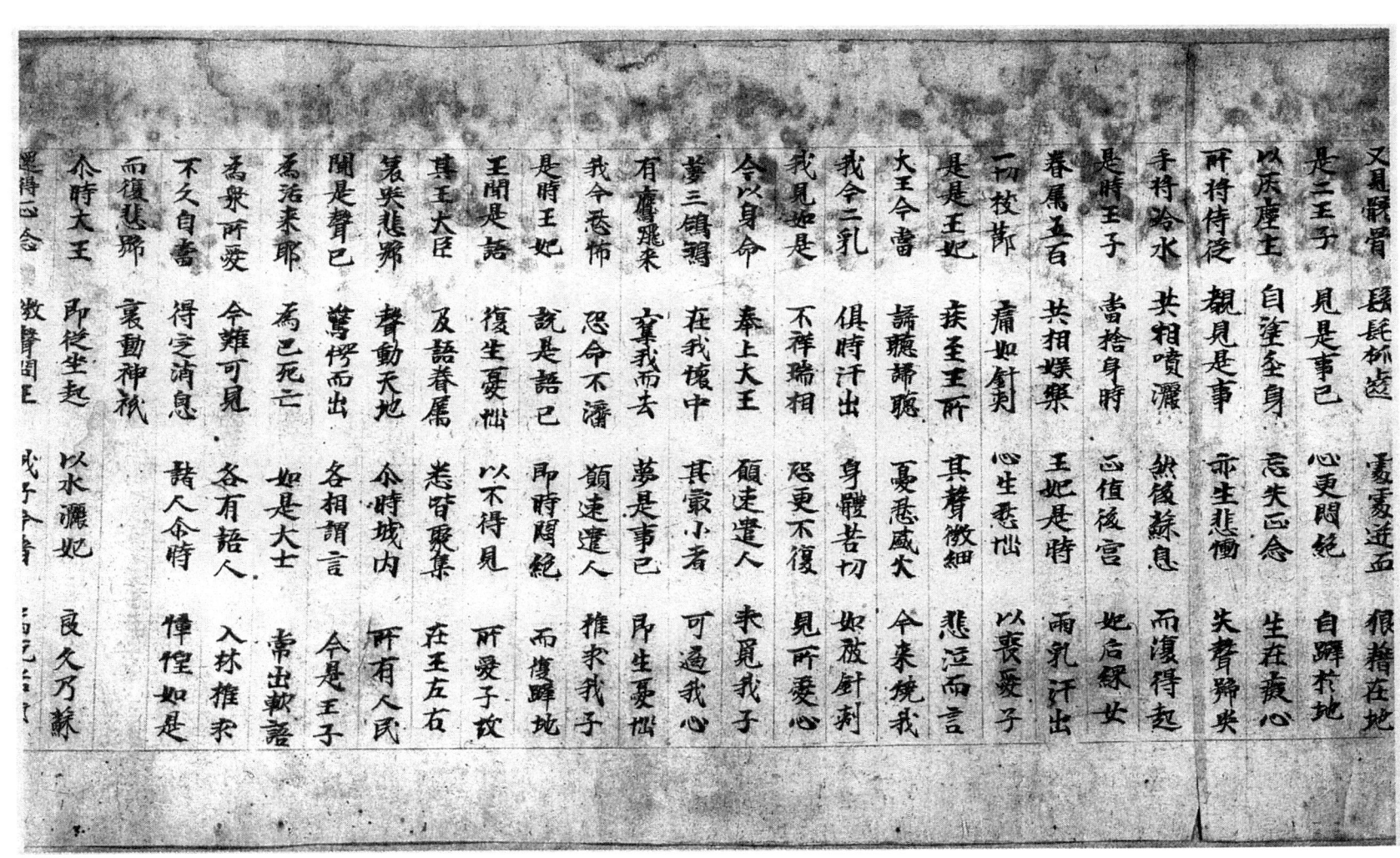

不久自審　得定消息　諸人尒時　憧惶如是
而復悲號　震動神祇
尒時大王　即從坐起　以水灑妃　良久乃蘇
還得正念　微聲問王　我子今者　爲死活耶
尒時王妃　念其子故　倍復懊惱　心无暫捨
可惜我子　形色端正　如何一旦　捨義終亡
云何我身　不先薨沒　而見如是　諸苦惱事
善子妙色　猶淨蓮華　誰壞汝心　使令分離
將非是我　昔日怨讎　挾本業緣　而煞汝耶
將非是我　淨如滿月　不啚一旦　遇斯禍對
寧使我身　破碎如塵　不令我子　喪失身命
我所見夢　已爲得報　俱我无情　能堪是苦
如我所夢　牙齒墮落　二乳一時　汁自流出
必定是我　失所愛子　夢三鴿鶵　應棄一去
三子之中　必定失一　尒時大王　即告其妃
我今當遣　大臣使者　周遍東西　推求覓子
汝今且可　莫大憂愁　大王如是　慰喻妃了
即便嚴駕　出其宮殿　心生愁惱　憂苦所切
雖在大衆　顏貌憔悴　即出其城　覓所愛子
尒時亦有　无量諸人　哀號動地　尋從王後
是時大王　既出城已　四向顧望　求覓其子
煩冤心亂　靡知所在　最後遥見　有一信來

BD03076 號　金光明經卷四　（15–14）

汝今且可　莫大憂愁　大王如是　慰喻妃了
即便嚴駕　出其宮殿　心生愁惱　憂苦所切
雖在大衆　顏貌憔悴　即出其城　覓所愛子
尒時亦有　无量諸人　哀號動地　尋從王後
是時大王　既出城已　四向顧望　求覓其子
煩冤心亂　靡知所在　最後遥見　有一信來

BD03076 號　金光明經卷四　（15–15）

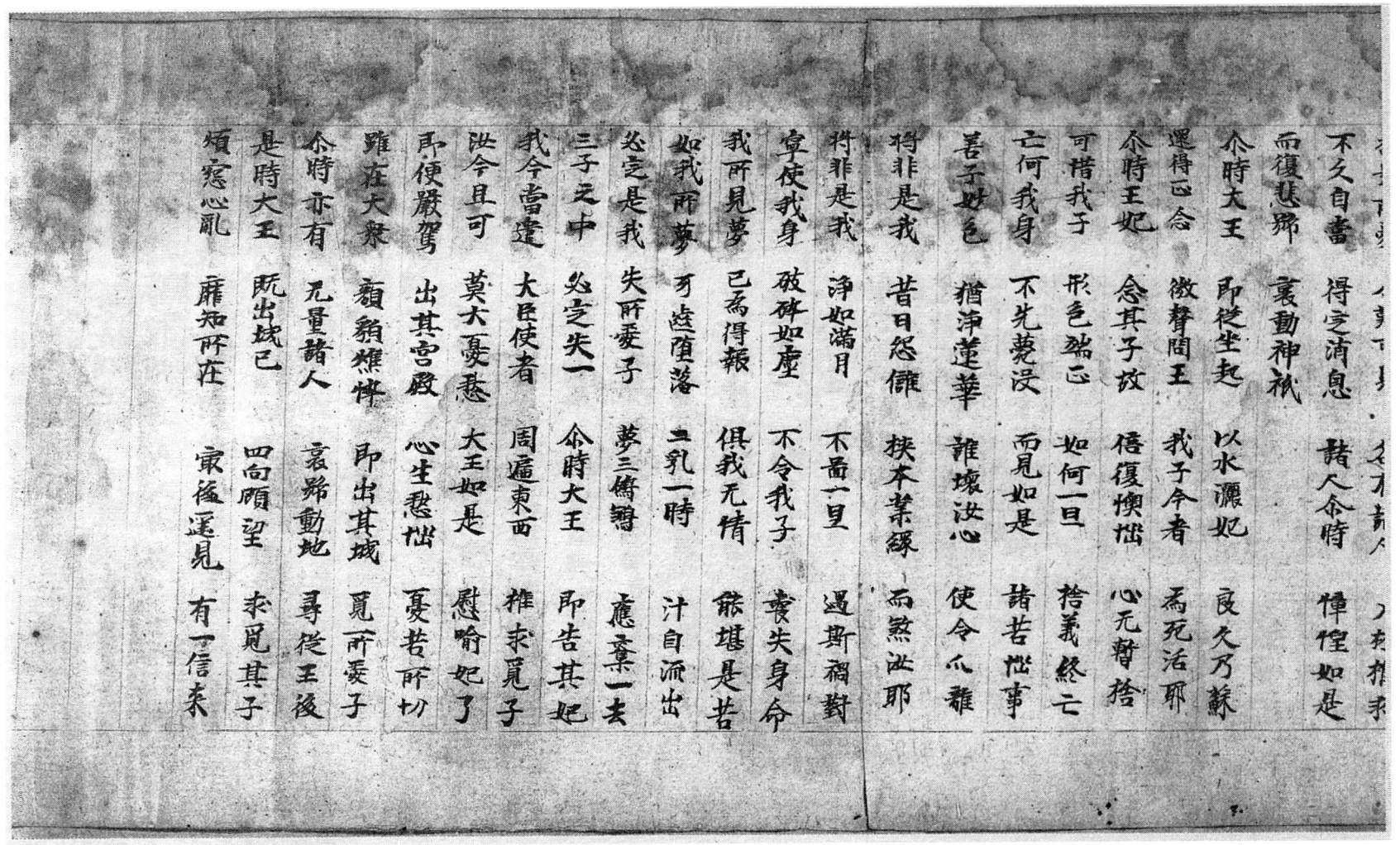

之心若起瞋者即失神驗常可護心勿令瞋恚
又持此呪者於每日中憶我多聞天王及男
女眷屬稱揚讚歎恒以十善共相資助令彼
天等福力增明衆善普臻證菩提處彼諸天
衆見是事已皆大歡喜共來擁衛持呪之人
又持呪者壽命長遠經无量歲永離三塗常
无灾厄亦令獲得如意寶珠及以伏藏神通
自在所願皆成若求官榮无不稱意亦解一
切禽獸之語
世尊若持呪時欲得見我自身現者可於月
八日或十五日於白疊上畫佛形像當用木
膠雜彩莊飾其畫像人為受八戒於佛左邊
作吉祥天女像於佛右邊作我多聞天像并
畫男女眷屬之類安置坐處咸令如法布列
花彩燒衆名香然燈續明晝夜无歇上妙飲
食種種珍奇發慇重心隨時供養受持神呪
不得輕心請召我時應誦此呪
南謨室唎健那也　勃陁（引）也
南謨薜室囉末拏也　藥叉囉闍（引）也
莫訶囉　闍　阿地囉闍　也

BD03077號　金光明最勝王經卷六　（3–1）

花彩燒衆名香然燈續明晝夜无歇上妙飲
食種種珍奇發慇重心隨時供養受持神呪
不得輕心請召我時應誦此呪
南謨室唎健那也　勃陁（引）也
南謨薜室囉末拏也　藥叉囉闍（引）也
莫訶囉　闍　阿地囉闍　也
南麼室唎耶㮈　莫訶提鞞（引）㮈
怛姪他　怛囉怛囉咄嚕咄嚕
末囉末　囉　窣窣咤窣窣咤
漢娜漢　娜　末尼羯諾迦
跋折囉薜瑠璃也目底迦捺訖嘌哆
設唎囉　㮈　蒲（引）薩婆薩埵
呬哆迦摩　薜室囉末拏
室唎夜提鼻跋𪇹婆　（引）也
醫呬醫呬麼毗藍婆　瞿嘌拏瞿嘌拏
秣（麻八反）喇婆秣喇婆　達馱呬麼麼
阿目迦那末寫（自稱己名）　達哩設那迦末寫
達哩設　南　麼麼末那
鉢喇昌羅大也　莎訶
世尊我若見此誦呪之人復見如是盛興供
養即生慈愛歡喜之心我即變身作小兒形
或作老人苾芻之像手持如意末尼寶珠并
持金囊入道場內身現恭敬口稱佛名語持
呪者曰隨汝所求皆令如願或隱林藪或造
寶珠或欲衆人愛寵或求金銀等物欲持諸

BD03077號　金光明最勝王經卷六　（3–2）

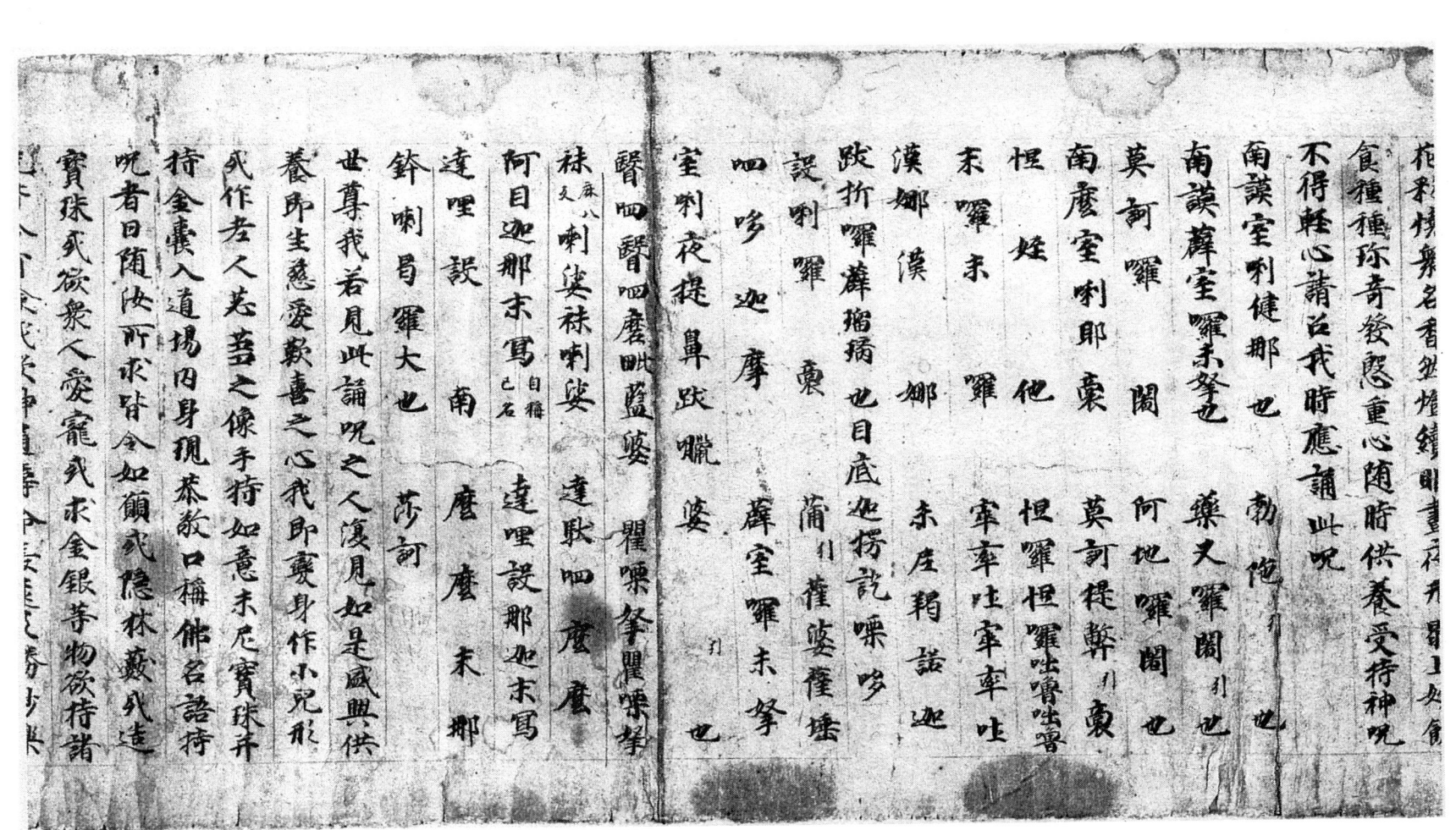

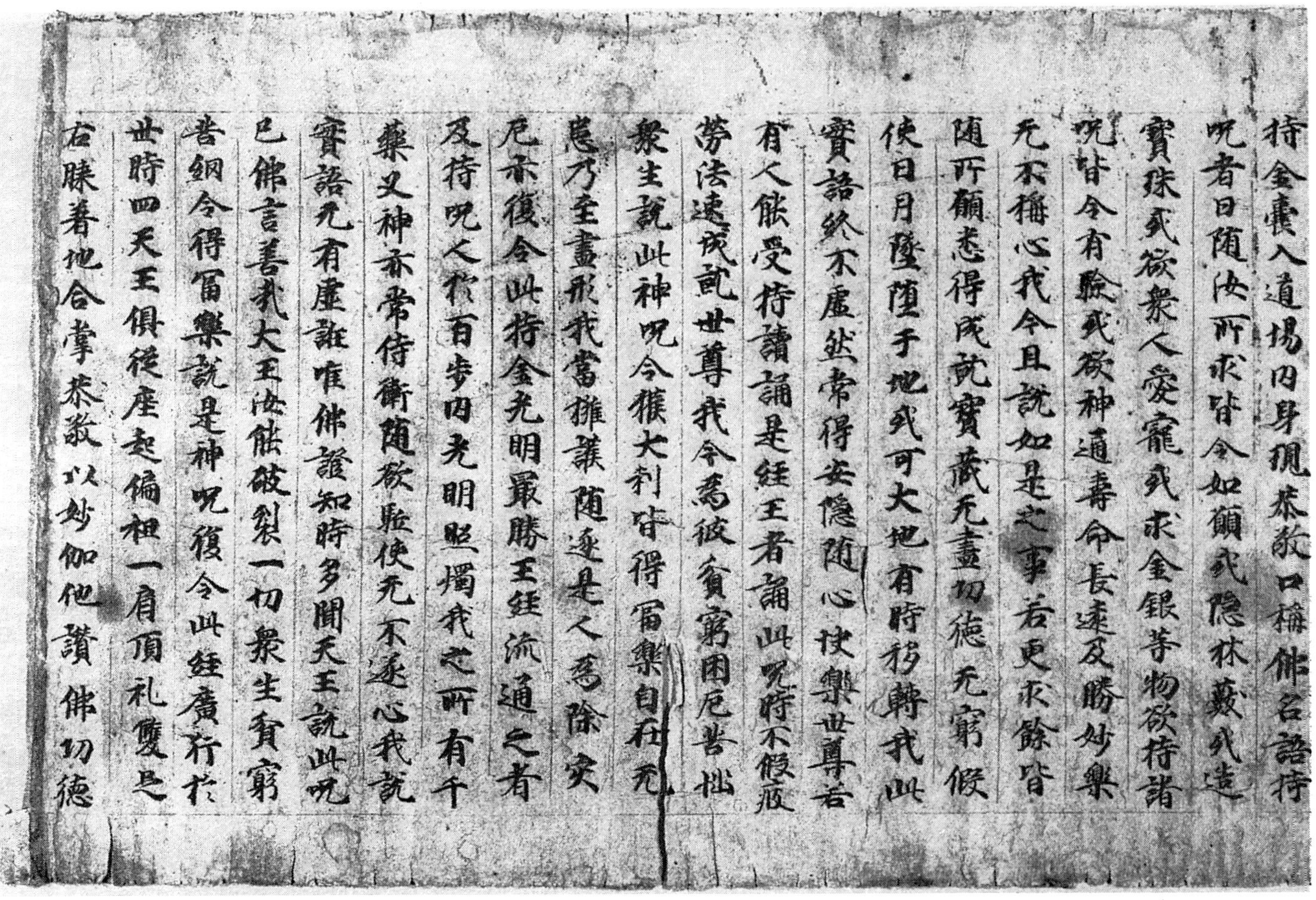
持金囊入道場四身現恭敬口稱佛名語持
呪者日隨汝所求皆令如願或隱林藪或造
寶珠或欲衆人愛寵或求金銀等物欲持諸
呪皆令有驗或欲神通壽命長遠及勝妙樂
无不稱心我今且說如是之事若更求餘皆
隨所願悉得成就寶藏无盡功德无窮假
使日月墜墮於地或可大地有時移轉我此
實語終不虛然常得安隱隨心快樂世尊若
有人能受持讀誦是經王者誦此呪時不假疲
勞法速成就世尊我今爲彼貧窮困厄苦惱
衆生說此神呪令獲大利皆得富樂自在无
患乃至盡形我當擁護隨逐是人爲除災
厄亦復令此持金光明最勝王經流通之者
及持呪人於百步內光明照燭我之所有千
藥叉神亦常侍衛隨欲驅使无不遂心我說
實語无有虛誑唯佛證知時多聞天王說此呪
已佛言善哉大王汝能破裂一切衆生貧窮
苦網令得富樂說是神呪復令此經廣行於
世時四天王俱從座起偏袒一肩頂禮雙足
右膝著地合掌恭敬以妙伽他讚佛功德

BD03077 號　金光明最勝王經卷六　（3–3）

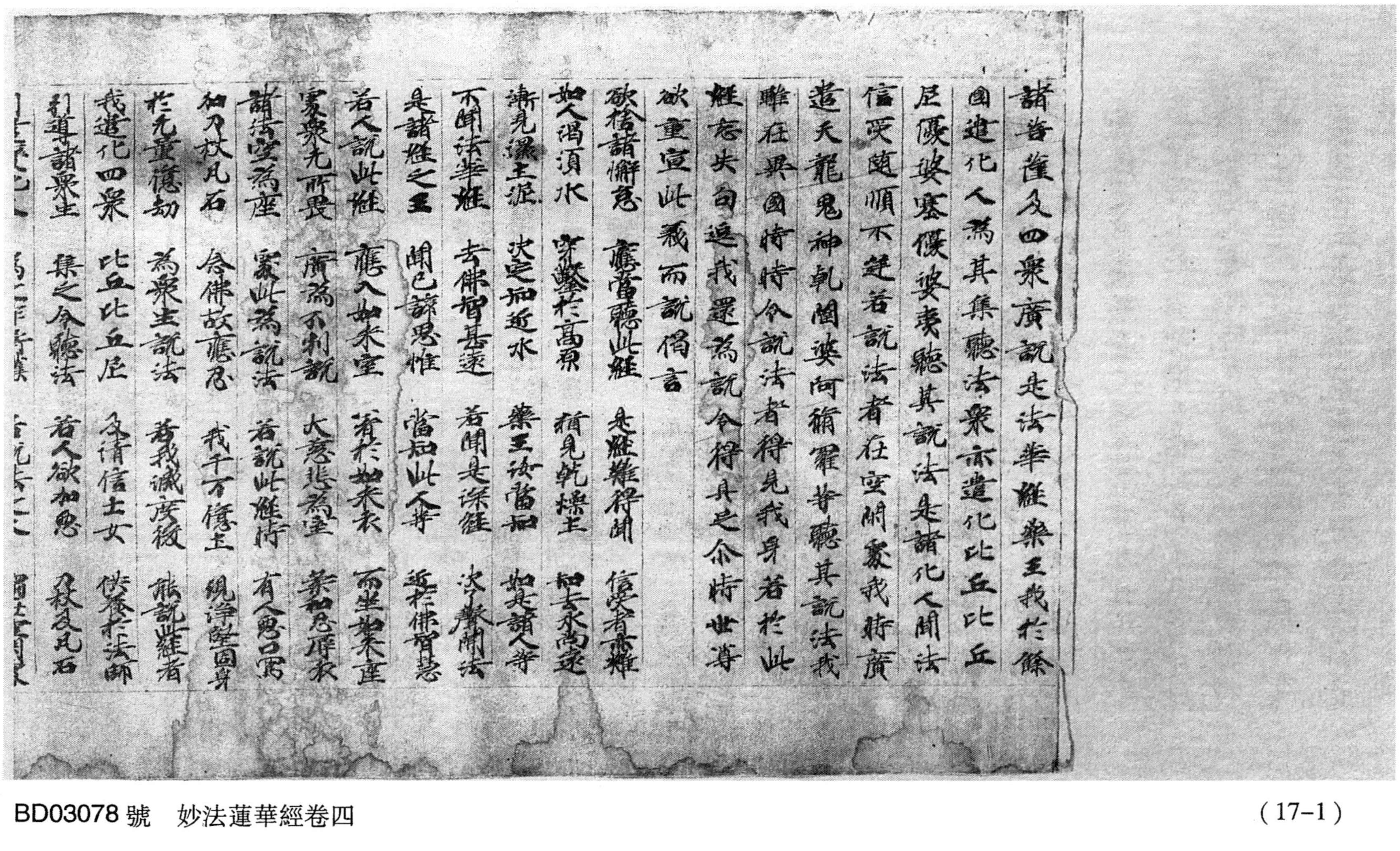
諸菩薩及四衆廣說是法華經藥王我於餘
國遣化人爲其集聽法衆亦遣化比丘比丘
尼優婆塞優婆夷聽其說法是諸化人聞法
信受隨順不逆若說法者在空閑處我時廣
遣天龍鬼神乾闥婆阿脩羅等聽其說法我
雖在異國時時令說法者得見我身若於此
經忘失句逗我還爲說令得具足尒時世尊
欲重宣此義而說偈言
欲捨諸懈怠　應當聽此經　是經難得聞　信受者亦難
如人渴須水　穿鑿於高原　猶見乾燥土　知去水尚遠
漸見濕土泥　決定知近水　藥王汝當知　如是諸人等
不聞法華經　去佛智甚遠　若聞是深經　決了聲聞法
是諸經之王　聞已諦思惟　當知此人等　近於佛智慧
若人說此經　應入如來室　著於如來衣　而坐如來座
處衆无所畏　廣爲分別說　大慈悲爲室　柔和忍辱衣
諸法空爲座　處此爲說法　若說此經時　有人惡口罵
加刀杖瓦石　念佛故應忍　我千万億土　現淨堅固身
於无量億劫　爲衆生說法　若我滅度後　能說此經者
我遣化四衆　比丘比丘尼　及清信士女　供養於法師
引導諸衆生　集之令聽法　若人欲加惡　刀杖及瓦石

BD03078 號　妙法蓮華經卷四　（17–1）

諸法空為座　處此為說法　若說此經時　有人惡口罵
加刀杖瓦石　念佛故應忍　我千万億土　現淨堅固身
於无量億劫　為衆生說法　若我滅度後　能說此經者
我遣化四衆　比丘比丘尼　及清信士女　供養於法師
引導諸衆生　集之令聽法　若人欲加惡　刀杖及瓦石
則遣變化人　為之作衛護　若說法之人　獨在空閑處
寂漠无人聲　讀誦此經典　我尒時為現　清淨光明身
若忘失章句　為說令通利　若人具是德　或為四衆說
空處讀誦經　皆得見我身　若人在空閑　我遣天龍王
夜叉鬼神等　為作聽法衆　是人樂說法　分別无罣礙
諸佛護念故　能令大衆喜　若親近法師　速得菩薩道
隨順是師學　得見恒沙佛

妙法蓮華經見寶塔品第十一

尒時佛前有七寶塔高五百由旬縱廣二百
五十由旬從地踊出住在空中種種寶物而
莊挍之五千欄楯龕室千万无數幢幡以為嚴
飾垂寶瓔珞寶鈴万億而懸其上四面皆出
多摩羅跋栴檀之香充遍世界其諸幡蓋以
金銀瑠璃車𤦲馬瑙真珠玫瑰七寶合成高
至四天王宮三十三天雨天曼陁羅華供養
寶塔餘諸天龍夜叉乾闥婆阿脩羅迦樓羅
緊那羅摩睺羅伽人非人等千万億衆以一
切華香瓔珞幡蓋伎樂供養寶塔恭敬尊
重讚歎尒時寶塔中出大音聲歎言善哉善
哉釋迦牟尼世尊能以平等大慧教菩薩法
佛所護念妙法華經為大衆說如是如是釋
迦牟尼世尊如所說者皆是真實尒時四衆

BD03078號　妙法蓮華經卷四　（17–2）

切華香瓔珞幡蓋伎樂供養寶塔恭敬尊
重讚歎尒時寶塔中出大音聲歎言善哉善
哉釋迦牟尼世尊能以平等大慧教菩薩法
佛所護念妙法華經為大衆說如是如是釋
迦牟尼世尊如所說者皆是真實尒時四衆
見大寶塔住在空中又聞塔中所出音聲皆
得法喜怪未曾有從座而起恭敬合掌却住
一面尒時有菩薩摩訶薩名大樂說知一切世
間天人阿脩羅等心之所疑而白佛言世尊
以何因緣有此寶塔從地踊出又於其中發
是音聲尒時佛告大樂說菩薩此寶塔中有
如來全身乃往過去東方无量千万億阿僧
祇世界國名寶淨彼中有佛号曰多寶其
佛行菩薩道時作大誓願若我成佛滅度之
後於十方國土有說法華經處我之塔廟為
聽是經故踊現其前為作證明讚言善哉彼
佛成道已臨滅度時於天人大衆中告諸比
丘我滅度後欲供養我全身者應起一大塔
其佛以神通願力十方世界在在處處若有
說法華經者彼之寶塔皆踊出其前全身在於
塔中讚言善哉善哉大樂說今多寶如來塔
聞說法華經故從地踊出讚言善哉善哉是
時大樂說菩薩以如來神力故白佛言世尊
我等願欲見此佛身佛告大樂說菩薩摩訶
薩是多寶佛有深重願若我寶塔為聽法華
經故出於諸佛前時其有欲以我身示四衆
者彼佛分身諸佛在於十方世界說法盡還

BD03078號　妙法蓮華經卷四　（17–3）

我等願欲見此佛身佛告大樂說菩薩摩訶
薩是多寶佛有深重願若我寶塔為聽法華
經故出於諸佛前時其有欲以我身示四衆
者彼佛分身諸佛在於十方世界說法盡還
集一處然後我身乃出現耳大樂說我分身
諸佛在於十方世界說法者今應當集大樂
說白佛言世尊我等亦願欲見世尊分身諸
佛禮拜供養尒時佛放白毫一光即見東方
五百万億那由他恒河沙等國土諸佛彼諸
國土皆以頗梨為地寶樹寶衣以為莊嚴无
數千万億菩薩充滿其中遍張寶幔寶網羅
上彼國諸佛以大妙音而說諸法及見无量
千万億菩薩遍滿諸國為衆說法南西北方四
維上下白毫相光所照之處亦復如是尒時
十方諸佛各告衆菩薩言善男子我今應往
娑婆世界釋迦牟尼佛所并供養多寶如來
寶塔時娑婆世界即變清淨琉璃為地寶樹
莊嚴黃金為繩以界八道无諸聚落村營城
邑大海江河山川林藪燒大寶香曼陀羅華
遍布其地以寶網幔羅覆其上懸諸寶鈴唯
留此會衆移諸天人置於他土是時諸佛各
將一大菩薩以為侍者至娑婆世界各到寶
樹下一一寶樹高五百由旬枝葉華果次第
莊嚴諸寶樹下皆有師子之座高五由旬亦
以大寶而校飾之尒時諸佛各於此座結加
趺坐如是展轉遍滿三千大千世界而於釋

BD03078 號　妙法蓮華經卷四　（17–4）

樹下一一寶樹高五百由旬枝葉華果次第
莊嚴諸寶樹下皆有師子之座高五由旬亦
以大寶而校飾之尒時諸佛各於此座結加
趺坐如是展轉遍滿三千大千世界而於釋
迦牟尼佛一方所分之身猶故未盡時釋迦
牟尼佛欲容受所分身諸佛故八方各更變二
百万億那由他國皆令清淨无有地獄餓鬼
畜生及阿修羅又移諸天人置於他土所化
之國亦以琉璃為地寶樹莊嚴樹高五百由
旬枝葉華果次第嚴飾樹下皆有寶師子座
高五由旬種種諸寶以為莊校亦无大海江
河及目真隣陀山摩訶目真隣陀山鐵圍山
大鐵圍山須彌山等諸山王通為一佛國土
寶地平正寶交露幔遍覆其上懸諸幡蓋
燒大寶香諸天寶華遍布其地釋迦牟尼佛
為諸佛當來坐故復於八方各更變二百万億
那由他國皆令清淨无有地獄餓鬼畜生及
阿修羅又移諸天人置於他土所化之國亦以
琉璃為地寶樹莊嚴樹高五百由旬枝葉華
果次第莊嚴樹下皆有寶師子座高五由旬
亦以大寶而校飾之亦无大海江河及目真
隣陀山摩訶目真隣陀山鐵圍山大鐵圍山
須彌山等諸山王通為一佛國土寶地平正
寶交露幔遍覆其上懸諸幡蓋燒大寶香
諸天寶華遍布其地尒時東方釋迦牟尼所
分之身百千万億那由他恒河沙等國土中
諸佛各各說法來集於此如是次第十方諸

BD03078 號　妙法蓮華經卷四　（17–5）

亦以大寶而校飾之亦无大海江河及目真
隣陁山摩訶目真隣陁山鐵圍山大鐵圍山
須弥山等諸山王通為一佛國土寶地平正
寶交露幔遍覆其上懸諸幡蓋燒大寶香
諸天寶華遍布其地尒時東方釋迦牟尼所
分之身百千万億那由他恒河沙等國土中
諸佛各各說法來集於此如是次第十方諸
佛皆悉來集坐於八方尒時一一方四百万
億那由他國土諸佛如來遍滿其中是時諸
佛各在寶樹下坐師子座皆遣侍者問訊釋
迦牟尼佛各賫寶華滿掬而告之言善男子
汝往詣耆闍崛山釋迦牟尼佛所如我辭曰
少病少惱氣力安樂及菩薩聲聞衆悉安隱
并以此寶華散佛供養而作是言彼某甲佛
與欲開此寶塔諸佛遣使亦復如是尒時釋
迦牟尼佛見所分身佛悉已來集各各坐於
師子之座皆聞諸佛與欲同開寶塔即從座起
住虛空中一切四衆起立合掌一心觀佛於
是釋迦牟尼佛以右指開七寶塔戶出大音
聲如却關鑰開大城門即時一切衆會皆見
多寶如來於寶塔中坐師子座全身不散如
入禪定又聞其言善哉善哉釋迦牟尼佛快
說是法華經我為聽是經故而來至此尒時
四衆等見過去无量千万億劫滅度佛說如
是言歎未曾有以天寶華聚散多寶佛及釋
迦牟尼佛上尒時多寶佛於寶塔中分半座
與釋迦牟尼佛而作是言釋迦牟尼佛可就

四衆等見過去无量千万億劫滅度佛說如
是言歎未曾有以天寶華聚散多寶佛及釋
迦牟尼佛上尒時多寶佛於寶塔中分半座
與釋迦牟尼佛而作是言釋迦牟尼佛可就
此座即時釋迦牟尼佛入其塔中坐其半座
結跏趺坐尒時大衆見二如來在七寶塔
中師子座上結跏趺坐各作是念佛座高遠
唯願如來以神通力令我等輩俱處虛空即
時釋迦牟尼佛以神通力接諸大衆皆在虛
空以大音聲普告四衆誰能於此娑婆國土
廣說妙法華經今正是時如來不久當入涅槃
佛欲以此妙法華經付囑有在尒時世尊欲
重宣此義而說偈言

聖主世尊　雖久滅度　在寶塔中　尚為法來
諸人云何　不勤為法　此佛滅度　无央數劫
處處聽法　以難遇故　彼佛本願　我滅度後
在在所往　常為聽法　又我分身　无量諸佛
如恒沙等　來欲聽法　及見滅度　多寶如來
各捨妙土　及弟子衆　天人龍神　諸供養事
令法久住　故來至此　為坐諸佛　以神通力
移无量衆　令國清淨　諸佛各各　詣寶樹下
如清淨池　蓮華莊嚴　其寶樹下　諸師子座
佛坐其上　光明嚴飾　如夜闇中　然大炬火
身出妙香　遍十方國　衆生蒙薰　喜不自勝
譬如大風　吹小樹枝　以是方便　令法久住
告諸大衆　我滅度後　誰能護持　讀說斯經
今於佛前　自說誓言　其多寶佛　雖久滅度

尋出妙香　遍十方國　衆生蒙薰　喜不自勝
譬如大風　吹小樹枝　以是方便　令法久住
告諸大衆　我滅度後　誰能護持　讀說斯經
今於佛前　自說誓言　其多寶佛　雖久滅度
以大誓願　而師子吼　多寶如來　及與我身
所集化佛　當知此意　諸佛子等　誰能護法
當發大願　令得久住　其有能護　此經法者
則為供養　我及多寶　此多寶佛　處於寶塔
常遊十方　為是經故　亦復供養　諸來化佛
莊嚴光飾　諸世界者　若說此經　則為見我
多寶如來　及諸化佛　諸善男子　各諦思惟
此為難事　宜發大願　諸餘經典　數如恒沙
雖說此等　未足為難　若接須彌　擲置他方
无數佛土　亦未為難　若以足指　動大千界
遠擲他國　亦未為難　若立有頂　為衆演說
无量餘經　亦未為難　若佛滅後　於惡世中
能說此經　是則為難　假使有人　手把虛空
而以遊行　亦未為難　於我滅後　若自書持
若使人書　是則為難　若以大地　置足甲上
昇於梵天　亦未為難　佛滅度後　於惡世中
暫讀此經　是則為難　假使劫燒　擔負乾草
入中不燒　亦未為難　我滅度後　若持此經
為一人說　是則為難　若持八万　四千法藏
十二部經　為人演說　令諸聽者　得六神通
雖能如是　亦未為難　於我滅後　聽受此經
問其義趣　是則為難　若人說法　令千万億
无量无數　恒沙衆生　得阿羅漢　具六神通

BD03078號　妙法蓮華經卷四　（17-8）

為一人說　是則為難　若持八万　四千法藏
十二部經　為人演說　令諸聽者　得六神通
雖能如是　亦未為難　於我滅後　聽受此經
問其義趣　是則為難　若人說法　令千万億
无量无數　恒沙衆生　得阿羅漢　具六神通
雖有是益　亦未為難　於我滅後　若能奉持
如斯經典　是則為難　我為佛道　於无量土
從始至今　廣說諸經　而於其中　此經第一
若有能持　則持佛身　諸善男子　於我滅後
誰能護持　讀誦此經　今於佛前　自說誓言
此經難持　若暫持者　我則歡喜　諸佛亦然
如是之人　諸佛所歎　是則勇猛　是則精進
是名持戒　行頭陀者　則為疾得　无上佛道
能於來世　讀持此經　是真佛子　住淳善地
佛滅度後　能解其義　是諸天人　世間之眼
於恐畏世　能須臾說　一切天人　皆應供養

妙法蓮華經提婆達多品第十二

爾時佛告諸菩薩及天人四衆吾於過去无
量劫中求法華經无有懈惓於多劫中常作
國王發願求於无上菩提心不退轉為欲滿
足六波羅蜜勤行布施心无悋惜象馬七珍
國城妻子奴婢僕從頭目髓腦身肉手足不
惜軀命時世人民壽命无量為於法故捐捨
國位委政太子擊鼓宣令四方求法誰能為
我說大乘者吾當終身供給走使時有仙人
來白王言我有大乘名妙法華經若不違我當
為宣說王聞仙言歡喜踊躍即隨仙人供給

BD03078號　妙法蓮華經卷四　（17-9）

惜軀命時世人民壽命无量為於法故捐捨
國位委政太子擊鼓宣令四方求法誰能為
我說大乘者吾當終身供給走使時有仙人
來白王言我有大乘名妙法華經若不違我當
為宣說王聞仙言歡喜踊躍即隨仙人供給
所須採果汲水拾薪設食乃至以身而為床
座身心无惓于時奉事經於千歲為於法故
精勤給侍令无所乏尒時世尊欲重宣此義
而說偈言
我念過去劫　為求大法故　雖作世國王　不貪五欲樂
搥鍾告四方　誰有大法者　若為我解說　身當為奴僕
時有阿私仙　來白於大王　我有微妙法　世間所希有
若能修行者　吾當為汝說　時王聞仙言　心生大喜悅
即便隨仙人　供給於所須　採薪及果蓏　隨時恭敬與
情存妙法故　身心无懈惓　普為諸衆生　勤求於大法
亦不為己身　及以五欲樂　故為大國王　勤求獲此法
遂致得成佛　今故為汝說
佛告諸比丘尒時王者則我身是時仙人者
今提婆達多是由提婆達多善知識故令我
具足六波羅蜜慈悲喜捨三十二相八十種
好紫磨金色十力四无所畏四攝法十八不
共神通道力成等正覺廣度衆生皆因提婆
達多善知識故告諸四衆提婆達多却後過
无量劫當得成佛号曰天王如來應供正遍
知明行足善逝世間解无上士調御丈夫天
人師佛世尊世界名天道時天王佛住世二

共神通道力成等正覺廣度衆生皆因提婆
達多善知識故告諸四衆提婆達多却後過
无量劫當得成佛号曰天王如來應供正遍
知明行足善逝世間解无上士調御丈夫天
人師佛世尊世界名天道時天王佛住世二
十中劫廣為衆生說於妙法恒河沙衆生得
阿羅漢果无量衆生發緣覺心恒河沙衆生
發无上道心得无生忍至不退轉時天王佛般
涅槃後正法住世二十中劫全身舍利起七
寶塔高六十由旬縱廣四十由旬諸天人民
悉以雜華末香燒香塗香衣服瓔珞幢幡寶
蓋伎樂歌頌禮拜供養七寶妙塔无量衆生
得阿羅漢无量衆生悟辟支佛不可思議衆
生發菩提心至不退轉佛告諸比丘未來世
中若有善男子善女人聞妙法華經提婆達
多品淨心信敬不生疑惑者不墮地獄餓鬼
畜生生十方佛前所生之處常聞此經若生
人天中受勝妙樂若在佛前蓮華化生於時
下方多寶世尊所從菩薩名曰智積白多寶
佛當還本土釋迦牟尼佛告智積曰善男子
且待須臾此有菩薩名文殊師利可與相見
論說妙法可還本土尒時文殊師利坐千葉
蓮華大如車輪俱來菩薩亦坐寶華從於大
海娑竭羅龍宮自然踊出住虛空中詣靈鷲山
從蓮華下至於佛所頭面敬禮二世尊足修
敬已畢往智積所共相慰問却坐一面智積
菩薩問文殊師利仁往龍宮所化衆生其數

蓮華大如車輪俱來菩薩亦坐寶華從於大
海娑竭羅龍宮自然踊出住虛空中詣靈鷲山
從蓮華下至於佛所頭面敬禮二世尊足修
敬已畢往智積所共相慰問却坐一面智積
菩薩問文殊師利仁往龍宮所化眾生其數
幾何文殊師利言其數无量不可稱計非口所
宣非心所測且待須臾自當有證所言未竟
无數菩薩坐寶蓮華從海踊出詣靈鷲山
住在虛空此諸菩薩皆是文殊師利之所化
度具菩薩行皆共論說六波羅蜜本聲聞人
在虛空中說聲聞行今皆修行大乘空義文
殊師利謂智積曰於海教化其事如是尒時
智積菩薩以偈讚曰
大智德勇健　化度无量眾　今此諸大會　及我皆已見
演暢實相義　開闡一乘法　廣度諸眾生　令速成菩提
文殊師利言我於海中唯常宣說妙法華經
智積問文殊師利言此經甚深微妙諸經中
寶世所希有頗有眾生勤加精進修行此經
速得佛不文殊師利言有娑竭羅龍王女年
始八歲智慧利根善知眾生諸根行業得陀
羅尼諸佛所說甚深祕藏悉能受持深入禪
定了達諸法於剎那頃發菩提心得不退轉
辯才无礙慈念眾生猶如赤子功德具足心
念口演微妙廣大慈悲仁讓志意和雅能至
菩提智積菩薩言我見釋迦如來於无量劫
難行苦行積功累德求菩薩道未曾止息觀
三千大千世界乃至无有如芥子許非是菩

辯才无礙慈念眾生猶如赤子功德具足心
念口演微妙廣大慈悲仁讓志意和雅能至
菩提智積菩薩言我見釋迦如來於无量劫
難行苦行積功累德求菩薩道未曾止息觀
三千大千世界乃至无有如芥子許非是菩
薩捨身命處為眾生故然後乃得成菩提道
不信此女於須臾頃便成正覺言論未訖時
龍王女忽現於前頭面禮敬却住一面以偈
讚曰
深達罪福相　遍照於十方　微妙淨法身　具相三十二
以八十種好　用莊嚴法身　天人所戴仰　龍神咸恭敬
一切眾生類　无不宗奉者　又聞成菩提　唯佛當證知
我闡大乘教　度脫苦眾生
時舍利弗語龍女言汝謂不久得无上道是
事難信所以者何女身垢穢非是法器云何
能得无上菩提佛道懸曠經无量劫勤苦積
行具修諸度然後乃成又女人身猶有五障
一者不得作梵天王二者帝釋三者魔王四
者轉輪聖王五者佛身云何女身速得成佛
尒時龍女有一寶珠價直三千大千世界持
以上佛佛即受之龍女謂智積菩薩尊者舍
利弗言我獻寶珠世尊納受是事疾不答言
甚疾女言以汝神力觀我成佛復速於此當
時眾會皆見龍女忽然之間變成男子具菩
薩行即往南方无垢世界坐寶蓮華成等正
覺三十二相八十種好普為十方一切眾生
演說妙法尒時娑婆世界菩薩聲聞天龍八

薩行即往南方无垢世界坐寶蓮華成等正
覺三十二相八十種好普為十方一切衆生
演說妙法尒時娑婆世界菩薩聲聞天龍八
部人與非人皆遥見彼龍女成佛普為時會
人天說法心大歡喜悉遥敬礼无量衆生聞
法解悟得不退轉无量衆生得受道記无垢
世界六反震動娑婆世界三千衆生住不退
地三千衆生發菩提心而得受記智積菩薩
及舍利弗一切衆會嘿然信受
妙法蓮華經勸持品第十三
尒時藥王菩薩摩訶薩及大樂說菩薩摩訶
薩與二万菩薩眷屬俱皆於佛前作是誓言
唯願世尊不以為慮我等於佛滅後當奉持
讀誦說此經典後惡世衆生善根轉少多增
上慢貪利供養增不善根遠離解脫雖難可
教化我等當起大忍力讀誦此經持說書寫
種種供養不惜身命尒時衆中五百阿羅漢
得受記者白佛言世尊我等亦自誓願於異
國土廣說此經復有學无學八千人得受記
者從座而起合掌向佛作是誓言世尊我等
亦當於他國土廣說此經所以者何是娑婆
國中人多弊惡懷增上慢功德淺薄瞋濁諂
曲心不實故尒時佛姨母摩訶波闍波提比
丘尼與學无學比丘尼六千人俱從座而起
一心合掌瞻仰尊顏目不暫捨於時世尊告
憍曇弥何故憂色而視如來汝心將无謂我
不說汝名授阿耨多羅三藐三菩提記耶憍

BD03078號　妙法蓮華經卷四　（17–14）

曲心不實故尒時佛姨母摩訶波闍波提比
丘尼與學无學比丘尼六千人俱從座而起
一心合掌瞻仰尊顏目不暫捨於時世尊告
憍曇弥何故憂色而視如來汝心將无謂我
不說汝名授阿耨多羅三藐三菩提記耶憍
曇弥我先捴說一切聲聞皆已授記今汝欲
知記者將來之世當於六万八千億諸佛法
中為大法師及六千學无學比丘尼俱為法
師汝如是漸漸具菩薩道當得作佛号一切
衆生憙見如來應供正遍知明行足善逝世
間解无上士調御丈夫天人師佛世尊憍曇
弥是一切衆生憙見佛及六千菩薩轉次授
記得阿耨多羅三藐三菩提尒時羅睺羅母
耶輸陀羅比丘尼作是念世尊於授記中獨
不說我名佛告耶輸陀羅汝於來世百千万億
諸佛法中脩菩薩行為大法師漸具佛道於
善國中當得作佛号具足千万光相如來應
供正遍知明行足善逝世間解无上士調御
丈夫天人師佛世尊佛壽无量阿僧祇劫尒
時摩訶波闍波提比丘尼及耶輸陀羅比丘
尼并其眷屬皆大歡喜得未曾有即於佛前
而說偈言
世尊導師　安隱天人　我等聞記　心安具足
諸比丘尼說是偈已白佛言世尊我等亦能
於他方國土廣宣此經尒時世尊視八十万
億那由他諸菩薩摩訶薩是諸菩薩皆是阿
惟越致轉不退法輪得諸陀羅尼即從座起

BD03078號　妙法蓮華經卷四　（17–15）

世尊導師　安隱天人　我等聞記　心安具足
諸比丘尼說是偈已白佛言世尊我等亦能
於他方國土廣宣此經爾時世尊視八十万
億那由他諸菩薩摩訶薩是諸菩薩皆是阿
惟越致轉不退法輪得諸陁羅尼即從座起
至於佛前一心合掌而作是念若世尊告勑
我等持說此經者當如佛教廣宣斯法復作
是念佛今嘿然不見告勑我當云何時諸菩
薩敬順佛意并欲自滿本願便於佛前作師
子吼而發誓言世尊我等於如來滅後周旋
往反十方世界能令衆生書寫此經受持讀
誦解說其義如法脩行正憶念皆是佛之
威力唯願世尊在於他方遥見守護即時諸
菩薩俱同發聲而說偈言
唯願不為慮　於佛滅度後　恐怖惡世中　我等當廣說
有諸无智人　惡口罵詈等　及加刀杖者　我等皆當忍
惡世中比丘　邪智心諂曲　未得謂為得　我慢心充滿
或有阿練若　納衣在空閑　自謂行真道　輕賤人間者
貪著利養故　與白衣說法　為世所恭敬　如六通羅漢
是人懷惡心　常念世俗事　假名阿練若　好出我等過
而作如是言　此諸比丘等　為貪利養故　說外道論議
自作此經典　誑惑世間人　為求名聞故　分別於是經
常在大衆中　欲毀我等故　向國王大臣　婆羅門居士
及餘比丘衆　誹謗說我惡　謂是邪見人　說外道論議
我等敬佛故　悉忍是諸惡　為斯所輕言　汝等皆是佛
如此輕慢言　皆當忍受之　濁劫惡世中　多有諸恐怖

BD03078號　妙法蓮華經卷四　（17–16）

是人懷惡心　常念世俗事　假名阿練若　好出我等過
而作如是言　此諸比丘等　為貪利養故　說外道論議
自作此經典　誑惑世間人　為求名聞故　分別於是經
常在大衆中　欲毀我等故　向國王大臣　婆羅門居士
及餘比丘衆　誹謗說我惡　謂是邪見人　說外道論議
我等敬佛故　悉忍是諸惡　為斯所輕言　汝等皆是佛
如此輕慢言　皆當忍受之　濁劫惡世中　多有諸恐怖
惡鬼入其身　罵詈毀辱我　我等敬信佛　當著忍辱鎧
為說是經故　忍此諸難事　我不愛身命　但惜无上道
我等於來世　護持佛所囑　世尊自當知　濁世惡比丘
不知佛方便　隨宜所說法　惡口而嚬蹙　數數見擯出
遠離於塔寺　如是等衆惡　念佛告勑故　皆當忍是事
諸聚落城邑　其有求法者　我皆到其所　說佛所囑法
我是世尊使　處衆无所畏　我當善說法　願佛安隱住
我於世尊前　諸來十方佛　發如是誓言　佛自知我心

妙法蓮華經卷第四

BD03078號　妙法蓮華經卷四　（17–17）

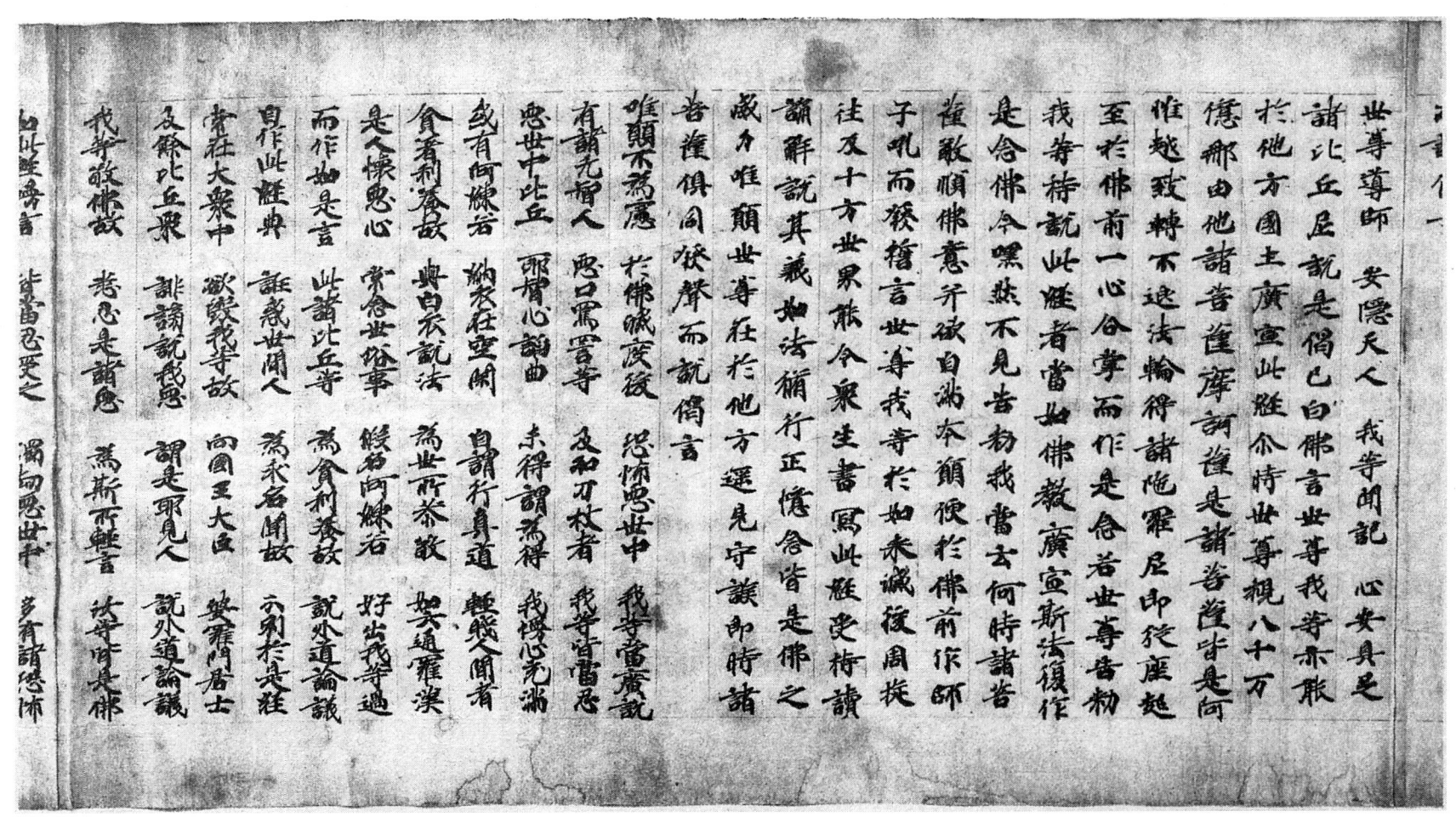

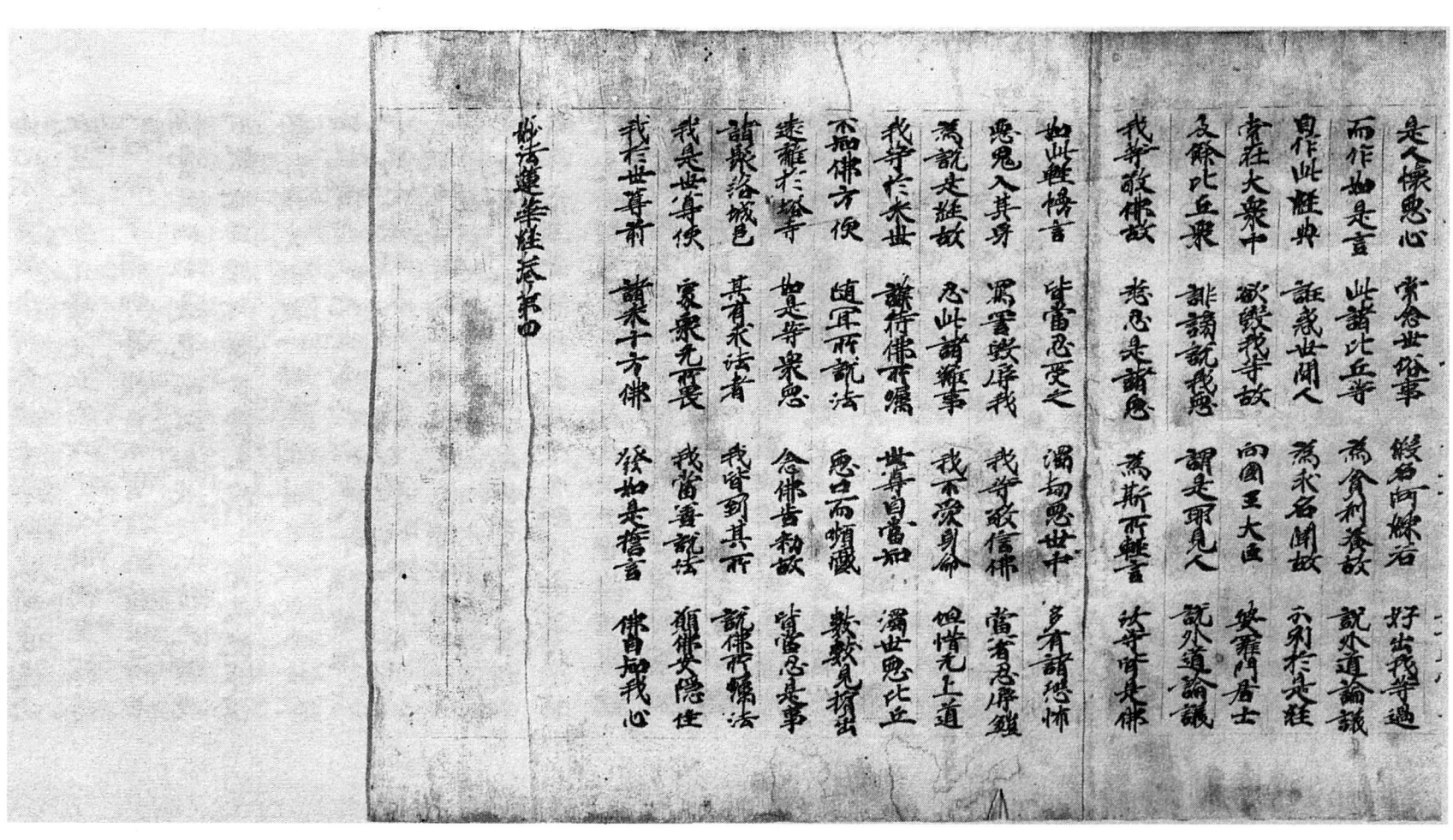

金光明最勝王經分別三身品
尒時虛空藏菩薩摩
起偏袒右肩右膝著
以上微妙金寶之花寶
佛言世尊云何菩薩摩訶
秘密如法修行佛言善男子
念之吾當為汝分別解說
善男子一切如來有三種身云何為
身二者應身三者法身如是三身具
阿耨多羅三藐三菩提若正了知速出生死
云何菩薩了知化身善男子如來昔在修行
地中為一切衆生修種種法如是習至修
行滿修行力故得大自在 力故隨衆生
意隨衆生行隨衆生界悉皆了別不待時不
過時處相應時相應行相應說法相應現種
種身是名化身善男子云何菩薩了知應身
謂諸如來為諸菩薩得通達故說於真諦
為令解了生死涅槃是一味故為除身見衆
生怖畏歡喜故為無邊佛法而作本故如
相應如如如如智本願力故是身得現具三
十二相八十種好項背圓光是名應身善男

BD03079號　金光明最勝王經卷二　（11–1）

謂諸如來為諸菩薩得通達故說於真諦
為令解了生死涅槃是一味故為除身見衆
生怖畏歡喜故為無邊佛法而作本故如實
相應如如如如智本願力故是身得現具三
十二相八十種好項背圓光是名應身善男
子云何菩薩摩訶薩了知法身為除諸煩惱
等障為具諸善法故唯有如如如如智是名
法身前二種身是假名有此第三身是真實
有為前二身而作根本何以故離法如如離無
分別智一切諸佛無有別法一切諸佛智慧具
之一切煩惱究竟滅盡得清淨佛地 故法如
如如如智攝一切佛法
復次善男子一切諸佛利益自他至於究竟
自利益者是法如如利益他者是如如智能
於自他利益之事而得自在成就種種無
用故是故分別一切佛法有無量無邊
差別善男子譬如依止妄想思惟說種
惱說種種業因種種果報如是依法如如
如智說種種佛法說種種獨覺法說種種聲
聞法依法如如依如如智一切佛法自在成就
是為第一不可思議譬如畫空作莊嚴具是
難思議如是依法如如依如如智成就佛法
亦難思議善男子云何法如如如如智二無
分別而得自在事業成就善男子譬如如
來入於涅槃願自在故種種事業皆得成就
法如如如如智自在事成亦復如是
復次菩薩摩訶薩入無心定依前願力從禪

BD03079號　金光明最勝王經卷二　（11–2）

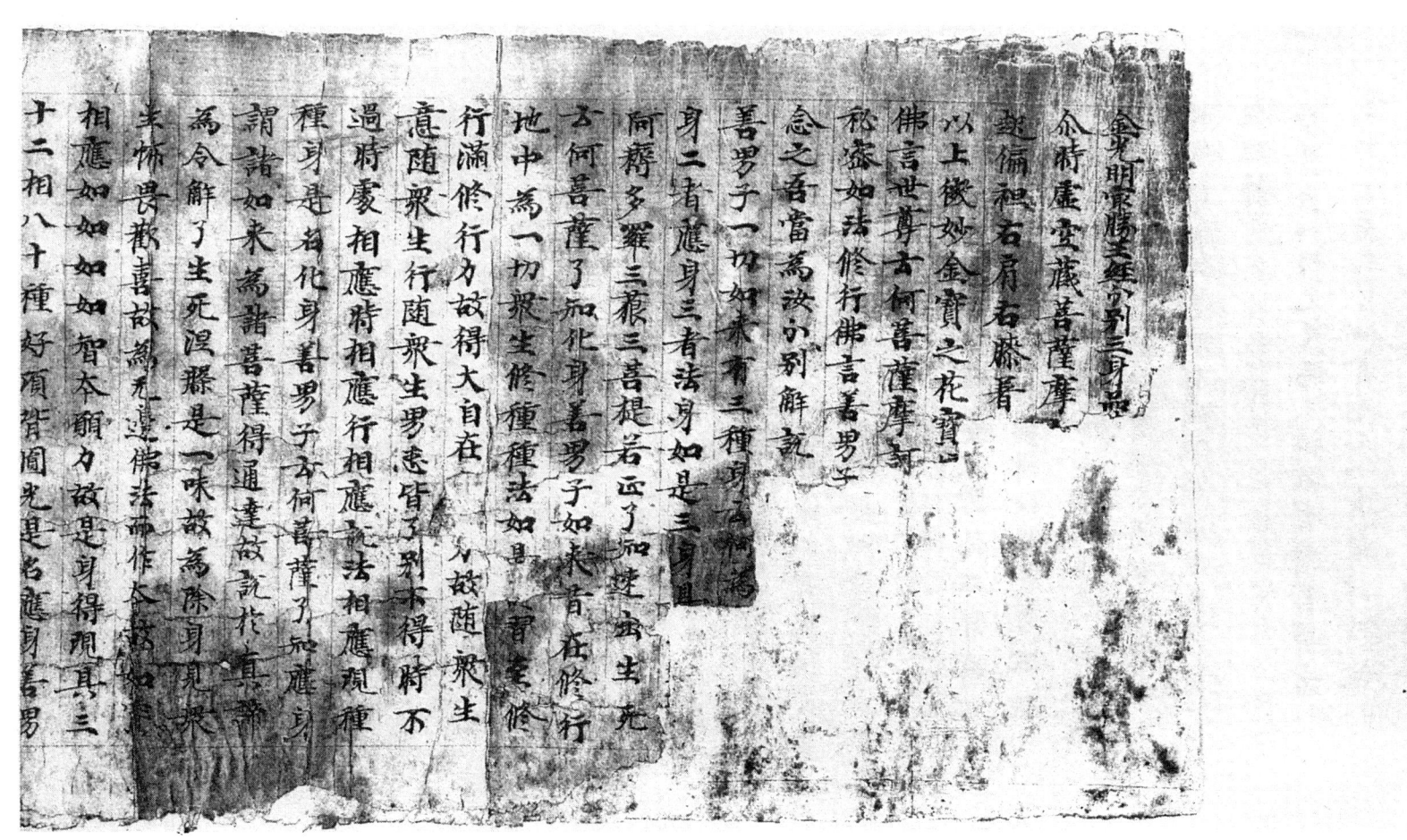

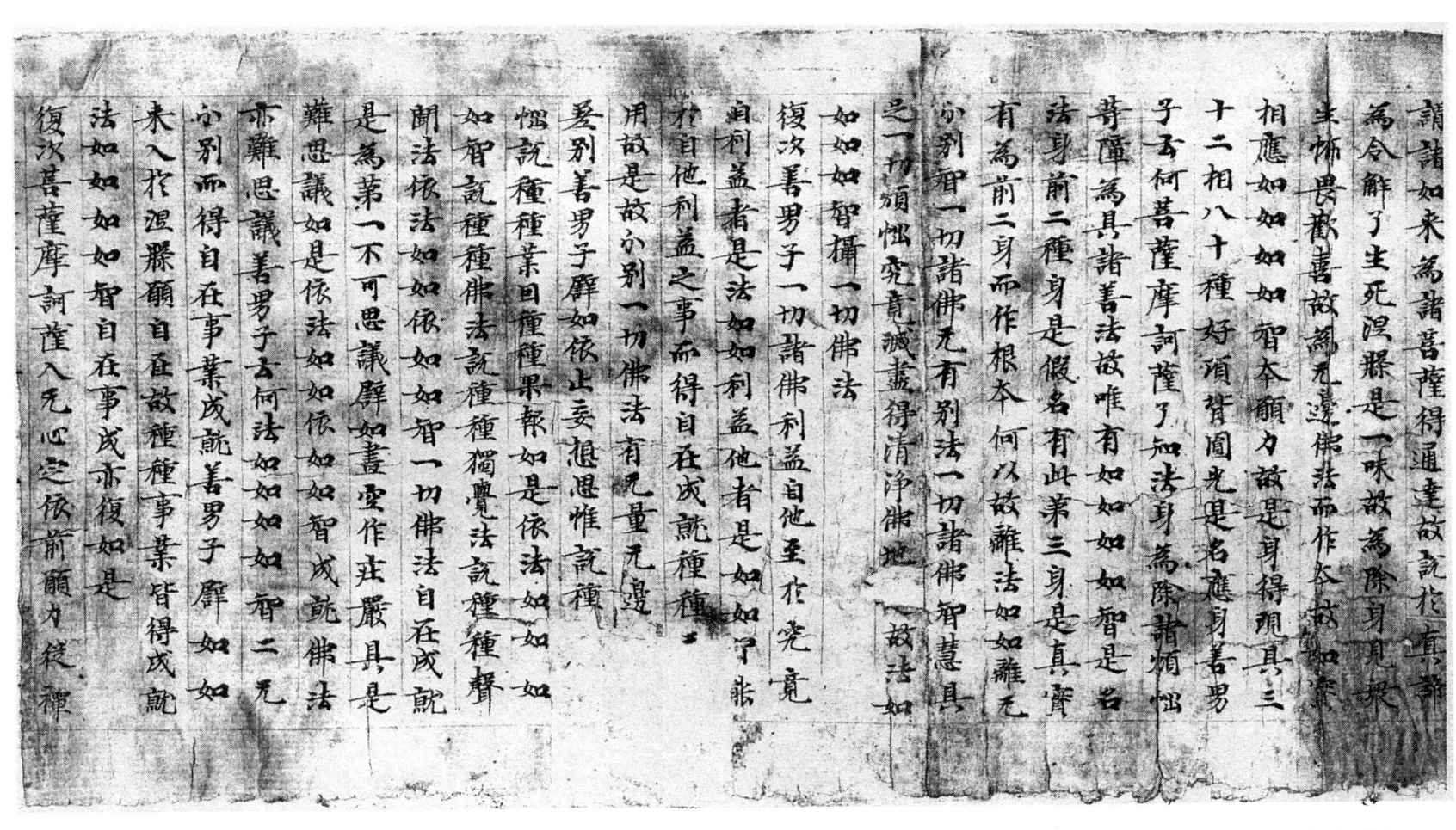

難思議如是依法如如依如如智說諸佛法
亦難思議善男子云何法如如如如智二无
分別而得自在事業成就善男子譬如如
來入於涅槃願自在故種種事業皆得成就
法如如如如智自在事成亦復如是
復次菩薩摩訶薩入无心定依前願力從禪
定起作衆事業如是二法无有分別自在事
成善男子譬如日月无有分別亦如水鏡无
有分別光明亦无分別三種和合得有影生
如是法如如如如智亦无分別以願自在故衆
生有感現應化身如日月影和合出現
復次善男子譬如无量无邊水鏡依於光故空
影德現種種異相空者即是无相善男子如
是受化諸弟子等是法身影以願力故於
二種身現種種相於法身地无有異相善男
子依此二身一切諸佛說有餘涅槃依此法身說
无餘涅槃何以故一切餘法究竟盡故依此
三身一切諸佛說无住處涅槃為二身故不
住涅槃離於法身无有別佛何故二身不住
涅槃二身假名不實念念生滅不定住故數
數出現以不定故法身不尒是故二身不住涅
槃法身不二是故不住涅槃故依三身說一
住涅槃
善男子一切凡夫為三相故有縛有障遠
三身不至三身何者為三一者遍計所執
二者依他起相三者成就相如是諸相不
解故不能滅故不能淨故是故不得至於三

BD03079號　金光明最勝王經卷二　（11-3）

住涅槃
善男子一切凡夫為三相故有縛有障遠
三身不至三身何者為三一者遍計所執
二者依他起相三者成就相如是諸相不
解故不能滅故不能淨故是故不得至於三
如是三相能解能滅能淨是故諸佛具
三身善男子諸凡夫人未能除遣此三心故
遠離三身不能得至何者為三一者起事心
二者依根本心三者根本心依諸伏道起事
心盡依法斷道依根本心盡依最勝道根本
心盡起事心滅故得現化身依根本心滅故
得顯應身根本心滅故得至法身是故一切
如來具足三身
善男子一切諸佛於第一身與諸佛同事於
第二身與諸佛同意於第三身與諸佛同體
善男子是初佛身隨衆生意有多種故現種
種相是故說多第二佛身弟子一意故現一
相是故說一第三佛身過一切種相非執相
境界是故說名不一不二善男子是第一身
依於應身得顯現故是第二身依於法身得
顯現故是法身者是真實有无依處故善男
子如是三身以有義故而說於常以有義故
說於无常化身者恒轉法輪處處隨緣方便
相續不斷絕故是故說常非是本故具足大用
不顯現故說為无常應身者從无始來相續不
斷一切諸佛不共之法能攝持故衆生无盡
用亦无盡是故說常非是本故以具足用不

BD03079號　金光明最勝王經卷二　（11-4）

相續不斷絶故是故說常非是本故具足大用
不顯現故說爲无常應身者從无始來相續不
斷一切諸佛不共之法能攝持故衆生无盡
用亦无盡是故說常非是本故以具足用不
顯現故說爲无常法身者非是行法无有
異相是根本故猶如虛空是故說常善男
子離无分別智更无勝智離法如如无勝境
界是法如如是慧如如是二種如如如如不一
不異是故法身慧清淨故滅清淨故是二清
淨是故法身具足清淨
復次善男子分別三身有四種異有化身非
應身有應身非化身有化身亦應身有非化
身亦非應身何者化身非應身謂諸如來般
涅槃後以願自在故隨緣利益是名化身何者
應身非化身是地前身何者化身亦應身謂
住有餘涅槃之身何者非化身非應身謂是
法身善男子是法身者二无所有所顯現故何
者名爲二无所有於此法身相及相處二皆是
无非有非无非一非異非數非非數非明非
闇如是如如智不見相及相處不見非有非
无不見非一非異不見非數非非數不見非
明非闇是故當知境界清淨智慧清淨不可
分別无有中間爲滅道本故於此法身能顯
如來種種事業
善男子是身因緣境界處所果依於本難思
議故若了此義是身即是大乘是如來性是
如來藏依於此身得發初心修行地心而得顯

如來種種事業
善男子是身因緣境界處所果依於本難思
議故若了此義是身即是大乘是如來性是
如來藏依於此身得發初心修行地心而得顯
現不退地心亦皆得現一生補處心金剛之心
如來之心而悉顯現无量无邊如來妙法皆
悉顯現依此法身不可思議摩訶三昧而得
顯現依此法身得現一切大智是故二身依
於三昧依於智慧而得顯現如此法身依於
自體說常說我依大三昧故說於樂依於大
智故說清淨是故如來常住自在安樂清
淨依大三昧一切禪定首楞嚴等一切念處
大法念等大慈大悲一切陁羅尼一切神通
一切自在一切法平等攝受如是佛法悉皆
出現依此大智十力四无所畏四无礙辯一百
八十不共之法一切希有不可思議法悉皆顯
現譬如依如意寶珠无量无邊種種珍寶悉
皆得現如是依大三昧寶依大智慧寶能出
種種无量无邊諸佛妙法善男子如是法身
三昧智慧過一切相不著於相不可分別非
常非斷是名中道雖有分別體无分別雖有
三數而无三體不增不減猶如夢幻亦无所
執亦无能執法體如如是解脫處過死王境
越生死闇一切衆生不能修行所不能至一
切諸佛菩薩之所住處善男子譬如有人願
欲得金處處求覓遂得金礦既得礦已即便

執亦无能執法體如如是解脫處過死王境
越生死闇一切衆生不能脩行所不能至一
切諸佛菩薩之所住處善男子譬如有人願
欲得金處處求覓遂得金礦既得礦已即便
碎之擇取精者爐中銷鍊得清淨金隨意迴
轉作諸鐶釧種種嚴具雖有諸用金性不
改
復次善男子若善男子善女人求勝解脫行脩
世善得見如來及弟子衆得親近已白佛言
世尊何者為善何者不善何者正脩得清淨
行諸佛如來及弟子衆見彼問時如是思惟
是善男子善女人欲求清淨欲聽正法即便
為說令其開悟彼既聞已正念憶持發心脩
行得精進力除嬾惰障滅一切罪於諸學處
離不尊重息掉悔心入於初地依初地心除
利有情障得入二地於此地中除不逼惱障
入於三地於此地中除心軟淨障入於四地
於此地中除善方便障入於五地於此地中
除見真俗障入於六地於此地中除見行相
障入於七地於此地中除不見滅相障入於
八地於此地中除不見生相障入於九地於
此地中除六通障入於十地於此地中除所
知障除根本心入如來地如來地者由三淨
故名極清淨云何為三一者煩惱淨二者苦
淨三者相淨譬如真金鎔銷冶鍊既燒打已
无復塵垢為顯金性本清淨故金體清淨非
謂无金譬如濁水澄渟清淨无復滓穢為顯

知障除根本心入如來地如來地者由三淨
故名極清淨云何為三一者煩惱淨二者苦
淨三者相淨譬如真金鎔銷冶鍊既燒打已
无復塵垢為顯金性本清淨故金體清淨非
謂无金譬如濁水澄渟清淨无復滓穢為顯
水性本清淨故非謂无水如是法身與煩惱
雜苦集除已无復餘習為顯佛性本清淨故
非謂无體譬如虛空烟雲塵霧之所障蔽若
除屏已是空界淨非謂无空如是法身一切
衆苦悉皆盡故說為清淨非謂无體譬如有
人於睡夢中見大河水漂泛其身運手動足
截流而渡得至彼岸由彼身心不懈退故從
夢覺已不見有水彼此岸別非謂无心生死
妄想既滅盡已是覺清淨非謂无覺如是法
界一切妄想不復生故說為清淨非是諸佛
无其實體
復次善男子是法身者惑障清淨能現應身
業障清淨能現化身智障清淨能現法身譬
如依空出電依電出光如是依法身故能現應
身依應身故能現化身由性淨故能現法身
智慧清淨能現應身三昧清淨能現化身此
三清淨是法如如不異如如一味如如解脫
如如究竟如如是故諸佛體无有異善男子
若有善男子善女人說於如來是我大師若
作如是決定信者此人即應深心解了如來
之身无有別異善男子以是義故於諸境界
不正思惟悉皆除斷

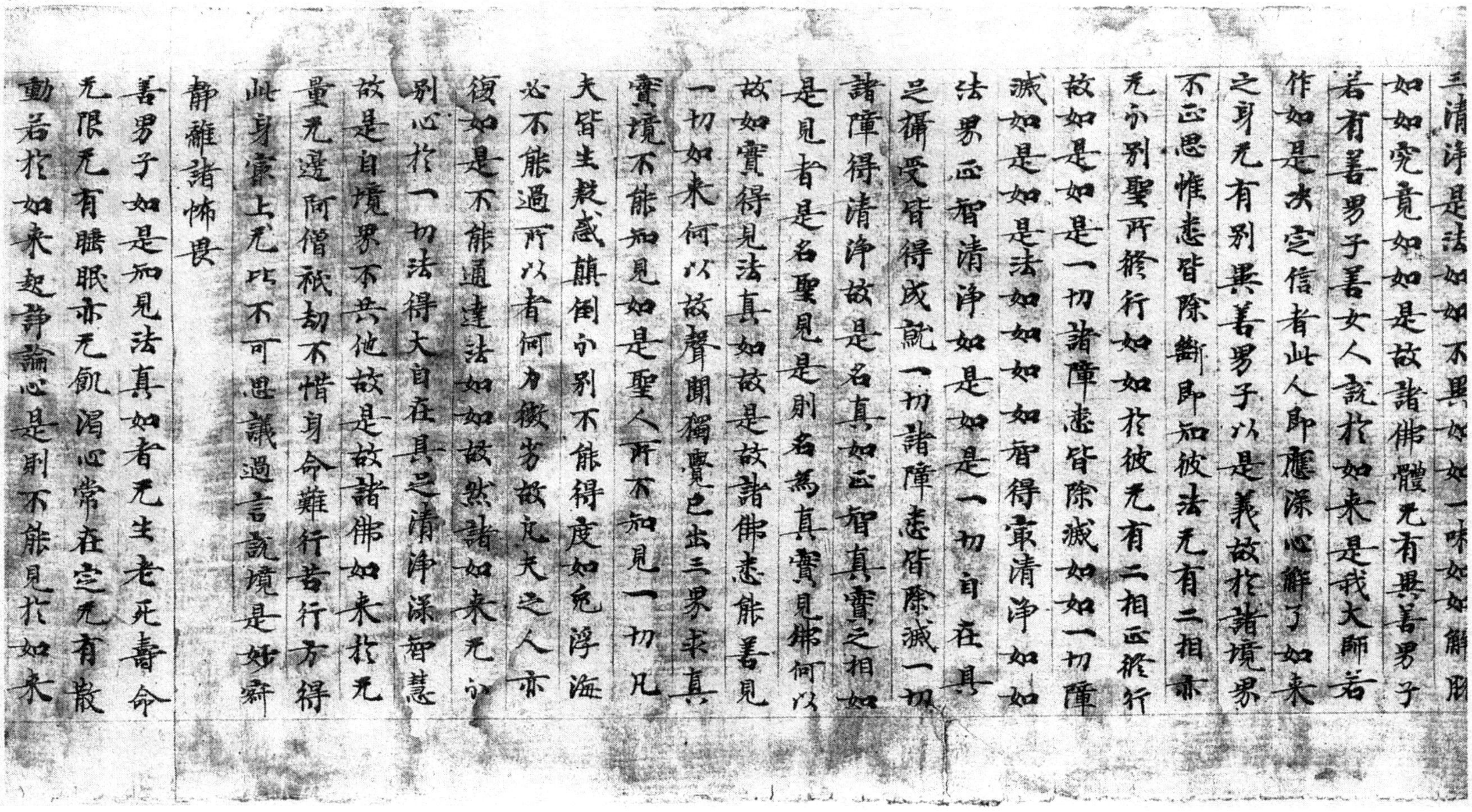

清淨是法如如不異如如一味如如解脫
如如究竟如如是故諸佛體无有異善男子
若有善男子善女人說於如來是我大師若
作如是決定信者此人即應深心解了如來
之身无有別異善男子以是義故於諸境界
不正思惟悉皆除斷即知彼法无有二相亦
无分別聖所修行如如於彼无有二相正修行
故如是如是一切諸障悉皆除滅如如一切障
滅如是如是法如如如如智得最清淨如如
法界正智清淨如是如是一切自在具
足攝受皆得成就一切諸障悉皆除滅一切
諸障得清淨故是名真如正智真實之相如
是見者是名聖見是則名為真實見佛何以
故如實得見法真如故是故諸佛悉能普見
一切如來何以故聲聞獨覺已出三界求真
實境不能知見如是聖人所不知見一切凡
夫皆生疑惑顛倒分別不能得度如兔浮海
必不能過所以者何力微劣故凡夫之人亦
復如是不能通達法如如故然諸如來无分
別心於一切法得大自在具足清淨深智慧
故是自境界不共他故是故諸佛如來於无
量无邊阿僧祇劫不惜身命難行苦行方得
此身最上无比不可思議過言說境是妙寂
靜離諸怖畏
善男子如是知見法真如者无生老死壽命
无限无有睡眠亦无飢渴心常在定无有散
動若於如來起諍論心是則不能見於如來

BD03079號　金光明最勝王經卷二　（11-9）

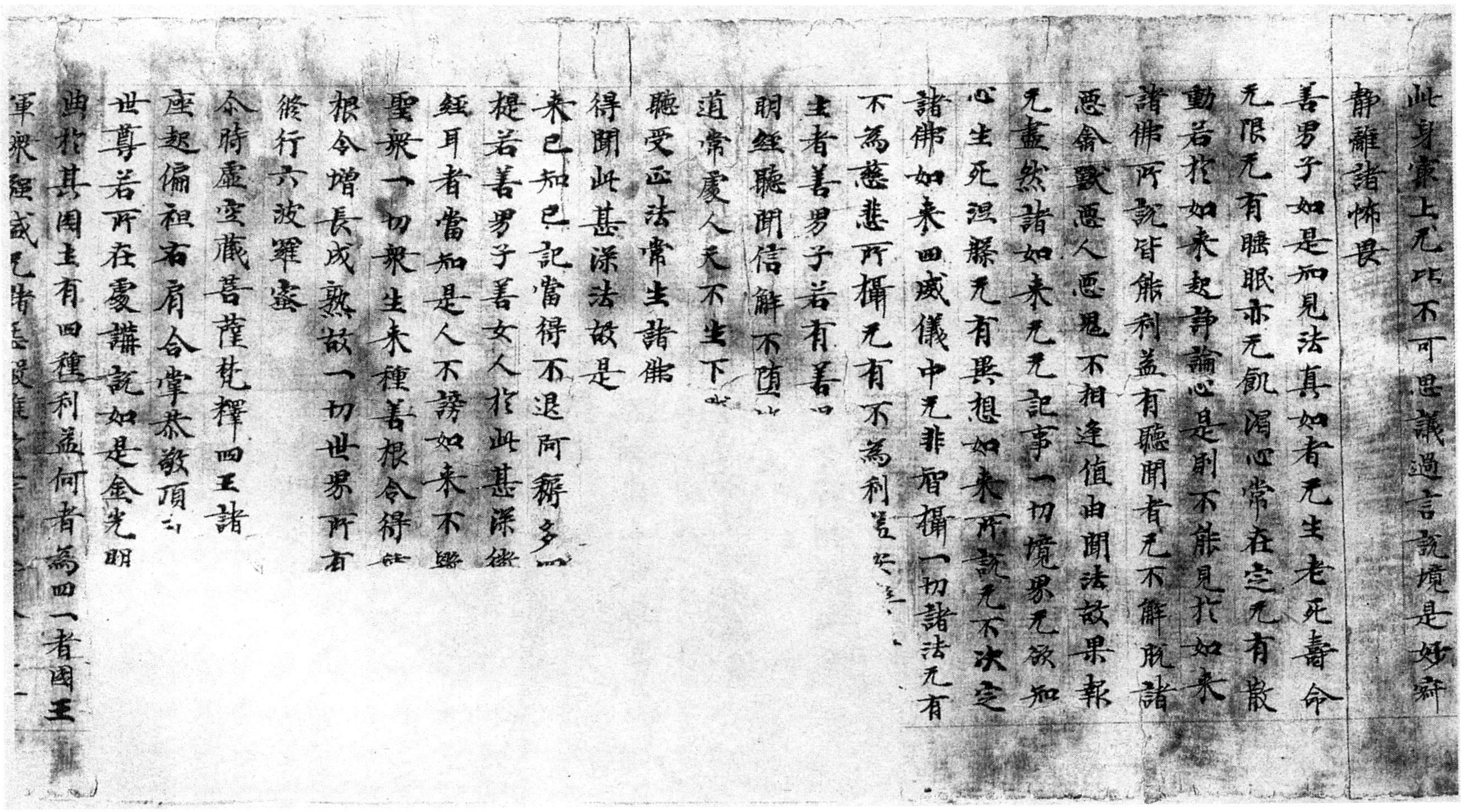

此身最上无比不可思議過言說境是妙寂
靜離諸怖畏
善男子如是知見法真如者无生老死壽命
无限无有睡眠亦无飢渴心常在定无有散
動若於如來起諍論心是則不能見於如來
諸佛所說皆能利益有聽聞者无不解脫諸
惡禽獸惡人惡鬼不相逢值由聞法故果報
无盡然諸如來无无記事一切境界无欲知
心生死涅槃无有異想如來所說无不決定
諸佛如來四威儀中无非智攝一切諸法无有
不為慈悲所攝无有不為利益安樂
生者善男子若有善
明經聽聞信解不墮
道常處人天不生下
聽受正法常生諸佛
得聞此甚深法故是
來已知已記當得不退阿耨多
提若善男子善女人於此甚深微
經耳者當知是人不謗如來不
聖衆一切衆生未種善根令得
根令增長成熟故一切世界所有
修行六波羅蜜
尒時虛空藏菩薩梵釋四王諸
座起偏袒右肩合掌恭敬頂禮
世尊若所在處講說如是金光明
典於其國土有四種利益何者為四一者國王
軍衆強盛

BD03079號　金光明最勝王經卷二　（11-10）

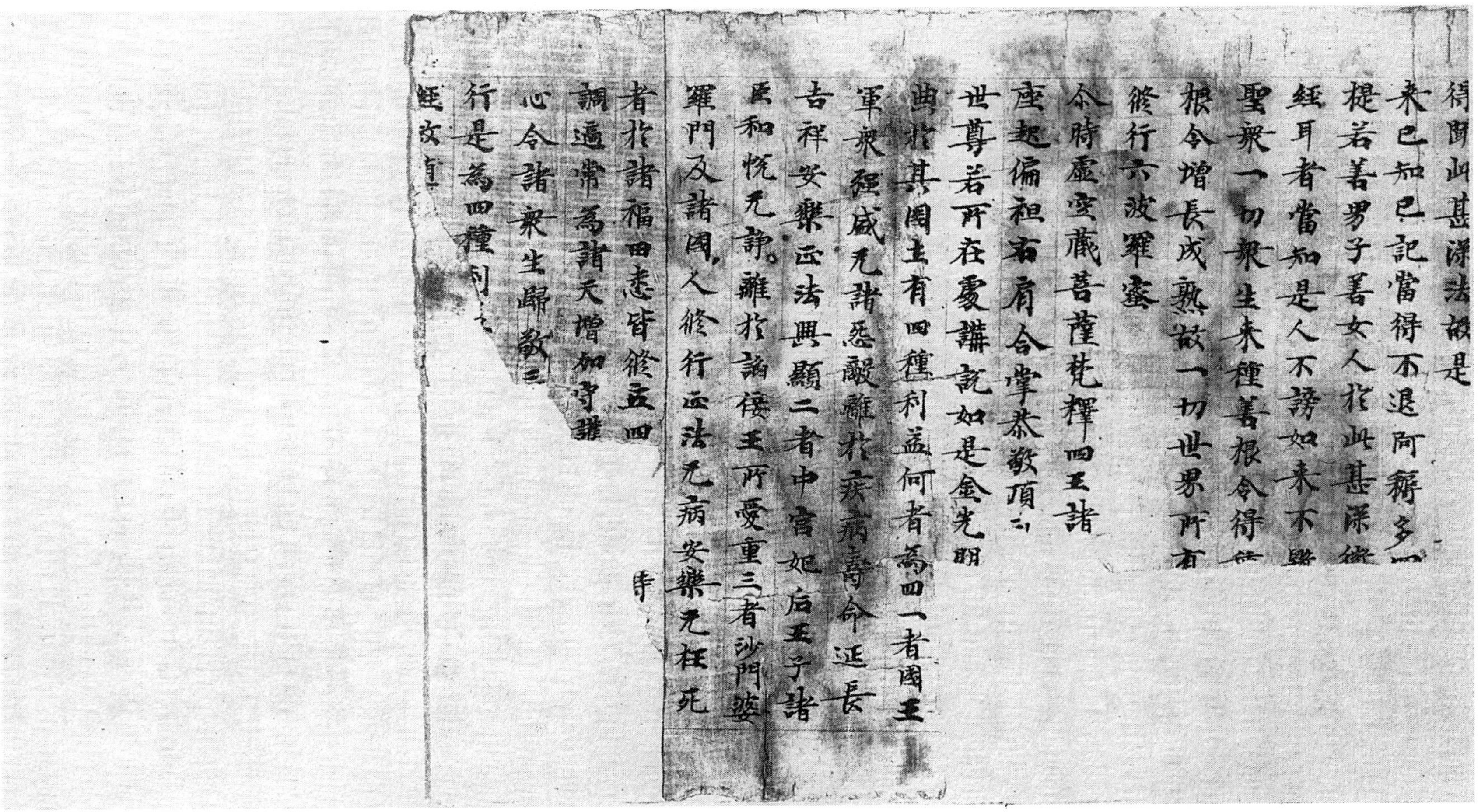

得聞此甚深法故是
來已知已記當得不退阿耨多羅
提若善男子善女人於此甚深微
經耳者當知是人不謗如來不毀
聖衆一切衆生未種善根令得
根令增長成熟故一切世界所有
修行六波羅蜜
尒時虛空藏菩薩梵釋四王諸
座起偏袒右肩合掌恭敬頂禮
世尊若所在處講說如是金光明
典於其國土有四種利益何者爲四一者國王
軍衆强盛无諸怨敵離於疾病壽命延長
吉祥安樂正法興顯二者中宮妃后王子諸
臣和悅无諍離於諂佞王所愛重三者沙門婆
羅門及諸國人修行正法无病安樂无枉死
者於諸福田悉皆修立四
調適常爲諸天增加守護
心令諸衆生歸敬三
行是爲四種利
經故宜

BD03079號　金光明最勝王經卷二　（11–11）

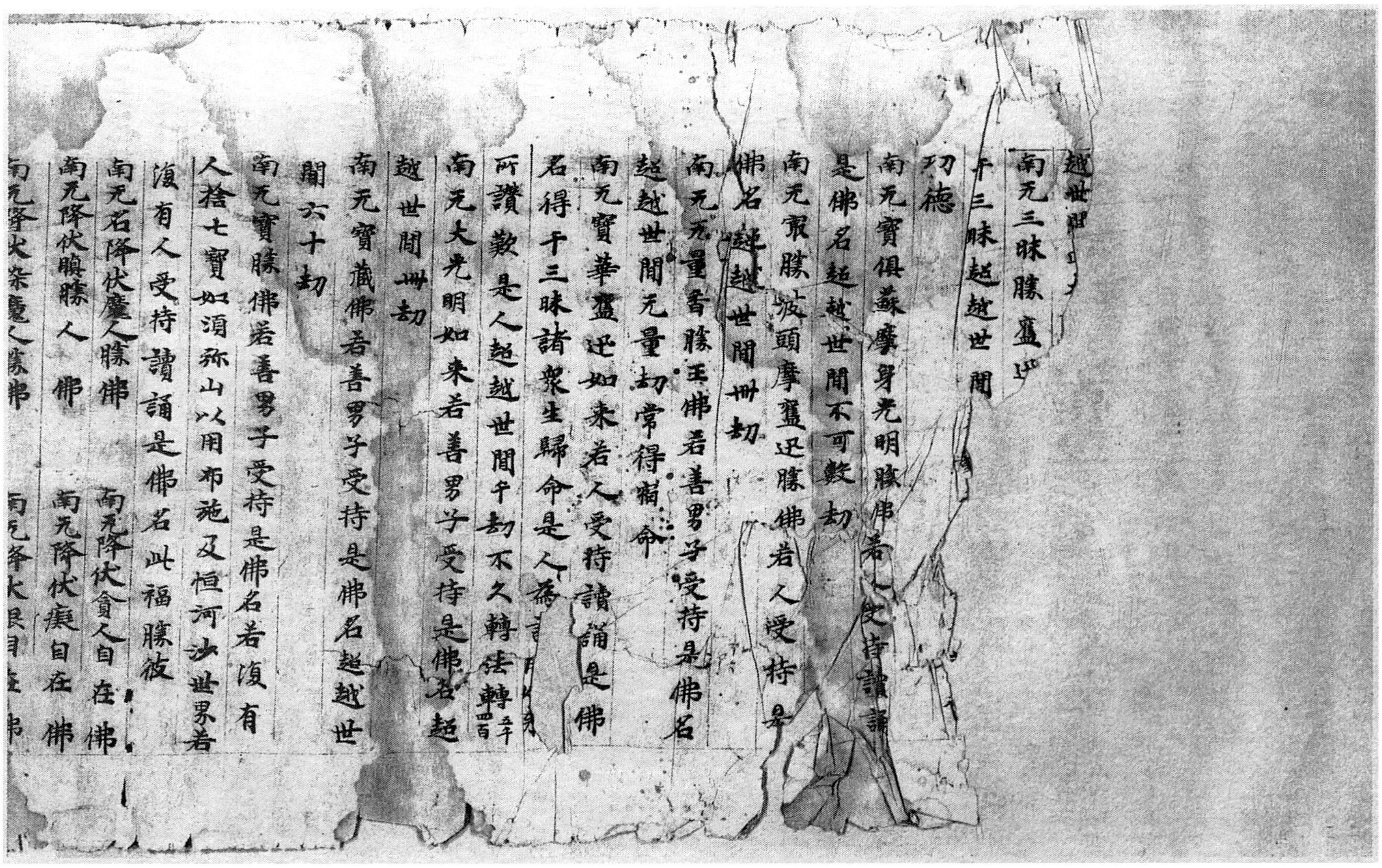

越世間
南无三昧勝蓋迅
千三昧超越世間
功德
南无寶俱蘇摩身光明勝佛若人受持讀誦
是佛名超越世間不可數劫
南无最勝波頭摩蓋迅勝佛若人受持是
佛名超越世間卌劫
南无无量香勝王佛若善男子受持是佛名
超越世間无量劫常得宿命
南无寶華蓋迅如來若人受持讀誦是佛
名得千三昧諸衆生歸命是人爲
所讚歎是人超越世間千劫不久轉法輪 五千四百
南无大光明如來若善男子受持是佛名超
越世間卌劫
南无寶藏佛若善男子受持是佛名超越世
間六十劫
南无寶勝佛若善男子受持是佛名若復有
人捨七寶如須弥山以用布施及恒河沙世界若
復有人受持讀誦是佛名此福勝彼
南无名降伏魔人勝佛　南无降伏貪人自在佛
南无降伏瞋勝人佛　南无降伏癡自在佛
南无降伏…人勝佛　南无降伏…自在佛

BD03080號　佛名經（十二卷本　異卷）卷七　（23–1）

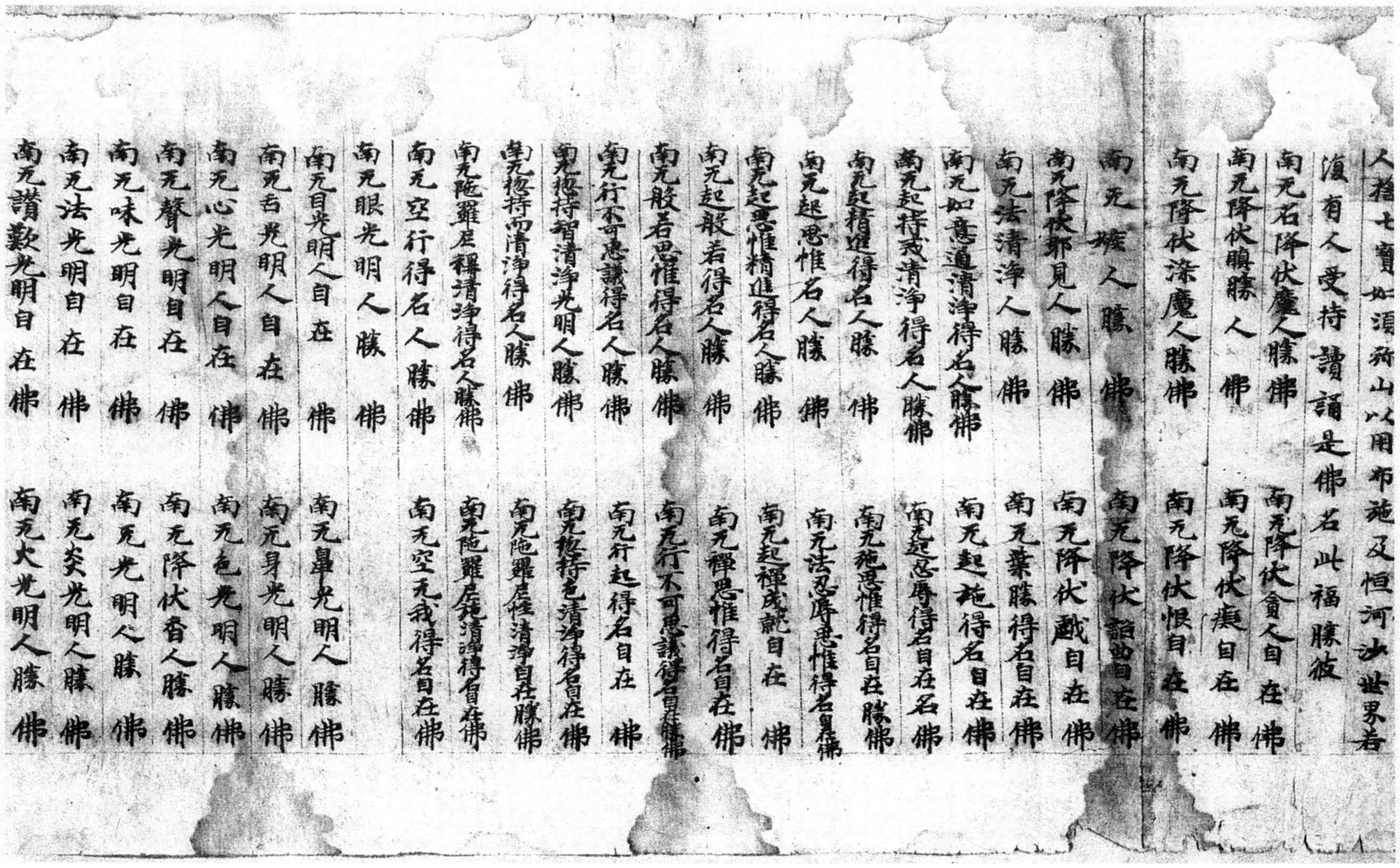
人捨七寶如須彌山以用布施及恒河沙世界若
復有人受持讀誦是佛名此福勝彼
南无名降伏魔人勝佛　南无降伏貪人自在佛
南无降伏瞋勝人佛　南无降伏癡自在佛
南无降伏除魔人勝佛　南无降伏恨自在佛
南无嫉人勝佛　南无降伏諂曲自在佛
南无降伏邪見人勝佛　南无降伏慼自在佛
南无法清淨人勝佛　南无葉勝得名自在佛
南无如意道清淨得名人勝佛　南无起施得名自在佛
南无起持戒清淨得名人勝佛　南无起忍辱得名自在名佛
南无起精進得名人勝佛　南无施思惟得名自在勝佛
南无起思惟名人勝佛　南无法忍辱思惟得名自在佛
南无起思惟精進得名人勝佛　南无起禪成就自在佛
南无起般若得名人勝佛　南无禪思惟得名自在佛
南无般若思惟得名人勝佛　南无行不可思議得名自在勝佛
南无行不可思議得名人勝佛　南无行起得名自在佛
南无惣持智清淨光明人勝佛　南无惣持色清淨得名自在佛
南无惣持而清淨得名人勝佛　南无陁羅尼性清淨自在勝佛
南无陁羅尼釋清淨得名人勝佛　南无陁羅尼死清淨得自在佛
南无空行得名人勝佛　南无空无我得名自在佛
南无眼光明人勝佛
南无自光明人自在佛　南无鼻光明人勝佛
南无舌光明人自在佛　南无身光明人勝佛
南无心光明人自在佛　南无色光明人勝佛
南无聲光明自在佛　南无降伏香人勝佛
南无味光明自在佛　南无光明人勝佛
南无法光明自在佛　南无炎光明人勝佛
南无讚歎光明自在佛　南无大光明人勝佛

BD03080號　佛名經（十二卷本　異卷）卷七　（23–2）

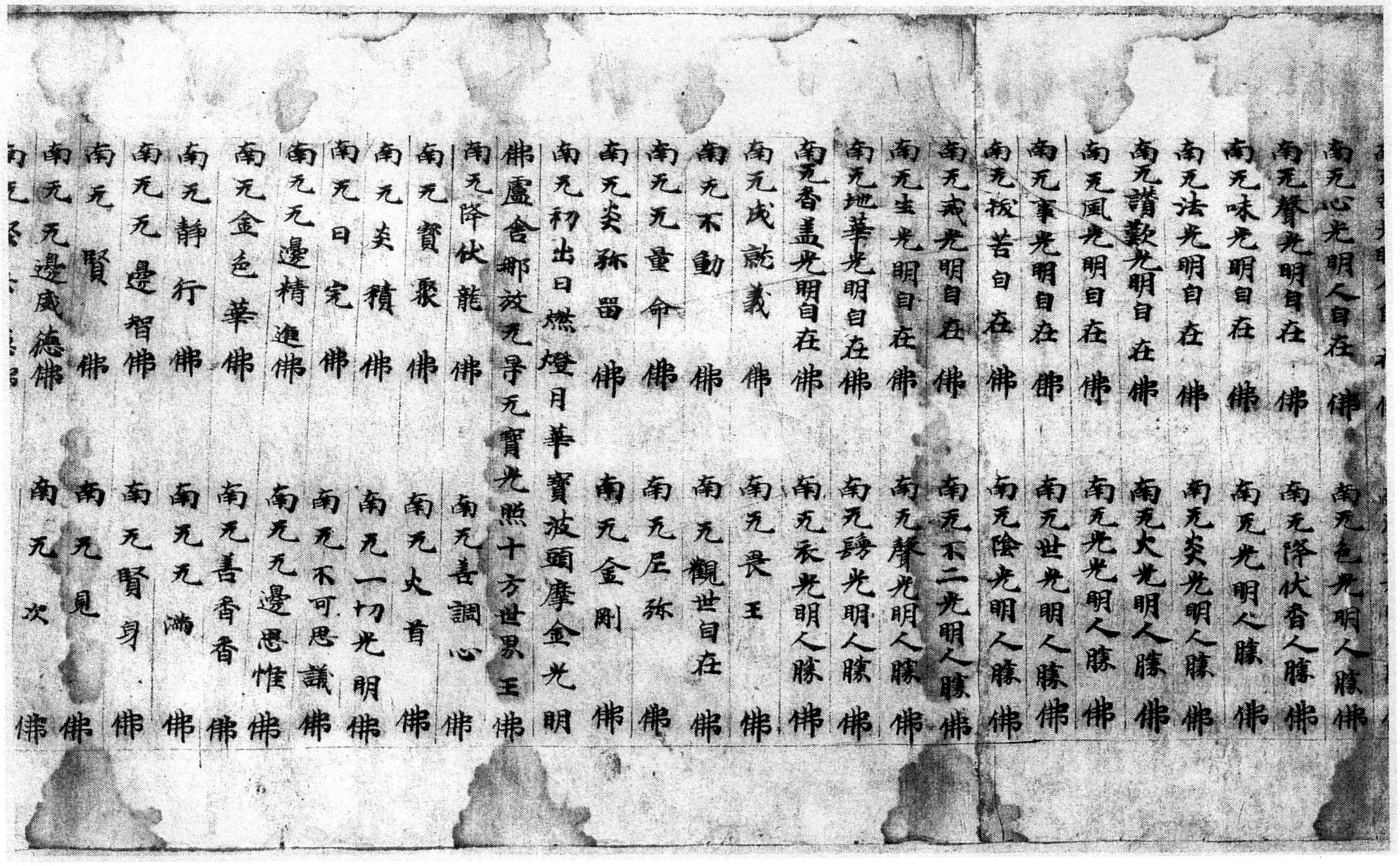
南无心光明人自在佛　南无色光明人勝佛
南无聲光明自在佛　南无降伏香人勝佛
南无味光明自在佛　南无光明人勝佛
南无法光明自在佛　南无炎光明人勝佛
南无讚歎光明自在佛　南无大光明人勝佛
南无風光明自在佛　南无光光明人勝佛
南无事光明自在佛　南无世光明人勝佛
南无拔苦自在佛　南无陰光明人勝佛
南无藏光明自在佛　南无不二光明人勝佛
南无生光明自在佛　南无聲光明人勝佛
南无地華光明自在佛　南无勝光明人勝佛
南无香蓋光明自在佛　南无衣光明人勝佛
南无成就義佛　南无畏王佛
南无不動佛　南无觀世自在佛
南无无量命佛　南无尼弥佛
南无炎弥留佛　南无金剛佛
南无初出日燃燈月華寶波頭摩金光明
佛盧舍那放无㝵无寶光照十方世界王佛
南无降伏能佛　南无善調心佛
南无寶聚佛　南无火首佛
南无炎積佛　南无一切光明佛
南无日宅佛　南无不可思議佛
南无无邊精進佛　南无无邊思惟佛
南无金色華佛　南无善香香佛
南无靜行佛　南无无滿佛
南无无邊智佛　南无賢身佛
南无賢佛　南无見佛
南无无邊威德佛　南无次佛

BD03080號　佛名經（十二卷本　異卷）卷七　（23–3）

南无静行佛　南无无满佛
南无无邊智佛　南无賢身佛
南无賢佛　南无見佛
南无无邊威德佛　南无次佛
南无堅安隱佛　南无沙羅佛
南无得名佛　南无波頭摩勝佛
南无釋蓮華佛　南无華佛
南无莊嚴佛　南无盡迟佛
南无善見佛　南无善敵對佛
南无善護世佛　南无无邊威德佛
南无第一勝佛　南无善行佛
南无无量威德佛　南无妙勝佛
南无勝供養佛　南无盡迟智聲自在王佛
南无電光佛　南无照一切佛
南无不可思議佛　南无无量色佛
南无无量光佛　南无善光華敷身佛
南无須弥山波頭摩勝王佛　南无求名發聲條行佛
南无一切寶摩尼王放光明佛　南无无垢炎稱成就王佛
南无寶光明佛　南无離諸煩惱佛
南无善智佛　南无善見佛
南无寶山莊嚴佛　南无寶山莊嚴佛
南无慈行佛　南无閻浮檀幢佛
南无无邊智佛　南无无量威德佛
南无大稱佛　南无寶稱佛
南无大光明佛　南无大光明佛
南无電照光明佛　南无一切種照佛
南无不可量佛　南无日光佛
南无日光佛　南无功德海佛

南无大稱佛　南无寶稱佛
南无大光明佛　南无大光明佛
南无電照光明佛　南无一切種照佛
南无不可量佛　南无日光佛
南无月光佛　南无功德海佛
南无具足功德佛　南无上行佛
南无畏佛　南无師子幢佛
南无帝釋幢佛　南无大幢佛
南无善眼佛　南无莊嚴王佛
南无放光明光佛　南无无邊光佛
南无妙光佛　南无普護增上佛
南无雲自在佛　南无自在幢佛
南无日燈佛　南无寂佛
南无善生佛　南无无邊不可思議威德佛
南无善眼佛　南无波頭摩上佛
南无妙去佛　南无月起佛
南无燈佛　南无不猒足身佛
南无弥留幢佛　南无寶幢佛
南无大炎聚佛　南无自在幢佛
南无寶大佛　南无旃檀香佛
南无无邊光明波頭摩敷身佛　南无无邊稱功德光明佛
南无舊當色佛　南无无量光明佛
南无拔光明波頭摩敷身佛　南无出須弥山波頭摩王佛
南无星宿劫二万同名光作佛　南无二万同名盧舍那佛
南无二万同名釋迦牟尼佛
南无同名帝釋日太白星宿无量百千万不
可數佛善男子應歸命諸菩薩

南无二万同名釋迦牟尼佛
南无同名帝釋日太白星宿无量百千万不
可數佛善男子應歸命諸菩薩
南无普賢菩薩　南无文殊師利菩薩
南无无垢稱菩薩　南无地藏菩薩
南无虛空藏菩薩　南无觀世音菩薩
南无大勢至菩薩　南无香象菩薩
南无大香象菩薩　南无藥王菩薩
南无藥上菩薩　南无金剛藏菩薩
南无解脫月菩薩　南无弥勒菩薩
南无寶迹菩薩　南无无所發菩薩
南无陁羅尼自在王菩薩　南无无盡意菩薩
南无堅意菩薩　南无日藏菩薩
南无歸命如是等无量无邊菩薩
南无東方九千九億百千万同名梵勝菩薩
南无南方九十九億百千万同名不降陁羅
菩薩
南无西方九十九億百千万同名大功德菩
薩
南无北方九十九億百千万同名大藥王菩
薩
歸命如是等十方世界无量无邊菩薩
復次應稱辟支佛名
南无阿利多辟支佛　南无婆梨多辟支佛
南无多伽樓辟支佛　南无稱辟支佛
南无見辟支佛　南无愛見辟支佛
南无覺辟支佛　南无乾陁羅辟支佛
南无无妻辟支佛　南无梨沙婆辟支佛

BD03080號　佛名經（十二卷本　異卷）卷七　（23–6）

南无多伽樓辟支佛　南无稱辟支佛
南无見辟支佛　南无愛見辟支佛
南无覺辟支佛　南无乾陁羅辟支佛
南无无妻辟支佛　南无梨沙婆辟支佛
南无聞辟支佛　南无智身辟支佛
南无毗耶離辟支佛　南无俱薩羅辟支佛
南无婆藪陁羅辟支佛　南无无妻淨心辟支佛
南无寶无垢辟支佛　南无福德辟支佛
南无黑辟支佛　南无唯黑辟支佛
南无直福德辟支佛　南无識辟支佛
南无香辟支佛　南无有香辟支佛
南无見人飛騰辟支佛　南无可效羅辟支佛
南无秦摩利辟支佛　南无月淨辟支佛
南无善智辟支佛　南无循陁羅辟支佛
南无善法辟支佛　南无應求辟支佛
南无籍求辟支佛　南无大勢辟支佛
南无循行不著辟支佛　南无難捨辟支佛
南无寶辟支佛　南无不可比辟支佛
南无歡喜支佛　南无喜辟支佛
南无隨喜辟支佛　南无十二婆羅眞辟支佛
南无十同名婆羅辟支佛　南无火身辟支佛
南无同菩提辟支佛　南无摩訶男辟支佛
南无心上辟支佛　南无駿淨辟支佛
南无善快辟支佛　南无違陁辟支佛
南无吉沙辟支佛　南无憂婆吉沙辟支佛
南无斷有辟支佛　南无憂波交羅辟支佛
南无斷愛辟支佛　南无施婆羅辟支佛
南无轉覺辟支佛　南无長台辟支佛

BD03080號　佛名經（十二卷本　異卷）卷七　（23–7）

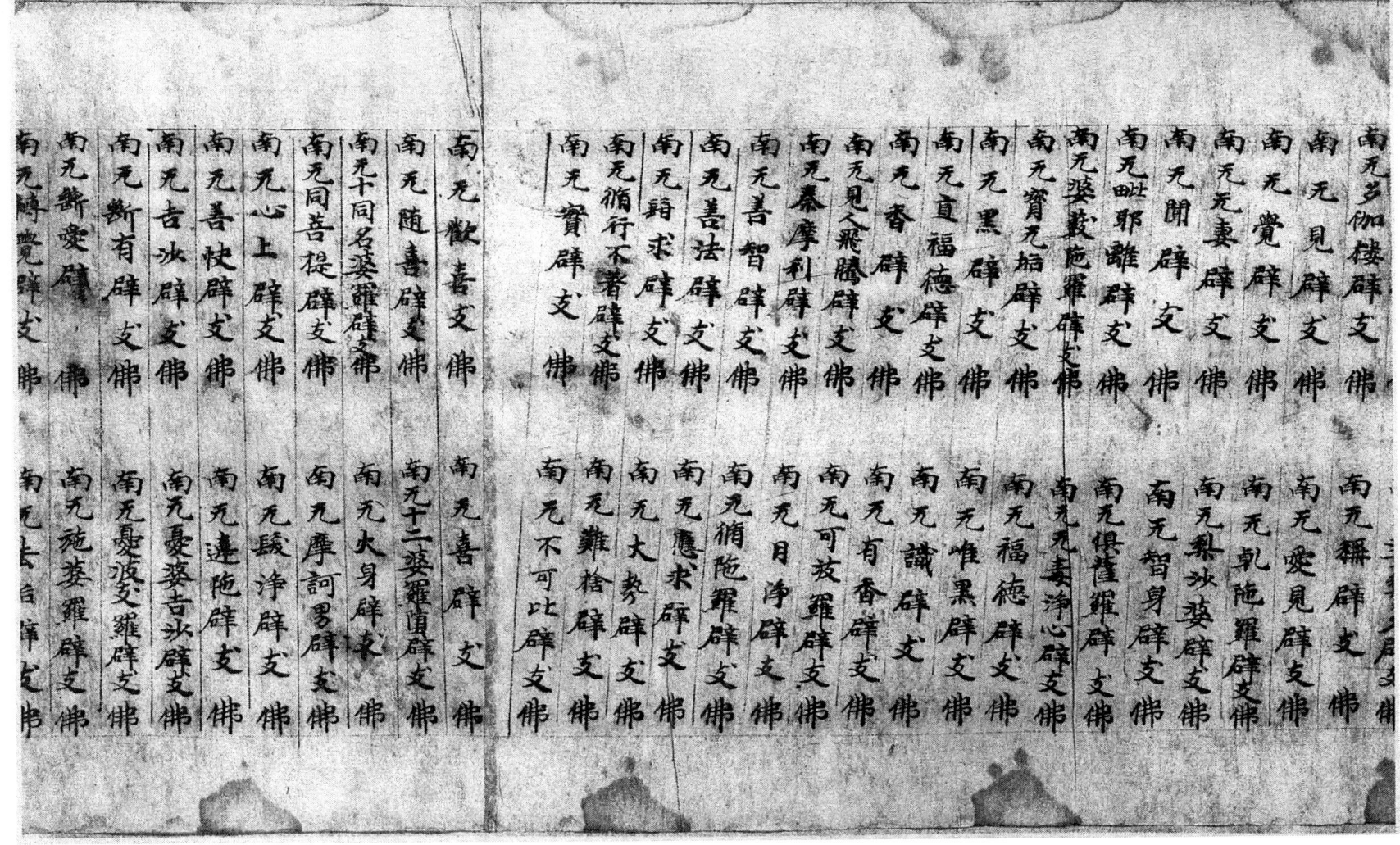

南无吉沙辟支佛　南无憂婆吉沙辟支佛
南无斷有辟支佛　南无憂波支羅辟支佛
南无斷愛辟支佛　南无施婆羅辟支佛
南无轉覺辟支佛　南无去垢辟支佛
南无高去辟支佛　南无阿恣多辟支佛
南无无漏支佛　南无憍慢辟支佛
南无盡憍慢辟支佛　南无親辟支佛
南无得脫辟支佛　南无无垢辟支佛
南无獨辟支佛　南无離盡辟支佛
南无能作憍慢辟支佛　南无退辟支佛
南无不退去辟支佛　南无尊辟支佛
南无善吉辟支佛　南无不可心辟支佛
南无善住辟支佛　南无无比辟支佛
南无憍慢辟支佛　南无物多辟支佛
南无斷愛辟支佛　南无耳辟支佛
南无心得解脫辟支佛　南无憂波耳辟支佛
南无吉辟支佛　南无差摩辟支佛
南无遮羅辟支佛　南无憂波遮羅辟支佛
南无梨沙婆辟支佛　南无善莎他淨支佛
南无善香搭辟支佛　南无阿沙羅辟支佛
南无憂婆沙羅辟支佛　南无波頭辟支佛
南无善賢辟支佛　南无賢德辟支佛
南无須摩辟支佛　南无輸那辟支佛
南无留闍辟支佛　南无憂波留闍辟支佛
南无弗沙辟支佛　南无牛齒辟支佛
南无漏盡辟支佛　南无家後身辟支佛
歸命如是等无量无邊辟支佛
南无无垢光明佛　南无一切德寶光明佛

BD03080 號　佛名經（十二卷本　異卷）卷七　（23-8）

南无弗沙辟支佛　南无牛齒辟支佛
南无漏盡辟支佛　南无家後身辟支佛
歸命如是等无量无邊辟支佛
南无无垢光明佛　南无一切德寶光明佛
南无精進力成就佛　南无清淨光佛
南无解脫一切縛佛　南无波頭摩藏勝佛
南无得无鄣㝵力解脫佛　南无不怯弱十方稱香佛
南无盧舍那光明佛　南无寶聚佛
南无法幢懸佛　南无破一切闇障佛
南无普光明莊嚴照作佛　南无光明作佛
南无大炎佛　南无无邊行功德佛
南无法功德雲燃燈佛　南无燃燈炬王佛
南无破一切眾生闇勝佛　南无妙見佛
南无妙勝佛　南无妙聞佛
南无山峯佛　南无金聖佛
南无飲甘露佛　南无无量光明佛
南无寶雞頭佛　南无无邊幽尼勝王佛
南无電照光明羅網佛　南无成就无量功德佛
南无无量樂說境界佛　南无智勝放光明佛
南无降伏電日月作光佛　南无普勾秦摩勝蓋遮切德積佛
南无功德王佛　南无善月佛
南无光莊嚴王佛　南无除捨施雞頭佛
南无福德光佛　南无普光上勝山王佛
南无善住摩尼山佛　南无斷一切煩惱佛
南无釋迦牟尼佛　南无破碎金剛堅固佛
南无寶熾佛　南无龍自在王佛
南无勇猛仙佛　南无寶月佛
南无離垢佛　南无无垢佛
南无[illegible]盡尋佛　南无[illegible]佛

BD03080 號　佛名經（十二卷本　異卷）卷七　（23-9）

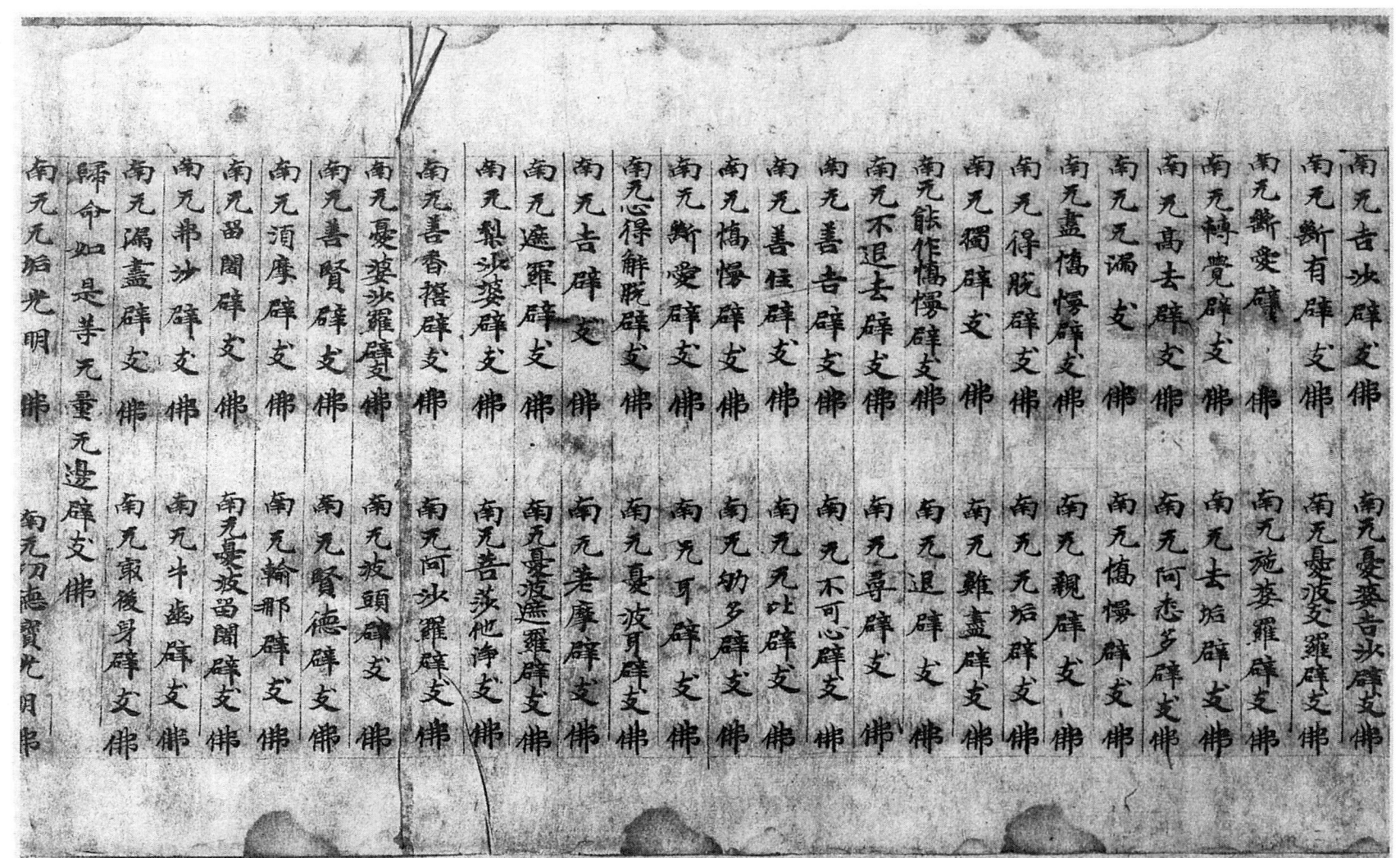

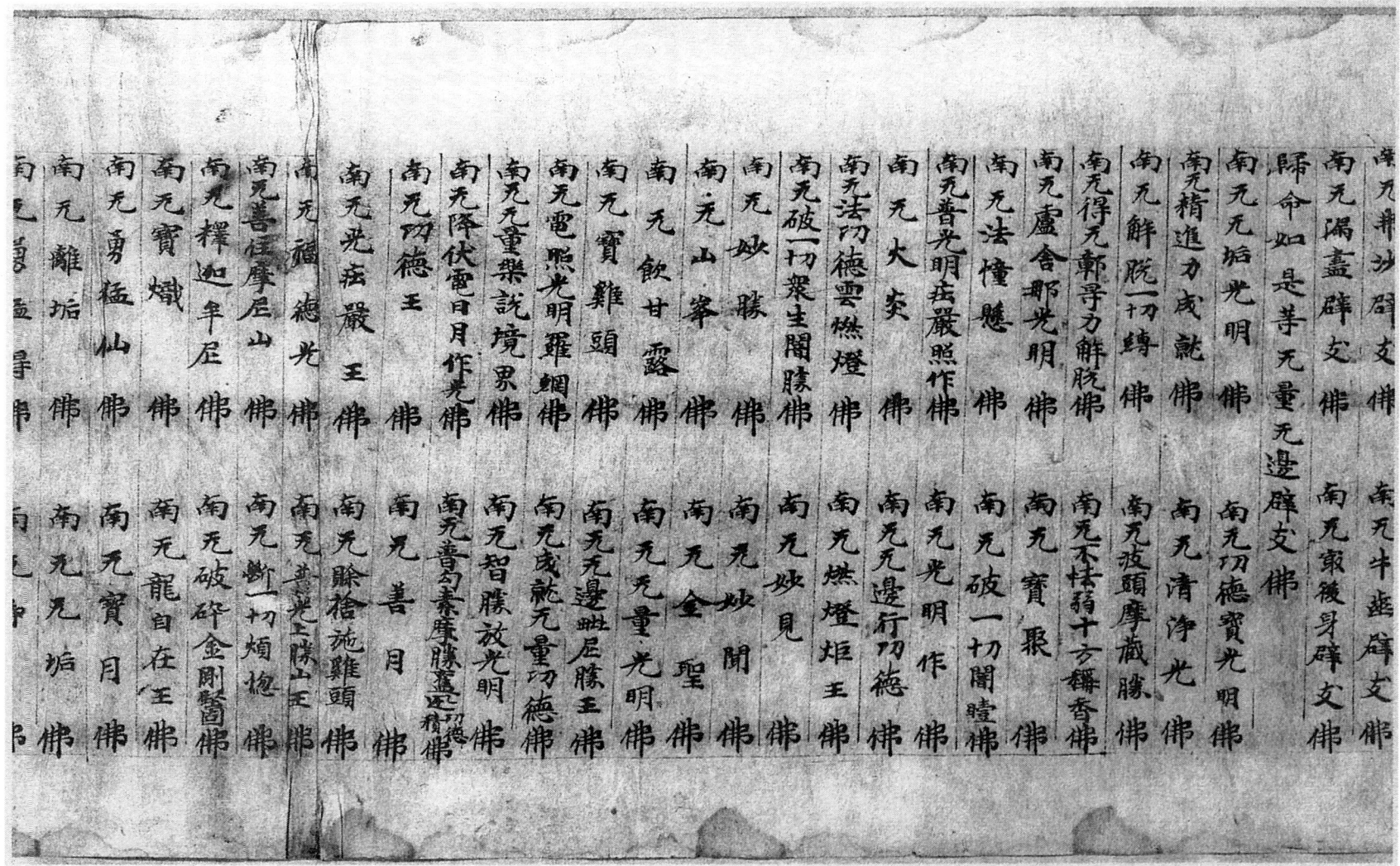

南无釋迦牟尼佛　南无破碎金剛堅固佛
南无寶幟佛　南无龍自在王佛
南无勇猛山佛　南无寶月佛
南无離垢佛　南无无垢佛
南无勇猛得佛　南无淨佛
南无梵得佛　南无婆樓那佛
南无婆樓那天佛　南无賢勝佛
南无旃檀勝佛　南无力士佛
南无歡喜威德勝佛　南无光明勝佛
南无无憂勝佛　南无勾素摩勝佛
南无波頭摩樹提奮迅通佛　南无財勝佛
南无念勝佛　南无善說名勝佛
南无因陁羅雞頭幢佛　南无步勝佛
南无善覺步勝佛　南无善步去佛
南无普照莊嚴勝佛　南无寶華步佛
南无寶波頭摩善住山自在王佛　南无光明幢大衆生莊嚴光王佛
南无妙平等法界智起聲佛　南无廣福德藏普光明照佛
南无普照大應羅網盧舍那佛　南无盧舍那普眼照光佛
南无寂勝大師子意佛　南无到法界勝光盧舍那王佛
南无常无垢功德遍至稱佛　南无日華勝王佛
南无法自在智幢佛　南无廣善光垢威德普聲佛
南无根本勝善導師佛　南无智力佛
南无稱樓威德佛　南无願清淨日光佛
南无法海潮出聲光佛　南无寶功德相莊嚴作光佛
南无妙聲地王天佛　南无勝進獅去佛
南无見衆生歡喜佛　南无不動深光明盧舍那普慧佛
南无普放光明不可思議王佛　南无不等妙功德威德佛
南无速光明梵眼佛　南无解脫精進日光明佛
南无普法身覺慧佛　南无普門照一衆生門見佛

BD03080號　佛名經（十二卷本　異卷）卷七　（23–10）

南无妙聲地王天佛　南无勝進獅去佛
南无見衆生歡喜佛　南无不動深光明盧舍那普慧佛
南无普放光明不可思議王佛　南无不等妙功德威德佛
南无速光明梵眼佛　南无解脫精進日光明佛
南无普法身覺慧佛　南无普門照一衆生門見佛
南无那迦无垢光明日天雲佛　南无因陁羅光明奚幢佛
南无一切地處无垢月佛　南无覺虛空平等相佛
南无十方廣應雲幢佛　南无平等不平等盧舍那佛
南无害心悲解脫空王佛　南无成就一切義須彌佛
南无不空步照見佛　南无妙吼勝佛
南无第一自在通王佛　南无不可思議功德盧舍那
妙月佛
南无可信力幢佛　南无法界樹聲智慧佛
南无波頭摩光長善辟佛　南无不退德海光佛
南无普生妙一切智速佛　南无師子光无量力智佛
南无見一切法清淨勝智佛　南无遠離一切憂惱佛
南无自在妙威德佛　南无舍華火光佛
南无觀法界奮迅佛　南无燃樹緊那羅王佛
南无燃香燈佛　南无應王佛
南无如來功德普門見佛　南无一切法普奮迅王佛
南无廣化自在佛　南无法界解脫光明不可思議意佛
南无如來无垢光佛　南无盧舍那世間輪勝聲佛
南无波頭摩踊无邊眼佛　南无喜樂成佛
南无一切智行境界慧佛　南无廣稱妙聲佛
南无虛空无垢智月佛　南无福德海序雲相華佛
南无能作善勝雲佛　南无勝聲吼幢佛
南无觀眼奮迅佛　南无无盡智金剛佛
南无普眼日藏照佛　南无一切吼聲佛
南无[illegible]佛　南无[illegible]

BD03080號　佛名經（十二卷本　異卷）卷七　（23–11）

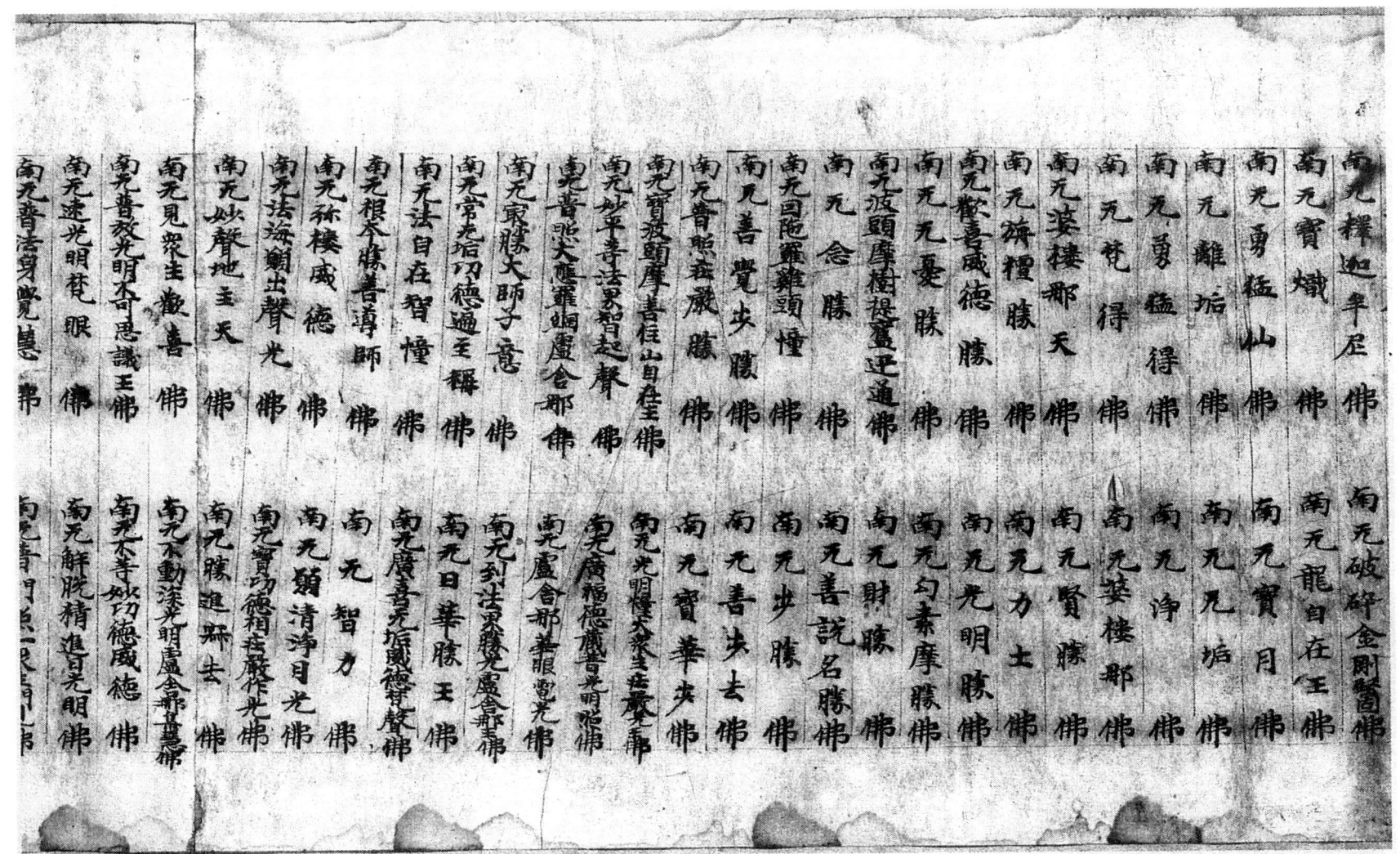

南无虛空无垢智月佛　南无福德海厚雲相華佛
南无能作善勝雲佛　南无勝聲吼幢佛
南无觀眼盡迹佛　南无无盡智金剛佛
南无普眼日藏照佛　南无一切吼聲佛
南无无量智敷佛　南无一切福德弥樓上佛
南无根日威德佛　南无滿光明身光佛
南无地第一相華佛　南无雲无畏見佛
南无平等言語難頭佛　南无寶燃燈王佛
南无堅精進盡迹成就義心佛
南无普觀稱佛　南无蓮光明稱勝佛
南无福德稱上勝佛　南无令一切衆生稱勝佛
南无須弥步稱勝佛　南无平慚愧稱上勝佛
南无教化一切世間佛　南无離一切憂佛
南无離一切難佛　南无離一切世間佛
南无能轉台佛　南无轉女佛
南无轉男女降伏佛　南无佛華勝上王佛
南无不空說名佛　南无善慧法通王佛
南无十方廣功德稱无盡衆佛　南无愛大智見不空聞名佛
南无无量力智勝佛　南无成就梵功德佛
南无香爲佛　南无金剛密迹佛
南无善轉成就義佛　南无盧舍那化勝威德佛　三千九百
南无常功德燃燈去慧佛　南无到諸疑彼岸月佛
南无到法界无量聲善佛　南无燃燈勝光明佛
南无法界日光明佛　南无无邊无垢功德海轉法輪聲佛
南无日不可思議智見佛　南无寶勝光明威德王佛
南无无盡功德妙莊嚴佛　南无不可量力普吼佛
南无普眼滿足燃燈佛　南无勝功德炬佛
南无大龍聲佛　南无波頭摩師子坐盡迹齋佛
南无智聚覺光佛　南无至寺迹[illegible]王佛

BD03080號　佛名經（十二卷本　異卷）卷七　（23–12）

[illegible]
南无普眼滿足燃燈佛　南无勝功德炬佛
南无大龍聲佛　南无波頭摩師子坐盡迹齋佛
南无智聚覺光佛　南无住持地善威德王佛
南无善住法燃燈王佛　南无不空見生喜作佛
南无放身炎幢佛　南无清淨衆生行佛
南无一切德雲普光明佛　南无敷華相月智佛
南无第一光明金遮燎佛　南无觀一切法海无畏刹光明佛
南无化日佛　南无寶蓋勝盧舍那佛
南无善思惟佛　南无精進勝堅慧佛
南无敷華心波頭摩佛　南无清淨眼佛
南无月光自在佛　南无无盡法海寶幢佛
南无金剛波頭摩勝佛　南无廣俱蘇摩作佛
南无人自在幢佛　南无一切智日輪照盧舍那佛
南无龍稱无量功德佛　南无寶功德蹟光佛
南无一切莊嚴慧佛　南无寶炎須弥山佛
南无一切行光明勝佛　南无一切波羅蜜海佛
南无寶炎面門幢佛　南无成就一切錦光明佛
南无廣得一切法齋佛　南无光明羅網勝佛
南无寶山幢佛　南无无邊中智海藏佛
南无清淨一切義功德幢佛　南无一切通首王佛
南无一切通首王佛　南无鄣导一切法界盧舍那佛
南无勝三昧精進慧佛　南无无导法界燃燈佛
南无无导法界須弥幢勝王佛　南无菩提分俱蘇摩作王佛
南无得世間功德大海佛　南无寶師子力佛
南无普智海王佛　南无波頭摩善化幢佛
南无无盡光普門聲佛　南无普功德雲勝威德佛
南无勝慧海佛　南无智月華雲佛
[illegible]

BD03080號　佛名經（十二卷本　異卷）卷七　（23–13）

南无普智海王佛　南无波頭摩善化幢佛
南无无盡光普門聲佛　南无普功德雲勝威德佛
南无勝慧海佛　南无智月華雲佛
南无香光威德佛　南无普聞无鄣导清淨佛
南无不可降伏法自在慧佛　南无波頭摩光明藏王佛
南无大精進善智慧佛　南无堅王幢佛
南无不可降伏妙威德佛　南无精進德佛
南无一切德勝心王佛　南无善威无邊功德王佛
南无斷諸疑廣善眼佛　南无妙功德勝慧佛
南无過諸光明勝光明佛　南无須弥山燃燈佛
南无无盡化善雲佛　南无无量光明化王佛
南无日智覺行佛　南无師子眼炎雲佛
南无天海天炎門佛　南无覺佛智勝佛
南无无量味大聖佛　南无无垢速雲聞佛
南无滿法界盧舍那佛　南无金色華佛
南无大功德華數无垢佛　南无照勝威德王佛
南无不住眼无垢佛　南无无导莊嚴佛
南无法智差別佛　南无轉燈輪幢佛
南无法界轉佛　南无一切佛寶勝王佛
南无无邊光明智輪幢佛　南无差智幢佛
南无師子佛　南无月智佛
南无照佛　南无常教普光明舌功德海王佛
南无无邊光明法界莊嚴王佛
南无甚辯佛　南无高佛
南无无垢地平等光明世界普照十方光佛
聲吼虛空盧舍那佛
南无清淨華池莊嚴世界普門見妙光明佛
南无无邊功德住持世界无邊功德普光佛
南无弥留[illegible]

BD03080號　佛名經（十二卷本　異卷）卷七　（23-14）

[illegible]光明世界普照十方光佛
聲吼虛空盧舍那佛
南无清淨華池莊嚴世界普門見妙光明佛
南无无邊功德住持世界无邊功德普光佛
南无弥留勝燃燈世界普光明虛空鏡像佛
南无一切妙聲善愛聞世界喜樂見華大佛
南无妙聲莊嚴世界寶須弥山燈佛
南无一切寶色莊嚴光明照世界善化法界
聲幢佛
南无香藏金剛莊嚴世界金剛光明電聲吼
佛
南无炎聲世界不可降伏力目佛
南无寶波頭摩間錯莊嚴无垢世界法城吼
聲佛
南无能与樂世界十方世界廣稱名智燈佛
南无手无垢善无垢羅網世界師子光明滿
足功德大海佛
南无妙華幢照世界大智數華光明佛
南无无量莊嚴鋼錯世界高智種種華光明佛
南无无邊莊嚴世界普滿法界幢眼佛
南无寶蓋普光莊嚴世界妙慧上首佛
南无鑽王世界作月光明幢佛
南无无垢藏莊嚴世界善覺梵威德佛
南无寶光明身世界一切種力虛空燃燈佛
南无寶道瓔珞成就世界一切諸波羅蜜相
大海威德佛
南无輪壓普蓋世界斷一切著善作佛
南无寶鑽妙幢世界大稱廣功德吼照佛
南无不可思議莊嚴普莊嚴光照世界无
別智光明功德海佛

BD03080號　佛名經（十二卷本　異卷）卷七　（23-15）

大海威德佛
南无輪慶普蓋世界斷一切著善作佛
南无寶嶺妙幢世界大稱廣功德吼照佛
南无不可思議莊嚴普莊嚴光照世界无
別智光明功德海佛
南无无盡光明輝幢世界无邊法界无垢光
明佛
南无放寶炎華世界清淨寶鏡像佛
南无威德炎藏世界无鄣导盧舍光明吼佛
南无寶輪平等光莊嚴世界普寶光明佛
南无旃檀樹蹟幢世界清淨一切念无疑光明佛
南无佛國王色輪善脩莊嚴世界廣善見光
明智慧佛
南无微細光明莊嚴照世界法界盧舍善觀
佛
南无无邊色形相世界无鄣导智成就佛
南无普炎雲大然世界不退轉法輪吼佛
南无種種寶莊嚴清淨輪世界清淨相華威
德佛
南无究竟善脩世界无鄣导日眼佛
南无善作堅固金剛坐成就勝世界過法界
智身光明佛
南无十方莊嚴无鄣导世界寶廣炬佛
南无差別色光明世界普光明華雲王佛
南无寶門種種幢世界普見妙功德光明佛
南无摩尼順作蹟光明世界十方聲雲佛
南无自在摩尼金剛藏世界智勝須弥王佛
南无摩尼衣坐成就勝世界放香光明功德

BD03080號　佛名經（十二卷本　異卷）卷七　（23-16）

南无十方莊嚴无鄣导世界寶廣炬佛
南无差別色光明世界普光明華雲王佛
南无寶門種種幢世界普見妙功德光明佛
南无摩尼順作蹟光明世界十方聲雲佛
南无自在摩尼金剛藏世界智勝須弥王佛
南无摩尼衣坐成就勝世界放香光明功德
寶莊嚴佛
南无華憂波羅莊嚴世界普智幢聲王佛
南无寶莊嚴種種藏世界一切法无无燃燈佛
南无香勝无垢光明世界普善速勝王佛
南无日幢樂藏世界普門智盧舍那吼佛
南无香莊嚴快藏快藏世界无量功德海
明佛
南无相快照世界无鄣导功德稱解脫光明
王佛
南无功德成就光明照世界清淨明无垢
燃燈佛
南无種種香花勝莊嚴世界師子光明勝
光佛
南无寶莊嚴平等光明世界廣光明智勝
幢佛
南无種種光明蹟快世界金光明无量力
日成就佛
南无放光勾素摩沉淪世界香光明喜力堅
固佛
南无光明清淨種種作世界光明力堅固佛
南无光明清淨種種作世界普光明大自在
幢佛

BD03080號　佛名經（十二卷本　異卷）卷七　（23-17）

固佛
南无光明清淨種種作世界光明力堅固佛
南无光明清淨種種作世界普光明大自在
幢佛
南无幻素弥多炎輪莊嚴世界善海疾功德
稱自在王佛
南无地成就威德世界廣稱智海幢佛
南无放聲吼世界相光明月佛
南无金剛幢世界一切法海勝王佛
南无无量功德莊嚴世界无量衆生功德法
住佛
南无光明照世界梵自在勝佛
南无生无垢光明世界妙法界勝吼佛
南无種種光照燃世界不可壞力普光明幢
佛
南无照平等光明世界无垢功德日明佛
南无寶作莊嚴藏世界无鄣尋智普照十方
佛
南无无慶世界无量勝行幢佛
南无清淨光明世界法界虛空平等光明照佛
南无寶藏波浪勝成就世界功德相雲勝威
德佛
南无宮殿莊嚴幢世界盧舍那勝須光明佛
南无蹟勝藏世界一切法无邊海慧佛
南无善化香勝世界相法化普光佛
南无杖地色光世界善眷屬盧舍那佛
南无善作數世界法行善无盡慧佛

南无蹟勝藏世界一切法无邊海慧佛
南无善化香勝世界相法化普光佛
南无杖地色光世界善眷屬盧舍那佛
南无善作數世界法行喜无盡慧佛
南无勝福德威德輪世界无垢清淨普光明佛
南无磨色寶波頭摩莊嚴世界清淨眼花勝佛
南无大地成就世界无量力成就慧佛
南无梵照世界盧空廣眼月佛
南无聲塵平等世界金色然弥樓燃燈佛
南无寶色莊嚴世界智勝妙法界光明佛
南无金色善光明世界寶燃燈普光明幢佛
南无盧舍那光明月世界大勝華蓋迎善照佛
南无寶月作藏世界无盡功德華威德佛
南无鏡光照明世界行力甘露吼聲佛
南无妙薝檀快月莊嚴世界妙智慧勝威德
光明佛
南无无邊功德聚集世界无邊精進光明功德
勝佛
南无大莊嚴成就世界燈王佛
南无波頭摩跋提世界普華佛
南无摩梨支世界盧舍那佛
南无清淨行世界那羅延華幢佛
南无有華世界波頭摩威德佛
南无有雲世界雲聲王佛
南无不可行世界薝蔔色佛
南无蓮華世界波頭摩勝佛
南无光幢世界光明王佛　六千一百
南无无邊功德莊嚴光明世界莊嚴王佛

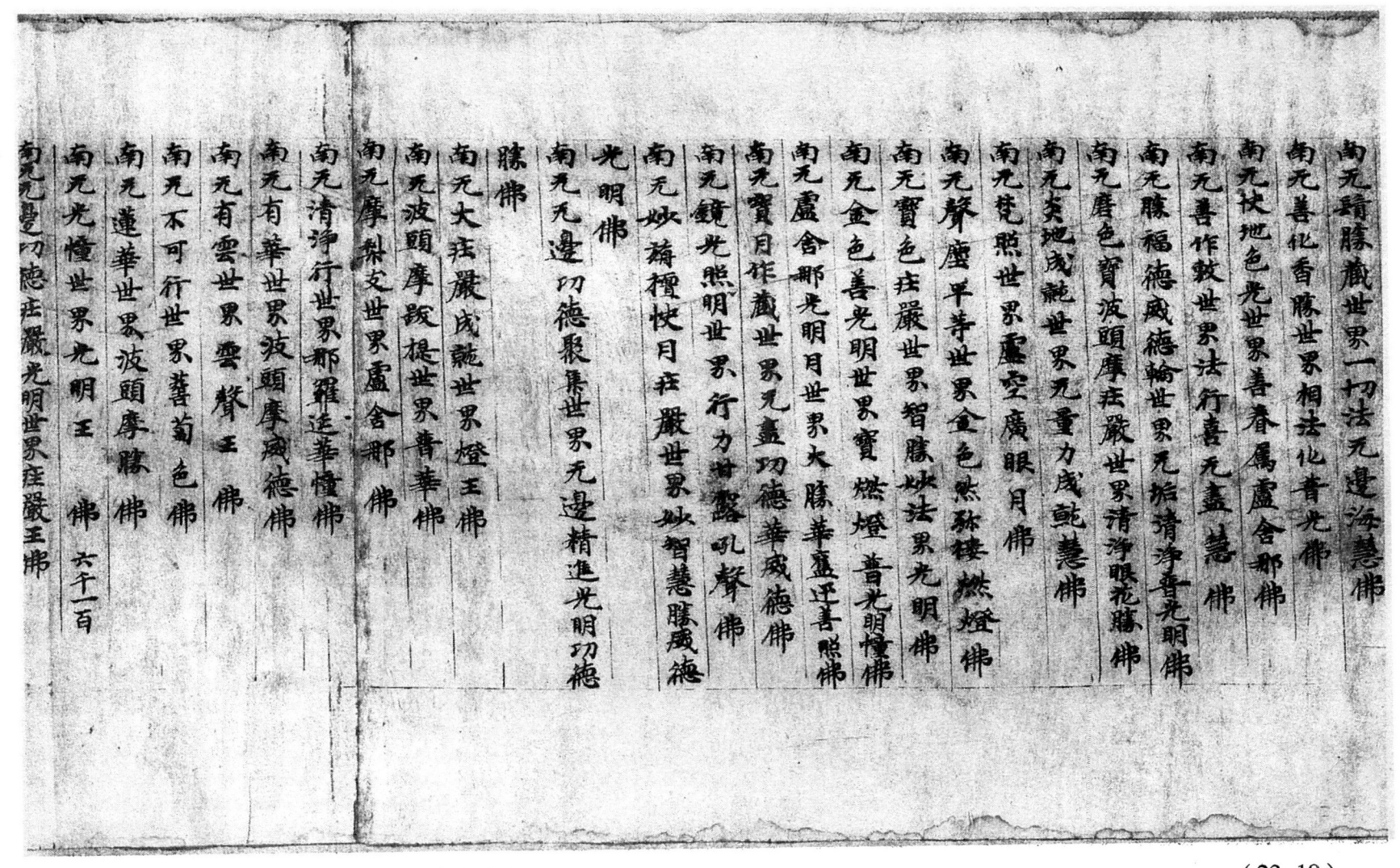

南无有雲世界雲聲王佛
南无不可行世界善菊色佛
南无蓮華世界波頭摩勝佛
南无光幢世界光明王　佛　六千一百
南无无邊功德莊嚴光明世界莊嚴王佛
南无无量光照世界普賢佛
无无邊功德寶作示現安樂世界无邊功
德寶集示現安樂金色光明師子奮迅王佛
南无普寶開錯世界普光明妙勝山王佛
南无普无垢世界无垢稱王佛
南无清淨行世界普華佛
如是諸世界中諸佛一切歸命及菩薩摩
訶薩一切大衆久悉歸命
尒時諸比丘白佛言世尊如是諸佛如来
所有壽命長短等不佛告諸比丘汝等諦聽
當為汝說比丘我此娑婆世界賢劫釋迦
牟尼佛國土一切於安樂世界為一日一夜若
安樂世界阿弥陀佛國土一劫於袈裟幢世界
碎金剛佛國土為一日一夜若袈裟幢世界
一劫於不退輪吼世界善快光明波頭摩敷
身如来佛國土為一日一夜若不退輪吼世
界一劫於无垢世界法幢如来佛國土為一
日一夜若无垢世界一劫於善燃燈世界師
子如来佛國土為一日一夜若善燃燈世界一
劫於善光明世界盧舍那藏如来佛國土
為一日一夜若善光明世界一劫於難過世界
法光明波頭摩敷身如来佛國土為一日一夜
夜若難過世界一切於莊嚴慧世界一切通光

BD03080號　佛名經（十二卷本　異卷）卷七　（23–20）

劫於善光明世界盧舍那藏如来佛國土
為一日一夜若善光明世界一劫於難過世界
法光明波頭摩敷身如来佛國土為一日一夜
夜若難過世界一劫於莊嚴慧世界一切通光
如来佛國土為一日一夜若莊嚴慧世界一劫
於鏡輪光世界月智如来佛國土為一日一夜
比丘入如是數滿足過十阿僧祇百千万世
界最後波頭摩勝世界賢勝如来佛國土
為一日一夜比丘如是等世界无量无邊長
短不等諸佛如来壽命住世久復如是諸比
丘汝等應當稱諸佛名作如是言南无如是等諸
佛如来
南无不動智佛　南无阿尼羅智佛
南无阿毗陁智佛　南无行智佛
南无阿樓那智佛　南无常智佛
南无妙智佛　南无樂自在天佛
南无梵天佛　南无勝智天佛
南无菴摩羅月佛　南无不退月佛
南无不動月佛　南无阿尼羅月佛
南无婆留那月佛　南无阿毗月佛
南无勝月佛　南无阿樓那月佛
南无无垢月佛　南无勝智月佛
南无不退眼佛　南无第一眼佛
南无阿尼羅眼佛　南无不動眼佛
南无阿毗陁眼佛　南无行眼佛
南无婆留那眼佛　南无勝眼佛
南无微妙清眼佛　南无不動幢佛
南无阿尼羅幢佛　南无阿毗陁幢佛
南无阿樓那幢佛

BD03080號　佛名經（十二卷本　異卷）卷七　（23–21）

南无无垢月佛　南无勝智月佛
南无不退眼佛　南无第一眼佛
南无阿尼羅眼佛　南无不動眼佛
南无阿私陀眼佛　南无行眼佛
南无婆留那眼佛　南无勝眼佛
南无嚴妙清眼佛　南无不動幢佛
南无阿尼羅幢佛　南无阿私陀幢佛
南无行幢佛　南无阿樓那幢佛
南无常幢佛　南无妙幢佛
南无目在幢佛　南无梵幢佛
南无勝幢佛　南无弥留勝佛
南无波頭摩勝藏佛　南无普眼佛
南无梵命佛　南无金剛齋佛
南无婆藪天佛　南无一切法決定王佛
南无弥留幢弥眼勝佛　南无致沙佛
南无弗沙佛　南无波頭摩勝佛
南无大光明佛　南无法意佛
南无善法佛　南无釋勝佛
南无寶慧佛　南无嚴妙明佛
南无燈佛　南无釋義佛
南无自在佛　南无婆藪天佛
南无不去佛　南无釋勝佛
南无妙行佛　南无尋月佛
南无无邊智上首佛　南无普眼佛
南无厚波婆羅佛　南无妙勝佛
南无日佛　[illegible]佛
南无法幢佛　南无无邊智燃燈佛
南无普功德觀燃燈佛　南无功德佛

BD03080號　佛名經（十二卷本　異卷）卷七　（23–22）

南无善法佛　[illegible]勝[illegible]佛
南无寶慧佛　南无嚴妙明佛
南无燈佛　南无釋義佛
南无自在佛　南无婆藪天佛
南无不去佛　南无釋勝佛
南无妙行佛　南无尋月佛
南无无邊智上首佛　南无普眼佛
南无厚波婆羅佛　南无妙勝佛
南无日佛　[illegible]光佛
南无法幢佛　南无无邊智燃燈佛
南无普功德觀燃燈佛　南无功德佛
南无金剛幢佛　南无普智寶炎勝功德幢佛
南无回陀羅幢勝幢佛　南无普智寶炎勝功德難那佛
南无无垢輪大悲雲幢佛　南无金剛那羅延幢佛
南无尋勝行佛　南无大炎佛
南无山勝莊嚴佛　南无一切法海上莊嚴速莊佛
南无深法海妙光佛　南无寶炎圍燃燈佛
南无功德海光明輪勝佛　南无盧遮那勝藏佛
南无滿虛空法界尸怯羅勝燃燈佛
南无不退燃燈佛　南无法界吼佛
南无妙法樹山王威德佛　南无一切法海吼王佛
南无寶光明燃燈幢佛
南无須弥功德光威德佛　南无法雲吼王佛
南无智炬燃燈王佛　南无法電速幢勝佛

BD03080號　佛名經（十二卷本　異卷）卷七　（23–23）

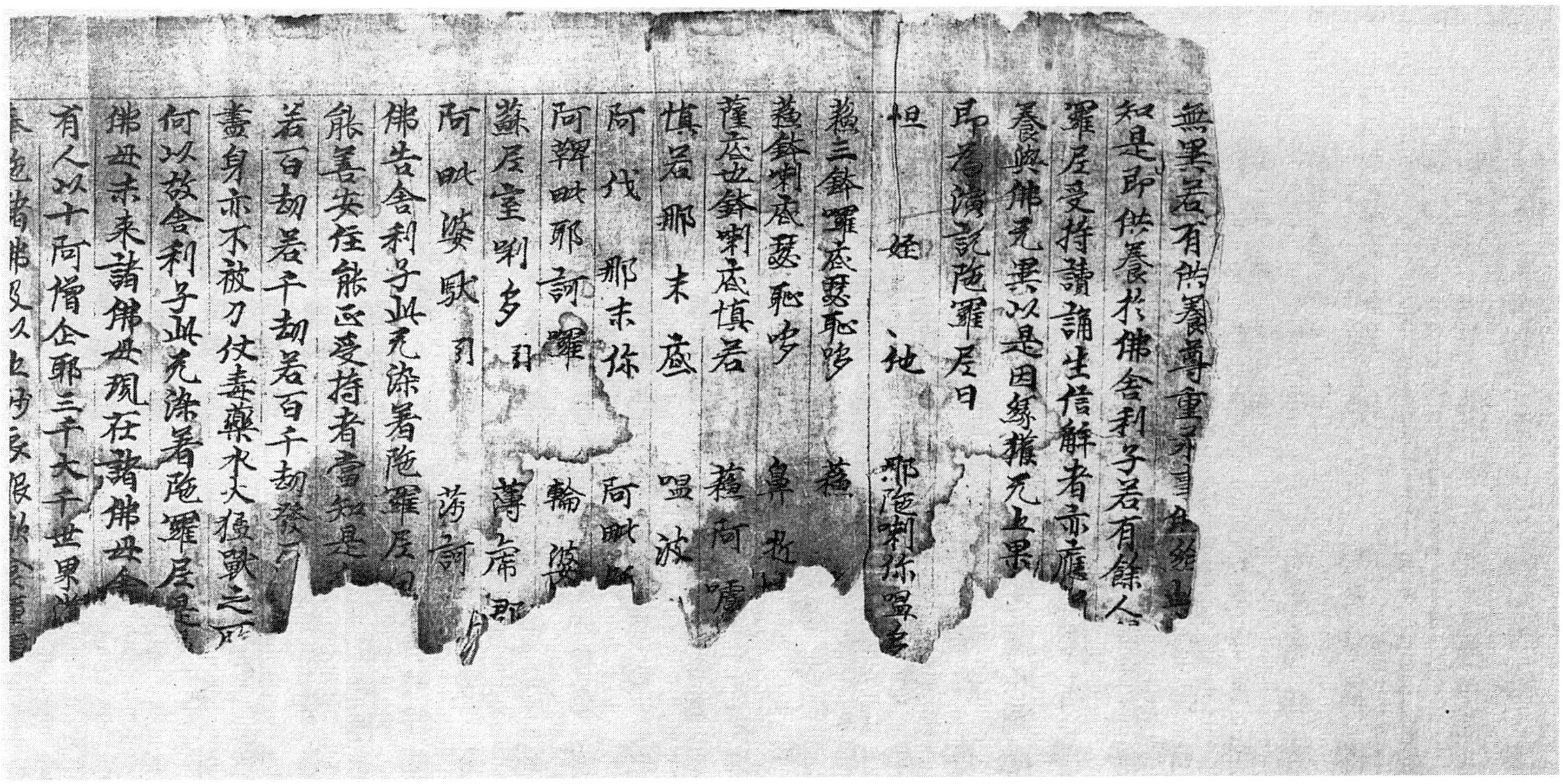

無畏若有供養尊重…
知是即供養於佛舍利子若有餘人
羅尼受持讀誦生信解者亦應
養與佛无異以是因緣獲无上果
即為演說陁羅尼曰
怛 姪 他 那陁喇你嗢…
薩三鉢羅底瑟恥哆 薩…
薩鉢喇底瑟恥哆 阜扺…
薩底也鉢喇底慎若 薩阿嚧…
慎若 那 末 底 嗢 波…
阿 伐 那末你 阿 毗…
阿鞞毗那訶羅 輸 婆…
蘇尼室喇多羽 薄 庯…
阿 毗 婆 馱 羽 莎 訶
佛告舍利子此无染著陁羅尼…
能善安住能正受持者當知是…
若百劫若千劫若百千劫發…
盡身亦不被刀杖毒藥水火猛獸之…
何以故舍利子此无染著陁羅尼是…
佛母未來諸佛母現在諸佛母舍…
有人以十阿僧企耶三千大千世界滿…
奉施諸佛及以上妙衣服飲食…

BD03081 號　金光明最勝王經卷七　（18–1）

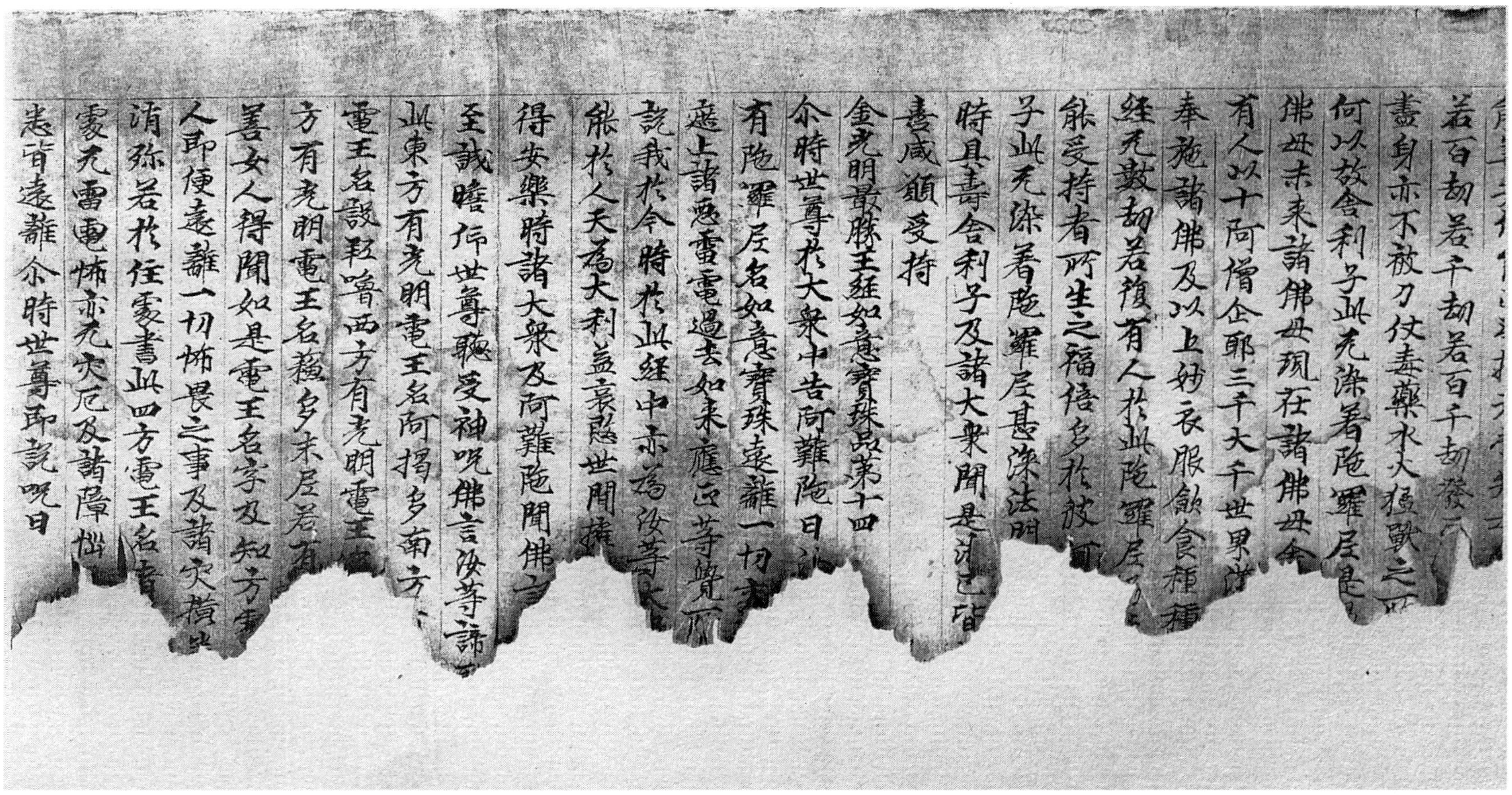

若百劫若千劫若百千劫發…
盡身亦不被刀杖毒藥水火猛獸之…
何以故舍利子此无染著陁羅尼是…
佛母未來諸佛母現在諸佛母舍…
有人以十阿僧企耶三千大千世界滿…
奉施諸佛及以上妙衣服飲食種種…
經无數劫若復有人於此陁羅尼…
能受持者所生之福倍多於彼何…
子此无染著陁羅尼甚深法門…
時具壽舍利子及諸大衆聞是法已皆…
盡咸頂受持
金光明最勝王經如意寶珠品第十四
尒時世尊於大衆中告阿難陁曰汝…
有陁羅尼名如意寶珠遠離一切灾…
遮止諸惡雷電過去如來應正等覺…
說我於今時於此經中亦為汝等大…
能於人天為大利益哀愍世間擁…
得安樂時諸大衆及阿難陁聞佛…
至誠瞻仰世尊聽受神呪佛言汝等諦…
此東方有光明電王名阿揭多南方…
電王名設羝嚕西方有光明電王…
方有光明電王名蘇多末尼若有…
善女人得聞如是電王名字及知方…
人即便遠離一切怖畏之事及諸灾橫…
消殄若於住處書此四方電王名者…
處无雷電怖亦无灾厄及諸障惱…
患皆遠離尒時世尊即說呪曰

BD03081 號　金光明最勝王經卷七　（18–2）

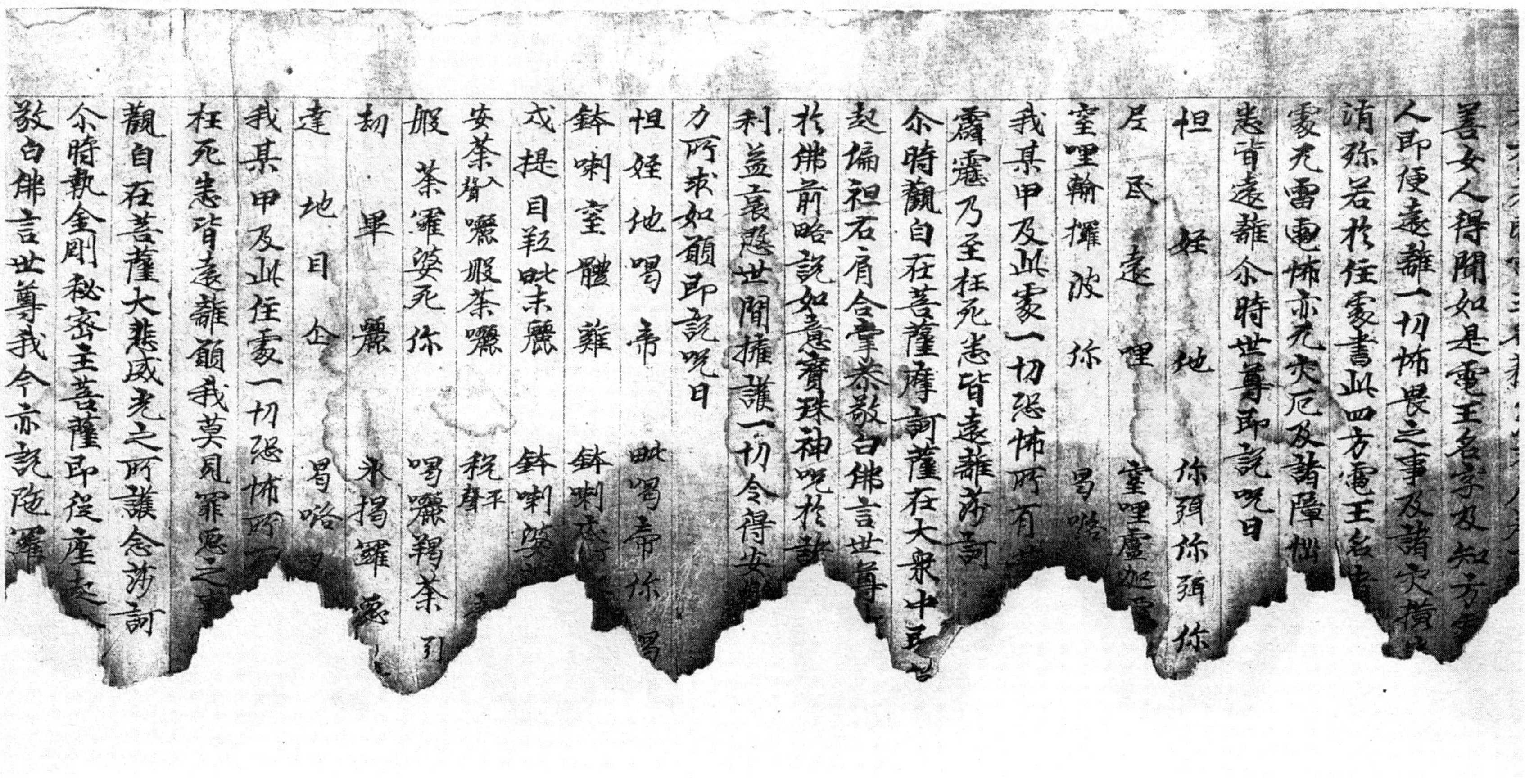

善女人得聞如是電王名字及知方處
人即便遠離一切怖畏之事及諸災橫
消殄若於住處書此四方電王名者
處無雷電怖亦無災厄及諸障惱
悉皆遠離尒時世尊即說呪曰
怛　姪　他　儞弭儞弭　儞
居　氐　遠　哩　窒哩盧迦
窒哩輸擺　波　儞　曷喏
我某甲及此處一切恐怖所有
霹靂乃至枉死悉皆遠離莎訶
尒時觀自在菩薩摩訶薩在大衆中即
起偏袒右肩合掌恭敬白佛言世尊
於佛前略說如意寶珠神呪於諸
利益哀愍世間擁護一切令得安
力所求如願即說呪曰
怛　姪　他　喝　帝　毗喝帝　儞
鉢　喇　窒　體　難　鉢喇底
戍　提　目　粒　吠末隸　鉢喇嗢
安荼^入聲^　囉　般荼囉　稅^平聲^
般　荼　羅　婆　死　儞　喝囉羯荼
劫　畢　囇　氷揭羅　惡
達　地　目　企　曷喏
我某甲及此住處一切恐怖所
枉死悉皆遠離願我莫見罪惡之
觀自在菩薩大悲威光之所護念莎訶
尒時執金剛秘密主菩薩即從座起
敬白佛言世尊我今亦說陀羅

BD03081號　金光明最勝王經卷七　（18–3）

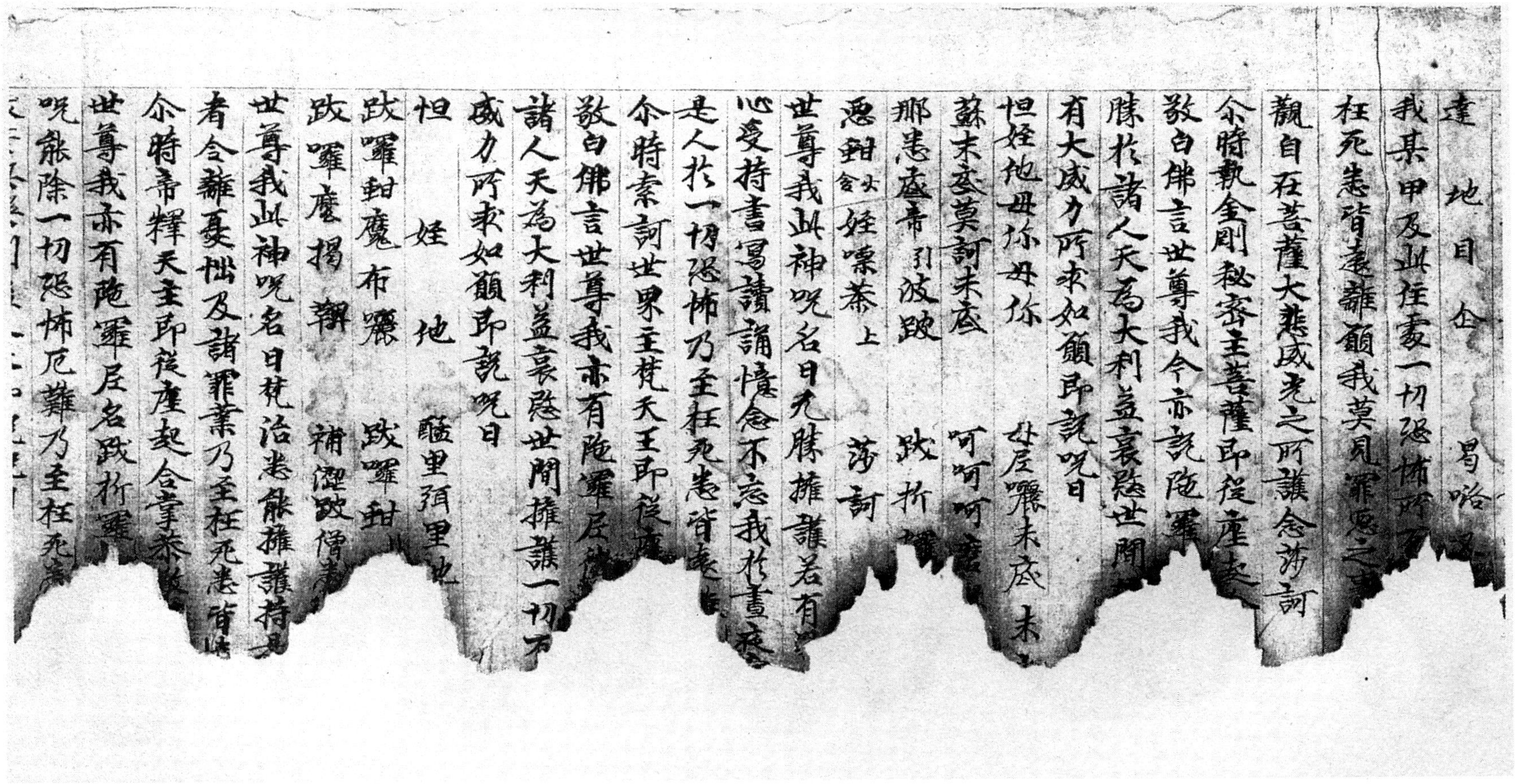

達　地　目　企　曷喏
我某甲及此住處一切恐怖所
枉死悉皆遠離願我莫見罪惡之
觀自在菩薩大悲威光之所護念莎訶
尒時執金剛秘密主菩薩即從座起
敬白佛言世尊我今亦說陀羅
尼於諸人天為大利益哀愍世間
有大威力所求如願即說呪曰
怛姪他母儞母儞　母尼囇末底　末
蘇末底莫訶末底　呵呵呵
那悉底帝^引^波跛　跋折
悉鉗^上^^含^　姪嚓荼^上^　莎訶
世尊我此神呪名曰无勝擁護若有
心受持書寫讀誦憶念不忘我於晝夜
是人於一切恐怖乃至枉死悉皆遠
尒時索訶世界主梵天王即從座
敬白佛言世尊我亦有陀羅尼
諸人天為大利益哀愍世間擁護一切不
威力所求如願即說呪曰
怛　姪　他　醯里弭里地
跋　囉　鉗　魔　布　囉　跋囉鉗
跋　囉　麼　揭　鞞　補澀跋僧
世尊我此神呪名曰梵治悉能擁護持
者令離憂惱及諸罪業乃至枉死悉皆
尒時帝釋天主即從座起合掌恭
世尊我亦有陀羅尼名跋折羅
呪能除一切恐怖厄難乃至枉死

BD03081號　金光明最勝王經卷七　（18–4）

世尊我此神呪名曰梵治悉能擁護持呪
者令離憂惱及諸罪業乃至枉死悉皆
尒時帝釋天主即從座起合掌恭敬
世尊我亦有陁羅尼名跋折羅
呪能除一切怖厄難乃至枉死
拔苦與樂利益人天即說呪曰
怛姪地畔徐婆剌你　畔拖磨　彈　滯
磨儞你捌撤尒體哩　健陁哩　撫
摩　蹬者上　卜羯死　薩羅跋
呬娜末住誓磨嗢努你　莫呼剌你
斫羯囉娑　枳　捨伐哩捨伐哩莎
尒時多聞天王持國天王增長天王廣目
王俱從座起合掌恭敬白佛言世尊
有神呪名施一切衆生无畏於諸
擁護令得安樂增益壽命无諸患
死悉皆遠離即說呪曰
怛姪他補澀閉　蘇補　澀　閉
度麼鉢喇呵囉　阿離耶鉢喇
扇帝涅目帝　怯　揭
悉　哆　鼻　帝　莎　訶
尒時復有諸大龍王所謂末那斯龍
龍王无熱池龍王電舌龍王妙光龍王俱
座起合掌恭敬白佛言世尊我亦有如意
珠陁羅尼能遮惡電除諸恐怖
大利益衰愍世間擁護一切有大
如願乃至枉死悉皆遠離一切毒
息一切造作蠱道呪術不吉祥事悉令除滅

BD03081 號　金光明最勝王經卷七　（18–5）

座起合掌恭敬白佛言世尊我亦有如意
珠陁羅尼能遮惡電除諸恐怖
大利益衰愍世間擁護一切有大
如願乃至枉死悉皆遠離一切毒
息一切造作蠱道呪術不吉祥事悉令除滅
我今以此神呪奉獻世尊唯願哀愍慈悲
受當令我等離此龍趣永捨慳貪
此慳貪於生死中受諸苦惱我等
種子即說呪曰
怛姪地阿折囉　阿末囉阿蜜嘌
惡叉裒阿摩裒　柰尼鉢喇耶法帝
薩婆波跋　鉢喇苫摩尼裒
阿　離　裒　般豆蔭波
世尊若有善男子善女人口中說
明呪或書經卷受持讀誦恭敬供養
雷電霹靂及諸恐怖苦惱憂患乃至枉死悉
皆遠離所有毒藥蠱魅厭禱害人虎狼師
毒難之類乃至毀壞悉不爲害
尒時世尊普告大衆善哉善哉此
有大力能隨衆生心所求事悉令
利益除不至心汝等勿疑時諸大衆聞佛
已歡喜信受
金光明最勝王經大辯才天女品第十五
尒時大辯才天女於大衆中即從
佛足白佛言世尊若有法師說是
王經者我當益其智慧具足莊嚴言
若彼法師於此經中文字句義所有忘

BD03081 號　金光明最勝王經卷七　（18–6）

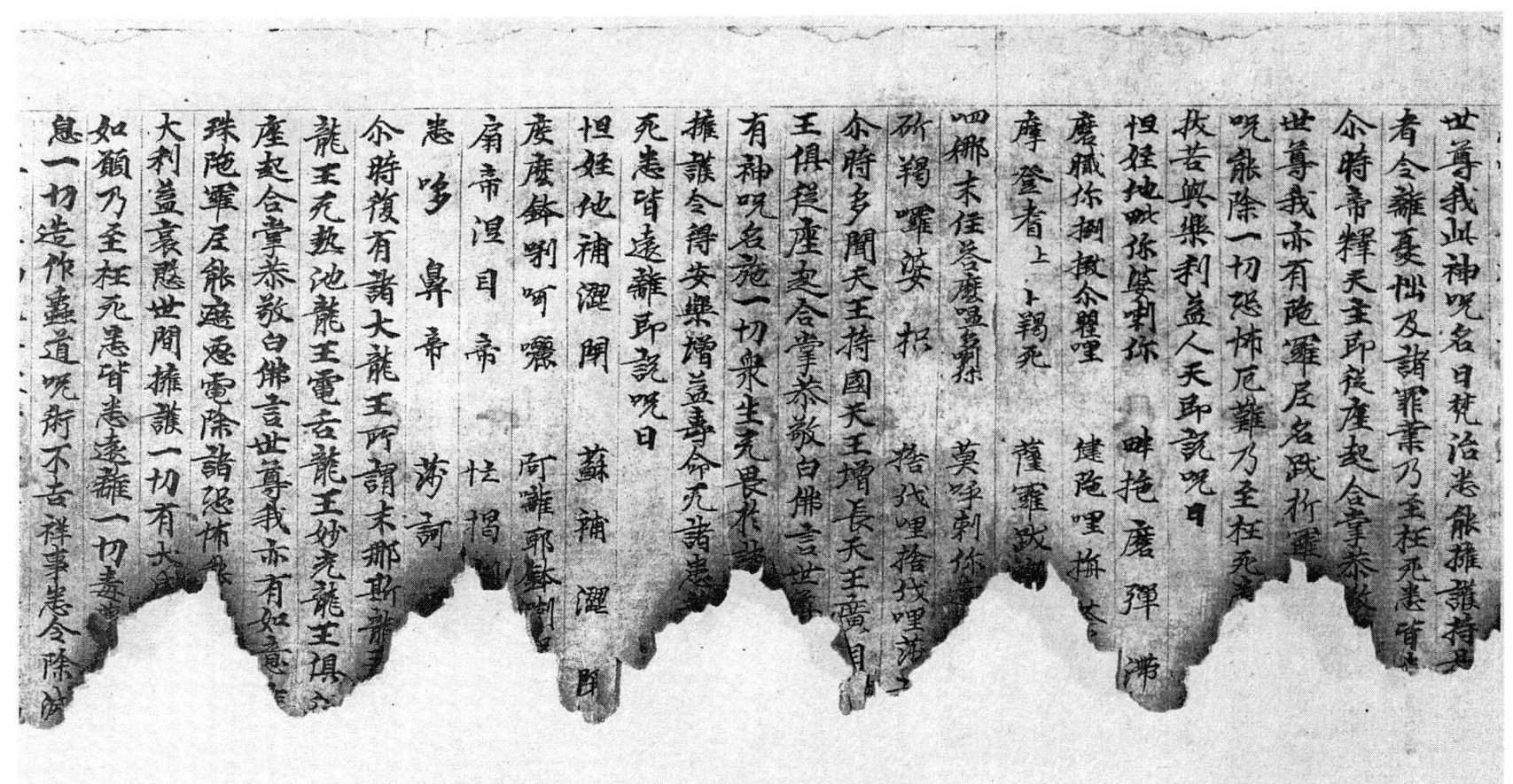

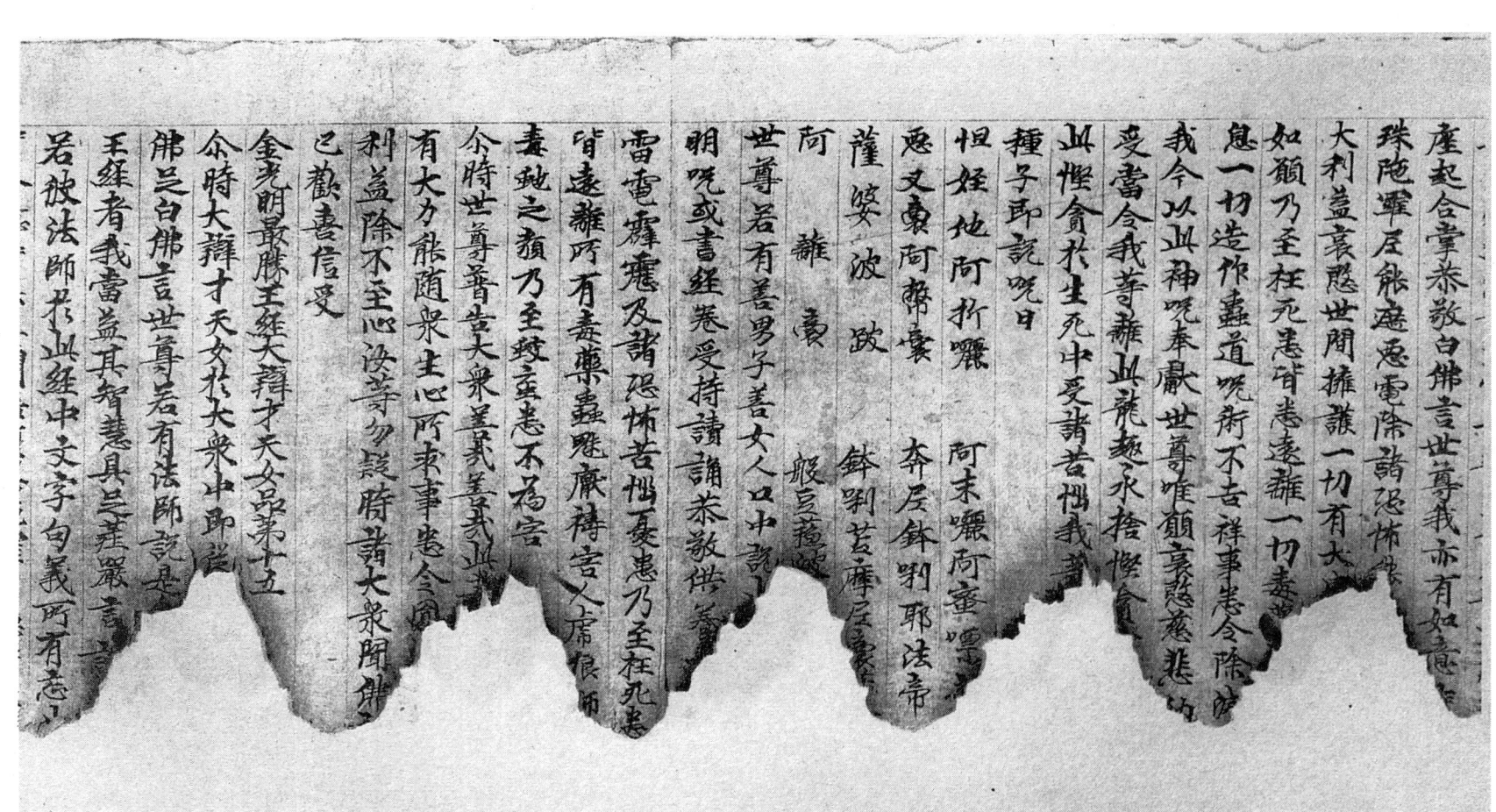

已歡喜信受
金光明最勝王經大辯才天女品第十五
尒時大辯才天女於大衆中即從
佛足白佛言世尊若有法師說是
王經者我當益其智慧具足莊嚴言
若彼法師於此經中文字句義所有忘
皆令憶持能善開悟復與陁羅尼總持无
又此金光明最勝王經為彼有情已
佛所種諸善根當受持者於贍
布不速隱沒復令无量有情聞是
不可思議捷利辯才无盡大慧善解衆論
諸伎術能出生死速趣无上正等菩提於現
世中增益壽命資身之具悉令圓滿世尊
當為彼持經法師及餘有情於
聞者說其呪藥洗浴之法彼人所
憂與初生時星屬相違疫病之苦鬪
惡夢鬼神蠱毒厭魅呪術起屍如是諸惡
障難者悉令除滅諸有智者應作如是洗
之法當取香藥三十二味所謂
昌蒲 跋者 牛黃 瞿盧折娜
麝香 莫訶婆伽 雄黃 末捺眵羅 合昏
白及 因達羅喝悉哆 芎藭 闍莫迦 苟杞根
松脂 室利薜瑟得迦 桂皮 咄者 香附子 目窣哆
沉香 惡揭嚕 栴檀 栴檀娜 零淩香 多揭
丁子 索瞿者 鬱金 荼矩麼
葦香 捺剌柁 竹黃 戰路娜 細
甘松 苫弭哆 藿香 鉢怛羅 茅根香

白及 因達羅喝悉哆 芎藭 闍莫迦 苟杞根
松脂 室利薜瑟得迦 桂皮 咄者 香附子 目窣哆
沉香 惡揭嚕 栴檀 栴檀娜 零淩香 多揭
丁子 索瞿者 鬱金 荼矩麼
葦香 捺剌柁 竹黃 戰路娜 細
甘松 苫弭哆 藿香 鉢怛羅 茅根香
叱脂 薩洛計 艾納 世黎也 安息香 窶具攞
芥子 薩利殺跛 馬芹 葉婆你 龍花鬚 那伽雞薩羅
白膠 薩折羅婆 青木 矩瑟侘 皆等分
以布灑星日一處擣篩取其香
呪一百八遍呪曰
怛姪他 蘇訖栗帝 訖栗帝訖
劫摩怛里 繕怒羯爛
郝羯喇滯 因達羅闍利膩
鑠羯㘓滯 鉢設姪
阿伐底羯細 計娜
脚迦鼻麗 劫鼻
劫毗羅末底 尸羅末
刪底度囉末底里 波伐雉畔稚囇
室囇 室囇 薩底悉體羝莎訶
若樂如法洗浴時 應作壇場方
可於寂靜安隱處 念所求
應塗牛糞作其壇 於上普
當以淨潔金銀器 盛滿美味
於彼壇場四門所 四人守護法如常
令四童子好嚴身 各於一角持瓶水
於此常燒安息香 五音之樂聲不
幡蓋莊嚴懸繒綵 安在壇

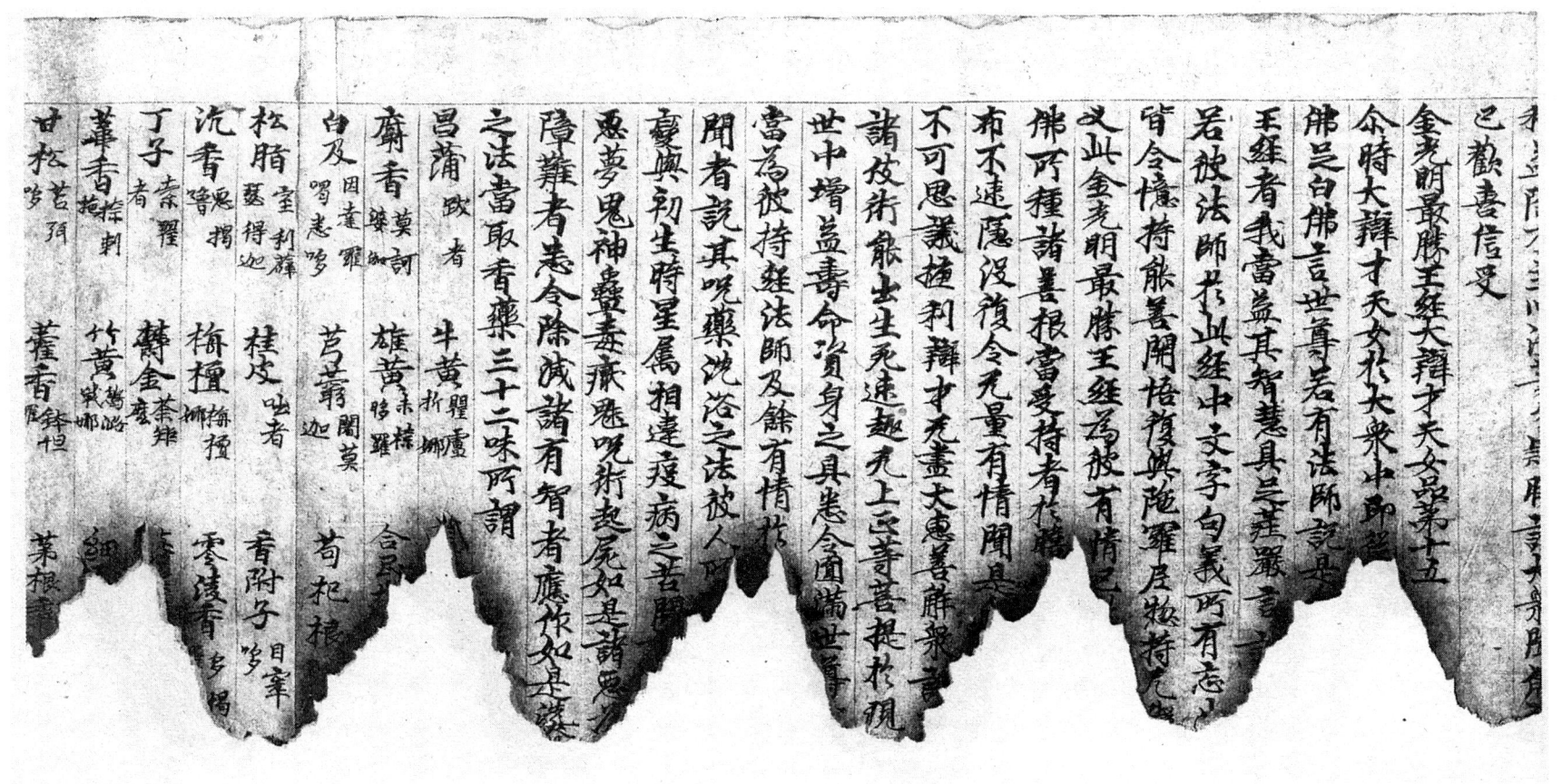

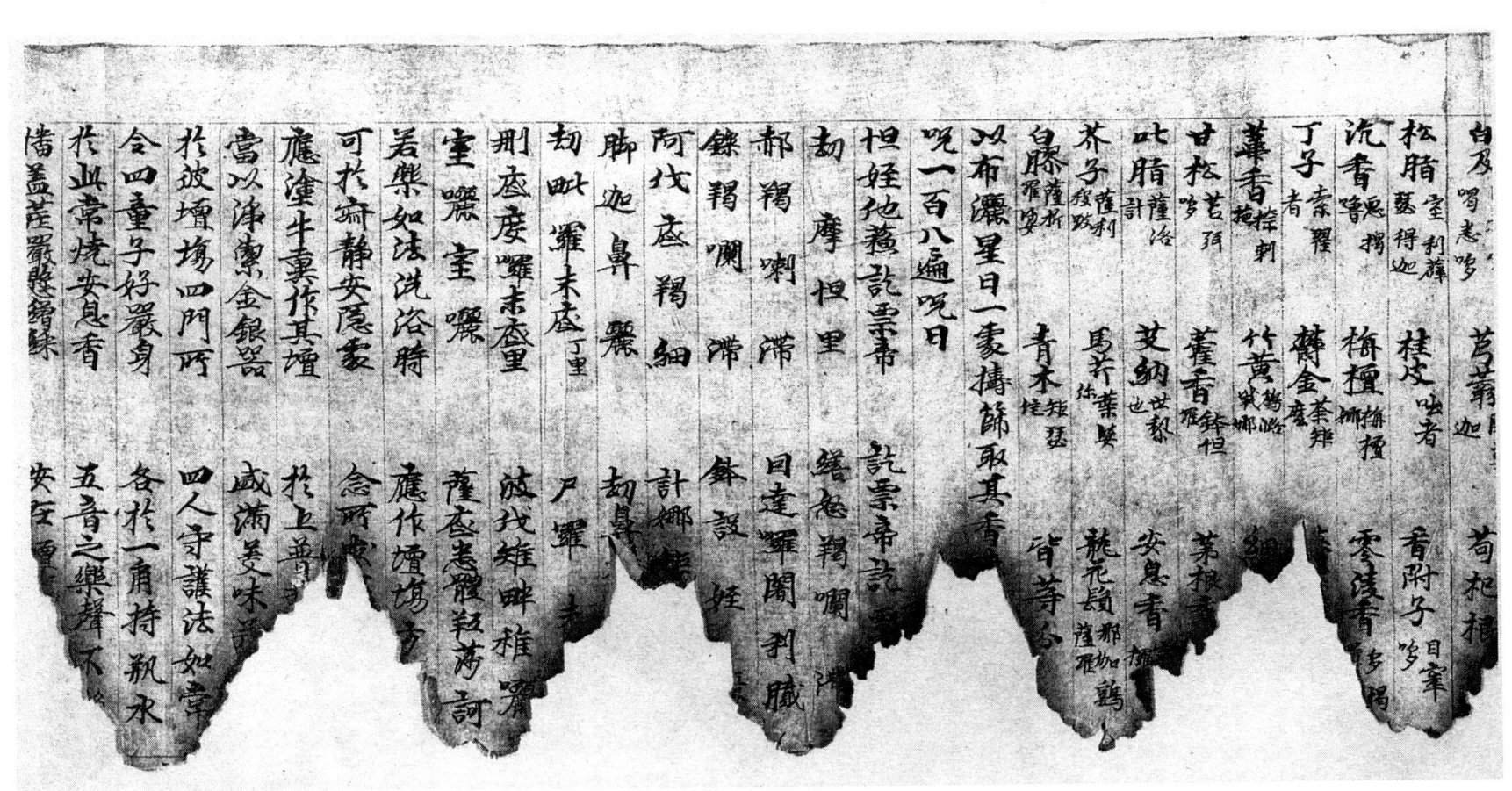

應塗牛糞作其壇　於上普...
當以淨潔金銀器　咸滿美味并...
於彼壇場四門所　四人守護法如常
令四童子好嚴身　各於一角持瓶水
於此常燒安息香　五音之樂聲不...
幡蓋莊嚴懸繒綵　安在壇...
復於場內置明鏡　利刀兵...
於壇中心埋大盆　應以漏版安...
用前香末以和湯　亦復安在於壇內
既作如斯布置已　然後誦呪結其壇
結界呪曰
怛姪他　頞喇計　娜也...
泥　欏　拭　欏　企企...
如是結界已　方入於壇內　呪水三七遍　散...
次可呪香湯　滿一百八遍　四邊安幔障　然後洗浴身
呪水呪湯呪曰
怛姪他一　索揭智貞勵反下同二　毗揭智三　毗揭...
四　莎訶五
若洗浴訖其洗浴湯及壇場中...
河池內餘皆收攝如是浴已方著淨...
壇場入淨室內呪師教其發弘誓願永斷...
常修諸善於諸有情興大悲心以是因緣當
獲無量隨心福報復說頌曰
若有病苦諸眾生　種種...
若依如是洗浴法　并復...
常於日夜念不散　專想慇勤...
所有患苦盡消除　解脫貧窮...

BD03081 號　金光明最勝王經卷七　（18-9）

常修諸善於諸有情興大悲心以是因緣當
獲無量隨心福報復說頌曰
若有病苦諸眾生　種種...
若依如是洗浴法　并復...
常於日夜念不散　專想慇勤...
所有患苦盡消除　解脫貧窮足...
四方星辰及日月　威神擁護得延年
吉祥安隱福德增　災變厄難皆除遣
次誦護身呪三七遍呪曰
怛姪他　三謎　毗三...
索　揭滞　毗揭滞...
毗　揭茶丈亭反耶伐底　莎訶
娑　揭　囉　三步多也　莎...
塞　建　陀　摩多也　莎訶
尼　攞　佗　也　莎訶
阿鉢囉市哆　毗嚟...
四摩槃哆　三步多...
阿你蜜攞　薄怛囉也...
南謨薄伽伐都　跋囉甜摩寫莎訶
南謨薩囉酸蘇活反底　莫訶提鼻裔莎訶
悉甸覩湯此云成就我某甲　曼怛囉鉢陀...
怛喇覩　毗姪哆　跋囉...
爾時大辯才天女說洗浴法壇場...
佛足白佛言世尊若有苾芻苾芻尼
鄔波索迦鄔波斯迦受持讀誦書寫流布是妙...
如說行者若在城邑聚落曠野山林僧尼住...
處我為是人將諸眷屬作天伎樂來詣其所
而為擁護除諸病苦流星變怪...

BD03081 號　金光明最勝王經卷七　（18-10）

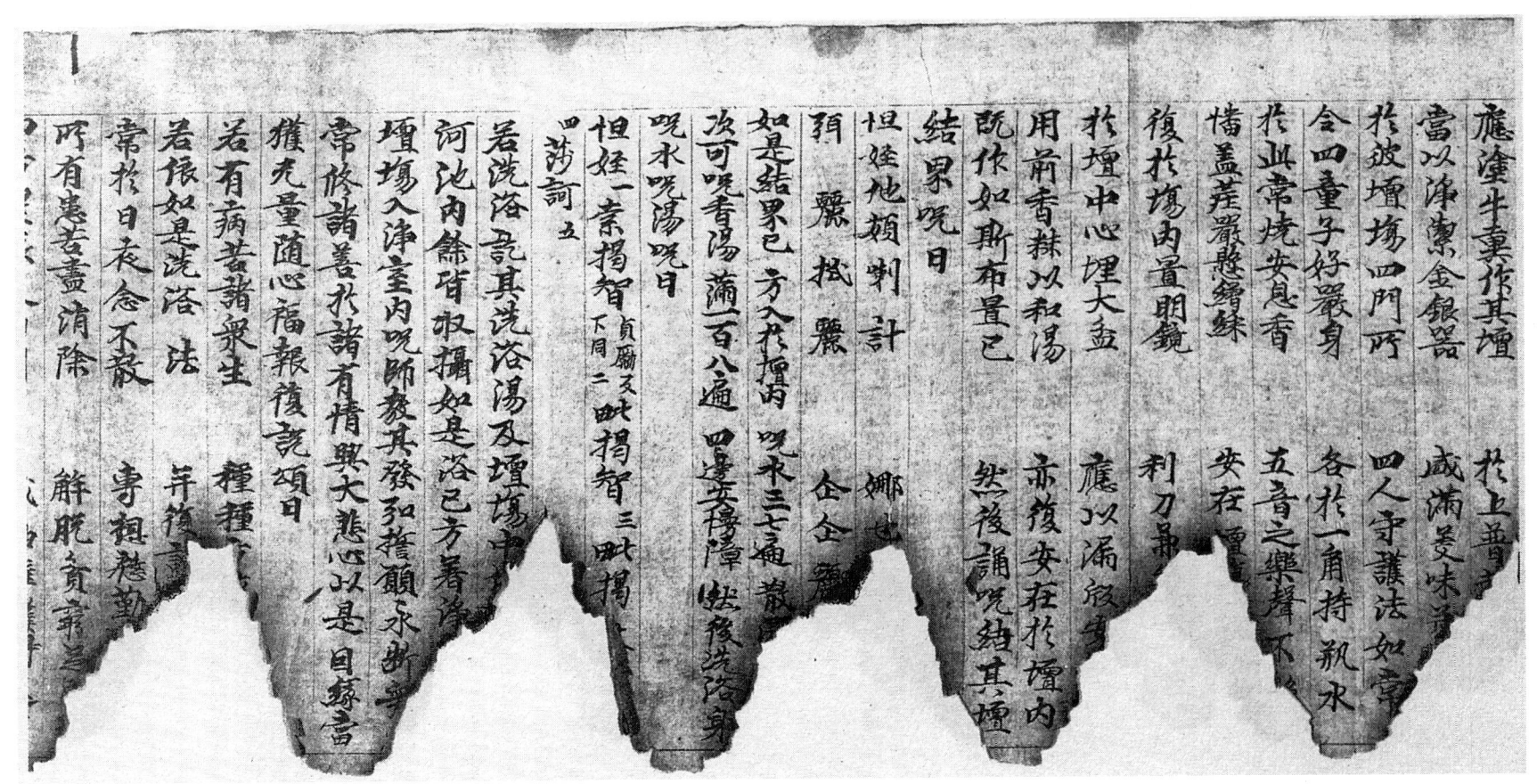

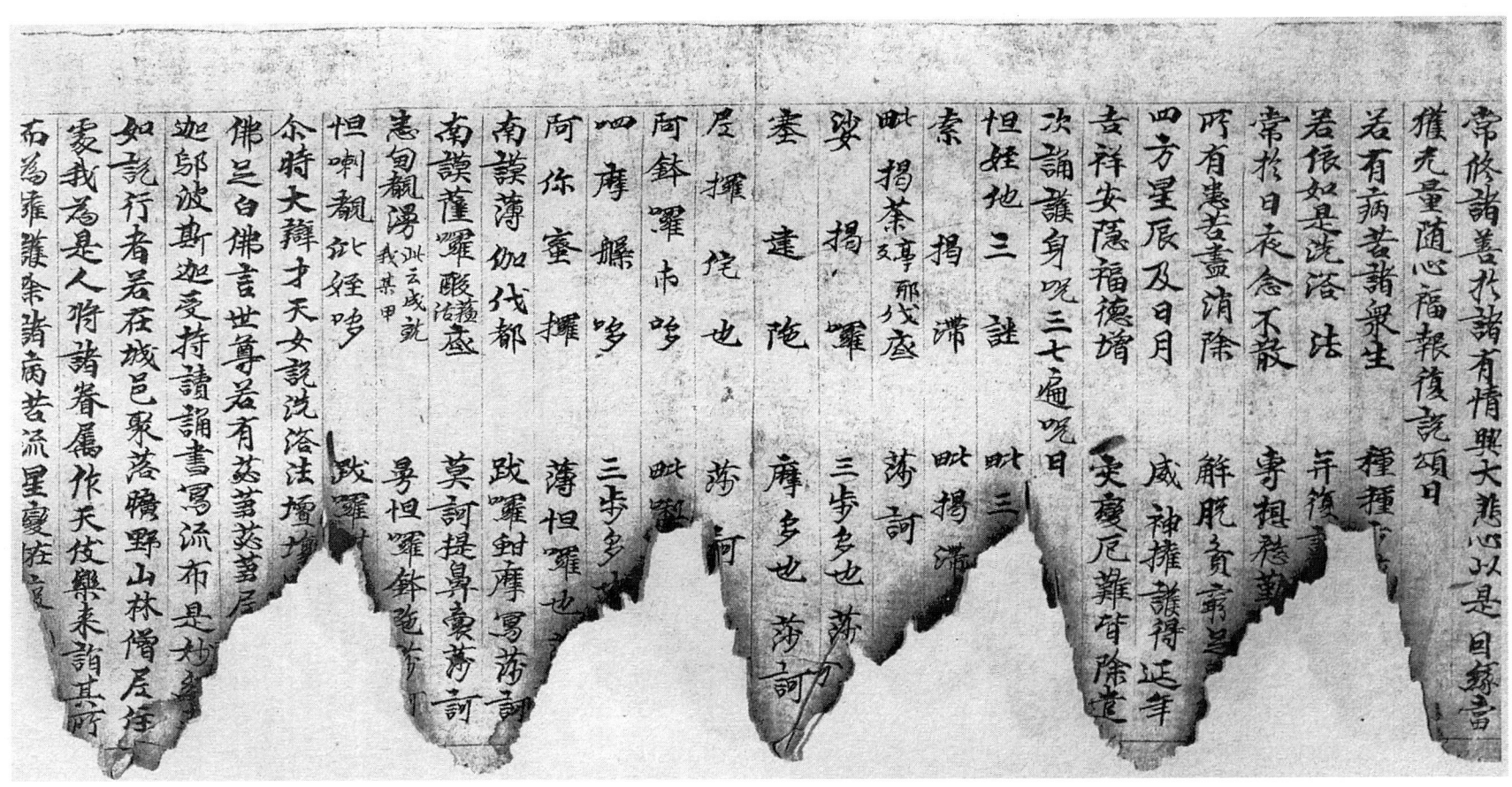

怛喇覩 姪哆　跋囉
尒時大辯才天女說洗浴法壇場
佛足白佛言世尊若有苾芻苾芻尼
迦鄔波斯迦受持讀誦書寫流布是妙
如說行者若在城邑聚落曠野山林僧尼住
處我為是人將諸眷屬作天伎樂來詣其所
而為擁護除諸病苦流星變怪
法所拘惡夢惡神為障礙者
除殄饒益是等持經之人苾芻等
者皆令速渡生死大海不退菩提
尒時世尊聞是說已讚辯才天女言善哉善哉
天女汝能安樂利益無量無邊有情說此
神呪及以香水壇場法式果報難思汝當
擁護最勝經王勿令隱沒常得
才天女礼佛足已還復本座
尒時法師授記憍陳如婆羅門承
大衆前讚請辯才天女曰
聰明勇進辯才天　人天供養悉應受
名聞世間遍充滿　能與一切衆生願
依高山頂勝住處　葺茅為
恒結耎草以為衣　在
諸天大衆皆來集　咸同一
唯願智慧辯才天　以妙言詞
尒時辯才天女即便受請為說呪曰
怛姪他慕囇只囇　阿伐帝　阿伐吒伐底
馨遇銘名具銘　名具羅伐
鶩具師末喇只三末底　毗三末

諸天大衆皆來集　咸同一
唯願智慧辯才天　以妙言詞
尒時辯才天女即便受請為說呪曰
怛姪他慕囇只囇　阿伐帝　阿伐吒伐底
馨遇銘名具銘　名具羅伐
鶩具師末喇只三末底　毗三末
莫近喇怛羅只　怛囉
質哩室里蜜里　末難地
末喇只　八囉婆畢
盧迦逝瑟鉗　盧迦失囇瑟恥
盧迦畢喇囊　悉馱跋喇帝
毗度目企　輸只折
阿鉢喇底羯帝　阿鉢
南毋只南毋只　莫
鉢喇底近喇　南摩塞
我某甲勃地　達哩奢
勃地阿鉢喇底喝哆　婆上跋覩
帝婆鞋毗輸姪覩　舍悉怛囉輸路迦
易怛囉畢得迦　迦俾耶
怛姪他　莫訶
四里蜜里四里蜜里　毗折喇
我某甲勃地輸提　薄伽伐點提
薩羅酸點　羯羅魯
雞由羅末底　四里蜜里四里蜜里
阿婆訶耶須　莫訶提鼻
勃陁薩帝娜　達摩薩
僧伽薩帝娜　因達
跋嘍婆薩帝娜　褒盧

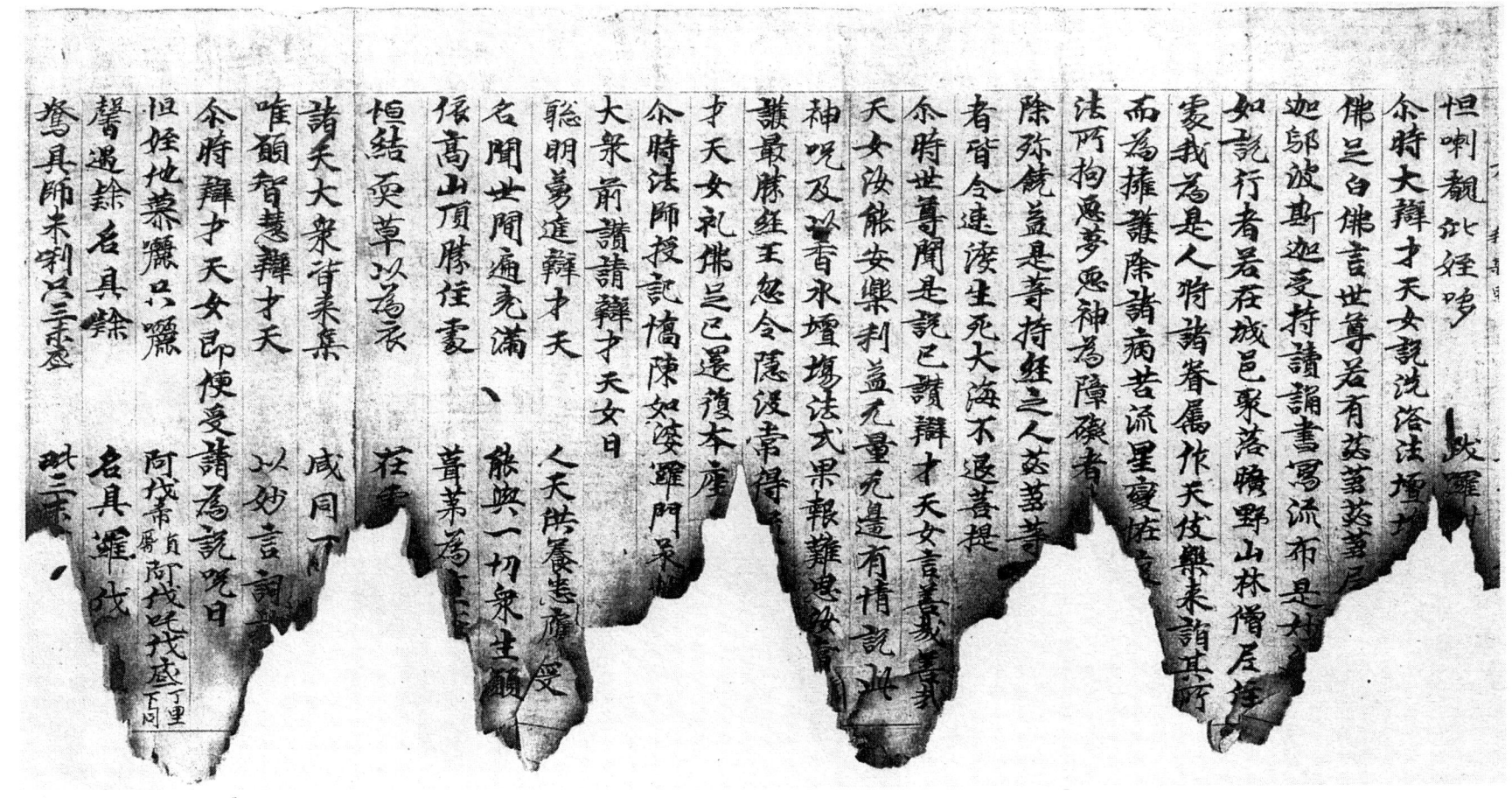

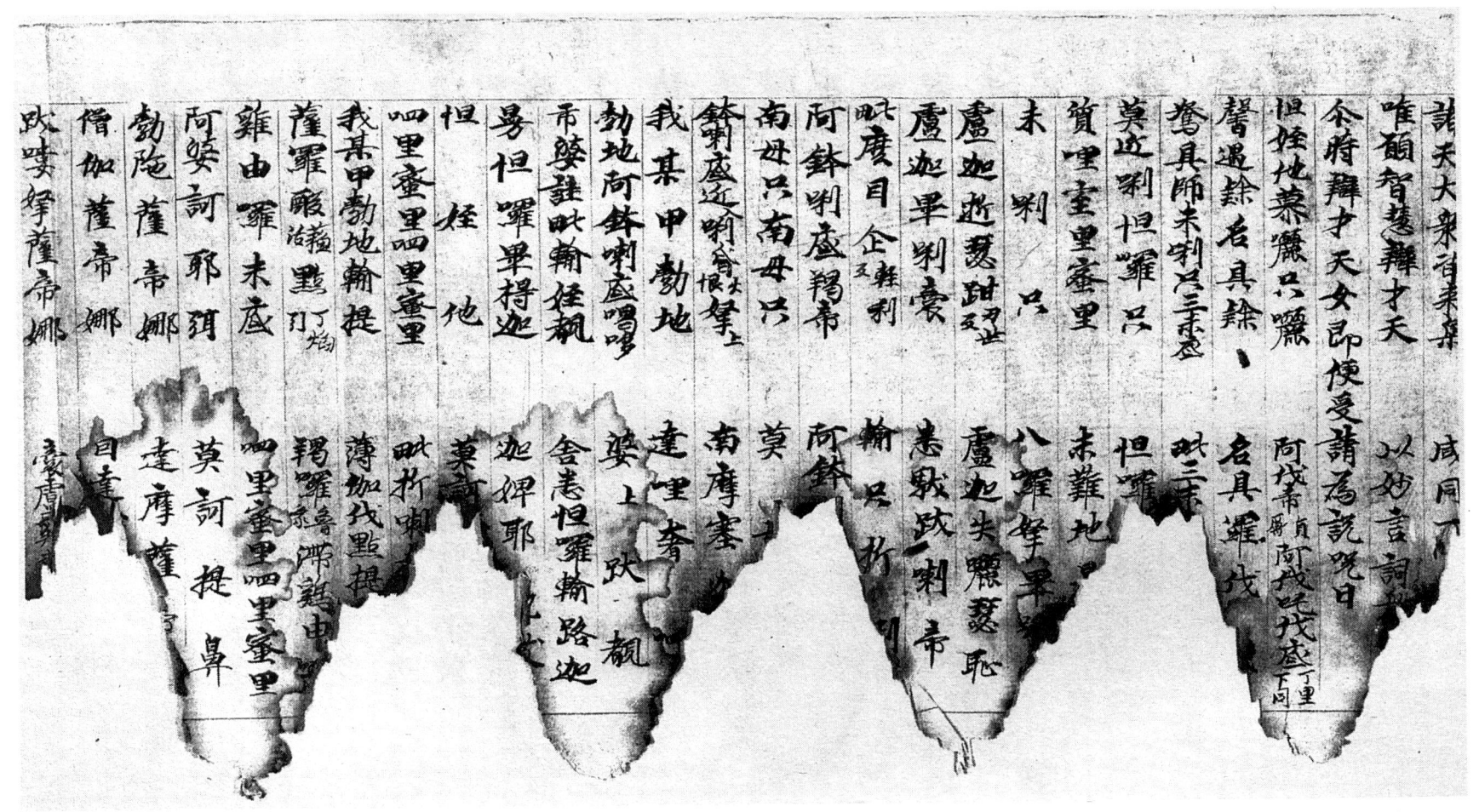

薩羅酈溺里……
雞由羅末底　呬里蜜里呬里蜜里
阿婆訶耶須　莫訶提鼻
勃陀薩帝娜　達摩薩帝娜
僧伽薩帝娜　因達……
跋嚕拏薩帝娜　……
鞞薩帝娜　薩底伐者
阿婆訶耶須　莫訶提鼻
呬里蜜里呬里蜜里　毗折喇覩
我某甲勃地　南謨薄伽伐底
莫訶提婆羅瞪底　……
曼怛羅鉢陀莎……
爾時辯才天女說是呪已告婆……
大士能為眾生求妙辯才及諸珍……
慧廣利一切速證菩提如是應知受持法……
即說頌曰
先可誦此陀羅尼　令使純熟無謬……
歸敬三寶諸天眾　請求加護願……
敬禮諸佛及法寶　菩薩……
次禮梵王并帝釋　及護……
一切常修梵行人　悉可至誠……
可於寂靜蘭若處　大聲誦前呪……
應在佛像天龍前　隨其所有修供……
於彼一切眾生類　發起慈悲哀愍心
世尊妙相紫金身　繫想正念心無亂
世尊說教法　隨彼根機令習之
於其句義善思惟　復依空性而修習
應在世尊形像前　一心正念而安坐

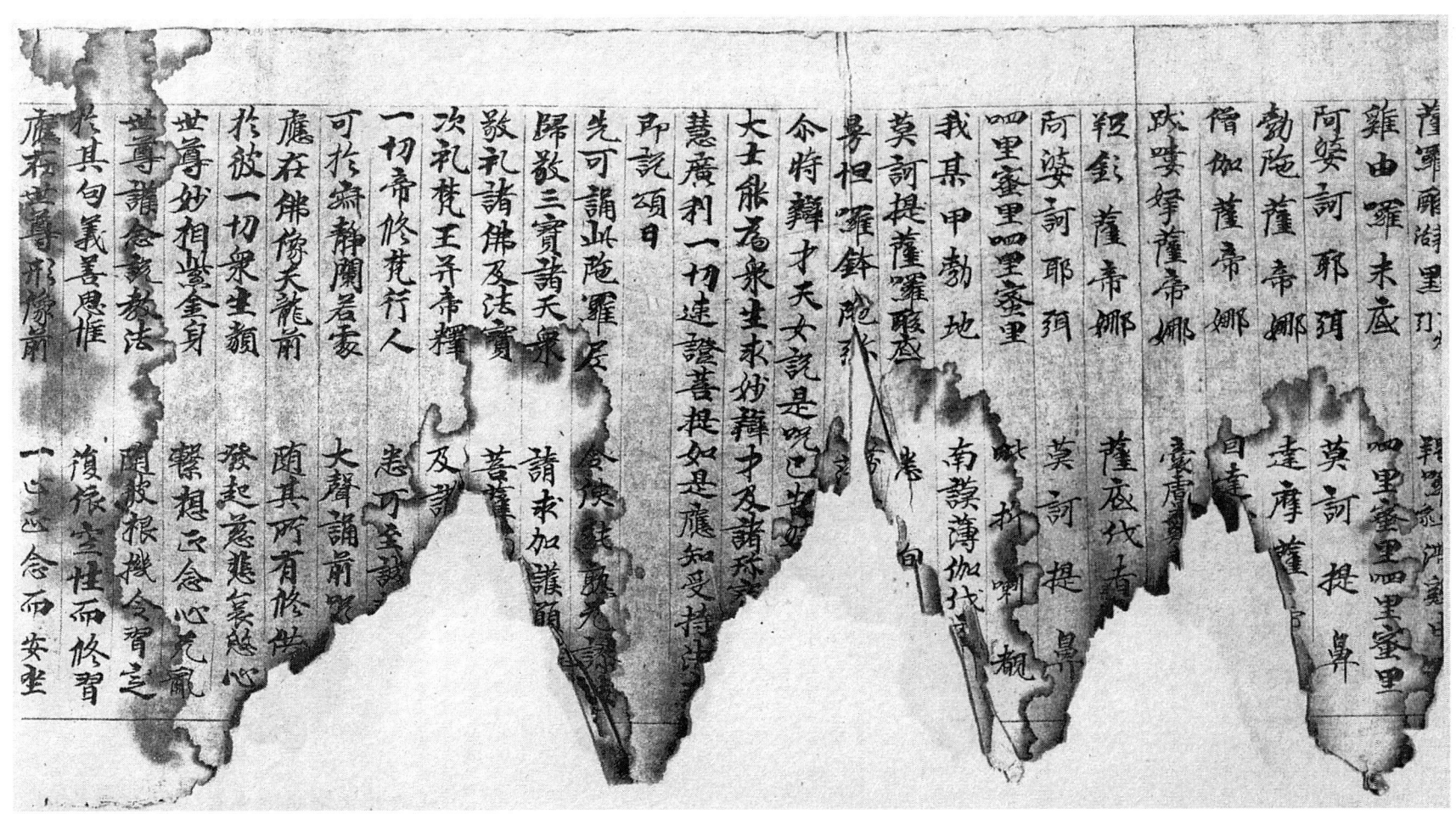

BD03081號　金光明最勝王經卷七　（18–13）

應在佛像天龍前　隨其所有修供……
於彼一切眾生類　發起慈悲哀愍心
世尊妙相紫金身　繫想正念心無亂
世尊說教法　隨彼根機令習之
於其句義善思惟　復依空性而修習
應在世尊形像前　一心正念而安坐
即得妙智三摩地　并獲最勝陀羅尼
如來金口演說法　妙響調伏諸人天
舌相隨緣現希有　廣長能覆三千界
諸佛皆由發弘願　得此舌相不思議
宣說諸法皆非有　譬如虛空無所著
諸佛音聲及舌相　繫念思量願圓滿
若見供養辯才天　或見弟子隨師教
授此祕法令修學　尊重隨心皆得成
若人欲得最上智　應當一心持此法
增長福智諸功德　必定成就勿生疑
若求財者得多財　求名稱者獲名稱
求出離者得解脫　必定成就勿生疑
無量無邊諸功德　隨其內心之所願
若能如是依行者　必得成就勿生疑
當於淨處著淨衣　應作壇場隨大小
以四淨瓶盛美味　香花供養可隨時
懸諸繒綵并幡蓋　塗香抹香遍嚴飾
供養佛及辯才天　求見天身皆遂願
應三七日誦前呪　可對大辯天神前
若其不見此天神　應更用心經九日
[illegible]

BD03081號　金光明最勝王經卷七　（18–14）

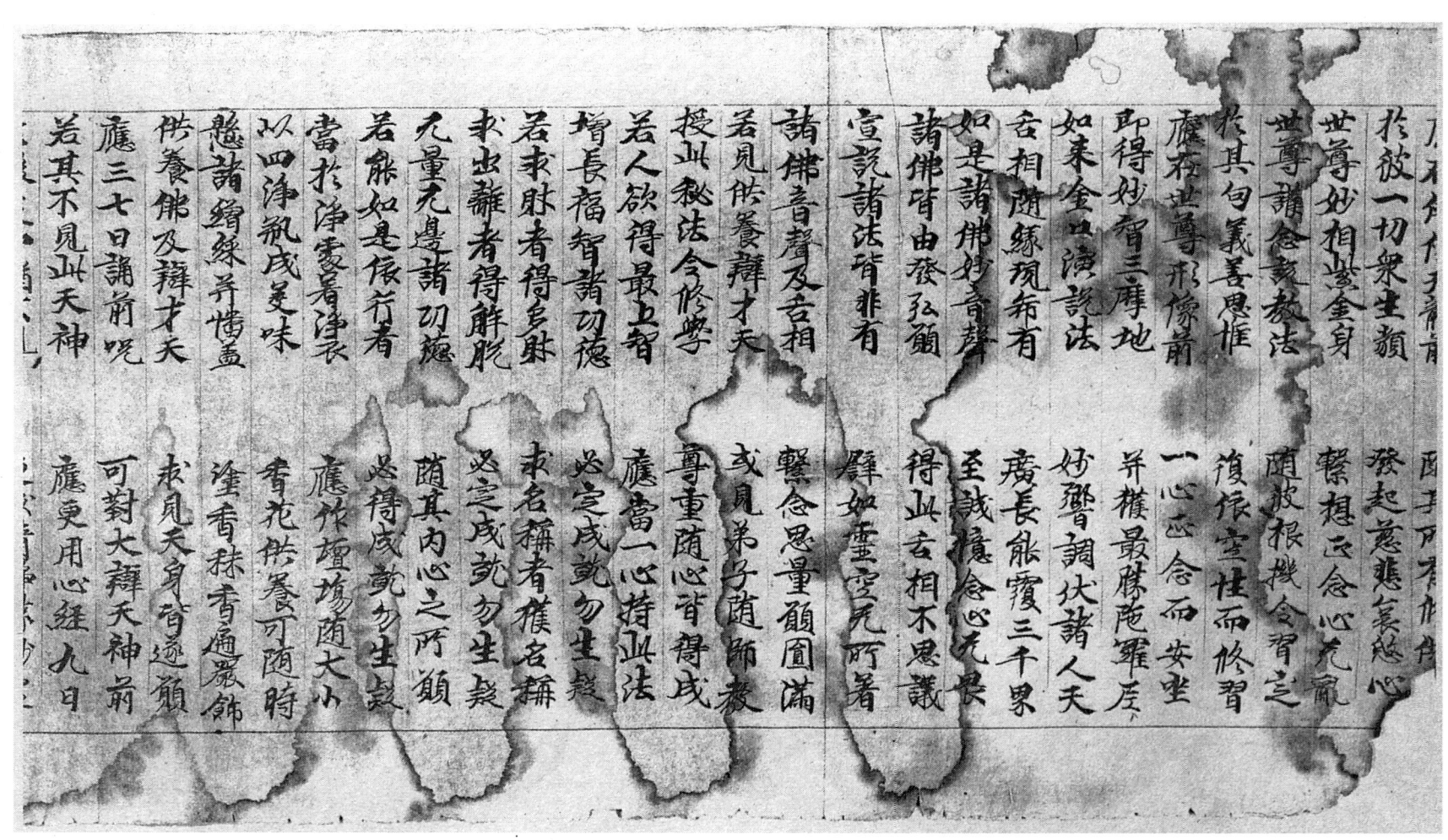

以四淨瓶成美味　香花供養可隨時
懸諸繒綵并幡蓋　塗香末香遍嚴飾
供養能及辯才天　求見天身皆遂願
應三七日誦前呪　可對大辯天神前
若其不見此天神　應更用心經九日
於後夜中猶不見　更求清淨勝妙處
如法應畫辯才天　供養誦持心无捨
晝夜不生於懈怠　自利利他无窮盡
所獲果報施群生　於所求願皆成就
若不遂意經三月　六月九月或一年
慇懃求請心不移　天眼他心皆悉得
尒時憍陳如婆羅門聞是說已歡喜踊躍歎
未曾有告諸大眾作如是言汝等人天一切
大眾如是當知皆一心聽我今更欲依世諦
法讚彼勝妙辯才天女即說頌曰
敬礼天女那羅延　於世界中得自在
我今讚歎彼尊者　皆如往昔仙人說
吉祥成就心安隱　聰明慚愧有名聞
為母能生於世間　勇猛常行大精進
於軍陣處戰恒勝　長養調伏心慈忍
現為閻羅之長姊　常著青色野蠶衣
好醜容儀皆具有　眼目能令見者怖
无量勝行超世間　歸信之人咸攝受
或在山巖深險處　或居坎窟及河邊
或在大樹諸叢林　天女多依此中住
假使山林野人輩　亦常供養於天女
以孔雀羽作幢旗　於一切時常護世

BD03081號　金光明最勝王經卷七　（18–15）

无量勝行超世間　歸信之人咸攝受
或在山巖深險處　或居坎窟及河邊
或在大樹諸叢林　天女多依此中住
假使山林野人輩　亦常供養於天女
以孔雀羽作幢旗　於一切時常護世
師子虎狼恒圍繞　牛羊雞等亦相依
振大鈴鐸出音聲　頻陁山眾皆聞響
或執三戟頭圓髮　左右恒持日月旗
黑月九日十一日　於此時中當供養
或現婆蘇大天妹　見有鬪戰心常愍
觀察一切有情中　天女最勝无過者
權現牧牛歡喜女　與天戰時常得勝
能久安住於世間　亦為和忍及暴惡
大婆羅門四明法　幻化呪等悉皆通
於天仙中得自在　能為種子及大地
諸天女等集會時　如大海潮必來應
於諸龍神藥叉眾　咸為上首能調伏
於諸女中最梵行　出言猶如世間主
於王住處如蓮花　若在河津喻橋栰
面貌猶如盛滿月　具足多聞作依處
辯才勝出若高峯　念者皆與為洲渚
阿蘇羅等諸天眾　咸共稱讚其功德
乃至千眼帝釋主　以慇重心而觀察
眾生若有希求事　悉能令彼速得成
亦令聰辯具聞持　於大地中為第一
於此十方世界中、　如大燈明常普照
乃至神鬼諸禽獸　咸皆遂彼所求心

BD03081號　金光明最勝王經卷七　（18–16）

衆生若有希求事　悉能令彼速得成
亦令聪辯具聞持　於大地中爲第一
於此十方世界中　如大燈明常普照
乃至神鬼諸禽獸　咸皆遂彼所求心
於諸女中若山峯　同昔仙人久住世
如少女天常離欲　實語猶如大世主
普見世間差別類　乃至欲界諸天宫
唯有天女獨稱尊　不見有情能勝者
若於戰陣恐怖處　或見墮在火坑中
河津險難賊盗時　悉能令彼除怖畏
或被王法所枷縛　或爲怨讎行殺害
若能專注心不移　决定解脱諸憂苦
於善惡人皆擁護　慈悲愍念常現前
是故我以至誠心　稽首歸依大天女
尒時婆羅門復以呪讃天女曰
敬礼敬礼世間尊　於諸母中最爲勝
三種世間咸供養　面貌容儀人樂觀
種種妙德以嚴身　目如脩廣青蓮葉
福智光明名稱滿　譬如无價末尼珠
我今讃歎最勝者　悉能成辦所求心
真實功德妙吉祥　譬如蓮花極清淨
身色端嚴皆樂見　衆相希有不思議
能放无垢智光明　於諸念中爲最勝
猶如師子獸中上　常以八臂自莊嚴
各持弓箭刀矟斧　長杵鐵輪并羂索
端正樂觀如滿月　言詞无滞出和音
若有衆生心願求　善士隨念令圓滿

BD03081 號　金光明最勝王經卷七　（18–17）

真實功德妙吉祥　譬如蓮花極清淨
身色端嚴皆樂見　衆相希有不思議
能放无垢智光明　於諸念中爲最勝
猶如師子獸中上　常以八臂自莊嚴
各持弓箭刀矟斧　長杵鐵輪并羂索
端正樂觀如滿月　言詞无滞出和音
若有衆生心願求　善士隨念令圓滿
帝釋諸天咸供養　皆共稱讃可歸依
衆德能生不思議　一切時中起恭敬
莎訶（此上呪頌是呪亦是讃若持呪時必須誦之）
若欲祈請辯才天　依此呪讃言詞句
晨朝清淨至誠誦　於所求事悉隨心
尒時佛告婆羅門善哉善哉汝能如是利益
衆生施與安樂讃彼天女請求加護獲福无
邊此品呪法有略有廣或開或合前後不同
梵本既多但依一譯後勘者知之
金光明經卷第七
頞（多可）澀（色立）蕤（麦更）蔑（力家）鬚（粟俞）謎（逮計）攞（羅可）謈（假入）（琵蝉作今）
吒（七轄）杷（欺已）

BD03081 號　金光明最勝王經卷七　（18–18）

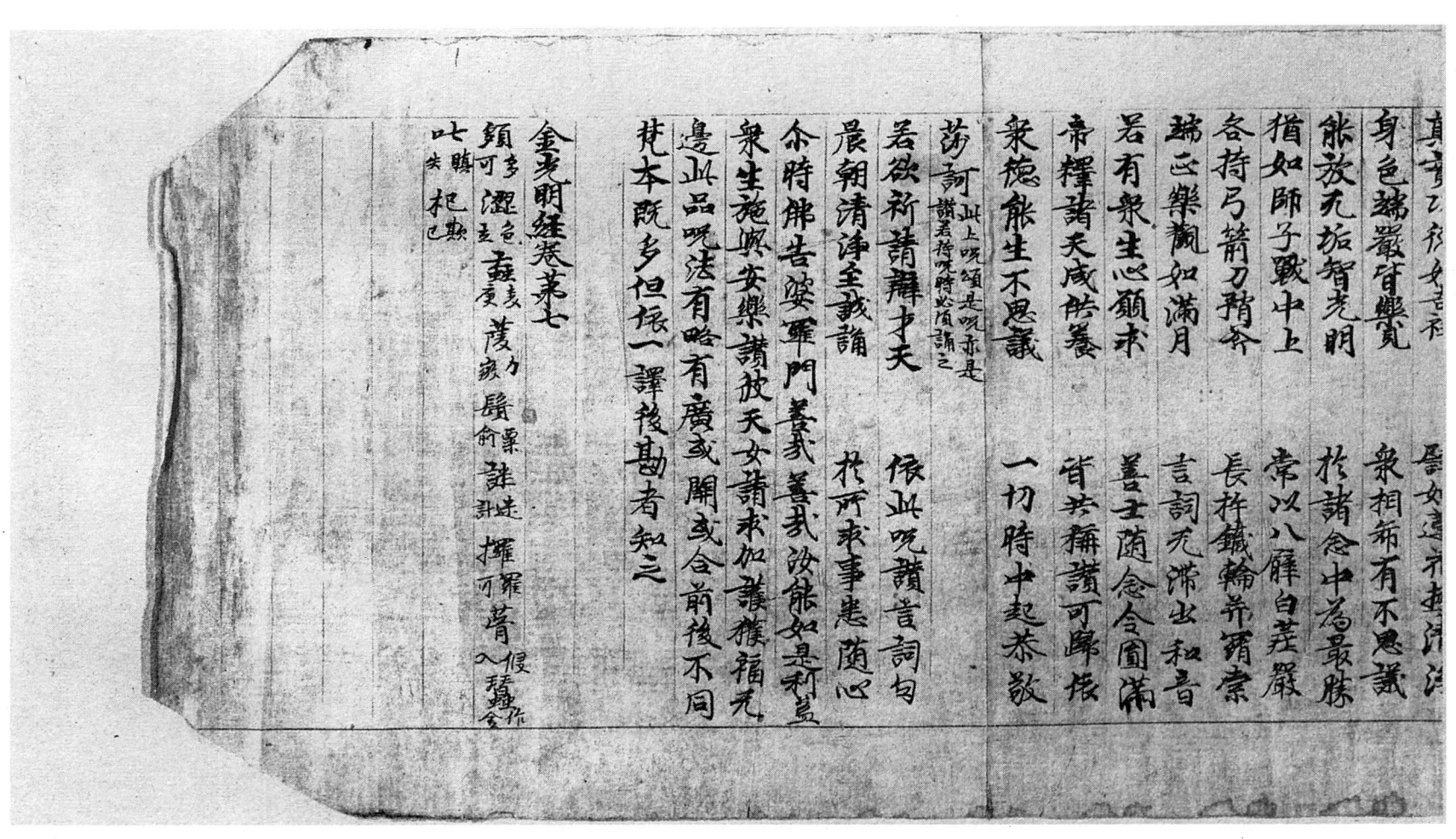

八萬四千菩薩得現一切色身三昧說是妙音
菩薩來往品時四万二千天子得無生法忍
華德菩薩得法華三昧
妙法蓮華經觀世音菩薩普門品第廿五
尒時無盡意菩薩即從座起偏袒右肩合掌
向佛而作是言世尊觀世音菩薩以何因緣
名觀世音佛告無盡意菩薩善男子若有无
量百千万億衆生受諸苦惱聞是觀世音菩
薩一心稱名觀世音菩薩即時觀其音聲皆
得解脫若有持是觀世音菩薩名者設入大
火火不能燒由是菩薩威神力故若為大水
所漂稱其名号即得淺處若有百千万億衆
生為求金銀琉璃車𤦲馬瑙珊瑚虎珀真珠
等寶入於大海假使黑風吹其船舫漂墮羅
剎鬼國其中若有乃至一人稱觀世音菩薩
名者是諸人等皆得解脫羅剎之難以是因
緣名觀世音若復有人臨當被害稱觀世音
菩薩名者彼所執刀杖尋段段壞而得解脫
若三千大千國土滿中夜叉羅剎欲來惱人
聞其稱觀世音菩薩名者是諸惡鬼尚不能

BD03082號　妙法蓮華經卷七　（7–1）

剎鬼國其中若有乃至一人稱觀世音菩薩
名者是諸人等皆得解脫羅剎之難以是因
緣名觀世音若復有人臨當被害稱觀世音
菩薩名者彼所執刀杖尋段段壞而得解脫
若三千大千國土滿中夜叉羅剎欲來惱人
聞其稱觀世音菩薩名者是諸惡鬼尚不能
以惡眼視之況復加害設復有人若有罪若
無罪杻械枷鎖檢繫其身稱觀世音菩薩名
者皆悉斷壞即得解脫若三千大千國土滿
中怨賊有一商主將諸商人賫持重寶經過
嶮路其中一人作是唱言諸善男子勿得恐
怖汝等應當一心稱觀世音菩薩名号是菩
薩能以无畏施於衆生汝等若稱名者於此
怨賊當得解脫衆商人聞俱發聲言南无觀
世音菩薩稱其名故即得解脫无盡意觀世
音菩薩摩訶薩威神之力巍巍如是若有衆
生多於婬欲常念恭敬觀世音菩薩便得離
欲若多瞋恚常念恭敬觀世音菩薩便得離
瞋若多愚癡常念恭敬觀世音菩薩便得離
癡无盡意觀世音菩薩有如是等大威神力
多所饒益是故衆生常應心念若有女人設
欲求男礼拜供養觀世音菩薩便生福德智
慧之男設欲求女便生端正有相之女宿殖
德本衆人愛敬无盡意觀世音菩薩有如是
力若有衆生恭敬礼拜觀世音菩薩福不唐
捐是故衆生皆應受持觀世音菩薩名号无
盡意若有人受持六十二億恒河沙菩薩名字

BD03082號　妙法蓮華經卷七　（7–2）

慧之男設欲求女便生端正有相之女宿殖
德本衆人愛敬无盡意觀世音菩薩有如是
力若有衆生恭敬礼拜觀世音菩薩福不唐
捐是故衆生皆應受持觀世音菩薩名号无
盡意若有人受持六十二億恒河沙菩薩名字
復盡形供養飲食衣服卧具醫藥於汝意
云何是善男子善女人功德多不无盡意言
甚多世尊佛言若復有人受持觀世音菩薩
名号乃至一時礼拜供養是二人福正等无
異於百千万億劫不可窮盡无盡意受持觀
世音菩薩名号得如是无量无邊福德之利
无盡意菩薩白佛言世尊觀世音菩薩云何
遊此娑婆世界云何而為衆生說法方便之
力其事云何佛告无盡意菩薩善男子若有
國土衆生應以佛身得度者觀世音菩薩即
現佛身而為說法應以辟支佛身得度者即
現辟支佛身而為說法應以聲聞身得度者
即現聲聞身而為說法應以梵王身得度者
即現梵王身而為說法應以帝釋身得度者
即現帝釋身而為說法應以自在天身得度
者即現自在天身而為說法應以大自在天
身得度者即現大自在天身而為說法應以
天大將軍身得度者即現天大將軍身而為
說法應以毗沙門身得度者即現毗沙門身
而為說法應以小王身得度者即現小王身而
為說法應以長者身得度者即現長者身而
為說法應以居士身得度者即現居士身

BD03082號　妙法蓮華經卷七　（7–3）

天大將軍身得度者即現天大將軍身而為
說法應以毗沙門身得度者即現毗沙門身
而為說法應以小王身得度者即現小王身而
為說法應以長者身得度者即現長者身而
為說法應以居士身得度者即現居士身
而為說法應以宰官身得度者即現宰官身
而為說法應以婆羅門身得度者即現婆羅
門身而為說法應以比丘比丘尼優婆塞優
婆夷身得度者即現比丘比丘尼優婆塞優
婆夷身而為說法應以長者居士宰官婆羅
門婦女身得度者即現婦女身而為說法應
以童男童女身得度者即現童男童女身而
為說法應以天龍夜叉乾闥婆阿脩羅迦樓
羅緊那羅摩睺羅伽人非人等身得度者即
皆現之而為說法應以執金剛神得度者即
現執金剛神而為說法无盡意是觀世音菩薩
成就如是功德以種種形遊諸國土度脫衆生
是故汝等應當一心供養觀世音菩薩是觀
世音菩薩摩訶薩於怖畏急難之中能施
无畏是故此娑婆世界皆号之為施无畏者
无盡意菩薩白佛言世尊我今當供養觀世
音菩薩即解頸衆寶珠瓔珞價直百千兩金
而以與之作是言仁者受此法施珎寶瓔珞時
觀世音菩薩不肯受之无盡意復白觀世音
菩薩言仁者愍我等故受此瓔珞尔時佛
告觀世音菩薩當愍此无盡意菩薩及四衆
天龍夜叉乾闥婆阿脩羅迦樓羅緊那羅

BD03082號　妙法蓮華經卷七　（7–4）

而以與之作是言仁者受此法施珍寶瓔珞時
觀世音菩薩不肯受之无盡意復白觀世音
菩薩言仁者愍我等故受此瓔珞尒時佛
告觀世音菩薩當愍此无盡意菩薩及四衆
天龍夜叉乾闥婆阿脩羅迦樓羅緊那羅摩
睺羅伽人非人等故受是瓔珞即時觀世音
菩薩愍諸四衆及於天龍人非人等受其瓔
珞分作二分一分奉釋迦牟尼佛一分奉多寶
佛塔无盡意觀世音菩薩有如是自在神
力遊於娑婆世界尒時无盡意菩薩以偈問曰
世尊妙相具　我今重問彼　佛子何因緣　名為觀世音
具足妙相尊　偈荅无盡意　汝聽觀音行　善應諸方所
弘誓深如海　歷劫不思議　侍多千億佛　發大清淨願
我為汝略說　聞名及見身　心念不空過　能滅諸有苦
假使興害意　推落大火坑　念彼觀音力　火坑變成池
或漂流巨海　龍魚諸鬼難　念彼觀音力　波浪不能沒
或在須弥峯　為人所推墮　念彼觀音力　如日虛空住
或被惡人逐　墮落金剛山　念彼觀音力　不能損一毛
或值怨賊遶　各執刀加害　念彼觀音力　咸即起慈心
或遭王難苦　臨刑欲壽終　念彼觀音力　刀尋段段壞
或囚禁枷鎖　手足被杻械　念彼觀音力　釋然得解脫
呪詛諸毒藥　所欲害身者　念彼觀音力　還著於本人
或遇惡羅刹　毒龍諸鬼等　念彼觀音力　時悉不敢害
若惡獸圍遶　利牙爪可怖　念彼觀音力　疾走無邊方
蚖蛇及蝮蠍　氣毒煙火燃　念彼觀音力　尋聲自迴去
雲雷鼓掣電　降雹注大雨　念彼觀音力　應時得消散

BD03082號　妙法蓮華經卷七　（7–5）

或遇惡羅刹　毒龍諸鬼等　念彼觀音力　時悉不敢害
若惡獸圍遶　利牙爪可怖　念彼觀音力　疾走無邊方
蚖蛇及蝮蠍　氣毒煙火燃　念彼觀音力　尋聲自迴去
雲雷鼓掣電　降雹注大雨　念彼觀音力　應時得消散
衆生被困厄　無量苦逼身　觀音妙智力　能救世間苦
具足神通力　廣脩智方便　十方諸國土　無刹不現身
種種諸惡趣　地獄鬼畜生　生老病死苦　以漸悉令滅
真觀清淨觀　廣大智慧觀　悲觀及慈觀　常願常瞻仰
無垢清淨光　慧日破諸闇　能伏災風火　普明照世間
悲體戒雷震　慈意妙大雲　澍甘露法雨　滅除煩惱焰
諍訟經官處　怖畏軍陣中　念彼觀音力　衆怨悉退散
妙音觀世音　梵音海潮音　勝彼世間音　是故須常念
念念勿生疑　觀世音淨聖　於苦惱死厄　能為作依怙
具一切功德　慈眼視衆生　福聚海無量　是故應頂禮
尒時持地菩薩即從座起前白佛言世尊若
有衆生聞是觀世音菩薩品自在之業普門
示現神通力者當知是人功德不少佛說是
普門品時衆中八万四千衆生皆發無等等
阿耨多羅三藐三菩提心
妙法蓮華經陁羅尼品第廿六
尒時藥王菩薩即從座起偏袒右肩合掌向
佛而白佛言世尊若善男子善女人有能受
持法華經者若讀誦通利若書寫經卷得幾
所福佛告藥王若有善男子善女人供養八
百万億那由他恒河沙等諸佛於汝意云何
其所得福寧為多不甚多世尊佛言若善男

BD03082號　妙法蓮華經卷七　（7–6）

悲體戒雷震　慈意妙大雲　注甘露法雨　滅除煩惱焰
諍訟經官處　怖畏軍陣中　念彼觀音力　衆怨悉退散
妙音觀世音　梵音海潮音　勝彼世間音　是故須常念
念念勿生疑　觀世音淨聖　於苦惱死厄　能爲作依怙
具一切功德　慈眼視衆生　福聚海無量　是故應頂礼
尒時持地菩薩即從座起前白佛言世尊若
有衆生聞是觀世音菩薩品自在之業普門
示現神通力者當知是人功德不少佛說是
普門品時衆中八万四千衆生皆發無等等
阿耨多羅三藐三菩提心
妙法蓮華經陁羅尼品第廿六
尒時藥王菩薩即從座起偏袒右肩合掌向
佛而白佛言世尊若善男子善女人有能受
持法華經者若讀誦通利若書寫經卷得幾
所福佛告藥王若有善男子善女人供養八
百万億那由他恒河沙等諸佛於汝意云何
其所得福寧爲多不甚多世尊佛言若善男
子善女人能於是經乃至受持一四句偈讀
誦解義如說脩行功德甚多尒時藥王菩薩
白佛言世尊我今當與說法者陁羅尼呪以

BD03082 號　妙法蓮華經卷七　（7–7）

……名聞……
……精進佛如是等恒
出廣長舌相遍覆三
千大千……沙等衆生當信是稱
讚不可思議功德一切諸佛所護念經
舍利弗西方世界……壽佛无量相佛无
量幢佛大光佛大明佛寶相佛淨光佛如是
等恒河沙數諸佛各於其國出廣長舌相遍
覆三千大千世界說誠實言汝等衆生當信
是稱讚不可思議功德一切諸佛所護念經
舍利弗北方世界有……佛家勝音佛難阻
佛日生佛網明佛如是等恒河沙數諸佛各於
其國出廣長舌相遍覆三千大千世界說誠
實言汝等衆生當信是稱讚不可思議功德
一切諸佛所護念經
舍利弗下方世界有師子佛名聞佛名光佛
達摩佛法幢佛持法佛如是等恒河沙數
諸佛各於其國出廣長舌相遍覆三千大千
世界說誠實言汝等衆生當信是稱讚不
可思議功德一切諸佛所護念經
舍利弗上方世界有梵音佛宿王佛香上佛

BD03083 號　阿彌陀經　（3–1）

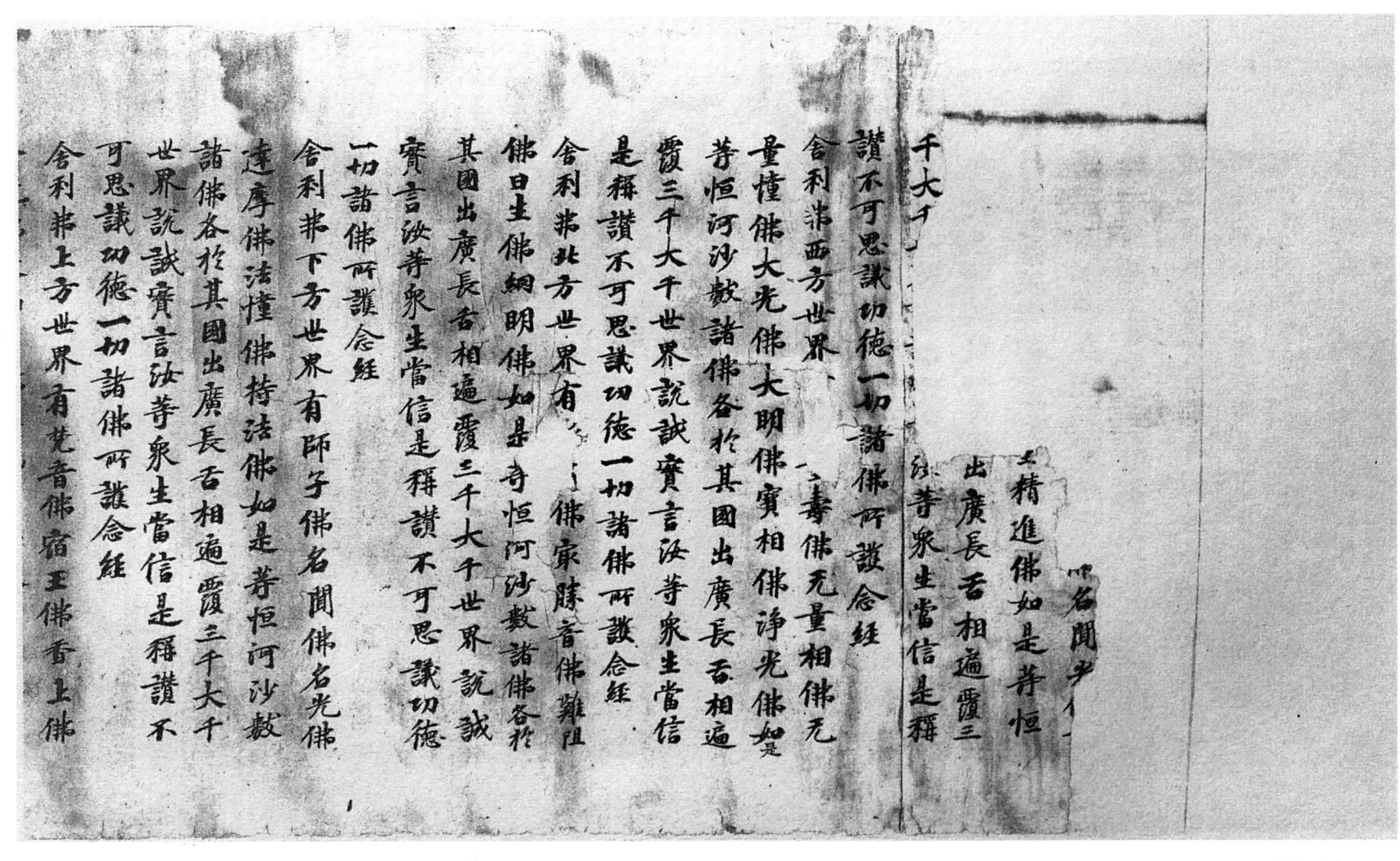

舍利弗下方世界有師子佛名聞佛名光佛
達摩佛法幢佛持法佛如是等恒河沙數
諸佛各於其國出廣長舌相遍覆三千大千
世界說誠實言汝等衆生當信是稱讚不
可思議功德一切諸佛所護念經
舍利弗上方世界有梵音佛宿王佛香上佛
香光佛大焰肩佛雜色寶華嚴身佛娑羅
樹王佛寶華德佛見一切義佛如須弥山佛
如是等恒河沙數諸佛各於其國出廣長舌
相遍覆三千大千世界說誠實言汝等衆生當
信是稱讚不可思議功德一切諸佛所護念經
舍利弗於汝意云何何故名一切諸佛所護念
經舍利弗若有善男子善女人聞是諸佛所
說名及經名者是諸善男子善女人皆為一切
諸佛共所護念皆得不退轉於阿耨多羅三
藐三菩提是故舍利弗汝等皆當信受我語
及諸佛所說舍利弗若有人已發願今發願
當發願欲生阿弥陀佛國者是諸人等皆得
不退轉於阿耨多羅三藐三菩提於彼國土
若已生若今生若當生是故舍利弗諸善男
子善女人若有信者應當發願生彼國土舍利
弗如我今者稱讚諸佛不可思議功德彼諸
佛等亦稱說我不可思議功德而作是言
釋迦牟尼佛能為甚難希有之事能於娑婆
國土五濁惡世劫濁見濁煩惱濁衆生濁命濁
中得阿耨多羅三藐三菩提為諸衆生說是
一切世間難信之法舍利弗當知我於五濁
惡世行此難事得阿耨多羅三藐三

BD03083號　阿彌陀經　（3–2）

及諸佛所說舍利弗若有人已發願今發願
當發願欲生阿弥陀佛國者是諸人等皆得
不退轉於阿耨多羅三藐三菩提於彼國土
若已生若今生若當生是故舍利弗諸善男
子善女人若有信者應當發願生彼國土舍利
弗如我今者稱讚諸佛不可思議功德彼諸
佛等亦稱說我不可思議功德而作是言
釋迦牟尼佛能為甚難希有之事能於娑婆
國土五濁惡世劫濁見濁煩惱濁衆生濁命濁
中得阿耨多羅三藐三菩提為諸衆生說是
一切世間難信之法舍利弗當知我於五濁
惡世行此難事得阿耨多羅三藐三菩
提為一切世間說此難信之法是為甚難
佛說此經已舍利弗及諸比丘一切世間天
人阿脩羅等聞佛所說歡喜信受

佛說阿弥陀經

BD03083號　阿彌陀經　（3–3）

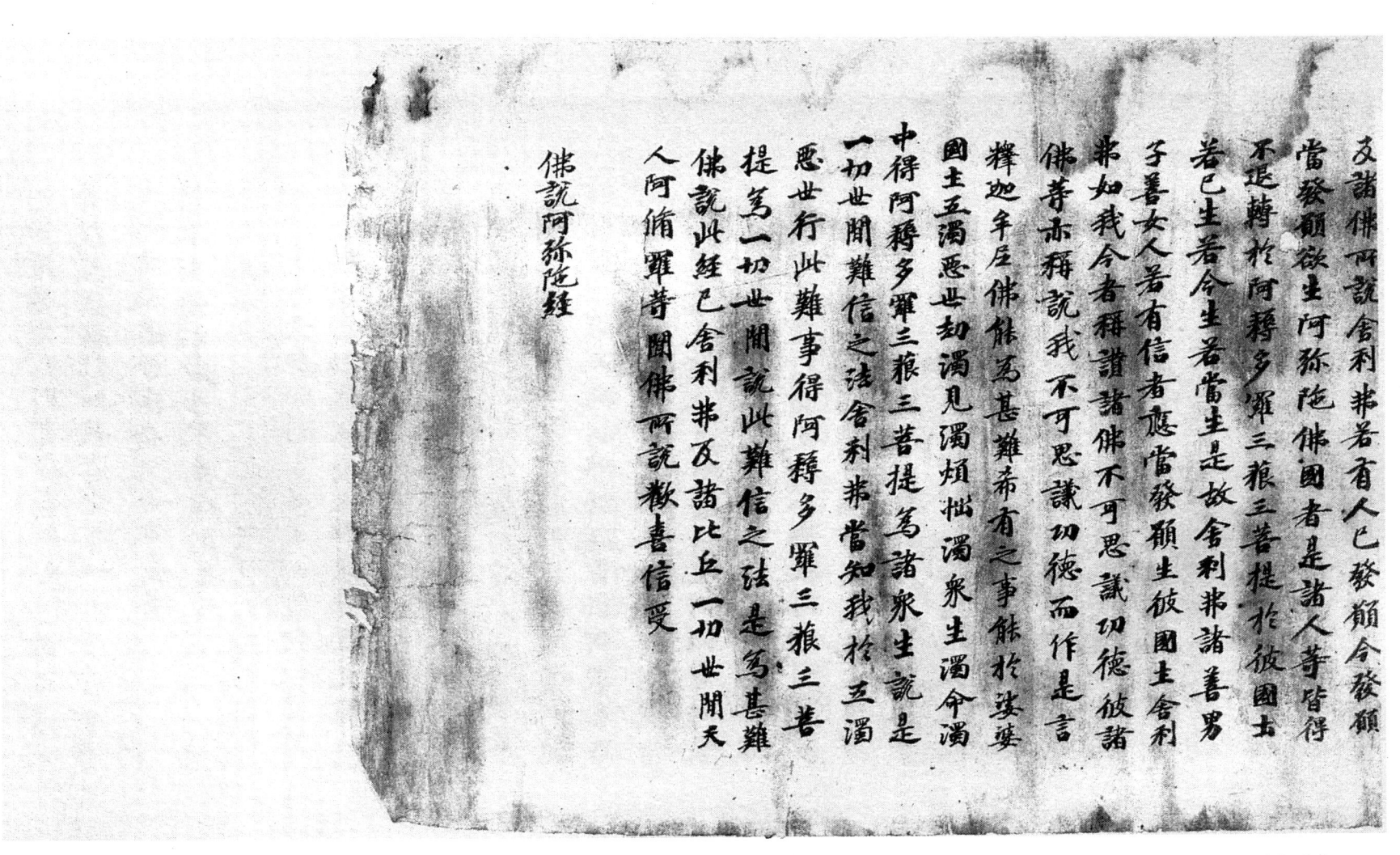

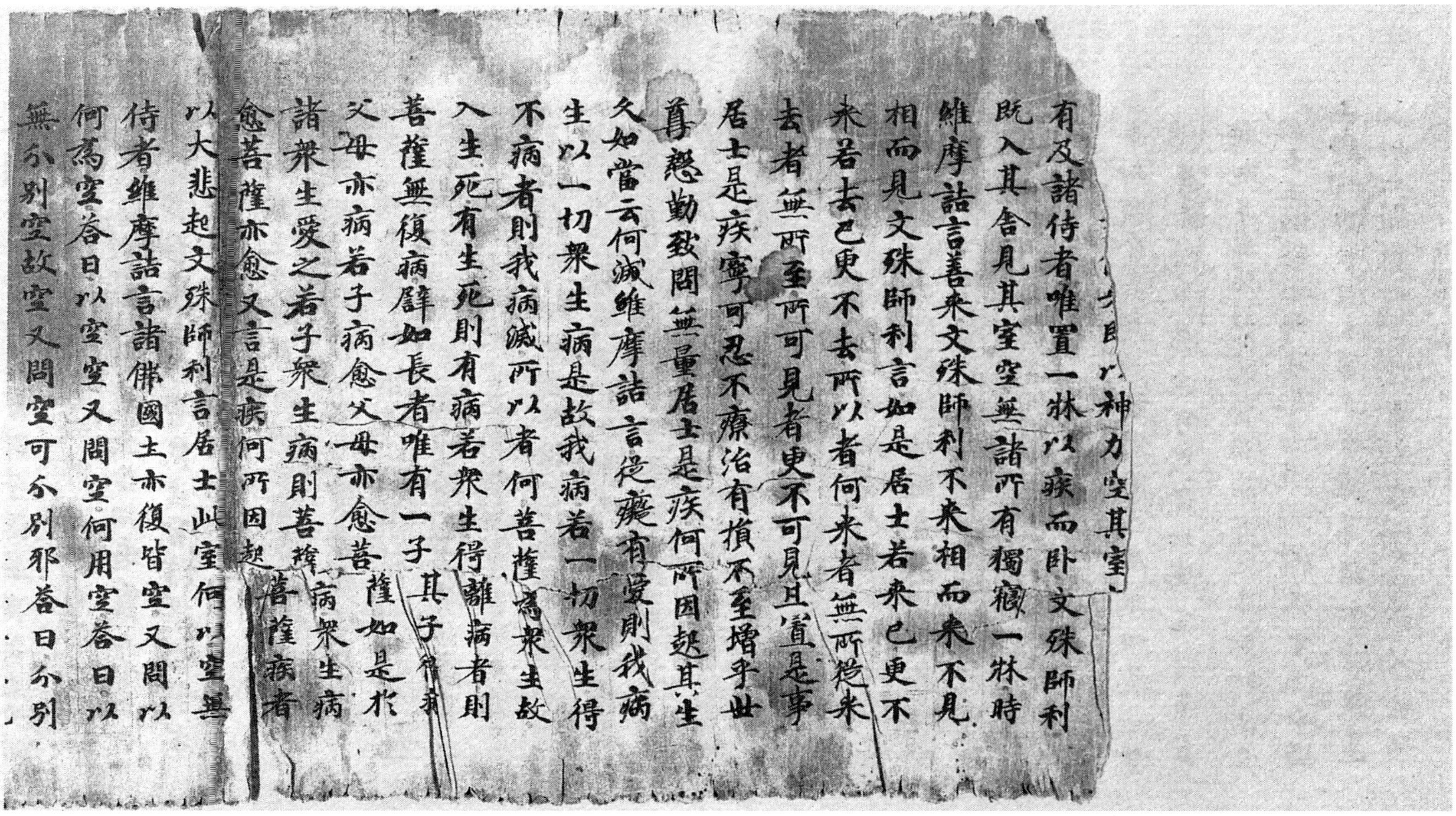

以神力空其室
有及諸侍者唯置一牀以疾而卧文殊師利
既入其舍見其室空無諸所有獨寢一牀時
維摩詰言善來文殊師利不來相而來不見
相而見文殊師利言如是居士若來已更不
來若去已更不去所以者何來者無所從來
去者無所至所可見者更不可見且置是事
居士是疾寧可忍不療治有損不至增乎世
尊慇懃致問無量居士是疾何所因起其生
久如當云何滅維摩詰言從癡有愛則我病
生以一切衆生病是故我病若一切衆生得
不病者則我病滅所以者何菩薩爲衆生故
入生死有生死則有病若衆生得離病者則
菩薩無復病譬如長者唯有一子其子得病
父母亦病若子病愈父母亦愈菩薩如是於
諸衆生愛之若子衆生病則菩薩病衆生病
愈菩薩亦愈又言是疾何所因起菩薩疾者
以大悲起文殊師利言居士此室何以空無
侍者維摩詰言諸佛國土亦復皆空又問以
何爲空答曰以空空又問空何用空答曰以
無分別空故空又問空可分別耶答曰分別

BD03084 號　維摩詰所說經卷中　（3–1）

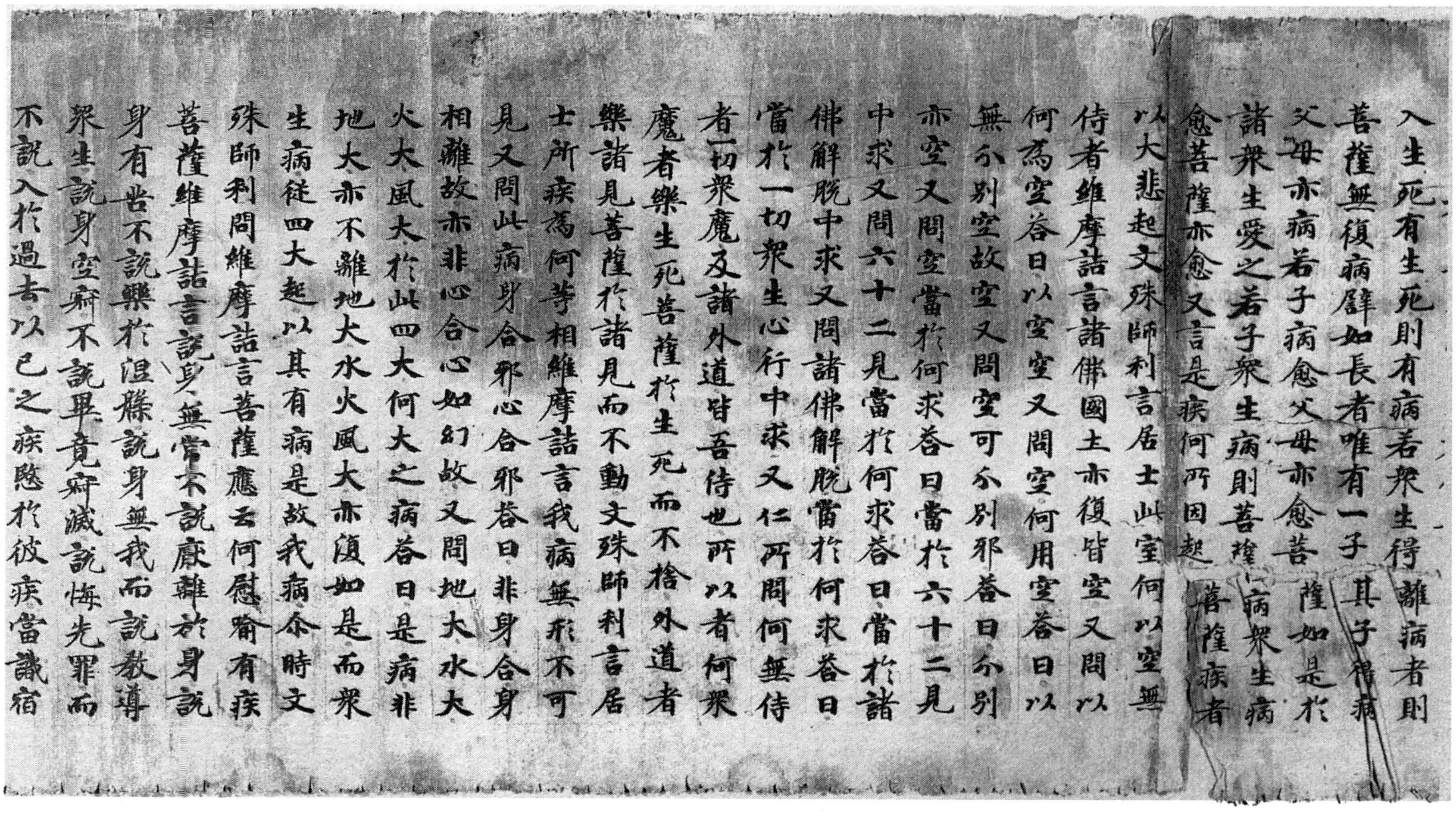

入生死有生死則有病若衆生得離病者則
菩薩無復病譬如長者唯有一子其子得病
父母亦病若子病愈父母亦愈菩薩如是於
諸衆生愛之若子衆生病則菩薩病衆生病
愈菩薩亦愈又言是疾何所因起菩薩疾者
以大悲起文殊師利言居士此室何以空無
侍者維摩詰言諸佛國土亦復皆空又問以
何爲空答曰以空空又問空何用空答曰以
無分別空故空又問空可分別耶答曰分別
亦空又問空當於何求答曰當於六十二見
中求又問六十二見當於何求答曰當於諸
佛解脫中求又問諸佛解脫當於何求答曰
當於一切衆生心行中求又仁所問何無侍
者一切衆魔及諸外道皆吾侍也所以者何衆
魔者樂生死菩薩於生死而不捨外道者
樂諸見菩薩於諸見而不動文殊師利言居
士所疾爲何等相維摩詰言我病無形不可
見又問此病身合耶心合耶答曰非身合身
相離故亦非心合心如幻故又問地大水大
火大風大於此四大何大之病答曰是病非
地大亦不離地大水火風大亦復如是而衆
生病從四大起以其有病是故我病爾時文
殊師利問維摩詰言菩薩應云何慰喻有疾
菩薩維摩詰言說身無常不說厭離於身說
身有苦不說樂於涅槃說身無我而說教導
衆生說身空寂不說畢竟寂滅說悔先罪而
不說入於過去以己之疾愍於彼疾當識宿

BD03084 號　維摩詰所說經卷中　（3–2）

士所疾為何等相維摩詰言我病無形不可
見又問此病身合耶心合耶荅曰非身合身
相離故亦非心合心如幻故又問地大水大
火大風大於此四大何大之病荅曰是病非
地大亦不離地大水火風大亦復如是而衆
生病従四大起以其有病是故我病尒時文
殊師利問維摩詰言菩薩應云何慰喻有疾
菩薩維摩詰言説身無常不説厭離於身説
身有苦不説樂於涅槃説身無我而説教導
衆生説身空寂不説畢竟寂滅説悔先罪而
不説入於過去以己之疾愍於彼疾當識宿
世無數劫苦當念饒益一切衆生憶所脩福
念於淨命勿生憂惱常起精進當作醫王療
治衆病菩薩應如是慰喻有疾菩薩令其歡
喜文殊師利言居士有疾菩薩云何調伏其
心維摩詰言有疾菩薩應作是念今我此病
皆従前世妄想顛倒諸煩惱生無有實法誰
受病者所以者何四大合故假名為身四大
又此病起皆由著我是故於

BD03084號　維摩詰所説經卷中　（3–3）

大方見佛者　為説佛難値　我智力如是　慧光照无量
壽命无數劫　久脩業所得　汝等有智者　勿於此生疑
當斷令永盡　佛語實不虚　如醫善方便　為治狂子故
實在而言死　无能説虚妄　我亦為世父　救諸苦患者
為凡夫顛倒　實在而言滅　以常見我故　而生憍恣心
放逸著五欲　墮於惡道中　我常知衆生　行道不行道
隨應所可度　為説種種法　每自作是意　以何令衆生
得入无上道　速成就佛身
妙法蓮華經分別功德品第十七
尒時大會聞佛説壽命劫數長遠如是无量
无邊阿僧祇衆生得大饒益於時世尊告弥
勒菩薩摩訶薩阿逸多我説是如來壽命長
遠時六百八十万億那由他恒河沙衆生得
无生法忍復有千倍菩薩摩訶薩得聞持陀羅
尼門復有一世界微塵數菩薩摩訶薩得樂
説无礙辯才復有一世界微塵數菩薩摩訶
薩得百千万億无量旋陀羅尼復有三千大千
世界微塵數菩薩摩訶薩能轉不退法輪復
有二千中國土微塵數菩薩摩訶薩能轉清
淨法輪復有小千國土微塵數菩薩摩訶薩
八生當得阿耨多羅三藐三菩提復有四四
天下微塵數菩薩摩訶薩四生當得阿耨多

BD03085號　妙法蓮華經卷五　（2–1）

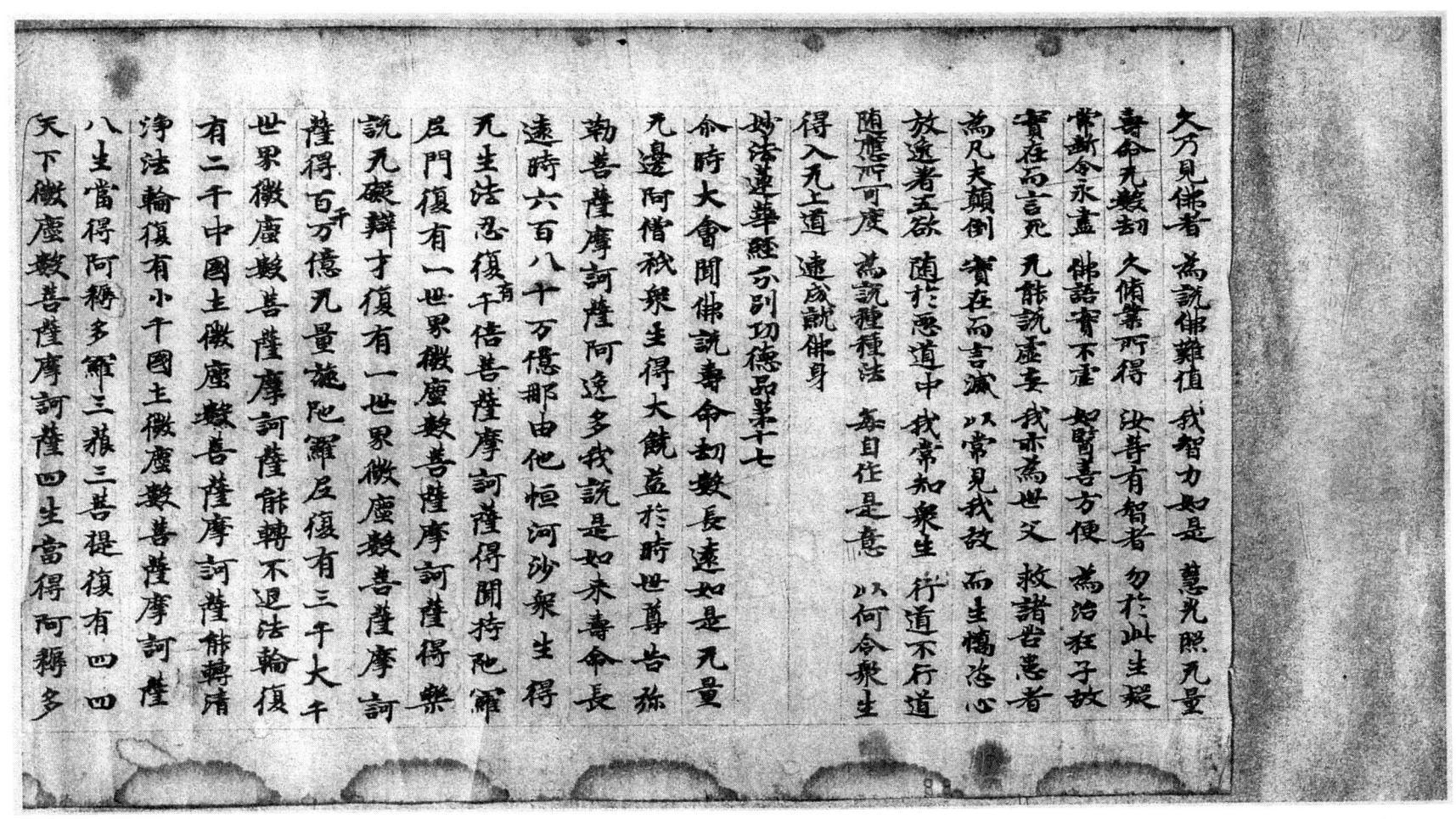

有二千中國土微塵數菩薩摩訶薩能轉清
淨法輪復有小千國土微塵數菩薩摩訶薩
八生當得阿耨多羅三藐三菩提復有四四
天下微塵數菩薩摩訶薩四生當得阿耨多
羅三藐三菩提復有三四天下微塵數菩薩
摩訶薩三生當得阿耨多羅三藐三菩提
復有二四天下微塵數菩薩摩訶薩二生當
得阿耨多羅三藐三菩提復有一四天下微
塵數菩薩摩訶薩一生當得阿耨多羅三藐
三菩提復有八世界微塵數衆生皆發三藐
多羅三藐三菩提心佛說是諸菩薩摩訶薩
得大法利時於虛空中雨曼陁羅華摩訶曼
陁羅華以散无量百千万億寶樹下師子座
上諸佛并散七寶塔中師子座上釋迦牟尼
佛及久滅度多寶如來亦散一切諸大菩薩
及四部衆又雨細末栴檀沉水香等於虛空
中天鼓自鳴妙聲深遠又雨千種天衣垂諸
瓔珞真珠瓔珞摩尼珠瓔珞如意珠瓔珞遍
於九方衆寶香爐燒无價香自然周至供養
大會一一佛上有諸菩薩執持幡蓋次第而
上至于梵天是諸菩薩以妙音聲歌无量頌
讚歎諸佛尒時弥勒菩薩從座而起偏袒右
肩合掌向佛而說偈言

BD03085 號　妙法蓮華經卷五　（2–2）

願一切衆生樂法園苑得諸佛刹園苑妙樂
願一切衆生得淨妙心常見如來神足園林
願一切衆生得佛戲樂常善遊戲智慧境
界願一切衆生得遊戲樂普詣佛刹道場衆
會願一切衆生成就菩薩解脫遊戲盡未來
刧行菩薩行心无疲倦願一切衆生見一切
佛充滿法界發廣大心住佛園林願一切衆
生悉能遍往一切佛刹一一刹中供養諸佛
願一切衆生得善欲心清淨莊嚴一切佛刹
是為菩薩摩訶薩布施一切園林臺榭善根
迴向為令衆生見一切佛遊戲一切佛園林
故佛子菩薩摩訶薩住百千億那由他无量
无數廣大施會一切清淨諸佛印可終不損
惱於一衆生普令衆生遠離衆惡淨三業道
成就智慧開置无量百千億那由他阿僧祇
清淨境界積集无量百千億那由他阿僧祇
資生妙物發甚難得菩提之心行无限施
令諸衆生住清淨道初中後善生淨信解隨
百千億无量衆生心之所樂悉令歡喜以大
慈悲救護一切承事供養三世諸佛為欲

BD03086 號　大方廣佛華嚴經（唐譯八十卷本）卷二八　（12–1）

清淨境界積集无量百千億那由他阿僧祇
資生妙物發甚難得菩提之心行无限施
令諸衆生住清淨道初中後善生淨信解隨
百千億无量衆生心之所樂悉令歡喜以大
慈悲救護一切承事供養三世諸佛為欲
成就一切佛種修行布施心无中悔增長信根
成滿勝行念念增進檀波羅蜜菩薩尒時以
諸善根如是迴向所謂願一切衆生發大乘
心悉得成就摩訶衍施願一切衆生皆悉能
行大會施盡施善施最勝施无上施最无上
施无等等施超諸世間施一切諸佛所稱歎
施願一切衆生住第一施主於諸惡趣免濟
衆生皆令得入无礙智道修平等願如實善
根得无差別證自境智願一切衆生安住寂
靜諸禪定智入不死道究竟一切神通智慧
勇猛精進具足諸地莊嚴佛法到於彼岸永
不退轉願一切衆生設大施會終不疲猒給
濟衆生无有休息究竟无上一切種智願一
切衆生恒勤種植一切善根到於无量功德
彼岸願一切衆生常蒙諸佛之所稱歎普為
世間住大施主功德具足充滿法界遍照十
方施无上樂願一切衆生設大施會廣集善
根等攝衆生到於彼岸願一切衆生成最勝
施普令衆生住第一乘願一切衆生為應時
施永離非時大施究竟願一切衆生成就善
施到佛丈夫大施彼岸願一切衆生究竟常

方施无上樂願一切衆生設大施會廣集善
根等攝衆生到於彼岸願一切衆生成最勝
施普令衆生住第一乘願一切衆生為應時
施永離非時大施究竟願一切衆生成就善
施到佛丈夫大施彼岸願一切衆生究竟常
行大莊嚴施盡以一切諸佛為師悉皆親近
興大供養願一切衆生住清淨施集等法界
无量福德到於彼岸願一切衆生於諸世間
為大施主普度群品住如來地是為菩薩摩
訶薩設大施會善根迴向為令衆生行无上
施究竟佛施成就善施不可壞施供諸佛施
无恚眼施救衆生施成一切智施常見諸佛
施善精進施成就一切菩薩功德諸佛智慧
廣大施故佛子菩薩摩訶薩布施一切資生
之物心无貪惜不求果報於世富樂无所希
望離妄想心善思惟法為欲利益一切衆生
審觀一切諸法實性隨諸衆生種種不同所
用所求各各差別成辦无量資生之具所有
嚴飾悉皆妙好行无邊施行一切施盡內外
施行此施時增志樂力獲大功德成就心寶
常能守護一切衆生皆令發生殊勝志願初
未曾有求反報心所有善根等三世佛悉以
圓滿一切種智佛子菩薩摩訶薩以此布施
所有善根迴向衆生願一切衆生清淨調伏
願一切衆生滅除煩惱嚴淨一切諸佛剎土
願一切衆生以清淨心於一念中周遍法界願
一切衆生智慧充滿虛空法界願一切衆生

所有善根迴向衆生願一切衆生清淨調伏
願一切衆生滅除煩惱嚴淨一切諸佛刹土
願一切衆生以清淨心於一念中周遍法界願
一切衆生智慧充滿虛空法界願一切衆生
得一切智普入三世調伏衆生於一切時常
轉清淨不退法輪願一切衆生具一切智善
能示現神通方便饒益衆生願一切衆生悉
能悟入諸佛菩提盡未來劫於十方界常說
正法曾无休息令諸衆生普得聞知願一切
衆生於无量劫修菩薩行悉得圓滿願一切
衆生於一切世界若染若淨若小若大若麁
若細若覆若仰或一莊嚴或種種莊嚴所
可演說在世界數諸世界中修菩薩行靡
不周遍願一切衆生於念念中常作三世一
切佛事教化衆生向一切智佛子菩薩摩訶
薩隨諸衆生一切所須以如是等阿僧祇物
而為給施為令佛法相續不斷大悲普救一
切衆生安住大慈修菩薩行於佛教誨終无
違犯以巧方便修行衆善不斷一切諸佛種
性隨求悉與而无患猒一切悉捨未曾中悔
常勤迴向一切智道時十方國土種種衆類
種種趣生種種福田皆來集會至菩薩所種
種求索菩薩見已普皆攝受心生歡喜如見
善友大悲哀愍思滿其願捨心增長无有休
息亦不疲猒隨其所求悉令滿足離貧窮普
時諸乞者心大欣慶轉更稱傳讚揚其德美

種求索菩薩見已普皆攝受心生歡喜如見
善友大悲哀愍思滿其願捨心增長无有休
息亦不疲猒隨其所求悉令滿足離貧窮普
時諸乞者心大欣慶轉更稱傳讚揚其德美
聲遐布悉來歸往菩薩見已歡喜无量假使
百千億那由他劫受帝釋樂无數劫受夜摩
天樂无量劫受兜率陁天樂无邊劫受善變
化天樂无等劫受他化自在天樂不可數劫
受梵王樂不可稱劫受轉輪王王三千樂不
可思劫受遍淨天樂不可說劫受淨居天樂
悉不能及菩薩摩訶薩見乞者來歡喜愛樂
欣慶踊躍信心增長志樂清淨諸根調順信
解成滿乃至增進諸佛菩提佛子菩薩摩訶
薩以此善根為欲利益一切衆生故迴向為
欲安樂一切衆生故迴向為令一切衆生得
大義利故迴向為令一切衆生悉得清淨故
迴向為令一切衆生悉求菩提故迴向為令
一切衆生悉得平等故迴向為令一切衆生
悉得賢善心故迴向為令一切衆生悉入摩
訶衍故迴向為令一切衆生悉得賢善智慧
故迴向為令一切衆生悉具普賢菩薩行願
滿十力乘現成正覺故迴向佛子菩薩摩訶
薩以諸善根如是迴向時身口意業皆悉解
脫无著无繫无衆生想无命者想无補伽羅
想无人想无童子想无生者想无作者想无
受者想无有想无无想无今世後世想无死

薩以諸善根如是迴向時身口意業皆悉解
脫无着无繫无衆生想无命者想无補伽羅
想无人想无童子想无生者想无作者想无
受者想无有想无无想无今世後世想无死
此生彼想无常想无无常想无三有想无无
三有想非想非非想如是非縛迴向非縛解迴
向非業迴向非業報迴向非分別迴向非无
分別迴向非思迴向非思已迴向非心迴向
非无心迴向佛子菩薩摩訶薩如是迴向時
不着內不着外不着能緣不着所緣不着
因不着果不着法不着非法不着思不着非思
不着色不着色生不着色滅不着受想行識
不着受想行識生不着受想行識滅佛子菩
薩摩訶薩若能於此諸法不着則不縛色不縛
色生不縛色滅不縛受想行識不縛受想行
識生不縛受想行識滅若能於此諸法不縛
則亦於諸法不解何以故无有少法若現生
若已生若當生无法可取无法可着一切諸
法自相如是无有自性自性相離非一非二非
多非无量非小非大非狹非廣非深非淺非
寂靜非戲論非處非非處非法非非法非體
非非體非有非非有菩薩如是觀察諸法則
為非法於言語中隨世建立非法為法不斷
諸業道不捨菩薩行求一切智終无退轉了
知一切業緣如夢音聲如響衆生如影諸法
如幻而亦不壞因緣業力了知諸業其用廣

BD03086號　大方廣佛華嚴經（唐譯八十卷本）卷二八　（12–6）

諸業道不捨菩薩行求一切智終无退轉了
知一切業緣如夢音聲如響衆生如影諸法
如幻而亦不壞因緣業力了知諸業其用廣
大解一切法皆无所作行无作道未嘗暫廢
佛子此菩薩摩訶薩住一切智君處非處普
皆迴向一切智性於一切處皆悉迴向无有
退轉以何義故說名迴向永度世間至於彼岸
故名迴向永出諸蘊至於彼岸故名迴向度言
語道至於彼岸故名迴向離種種想至於彼
岸故名迴向永斷身見至於彼岸故名迴向
永離依處至於彼岸故名迴向永絕所住至於
彼岸故名迴向永出諸有至於彼岸故名迴
向永捨諸取至於彼岸故名迴向永出世法
至於彼岸故名迴向佛子菩薩摩訶薩如是迴
向時則為隨順佛住隨順法住隨順智住隨
順菩提住隨順義住隨順迴向住隨順境界
住隨順行住隨順真實住隨順清淨住佛子
菩薩摩訶薩如是迴向則為了達一切諸法
則為承事一切諸佛无有一佛而不承事无
有一法而不供養无有一法而可滅壞无有
一法而可乖違无有一物而可貪着无有一
法而可猒離不見內外一切諸法有少滅壞
違因緣道法力具足无有休息佛子是為菩
薩摩訶薩第六隨順堅固一切善根迴向菩
薩摩訶薩住此迴向時常為諸佛之所護念
堅固不退入深法性修一切智隨順法義隨

BD03086號　大方廣佛華嚴經（唐譯八十卷本）卷二八　（12–7）

遠匠綫道法太具足无[illegible]
薩摩訶薩第六隨順堅固一切善根迴向善
薩摩訶薩住此迴向時常為諸佛之所護念
堅固不退入深法性修一切智隨順法義隨
順法性隨順一切堅固善根隨順一切圓滿
大願具足隨順堅固之法一切金剛所不能
壞於諸法中而得自在尒時金剛幢菩薩觀
察十方觀察衆會觀察法界已入於字句
甚深之義修習无量廣大之心以大悲心普覆
世間長去來今佛種性心入於一切諸佛功
德成就諸佛自在力身觀諸衆生心之所樂
隨其善根所可成熟依法性身為現色身承
佛神力而説頌言
菩薩現身作國王　於世位中冣无等
福德威光勝一切　普為群萌興利益
其心清淨无染著　於世自在咸遵敬
弘宣正法以訓人　普使衆生獲安隱
現生貴族昇王位　常依正教轉法輪
稟性仁慈无毒虐　十方敬仰皆從化
智慧分別常明了　色相材能皆具足
臨馭率土靡不從　摧伏魔軍悉令盡
堅持淨戒无違犯　決志堪忍不動搖
永願蠲除忿恚心　常樂修行諸佛法
飲食香鬘及衣服　車騎牀蓐座與燈
菩薩悉以給濟人　并及所餘无量種
為利益故而行施　令其開發廣大心
於尊勝處及所餘　意皆清淨生歡喜

BD03086號　大方廣佛華嚴經（唐譯八十卷本）卷二八　（12–8）

飲食香鬘及衣服　車騎牀[illegible]
菩薩悉以給濟人　并及所餘无量種
為利益故而行施　令其開發廣大心
於尊勝處及所餘　意皆清淨生歡喜
菩薩一切皆周給　內外所有悉能捨
必使其心永清淨　不令暫尒生狹劣
或施於頭或施眼　或施於手或施足
皮肉骨髓及餘物　一切皆捨心无怯
菩薩身居大王位　種族豪貴人中尊
開口出舌施群生　其心歡喜无憂戀
以彼施舌諸功德　迴向一切諸衆生
普願藉此勝因緣　悉得如來廣長舌
或施妻子及王位　或施其身作僮僕
其心清淨常歡喜　如是一切无憂悔
隨所樂求咸施與　應時給濟无疲猒
一切所有皆能散　諸來求者普滿足
為聞法故施其身　修諸苦行求菩提
復為衆生捨一切　求无上智不退轉
以於佛所聞正法　自捨其身充給侍
為欲普救諸群生　發生无量歡喜心
彼見世尊大導師　能以慈心廣饒益
是時踊躍生歡喜　聽受如來深法味
菩薩所有諸善根　悉以迴向諸衆生
普皆救護无有餘　永使解脫常安樂
菩薩所有諸眷屬　色相端嚴能辯慧
花鬘衣服及塗香　種種莊嚴皆具足
此諸眷屬甚希有　菩薩一切皆能施

BD03086號　大方廣佛華嚴經（唐譯八十卷本）卷二八　（12–9）

菩薩所有諸善根　悉以迴向諸衆生
普皆救護无有餘　永使解脫常安樂
菩薩所有諸眷屬　色相端嚴能辯慧
花鬘衣服及塗香　種種莊嚴皆具足
此諸眷屬甚希有　菩薩一切皆能施
專求正覺度群生　如是之心无暫捨
菩薩如是諦思惟　備行種種廣大業
悉以迴向諸含識　而不生於取著心
菩薩捨彼大王位　及以國土諸城邑
宮殿樓閣與園林　僮僕侍衛皆无悋
彼於无量百千劫　處處周行而施與
因以教導諸群生　悉使超昇无上岸
无量品類各差別　十方世界來萃止
菩薩見已心欣慶　隨其所乏令滿足
如三世佛所迴向　菩薩亦修如是業
調御人尊之所行　悉皆隨學到彼岸
菩薩觀察一切法　誰為能入此法者
云何為入何所入　如是布施心无住
菩薩迴向善巧智　菩薩迴向方便法
菩薩迴向真實義　於其法中无所著
心不分別一切業　亦不染著於業果
知菩提性從緣起　入深法界无違逆
不於身中而有業　亦不依止於心住
智慧了知无業性　以因緣故業不失
心不妄取過去法　亦不貪著未來事
不於現在有所住　了達三世悉空寂

BD03086號　大方廣佛華嚴經（唐譯八十卷本）卷二八　（12–10）

知菩提性從緣起　入深法界无違逆
不於身中而有業　亦不依止於心住
智慧了知无業性　以因緣故業不失
心不妄取過去法　亦不貪著未來事
不於現在有所住　了達三世悉空寂
菩薩已到色彼岸　受想行識亦如是
超出世間生死流　其心謙下常清淨
諦觀五蘊十八界　十二種處及已身
於此一一求菩提　體性畢竟不可得
不取諸法常住相　於斷滅相亦不著
法性非有亦非无　業理次第終无盡
不於諸法有所住　不見衆生及菩提
十方國土三世中　畢竟求之无可得
若能如是觀諸法　則如諸佛之所解
雖求其性不可得　菩薩所行亦不虛
菩薩了法從緣有　不違一切所行道
開示解說諸業跡　欲使衆生悉清淨
是為智者所行道　一切如來之所說
隨順思惟入正義　自然覺悟成菩提
諸法无生亦无滅　亦復无來无有去
不於此死而生彼　是人悟解諸佛法
了達諸法真實性　而於法性无分別
知法无性无分別　此人善入諸佛智
法性遍在一切處　一切衆生及國土
三世悉在无有餘　亦无形相而可得
一切諸佛所覺了　悉皆攝取无有餘

BD03086號　大方廣佛華嚴經（唐譯八十卷本）卷二八　（12–11）

諸法无生亦无滅　亦復无来无有去
不於此死而生彼　是人悟解諸佛法
了達諸法真實性　而於法性无分別
知法无性无分別　此人善入諸佛智
法性遍在一切處　一切衆生及國土
三世悉在无有餘　亦无形相而可得
一切諸佛所覺了　悉皆攝取无有餘
雖說三世一切法　如是等法悉非有
如諸法性遍一切　菩薩迴向亦須然
如是迴向諸衆生　常於世間无退轉

大方廣佛華嚴經卷第廿八

BD03086 號　大方廣佛華嚴經（唐譯八十卷本）卷二八　（12–12）

切衆生於諸世界住智慧
輻捨願一切衆生普為法界處
界中一切衆生住法施主使其咸得住於大
乘願一切衆生得成具足衆善之王與三世
佛善根齊等是為菩薩摩訶薩布施王位善
根迴向為欲令彼一切衆生究竟住於安隱
處故佛子菩薩摩訶薩見有人来乞王京都
嚴麗大城及以關防所有輸税盡皆施與心
无悋惜專向菩提發大誓願住於大慈行於
大悲志意歡悦利益衆生以廣大智解了深
法安住諸佛平等法性發心為求一切智故
於自在法起深樂故於自在智求證得故淨
修一切諸功德故住於堅固廣大智故廣集
一切諸善根故修行一切佛法願故自然覺悟
大智法故安住菩提心无退故修習一切
菩薩行願一切種智盡究竟故而行布施以
此善根如是迴向所謂願一切衆生悉能嚴
淨无量[illegible]

BD03087 號　大方廣佛華嚴經（唐譯八十卷本）卷二八　（8–1）

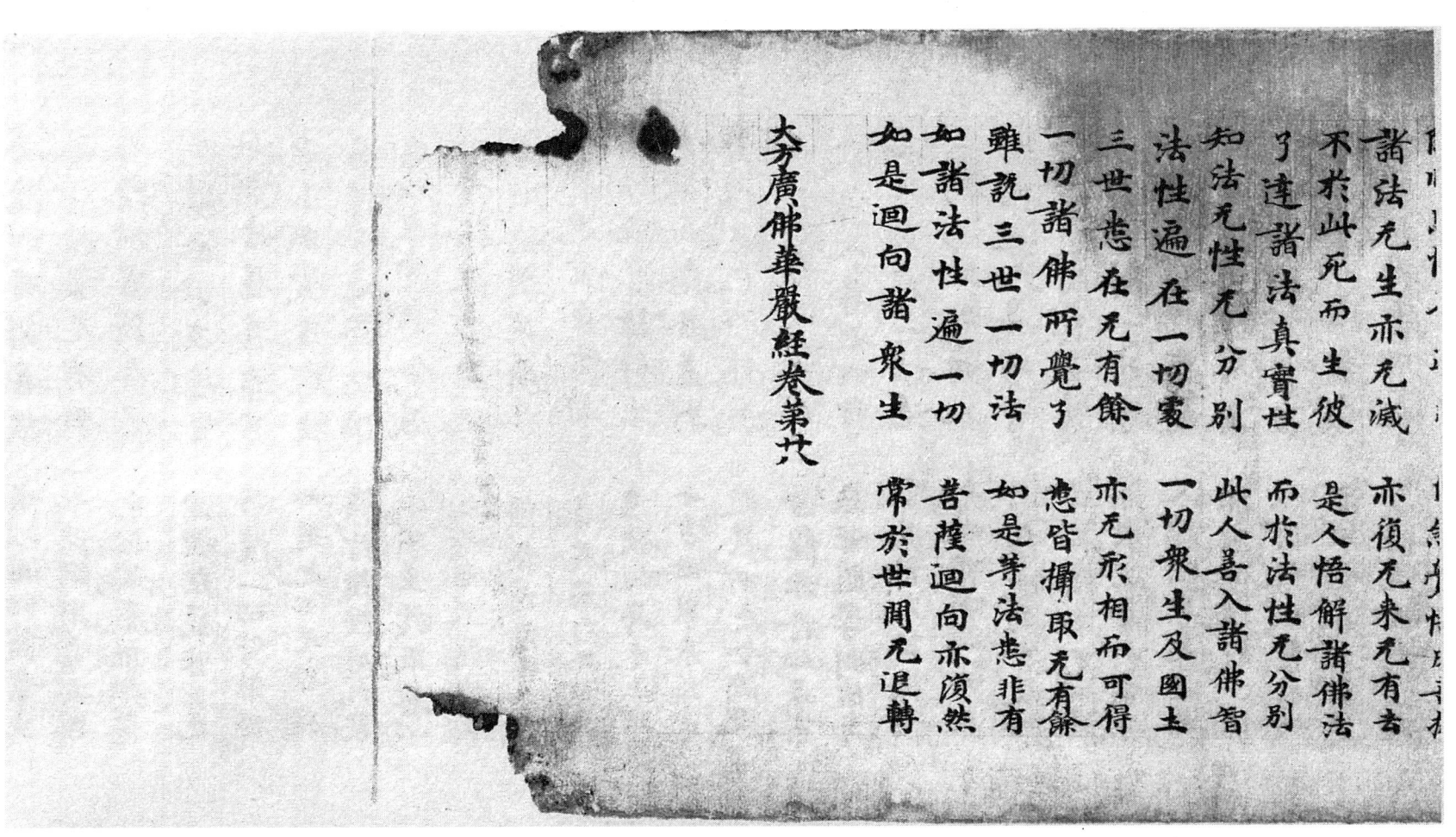

修一切諸功德故住於堅固廣大智故廣集
一切諸善根故修行一切佛法願故自然覺悟
大智法故安住菩提心无退故修習一切
菩薩行願一切種智盡究竟故而行布施以
此善根如是迴向所謂願一切衆生悉能嚴
淨无量刹土奉施諸佛以為住處願一切衆
生常樂居止阿蘭若處寂靜不動願一切衆
生永不依止王都聚落心樂寂靜永得究
竟願一切衆生永不樂著一切世間於世語
言常樂遠離願一切衆生得離貪心施諸所
有心无中悔願一切衆生得出離心捨諸家
業願一切衆生得无怯心常行惠施願一切
衆生得不著心離居家法願一切衆生得離
衆苦除滅一切災橫怖畏願一切衆生嚴淨
十方一切世界奉施諸佛是為菩薩摩訶薩
布施王都善根迴向為令衆生悉能嚴淨
諸佛刹故佛子菩薩摩訶薩所有一切內宮
眷屬技侍衆女皆顏貌端正材能具足談笑
歌舞悉皆巧妙種種衣服種種花香而以嚴
身見者歡喜情无猒足如是寶女百千万
億那由他數皆由菩薩善業所生隨意自在
敬順无失盡以布施諸來乞者而於其中无
愛樂心无願戀心无耽著心无繫縛心无執
取心无貪染心无分別心无隨逐心无取相
心无樂欲心菩薩爾時觀諸善根為欲令一
切衆生咸得出離故迴向得佛法喜故迴向
於不堅固中而得堅固故迴向得金剛智不

BD03087號　大方廣佛華嚴經（唐譯八十卷本）卷二八　（8–2）

愛樂心无願戀心无耽著心无繫縛心无執
取心无貪染心无分別心无隨逐心无取相
心无樂欲心菩薩爾時觀諸善根為欲令一
切衆生咸得出離故迴向得佛法喜故迴向
於不堅固中而得堅固故迴向得金剛智不
可壞心故迴向入佛道場故迴向到於彼岸
故迴向得无上菩提心故迴向能以智慧了
達諸法故迴向出生一切善根故迴向入三
世諸佛家故迴向佛子菩薩摩訶薩住如是
法生如來家增長諸佛清淨勝因出生衆勝
一切智道深入菩薩廣大智業滅除一切世
間垢惱常能洪施功德福田為諸衆生宣說
妙法善巧安立令其修習諸清淨行常勤攝
取一切善根菩薩爾時以諸善根如是迴向
所謂願一切衆生常得无量三昧眷屬菩
薩勝定相續不斷願一切衆生常樂見佛悉
入諸佛莊嚴三昧願一切衆生成就菩薩不
思議定自在遊戲无量神通願一切衆生入
如實定得不壞心願一切衆生盡獲菩薩甚
深三昧於諸禪定而得自在願一切衆生得
解脫心成就一切三昧眷屬願一切衆生種
種三昧皆得善巧悉能攝取諸三昧相願一
切衆生得勝智三昧普能學習諸三昧門願
一切衆生得无礙三昧入深禪定終不退失
願一切衆生得无著三昧心恒正受不取二
法是為菩薩摩訶薩布施一切內宮眷屬時

BD03087號　大方廣佛華嚴經（唐譯八十卷本）卷二八　（8–3）

種三昧皆得善巧悉能攝取諸三昧相願一
切衆生得勝智三昧普能學習諸三昧門願
一切衆生得无礙三昧入深禪定終不退失
願一切衆生得无著三昧心恒正受不取二
法是爲菩薩摩訶薩布施一切内宫眷屬時
善根迴向爲欲令一切衆生皆得不壞清淨
眷屬故爲欲令一切衆生皆得菩薩眷屬故
爲欲令一切衆生悉得滿足佛法故爲欲令
一切衆生滿足一切智力故爲欲令一切衆生
證於无上智慧故爲欲令一切衆生得於
隨順眷屬故爲欲令一切衆生得同志行人
共居故爲欲令一切衆生具足一切福智故
爲欲令一切衆生成就清淨善根故爲欲令
一切衆生得善和眷屬故爲欲令一切衆生
成就如來清淨法身故爲欲令一切衆生成
就次第如理辯才善說諸佛无盡法藏故
爲欲令一切衆生永捨一切世俗善根同修出
世清淨善根故爲欲令一切衆生淨業圓滿
成就一切清淨法故爲欲令一切衆生一切
佛法皆悉現前以法光明普嚴淨故佛子菩
薩摩訶薩能以所愛妻子布施猶如往昔須
達拏太子現莊嚴王菩薩及餘无量諸菩
薩等菩薩尒時乘薩婆若心行一切施淨修
菩薩布施之道其心清淨无有中悔罄捨所珎
求一切智令諸衆生淨深志樂成菩提行觀
菩薩道念佛菩提住佛種性菩薩摩訶薩

達拏太子現莊嚴王菩薩及餘无量諸菩
薩等菩薩尒時乘薩婆若心行一切施淨修
菩薩布施之道其心清淨无有中悔罄捨所珎
求一切智令諸衆生淨深志樂成菩提行觀
菩薩道念佛菩提住佛種性菩薩摩訶薩
辯如是布施心已決定志求如來之身自觀
己身繫屬一切不得自在又以其身普攝衆
生猶如寶洲給施一切未滿足者令其滿足
菩薩如是護念衆生欲令自身作第一塔普
使一切皆生歡喜欲於世間生平等心欲爲
衆生作清涼池欲與衆生一切安樂欲爲衆
生作大施主智慧自在了知菩薩所行之行
而能如是大誓莊嚴趣一切智願成无上智
慧福田普念衆生常隨守護而能成辯自
身利益智慧光明普照於世常勤憶念菩
薩施心恒樂觀察如來境界佛子菩薩摩訶薩
以无縛无著解脫心布施妻子所集善根如
是迴向所謂願一切衆生住佛菩提起變
化身周遍法界轉不退輪願一切衆生得无
著身願力周行一切佛剎願一切衆生捨愛
憎心斷貪恚結願一切衆生爲諸佛子隨佛
所行願一切衆生於諸佛所生自己心不可
沮壞願一切衆生常爲佛子從法化生願一
切衆生得究竟處成就如來自在智慧願一
切衆生證佛菩提永離煩惱願一切衆生能
具演說佛菩提道常樂修行无上法施願一

沮壞願一切衆生常為佛子從法化生願一
切衆生得究竟處成就如来自在智慧願一
切衆生證佛菩提永離煩惱願一切衆生能
具演說佛菩提道常樂修行无上法施願一
切衆生得正定心不為一切諸緣所壞願一
切衆生坐菩提樹成最正覺開示无量從法
化生諸善男女是為菩薩摩訶薩布施妻子
善根迴向為令衆生皆悉證得无礙解脫无
著智故佛子菩薩摩訶薩莊嚴舍宅及諸資
具隨有乞求一切施與行布施法於家无著
遠離一切居家覺觀猒惡家業資生之具不
貪不味心无繫著知家易壞心恒猒捨都於
其中无所愛樂但欲出家修菩薩行以諸佛
法而自莊嚴一切悉捨心无中悔常為諸佛
之所讚歎舍宅財物隨處所有悉以惠施心
无戀著見有乞求心生喜慶菩薩尒時以此
著根如是迴向所謂願一切衆生捨離妻子
成就出家第一之樂願一切衆生解脫家縛
入於非家諸佛法中修行梵行願一切衆生
捨離慳嫉樂一切施心无退轉願一切衆生
永離家法少欲知足无所藏積願一切衆生
出世俗家住如来家願一切衆生得无礙法
滅除一切障礙之道願一切衆生離家屬愛
雖現居家心无所著願一切衆生善能化誘
不離家法說佛智慧願一切衆生身現在家
心常隨順佛智而住願一切衆生在居家地

BD03087號　大方廣佛華嚴經（唐譯八十卷本）卷二八　（8–6）

出世俗家住如来家願一切衆生得无礙法
滅除一切障礙之道願一切衆生離家屬愛
雖現居家心无所著願一切衆生善能化誘
不離家法說佛智慧願一切衆生身現在家
心常隨順佛智而住願一切衆生在居家地
住於佛地普令无量无邊衆生發歡喜心是
為菩薩摩訶薩布施舍宅時善根迴向為令
衆生成就菩薩種種行願神通智故佛子菩
薩摩訶薩布施種種園林臺榭遊戲快樂
莊嚴之處住是念言我當為一切衆生作好園
林我當為一切衆生示現法樂我當施一切
衆生歡喜之意我當示一切衆生无邊喜
樂我當為一切衆生開淨法門我當令一切
衆生發歡喜心我當令一切衆生得佛菩提
我當令一切衆生成滿大願我當於一切衆
生猶如慈父我當令一切衆生智慧觀察我
當施一切衆生資生之具我當於一切衆生
猶如慈母生長一切善根大願佛子菩薩
摩訶薩如是修行諸善根時於惡衆生不生
疲猒亦不誤起棄捨之心設滿世間一切衆
生悉不知恩菩薩於彼初无嫌恨不生一念
求反報心但欲滅其无量苦惱於諸世間心
如虛空无所染著普觀諸法真實之相發大
誓願滅衆生苦永不猒捨大乘志願滅一切
見修諸菩薩平等行願佛子菩薩摩訶薩如
是觀察已攝諸善根悉以迴向所謂願一切衆

BD03087號　大方廣佛華嚴經（唐譯八十卷本）卷二八　（8–7）

衆生歡喜之意我當示一切衆生无邊喜
樂我當爲一切衆生開淨法門我當令一切
衆生發歡喜心我當令一切衆生得佛菩提
我當令一切衆生成滿大願我當於一切衆
生猶如慈父我當令一切衆生智慧觀察我
當施一切衆生資生之具我當於一切衆生
猶如慈母生長一切善根大願佛子菩薩
摩訶薩如是修行諸善根時於惡衆生不生
疲猒亦不誤起棄捨之心設滿世間一切衆
生悉不知恩菩薩於彼初无嫌恨不生一念
求反報心但欲滅其无量苦惱於諸世間心
如虛空无所染著普觀諸法真實之相發大
誓願滅衆生苦永不猒捨大乘志願滅一切
見修諸菩薩平等行願佛子菩薩摩訶薩如
是觀察已攝諸善根悉以迴向所謂願一切衆
生念念滋生无量善法成就无上園林之心
願一切衆生得不動法見一切佛皆令歡喜

BD03087 號　大方廣佛華嚴經（唐譯八十卷本）卷二八　（8–8）

尒時具壽善現復白佛言世尊如是般若波
羅蜜多云何清淨佛言善現色清淨故般若
波羅蜜多清淨受想行識清淨故般若波羅
蜜多清淨世尊云何色清淨故般若波羅蜜
多清淨善現色无生无滅无染无淨故清淨色清
淨故般若波羅蜜多清淨受想行識无生无
滅无染无淨故清淨受想行識清淨故般若
波羅蜜多清淨
佛言善現眼處清淨故般若波羅蜜多清淨
耳鼻舌身意處清淨故般若波羅蜜多清淨
世尊云何眼處清淨故般若波羅蜜多清淨
耳鼻舌身意處清淨故般若波羅蜜多清淨
善現眼處无生无滅无染无淨故清淨眼處
清淨故般若波羅蜜多清淨耳鼻舌身意處
无生无滅无染无淨故清淨耳鼻舌身意處
清淨故般若波羅蜜多清淨
佛言善現色處清淨故般若波羅蜜多清淨

BD03088 號　大般若波羅蜜多經卷二九三　（2–1）

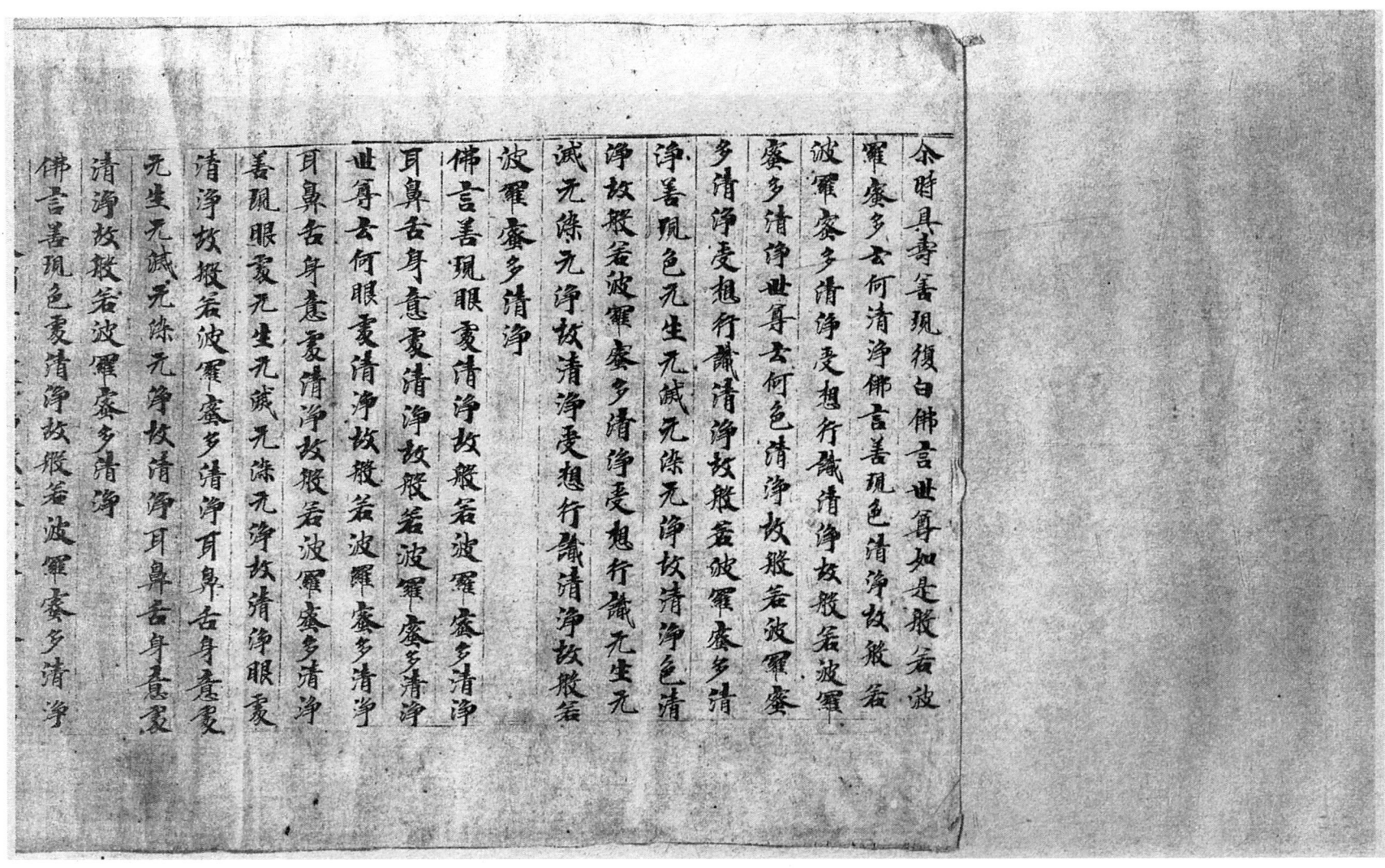

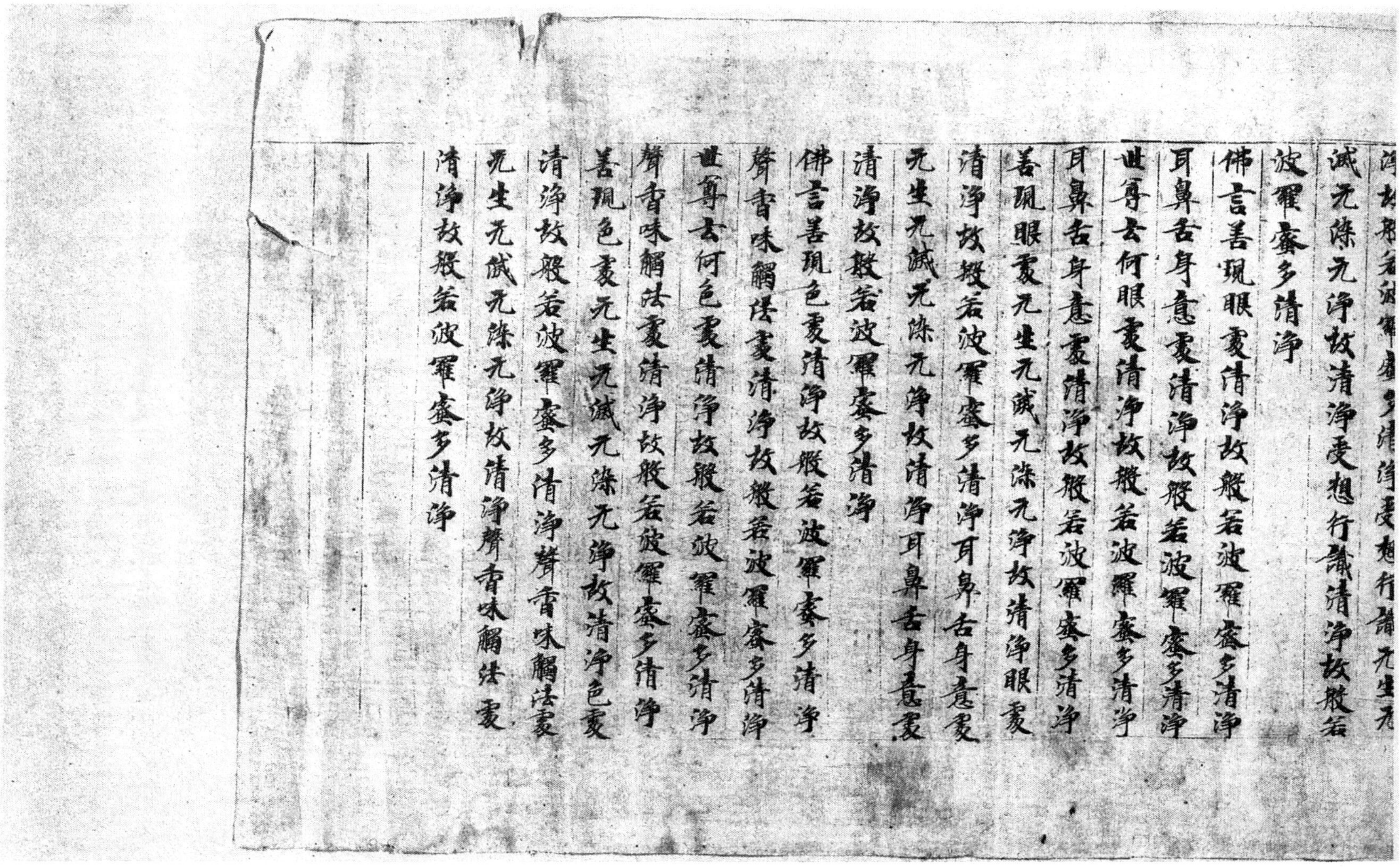

淨故般若波羅蜜多清淨受想行識无生无
滅无染无淨故清淨受想行識清淨故般若
波羅蜜多清淨
佛言善現眼處清淨故般若波羅蜜多清淨
耳鼻舌身意處清淨故般若波羅蜜多清淨
世尊云何眼處清淨故般若波羅蜜多清淨
耳鼻舌身意處清淨故般若波羅蜜多清淨
善現眼處无生无滅无染无淨故清淨眼處
清淨故般若波羅蜜多清淨耳鼻舌身意處
无生无滅无染无淨故清淨耳鼻舌身意處
清淨故般若波羅蜜多清淨
佛言善現色處清淨故般若波羅蜜多清淨
聲香味觸法處清淨故般若波羅蜜多清淨
世尊云何色處清淨故般若波羅蜜多清淨
聲香味觸法處清淨故般若波羅蜜多清淨
善現色處无生无滅无染无淨故清淨色處
清淨故般若波羅蜜多清淨聲香味觸法處
无生无滅无染无淨故清淨聲香味觸法處
清淨故般若波羅蜜多清淨

BD03088號　大般若波羅蜜多經卷二九三　（2–2）

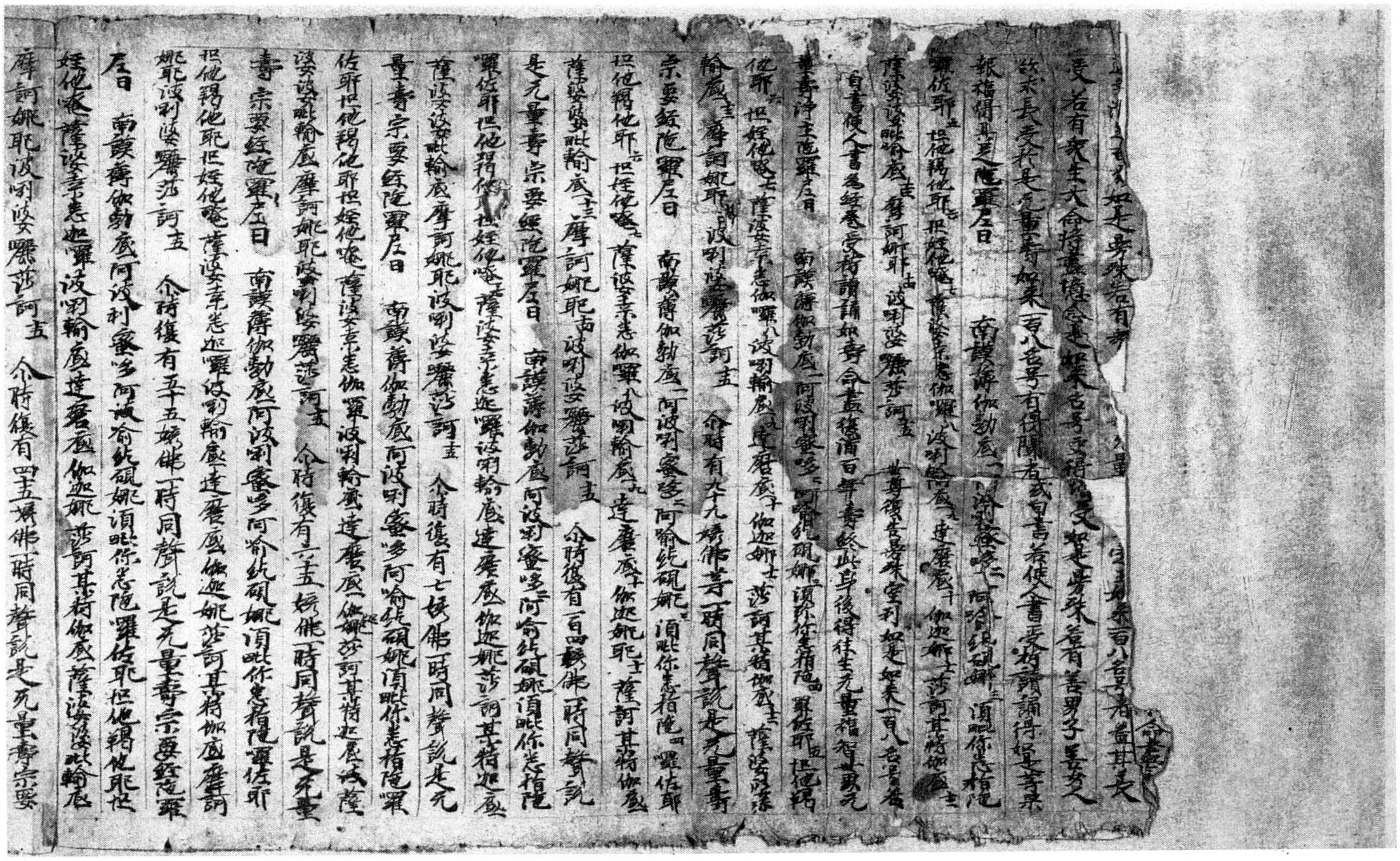

[illegible]如是等殊勝若有[illegible]如來一百八名號者當其長
壽若有衆生大命將盡憶念是如來名號更得延壽如是等殊勝若有善男子善女人
欲求長壽於是无量壽如來一百八名號有得聞者或自書若使人書受持讀誦得如是等果
報福德具足陁羅尼曰　南謨薄伽勃底一　阿波唎蜜哆二　阿喻紇硯娜三　須毗你悉指陁
囉佐耶五　怛他羯他耶六　怛姪他七　薩婆桑悉迦囉八　波唎輸底九　達磨底十　伽伽娜十一　莎訶其特伽底十二
薩婆婆毗輸底十三　摩訶娜耶十四　波唎婆囉莎訶十五　世尊復告曼殊室利如是如來一百八名號若
自書使人書為經卷受持讀誦如壽命盡復滿百年壽終此身後得往生无量福智世界无
量壽淨土陁羅尼曰　南謨薄伽勃底一　阿波唎蜜哆二　阿喻紇硯娜三　須毗你悉指陁四　囉佐耶五　怛他羯
他耶六　怛姪他七　薩婆桑悉迦囉八　波唎輸底九　達磨底十　伽伽娜十一　莎訶其特伽底十二　薩婆婆毗輸
底十三　摩訶娜耶十四　波唎婆囉莎訶十五　尒時有九十九姟佛一時同聲說是无量壽
宗要經陁羅尼曰　南謨薄伽勃底一　阿波唎蜜哆二　阿喻紇硯娜三　須毗你悉指陁四　囉佐耶
五　怛他羯他耶六　怛姪他七　薩婆桑悉迦囉八　波唎輸底九　達磨底十　伽伽娜十一　莎訶其特伽底
十二　薩婆婆毗輸底十三　摩訶娜耶十四　波唎婆囉莎訶十五　尒時復有一百四姟佛一時同聲說
是无量壽宗要經陁羅尼曰　南謨薄伽勃底阿波唎蜜哆阿喻紇硯娜須毗你悉指陁
囉佐耶怛他羯他耶怛姪他唵薩婆桑悉迦囉波唎輸底達磨底伽伽娜莎訶其特伽底
薩婆婆毗輸底摩訶娜耶波唎婆囉莎訶十五　尒時復有七姟佛一時同聲說是无
量壽宗要經陁羅尼曰　南謨薄伽勃底阿波唎蜜多阿喻紇硯娜須毗你悉指陁囉
佐耶怛他羯他耶怛姪他唵薩婆桑悉迦囉波唎輸底達磨底伽伽娜莎訶其特伽底薩
婆婆毗輸底摩訶娜耶波唎婆囉莎訶十五　尒時復有六十五姟佛一時同聲說是无量
壽宗要經陁羅尼曰　南謨薄伽勃底阿波唎蜜哆阿喻紇硯娜須毗你悉指陁囉佐耶
怛他羯他耶怛姪他唵薩婆桑悉迦囉波唎輸底達磨底伽伽娜莎訶其特伽底摩訶
娜耶波唎婆囉莎訶十五　尒時復有五十五姟佛一時同聲說是无量壽宗要經陁羅
尼曰　南謨薄伽勃底阿波利蜜多阿喻紇硯娜須毗你悉陁囉佐耶怛他羯他耶怛
姪他唵薩婆桑悉迦囉波唎輸底達磨底伽伽娜莎訶其特伽底薩婆婆毗輸底
摩訶娜耶波唎婆囉莎訶十五　尒時復有四十五姟佛一時同聲說是无量壽宗要

BD03089號　無量壽宗要經　（5–1）

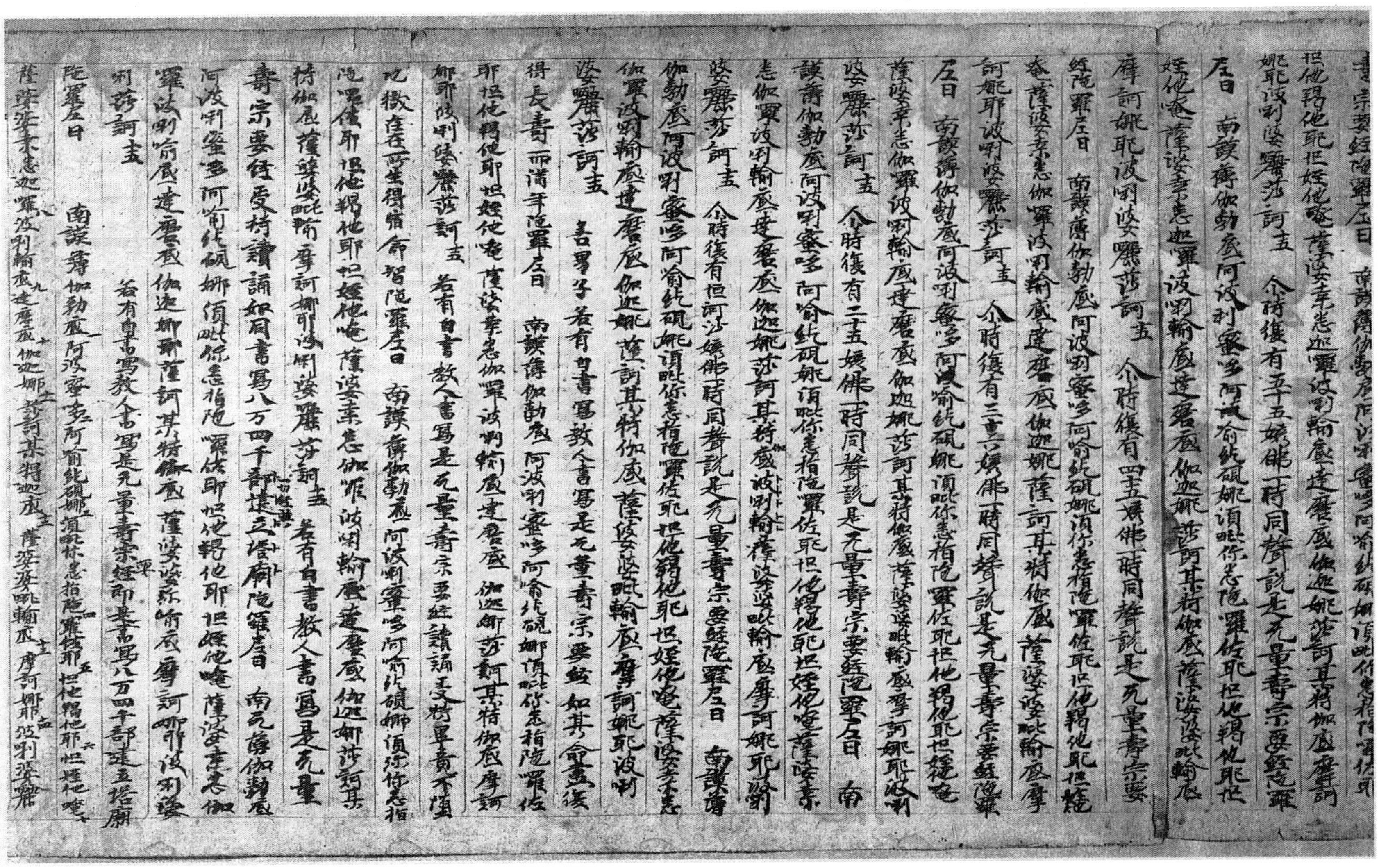

BD03089 號　無量壽宗要經　（5–2）

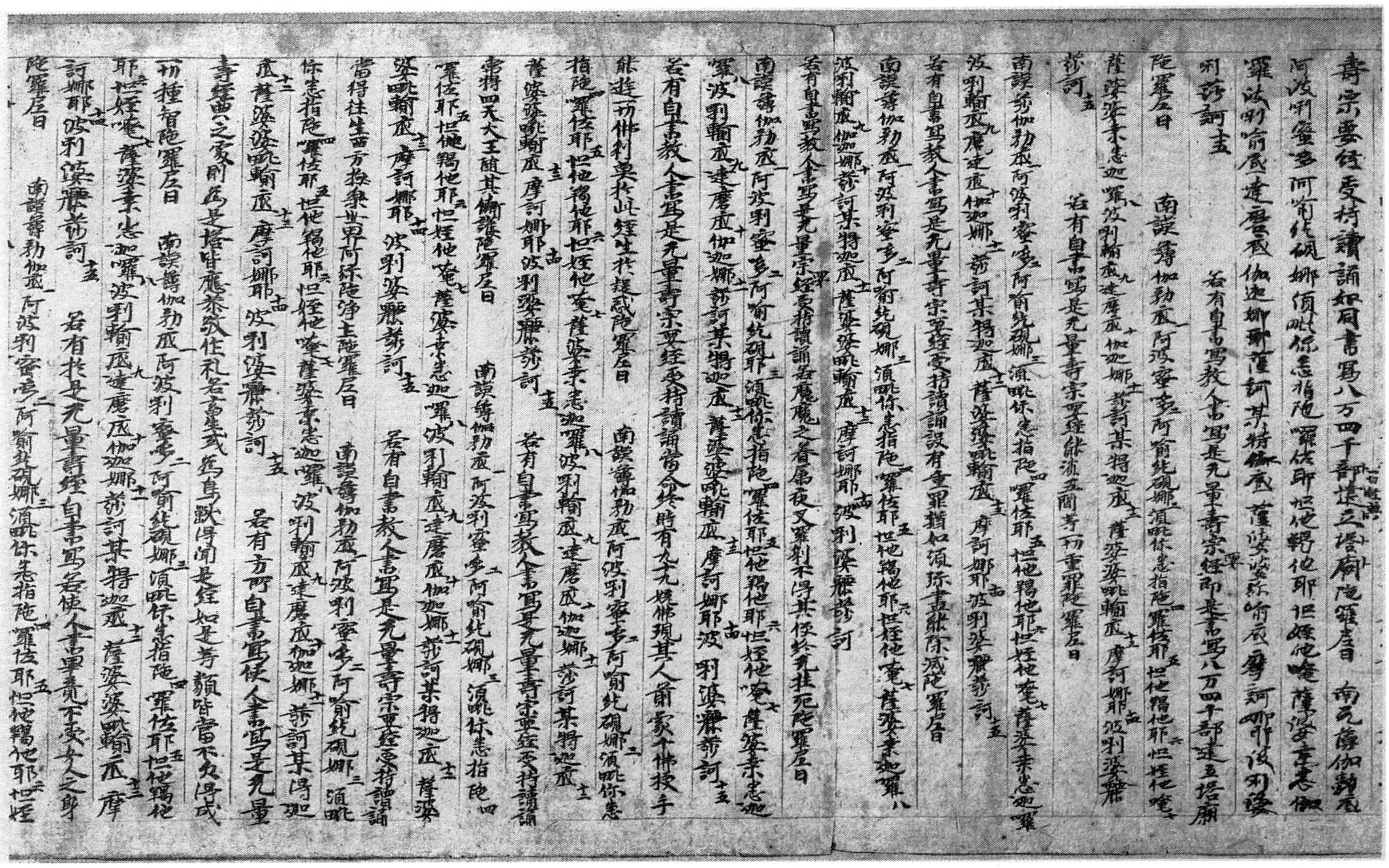

BD03089 號　無量壽宗要經　（5–3）

……數得聞是經如是等類皆當不久得成
一切種智陀羅尼曰　南謨薄伽勃底 阿波唎蜜多 阿喻紇硯娜 須毗你悉指陀 囉佐耶 怛他羯他
耶 怛姪他 唵 薩婆桑悉迦囉 波唎輸底 達磨底 伽伽娜 莎訶某揭迦底 薩婆婆毗輸底 摩
訶娜耶 波唎婆唎莎訶　若有於是無量壽經自書寫若使人書畢竟不受女人之身
陀羅尼曰　南謨薄伽勃底 阿波唎蜜多 阿喻紇硯娜 須毗你悉指陀 囉佐耶 怛他羯他耶 怛姪
他 唵 薩婆桑悉迦羅 波唎輸底 達磨底 伽伽娜 莎訶某揭迦底 薩婆婆毗輸底 摩訶
娜耶 波唎婆唎莎訶　若有能於是經少分能惠施者於三千大千世界滿中七寶布施陀
羅尼曰　南謨薄伽勃底 阿波唎蜜多 阿喻紇硯娜 須毗你悉指陀 囉佐耶 怛他羯他耶 怛姪
他唵 薩婆桑悉迦羅 波唎輸底 伽伽娜 莎訶某揭迦底 莎婆婆毗輸底 摩訶娜耶
波唎婆唎莎訶　若有能供養是經則是供養一切諸經等無有異陀羅尼曰
南謨薄伽勃底 阿波唎蜜多 阿喻紇硯娜 須毗你悉指陀 囉佐耶 怛他羯他耶 怛姪他唵
薩婆桑悉迦羅 波唎輸底 達磨底 伽伽娜 莎訶某揭迦底 薩婆婆毗輸底 摩訶
娜耶 波唎婆唎莎訶　如是毗尸婆佛尸棄佛毗舍浮佛俱留孫佛俱那含牟尼佛加葉
佛釋迦牟尼佛　若有人以七寶供養如是七佛其福有限書寫受持是無量壽經典所
有功德不可限量陀羅尼曰　南謨薄伽勃底 阿波唎蜜多 阿喻紇硯娜 須毗你悉指陀
囉佐耶 怛他羯他耶 怛姪他唵 薩婆桑悉迦囉 波唎輸底 達磨底 伽伽娜 莎訶某揭迦底
薩婆婆毗輸底 摩訶娜耶 波唎婆唎莎訶　若有七寶等於須彌以用布施其福亦能知其
限量是無量壽經典其福不可知數陀羅尼曰　南謨薄伽勃底 阿波唎蜜多 阿喻紇
硯娜 須毗你悉指陀 囉佐耶 怛他羯他耶 怛姪他唵 薩婆桑悉迦囉 波唎輸底 達磨底 伽伽
娜 莎訶某揭迦底 薩婆婆毗輸底 摩訶娜耶 波唎婆唎莎訶　南無薄伽勃底
如是四大海水可知滴數是無量壽經典所果報不可數量陀羅尼曰
阿波唎蜜多 阿喻紇硯娜 須毗你悉指陀 囉佐耶 怛他羯他耶 怛姪他唵 薩婆桑悉伽囉波
唎輸底 達磨底 伽伽娜 莎訶某揭迦耶 薩婆婆毗輸底 摩訶娜耶 波唎婆唎莎訶
若有自書使人書寫是無量壽經典又能讀持供養即如恭敬供養一切十方佛土如來無
有別果陀羅尼曰　南謨薄伽勃底 阿波唎蜜多 阿喻紇硯娜 須毗你悉指陀 羅佐耶
怛他羯他耶 怛姪他唵 薩婆桑悉迦囉 波唎輸底 達磨底 伽伽娜 莎訶某揭迦底 薩婆
婆毗輸底 摩訶娜耶 波唎婆唎莎訶
布施力能成正覺　悟布施力人師子　布施力能聲普聞　慈悲隨漸最能入
持戒力能成正覺　悟持戒力人師子　持戒能力聲普聞　慈悲隨漸最能入
忍辱力能成正覺　悟忍辱力人師子　忍辱能力聲普聞　慈悲隨漸最能入
精進力能成正覺　悟精進力人師子　精進能力聲普聞　慈悲隨漸最能入

BD03089 號　無量壽宗要經　（5–4）

佛釋迦牟尼佛　若有人以七寶供養如是七佛其福有限書寫受持是無量壽經典所
有功德不可限量陀羅尼曰　南謨薄伽勃底 阿波唎蜜多 阿喻紇硯娜 須毗你悉指陀
囉佐耶 怛他羯他耶 怛姪他唵 薩婆桑悉迦囉 波唎輸底 達磨底 伽伽娜 莎訶某揭迦底
薩婆婆毗輸底 摩訶娜耶 波唎婆唎莎訶　若有七寶等於須彌以用布施其福亦能知其
限量是無量壽經典其福不可知數陀羅尼曰　南謨薄伽勃底 阿波唎蜜多 阿喻紇
硯娜 須毗你悉指陀 囉佐耶 怛他羯他耶 怛姪他唵 薩婆桑悉迦囉 波唎輸底 達磨底 伽伽
娜 莎訶某揭迦底 薩婆婆毗輸底 摩訶娜耶 波唎婆唎莎訶　南無薄伽勃底
如是四大海水可知滴數是無量壽經典所果報不可數量陀羅尼曰
阿波唎蜜多 阿喻紇硯娜 須毗你悉指陀 囉佐耶 怛他羯他耶 怛姪他唵 薩婆桑悉伽囉波
唎輸底 達磨底 伽伽娜 莎訶某揭迦耶 薩婆婆毗輸底 摩訶娜耶 波唎婆唎莎訶
若有自書使人書寫是無量壽經典又能讀持供養即如恭敬供養一切十方佛土如來無
有別果陀羅尼曰　南謨薄伽勃底 阿波唎蜜多 阿喻紇硯娜 須毗你悉指陀 羅佐耶
怛他羯他耶 怛姪他唵 薩婆桑悉迦囉 波唎輸底 達磨底 伽伽娜 莎訶某揭迦底 薩婆
婆毗輸底 摩訶娜耶 波唎婆唎莎訶
布施力能成正覺　悟布施力人師子　布施力能聲普聞　慈悲隨漸最能入
持戒力能成正覺　悟持戒力人師子　持戒能力聲普聞　慈悲隨漸最能入
忍辱力能成正覺　悟忍辱力人師子　忍辱能力聲普聞　慈悲隨漸最能入
精進力能成正覺　悟精進力人師子　精進能力聲普聞　慈悲隨漸最能入
禪定力能成正覺　悟禪定力人師子　禪定力能聲普聞　慈悲隨漸最能入
智慧力能成正覺　悟智慧力人師子　智慧力能聲普聞　慈悲隨漸最能入
尒時如來說是經已一切世間天人阿脩羅揵闥婆等聞佛所說皆大歡喜信受奉
行
佛說無量壽宗要經

BD03089 號　無量壽宗要經　（5–5）

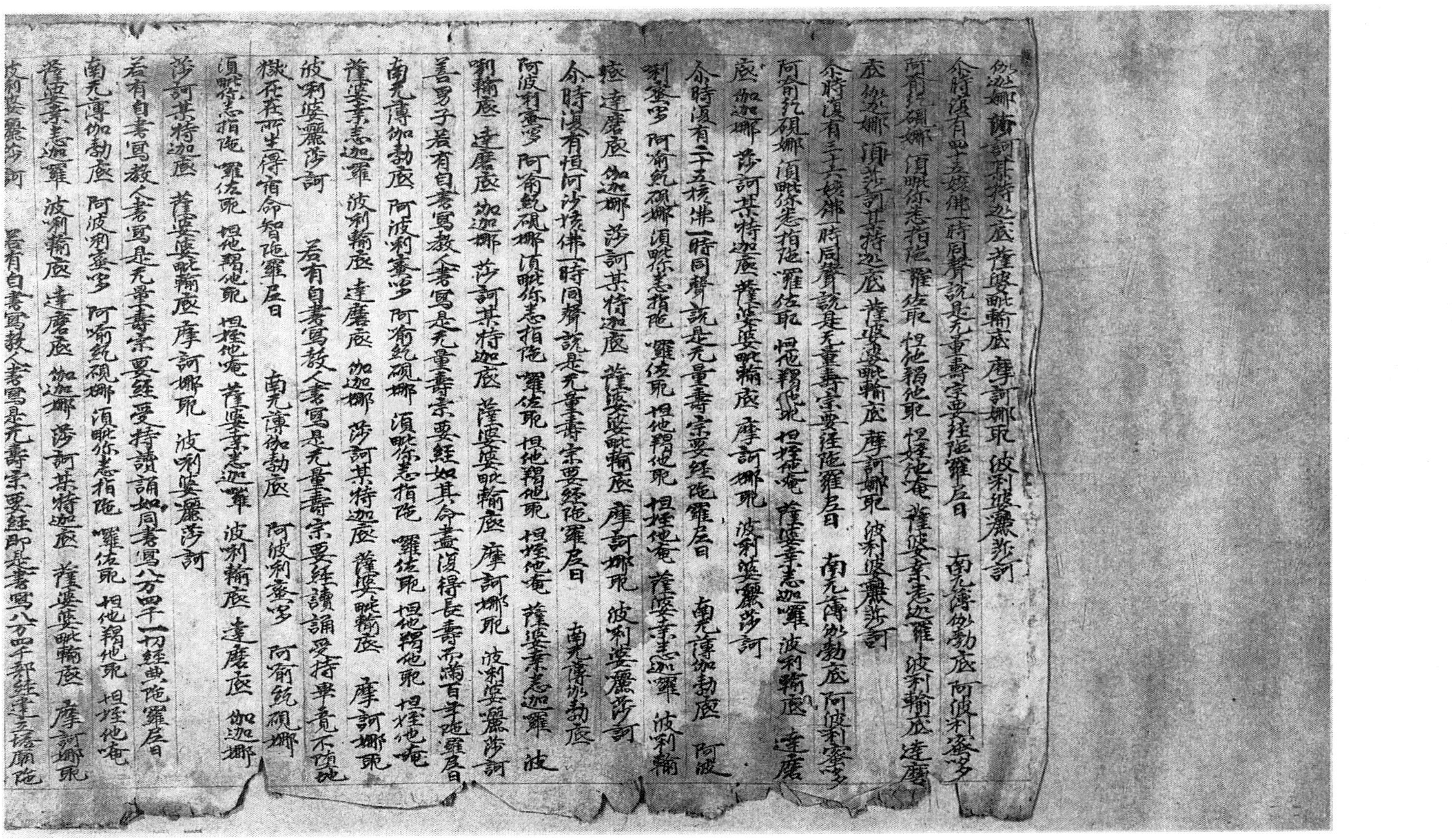

伽迦娜 莎訶某特迦底 薩婆婆毗輸底 摩訶娜耶 波唎婆羅莎訶
尒時復有四十五姟佛一時同聲說是无量壽宗要經陁羅尼曰 南无薄伽勃底 阿波唎蜜多
阿喻紇硯娜 須毗你悉指陁 羅佐耶 怛他羯他耶 怛姪他唵 薩婆桒志迦羅 波唎輸底 達磨
底 伽迦娜 莎訶某特迦底 薩婆婆毗輸底 摩訶娜耶 波唎婆羅莎訶
尒時復有三十六姟佛一時同聲說是无量壽宗要經陁羅尼曰 南无薄伽勃底 阿波唎蜜多
阿喻紇硯娜 須毗你悉指陁 羅佐耶 怛他羯他耶 怛姪他唵 薩婆桒志迦羅 波唎輸底 達磨
底 伽迦娜 莎訶某特迦底 薩婆婆毗輸底 摩訶娜耶 波唎婆羅莎訶
尒時復有二十五姟佛一時同聲說是无量壽宗要經陁羅尼曰 南无薄伽勃底 阿波
唎蜜多 阿喻紇硯娜 須毗你悉指陁 羅佐耶 怛他羯他耶 怛姪他唵 薩婆桒志迦羅 波唎輸
底 達磨底 伽迦娜 莎訶某特迦底 薩婆婆毗輸底 摩訶娜耶 波唎婆羅莎訶
尒時復有恒河沙姟佛一時同聲說是无量壽宗要經陁羅尼曰 南无薄伽勃底
阿波唎蜜多 阿喻紇硯娜 須毗你悉指陁 羅佐耶 怛他羯他耶 怛姪他唵 薩婆桒志迦羅 波
唎輸底 達磨底 伽迦娜 莎訶某特迦底 薩婆婆毗輸底 摩訶娜耶 波唎婆羅莎訶
善男子若有自書寫教人書寫是无量壽宗要經如其命盡復得長壽而滿百年陁羅尼曰
南无薄伽勃底 阿波唎蜜多 阿喻紇硯娜 須毗你悉指陁 羅佐耶 怛他羯他耶 怛姪他唵
薩婆桒志迦羅 波唎輸底 達磨底 伽迦娜 莎訶某特迦底 薩婆婆毗輸底 摩訶娜耶
波唎婆羅莎訶 若有自書寫教人書寫是无量壽宗要經讀誦受持畢竟不墮地
獄在在所生得宿命智陁羅尼曰 南无薄伽勃底 阿波唎蜜多 阿喻紇硯娜
須毗你悉指陁 羅佐耶 怛他羯他耶 怛姪他唵 薩婆桒志迦羅 波唎輸底 達磨底 伽迦娜
莎訶某特迦底 薩婆婆毗輸底 摩訶娜耶 波唎婆羅莎訶
若有自書寫教人書寫是无量壽宗要經受持讀誦如同書寫八万四千一切經典陁羅尼曰
南无薄伽勃底 阿波唎蜜多 阿喻紇硯娜 須毗你悉指陁 羅佐耶 怛他羯他耶 怛姪他唵
薩婆桒志迦羅 波唎輸底 達磨底 伽迦娜 莎訶某特迦底 薩婆婆毗輸底 摩訶娜耶
波唎婆羅莎訶 若有自書寫教人書寫是无壽宗要經即是書寫八万四千部經建立塔廟陁

BD03090 號　無量壽宗要經　（4–1）

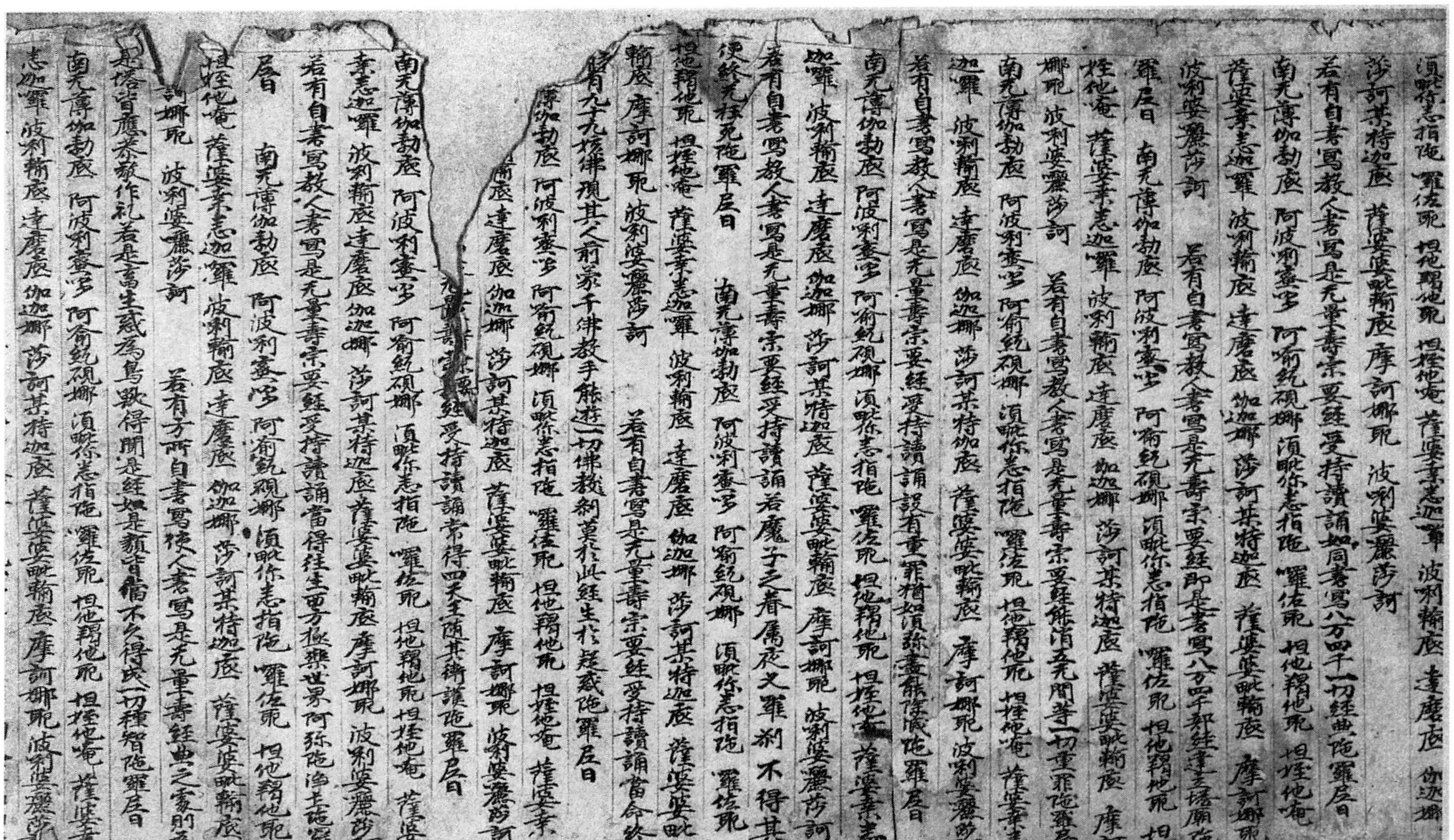

須毗你悉指陁 羅佐耶 怛他羯他耶 怛姪他唵 薩婆桒志迦羅 波唎輸底 達磨底 伽迦娜
莎訶某特迦底 薩婆婆毗輸底 摩訶娜耶 波唎婆羅莎訶
若有自書寫教人書寫是无量壽宗要經受持讀誦如同書寫八万四千一切經典陁羅尼曰
南无薄伽勃底 阿波唎蜜多 阿喻紇硯娜 須毗你悉指陁 羅佐耶 怛他羯他耶 怛姪他唵
薩婆桒志迦羅 波唎輸底 達磨底 伽迦娜 莎訶某特迦底 薩婆婆毗輸底 摩訶娜耶
波唎婆羅莎訶 若有自書寫教人書寫是无壽宗要經即是書寫八万四千部經建立塔廟陁
羅尼曰 南无薄伽勃底 阿波唎蜜多 阿喻紇硯娜 須毗你悉指陁 羅佐耶 怛他羯他耶 怛
姪他唵 薩婆桒志迦羅 波唎輸底 達磨底 伽迦娜 莎訶某特迦底 薩婆婆毗輸底 摩訶
娜耶 波唎婆羅莎訶 若有自書寫教人書寫是无量壽宗要經能消五无間等一切重罪陁羅尼
南无薄伽勃底 阿波唎蜜多 阿喻紇硯娜 須毗你悉指陁 羅佐耶 怛他羯他耶 怛姪他唵 薩婆桒志
迦羅 波唎輸底 達磨底 伽迦娜 莎訶某特迦底 薩婆婆毗輸底 摩訶娜耶 波唎婆羅莎訶
若有自書寫教人書寫是无量壽宗要經受持讀誦設有重罪猶如須弥盡能除滅陁羅尼曰
南无薄伽勃底 阿波唎蜜多 阿喻紇硯娜 須毗你悉指陁 羅佐耶 怛他羯他耶 怛姪他唵 薩婆桒志
迦羅 波唎輸底 達磨底 伽迦娜 莎訶某特迦底 薩婆婆毗輸底 摩訶娜耶 波唎婆羅莎訶
若有自書寫教人書寫是无量壽宗要經受持讀誦若魔王之眷屬夜叉羅剎不得其
便終无橫死陁羅尼曰 南无薄伽勃底 阿波唎蜜多 阿喻紇硯娜 須毗你悉指陁 羅佐耶
怛他羯他耶 怛姪他唵 薩婆桒志迦羅 波唎輸底 達磨底 伽迦娜 莎訶某特迦底 薩婆婆毗
輸底 摩訶娜耶 波唎婆羅莎訶 若有自書寫是无量壽宗要經受持讀誦當命終
有九十九姟佛現其人前豪千佛授手能遊一切佛國剎莫於此經生於疑惑陁羅尼曰
薄伽勃底 阿波唎蜜多 阿喻紇硯娜 須毗你悉指陁 羅佐耶 怛他羯他耶 怛姪他唵 薩婆桒
輸底 達磨底 伽迦娜 莎訶某特迦底 薩婆婆毗輸底 摩訶娜耶 波唎婆羅莎訶
无量壽宗要經受持讀誦常得四天王隨其衛護陁羅尼曰
南无薄伽勃底 阿波唎蜜多 阿喻紇硯娜 須毗你悉指陁 羅佐耶 怛他羯他耶 怛姪他唵 薩婆
桒志迦羅 波唎輸底 達磨底 伽迦娜 莎訶某特迦底 薩婆婆毗輸底 摩訶娜耶 波唎婆羅莎訶
若有自書寫教人書寫是无量壽宗要經受持讀誦當得往生西方極樂世界阿弥陁淨土陁羅
尼曰 南无薄伽勃底 阿波唎蜜多 阿喻紇硯娜 須毗你悉指陁 羅佐耶 怛他羯他耶
怛姪他唵 薩婆桒志迦羅 波唎輸底 達磨底 伽迦娜 莎訶某特迦底 薩婆婆毗輸底 摩
訶娜耶 波唎婆羅莎訶 若有方所自書寫使人書寫是无量壽經典之處則為
是塔皆應恭敬作礼若是畜生鳥獸得聞是經如是類皆不久得成一切種智陁羅尼曰
南无薄伽勃底 阿波唎蜜多 阿喻紇硯娜 須毗你悉指陁 羅佐耶 怛他羯他耶 怛姪他唵 薩婆桒
志迦羅 波唎輸底 達磨底 伽迦娜 莎訶某特迦底 薩婆婆毗輸底 摩訶娜耶 波唎婆羅莎訶

BD03090 號　無量壽宗要經　（4–2）

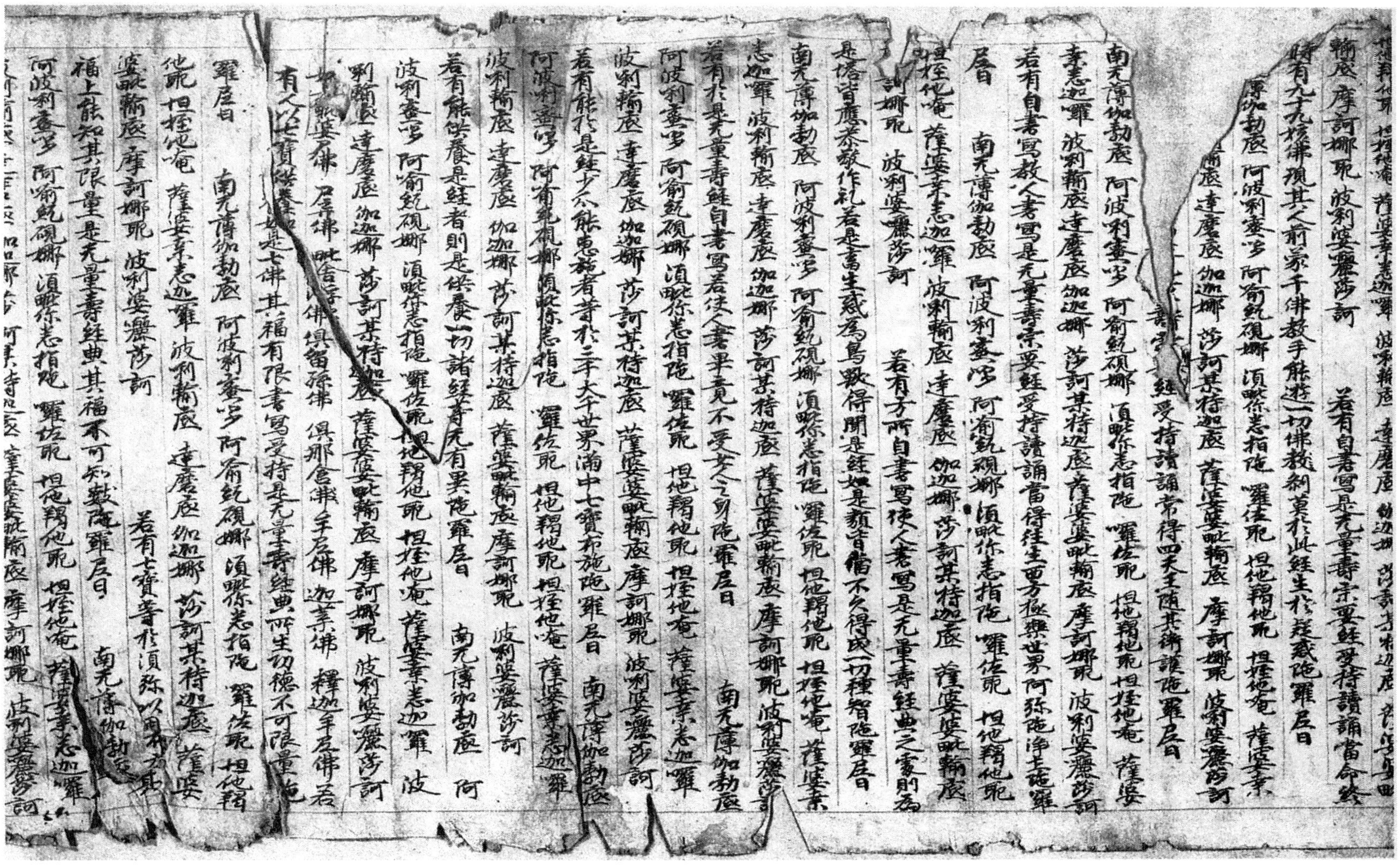

BD03090號　無量壽宗要經　（4–3）

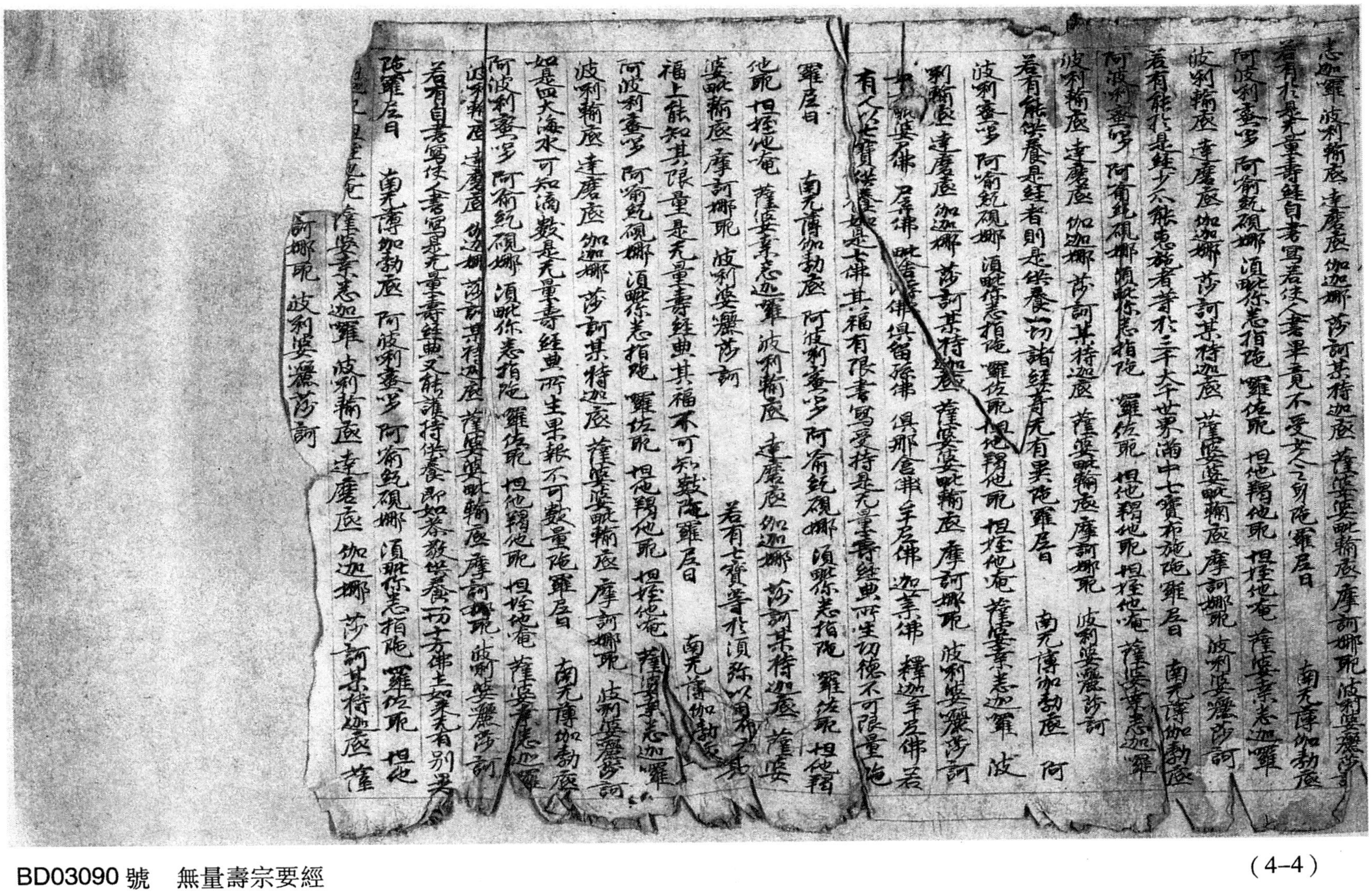

BD03090號　無量壽宗要經　（4–4）

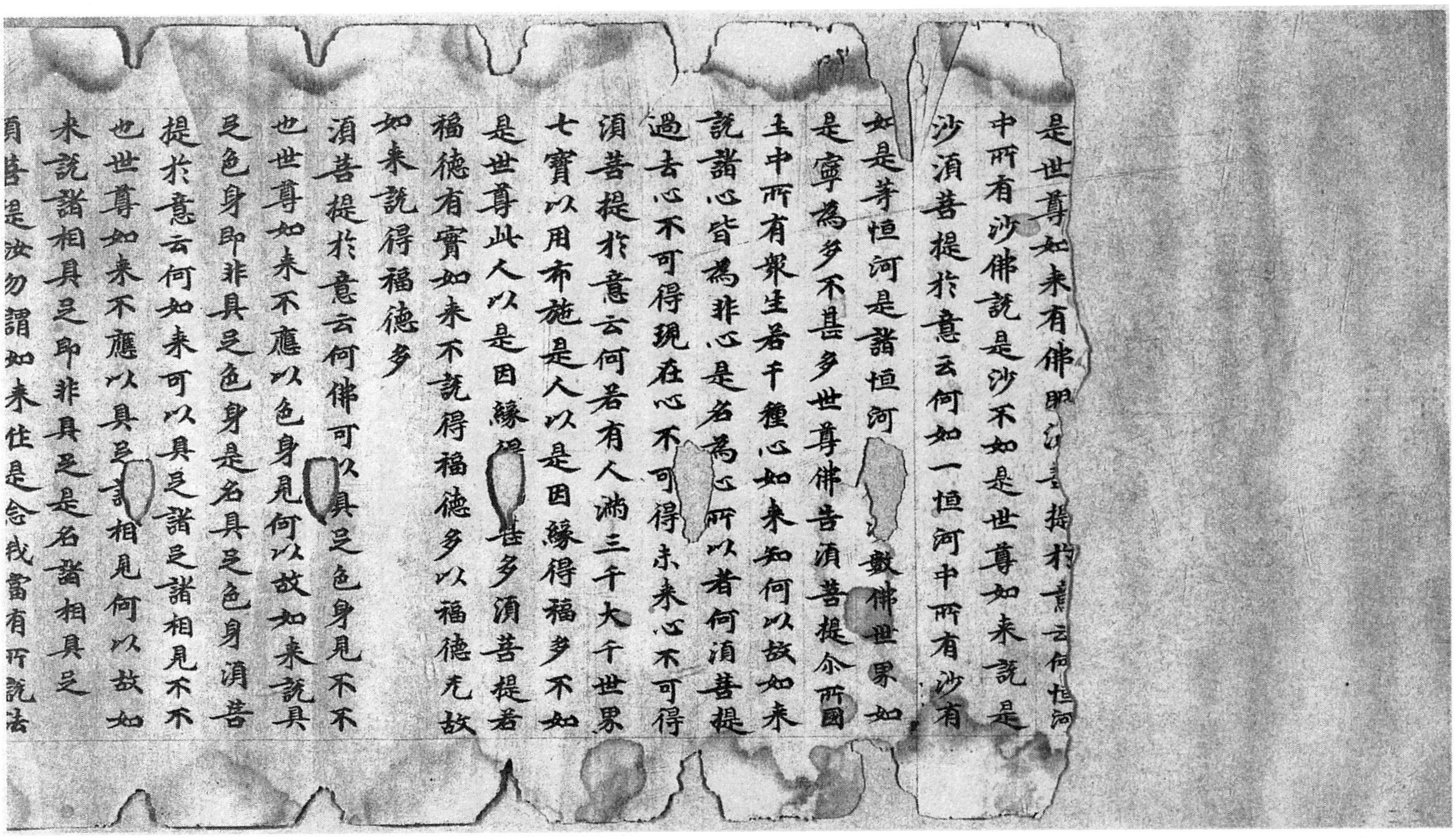

是世尊如来有佛眼須菩提於意云何恒河
中所有沙佛說是沙不如是世尊如来說是
沙須菩提於意云何如一恒河中所有沙有
如是等恒河是諸恒河[illegible]數佛世界如
是寧為多不甚多世尊佛告須菩提尒所國
土中所有衆生若干種心如来悉知何以故如来
說諸心皆為非心是名為心所以者何須菩提
過去心不可得現在心不可得未来心不可得
須菩提於意云何若有人滿三千大千世界
七寶以用布施是人以是因緣得福多不如
是世尊此人以是因緣得福甚多須菩提若
福德有實如来不說得福德多以福德无故
如来說得福德多
須菩提於意云何佛可以具足色身見不不
也世尊如来不應以色身見何以故如来說具
足色身即非具足色身是名具足色身須菩
提於意云何如来可以具足諸相見不不
也世尊如来不應以具足諸相見何以故如
来說諸相具足即非具足是名諸相具足
須菩提汝勿謂如来作是念我當有所說法

BD03091 號　金剛般若波羅蜜經　（5–1）

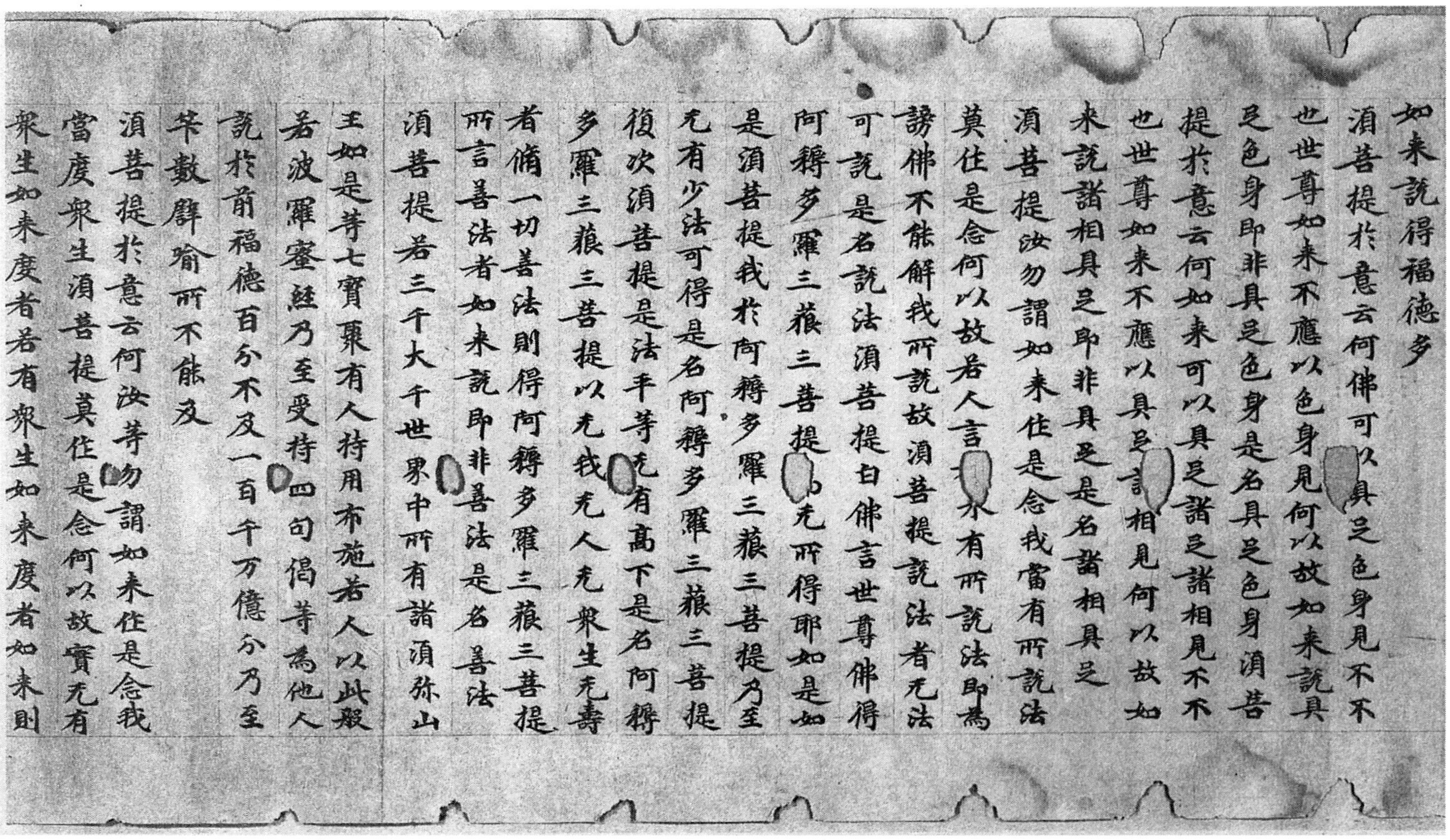

如来說得福德多
須菩提於意云何佛可以具足色身見不不
也世尊如来不應以色身見何以故如来說具
足色身即非具足色身是名具足色身須菩
提於意云何如来可以具足諸相見不不
也世尊如来不應以具足諸相見何以故如
来說諸相具足即非具足是名諸相具足
須菩提汝勿謂如来作是念我當有所說法
莫作是念何以故若人言如来有所說法即為
謗佛不能解我所說故須菩提說法者无法
可說是名說法須菩提白佛言世尊佛得
阿耨多羅三藐三菩提為无所得耶如是如
是須菩提我於阿耨多羅三藐三菩提乃至
无有少法可得是名阿耨多羅三藐三菩提
復次須菩提是法平等无有高下是名阿耨
多羅三藐三菩提以无我无人无衆生无壽
者脩一切善法則得阿耨多羅三藐三菩提
所言善法者如来說即非善法是名善法
須菩提若三千大千世界中所有諸須弥山
王如是等七寶聚有人持用布施若人以此般
若波羅蜜經乃至受持四句偈等為他人
說於前福德百分不及一百千万億分乃至
筭數譬喻所不能及
須菩提於意云何汝等勿謂如来作是念我
當度衆生須菩提莫作是念何以故實无有
衆生如来度者若有衆生如来度者如来則

BD03091 號　金剛般若波羅蜜經　（5–2）

若波羅蜜經乃至受持四句偈等為他人
說於前福德百分不及一百千万億分乃至
筭數譬喻所不能及
須菩提於意云何汝等勿謂如來作是念我
當度衆生須菩提莫作是念何以故實无有
衆生如來度者若有衆生如來度者如來則
有我人衆生壽者須菩提如來說有我者則
非有我而凡夫之人以為有我須菩提凡夫者
如來說則非凡夫
須菩提於意云何可以三十二相觀如來不須
菩提言如是如是以三十二相觀如來佛言須
菩提若以三十二相觀如來者轉輪聖王則是
如來須菩提白佛言世尊如我解佛所說義
不應以三十二相觀如來尒時世尊而說偈言
若以色見我　以音聲求我　是人行邪道　不能見如來
須菩提汝若作是念如來不以具足相故得
阿耨多羅三藐三菩提須菩提莫作是念如
來不以具足相故得阿耨多羅三藐三菩提
須菩提汝若作是念發阿耨多羅三藐三菩
提者說諸法斷滅相莫作是念何以故發阿耨
多羅三藐三菩提者於法不說斷滅相
須菩提若菩薩以滿恒河沙等世界七寶布
施若復有人知一切法无我得成於忍此菩
薩勝前菩薩所得功德須菩提以諸菩薩不
受福德故須菩提白佛言世尊云何菩薩不受
福德須菩提菩薩所作福德不應貪著是故

多羅三藐三菩提者於法不說斷滅相
須菩提若菩薩以滿恒河沙等世界七寶布
施若復有人知一切法无我得成於忍此菩
薩勝前菩薩所得功德須菩提以諸菩薩不
受福德故須菩提白佛言世尊云何菩薩不受
福德須菩提菩薩所作福德不應貪著是故
說不受福德須菩提若有人言如來若來若
去若坐若卧是人不解我所說義何以故如
來者无所從來亦无所去故名如來
須菩提若善男子善女人以三千大千世界
碎為微塵於意云何是微塵衆寧為多不甚
多世尊何以故若是微塵衆實有者佛則不
說是微塵衆所以者何佛說微塵衆則非微
塵衆是名微塵衆世尊如來所說三千大千
世界則非世界是名世界何以故若世界實
有者則是一合相如來說一合相則非一合相
是名一合相須菩提一合相者則是不可說
但凡夫之人貪著其事須菩提若人言佛說
我見人見衆生見壽者見須菩提於意云何
[illegible]所說義不世尊是人不解如來所說
義何以故世尊說我見人見衆生見壽者見
即非我見人見衆生見壽者見是名我見人
見衆生見壽者見須菩提發阿耨多羅三藐
三菩提心者於一切法應如是知如是見如是
信解不生法相須菩提所言法相者如來說
即非法相是名法相須菩提若有人以滿无

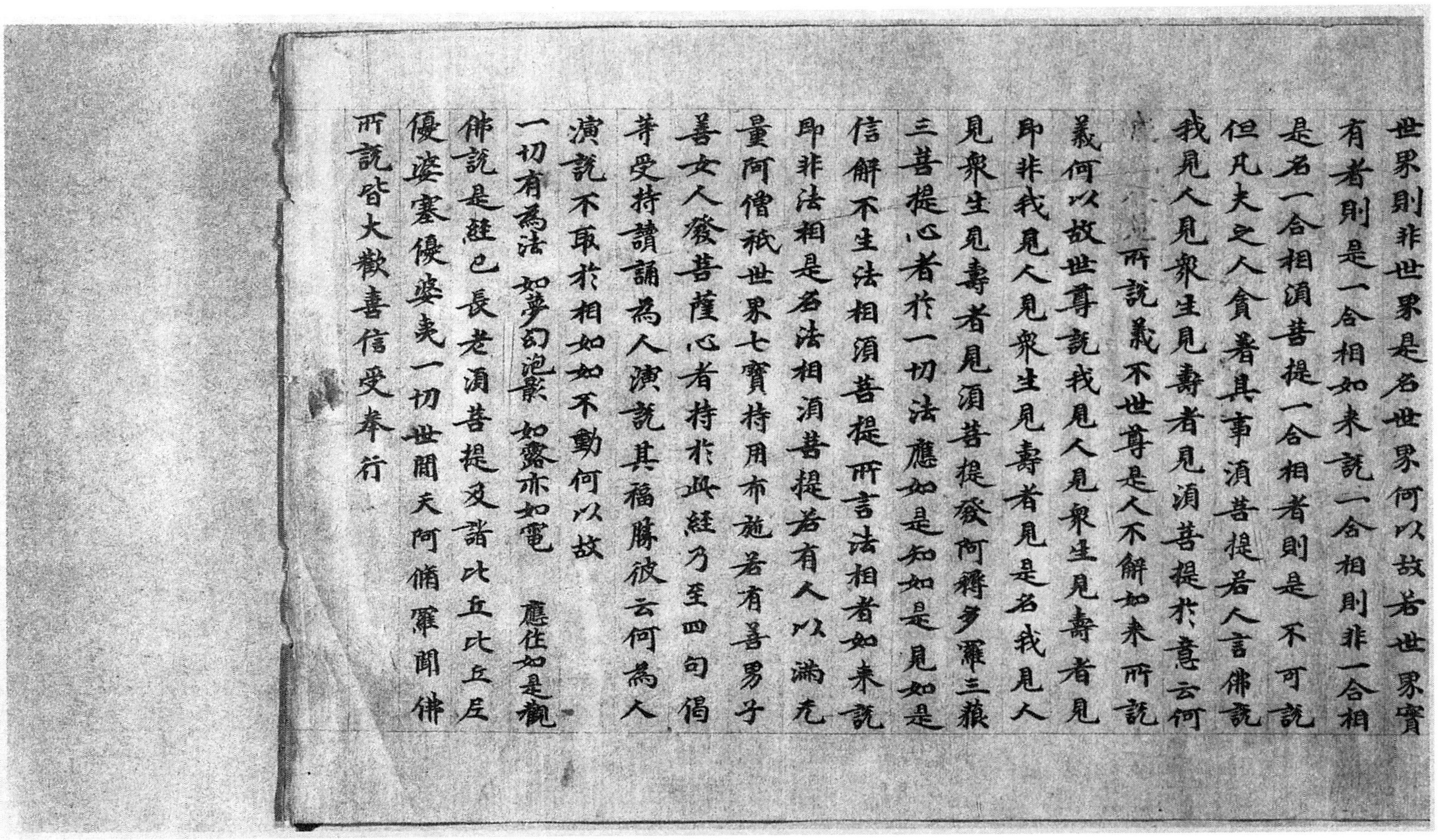

世界則非世界是名世界何以故若世界實
有者則是一合相如來說一合相則非一合相
是名一合相須菩提一合相者則是不可說
但凡夫之人貪著其事須菩提若人言佛說
我見人見衆生見壽者見須菩提於意云何
所說義不世尊是人不解如來所說
義何以故世尊說我見人見衆生見壽者見
即非我見人見衆生見壽者見是名我見人
見衆生見壽者見須菩提發阿耨多羅三藐
三菩提心者於一切法應如是知如是見如是
信解不生法相須菩提所言法相者如來說
即非法相是名法相須菩提若有人以滿无
量阿僧祇世界七寶持用布施若有善男子
善女人發菩薩心者持於此經乃至四句偈
等受持讀誦為人演說其福勝彼云何為人
演說不取於相如如不動何以故
一切有為法　如夢幻泡影　如露亦如電　應作如是觀
佛說是經已長老須菩提及諸比丘比丘尼
優婆塞優婆夷一切世間天阿脩羅聞佛
所說皆大歡喜信受奉行

BD03091 號　金剛般若波羅蜜經　（5–5）

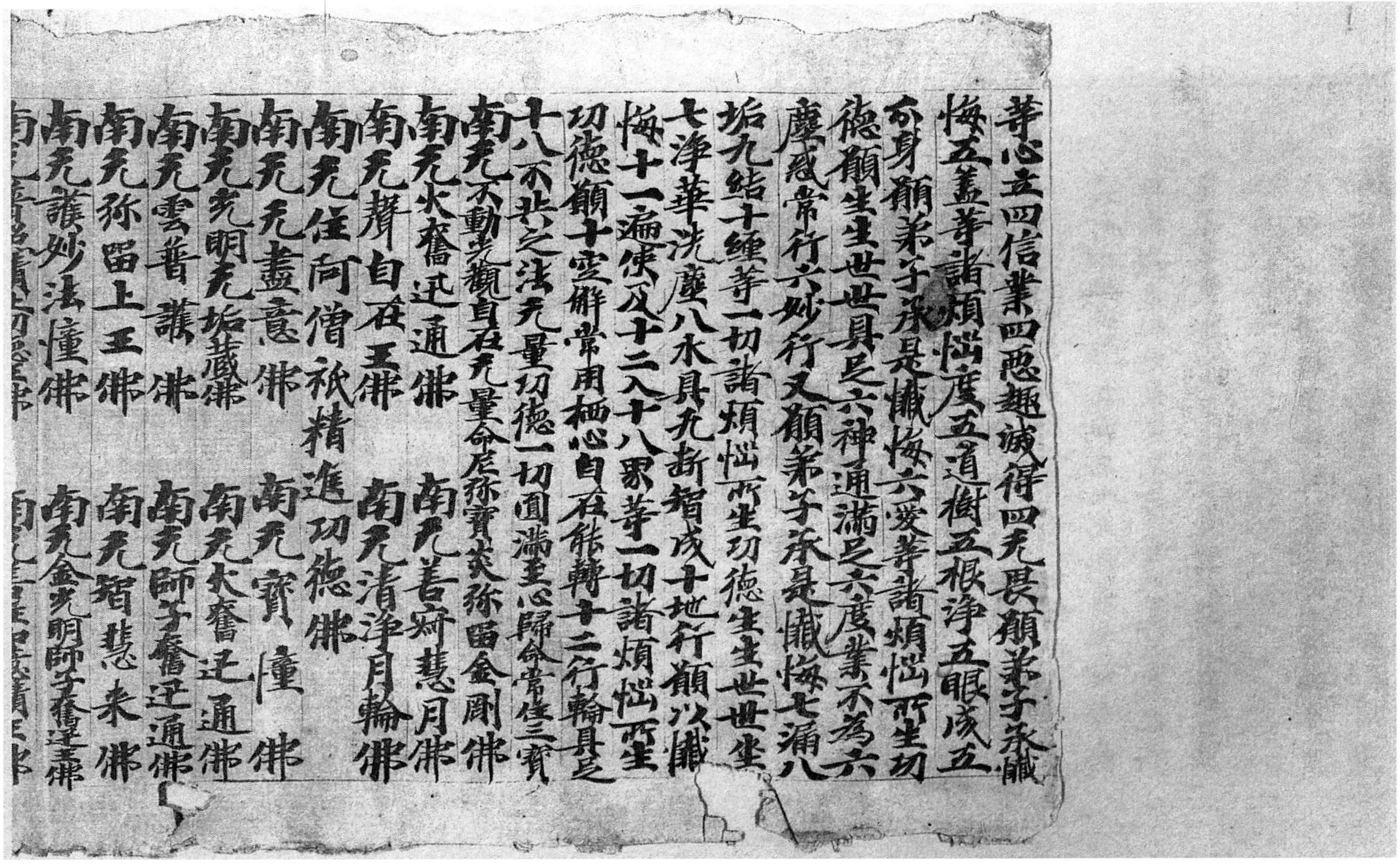

等心立四信業四惡趣滅得四无畏願弟子承懺
悔五蓋等諸煩惱度五道樹五根淨五眼成五
分身願弟子承是懺悔六愛等諸煩惱所生功
德願生生世世具足六神通滿足六度業不為六
塵惑常行六妙行又願弟子承是懺悔七漏八
垢九結十纏等一切諸煩惱所生功德生生世世坐
七淨華洗塵八水具九斷智成十地行願以懺
悔十一遍使及十二入十八界等一切諸煩惱所生
功德願十空解常用栖心自在能轉十二行輪具足
十八不共之法无量功德一切圓滿發心歸命常住三寶
南无不動光觀自在无量命尼彌寶炎彌留金剛佛
南无火奮迅通佛　南无善斷慧月佛
南无聲自在王佛　南无清淨月輪佛
南无住阿僧祇精進功德佛
南无无盡意佛　南无寶幢佛
南无光明无垢藏佛　南无大奮迅通佛
南无雲普護佛　南无師子奮迅通佛
南无弥留上王佛　南无智慧來佛
南无護妙法幢佛　南无金光明師子奮迅王佛

BD03092 號　佛名經（十六卷本）卷一　（17–1）

南无[illegible]王佛　南无清淨月輪佛
南无任阿僧祇精進功德佛
南无无盡意佛　南无寶幢佛
南无光明无垢藏佛　南无大奮迅通佛
南无雲音讃佛　南无師子奮迅通佛
南无弥留上王佛　南无智慧來佛
南无護妙法幢佛　南无金光明師子奮迅王佛
南无普照積上功德王佛　南无善住如意積王佛
南无普現佛　南无釋迦牟尼佛
南无无量光佛　南无放炎佛
南无旃檀香佛　南无无垢慧深聲王佛
南无斷一切障佛　南无无量光明佛
南无作功德佛　南无普香上佛
南无不可勝奮迅聲王佛　南无降伏憍慢佛
南无毗婆尸佛　南无尸棄佛
南无毗舍浮佛　南无拘留孫佛
南无拘那含牟尼佛　南无迦葉佛
南无釋迦牟尼佛　南无成就一切義佛
南无能作无畏佛　南无寂靜王佛
南无阿閦佛　南无盧至佛
南无阿弥多佛　南无尼弥佛
南无任法佛　南无寶炎佛
南无弥留佛　南无金剛佛
從此以上五百佛十二部經一切賢聖
南无持法佛　南无勇猛法佛
南无妙法光明佛　南无法月面佛
[illegible]

BD03092號　佛名經（十六卷本）卷一　（17-2）

南无弥留佛　南无金剛佛
從此以上五百佛十二部經一切賢聖
南无持法佛　南无勇猛法佛
南无妙法光明佛　南无法月面佛
南无任法佛　南无法幢佛
南无法威德佛　南无法自在佛
南无善任法佛　南无法寂佛
南无善知力佛　南无弥勒尊无量佛
南无毗婆尸佛　南无尸棄佛
南无毗舍浮佛　南无拘留孫佛
南无拘那含牟尼佛　南无迦葉佛
南无釋迦牟尼佛　南无阿弥陁佛
南无照佛　南无勝色佛
南无樂意佛　南无大導師佛
南无大聖天佛　南无那羅延佛
南无樹提佛　南无慈他佛
南无毗盧遮那佛　南无旃檀佛
南无具足佛　南无化佛
南无善化佛　南无世自在佛
南无人自在佛　南无摩醯那自在佛
南无勝自在佛　南无十力自在佛
南无毗頭羅佛　南无離諸畏佛
南无離諸憂佛　南无能破諸耶佛
南无散諸耶佛　南无破異意佛
南无智慧藏佛　南无寶藏佛
南无弥留歡佛　南无[illegible]佛

BD03092號　佛名經（十六卷本）卷一　（17-3）

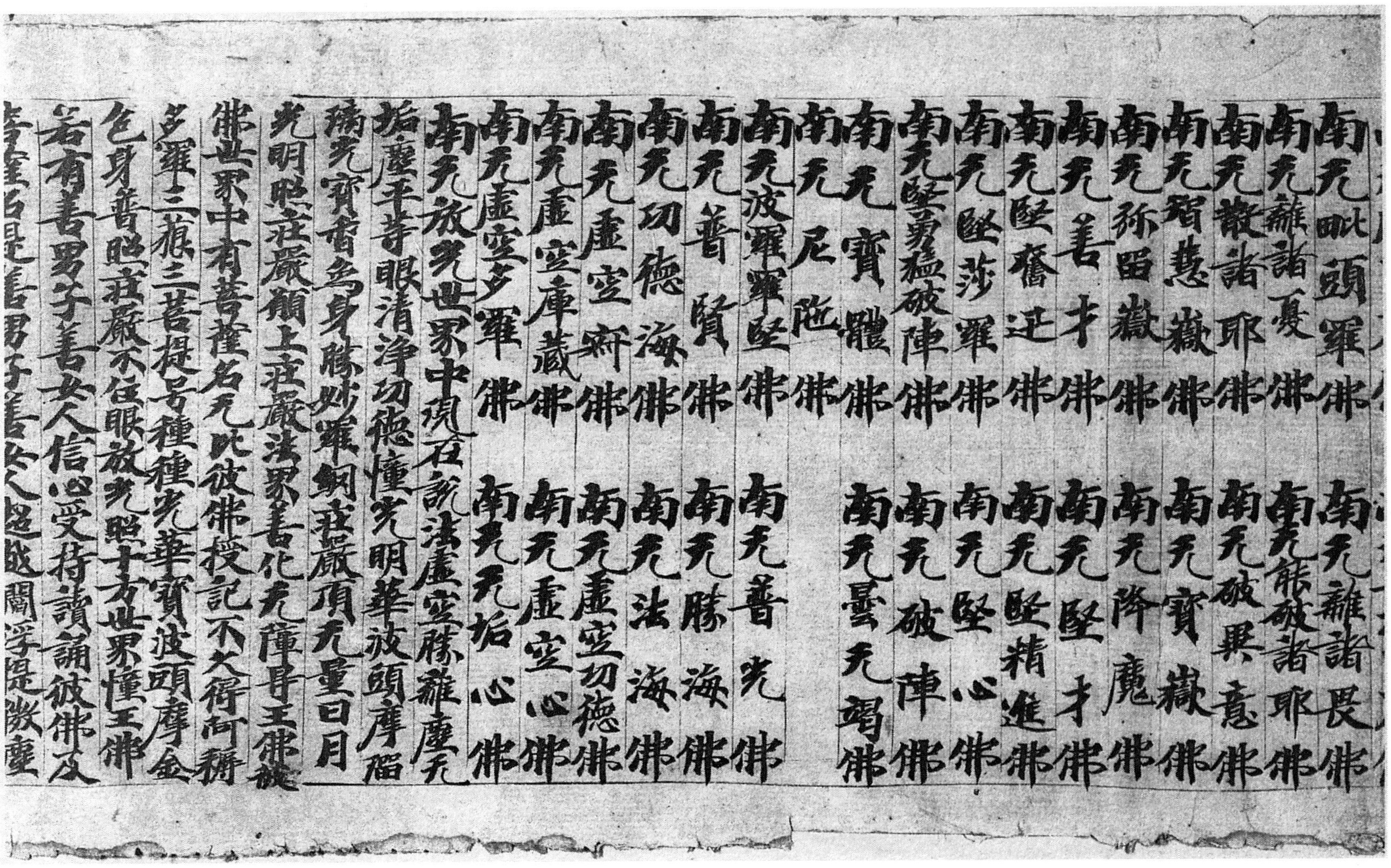
南无毗頭羅佛　南无離諸畏佛
南无離諸憂佛　南无能破諸耶佛
南无散諸耶佛　南无破異意佛
南无智慧嶽佛　南无寶嶽佛
南无孫留嶽佛　南无降魔佛
南无善才佛　南无堅才佛
南无堅奮迅佛　南无堅精進佛
南无堅涉羅佛　南无堅心佛
南无堅勇猛破陣佛　南无破陣佛
南无寶體佛　南无曇无竭佛
南无尼陁佛
南无波羅羅堅佛　南无普光佛
南无普賢佛　南无勝海佛
南无功德海佛　南无法海佛
南无虛空淨佛　南无虛空功德佛
南无虛空庫藏佛　南无虛空心佛
南无虛空多羅佛　南无无垢心佛
南无放光世界中現在說法虛空勝離塵无
垢塵平等眼清淨功德幢光明華波頭摩瑠
璃光寶香為身勝妙羅網莊嚴頂无量日月
光明照莊嚴網上莊嚴法界善化无障㝵王佛授
佛世界中有菩薩名无比彼佛授記不久得阿耨
多羅三藐三菩提号種種光華寶波頭摩金
色身普照莊嚴不住眼放光照十方世界幢王佛
若有善男子善女人信心受持讀誦彼佛及

BD03092號　佛名經（十六卷本）卷一　（17–4）

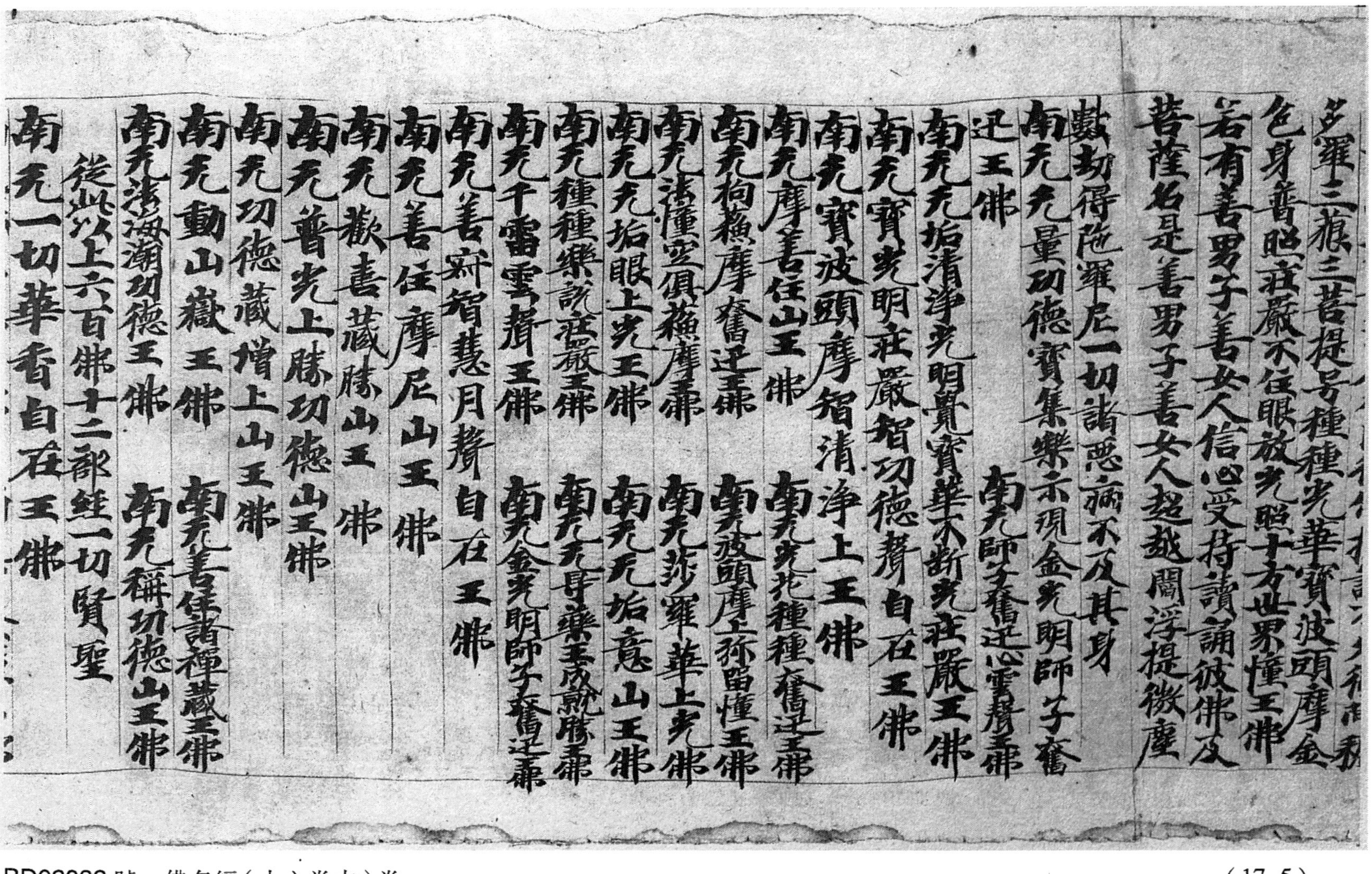
多羅三藐三菩提号種種光華寶波頭摩金
色身普照莊嚴不住眼放光照十方世界幢王佛
若有善男子善女人信心受持讀誦彼佛及
菩薩名是善男子善女人超越閻浮提微塵
數劫得陁羅尼一切諸惡論不及其身
南无无量功德寶集樂示現金光明師子奮
迅王佛　南无師子奮迅心雲聲佛
南无无垢清淨光明覺寶華不斷光莊嚴王佛
南无寶光明莊嚴智功德聲自在王佛
南无寶波頭摩智清淨上王佛
南无摩善住山王佛　南无光花種種奮迅王佛
南无拘蘇摩奮迅佛　南无波頭摩上孫留幢王佛
南无法幢空須彌摩佛　南无涉羅華上光佛
南无无垢眼上光王佛　南无无垢意山王佛
南无種種樂說莊嚴王佛　南无无㝵藥王成就勝佛
南无千雷雲聲王佛　南无金光明師子奮迅佛
南无善寂智慧月聲自在王佛
南无善住摩尼山王佛
南无歡喜藏勝山王佛
南无普光上勝功德山王佛
南无功德藏增上山王佛
南无動山嶽王佛　南无善住諸禪藏王佛
南无法海潮功德王佛　南无稱功德山王佛
從此以上六百佛十二部經一切賢聖
南无一切華香自在王佛

BD03092號　佛名經（十六卷本）卷一　（17–5）

南无動山嶽王佛　南无善住諸禪藏王佛
南无滿海潮功德王佛　南无稱功德山王佛
從此以上六百佛十二部経一切賢聖
南无一切華香自在王佛
南无銀幢蓋王佛　南无雷燈幢王佛
南无月摩尼光王佛　南无波頭摩上星宿王佛
南无无量香上王佛　南无覺王佛
南无弥留幢王佛　南无娑羅華上王佛
南无因陁羅幢王佛　南无師子奮迅王佛
南无俱蘇摩生王佛　南无微細華佛
南无說義佛　南无无量精進佛
南无无邊弥留佛　南无離藏佛
南无无量眼佛　南无无量發行佛
南无發行難佛　南无无所發行佛
南无无量發行佛　南无斷諸難佛
南无不定願佛　南无善住諸願佛
南无不念示現佛　南无无垢奮迅佛
南无无量善根成就諸行佛
南无不住奮迅佛　南无妙色佛
南无无相聲佛　南无虛空星宿增上佛
南无旃檀室佛　南无樂意佛
南无善行佛　南无境界自在佛
南无樂行佛　南无樂解脫佛
南无遠離怖畏毛竪佛　南无清淨眼佛
南无進寂靜佛　南无世間可樂佛

BD03092號　佛名經（十六卷本）卷一　（17–6）

南无善行佛　南无境界自在佛
南无樂行佛　南无樂解脫佛
南无遠離怖畏毛竪佛　南无清淨眼佛
南无進寂靜佛　南无世間可樂佛
南无隨世間意佛　南无隨世間眼佛
南无寶佛　南无寶愛佛
南无羅睺羅佛　南无羅睺羅天佛
南无羅睺羅淨佛　南无寶慧佛
南无寶蹈佛　南无寶形佛
南无羅網手佛　南无摩尼輪佛
南无解脫成德佛　南无善行佛
南无大愛佛　南无人面佛
南无吉佛　南无憂陁羅佛
南无淨聖佛　南无淨宿佛
南无離胎佛　南无虛空莊嚴佛
南无集功德佛　南无師子步佛
南无功德海佛　南无摩尼功德佛
南无廣功德佛　南无稱成佛
南无无畏上王佛　南无大如意輪佛
南无俱蘇摩國土佛　南无功德幢佛
南无成德佛　南无華眼佛
南无喜身佛　南无慧國土佛
南无喜威德佛　南无波頭迦智慧奮迅佛
南无功德聚佛　南无寂滅慧佛
南无降魔佛　南无无上光佛
南无法自在佛　南无得世間功德佛

BD03092號　佛名經（十六卷本）卷一　（17–7）

南无喜威德佛　南无波頭迦智慧奮迅佛
南无功德聚佛　南无寂滅慧佛
南无降魔佛　南无无上光佛
南无法自在佛　南无得世間功德佛
南无寶諦稱佛　南无智勝佛
南无智愛佛　南无得智佛
南无智幢佛　南无羅網光幢佛
善男子善女人與一切衆生安隱樂如諸佛
者當讀誦是諸佛名復作是言
南无離諸无智闇佛　南无虛空平等心佛
南无清淨无垢佛　南无善无垢藏佛
南无堅固行佛　南无精進聲佛
從此以上七百佛十二部經一切賢聖
南无不離一切衆生門佛　南无斷諸過佛
南无成就觀佛　南无平等須彌面佛
南无障无畏精進堅佛
南无莎羅華華王佛
南无无量功德王佛　南无彌留燈王佛
南无藥王聲王佛　南无梵聲王佛
南无妙鼓聲王佛　南无雲聲王佛
南无龍自在王佛　南无世間自在王佛
南无陀羅尼自在王佛　南无深王佛
南无治諸病王佛　南无藥王佛
南无鷹王佛　南无燈王佛
南无樹提王佛　南无喜王佛

BD03092 號　佛名經（十六卷本）卷一　（17–8）

南无治諸病王佛　南无藥王佛
南无鷹王佛　南无燈王佛
南无樹提王佛　南无喜王佛
南无星宿王佛　南无雲王佛
南无雷王佛　南无婆羅王佛
南无堅固自在王佛　南无功德聚佛
南无華聚佛　南无寶聚佛
南无寶住持庭燎佛　南无住持功德佛
南无住持无障力佛　南无住持地力進去佛
南无住持妙无垢位佛
南无一切寶莊嚴色住持佛
南无自在轉一切法佛　南无轉法輪佛
南无勝威德佛　南无淨威德佛
南无聖威德佛　南无大威德佛
南无師子威德佛　南无莎羅威德佛
南无悲威德佛　南无地威德佛
南无无垢威德佛　南无无垢瑠璃佛
南无垢辟佛　南无无垢眼佛
南无无垢面佛　南无波頭摩面佛
南无月面佛　南无日面佛
南无日威德莊嚴佛　南无金色佛
南无金色形佛　南无可樂色佛
南无瞻婆伽色佛　南无能與樂佛
南无能與眼佛　南无難勝佛

BD03092 號　佛名經（十六卷本）卷一　（17–9）

南无金色形佛　南无可樂色佛
南无瞻婆伽色佛　南无能興樂佛
南无能與眼佛　南无難勝佛
南无難降伏佛　南无斷諸惡佛
南无難量佛　南无難成佛
南无俱蘓摩成佛　南无甘露成佛
南无寶成就佛　南无功德成就佛
南无日成就佛　南无華成就佛
南无成就樂有佛　南无成就功德佛
南无大勝佛　南无妙佛
南无无垢佛　南无離諸障佛
南无婆樓那佛　南无婆樓那天佛
南无勇猛仙佛　南无精進仙佛
南无无垢仙佛　南无金剛仙佛
南无觀眼佛　南无无障㝵佛
南无住虛空佛　南无住清淨佛
南无善住清淨功德寶佛
南无善跡佛　南无善化佛
南无善思義佛　南无善眼佛
南无善愛佛　南无善行佛
南无善親佛　南无善華佛
南无善生佛　南无善齊佛
南无善香佛
從此以上八百佛十二部經一切賢聖

BD03092號　佛名經（十六卷本）卷一　（17–10）

南无善親佛　南无善行佛
南无善生佛　南无善華佛
南无善香佛　南无善齊佛
從此以上八百佛十二部經一切賢聖
南无善辟佛　南无善光佛
南无善山佛　南无功德山佛
南无寶山佛　南无智山佛
南无勝山佛　南无上山佛
南无光明莊嚴佛　南无大光明莊嚴佛
南无清淨莊嚴佛　南无波頭摩莊嚴佛
南无寶中佛　南无金剛合佛
南无金剛齊佛　南无碎金剛佛
南无碎金剛堅佛　南无降伏魔佛
南无不空見佛　南无愛見佛
南无現見佛　南无善見佛
南无大善見佛　南无普見佛
南无无垢見佛　南无見平等不平等佛
南无見一切義佛　南无斷一切障㝵佛
南无斷一切衆生病佛　南无一切世間愛見佛
南无上妙佛　南无大莊嚴佛
南无一切三昧佛　南无度一切疑佛
南无度一切法佛　南无不取諸法佛
南无一切清淨佛　南无一切義成就佛
南无一切通佛　南无華通佛
南无波頭摩樹提奮迅通佛

BD03092號　佛名經（十六卷本）卷一　（17–11）

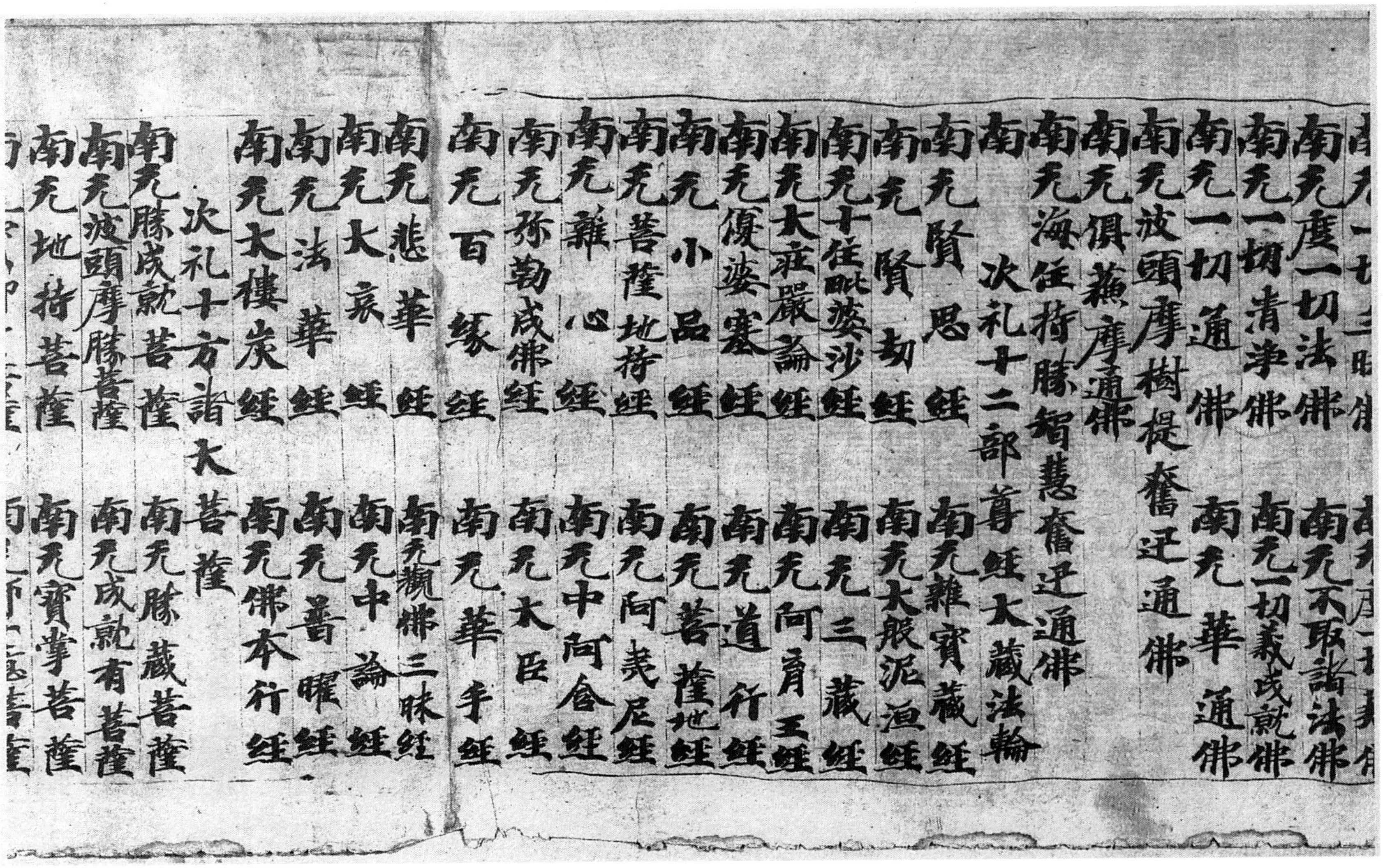
南无度一切法佛　南无不取諸法佛
南无一切清淨佛　南无一切義成就佛
南无一切通佛　南无華通佛
南无波頭摩樹提奮迅通佛
南无俱蘇摩通佛
南无海住持勝智慧奮迅通佛
次礼十二部尊經大藏法輪
南无賢思經　南无雜寶藏經
南无賢劫經　南无大般泥洹經
南无十住毗婆沙經　南无三藏經
南无大莊嚴論經　南无阿育王經
南无優婆塞經　南无道行經
南无小品經　南无菩薩地經
南无菩薩地持經　南无阿差尼經
南无雜心經　南无中阿含經
南无彌勒成佛經　南无大臣經
南无百緣經　南无華手經
南无悲華經　南无觀佛三昧經
南无大哀經　南无中論經
南无法華經　南无菩曜經
南无大樓炭經　南无佛本行經
次礼十方諸大菩薩
南无勝成就菩薩　南无勝藏菩薩
南无波頭摩勝菩薩　南无成就有菩薩
南无地持菩薩　南无寶掌菩薩

BD03092 號　佛名經（十六卷本）卷一　（17–12）

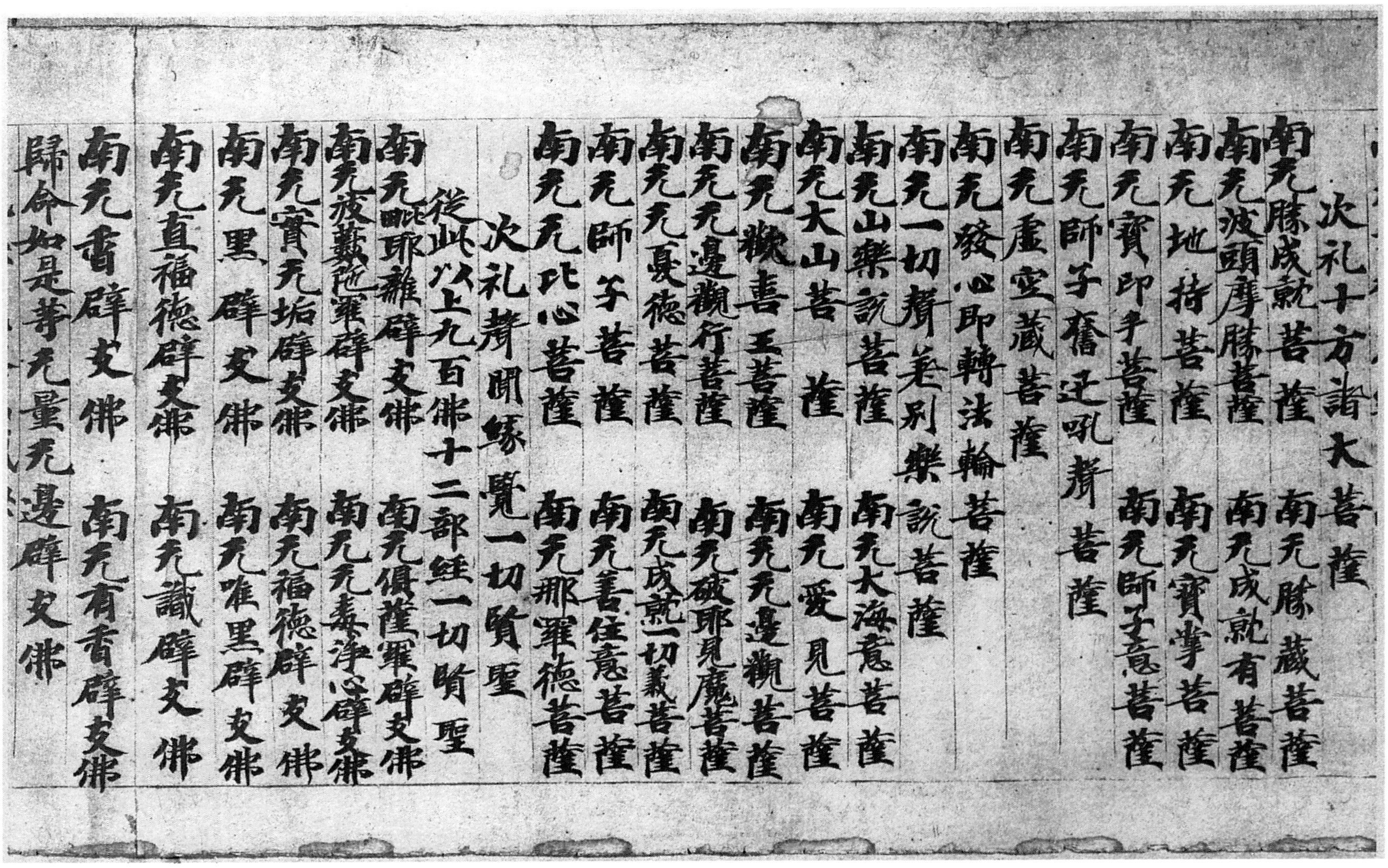
次礼十方諸大菩薩
南无勝成就菩薩　南无勝藏菩薩
南无波頭摩勝菩薩　南无成就有菩薩
南无地持菩薩　南无寶掌菩薩
南无寶印手菩薩　南无師子意菩薩
南无師子奮迅吼聲菩薩
南无虛空藏菩薩
南无發心即轉法輪菩薩
南无一切聲差別樂說菩薩
南无山樂說菩薩　南无大海意菩薩
南无大山菩薩　南无愛見菩薩
南无歡喜王菩薩　南无无邊觀菩薩
南无无邊觀行菩薩　南无破耶見魔菩薩
南无无憂德菩薩　南无成就一切義菩薩
南无師子菩薩　南无善住意菩薩
南无比心菩薩　南无那羅德菩薩
次礼聲聞緣覺一切賢聖
從此以上九百佛十二部經一切賢聖
南无毗耶離辟支佛　南无俱薩羅辟支佛
南无波藪陁羅辟支佛　南无无毒淨心辟支佛
南无寶无垢辟支佛　南无福德辟支佛
南无里辟支佛　南无唯里辟支佛
南无直福德辟支佛　南无識辟支佛
南无香辟支佛　南无有香辟支佛
歸命如是等无量无邊辟支佛

BD03092 號　佛名經（十六卷本）卷一　（17–13）

南无黑辟支佛　南无唯黑辟支佛
南无直福德辟支佛　南无識辟支佛
南无香辟支佛　南无有香辟支佛
歸命如是等无量无邊辟支佛
礼三寶已次復懺悔
夫論懺悔者本是改往脩來滅惡興善人生居
世誰能无過學人失念尚起煩惱羅漢結習動
身口業豈況凡夫而當無過但智者先覺便能改
悔愚者覆藏遂使滋蔓所以積習長夜曉悟無
期若能慚愧發露懺悔者豈惟正是滅罪而已
亦復增長无量功德樹立如來涅槃妙果若欲行
此法者先當外肅形儀瞻奉尊像內起敬意緣
於想法懇切至到生二種心何等為二一者自念我
此形命難可常保一朝散壞不知此身何時可復若
復不值諸佛賢聖忽遭逢惡友造衆罪業復應
墮落深坑險趣二者自念我此生中雖得值遇如
來正法為佛弟子子之法紹繼聖種淨身口
意善法自居而今我等公自作惡而復覆藏言
他不知謂彼不見隱匿在心傲然無愧此實天下
愚惑之甚即今現有十方諸佛諸大地菩薩諸天
神仙何曾不以清淨天眼見於我等所作罪惡又
復幽顯靈祇注記罪福纖毫无差夫論作罪之
人命終之後牛頭獄卒錄其精神在閻羅王所辯
覈是非當爾之時一切怨對皆來證據各言汝先
屠戮我身炮煮蒸炙或言汝先剝奪於我一切財
寶離我眷屬我於今者始得汝便於時現前證

BD03092 號　佛名經（十六卷本）卷一　（17–14）

神仙何曾不以清淨天眼見於我等所作罪惡又
復幽顯靈祇注記罪福纖毫无差夫論作罪之
人命終之後牛頭獄卒錄其精神在閻羅王所辯
覈是非當爾之時一切怨對皆來證據各言汝先
屠戮我身炮煮蒸炙或言汝先剝奪於我一切財
寶離我眷屬我於今者始得汝便於時現前證
據何得敢諱唯應甘心分宿殃如經所明地獄之中
不枉治人若其平素所作衆罪心自忘失者是其
生時造惡之處一切諸相皆現在前各言汝昔在於
我邊作如是罪今何得諱是為作罪无藏隱處
於是閻羅王切齒呵責將付地獄歷劫窮年求
出莫由此事不遠不關他人正是我身自作自受雖
父子至親一旦對至无代受者衆等相與及其形
休體无衆疾各自努力與性命競大怖至時悔无
所及是故弟子至心歸命常住三寶　礼仏一拜
南无東方破疑淨光佛　南无南方无優功德佛
南无西方華嚴神通佛　南无北方月殿清淨佛
南无東南方破一切闇佛　南无西南方大哀觀衆生佛
南无西北方香氣放光明佛　南无東北方无量功德光佛
南无下方斷一切疑佛　南无上方離一切憂佛
如是十方盡虛空界一切三寶
又復弟子等從无始以來至於今日積聚无明障
蔽心目隨煩惱性造三世罪或耽染愛著起於貪欲
煩惱或瞋恚忿怒懷害煩惱或惛憒瞪瞢不了煩
惱或我慢自高輕傲煩惱或疑惑正道猶豫煩惱謗
无因果邪見煩惱不識緣假著我煩惱迷於三世
[illegible]

BD03092 號　佛名經（十六卷本）卷一　（17–15）

敵心目隨煩惱佳造三世罪或形詐愛著起於貪欲
煩惱或瞋恚忿恚懷害煩惱或惛憒瞪瞢不了煩
惱或我慢自高輕傲煩惱起惑正道猶豫煩惱謗
无因果耶見煩惱不識緣假著我煩惱迷於三世
執斷常煩惱朋狎惡法起見取煩惱僻稟耶師
造戒取煩惱乃至一切四執横計煩惱今日至
誠皆悉懺悔　又復弟子无始以來至
於今日守惜堅著起慳恡煩惱不攝六情奢誕
煩惱心行弊惡不忍煩惱怠墮緩縱不勤煩惱猜慮
躁動覺觀煩惱觸境迷或无知解煩惱隨世八風
生彼我煩惱諂曲面譽不直心煩惱攏獷難觸不
調和煩惱易忿難悦多含恨煩惱嫉妒擊刺很
戾煩惱凶險暴害諸毒煩惱乖背二諦執相煩
惱於苦集滅道生顛倒煩惱隨從生死十二因緣
流轉煩惱乃至无始无明住地恒沙煩惱起四住
地攝於三界苦果无窮如是如是諸煩惱如是諸煩
煩无量无邊惱亂賢聖六道四生今日發露向十方
佛尊法聖衆皆悉懺悔
願弟子等承是懺悔貪瞋癡等一切煩惱生生世世
折憍慢幢竭愛欲水滅瞋恚火破愚癡暗拔斷
疑根列諸見網深識三界猶如牢獄四大毒蛇五陰
怨賊六入空聚愛詐親善脩八聖道斷无明源正向
涅槃不休不息卅七品心心相應十波羅蜜常現
在前　礼佛一拜

佛名經卷第一

BD03092號　佛名經（十六卷本）卷一　（17–16）

願弟子等承是懺悔貪瞋癡等一切煩惱生生世世
折憍慢幢竭愛欲水滅瞋恚火破愚癡暗拔斷
疑根列諸見網深識三界猶如牢獄四大毒蛇五陰
怨賊六入空聚愛詐親善脩八聖道斷无明源正向
涅槃不休不息卅七品心心相應十波羅蜜常現
在前　礼佛一拜

佛名經卷第一

BD03092號　佛名經（十六卷本）卷一　（17–17）

三寶不孝
墮地獄餓鬼傍生
至所住處是諸有情見斯光已
得安樂端正姝妙色相具足福智
諸佛是時帝釋一切天眾及恒
大眾蒙光希有皆至佛所右繞
一面尒時天帝釋承佛威力即
右肩右膝著地合掌向佛而白
何善男子善女人願求阿耨多羅
提脩行大乘攝受一切邪倒有情
業障罪者云何懺悔當得除滅
佛告天帝釋善哉善哉善男子汝今修行
欲為无量无邊眾生令得清淨解脫安樂哀
愍世間福利一切若有眾生由業障故造諸
罪者應當策勵晝夜六時偏袒右肩右膝著
地合掌恭敬一心專念口自說言歸命頂礼現
在十方一切諸佛已得阿耨多羅三藐三菩
提者轉妙法輪持照法輪雨大法雨擊大法
鼓吹大法螺建大法幢秉大法炬為欲利益
安樂諸眾生故常行法施誘進群迷令得

BD03093 號　金光明最勝王經卷三　（16–1）

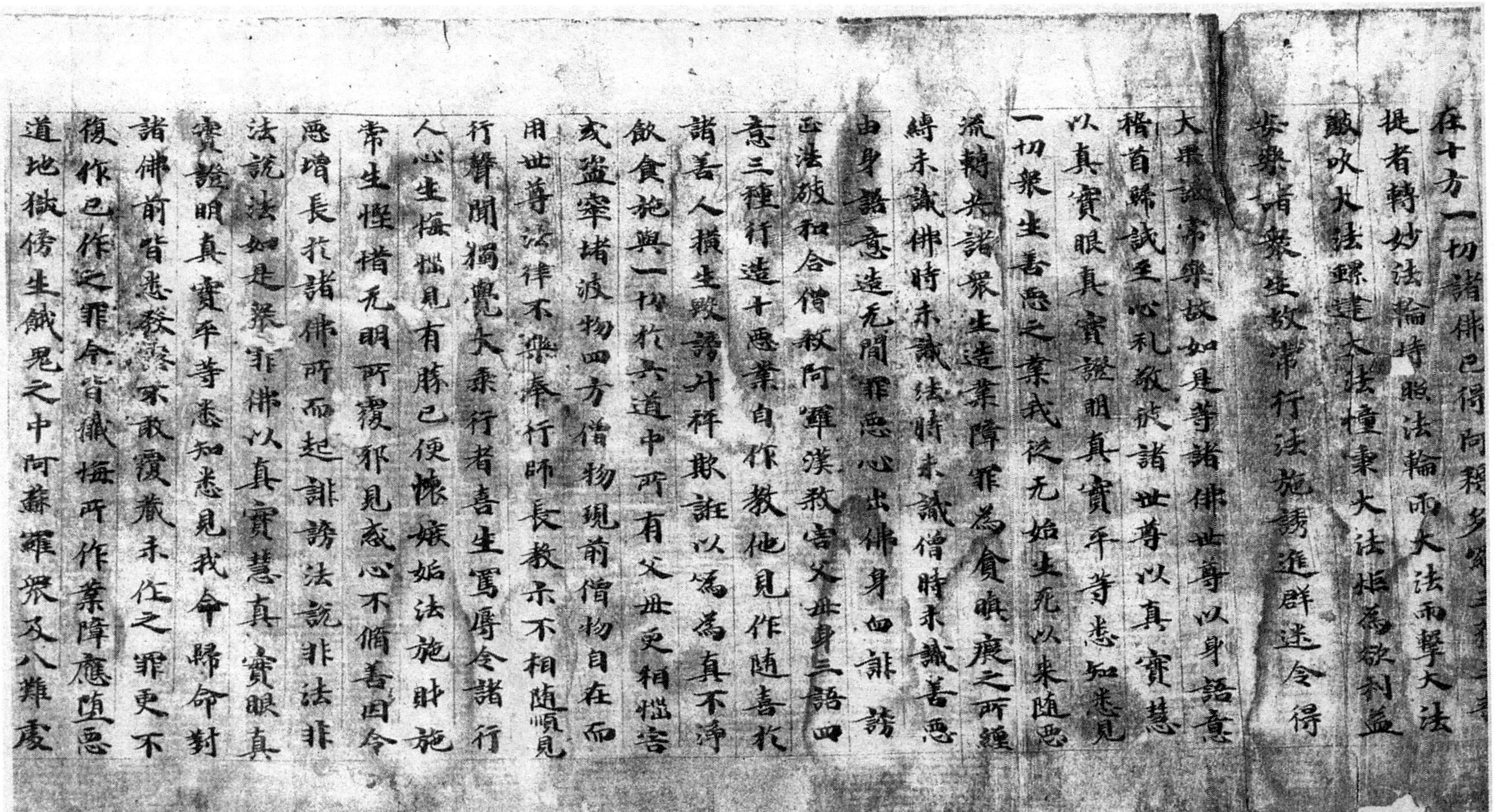

在十方一切諸佛已得阿耨多
提者轉妙法輪持照法輪雨大法雨擊大法
鼓吹大法螺建大法幢秉大法炬為欲利益
安樂諸眾生故常行法施誘進群迷令得
大果證常安樂故如是等諸佛世尊以身語意
稽首歸誠至心礼敬彼諸世尊以真實慧
以真實眼真實證明真實平等悉知悉見
一切眾生善惡之業我從无始生死以來隨惡
流轉共諸眾生造業障罪為貪瞋癡之所纏
縛未識佛時未識法時未識僧時未識善惡
由身語意造无間罪惡心出佛身血誹謗
正法破和合僧殺阿羅漢殺害父母身三語四
意三種行造十惡業自作教他見作隨喜於
諸善人橫生毀謗斗秤欺誑以偽為真不淨
飲食施與一切於六道中所有父母更相惱害
或盜窣堵波物四方僧物現前僧物自在而
用世尊法律不樂奉行師長教示不相隨順見
行聲聞獨覺大乘行者喜生罵辱令諸行
人心生悔惱見有勝己便懷嫉妬法施財施
常生慳悋无明所覆邪見惑心不脩善因令
惡增長於諸佛所而起誹謗法說非法非
法說法如是眾罪佛以真實慧真實眼真
實證明真實平等悉知悉見我今歸命對
諸佛前皆悉發露不敢覆藏未作之罪更不
復作已作之罪今皆懺悔所作業障應墮惡
道地獄傍生餓鬼之中阿蘇羅眾及八難處

BD03093 號　金光明最勝王經卷三　（16–2）

法說法如是衆罪佛以真實慧真實眼真
實證明真實平等悉知悉見我今歸命對
諸佛前皆悉發露不敢覆藏未作之罪更不
復作已作之罪今皆懺悔所作業障應墮惡
道地獄傍生餓鬼之中阿蘇羅衆及八難處
願我此生所有業障皆得消滅所有惡報未來
不受亦如過去諸大菩薩脩菩提行所有業
障悉已懺悔我之業障今亦懺悔皆悉發露
不敢覆藏已作之罪願得除滅未來之惡更
不敢造亦如未來諸大菩薩脩菩提行所有業
障悉皆懺悔我之業障今亦懺悔悉皆發露
不敢覆藏已作之罪願得除滅未來之惡更
不敢造亦如現在十方世界諸大菩薩脩菩
提行所有業障悉已懺悔我之業障今亦懺
悔皆悉發露不敢覆藏已作之罪願得除
滅未來之惡更不敢造
善男子以是因緣若有造罪一剎那中不得
覆藏何况一日一夜乃至多時若有犯罪欲
求清淨心懷慚恥信於未來必有惡報生大
恐怖應如是懺如人被火燒頭燒衣救令速
滅火若未滅心不得安若人犯罪亦復如是
即應懺悔令速除滅若有願生富樂之家
多饒財寶復欲發意脩習大乘亦應懺悔
滅除業障欲生豪貴婆羅門種剎帝利家
及轉輪王七寶具足亦應懺悔滅除業障
善男子若有欲生四大王衆三十三天夜摩

BD03093號　金光明最勝王經卷三　（16–3）

滅除業障欲生豪貴婆羅門種剎帝利家
及轉輪王七寶具足亦應懺悔滅除業障
善男子若有欲生四大王衆三十三天夜摩
天覩史多天樂變化天他化自在天亦應懺
悔滅除業障若欲生梵衆梵輔大梵天少
光无量光極光淨天少淨无量淨遍淨天
无雲福生廣果无煩无熱善現天善見色
究竟天亦應懺悔滅除業障若欲求預流果
一來果不還果阿羅漢果亦應懺悔滅除業
障若欲願求三明六通聲聞獨覺自在菩
提至究竟地求一切智智淨智不思議智不
動智三藐三菩提正遍智者亦應懺悔滅除
業障何以故善男子一切諸法從因緣生如來
所說異相生異相滅因緣異故如是過去諸法
皆已滅盡所有業障无復遺餘是諸行法未
得現生而今得生未來業障更不復起何以
故善男子一切法空如來所說无有我人衆生
壽者亦无生滅亦无行法善男子一切諸法
皆依於本亦不可說何故過一切相故若有
善男子善女人如是入於微妙真理生信敬心
是名无衆生而有於本以是義故說於懺悔
滅除業障
善男子若人成就四法能除業障永得清淨
云何為四一者不起邪心正念成就二者於
甚深理不生誹謗三者於初行菩薩起一切
智心四者於諸衆生起慈无量是謂為四尒

BD03093號　金光明最勝王經卷三　（16–4）

滅除業障
善男子若人成就四法能除業障永得清淨
云何為四一者不起邪心正念成就二者於
甚深理不生誹謗三者於初行菩薩起一切
智心四者於諸衆生起慈无量是謂為四尒
時世尊而説頌言
專心護三業　不誹謗深法　作一切智想　慈心淨業障
善男子有四業障難可滅除云何為四一者
於菩薩律儀犯極重惡二者於大乘經心生
誹謗三者於自善根不能增長四者貪著
三有无出離心復有四種對治業障云何為
四一者於十方世界一切如來至心親近説一切
罪二者為一切衆生勸請諸佛説深妙法三者
隨喜一切衆生所有功德四者所有一切功德
善根悉皆迴向阿耨多羅三藐三菩提尒
時天帝釋白佛言世尊世間所有男子女
人於大乘行有能行者有不行者云何能
得隨喜一切衆生功德善根佛言善男子
若有衆生雖於大乘未能修習然於晝夜
六時偏袒右肩右膝著地合掌恭敬一心專
念作隨喜時得福无量應作是言十方世界一
切衆生現在修行施戒心慧我今皆悉深生
隨喜由作如是隨喜福故必當獲得尊重
殊勝无上尊最妙之果如是過去未來一
切衆生所有善根皆悉隨喜又於現在初
行菩薩發菩提心所有功德過百大劫行菩
薩行有大功德獲无生忍至不退轉一生補

BD03093號　金光明最勝王經卷三　（16–5）

隨[illegible]
殊勝无上尊最妙之果如是過去未來一
切衆生所有善根皆悉隨喜又於現在初
行菩薩發菩提心所有功德過百大劫行菩
薩行有大功德獲无生忍至不退轉一生補
處如是一切功德之蘊皆悉至心隨喜讚歎
過去未來一切菩薩所有功德隨喜讚歎亦
復如是復於現在十方世界一切諸佛應正
遍知證妙菩提為度无邊諸衆生故轉无上
法輪行无礙法施擊法鼓吹法螺建法幢雨
法雨哀愍勸化一切衆生咸令信受皆蒙法施
悉得充足无盡安樂又復所有菩薩聲聞獨
覺功德積集善根若有衆生未具如是諸功
德者悉令具足我皆隨喜如是過去未來
諸佛菩薩聲聞獨覺所有功德亦皆至心
隨喜讚歎善男子如是隨喜當得无量功德
之聚如恒河沙三千大千世界所有衆生皆
斷煩惱成阿羅漢若有善男子善女人盡其
形壽常以上妙衣服飲食卧具醫藥而為供
養如是功德不及如前隨喜功德千分之一何
以故供養功德有數有量不攝一切諸功德故
隨喜功德无量无數能攝三世一切功德是
故若人欲求增長勝善根者應修如是隨喜
功德若有女人願轉女身為男子者亦應修
習隨喜功德必得隨心現成男子尒時天帝
釋白佛言世尊已知隨喜功德勸請功德唯
願為説欲令未來一切菩薩當轉法輪現在

BD03093號　金光明最勝王經卷三　（16–6）

切德若有女人願轉女身為男子者亦應修
習隨喜功德必得隨心現成男子尒時天帝
釋白佛言世尊已知隨喜功德勸請功德唯
願為說欲令未來一切菩薩當轉法輪現在
菩薩正修行故佛告帝釋若有善男子善
女人願求阿耨多羅三藐三菩提者應當修
行聲聞獨覺大乘之道是人當於晝夜六時
如前威儀一心專念作如是言我今歸依十方一
切諸佛世尊已得阿耨多羅三藐三菩提未
轉无上法輪欲捨報身入涅槃者我皆至誠
頂礼勸請轉大法輪雨大法雨然大法燈照明
理趣施无礙法莫般涅槃久住於世度脫安
樂一切衆生如前所說乃至无盡安樂我
今以此勸請功德迴向阿耨多羅三藐三菩
提如過去未來現在諸大菩薩勸請功德
迴向菩提我亦如是勸請功德迴向无上正等
菩提善男子假使有人以三千大千世界滿中
七寶供養如來若復有人勸請如來轉大法輪
所得功德其福勝彼何以故彼是財施此是
法施善男子且置三千大千世界七寶布施
若人以滿恒河沙數大千世界七寶供養一
切諸佛勸請功德亦勝於彼由其法施有五
勝利云何為五一者法施兼利自他財施
不尒二者法施能令衆生出於三界財施之
福不出欲界三者法施能淨法身財施但唯

BD03093 號　金光明最勝王經卷三　（16–7）

切諸佛勸請功德亦勝於彼由其法施有五
勝利云何為五一者法施兼利自他財施
不尒二者法施能令衆生出於三界財施之
福不出欲界三者法施能淨法身財施但唯
增長於色四者法施无窮財施有盡五者法
施能斷无明財施唯伏貪愛是故善男子
勸請功德无量无邊難可譬喻如我昔行菩
薩道時勸請諸佛轉大法輪由彼善根是故
今日一切帝釋諸梵王等勸請於我轉大法
輪善男子請轉法輪為欲度脫安樂諸衆生
故我於往昔為菩提行勸請如來久住於世
莫般涅槃依此善根我得十力四无所畏四
无礙辯大慈大悲證得无數不共之法我當
入於无餘涅槃我之正法久住於世我法身者
清淨无比種種妙相无量智慧无量自在无量
功德難可思議一切衆生皆蒙利益百千万
劫說不能盡法身攝藏一切諸法一切諸法
不攝法身法身常住不墮常見雖復斷滅亦
非斷見能破衆生種種異見能生衆生種種
真見能解一切衆生之縛无縛可解能植衆
生諸善根本未成熟者令成熟已成熟者令
解脫无作无動遠離閴閙寂靜无為自在安
樂過於三世能現三世出於聲聞獨覺之境
諸大菩薩之所修行一切如來體无有異此等
皆由勸請功德善根力故如是法身我今已
得是故若有欲得阿耨多羅三藐三菩提

BD03093 號　金光明最勝王經卷三　（16–8）

樂過於三世能現三世出於聲聞獨覺之境
諸大菩薩之所修行一切如來體无有異此等
皆由勸請功德善根力故如是法身我今已
得是故若有欲得阿耨多羅三藐三菩提
者於諸經中一句一頌爲人解說功德善根尚
无限量何况勸請如來轉大法輪久住於世
莫般涅槃
時天帝釋復白佛言世尊若善男子善女人
爲求阿耨多羅三藐三菩提故脩三乘道
所有善根云何迴向一切智智佛告天帝善
男子若有衆生欲求菩提脩三乘道所有善
根願迴向者當於晝夜六時慇重至心作如
是說我從无始生死以來於三寶所脩行成就
所有善根乃至施與傍生一摶之食或以善言
和解諍訟或受三歸及諸學處或復懺悔勸
請隨喜所有善根我今作意悉皆攝取迴
施一切衆生无悔恡心是解脫分善根所攝
如佛世尊之所知見不可稱量无礙清淨如
是所有功德善根悉以迴施一切衆生不住
相心不捨相心我亦如是功德善根悉以迴施一
切衆生願皆獲得如意之手撝空出寶滿衆
生願富樂无盡智慧无窮妙法辯才悉皆
无滯共諸衆生同證阿耨多羅三藐三菩提
得一切智因此善根更復出生无量善法
亦皆迴向无上菩提又如過去諸大菩薩脩
行之時功德善根悉皆迴向一切種智現在

BD03093號　金光明最勝王經卷三　（16–9）

生願富樂无盡智慧无窮妙法辯才
无滯共諸衆生同證阿耨多羅三藐三菩提
得一切智因此善根更復出生无量善法
亦皆迴向无上菩提又如過去諸大菩薩脩
行之時功德善根悉皆迴向一切種智現在
未來亦復如是然我所有功德善根亦皆迴
向阿耨多羅三藐三菩提是諸善根願共一
切衆生俱成正覺如餘諸佛坐於道場菩提
樹下不可思議无礙清淨住於无盡法藏陀
羅尼首楞嚴定破魔波旬无量兵衆應見
覺知應可通達如是一切一剎那中悉皆照
了於後夜中獲甘露法證甘露義我及衆生
願皆同證如是妙覺猶如
無量壽佛　勝光佛　妙光佛　阿閦佛
功德善光佛　師子光明佛　百光明佛　網光明佛
寶相佛　寶焰佛　焰明佛　焰盛光明佛
吉祥上王佛　微妙聲佛　妙莊嚴佛　法幢佛
上勝身佛　可愛色身佛　光明遍照佛　梵淨王佛
上性佛
如是等如來應正遍知過去未來及以現在
亦現應化得阿耨多羅三藐三菩提轉无上
法輪爲度衆生我亦如是廣說如上
善男子若有淨信男子女人於此金光明最
勝經王滅業障品受持讀誦憶念不忘爲
他廣說得无量无邊大功德聚譬如三千大
千世界所有衆生一時皆得成就人身得人身

BD03093號　金光明最勝王經卷三　（16–10）

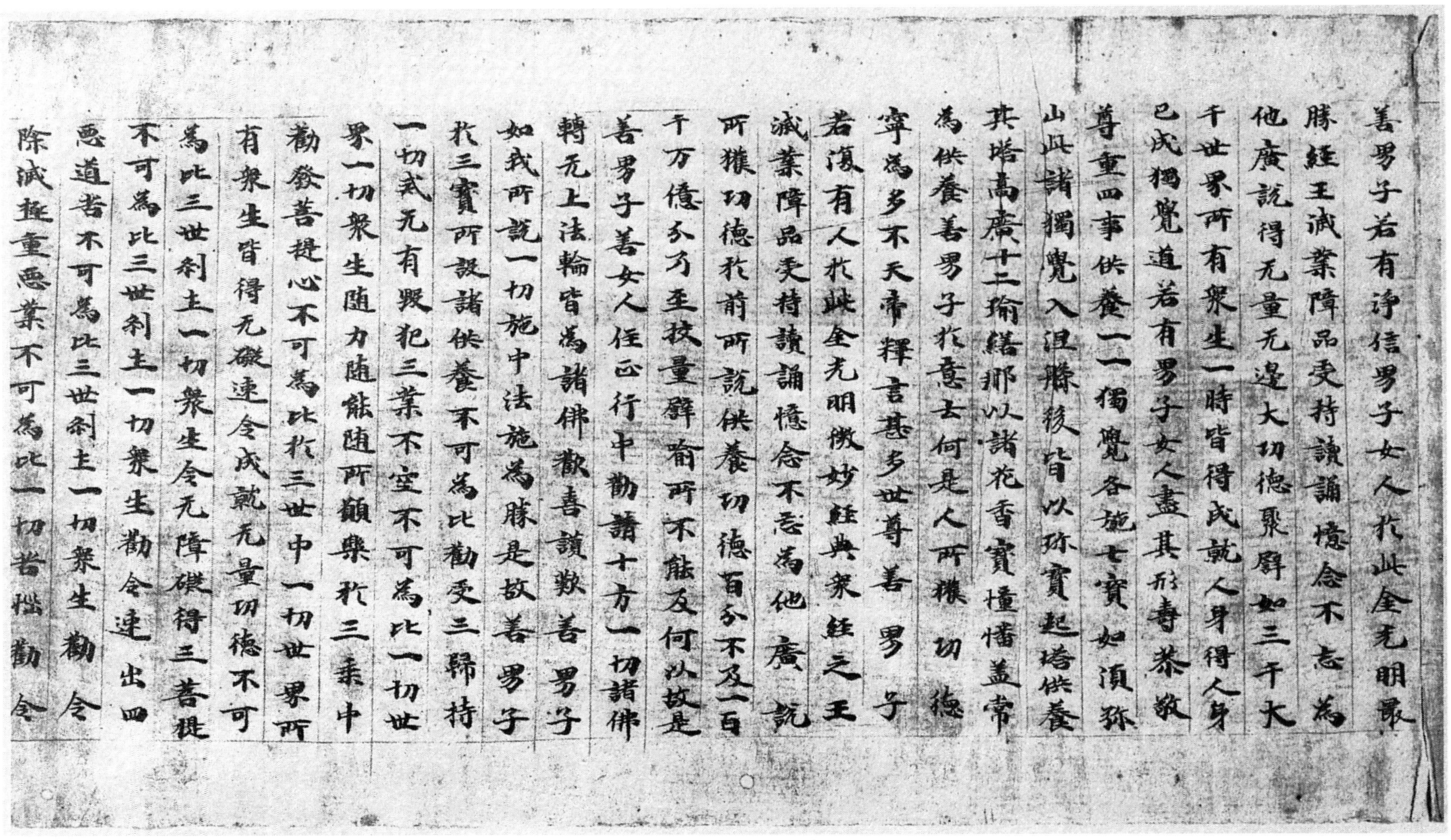
善男子若有淨信男子女人於此金光明最
勝經王滅業障品受持讀誦憶念不忘為
他廣說得无量无邊大功德聚譬如三千大
千世界所有衆生一時皆得成就人身得人身
已成獨覺道若有男子女人盡其形壽恭敬
尊重四事供養一一獨覺各施七寶如須弥
山此諸獨覺入涅槃後皆以珎寶起塔供養
其塔高廣十二瑜繕那以諸花香寶幢幡蓋常
為供養善男子於意云何是人所獲功德
寧為多不天帝釋言甚多世尊善男子
若復有人於此金光明微妙經典衆經之王
滅業障品受持讀誦憶念不忘為他廣說
所獲功德於前所說供養功德百分不及一百
千万億分乃至校量譬喻所不能及何以故是
善男子善女人住正行中勸請十方一切諸佛
轉无上法輪皆為諸佛歡喜讚歎善男子
如我所說一切施中法施為勝是故善男子
於三寶所設諸供養不可為比勸受三歸持
一切戒无有毀犯三業不空不可為比一切世
界一切衆生隨力隨能隨所願樂於三乘中
勸發菩提心不可為比於三世中一切世界所
有衆生皆得无礙速令成就无量功德不可
為比三世刹土一切衆生令无障礙得三菩提
不可為比三世刹土一切衆生勸令速出四
惡道者不可為比三世刹土一切衆生勸令
除滅極重惡業不可為比一切苦惱勸令

BD03093號　金光明最勝王經卷三　（16–11）

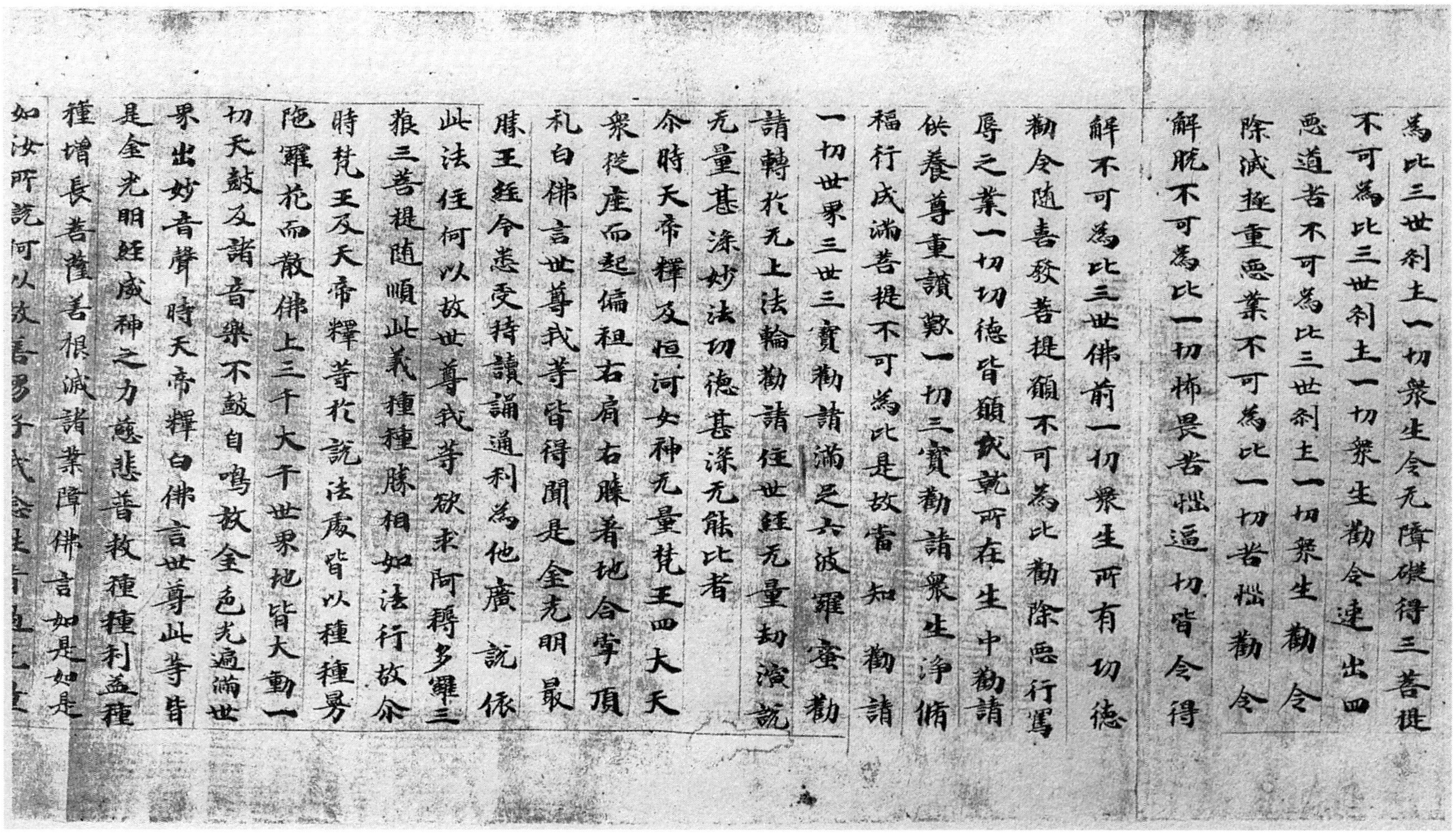
為比三世刹土一切衆生令无障礙得三菩提
不可為比三世刹土一切衆生勸令速出四
惡道者不可為比三世刹土一切衆生勸令
除滅極重惡業不可為比一切苦惱勸令
解脫不可為比一切怖畏苦惱逼切皆令得
解不可為比三世佛前一切衆生所有功德
勸令隨喜發菩提願不可為比勸除惡行罵
辱之業一切功德皆願成就所在生中勸請
供養尊重讚歎一切三寶勸請衆生淨脩
福行成滿菩提不可為比是故當知勸請
一切世界三世三寶勸請滿足六波羅蜜勸
請轉於无上法輪勸請住世經无量劫演說
无量甚深妙法功德甚深无能比者
尒時天帝釋及恒河女神无量梵王四大天
衆從座而起偏袒右肩右膝着地合掌頂
礼白佛言世尊我等皆得聞是金光明最
勝王經今悉受持讀誦通利為他廣說依
此法住何以故世尊我等欲求阿耨多羅三
藐三菩提隨順此義種種勝相如法行故尒
時梵王及天帝釋等於說法處皆以種種曼
陁羅花而散佛上三千大千世界地皆大動一
切天鼓及諸音樂不鼓自鳴放金色光遍滿世
界出妙音聲時天帝釋白佛言世尊此等皆
是金光明經威神之力慈悲普救種種利益種
種增長菩薩善根滅諸業障佛言如是如是
如汝所說何以故善男子

BD03093號　金光明最勝王經卷三　（16–12）

[illegible]三千大千世界[illegible]皆大震一
切天鼓及諸音樂不鼓自鳴放金色光遍滿世
界出妙音聲時天帝釋白佛言世尊此等皆
是金光明經威神之力慈悲普救種種利益種
種增長菩薩善根滅諸業障佛言如是如是
如汝所說何以故善男子我念往昔過无量
百千阿僧祇劫有佛名寶王大光照如來應
正遍知出現於世住世六百八十億劫尒時寶
王大光照如來為欲度脫人天釋梵沙門婆
羅門一切眾生令安樂故當出現時初會
說法度百千億億万眾皆得阿羅漢果諸
漏已盡三明六通自在无礙於第二會復度
九十千億億万眾皆得阿羅漢果諸漏已盡
三明六通自在无礙於第三會復度九十八千
億億万眾皆得阿羅漢果圓滿如上
善男子我於尒時作女人身名福寶光明於
第三會親近世尊受持讀誦是金光明經
為他廣說求阿耨多羅三藐三菩提故時
彼世尊為我授記此福寶光明女於未來世
當得作佛号釋迦牟尼如來應正遍知明行
足善逝世間解无上士調御丈夫天人師佛
世尊捨女身後從是以來越四惡道生人天中
受上妙樂八十四百千生作轉輪王至于今日
得成正覺名稱普聞遍滿世界時會大眾
忽然皆見寶王大光照如來轉无上法輪說
微妙法善男子去此娑訶世界東方過百千
恒河沙數佛土有世界名寶莊嚴[illegible]

BD03093號　金光明最勝王經卷三　（16–13）

是善逝世間解无上士調御丈夫天人師佛
世尊捨女身後從是以來越四惡道生人天中
受上妙樂八十四百千生作轉輪王至于今日
得成正覺名稱普聞遍滿世界時會大眾
忽然皆見寶王大光照如來轉无上法輪說
微妙法善男子去此娑訶世界東方過百千
恒河沙數佛土有世界名寶莊嚴其寶王大
光照如來今現在彼未般涅槃說微妙法廣化
群生汝等見者即是彼佛
善男子若有善男子善女人聞是寶王大光
照如來名号者於菩薩地得不退轉至大涅
槃若有女人聞是佛名者臨命終時得見彼
佛來至其所既見佛已究竟不復更受女身
善男子是金光明微妙經典種種利益種種
增長菩薩善根滅諸業障善男子若有苾
芻苾芻尼鄔波索迦鄔波斯迦隨在何處為
人講說是金光明微妙經典於其國土皆獲四
種福利善根云何為四一者國王无病離諸
災厄二者壽命長遠无有障礙三者无諸怨
敵兵眾勇健四者安隱豐樂正法流通何以故
如是人王常為釋梵四王藥叉之眾共守護故
尒時世尊告天眾曰善男子是事實不是時
无量釋梵四王及藥叉眾俱時同聲答世尊
言如是如是若有國土講宣讀誦此妙經王
是諸國主我等四王常來擁護行住共俱其
王若有一切災障及諸怨敵我等四王皆使
[illegible]

BD03093號　金光明最勝王經卷三　（16–14）

无量梵衆四王及藥叉衆俱時同聲咨世尊
言如是如是若有國土講宣讀誦此妙經王
是諸國主我等四王常來擁護行住共俱其
王若有一切災障及諸怨敵我等四王皆使
消殄憂愁疾疫亦令除差增益壽命感應
積祥所願遂心恒生歡喜我等亦能令其國
中所有軍兵悉皆勇健佛言善哉善哉善男
子如汝所說汝當脩行何以故是諸國王如法
行時一切人民隨王脩習如法行者汝等皆蒙
色力勝利宮殿光明眷屬強盛時釋梵等白
佛言如是世尊佛言若有講讀此妙經典流
通之處於其國中大臣輔相有四種益云何
為四一者更相親穆尊重愛念二者常為人
王心所愛重亦為沙門婆羅門大國小國之
所遵敬三者輕財重法不求世利嘉名普霑
衆所欽仰四者壽命延長安隱快樂是名四
益若有國土宣說是經沙門婆羅門得四
種勝利云何為四一者衣服飲食卧具醫藥
无所乏少二者皆得安心思惟讀誦三者依於
山林得安樂住四者隨心所願皆得滿足是
名四種勝利若有國土宣說是經一切人民
皆得豐樂无諸疾疫商估往還多獲寶貨
具足勝福是名種種功德利益
尒時梵釋四天王及諸大衆白佛言世尊如是
經典甚深之義若現在者當知如來卅七種
助菩提法住世未滅若是經典滅盡之時
正法亦滅佛言如是如是善男子是故汝等於

BD03093號　金光明最勝王經卷三　（16–15）

无所乏少二者皆得安心思惟讀誦三者依於
山林得安樂住四者隨心所願皆得滿足是
名四種勝利若有國土宣說是經一切人民
皆得豐樂无諸疾疫商估往還多獲寶貨
具足勝福是名種種功德利益
尒時梵釋四天王及諸大衆白佛言世尊如是
經典甚深之義若現在者當知如來卅七種
助菩提法住世未滅若是經典滅盡之時
正法亦滅佛言如是如是善男子是故汝等於
此金光明經一句一頌一品一部皆當一心正
讀誦正聞持正思惟正脩習為諸衆生廣
宣流布長夜安樂福利无邊時諸大衆聞
佛說已咸蒙勝益歡喜受持

金光明經卷第三

閻胡判　移六葉　登具器

BD03093號　金光明最勝王經卷三　（16–16）

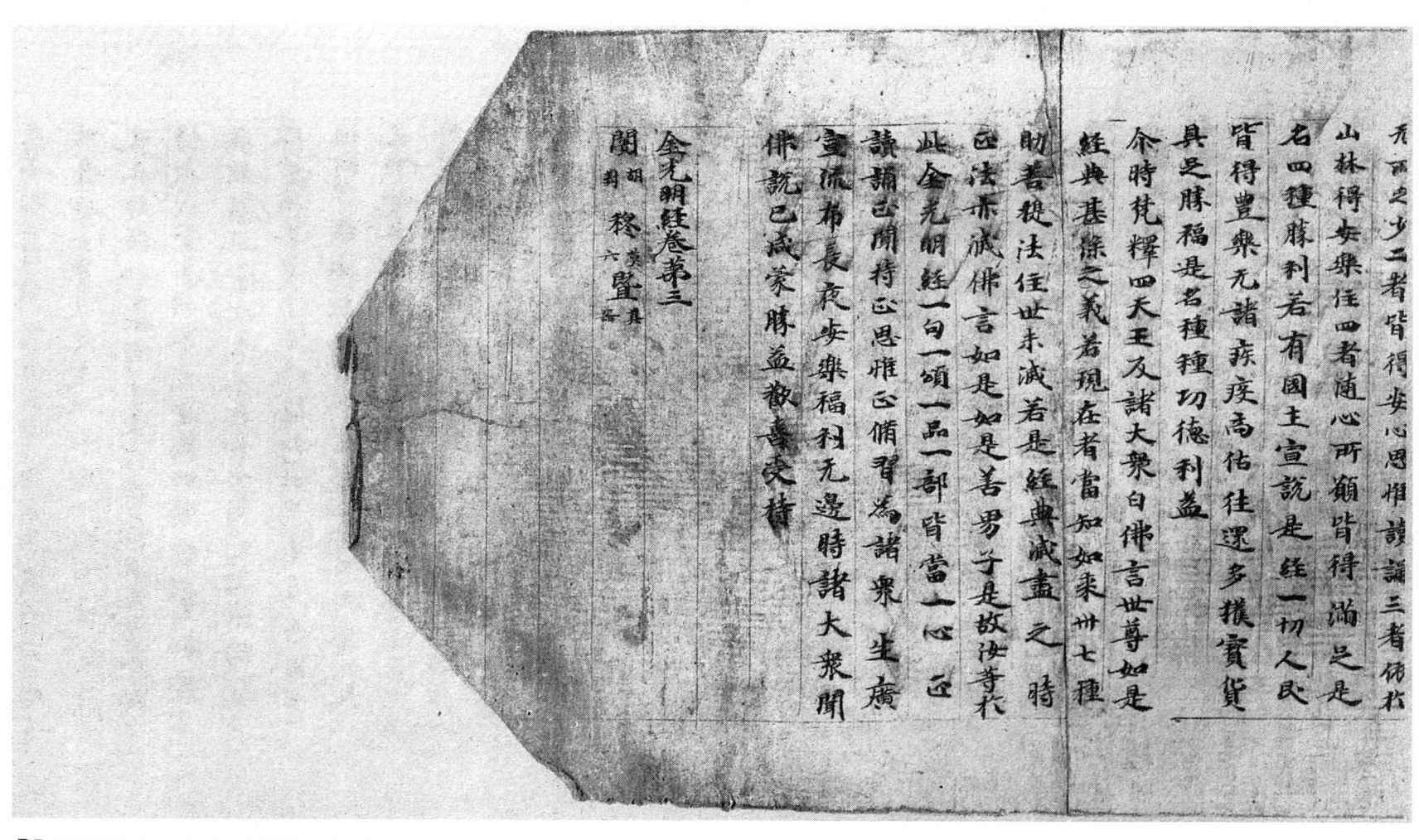

大方便佛報恩經序品第一
如是我聞一時佛住王舍城耆闍崛山中與
大比丘衆二萬八千人俱皆所作已辦梵行
已立不受後有如摩訶那伽心得自在其名
曰摩訶迦葉須菩提憍陳如離越多訶多留
樓那彌多羅尼子畢陵伽婆蹉舍利弗摩訶
迦旃延阿難羅睺羅等衆所知識菩薩摩訶
薩三萬八千人俱此諸菩薩久殖得本於无
量百千萬億諸佛所常脩梵行成滿大願慈
能通達百千禪定陁羅尼滿不捨大悲隨諸
衆生而能饒益紹隆三寶使不斷絶能建法
幢爲諸衆生作不請友到大智岸名稱普聞
其名曰觀世音菩薩得大勢菩薩常精進菩
薩妙德菩薩　音菩薩雷光菩薩普平菩薩
德首菩薩須弥王菩薩香象菩薩大　爲菩
薩持勢菩薩越三界菩薩常悲菩薩寶掌菩
薩至光英菩薩炎□　妙菩薩寶月菩薩大力
菩薩无量慧菩薩跋陁和菩薩師子吼菩薩
師子作菩薩師子奮迅菩薩滿願菩薩寶積

BD03094號　大方便佛報恩經卷一　（4–1）

薩妙德菩薩　音菩薩雷光菩薩普平菩薩
德首菩薩須弥王菩薩香象菩薩大　爲菩
薩持勢菩薩越三界菩薩常悲菩薩寶掌菩
薩至光英菩薩炎□　妙菩薩寶月菩薩大力
菩薩无量慧菩薩跋陁和菩薩師子吼菩薩
師子作菩薩師子奮迅菩薩滿願菩薩寶積
菩薩彌勒菩薩文殊師利法王子等百千眷
屬俱復有无量百千欲界諸天子等各與眷
屬俱賫諸天上微妙香華作天伎樂住虚空
中諸天龍夜叉乾闥婆迦樓羅緊那羅摩睺
羅伽人非人等各與若千百千眷屬俱各礼
佛足退坐一面
尒時如來大衆圍繞供養恭敬尊重讚嘆尒
時阿難承佛威神於晨朝時入王舍城次第
乞食尒時城中有一婆羅門子養父父母其
家衰喪家計蕩盡擔負老母亦次第行乞若
得好食香美菓蓏仰奉於母若得惡食萎菜
乾菓而自食之阿難見之心生歡喜偈讚此人
善哉善哉善男子供養父母奇特難及有一
梵志是六師徒黨其人聰辯慈能通達四
違陁典歷數筭計占相吉凶陰陽效變豫知
人心亦是大衆唱導之師多人瞻奉執著耶
論爲利養故殘滅正法心懷嫉妬毀佛法衆
語阿難言汝師瞿曇諸釋種子自言善好有
大功德唯有空名而无實行汝師瞿曇實是
惡人適生一七其母命終豈非惡人也踰出宮

BD03094號　大方便佛報恩經卷一　（4–2）

論為利養故殘滅正法心懷嫉妬毀佛法衆
語阿難言汝師瞿曇諸釋種子自言善好有
大功德唯有空名而无實行汝師瞿曇實是
惡人適生一七其母命終豈非惡人也踰出宮
城父王苦惱生狂癡心迷悶躃地以水灑
面經於七日方能醒悟云何今日生失我所天
舉聲大哭悲淚而言國是汝有吾唯有汝一
子云何捨我入於深山汝師瞿曇不知恩分
而不願錄遂前而去是故當知是不孝之人
父王為立宮殿納取瞿夷而不行婦人之礼
令其愁毒是故當知无恩分人阿難聞是語
已心生慚愧乞食已還詣佛所頭面礼足却
住一面合掌白佛言世尊佛法之中頗有孝
養父母不耶佛語阿難誰教汝今發是問諸
天神耶人耶非人耶汝為自以智力問於如
来耶阿難言亦无諸天龍鬼神人及非人来見
教也向者乞食道逢六師徒黨薩遮尼乹見
毀罵辱阿難即以上事向如来說尒時世尊
熙怡微咲從其面門放五色光過於東方无
量百千萬億佛土彼有世界名曰上勝其佛
号曰喜王如来應供正遍知明行足善逝世
間解无上士調御丈夫天人師佛世尊國名
嚴風其土平正瑠璃為地黃金為繩以界道
側七寶行樹其樹皆高盡一箭道華菓枝葉
次第莊嚴微風吹動出微妙音衆生樂聞无有
猒足處處皆有流泉浴池其水清淨金沙布

側七寶行樹其樹皆高盡一箭道華菓枝葉
次第莊嚴微風吹動出微妙音衆生樂聞无有
猒足處處皆有流泉浴池其水清淨金沙布
地八功德水盈滿其中其池四邊有妙香華波
頭摩華分陁利華殺師　華青黃赤白大如
車輪而覆其上其池水中異類諸鳥相和而
鳴出微妙音甚可愛樂有七寶舡亦在其中
而諸衆生自在遊戲其園林間敷師子座高
一由旬亦以七寶而校飾之復以天衣重敷其
上燒天寶香諸天寶華遍布其地喜王
如来而坐其上結跏趺坐彼國菩薩无量億
千前後圍繞却坐一面合掌向於如来異口同音
俱發聲言唯願世尊哀慈憐愍以何因緣
有此光明青黃赤白其色暉豔難可得喻從
西方来照此大衆其有遇斯光者心意泰然
唯願世尊斷我疑網佛言諸善男子諦聽諦
聽善思念之吾當為汝分別解說西方去此
无量百千諸佛世界有世界名娑婆其中有
佛名曰釋迦牟尼如来應供　遍知明行足
善逝世間解无上士調御丈夫天人師佛世
尊大衆圍繞今欲為諸　衆說大方便大報
恩經為欲饒益一切諸衆生故為欲拔出一切
衆生耶疑毒箭故為欲令初發意菩薩堅
固菩提不退轉故為令一切聲聞辟支佛究竟

當知尒時會中有
諸菩薩見此光明普[illegible]土得[illegible]有欲知
此光所為因緣時有菩薩名曰妙光有八百
弟子是時日月燈明佛從三昧起因妙光菩
薩說大乘經名妙法蓮華教菩薩法佛所護
念六十小劫不起于座時會聽者亦坐一處
六十小劫身心不動聽佛所說謂如食頃是
時衆中无有一人若身若心而生懈倦日月
燈明佛於六十小劫說是經已即於梵魔沙
門婆羅門及天人阿脩羅衆中而宣此言如
來於今日中夜當入无餘涅槃時有菩薩名
日德藏日月燈明佛即授其記告諸比丘是
阿羅訶三藐三佛陁佛授記已便於中夜入
无餘涅槃
佛滅度後妙光菩薩持妙法蓮華經滿八十
小劫為人演說日月燈明佛八子皆師妙光
妙光教化令其堅固阿耨多羅三藐三菩提
是諸王子供養无量百千萬億佛已皆成佛
道其最後成佛者名曰然燈八百弟子中有
一人号曰求名貪著利養雖復讀誦衆經
而不通利多所忘失故号求名是人亦以種
諸善根因緣故得值无量百千萬億諸佛

BD03095號　妙法蓮華經卷一

(15–1)

妙光教化令其堅固阿耨多羅三藐三菩提
是諸王子供養无量百千萬億佛已皆成佛
道其最後成佛者名曰然燈八百弟子中有
一人号曰求名貪著利養雖復讀誦衆經
而不通利多所忘失故号求名是人亦以種
諸善根因緣故得值无量百千萬億諸佛
供養恭敬尊重讚歎彌勒當知尒時妙光菩
薩豈異人乎我身是也求名菩薩汝身是也今
見此瑞與本无異是故惟忖今日如來當說
大乘經名妙法蓮華教菩薩法佛所護念
尒時文殊師利於大衆中欲重宣此義而說
偈言

我念過去世　无量无數劫　有佛人中尊　号日月燈明
世尊演說法　度无量衆生　无數億菩薩　令入佛智慧
佛未出家時　所生八王子　見大聖出家　亦隨脩梵行
時佛說大乘　經名无量義　於諸大衆中　而為廣分別
佛說此經已　即於法座上　跏趺坐三昧　名无量義處
天雨曼陁華　天鼓自然鳴　諸天龍鬼神　供養人中尊
一切諸佛土　即時大震動　佛放眉間光　現諸希有事
此光照東方　萬八千佛土　示一切衆生　生死業報處
有見諸佛土　以衆寶莊嚴　瑠璃頗梨色　斯由佛光照
及見諸天人　龍神夜叉衆　乾闥婆緊那羅　各供養其佛
又見諸如來　自然成佛道　身色如金山　端嚴甚微妙
如淨瑠璃中　內現真金像　世尊在大衆　敷演深法義
一一諸佛土　聲聞衆无數　因佛光所照　悉見彼大衆
或有諸比丘　在於山林中　精進持淨戒　猶如護明珠
又見諸菩薩　行施忍辱等　其數如恒沙　斯由佛光照
又見諸菩薩　深入諸禪定　身心寂不動　以求无上道

BD03095號　妙法蓮華經卷一

(15–2)

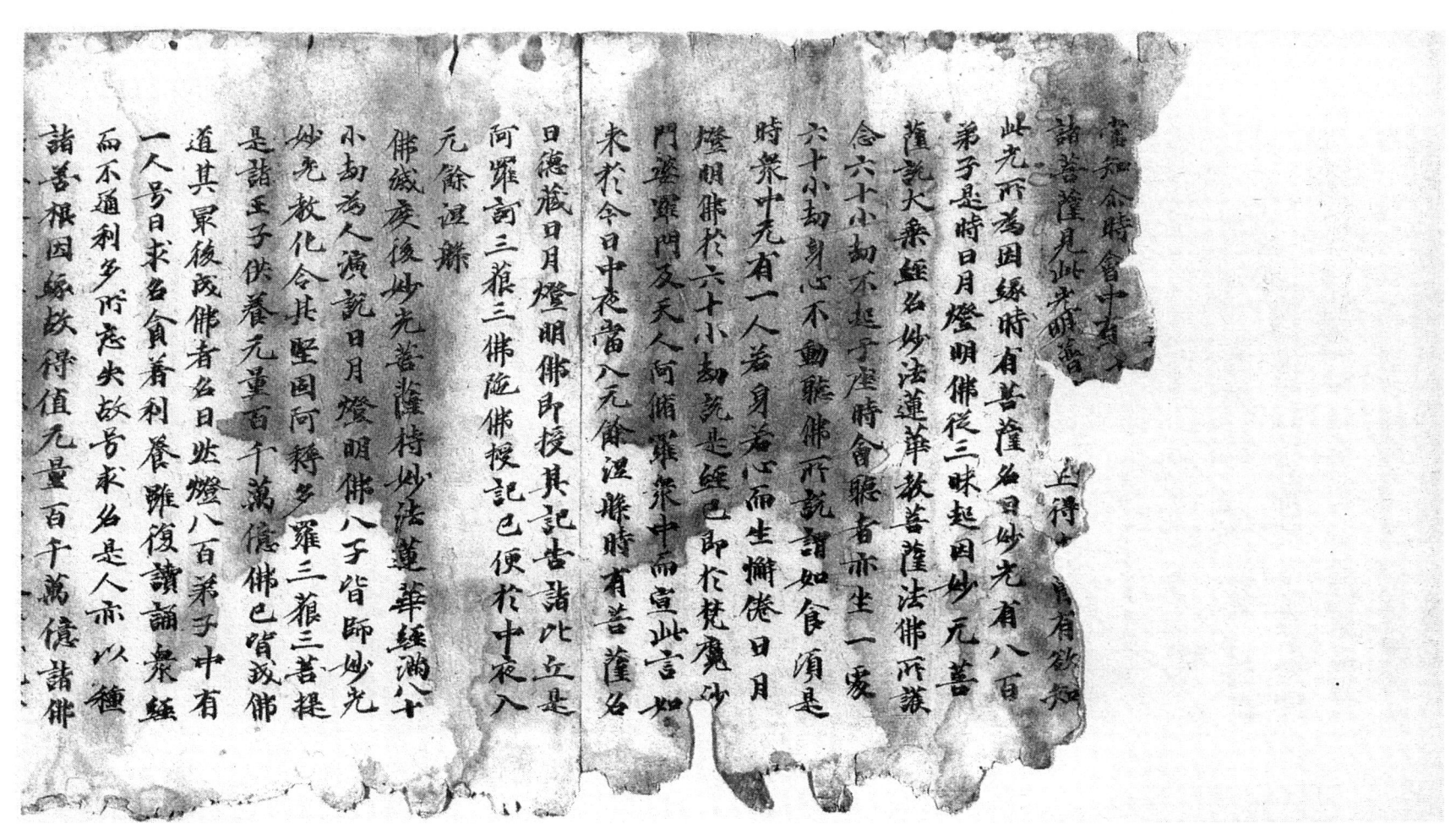

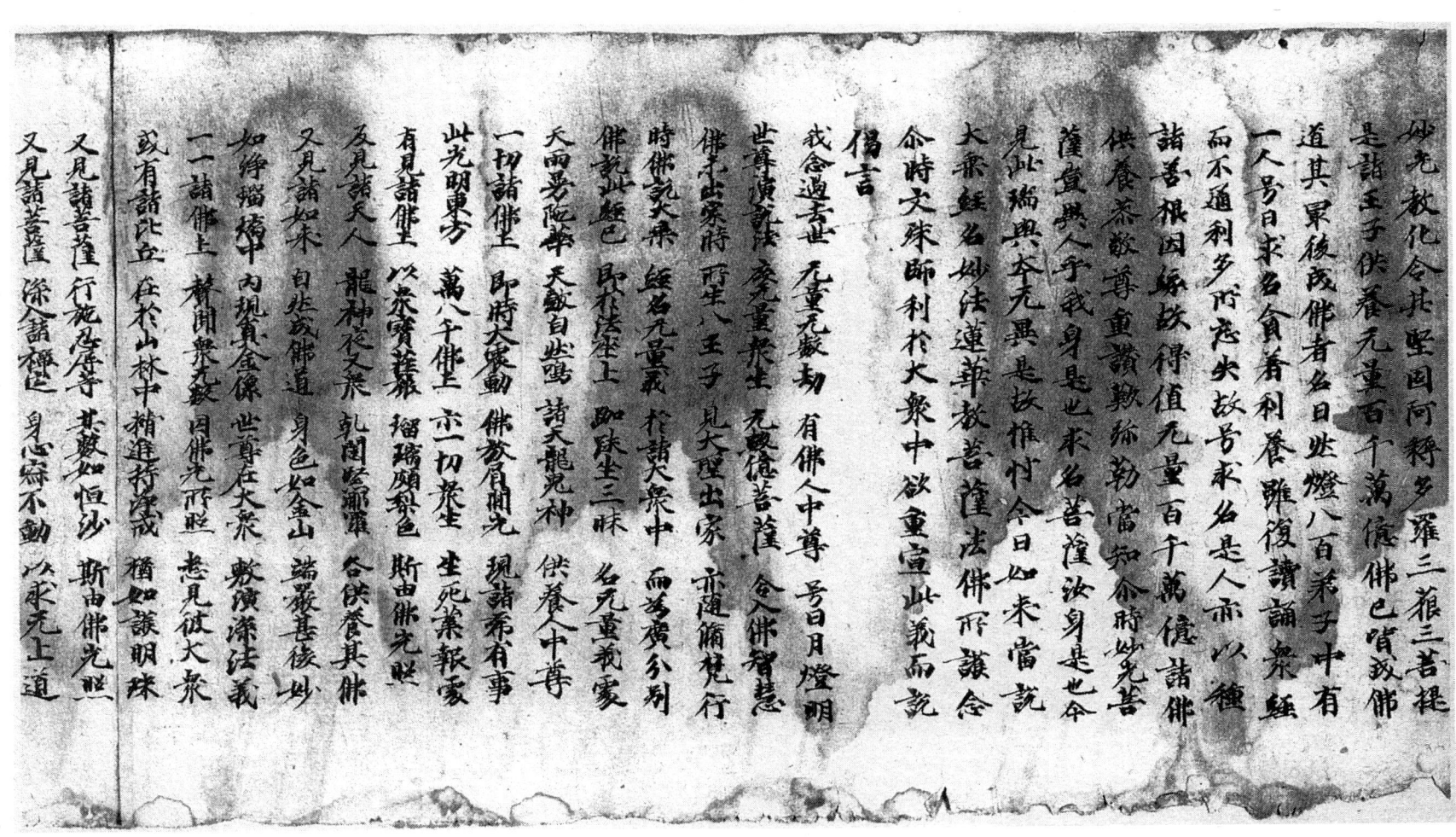

如淨瑠璃中　內現真金像　世尊在大眾　敷演深法義
一一諸佛土　聲聞眾无數　因佛光所照　悉見彼大眾
或有諸比丘　在於山林中　精進持淨戒　猶如護明珠
又見諸菩薩　行施忍辱等　其數如恒沙　斯由佛光照
又見諸菩薩　深入諸禪定　身心寂不動　以求无上道
又見諸菩薩　知法寂滅相　各於其國土　說法求佛道
爾時四部眾　見日月燈明　現大神通力　其心皆歡喜
各各自相問　是事何因緣
天人所奉尊　適從三昧起　讚妙光菩薩　汝為世間眼
一切所歸信　能奉持法藏　如我所說法　惟汝能證知
世尊既讚歎　令妙光歡喜　說是法華經　滿六十小劫
不起於此座　所說上妙法　是妙光法師　悉皆能受持
佛說是法華　令眾歡喜已　尋即於是日　告於天人眾
諸法實相義　已為汝等說　我今於中夜　當入於涅槃
汝一心精進　當離於放逸　諸佛甚難值　億劫時一遇
世尊諸子等　聞佛入涅槃　各各懷悲惱　佛滅一何速
聖主法之王　安慰无量眾　我若滅度時　汝等勿憂怖
是德藏菩薩　於无漏實相　心已得通達　其次當作佛
號曰為淨身　亦度无量眾
比丘比丘尼　其數如恒沙　倍復加精進　以求无上道
是妙光法師　奉持佛法藏　八十小劫中　廣宣法華經
是諸八王子　妙光所開化　堅固无上道　當見无數佛
供養諸佛已　隨順行大道　相繼得成佛　轉次而授記
最後天中天　號曰然燈佛　諸仙之導師　度脫无量眾
是妙光法師　時有一弟子　心常懷懈怠　貪著於名利
求名利无厭　多遊族姓家　棄捨所習誦　廢忘不通利
以是因緣故　號之為求名　亦行眾善業　得見无數佛
供養於諸佛　隨順行大道　具六波羅蜜　今見釋師子

BD03095號　妙法蓮華經卷一　（15–3）

供養諸佛已　隨順行大道　相繼得成佛　轉次而授記
最後天中天　號曰然燈佛　諸仙之導師　度脫无量眾
是妙光法師　時有一弟子　心常懷懈怠　貪著於名利
求名利无厭　多遊族姓家　棄捨所習誦　廢忘不通利
以是因緣故　號之為求名　亦行眾善業　得見无數佛
供養於諸佛　隨順行大道　具六波羅蜜　今見釋師子
其後當作佛　號名曰彌勒　廣度諸眾生　其數无有量
彼佛滅度後　懈怠者汝是　妙光法師者　今則我身是
我見燈明佛　本光瑞如此　以是知今佛　欲說法華經
今相如本瑞　是諸佛方便　今佛放光明　助發實相義
諸人今當知　合掌一心待　佛當雨法雨　充足求道者
諸求三乘人　若有疑悔者　佛當為除斷　令盡无有餘

妙法蓮華經方便品第二

爾時世尊從三昧安詳而起告舍利弗諸佛
智慧甚深无量其智慧門難解難入一切聲
聞辟支佛所不能知所以者何佛曾親近百
千万億无數諸佛盡行諸佛无量道法勇猛
精進名稱普聞成就甚深未曾有法隨宜所
說意趣難解舍利弗吾從成佛已來種種因
緣種種譬喻廣演言教无數方便引導眾生
令離諸著所以者何如來方便知見波羅蜜
皆已具足舍利弗如來知見廣大深遠无量
无㝵力无所畏禪定解脫三昧深入无際成
就一切未曾有法舍利弗如來能種種分別
巧說諸法言辭柔軟悅可眾心舍利弗取要
言之无量无邊未曾有法佛悉成就止舍利
弗不須復說所以者何佛所成就第一希有
難解之法唯佛與佛乃能究竟諸法實相所

BD03095號　妙法蓮華經卷一　（15–4）

就一切未曾有法舍利弗如來能種種分別
巧說諸法言辭柔軟悅可衆心舍利弗取要
言之无量无邊未曾有法佛悉成就止舍利
弗不須復說所以者何佛所成就第一希有
難解之法唯佛與佛乃能究盡諸法實相所
謂諸法如是相如是性如是體如是力如是
作如是因如是緣如是果如是報如是本末
究竟等尒時世尊欲重宣此義而說偈言
世雄不可量 諸天及世人 一切衆生類 无能知佛者
佛力无所畏 解脫諸三昧 及佛諸餘法 无能測量者
本從无數佛 具足行諸道 甚深微妙法 難見難可了
於无量億劫 行此諸道已 道場得成果 我已悉知見
如是大果報 種種性相義 我及十方佛 乃能知是事
是法不可示 言辭相寂滅 諸餘衆生類 无有能得解
除諸菩薩衆 信力堅固者 諸佛弟子衆 曾供養諸佛
一切漏已盡 住是最後身 如是諸人等 其力所不堪
假使滿世間 皆如舍利弗 盡思共度量 不能測佛智
正使滿十方 皆如舍利弗 及餘諸弟子 亦滿十方剎
盡思共度量 亦復不能知 辟支佛利智 无漏最後身
亦滿十方界 其數如竹林 斯等共一心 於億无量劫
欲思佛實智 莫能知少分 新發意菩薩 供養无數佛
了達諸義趣 又能善說法 如稻麻竹葦 充滿十方剎
一心以妙智 於恒河沙劫 咸皆共思量 不能知佛智
不退諸菩薩 其數如恒沙 一心共思求 亦復不能知
又告舍利弗 无漏不思議 甚深微妙法 我今已具得
唯我知是相 十方佛亦然 舍利弗當知 諸佛語无異
於佛所說法 當生大信力 世尊法久後 要當說真實

了達諸義趣 又能善說法 如稻麻竹葦 充滿十方剎
一心以妙智 於恒河沙劫 咸皆共思量 不能知佛智
不退諸菩薩 其數如恒沙 一心共思求 亦復不能知
又告舍利弗 无漏不思議 甚深微妙法 我今已具得
唯我知是相 十方佛亦然 舍利弗當知 諸佛語无異
於佛所說法 當生大信力 世尊法久後 要當說真實
告諸聲聞衆 及求緣覺乘 我令脫苦縛 逮得涅槃者
佛以方便力 示以三乘教 衆生處處著 引之令得出
尒時大衆中有諸聲聞漏盡阿羅漢阿若憍
陳如等千二百人及發聲聞辟支佛心比丘比
丘尼優婆塞優婆夷各作是念今者世尊
何故慇懃稱歎方便而作是言佛所得法甚
深難解有所言說意趣難知一切聲聞辟支
佛所不能及佛說一解脫義我等亦得此法
到於涅槃而今不知是義所趣尒時舍利弗
知四衆心疑自亦未了而白佛言世尊何因何
緣慇懃稱歎諸佛第一方便甚深微妙難
解之法我自昔來未曾從佛聞如是說今者
四衆咸皆有疑唯願世尊敷演斯事世尊何
故慇懃稱歎甚深微妙難解之法尒時舍利
弗欲重宣此義而說偈言
慧日大聖尊 久乃說是法 自說得如是 力无畏三昧
禪定解脫等 不可思議法 道場所得法 无能發問者
我意難可測 亦无能問者 无問而自說 稱歎所行道
智慧甚微妙 諸佛之所得 无漏諸羅漢 及求涅槃者
今皆墮疑網 佛何故說是 其求緣覺者 比丘比丘尼
諸天龍鬼神 及乾闥婆等 相視懷猶豫 瞻仰兩足尊
是事為云何 願佛為解說 於諸聲聞衆 佛說我第一

我意難可測　亦无能問者　无問而自說　稱歎所行道
智慧甚微妙　諸佛之所得　无漏諸羅漢　及求涅槃者
今皆墮疑網　佛何故說是　其求緣覺者　比丘比丘尼
諸天龍鬼神　及乾闥婆等　相視懷猶豫　瞻仰兩足尊
是事為云何　願佛為解說　於諸聲聞眾　佛說我第一
我今自於智　疑惑不能了　為是究竟法　為是所行道
佛口所生子　合掌瞻仰待　願出微妙音　時為如實說
諸天龍神等　其數如恒沙　求佛諸菩薩　大數有八万
又諸万億國　轉輪聖王至　合掌以敬心　欲聞具足道
尒時佛告舍利弗止止不須復說若說是事
一切世間諸天及人皆當驚疑舍利弗重白
佛言世尊唯願說之唯願說之所以者何是
會无數百千万億阿僧祇眾生曾見諸佛諸
根猛利智慧明了聞佛所說則能敬信尒時
舍利弗欲重宣此義而說偈言
法王无上尊　唯說願勿慮　是會无量眾　有能敬信者
佛復止舍利弗若說是事一切世間天人阿脩
羅皆當驚疑增上慢比丘將墜於大坑尒
時世尊重說偈言
止止不須說　我法妙難思　諸增上慢者　聞必不敬信
尒時舍利弗重白佛言世尊唯願說之唯願
說之今此會中如我等比百千万億世世已
曾從佛受化如此人等必能敬信長夜安隱
多所饒益尒時舍利弗欲重宣此義而說偈
言
无上兩足尊　願說第一法　我為佛長子　唯垂分別說
是會无量眾　能敬信此法　佛已曾世世　教化如是等
皆一心合掌　欲聽受佛語　我等千二百　及餘求佛者

言
无上兩足尊　願說第一法　我為佛長子　唯垂分別說
是會无量眾　能敬信此法　佛已曾世世　教化如是等
皆一心合掌　欲聽受佛語　我等千二百　及餘求佛者
願為此眾故　唯垂分別說　是等聞此法　則生大歡喜
尒時世尊告舍利弗汝已慇懃三請豈得不
說汝今諦聽善思念之吾當為汝分別解說
說此語時會中有比丘比丘尼優婆塞優婆
夷五千人等即從座起禮佛而退所以者何
此輩罪根深重及增上慢未得謂得未證謂
證有如此失是以不住世尊默然而不制止
尒時佛告舍利弗我今此眾无復枝葉純有
貞實舍利弗如是增上慢人退亦佳矣汝今
善聽當為汝說舍利弗言唯然世尊願樂欲
聞佛告舍利弗如是妙法諸佛如來時乃說
之如優曇鉢華時一現耳舍利弗汝等當信
佛之所說言不虛妄舍利弗諸佛隨宜說法
意趣難解所以者何我以无數方便種種因
緣譬喻言辭演說諸法是法非思量分別之
所能解唯有諸佛乃能知之所以者何諸佛
世尊唯以一大事因緣故出現於世舍利弗
云何名諸佛世尊唯以一大事因緣故出現於
世諸佛世尊欲令眾生開佛知見使得清
淨故出現於世欲示眾生佛之知見故出現於
世欲令眾生悟佛知見故出現於世欲令眾
生入佛知見道故出現於世舍利弗是為諸
佛以一大事因緣故出現於世佛告舍利弗
諸佛如來但教化菩薩諸有所作常為一事

世諸佛世尊欲令衆生開佛知見使得清
淨故出現於世欲示衆生佛之知見故出現於
世欲令衆生悟佛知見故出現於世欲令衆
生入佛知見道故出現於世舍利弗是為諸
佛以一大事因緣故出現於世佛告舍利弗
諸佛如來但教化菩薩諸有所作常為一事
唯以佛之知見示悟衆生舍利弗如來但以
一佛乘故為衆生說法无有餘乘若二若三
舍利弗一切十方諸佛法亦如是舍利弗過
去諸佛以无量无數方便種種因緣譬喻言
辭而為衆生演說諸法是法皆為一佛乘故
是諸衆生從諸佛聞法究竟皆得一切種智
舍利弗未來諸佛當出於世亦以无量无數
方便種種因緣譬喻言辭而為衆生演說諸
法是法皆為一佛乘故是諸衆生從佛聞法
究竟皆得一切種智舍利弗現在十方无量
百千万億佛土中諸佛世尊多所饒益安樂
衆生是諸佛亦以无量无數方便種種因緣譬
喻言辭而為衆生演說諸法是法皆為一
佛乘故是諸衆生從佛聞法究竟皆得一切
種智舍利弗是諸佛但教化菩薩欲以佛之
知見示衆生故欲以佛之知見悟衆生故欲
令衆生入佛之知見故舍利弗我今亦復如
是知諸衆生有種種欲深心所著隨其本性
以種種因緣譬喻言辭方便力故而為說法
舍利弗如此皆為得一佛乘一切種智故舍
利弗十方世界中尚无二乘何況有三舍利
弗諸佛出於五濁惡世所謂劫濁煩惱濁衆
生濁見濁命濁如是舍利弗劫濁亂時衆生

BD03095號　妙法蓮華經卷一　（15–9）

以種種因緣譬喻言辭方便力故而為說法
舍利弗如此皆為得一佛乘一切種智故舍
利弗十方世界中尚无二乘何況有三舍利
弗諸佛出於五濁惡世所謂劫濁煩惱濁衆
生濁見濁命濁如是舍利弗劫濁亂時衆生
垢重慳貪嫉妬成就諸不善根故諸佛以方
便力於一佛乘分別說三舍利弗若我弟子
自謂阿羅漢辟支佛者不聞不知諸佛如來
但教化菩薩事此非佛弟子非阿羅漢非辟
阿羅漢是最後身究竟涅槃便不復志求阿
耨多羅三藐三菩提當知此輩皆是增上慢
人所以者何若有比丘實得阿羅漢若不信
此法无有是處除佛滅度後現前无佛所以
者何佛滅度後如是等經受持讀誦解義者
是人難得若遇餘佛於此法中便得決了舍
利弗汝等當一心信解受持佛語諸佛如來
言无虛妄无有餘乘唯一佛乘尒時世尊欲
重宣此義而說偈言
比丘比丘尼　有懷增上慢　優婆塞我慢　優婆夷不信
如是四衆等　其數有五千　不自見其過　於戒有缺漏
護惜其瑕疵　是小智已出　衆中之糟糠　佛威德故去
斯人尠福德　不堪受是法　此衆无枝葉　唯有諸貞實
舍利弗善聽　諸佛所得法　无量方便力　而為衆生說
衆生心所念　種種所行道　若干諸欲性　先世善惡業
佛悉知是已　以諸緣譬喻　言辭方便力　令一切歡喜
或說修多羅　伽陁及本事　本生未曾有　亦說於因緣
譬喻并祇夜　優波提舍經　鈍根樂小法　貪著於生死
於諸无量佛　不行深妙道　衆苦所惱亂　為是說涅槃

BD03095號　妙法蓮華經卷一　（15–10）

佛悉知是已 以諸緣譬喻 言辭方便力 令一切歡喜
或說脩多羅 伽陀及本事 本生未曾有 亦說於因緣
譬喻并祇夜 優波提舍經 鈍根樂小法 貪著於生死
於諸无量佛 不行深妙道 衆苦所惱亂 為是說涅槃
我設是方便 令得入佛慧 未曾說汝等 當得成佛道
所以未曾說 說時未至故 今正是其時 決定說大乘
我此九部法 隨順衆生說 入大乘為本 以故說是經
有佛子心淨 柔軟亦利根 无量諸佛所 而行深妙道
為此諸佛子 說是大乘經 我記如是人 來世成佛道
以深心念佛 脩持淨戒故 此等聞得佛 大喜充遍身
佛知彼心行 故為說大乘 聲聞若菩薩 聞我所說法
乃至於一偈 皆成佛无疑 十方佛土中 唯有一乘法
无二亦无三 除佛方便說 但以假名字 引導於衆生
說佛智慧故 諸佛出於世 唯此一事實 餘二則非真
終不以小乘 濟度於衆生 佛自住大乘 如其所得法
定慧力莊嚴 以此度衆生 自證无上道 大乘平等法
若以小乘化 乃至於一人 我則墮慳貪 此事為不可
若人信歸佛 如來不欺誑 亦无貪嫉意 斷諸法中惡
故佛於十方 而獨无所畏 我以相嚴身 光明照世間
无量衆所尊 為說實相印 舍利弗當知 我本立誓願
欲令一切衆 如我等无異 如我昔所願 今者已滿足
化一切衆生 皆令入佛道 若我遇衆生 盡教以佛道
无智者錯亂 迷惑不受教 我知此衆生 未曾脩善本
堅著於五欲 癡愛故生惱 以諸欲因緣 墜墮三惡道
輪迴六趣中 備受諸苦毒 受胎之微形 世世常增長
薄德少福人 衆苦所逼迫 入邪見稠林 若有若无等
依止此諸見 具足六十二 深著虛妄法 堅受不可捨

堅著於五欲 癡愛故生惱 以諸欲因緣 墜墮三惡道
輪迴六趣中 備受諸苦毒 受胎之微形 世世常增長
薄德少福人 衆苦所逼迫 入邪見稠林 若有若无等
依止此諸見 具足六十二 深著虛妄法 堅受不可捨
我慢自矜高 諂曲心不實 於千萬億劫 不聞佛名字
亦不聞正法 如是人難度 是故舍利弗 我為設方便
說諸盡苦道 示之以涅槃 我雖說涅槃 是亦非真滅
諸法從本來 常自寂滅相 佛子行道已 來世得作佛
我有方便力 開示三乘法 一切諸世尊 皆說一乘道
今此諸大衆 皆應除疑惑 諸佛語无異 唯一无二乘
過去无數劫 无量滅度佛 百千万億種 其數不可量
如是諸世尊 種種緣譬喻 无數方便力 演說諸法相
是諸世尊等 皆說一乘法 化无量衆生 令入於佛道
又諸大聖主 知一切世間 天人群生類 深心之所欲
更以異方便 助顯第一義 若有衆生類 值諸過去佛
若聞法布施 或持戒忍辱 精進禪智等 種種脩福德
如是諸人等 皆已成佛道 諸佛滅度已 若人善軟心
如是諸衆生 皆已成佛道 諸佛滅度已 供養舍利者
起万億種塔 金銀及頗梨 車璖與馬瑙 玫瑰琉璃珠
清淨廣嚴飾 莊挍於諸塔 或有起石廟 栴檀及沉水
木櫁并餘材 塼瓦泥土等 若於曠野中 積土成佛廟
乃至童子戲 聚沙為佛塔 如是諸人等 皆已成佛道
或以七寶成 鍮石赤白銅 白鑞及鈆錫 鐵木及與泥
或以膠漆布 嚴飾作佛像 如是諸人等 皆已成佛道
彩畫作佛像 百福莊嚴相 自作若使人 皆已成佛道
乃至童子戲 若草木及筆 或以指爪甲 而畫作佛像
如是諸人等 漸漸積功德 具足大悲心 皆已成佛道
但化諸菩薩 度脫无量衆 若人於塔廟 寶像及畫像

或以七寶成　鍮石赤白銅　白鑞及鉛錫　鐵木及與泥
或以膠漆布　嚴飾作佛像　如是諸人等　皆已成佛道
綵畫作佛像　百福莊嚴相　自作若使人　皆已成佛道
乃至童子戲　若草木及筆　或以指爪甲　而畫作佛像
如是諸人等　漸漸積功德　具足大悲心　皆已成佛道
但化諸菩薩　度脫无量衆　若人於塔廟　寶像及畫像
以華香幡蓋　敬心而供養　若使人作樂　擊鼓吹角貝
簫笛琴箜篌　琵琶鐃銅鈸　如是衆妙音　盡持以供養
或以歡喜心　歌唄頌佛德　乃至一小音　皆已成佛道
若人散亂心　乃至以一華　供養於畫像　漸見无數佛
或有人禮拜　或復但合掌　乃至舉一手　或復小低頭
以此供養像　漸見无量佛　自成无上道　廣度无數衆
入无餘涅槃　如薪盡火滅　若人散亂心　入於塔廟中
一稱南无佛　皆已成佛道　於諸過去佛　在世或滅後
若有聞是法　皆已成佛道　未來諸世尊　其數无有量
是諸如來等　亦方便說法　一切諸如來　以无量方便
度脫諸衆生　入佛无漏智　若有聞法者　无一不成佛
諸佛本誓願　我所行佛道　普欲令衆生　亦同得此道
未來世諸佛　雖說百千億　无數諸法門　其實為一乘
諸佛兩足尊　知法常无性　佛種從緣起　是故說一乘
是法住法位　世間相常住　於道場知已　導師方便說
天人所供養　現在十方佛　其數如恒沙　出現於世間
安隱衆生故　亦說如是法　知第一寂滅　以方便力故
雖示種種道　其實為佛乘　知衆生諸行　深心之所念
過去所習業　欲性精進力　及諸根利鈍　以種種因緣
譬喻亦言辭　隨應方便說　今我亦如是　安隱衆生故
以種種法門　宣示於佛道　我以智慧力　知衆生性欲
方便說諸法　皆令得歡喜　舍利弗當知　我以佛眼觀
見六道衆生　貧窮无福慧　入生死險道　相續苦不斷

BD03095號　妙法蓮華經卷一　（15–13）

雖示種種道　其實為佛乘　知衆生諸行　深心之所念
過去所習業　欲性精進力　及諸根利鈍　以種種因緣
譬喻亦言辭　隨應方便說　今我亦如是　安隱衆生故
以種種法門　宣示於佛道　我以智慧力　知衆生性欲
方便說諸法　皆令得歡喜　舍利弗當知　我以佛眼觀
見六道衆生　貧窮无福慧　入生死險道　相續苦不斷
深著於五欲　如犛牛愛尾　以貪愛自蔽　盲瞑无所見
不求大勢佛　及與斷苦法　深入諸邪見　以苦欲捨苦
為是衆生故　而起大悲心　我始坐道場　觀樹亦經行
於三七日中　思惟如是事　我所得智慧　微妙最第一
衆生諸根鈍　著樂癡所盲　如斯之等類　云何而可度
尒時諸梵王　及諸天帝釋　護世四天王　及大自在天
并餘諸天衆　眷屬百千万　恭敬合掌礼　請我轉法輪
我即自思惟　若但讚佛乘　衆生沒在苦　不能信是法
破法不信故　墜於三惡道　我寧不說法　疾入於涅槃
尋念過去佛　所行方便力　我今所得道　亦應說三乘
作是思惟時　十方佛皆現　梵音慰喻我　善哉釋迦文
第一之導師　得是无上法　隨諸一切佛　而用方便力
我等亦皆得　最妙第一法　為諸衆生類　分別說三乘
少智樂小法　不自信作佛　是故以方便　分別說諸果
雖復說三乘　但為教菩薩　舍利弗當知　我聞聖師子
深淨微妙音　喜稱南无佛　復作如是念　我出濁惡世
如諸佛所說　我亦隨順行　思惟是事已　即趣波羅柰
諸法寂滅相　不可以言宣　以方便力故　為五比丘說
是名轉法輪　便有涅槃音　及以阿羅漢　法僧差別名
從久遠劫來　讚示涅槃法　生死苦永盡　我常如是說
舍利弗當知　我見佛子等　志求佛道者　无量千万億
咸以恭敬心　皆來至佛所　曾從諸佛聞　方便所說法

BD03095號　妙法蓮華經卷一　（15–14）

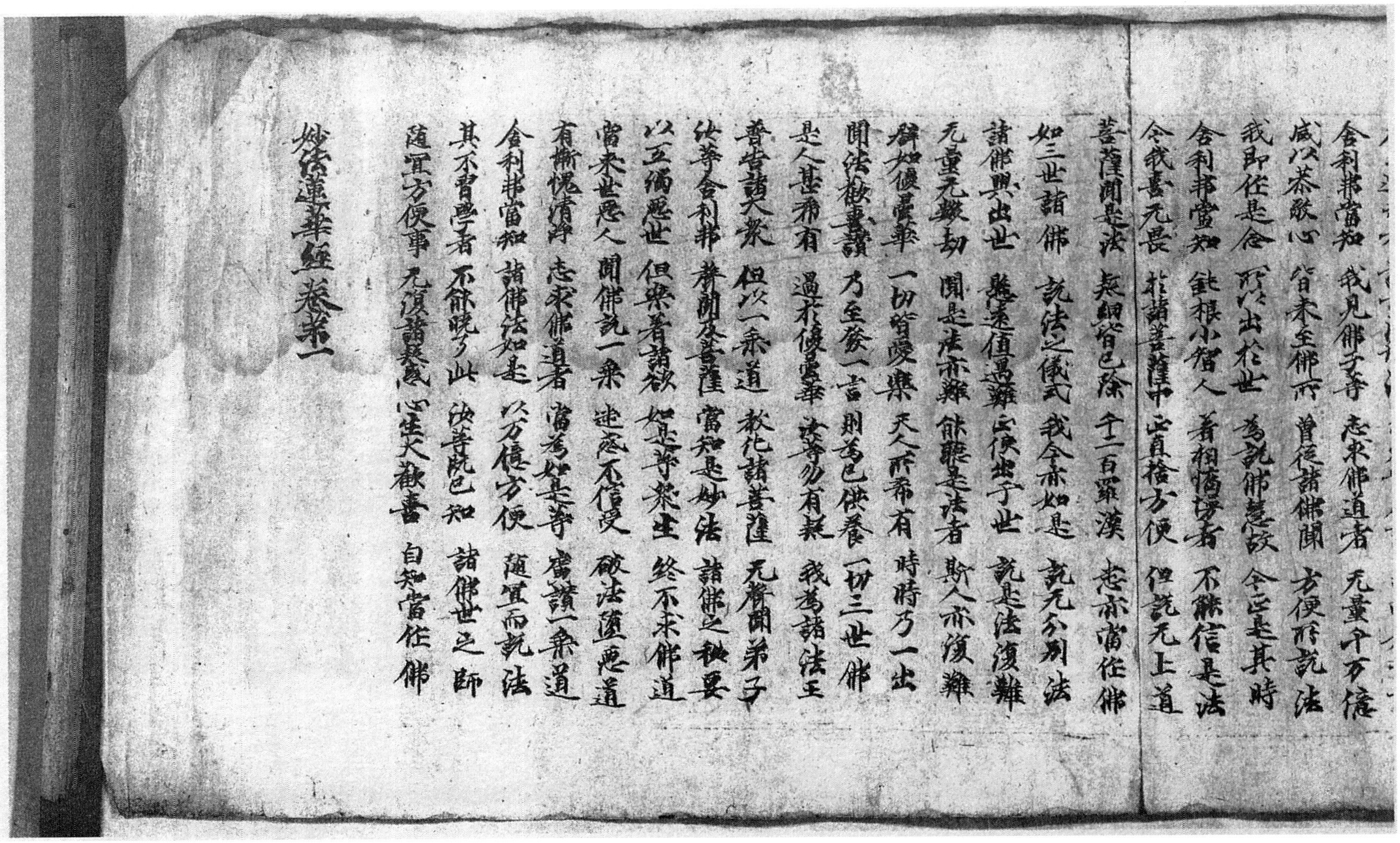
舍利弗當知 我見佛子等 志求佛道者 无量千万億
咸以恭敬心 皆來至佛所 曾從諸佛聞 方便所說法
我即作是念 如來所以出 為說佛慧故 今正是其時
舍利弗當知 鈍根小智人 著相憍慢者 不能信是法
今我喜无畏 於諸菩薩中 正直捨方便 但說无上道
菩薩聞是法 疑網皆已除 千二百羅漢 悉亦當作佛
如三世諸佛 說法之儀式 我今亦如是 說无分別法
諸佛興出世 懸遠值遇難 正使出于世 說是法復難
无量无數劫 聞是法亦難 能聽是法者 斯人亦復難
譬如優曇華 一切皆愛樂 天人所希有 時時乃一出
聞法歡喜讚 乃至發一言 則為已供養 一切三世佛
是人甚希有 過於優曇華 汝等勿有疑 我為諸法王
普告諸大眾 但以一乘道 教化諸菩薩 无聲聞弟子
汝等舍利弗 聲聞及菩薩 當知是妙法 諸佛之祕要
以五濁惡世 但樂著諸欲 如是等眾生 終不求佛道
當來世惡人 聞佛說一乘 迷惑不信受 破法墮惡道
有慚愧清淨 志求佛道者 當為如是等 廣讚一乘道
舍利弗當知 諸佛法如是 以万億方便 隨宜而說法
其不習學者 不能曉了此 汝等既已知 諸佛世之師
隨宜方便事 无復諸疑惑 心生大歡喜 自知當作佛

妙法蓮華經卷第一

BD03095號　妙法蓮華經卷一　　（15–15）

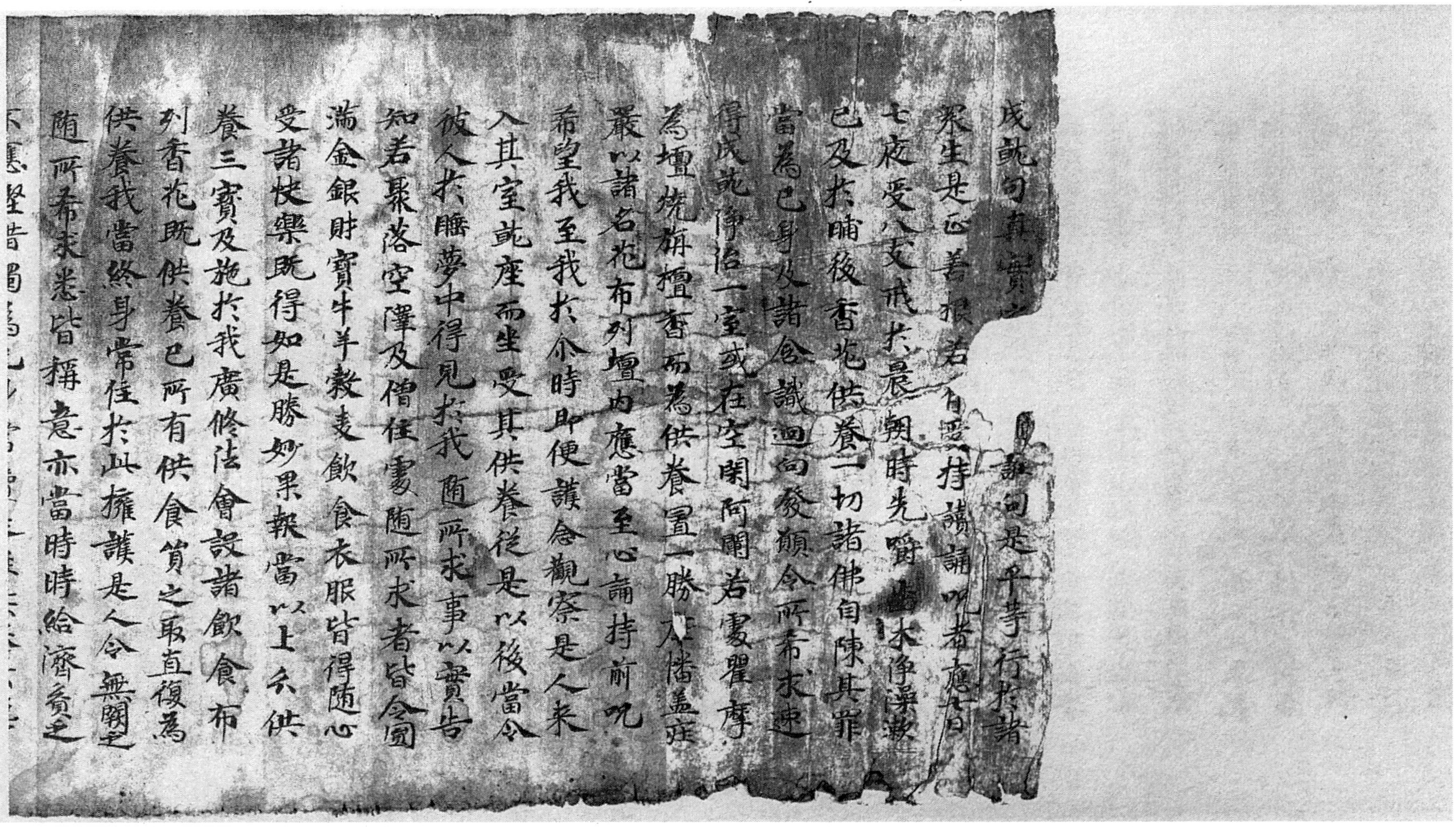
成就句真實之[illegible]句是平等行於諸
眾生是正善根若有受持讀誦呪者應七日
七夜受八支戒於晨朝時先嚼齒木淨澡漱
已及於晡後香花供養一切諸佛自陳其罪
當為己身及諸含識迴向發願令所希求速
得成就淨治一室或在空閑阿蘭若處瞿摩
為壇燒栴檀香而為供養置一勝座幡蓋莊
嚴以諸名花布列壇內應當至心誦持前呪
希望我至我於爾時即便護念觀察是人來
入其室就座而坐受其供養從是以後當令
彼人於睡夢中得見於我隨所求事以實告
知若聚落空澤及僧住處隨所求者皆令圓
滿金銀財寶牛羊穀麥飲食衣服皆得隨心
受諸快樂既得如是勝妙果報當以上分供
養三寶及施於我廣修法會設諸飲食布
列香花既供養已所有供食貨之取直復為
供養我當終身常住於此擁護是人令無闕乏
隨所希求悉皆稱意亦當時時給濟貧乏

BD03096號　金光明最勝王經卷八　　（5–1）

受諸快樂既得如是勝妙果報當以上分供
養三寶及施於我廣修法會設諸飲食布
列香花既供養已所有供食貧之最直復為
供養我當終身常住於此擁護是人令無闕乏
隨所希求悉皆稱意亦當時時給濟貧乏
不應慳惜獨為己身常讀是經供養不絕當
以此福普施一切迴向菩提願出生死速得解
脫尒時世尊讚言善哉吉祥天女汝能如是
流布此經不可思議自他俱益
金光明最勝王經堅牢地神品第十八
尒時堅牢地神即於眾中從座而起合掌恭
敬而白佛言世尊是金光明最勝王經若現
在世若未來世若城邑聚落王宮樓觀及阿
蘭若山澤空林有此經王流布之處世尊我
當往詣其所供養恭敬擁護流通若有方
處為說法師敷置高座演說經者我以神力
不現本身在於座所頂戴其足我得聞法深
心歡喜得飡法味增益威光慶悅無量自身
既得如是利益亦令大地深十六万八千踰繕
那至金剛輪際令其地味悉皆增益乃至四
海所有土地亦使肥濃田疇沃壤倍勝常日
亦復令此贍部洲中江河池沼所有諸樹藥
草叢林種種花果根莖枝葉及諸苗稼形
相可愛眾所樂觀色香具足皆堪受用若諸
有情受用如是勝飲食已長命色力諸根安隱

BD03096 號　金光明最勝王經卷八　（5–2）

亦復令此贍部洲中江河池沼所有諸樹藥
草叢林種種花果根莖枝葉及諸苗稼形
相可愛眾所樂觀色香具足皆堪受用若諸
有情受用如是勝飲食已長命色力諸根安隱
增益光輝無諸痛惱心慧勇健無不堪能又
此大地凡有所須百千事業悉皆周備　世尊
以是因緣諸贍部洲安隱豐樂人民熾盛無
諸衰惱所有眾生皆受安樂既受如是身心
快樂於此經王深加愛敬所在之處皆願受
持供養恭敬尊重讚歎又復於彼說法大師
法座之處悉皆往彼為諸眾生勸請說是最
勝經王何以故世尊由說此經我之自身并
諸眷屬咸蒙利益光輝氣力勇猛威勢顏
容端正倍勝於常世尊我堅牢地神蒙法味
已令贍部洲縱廣七千踰繕那地皆沃壤乃
至如前所有眾生皆受安樂是故世尊時彼
眾生為報我恩應作是念我當必定聽受是
經恭敬供養尊重讚歎作是念已即從住處
城邑聚落舍宅空地詣法會所頂礼法師聽受
是經既聽受已各還本處心生慶喜共作是
言我等今者得聞甚深無上妙法即是攝受
不可思議功德之聚由經力故我等當值無量
无邊百千俱胝那庾多佛承事供養永離
三塗極苦之處復於來世百千生中常生天
上及在人間受諸勝樂時彼諸人各還本處

BD03096 號　金光明最勝王經卷八　（5–3）

城邑聚落舍宅空地詣法會所頂礼法師聽受
是經既聽受已各還本處心生慶喜共作是
言我等今者得聞甚深無上妙法即是攝受
不可思議功德之聚由經力故我等當值無量
无邊百千俱胝那庾多佛承事供養永離
三塗極苦之處復於來世百千生中常生天
上及在人間受諸勝樂時彼諸人各還本處
為諸人衆說是經王若一喻一品一昔因緣一
如來名一菩薩名一四句頌或復一句為諸
衆生說是經典乃至首題名字世尊隨諸
衆生所住之處其地悉皆沃壤肥濃過於餘
處凡是土地所生之物悉得增長滋茂廣大
令諸衆生受於快樂多饒珎財好行惠施心常
堅固深信三寶作是語已尒時世尊告堅牢
地神曰若有衆生聞是金光明最勝經王乃至
一句命終之後當得往生三十三天及餘天
處若有衆生為欲供養是經王故莊嚴宅
宇乃至張一傘蓋懸一繒幡由是因緣六天
之上如念受生七寶妙宮隨意受用各各自
然有七千天女共相娛樂日夜常受不可思議
殊勝之樂作是語已尒時堅牢地神白佛言
世尊以是因緣若有四衆昇於法座說是法
時我當晝夜擁護是人自隱其身在於座
所頂戴其足世尊如是經典為彼衆生已於
百千佛所種善根者於贍部洲流布不滅是

BD03096 號　金光明最勝王經卷八

（5–4）

處凡是土地所生之物悉得增長滋茂廣大
令諸衆生受於快樂多饒珎財好行惠施心常
堅固深信三寶作是語已尒時世尊告堅牢
地神曰若有衆生聞是金光明最勝經王乃至
一句命終之後當得往生三十三天及餘天
處若有衆生為欲供養是經王故莊嚴宅
宇乃至張一傘蓋懸一繒幡由是因緣六天
之上如念受生七寶妙宮隨意受用各各自
然有七千天女共相娛樂日夜常受不可思議
殊勝之樂作是語已尒時堅牢地神白佛言
世尊以是因緣若有四衆昇於法座說是法
時我當晝夜擁護是人自隱其身在於座
所頂戴其足世尊如是經典為彼衆生已於
百千佛所種善根者於贍部洲流布不滅是
諸衆生聽斯經者於未來世无量百千俱胝
那庾多劫天上人中常受勝樂得遇諸佛速
成阿耨多羅三藐三菩提不歷三塗生死之
苦尒時堅牢地神白佛言世尊我有心呪能利
人天安樂一切若有男子女人及諸四衆欲得
親見我真身者應當至心持此陁羅尼隨
其所願皆悉遂心所謂資財珎寶伏藏及

BD03096 號　金光明最勝王經卷八

（5–5）

佛言佛子與人受戒時不得簡擇一切國王王
子大臣百官比丘比丘尼信男信女婬男婬
女十八梵六欲天无根二根黃門奴婢一切鬼
神盡得受戒應教身所著袈裟皆使壞色
與道相應皆染使青黃赤黑紫色一切染衣
乃至卧具盡以壞色身所著衣一切染色若
一切國土中人所著衣服比丘皆應與其國
人衣服色異與俗服有異若欲受戒時師應
問言汝現身不作七逆罪耶菩薩法師不得
與七逆人現身受戒七逆者出佛身血殺父
母和上阿闍梨破羯磨轉法輪僧殺聖人若
具七遮即現身不得戒餘一切人盡得受戒
出家人法不向國王礼拜不向父母礼拜六親
不敬鬼神不礼但解法師語有百里千里来
求戒者而菩薩法師以惡心嗔心而不即與
授一切衆生戒者犯輕垢罪
若佛子教化人起信心時菩薩與他人作教
戒法師者見欲受戒人應教請二師和上阿
闍梨二師應問言汝有七遮罪不若現身有

BD03097號　梵網經盧舍那佛說菩薩心地戒品第十卷下　（2–1）

出家人法不向國王礼拜不向父母礼拜六親
不敬鬼神不礼但解法師語有百里千里来
求戒者而菩薩法師以惡心嗔心而不即與
授一切衆生戒者犯輕垢罪
若佛子教化人起信心時菩薩與他人作教
戒法師者見欲受戒人應教請二師和上阿
闍梨二師應問言汝有七遮罪不若現身有
七遮師不應與受戒无七遮者得受若有犯
戒者應教懺悔在佛菩薩形像前日夜六時
誦十重四十八輕戒苦到礼三世諸佛須見
好相若不得好相以一七日二七日三七日乃
至一年要見好相好相者佛来摩頂若見光
華種種異相便得滅罪若无好相雖懺无益
是人現身亦不得戒而得增受戒若犯四十八
輕戒者對手懺悔便得罪滅不同七遮而
教戒師於是法中一一好解若不解大乘經

BD03097號　梵網經盧舍那佛說菩薩心地戒品第十卷下　（2–2）

大目連法相如是豈可說乎夫說法者无說无
示其聽法者无聞无得譬如幻士爲幻人說法
當建是意而爲說法當了衆生根有利鈍善
於知見无所罣礙以大悲心讚于大乘念報佛恩
不斷三寶然後說法維摩詰說是法時八百居
士發阿耨多羅三藐三菩提心我无此辯是故不
任詣彼問疾
佛告大迦葉汝行詣維摩詰問疾迦葉白佛言世
尊我不堪任詣彼問疾所以者何憶念我昔於
貧里而行乞食時維摩詰來謂我言唯大迦
葉有慈悲心而不能普捨豪富從貧乞迦葉
住平等法應次行乞食爲不食故應行乞食爲
壞和合相故應取揣食爲不受故應受彼食以
空聚想入於聚落所見色與盲等所聞聲與響
等所嗅香與風等所食味不分別受諸觸如智
證知諸法如幻相无自性无他性本自不然今
則无滅迦葉若能不捨八邪入八解脫以邪相
入正法以一食施一切供養諸佛及衆賢聖然
後可食如是食者非有煩惱非離煩惱非入定
意非起定意非住世間非住涅槃其有施者无
大福无小福不爲益不爲損是爲正入佛道不依
聲聞迦葉若如是食爲不空食人之施也時我
世尊聞說是語得未曾有即於一切菩薩深起

BD03098號　維摩詰所說經卷上　（3-1）

後可食如是食者非有煩惱非離煩惱非入定
意非起定意非住世間非住涅槃其有施者无
大福无小福不爲益不爲損是爲正入佛道不依
聲聞迦葉若如是食爲不空食人之施也時我
世尊聞說是語得未曾有即於一切菩薩深起
敬心復作是念斯有家名辯才智慧乃能如是
其誰不發阿耨多羅三藐三菩提心我從是來不
復勸人以聲聞辟支佛行故我不任詣彼問疾
佛告須菩提汝行詣維摩詰問疾須菩提白
佛言世尊我不堪任詣彼問疾所以者何憶念我
昔入其舍從乞食時維摩詰取我鉢盛滿飯謂
我言唯須菩提若能於食等者諸法亦等諸
法等者於食亦等如是行乞乃可取食若須菩提
不斷婬怒癡亦不與俱不壞於身而隨一相不滅癡
愛起於明脫以五逆相而得解脫亦不解不縛
不見四諦非不見諦非得果非不得果非凡夫
非離凡夫法非聖人非不聖人雖成就一切法
而離諸法相乃可取食若須菩提不見佛不
聞法彼外道六師富蘭那迦葉末伽梨拘賒
梨子刪闍夜毗羅胝子阿耆多翅舍欽婆羅迦
羅鳩馱迦旃延尼揵陀若提子等是汝之師因
其出家彼師所墮汝亦隨墮乃可取食若須菩
提入諸邪見不到彼岸住於八難不得无難同
於煩惱離清淨法汝得无諍三昧一切衆生亦
得是定其施汝者不名福田供養汝者墮三惡
道爲與衆魔共一手作諸勞侶汝與衆魔及諸

BD03098號　維摩詰所說經卷上　（3-2）

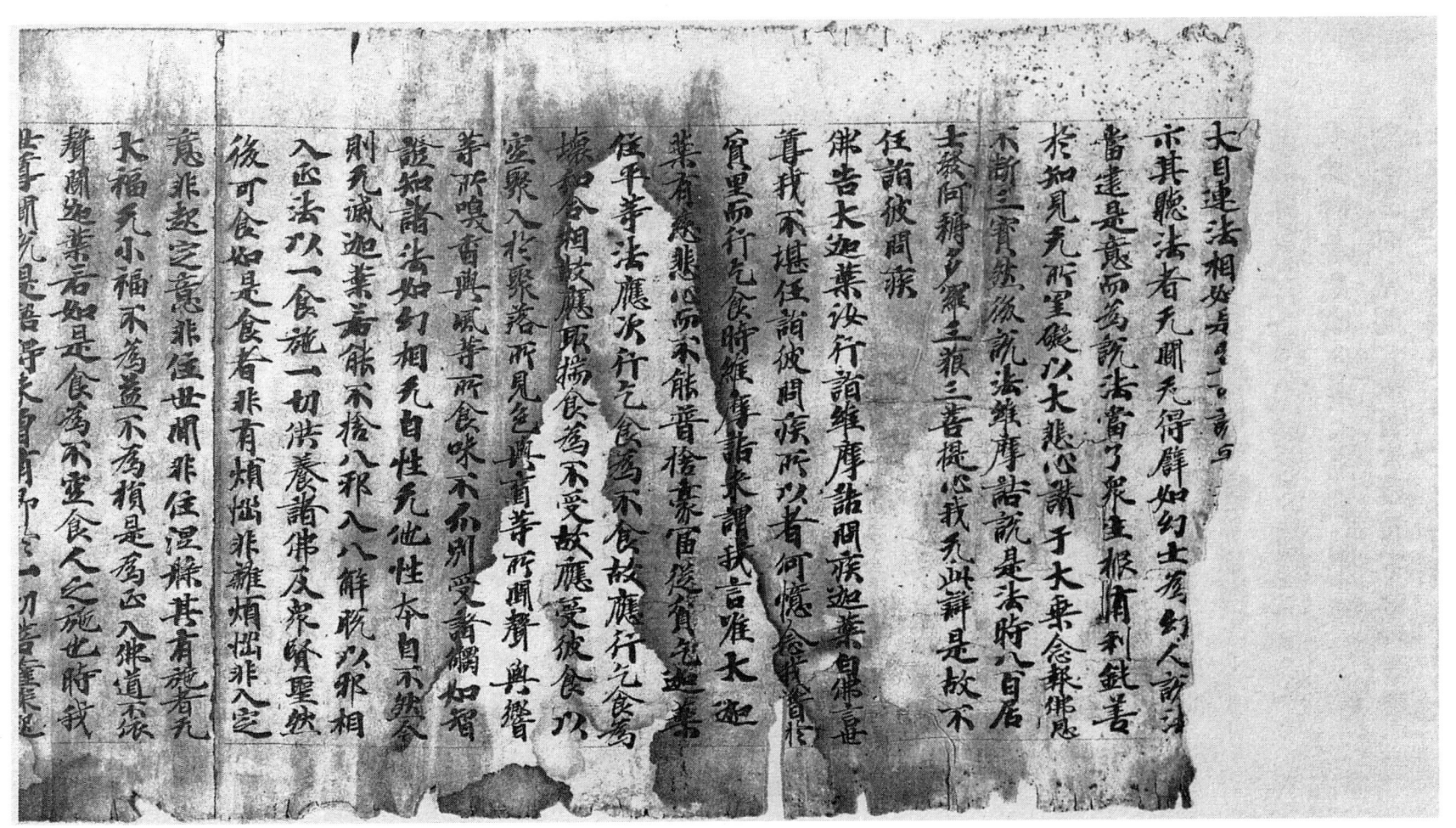

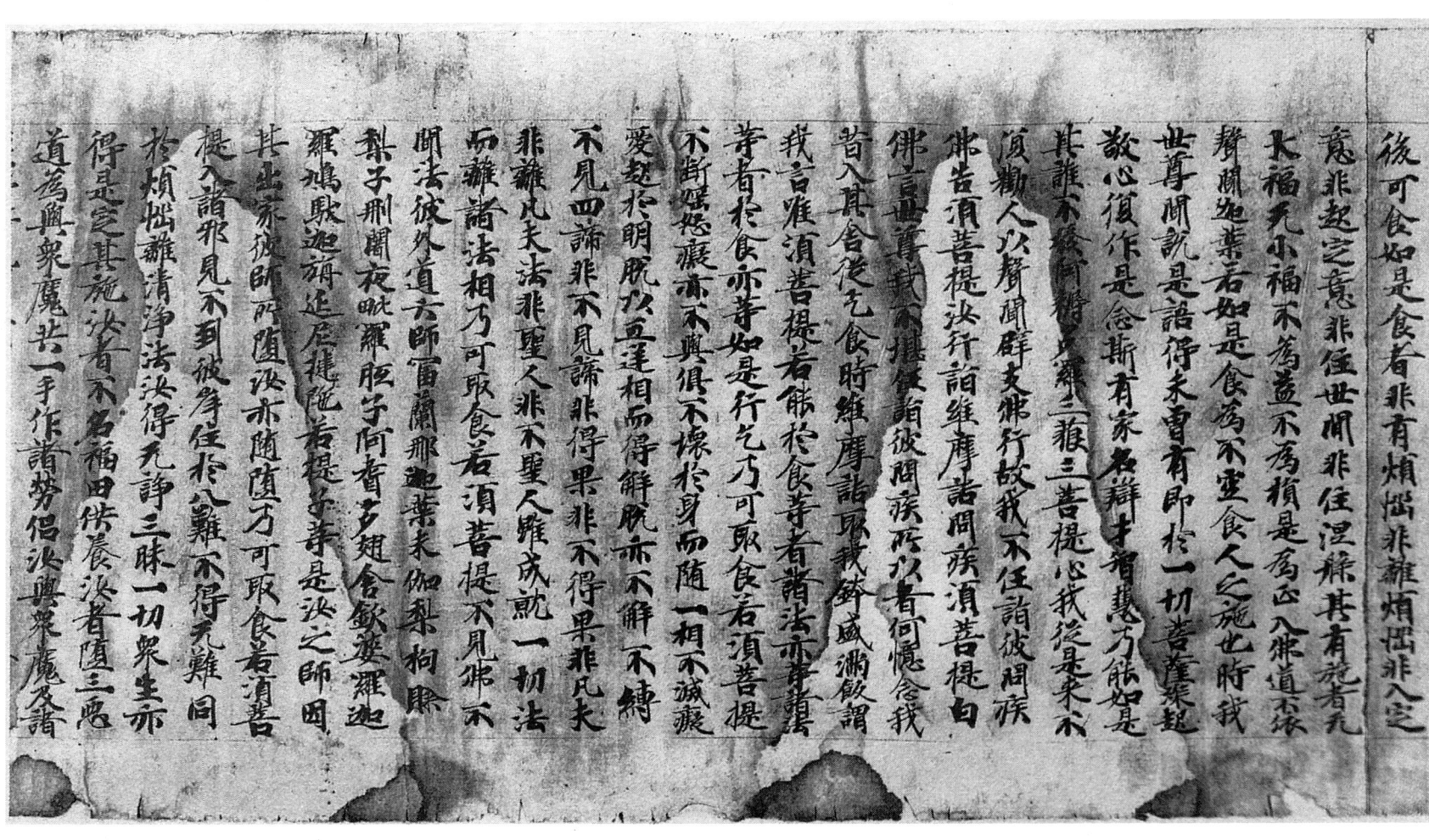

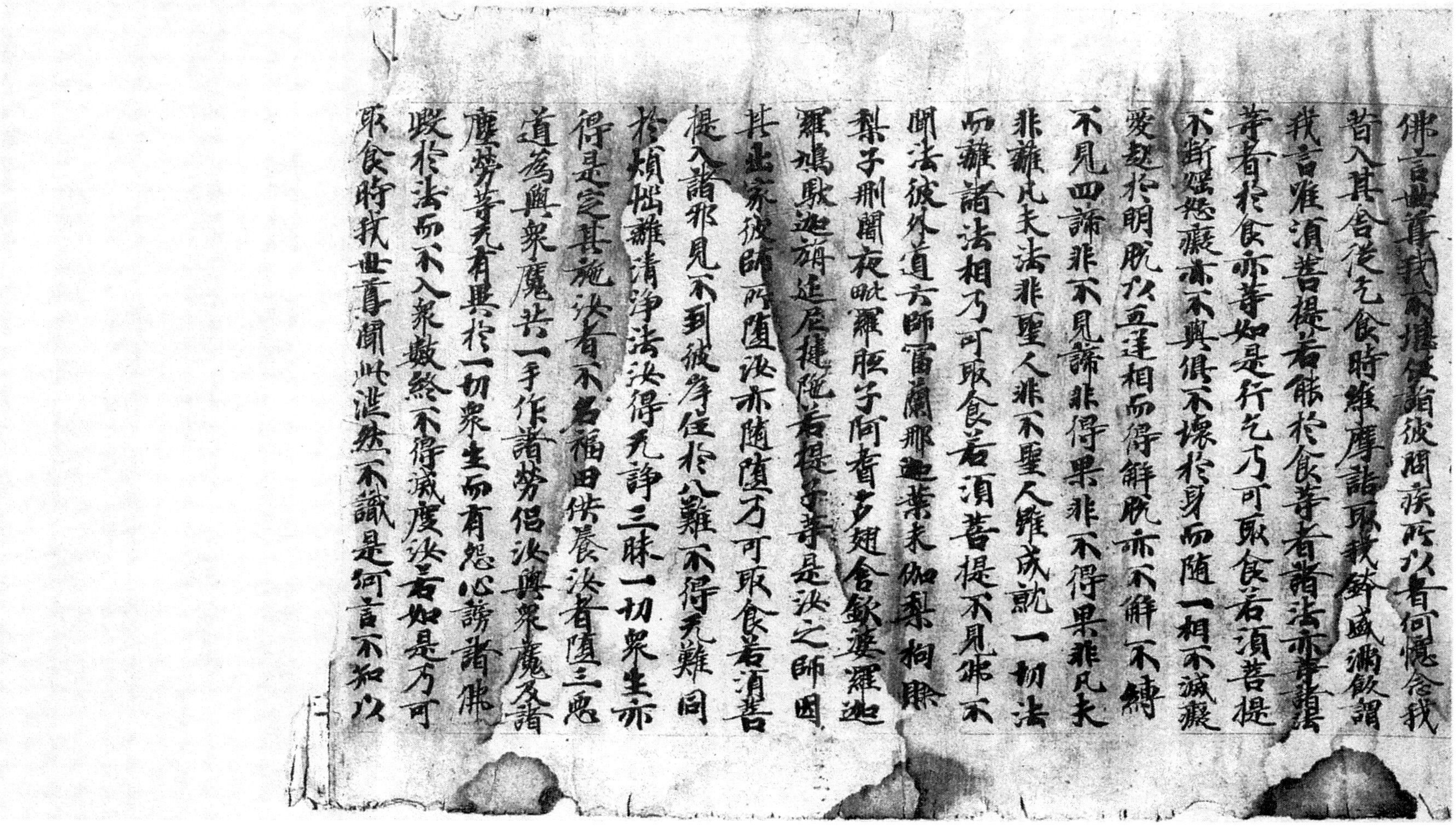
佛言世尊我不堪任詣彼問疾所以者何憶念我
昔入其舍從乞食時維摩詰取我鉢盛滿飯謂
我言唯須菩提若能於食等者諸法亦等諸法
等者於食亦等如是行乞乃可取食若須菩提
不斷婬怒癡亦不與俱不壞於身而隨一相不滅癡
愛起於明脫以五逆相而得解脫亦不解不縛
不見四諦非不見諦非得果非不得果非凡夫
非離凡夫法非聖人非不聖人雖成就一切法
而離諸法相乃可取食若須菩提不見佛不
聞法彼外道六師富蘭那迦葉末伽梨拘賒
梨子刪闍夜毗羅胝子阿耆多翅舍欽婆羅迦
羅鳩馱迦旃延尼揵陀若提子等是汝之師因
其出家彼師所墮汝亦隨墮乃可取食若須菩
提入諸邪見不到彼岸住於八難不得无難同
於煩惱離清淨法汝得无諍三昧一切衆生亦
得是定其施汝者不名福田供養汝者墮三惡
道為與衆魔共一手作諸勞侶汝與衆魔及諸
塵勞等无有異於一切衆生而有怨心謗諸佛
毀於法不入衆數終不得滅度汝若如是乃可
取食時我世尊聞此茫然不識是何言不知以

BD03098 號　維摩詰所說經卷上　（3–3）

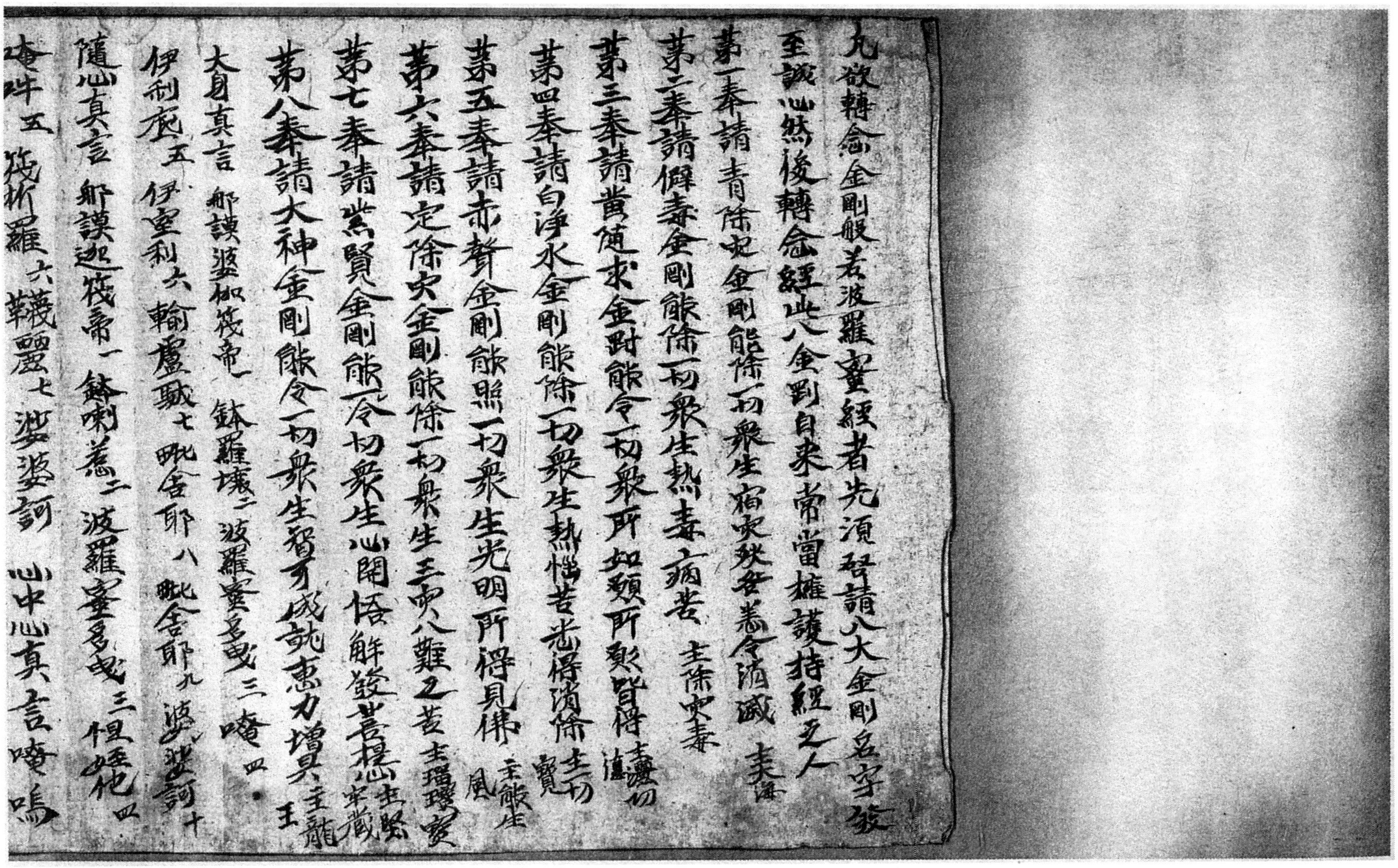
凡欲轉念金剛般若波羅蜜經者先須啓請八大金剛名字發
至誠心然後轉念經此八金剛自來常當擁護持經之人
第一奉請青除災金剛能除一切衆生宿災殃咎悉令消滅　主海
第二奉請辟毒金剛能除一切衆生熱毒病苦　主除災毒
第三奉請黃隨求金剛能令一切衆所如願所求皆得　主遇切隨
第四奉請白淨水金剛能除一切衆生熱惱苦悉得消除　主一切寶覺
第五奉請赤聲金剛能照一切衆生光明所得見佛　主能生風
第六奉請定除災金剛能除一切衆生三災八難之苦　主瓔珞寶
第七奉請紫賢金剛能令一切衆生心開悟解發菩提心　主堅牢藏
第八奉請大神金剛能令一切衆生智牙成就惠力增長　主龍王
大身真言　那謨婆伽筏帝一　鉢羅壞二　波羅蜜多曳三　唵四
伊利底五　伊室利六　輸盧馱七　毗舍耶八　毗舍耶九　娑婆訶十
隨心真言　那謨薄伽筏帝一　鉢喇蕙二　波羅蜜多曳三　怛姪他四
唵吽五　筏折羅六　[illegible]曬七　娑婆訶　心中心真言　唵嗚

BD03099 號 1　持誦金剛經靈驗功德記　（5–1）

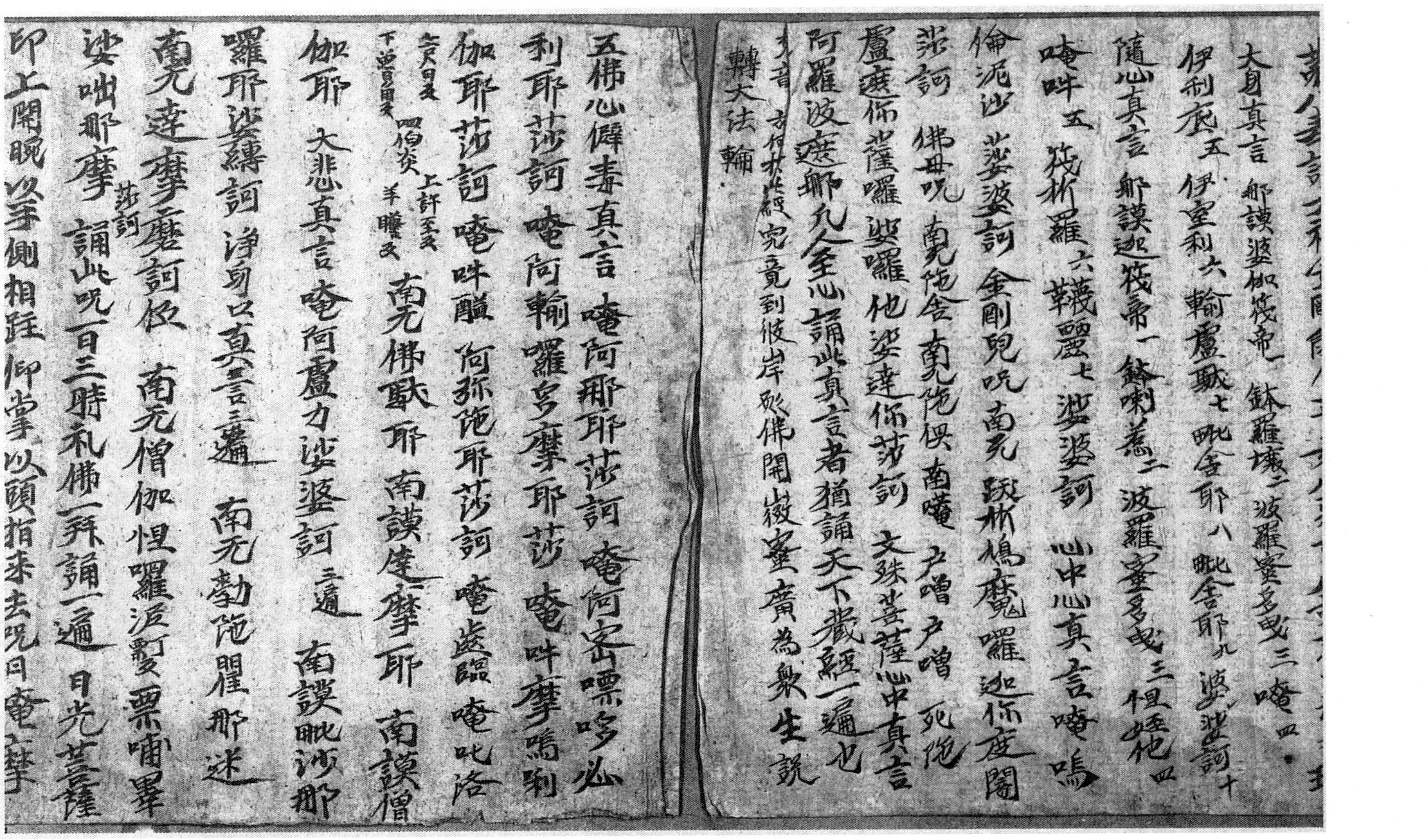

BD03099 號 1　持誦金剛經靈驗功德記　　（5–2）
BD03099 號 2　真言雜抄（擬）

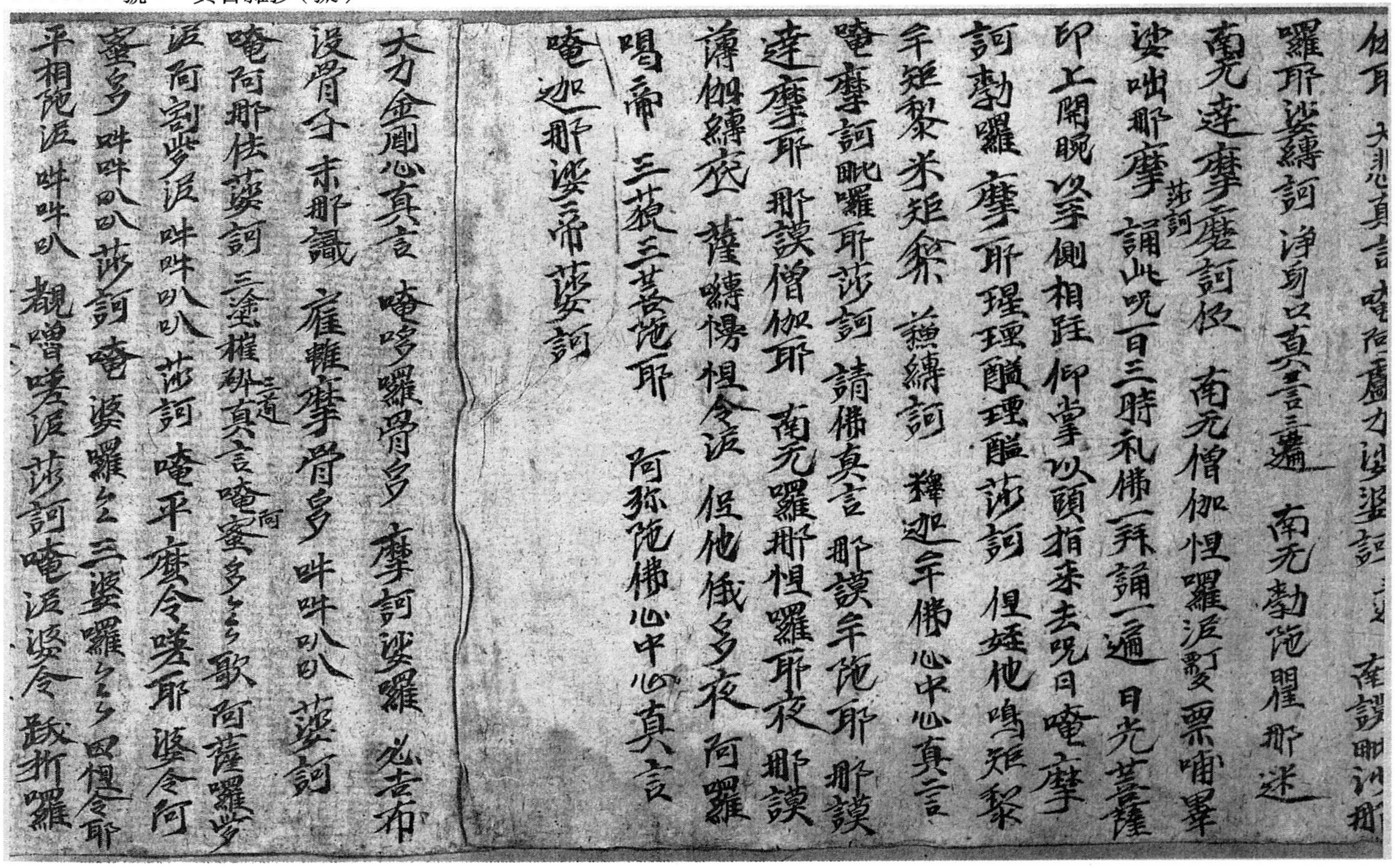

BD03099 號 2　真言雜抄（擬）　　（5–3）
BD03099 號 3　大力金剛心真言

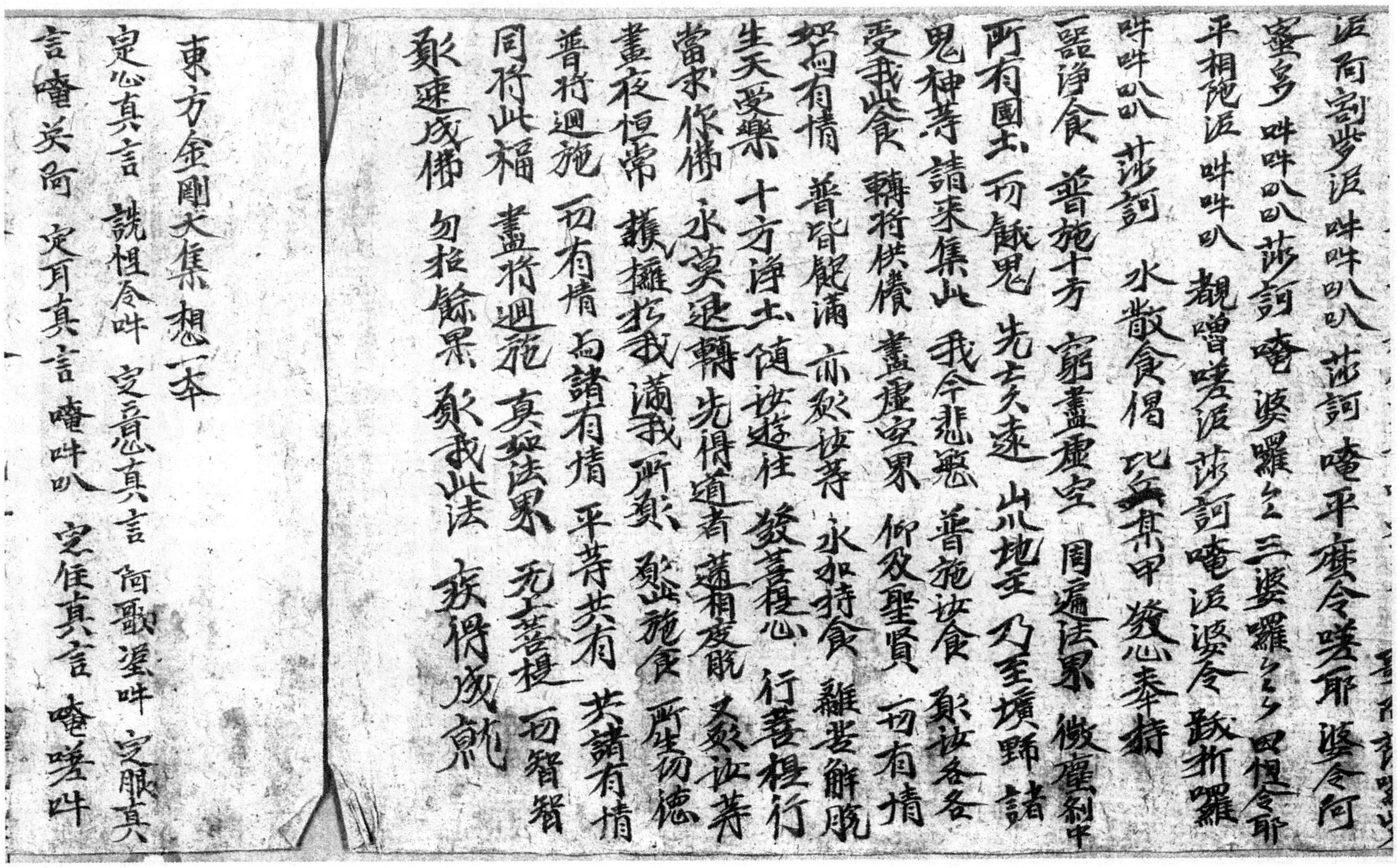

泥阿割芗泥 吽吽叭叭 莎訶 唵平㾓令嗟耶 娑令阿
蜜多 吽吽叭叭 莎訶 唵 婆羅ㄑ 三婆羅ㄑㄑ 四怛令耶
平相施泥 吽吽叭 覩噌嗟泥 莎訶唵泥婆令 跋折囉
吽吽叭叭 莎訶 水散食偈 比丘某甲 發心奉持
一器淨食 普施十方 窮盡虛空 周遍法界 微塵刹中
所有國土 一切餓鬼 先亡久遠 山川地主 乃至曠野 諸
鬼神等 請來集此 我今悲愍 普施汝食 願汝各各
受我此食 轉將供養 盡虛空界 仰及聖賢 一切有情
普及有情 普皆飽滿 亦願汝等 承加持食 離苦解脫
生天受樂 十方淨土 隨汝遊往 發菩提心 行菩提行
當來作佛 永莫退轉 先得道者 遞相度脫 又願汝等
晝夜恒常 擁護於我 滿我所願 願此施食 所生功德
普將迴施 一切有情 為諸有情 平等共有 共諸有情
同將此福 盡將迴施 真如法界 無上菩提 一切智智
願速成佛 勿招餘果 願我此法 疾得成就

東方金剛大集想一本
定心真言 謨怛令吽 定意真言 阿歌遝吽 定眼真
言 唵 英阿 定耳真言 唵吽叭 定住真言 唵嗟吽

BD03099 號 3　大力金剛心真言
BD03099 號 4　水散食偈

（5–4）

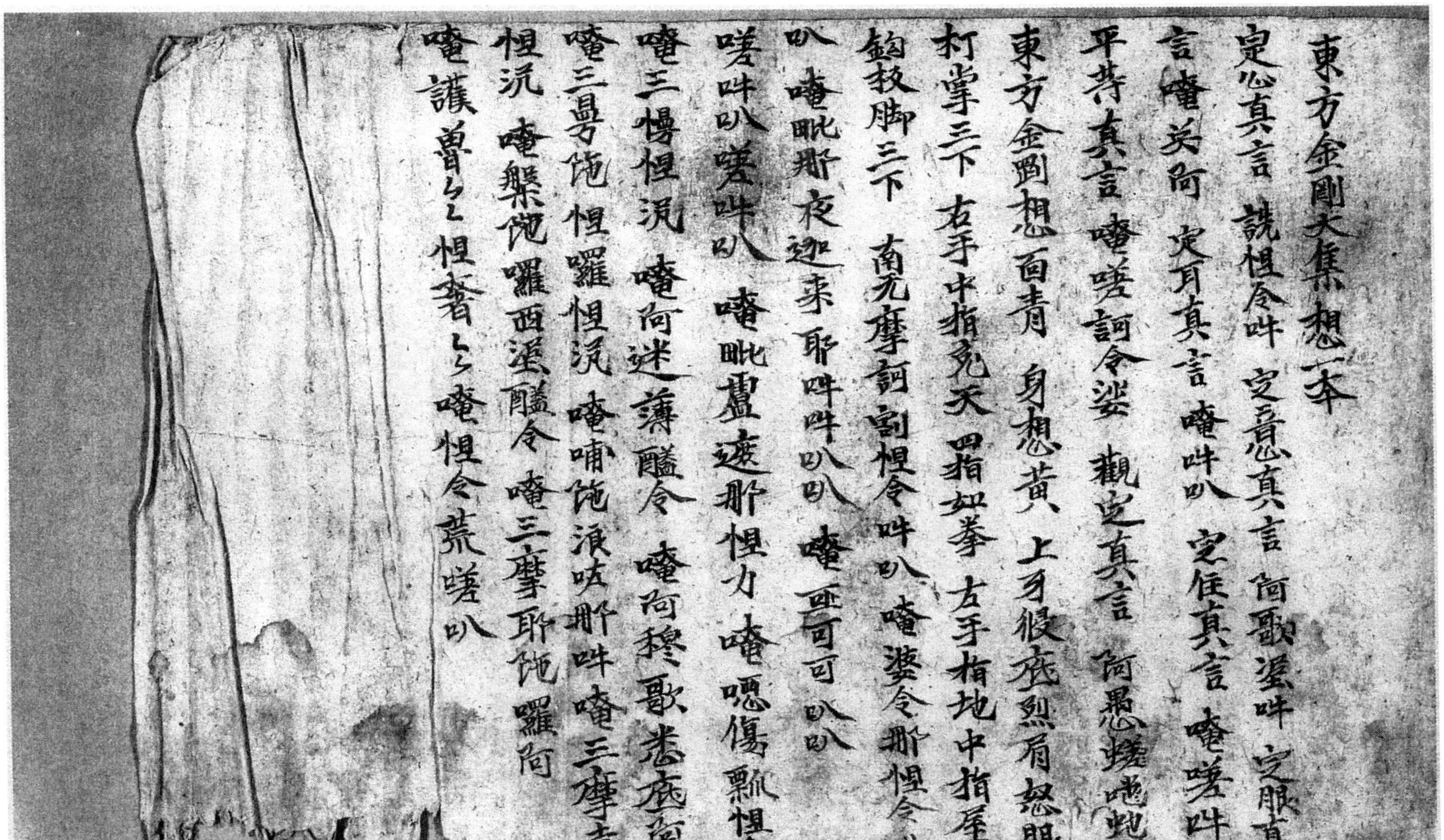

東方金剛大集想一本
定心真言 謨怛令吽 定意真言 阿歌遝吽 定眼真
言 唵 英阿 定耳真言 唵吽叭 定住真言 唵嗟吽
平等真言 唵嗟訶令娑 觀定真言 阿愍蟻嚧蚭嗟
東方金剛想 面青 身想黃 上牙啮唇 烈眉怒眼
村掌三下 右手中指兇天 四指如拳 左手柱地中指屋
鉤敇脚三下 南无摩訶 割怛令吽叭 唵 婆令那怛令吽
叭 唵毗那夜迦來耶 吽吽叭叭 唵 [illegible]可可 叭叭
嗟吽叭 嗟吽叭 唵毗盧遮那怛力 唵嗯傷 瓢怛令
唵三慢怛沉 唵阿迷 薄醯令 唵阿穆歌 悉底阿
唵三曼多陁 怛囉怛沉 唵哺陁浪吠那吽 唵三 唵三麼吉
怛沉 唵槃陁囉 西遝醯令 唵三摩耶陁囉阿
唵護 曹ㄑㄑ 怛耆ㄑㄑ 唵怛令荒嗟叭

BD03099 號 5　東方金剛大集想

（5–5）

万歲
注一人
賷持相與前
賣寶
是二人便前問言仁者彼土實有七寶山耶
其人答言實有不虛我已獲寶飲服其水唯
患路嶮多有盜賊沙礫蕀刺之乏水草往者
千万達者甚少聞是事已一人即悔尋作是
言路既懸遠艱難非一往者无量達者无幾
而我云何當能致彼我今產業粗自供足若
涉斯路或失身命身命不全長壽安在一人
復言有人能過我亦當過若得果達則得如
願採取珎寶飲服甘水如其不達以死為期
是時二人一則悔還一則前進到彼山所多
獲珎寶如願服水多賷所有還其所止奉養
父母賑給宗親時悔還者見是事已心復生
熱彼去已還我何為住即使莊嚴涉路而去
七寶山者喻大涅槃甘水之味喻於佛性其
二人者喻二菩薩初發心者嶮惡道者喻於
生死所逢人者喻佛世尊有盜賊者喻於四
魔沙礫蕀刺喻諸煩惱无水草者喻不脩習
菩提之道一人還者喻退轉菩薩其直往者

BD03100號　大般涅槃經（北本　異卷）卷二九　（25–1）

熱彼去已還我何為住即使莊嚴涉路而去
七寶山者喻大涅槃甘水之味喻於佛性其
二人者喻二菩薩初發心者嶮惡道者喻於
生死所逢人者喻佛世尊有盜賊者喻於四
魔沙礫蕀刺喻諸煩惱无水草者喻不脩習
菩提之道一人還者喻退轉菩薩其直往者
喻不退菩薩善男子眾生佛性常住不變猶
彼嶮道不可說言人悔還故令道无常佛性
亦尒善男子菩提道中終无退者善男子如
向悔者見其先伴獲寶而還勢力自在供養
父母給足宗親多受安樂見是事已心中生
熱即復莊嚴復道還去不惜身命堪忍眾難
遂便到彼七寶山中退轉菩薩亦復如是善
男子一切眾生定當得成阿耨多羅三藐三
菩提以是義故我經中說一切眾生乃至五
逆犯四重禁及一闡提悉有佛性師子吼言
世尊云何菩薩有退不退善男子若有菩薩
脩習如來三十二相業因緣者得名不退得
名菩薩摩訶薩也名不動轉名為憐愍一切
眾生名勝一切聲聞緣覺名阿毗跋致善男
子若菩薩摩訶薩持戒不動施心无移安住
實語如須弥山以是業緣得足下平如奩底
相若菩薩摩訶薩於父母所和上師長乃至
畜生以如法財供養供給以是業緣得成足
下千輻輪相若菩薩摩訶薩不煞不盜於父

BD03100號　大般涅槃經（北本　異卷）卷二九　（25–2）

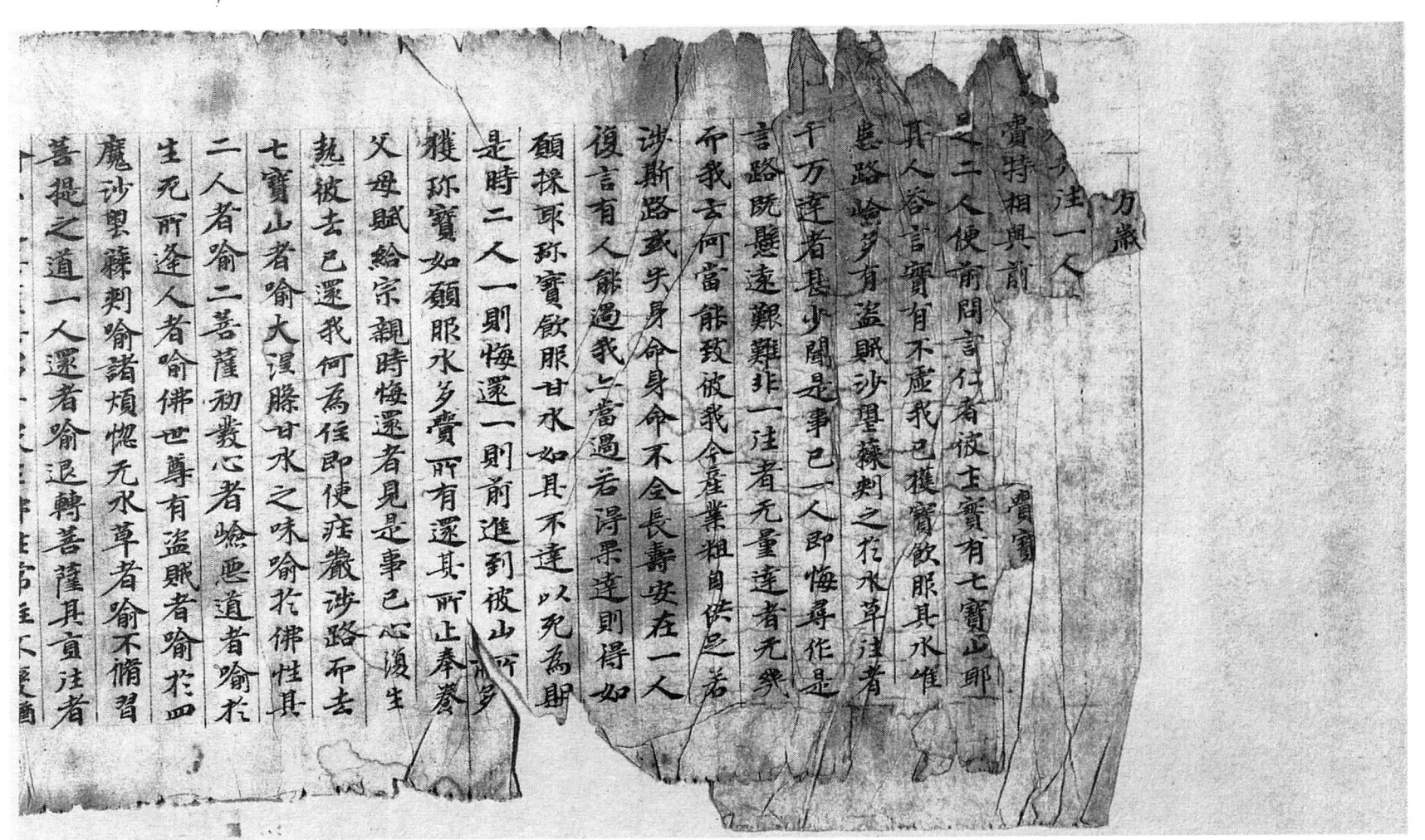

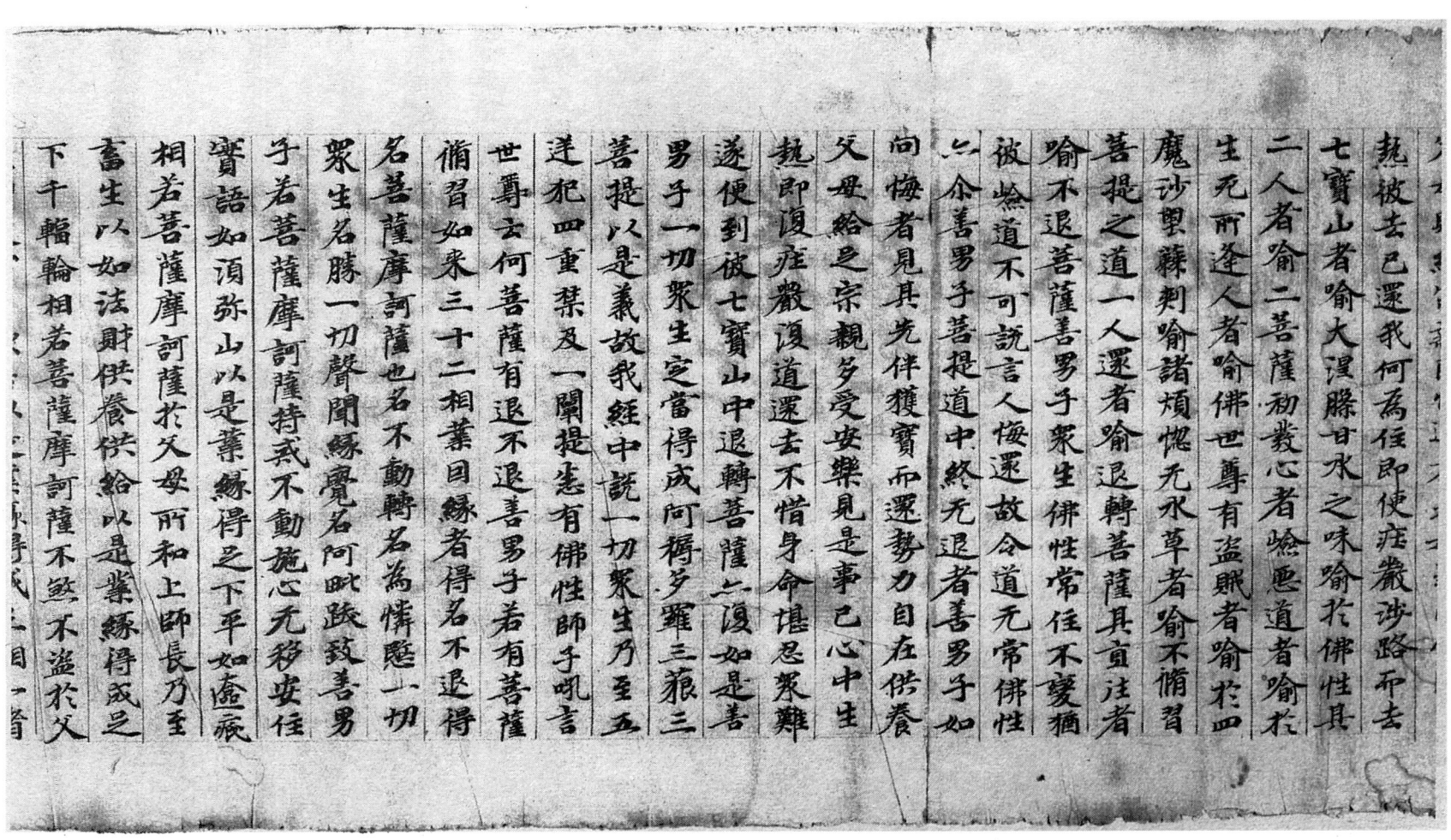

相若菩薩摩訶薩於父母所和上師長乃至
畜生以如法財供養供給以是業緣得成足
下千輻輪相若菩薩摩訶薩不煞不盜於父
母師長常生歡喜以是業緣得成三相一者
手指纖長二者足跟長三者具身方直如是
三相同一業緣若菩薩摩訶薩脩四攝法攝
取衆生以是業緣得網縵指如白鵝王若菩
薩摩訶薩父母師長若病苦時手自洗拭捉
持案摩以是業緣得手足濡若菩薩摩訶薩
持戒聞法惠施无猒以是業緣得節踝牖滿
身毛上靡若菩薩摩訶薩專心聽法演說正
教以是業緣得鹿王腨若菩薩摩訶薩於諸
衆生不生害心飲食知足常樂惠施瞻病給
藥以是業緣具身圓滿如尼拘陁樹立手過
膝頂有肉髻无見頂相若菩薩摩訶薩見怖
畏者為作救護見裸跣者施与衣服以是業
緣得陰藏相若菩薩摩訶薩親近智者遠離
愚人善喜問荅掃治行路以是業緣得皮膚
細濡身毛右旋若菩薩摩訶薩常以衣服飲
食卧具醫藥香華燈明施人以是業緣得身
金色常光明曜若菩薩摩訶薩行施之時所
珎之物能施不悋不觀福田及非福田以是
業緣得七處滿相若菩薩摩訶薩布施之時
心不生疑以是業緣得柔濡聲若菩薩摩訶
薩如法求財以用布施以是業緣得缺骨滿

BD03100號　大般涅槃經（北本　異卷）卷二九　（25-3）

珎之物能施不悋不觀福田及非福田以是
業緣得七處滿相若菩薩摩訶薩布施之時
心不生疑以是業緣得柔濡聲若菩薩摩訶
薩如法求財以用布施以是業緣得缺骨滿
相師子上身臂肘傭纖若菩薩摩訶薩遠離
兩舌惡口恚心以是業緣得卌齒白淨齊密
若菩薩摩訶薩於諸衆生脩大慈悲以是業
緣得二牙相若菩薩摩訶薩常作是願有來
求者隨意給与以是業緣得師子頰若菩薩
摩訶薩隨諸衆生所須之食悉皆與之以是
業緣得味中上味若菩薩摩訶薩自脩十善
兼以化人以是業緣得廣長舌若菩薩摩訶
薩不訟彼短不謗正法以是業緣得梵音聲
若菩薩摩訶薩見諸怨憎生於善心以是業
緣得目睫紺色若菩薩摩訶薩不隱他德稱
揚其善以是業緣得白豪相善男子若菩薩
摩訶薩脩習如是三十二相業因緣時則得
不退菩提之心善男子一切衆生不可思議
諸佛境界業果佛性亦不可思議何以故如
是四法皆悉是常以是常故不可思議一切
衆生煩惱覆鄣故名為常斷常煩惱故名无
常若言一切衆生常者何故脩習八聖道分
為斷衆苦衆苦若斷則名无常所受之樂則
名為常是故我言一切衆生煩惱覆鄣不見
佛性以不見故不得涅槃師子吼言世尊如

BD03100號　大般涅槃經（北本　異卷）卷二九　（25-4）

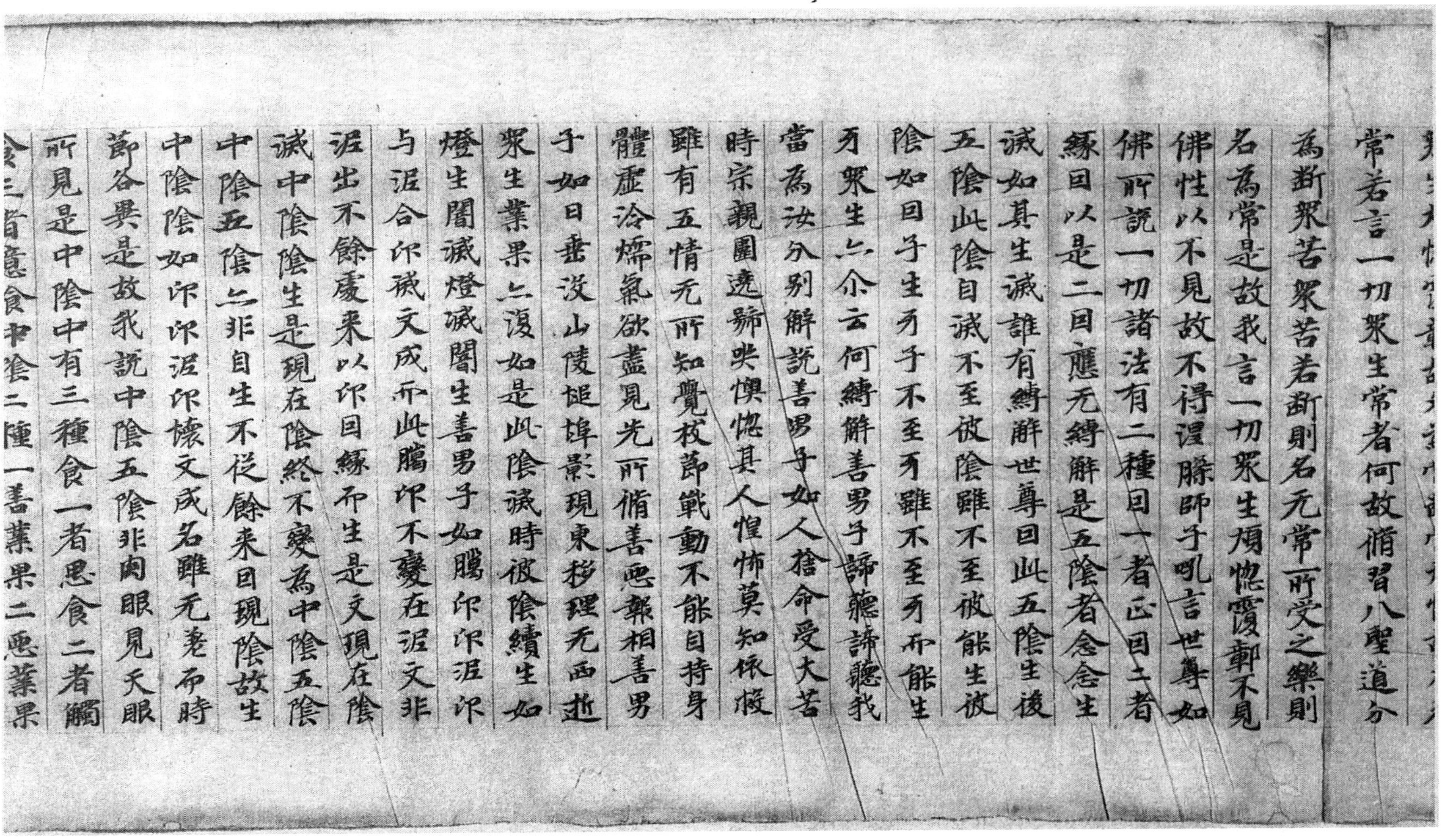

常若言一切衆生常者何故脩習八聖道分
爲斷衆苦衆苦若斷則名无常所受之樂則
名爲常是故我言一切衆生煩惱覆郭不見
佛性以不見故不得涅槃師子吼言世尊如
佛所說一切諸法有二種因一者正因二者
緣因以是二因應无縛解是五陰者念念生
滅如其生滅誰有縛解世尊因此五陰生後
五陰此陰自滅不至彼陰雖不至彼能生彼
陰如因子生牙子不至牙雖不至牙而能生
牙衆生亦尒云何縛解善男子諦聽諦聽我
當爲汝分別解說善男子如人捨命受大苦
時宗親圍遶號哭懊惱其人惶怖莫知依救
雖有五情无所知覺肢節戰動不能自持身
體虛冷煖氣欲盡見先所脩善惡報相善男
子如日垂沒山陵堆阜影現東移理无西逝
衆生業果亦復如是此陰滅時彼陰續生如
燈生闇滅燈滅闇生善男子如臘印印泥印
与泥合印滅文成而此臘印不變在泥文非
泥出不餘處來以印因緣而生是文現在陰
滅中陰陰生是現在陰終不變爲中陰五陰
中陰五陰亦非自生不從餘來因現陰故生
中陰陰如印印泥印壞文成名雖无差而時
節各異是故我說中陰五陰非肉眼見天眼
所見是中陰中有三種食一者思食二者觸
食三者意食中陰二種一善業果二惡業果

BD03100號　大般涅槃經（北本　異卷）卷二九　（25–5）

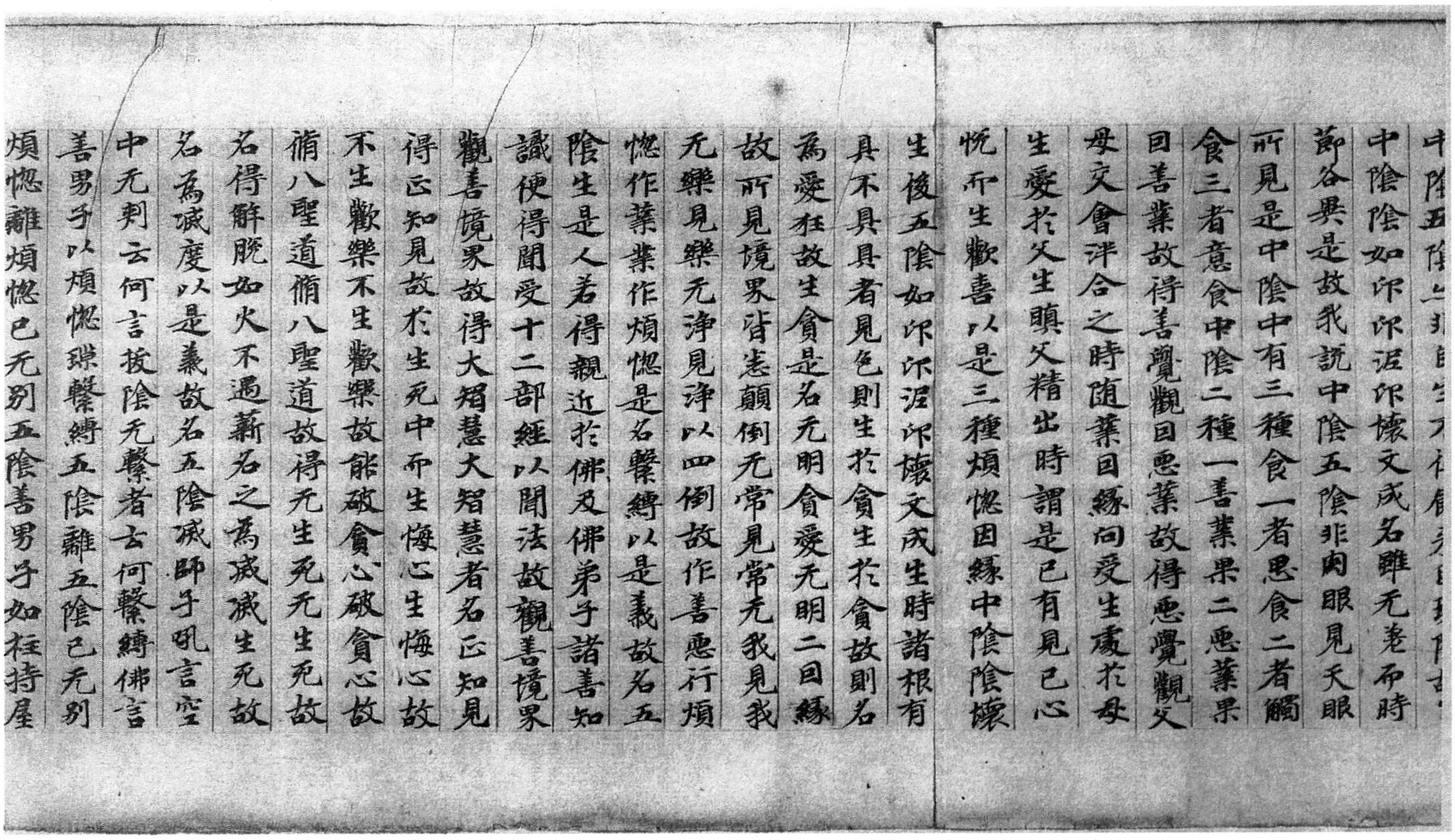

中陰陰如印印泥印壞文成名雖无差而時
節各異是故我說中陰五陰非肉眼見天眼
所見是中陰中有三種食一者思食二者觸
食三者意食中陰二種一善業果二惡業果
因善業故得善覺觀因惡業故得惡覺觀父
母交會洋合之時隨業因緣向受生處於母
生愛於父生瞋父精出時謂是已有見已心
悅而生歡喜以是三種煩惱因緣中陰陰壞
生後五陰如印印泥印壞文成生時諸根有
具不具具者見色則生於貪生於貪故則名
爲愛狂故生貪是名无明貪愛无明二因緣
故所見境界皆悉顛倒无常見常无我見我
无樂見樂无淨見淨以四倒故作善惡行煩
惱作業業作煩惱是名繫縛以是義故名五
陰生是人若得親近於佛及佛弟子諸善知
識便得聞受十二部經以聞法故觀善境界
觀善境界故得大智慧大智慧者名正知見
得正知見故於生死中而生悔心生悔心故
不生歡樂不生歡樂故能破貪心破貪心故
脩八聖道脩八聖道故得无生死无生死故
名得解脫如火不遇薪名之爲滅滅生死故
名爲滅度以是義故名五陰滅師子吼言空
中无判云何言拔陰无繫者云何繫縛佛言
善男子以煩惱鏁繫縛五陰離五陰已无別
煩惱離煩惱已无別五陰善男子如柱持屋

BD03100號　大般涅槃經（北本　異卷）卷二九　（25–6）

名得解脫如火不還薪名之爲滅滅生死故
名爲滅度以是義故名五陰滅師子吼言空
中无刺云何言拔陰无繫者云何繫縛佛言
善男子以煩惱鏁繫縛五陰離五陰已无別
煩惱離煩惱已无別五陰善男子如柱持屋
離屋无柱離柱无屋衆生五陰亦復如是有
煩惱故名爲繫縛无煩惱故名爲解脫善男
子如拳合掌繫縛結等三合散生滅更无別
法衆生五陰亦復如是有煩惱故名爲繫縛
无煩惱故名爲解脫善男子如說名色繫縛
衆生名色若滅則无衆生離名色已无別衆
生離衆生已无別名色亦名名色繫縛衆生
亦名衆生繫縛名色師子吼言世尊如眼不
自見指不自觸刀不自割受不自受云何如
來說言名色繫縛名色何以故言名色者即
是衆生言衆生者即是名色若言名色繫縛
衆生即是名色繫縛名色佛言善男子如二
手合時更无異法而來合也名之与色亦復
如是以是義故我言名色繫縛衆生若離名
色則得解脫是故我言衆生解脫師子吼言
世尊若有名色是繫縛者諸阿羅漢未離名
色亦應繫縛善男子解脫二種一者子斷二
者果斷言子斷者名斷煩惱阿羅漢等已斷
煩惱衆結爛壞是故子結不能繫縛未斷果
故名果繫縛諸阿羅漢不見佛性以不見故
不得阿耨多羅三藐三菩提以是義故可言

BD03100號　大般涅槃經（北本　異卷）卷二九　（25–7）

色亦應繫縛善男子解脫二種一者子斷二
者果斷言子斷者名斷煩惱阿羅漢等已斷
煩惱衆結爛壞是故子結不能繫縛未斷果
故名果繫縛諸阿羅漢不見佛性以不見故
不得阿耨多羅三藐三菩提以是義故可言
果繫不可得言名色繫縛善男子辟如燃燈
油未盡時明則不滅油若盡者滅則无疑善
男子所言油者喻諸煩惱燈喻衆生一切衆
生煩惱油故不入涅槃若得斷者則入涅槃
師子吼言世尊燈之与油二性各異衆生煩
惱則不如是衆生即是煩惱煩惱即是衆生
衆生名五陰五陰名衆生五陰名煩惱煩惱
名五陰云何如來喻之於燈佛言善男子喻
有八種一者順喻二者逆喻三者現喻四者
非喻五者先喻六者後喻七者先後喻八者
遍喻云何順喻如經中說天降大雨溝瀆皆
滿溝瀆滿故小坑滿小坑滿故大坑滿大坑
滿故小泉滿小泉滿故大泉滿大泉滿故小
池滿小池滿故大池滿大池滿故小河滿小
河滿故大河滿大河滿故大海滿如來法雨
亦復如是衆生戒滿戒滿足故不悔心滿不
悔滿故歡喜滿歡喜滿故遠離滿遠離滿故
安隱滿安隱滿故三昧滿三昧滿故正知見
滿正知見滿故厭離滿厭離滿故呵責滿呵
責滿故解脫滿解脫滿故涅槃滿是名順喻

BD03100號　大般涅槃經（北本　異卷）卷二九　（25–8）

悔滿故歡喜滿歡喜滿故遠離滿遠離滿故
安隱滿安隱滿故三昧滿三昧滿故正知見
滿正知見滿故厭離滿厭離滿故呵責滿呵
責滿故解脫滿解脫滿故涅槃滿是名順喻
云何逆喻大海有本所謂大河大河有本所
謂小河小河有本所謂大池大池有本所謂
小池小池有本所謂大泉大泉有本所謂小
泉小泉有本所謂大坑大坑有本所謂小坑
小坑有本所謂溝瀆溝瀆有本所謂大雨涅
槃有本所謂解脫解脫有本所謂呵責呵責
有本所謂厭離厭離有本所謂正知見知見
有本所謂三昧三昧有本所謂安隱安隱有
本所謂遠離遠離有本所謂喜心喜心有本
所謂不悔不悔有本所謂持戒持戒有本所
謂法雨是名逆喻云何現喻如經中說眾生
心性猶如獼猴獼猴之性捨一取一眾生心
性亦復如是取著色聲香味觸法无暫住時
是名現喻云何非喻如我昔告波斯匿王大
王有親信人從四方來各作是言大王有四
大山從四方來欲害人民王若聞者當設何
計王言世尊設有此來无逃避處唯當專心
持戒布施我即讚言善哉大王我說四山即
是眾生生老病死生老病死常來切人云何
大王不脩戒施王言世尊持戒布施得何等
果我言大王於人天中多受快樂王言世尊

是眾生生老病死生老病死常來切人云何
大王不脩戒施王言世尊持戒布施得何等
果我言大王於人天中多受快樂王言世尊
尼拘陀樹持戒布施亦於人天受安樂耶我
言大王尼拘陀樹不能持戒脩行布施如其
能者則受无異是名非喻云何先喻我經中
說譬如有人貪著妙華採取之時為水所漂
眾生亦尒貪受五欲為生老病死之所漂沒
是名先喻云何後喻如法句說
莫輕小惡　以為无殃　水渧雖微　漸盈大器
是名後喻云何先後喻喻如芭蕉生菓則死
愚人得養亦復如是如騾懷任命不久全云
何遍喻如經中說三十三天有波利質多樹
其根入地深五由旬高百由旬枝葉四布五
十由旬葉熟則黃諸天見已心生歡喜是葉
不久必當墮落其葉既落復生歡喜是枝不
久必當變色枝既變色復生歡喜是色不久
必當生皰見已復喜是皰不久必當生觜見
已復喜是觜不久必當開剖開剖之時香氣
周遍五十由旬光明遠照八十由旬尒時諸
天夏三月時在下受樂善男子我諸弟子亦
復如是葉色黃者喻我弟子念欲出家其葉
落者喻我弟子剃除鬚髮其色變者喻我弟
子白四羯磨受具足戒初生皰者喻我弟子

復如是葉色黄々者喻我弟子念欲出家其葉
落者喻我弟子剃除鬚髮其色變者喻我弟
子白四羯磨受具足戒初生皰者喻我弟子
發阿耨多羅三藐三菩提心嘴者喻於十住
菩薩得見佛性開剖者喻於菩薩得阿耨多
羅三藐三菩提香者喻於十方无量衆生受
持禁戒光者喻於如來名號无㝵周遍十方
夏三月者喻三三昧三十三天受快樂者喻
於諸佛在大涅槃得常樂我淨是名遍喻善
男子凡所引喻不必盡取或取少分或取多
分或復全取如言如來面如滿月是名少分
善男子譬如有人初不見乳轉問他言乳為
何類彼人荅言如水蜜貝水則濕相蜜則甜
相貝則色相雖引三喻未則乳實善男子我
言燈喻喻於衆生々復如是善男子離水无
河衆生亦尒離五陰已无別衆生善男子如
離箱轂輪軸輻輞更无別車衆生亦尒善男
子若欲得合彼燈喻者諦聽諦聽我今當說
炷者喻於二十五有油者喻愛明喻智慧除
破黑闇喻破无明燸喻聖道如燈油盡明炎
則滅衆生愛盡則見佛性雖有名色不能繫
縛雖復處在二十五有不為諸有之所染汙
師子吼言世尊衆生五陰空无所有誰有受
教脩習道者佛言善男子一切衆生皆有念
心慧心發心懃精進心信心定心如是等法
雖念念生滅猶故相似相續不斷故名脩道

師子吼言世尊衆生五陰空无所有誰有受
教脩習道者佛言善男子一切衆生皆有念
心慧心發心懃精進心信心定心如是等法
雖念念生滅猶故相似相續不斷故名脩道
師子吼言世尊如是等法皆念念滅是念念
滅中亦相似相續云何脩習佛言善男子如
燈雖念念滅亦有光明除破闇冥念等諸法
亦復如是善男子如衆生食雖念念滅亦令
飢者而得飽滿譬如上藥雖念念滅亦能愈
病日月光明雖念念滅亦能增長樹林草木
善男子汝言念念滅云何增長者心不斷故
名為增長善男子如人誦書所誦字句不得
一時前不至中中不至後人之与字及以心
想俱念念滅以久習故而得通利善男子譬
如金師從初習作至于皓首雖念念滅前不
至後以積習故所作遂巧是故得稱善好金
師讀誦經書亦復如是善男子譬如種子地
亦不教汝當生牙以法性故牙則自生乃至
華亦不教汝當作菓以法性故而菓自生衆
生脩道亦復如是善男子譬如數法一不至
二二不至三雖念念滅而至千万衆生脩道
亦復如是善男子如燈念念滅初滅之炎不
教後炎我滅汝生當破諸闇善男子譬如犢
子生便求乳求乳之智實无人教雖念念滅
而初飢後飽是故當知不應相似若相似者

亦復如是善男子如燈念念滅初滅之炎不
教後炎我滅汝生當破諸闇善男子譬如犢
子生便求乳求乳之智實无人教雖念念滅
而初飢後飽是故當知不應相似若相似者
不應異生衆生脩道亦復如是初雖未增以
久脩故則能破壞一切煩惱師子吼言世尊
如佛所說須陁洹人得果證已雖生惡國猶
故持戒不殺盜婬兩舌飲酒須陁洹陰即此
處滅不至惡國脩道亦尒不至惡國若相似
者何故不生淨妙國土若惡國陰非須陁洹
陰云何而得不作惡業佛言善男子須陁洹
者雖生惡國終不失於須陁洹名陰不相似
是故我引犢子為喻須陁洹人雖生惡國以
道力故不作惡業善男子譬如香山有師子
王是故一切飛鳥走獸絕跡此山无敢近者
有時是王至雪山中一切鳥獸猶故不住須
陁洹人亦復如是雖不脩道以道力故不作
諸惡善男子譬如有人服食甘露甘露雖滅
以其力勢能令是人不生不死善男子如須
彌山有上妙藥名楞伽利有人服之雖念念
滅以藥力故不遇患苦善男子如轉輪王所
坐之處王雖不在无人敢近何以故王威力
故須陁洹人亦復如是雖生惡國不脩習道
以道力故不作惡業善男子須陁洹陰於此
而滅雖生異陰猶故不失須陁洹陰善男子
譬如[illegible]

故須陁洹人亦復如是雖生惡國不脩習道
以道力故不作惡業善男子須陁洹陰於此
而滅雖生異陰猶故不失須陁洹陰善男子
譬如衆生為菓實故於種子中多役作業糞
治溉灌未得菓實而子復滅亦得名為因子
得菓須陁洹陰亦復如是善男子譬如有人
資產巨富唯有一子先已終沒其子有子復
在他土其人忽然奄便終亡孫聞是已還收
產業雖知財貨非其所作然其收取无遮護
者何以故以姓一故須陁洹陰亦復如是師
子吼言如佛說偈
比丘若脩習　戒定及智慧　當知是不退　親近大涅槃
世尊云何脩戒云何脩定云何脩慧佛言善
男子若有人受持禁戒但為自利受天人樂
不為度脫一切衆生不為擁護无上正法但
為利養畏三惡道為命色力安无㝵辯畏懼
王法惡名穢稱為世事業如是護戒則不得
名脩習戒也善男子云何名為真脩習戒受
持戒時若為度脫一切衆生為護正法度不
度故解未解故歸未歸故亦入涅槃令得入
故如是脩時不見戒不見戒相不見持者不
見果報不觀毀犯善男子若能如是是則名
為脩習戒也云何復名脩習三昧脩三昧時
為自度脫為於利養不為衆生不為護法為
見貪欲饑食等過男女等根九孔不淨鬪諍

見果報不斷毀犯善男子若能如是是則名
爲循習戒也云何復名循習三昧循三昧時
爲自度脫爲於利養不爲衆生不爲護法爲
見貪欲穢食等過男女等根九孔不淨鬪訟
打刺手相殺害若爲此事循三昧者是則不
名循習三昧善男子云何復名真循三昧若
爲衆生循習三昧於衆生中得平等心爲令
衆生得不退法爲令衆生得聖心故爲令衆
生得大乘故爲欲護持无上法故爲令衆生
不退菩提故爲令衆生得首楞嚴三昧故爲
令衆生得金剛三昧故爲令衆生得陁羅尼
故爲令衆生得四无导故爲令衆生見佛性
故作是行時不見三昧不見三昧相不見循
者不見果報善男子若能如是是則名爲循
習三昧云何復名循於智慧若有循者作是
思惟我若循習如是智慧則得解脫度三惡
道誰能利益一切衆生誰能度人於生死道
佛出世難如優曇華我今能斷煩惱諸結得
解脫果是故我當懃循智慧速斷煩惱早得
度脫如是循者不得名爲循習智慧云何名
爲真循習者智者若觀生老死苦一切衆生
无明所覆不知循習无上正道願我此身悉
代衆生受大苦惱衆生所有貧窮下賤破戒
之心貪瞋癡業願皆悉來集于我身願諸衆
生不生貪取不爲名色之所繫縛願諸衆生
早度生死令我一身處之不厭願令一切皆

代衆生受大苦惱衆生所有貧窮下賤破戒
之心貪瞋癡業願皆悉來集于我身願諸衆
生不生貪取不爲名色之所繫縛願諸衆生
早度生死令我一身處之不厭願令一切皆
得阿耨多羅三藐三菩提如是循時不見智
慧不見智慧相不見循者不見果報是則名
爲循習智慧善男子循習如是戒定智慧是
名菩薩不能如是循戒定慧是名聲聞復次
善男子云何復名循習於戒若能破壞一切
衆生十六惡律儀何等十六一者爲利餧養
羔羊肥已轉賣二者爲利買已屠殺三者爲
利餧養賭豚肥已轉賣四者爲利買已屠殺
五者爲利餧養牛犢肥已轉賣六者爲利買
已屠殺七者爲利養雞令肥肥已轉賣八者
爲利買已屠殺九者釣魚十者獵師十一者
劫奪十二者魁膾十三者网捕飛鳥十四者
兩舌十五者獄卒十六者呪龍能爲衆生永
斷如是十六惡業是名循戒云何循定能斷
一切世間三昧所謂无身三昧能令衆生生
顛倒心謂是涅槃有无邊心三昧淨聚三昧
世邊三昧世斷三昧世性三昧世丈夫三昧
非想非非想三昧如是等定能令衆生生顛
倒心謂是涅槃若能永斷如是三昧是則名
爲循習三昧云何復名循習智慧能破世間
所有惡見一切衆生悉有惡見所謂色即是

非想非非想三昧如是等定能令衆生生顛
倒心謂是涅槃若能永斷如是三昧是則名
爲脩習三昧云何復名脩習智慧能破世間
所有惡見一切衆生悉有惡見所謂色即是
我亦是我所色中有我我中有色乃至識亦
如是常即是我色滅我存色即是我色滅我
滅復有人言作者名我受者名色復有人言
作者名色受者名我復有人言无作无受自
生自滅悉非因緣復有人言无作无受悉是
自在之所造作復有人言无有作者无有受
者一切悉是時節所作復有人言作者受者
悉无所有地等五大名爲衆生善男子若能
破壞一切衆生如是惡見是則名爲脩智慧
也善男子脩習戒者爲身寂靜脩習三昧爲
心寂靜脩習智慧爲壞疑心壞疑心者爲脩
習道脩習道者爲見佛性見佛性者爲得阿
耨多羅三藐三菩提故得阿耨多羅三藐三
菩提者爲得无上大涅槃故得大涅槃爲斷
衆生一切生死一切煩惱一切諸有一切諸
界一切諸諦故斷於生死至斷諸諦爲得常
樂我淨法故師子吼言世尊如佛所說若不
生滅名大涅槃生亦如是不生不滅何故不
得名爲涅槃善男子如是如是如汝所說是
生雖復不生不滅而有終始世尊是生死法
亦无始終若无始終則名爲常常則涅槃何
故不名生死爲涅槃耶善男子是生死法悉

BD03100號　大般涅槃經（北本　異卷）卷二九　（25–17）

得名爲涅槃善男子如是如是如汝所說是
生雖復不生不滅而有終始世尊是生死法
亦无始終若无始終則名爲常常則涅槃何
故不名生死爲涅槃耶善男子是生死法悉
有因果有因果故不得名之爲涅槃也何以
故涅槃之體无因果故師子吼言世尊夫涅
槃者亦有因果如佛所說
從因故生天　從因墮惡道　從因故涅槃　是故皆有因
如佛往昔告諸比丘我今當說沙門道果言
沙門者謂能具脩戒定智慧道者謂八聖道
沙門果者所謂涅槃世尊涅槃如是豈非果
耶云何說言涅槃之體无因无果佛言善男
子我所宣說涅槃因者所謂佛性佛性之性
不生涅槃是故我言涅槃无因能破煩惱故
名大果不從道生故名无果是故涅槃无因
无果師子吼言世尊衆生佛性爲悉共有爲
各各有若共有者一人得阿耨多羅三藐三
菩提時一切衆生亦應同得世尊如二十人
同有一怨若一人能除餘十九人皆亦同除
佛性若爾一人得時餘亦應得若各各有則
是无常何以故可筭數故然佛所說衆生佛
性不一不二若各各有不應說言諸佛平等
亦不應說佛性如空佛言善男子衆生佛性
不一不二諸佛平等猶如虛空一切衆生同
共有之若有能脩八聖道者當知是人則得

BD03100號　大般涅槃經（北本　異卷）卷二九　（25–18）

亦不應説佛性如空佛言善男子衆生佛性
不一不二諸佛平等猶如虛空一切衆生同
共有之若有能修八聖道者當知是人則得
明見善男子雪山有草名曰忍辱牛若食之
則成提湖衆生佛性亦復如是師子吼言如
佛所説忍辱草者一耶多耶如其一者牛食
則盡如其多者云何而言衆生佛性亦如是
耶如佛所説若有修習八聖道者則見佛性
是義不然何以故道若一者如忍辱草則應
有盡如其有盡一人修已餘則无分道若多
者云何得言具足修習亦不得名薩婆若智
佛言善男子如平坦路一切衆生悉於中行
无鄣㝵者中路有樹其蔭清涼行人在下憩
篤止息然其樹蔭常住不異亦不消壞无持
去者路喻聖道蔭喻佛性善男子譬如大城
唯有一門雖有多人還由入出都无有能作
遮㝵者亦復无人破壞毀落而賫持去善男
子譬如橋梁行人所由亦无有人遮止鄣㝵
毀壞持去善男子譬如良醫遍療衆病亦无
有能遮止是醫治此捨彼聖道佛性亦復如
是師子吼言世尊所引諸喻義不如是何以
故先者在路於後則妨云何而言无有鄣㝵
餘亦皆爾聖道佛性若如是者一人修時應
妨餘者佛言善男子如汝所言義不相應我
所喻道是少分喻非一切也善男子世間道

BD03100號　大般涅槃經（北本　異卷）卷二九　（25–19）

故先者在路於後則妨云何而言无有鄣㝵
餘亦皆爾聖道佛性若如是者一人修時應
妨餘者佛言善男子如汝所言義不相應我
所喻道是少分喻非一切也善男子世間道
者則有鄣㝵此彼之異无有平等无漏道者
則不如是能令衆生无有鄣㝵平等无二无
有方處此彼之異如是正道能爲一切衆生
佛性而作了因不作生因猶如明燈照了於
物善男子一切衆生皆同无明因緣於行不
可説言一人无明因緣行已其餘應无一切
衆生悉有无明因緣於行是故説言十二因
緣一切平等衆生所修无漏正道亦復如是
等斷衆生煩惱四生諸果有道以是義故名
曰平等其有證者彼此知見无有鄣㝵是故
得名薩婆若智師子吼言一切衆生身不一
種或有天身或有人身畜生餓鬼地獄之身
如是多身差別非一云何而言佛性爲一佛
言善男子譬如有人置毒乳中乃至提湖皆
悉有毒乳不名酪酪不名乳乃至提湖亦復
如是名字雖變毒性不失遍五味中皆悉如
是若服提湖亦能殺人實不置毒於提湖中
衆生佛性亦復如是雖處五道受別異身而
是佛性常一无變師子吼言世尊十六大國
有六大城所謂舍婆提城婆枳多城占婆城
毗舍離城波羅㮈城王舍城如是六城世中
寬大何故如來捨之在此邊地弊惡極陋隘

BD03100號　大般涅槃經（北本　異卷）卷二九　（25–20）

有六大城所謂舍婆提城婆枳多城占婆城
毗舍離城波羅捺城王舍城如是六城世中
寬大何故如来捨之在此邊地弊悪極陋隘
小拘尸那城入般涅槃善男子汝不應言拘
尸那城邊城弊悪寬陋隘小應言是城微妙
功德之所莊嚴何以故諸佛菩薩所行處故
善男子如賤人舍王若過者則應讚嘆是舍
嚴麗福德成就乃令大王迴駕臨顧善男子
如人重病服織弊藥服已病愈即應歡喜讚
嘆是藥寬妙能愈我病善男子如人乘舩在
大海中其舩卒壞无所依倚因倚死屍得到
彼岸到彼岸已應大歡喜讚嘆是屍我賴相
遇而得安隱拘尸那城亦復如是乃是諸佛
菩薩行處云何而言邊地弊悪隘陋小城善
男子我念往昔過恒沙劫劫名善覺時有聖
王姓憍尸迦七寶成就千子具足其王始初
造立此城周迊縱廣十二由旬七寶莊嚴土
多有河其水清淨柔濡甘美所謂尼連禪河
伊羅跋提河熈連禪河伊樓禾㐌河毗婆舍
那河如是等河其數五百河此彼岸樹木蘩
茂華菓鮮絜尒時人民壽命无量時轉輪聖
王過百年已作是唱言如佛所說一切諸法
皆悉无常若能脩習十善法者能斷如是无
常大苦人民聞已咸共奉脩十善之法我於
尒時聞佛名号受持十善思惟脩習初發阿
耨多羅三藐三菩提心發是心已復以是法

皆悉无常若能脩習十善法者能斷如是无
常大苦人民聞已咸共奉脩十善之法我於
尒時聞佛名号受持十善思惟脩習初發阿
耨多羅三藐三菩提心發是心已復以是法
轉教无量无邊衆生言一切法无常變壞是
故我今續於此處亦説諸法无常變壞唯説
佛身是常住法我憶往昔所行因緣是故今
来在此涅槃亦欲訓報此地往因以是義故
我經中説我眷屬者受恩能報復次善男子
往昔衆生壽无量時尒時此城名拘舍拔提
周迊縱廣五十由旬時閻浮提居民隣接雞
飛相及有轉輪王名曰善見七寶成就千子
具足王四天下第一太子思惟正法得辟支
佛時轉輪王見其太子成辟支佛威儀詳序
神通希有見是事已即捨王位如棄涕唾出
家在此婆羅樹間八万歲中脩習慈心悲喜
捨心各八万歲善男子欲知尒時善見聖王
則我身是是故我今常樂遊止如是四法是
四法者名爲三昧以是義故如来之身常樂
我淨善男子以是因緣今来在此拘尸那城
娑羅樹間三昧正受善男子我念往昔過无
量劫此城尒時名迦毗羅衛其城有王名曰
白淨其王夫人名曰摩耶王有一子名悉達
多尒時王子不由師教自然思惟得阿耨多
羅三藐三菩提有二弟子一名舍利弗二名
大目揵連給侍弟子名曰阿難尒時世尊在

羅三藐三菩提有二弟子一名舍利弗二名
大目揵連給侍弟子名曰阿難尒時世尊在
雙樹間演說如是大涅槃經我時在會得聞
斯事聞諸眾生悉有佛性聞是事已即於菩
提得不退轉尋自發願願未來世成佛之時
父母國土名字弟子侍使之人說法教化如
今世尊等无有異以是因緣今來在此敷揚
演說大涅槃經善男子我初出家未得阿耨多
羅三藐三菩提頻婆娑羅王遣使而言悉達
太子若為聖王我當臣屬若不樂家得阿耨
多羅三藐三菩提者願先來至此王舍城說
法度人受我供養我時嘿然已受彼請善男
子我初得阿耨多羅三藐三菩提已向鬱闍
國時伊連禪河有婆羅門姓迦葉氏与五百
弟子在彼河側求无上道我為是人故往說
法迦葉言瞿曇我今年邁已百二十摩伽陁
國所有人民及其大王頻婆娑羅咸謂我已
證阿羅漢果我今若當在於汝前聽受法者
一切人民或生倒心大德迦葉非羅漢耶幸
願瞿曇速往餘處若此人民定知瞿曇功德
勝我我等无由復得供養我時答言迦葉汝
若於我不生懸重大瞋恨者見容一宿明當
早去迦葉答言瞿曇我心无他深相愛重但
我住處有一毒龍其性暴急恐相危害我言
迦葉毒中之毒不過三毒我今已斷世間之

BD03100號　大般涅槃經（北本　異卷）卷二九　（25–23）

若於我不生懸重大瞋恨者見容一宿明當
早去迦葉答言瞿曇我心无他深相愛重但
我住處有一毒龍其性暴急恐相危害我言
迦葉毒中之毒不過三毒我今已斷世間之
毒我所不畏迦葉復言苟能不畏善哉聽住
善男子我於尒時故為迦葉現十八變如經
中說尒時迦葉及其眷屬五百等輩見聞是
已證羅漢果是時迦葉復有二弟一名伽耶
迦葉二名那提迦葉師徒眷屬復有五百亦
皆得證阿羅漢果時王舍城六師之徒聞是
事已即於我所生大惡心我時赴信受彼王
請詣王舍城未至中路王与无量百千之眾
悉來奉迎我為說法時聞法已欲界諸天八
万六千發阿耨多羅三藐三菩提心頻婆娑
羅王所將營從十二万人得須陁洹果无量
眾生成就忍心既入城已度舍利弗大目揵
連及其眷屬二百五十人令捨本心出家學
道我即住彼受王供養外道六師相与集聚
詣舍衛城時彼城中有一長者名須達多為
兒娉婦詣王舍城既達彼城寄止長者珊檀
那舍時此長者中夜而起告諸眷屬仁等可
起速共莊嚴掃治宅舍辨具餚饍須達聞已
尋自思惟將非欲請摩伽陁王耶為有婚姻
歡樂會乎思惟是已尋前問言大士欲請摩
伽陁王頻婆娑羅王耶為有婚姻歡樂會乎
懷務不安乃如是耶長者答言不也居士我

BD03100號　大般涅槃經（北本　異卷）卷二九　（25–24）

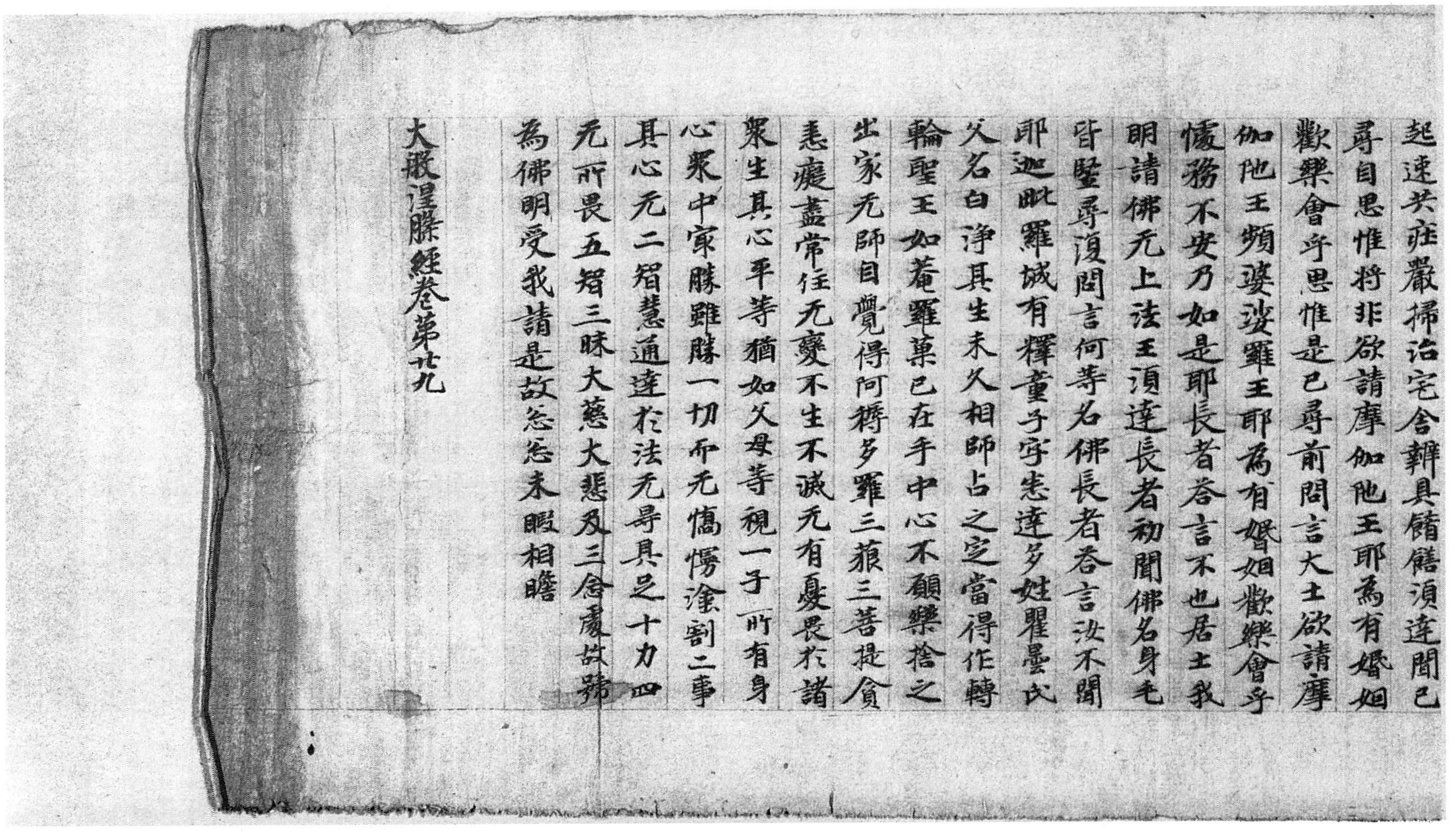

起速共莊嚴掃治宅舍辦具饎饍須達聞已
尋自思惟將非欲請摩伽陁王耶為有婚姻
歡樂會乎思惟是已尋前問言大士欲請摩
伽陁王頻婆娑羅王耶為有婚姻歡樂會乎
懷務不安乃如是耶長者荅言不也居士我
明請佛无上法王須達長者初聞佛名身毛
皆竪尋復問言何等名佛長者荅言汝不聞
耶迦毗羅城有釋童子字悉達多姓瞿曇氏
父名白淨其生未久相師占之定當得作轉
輪聖王如菴羅菓已在手中心不願樂捨之
出家无師自覺得阿耨多羅三藐三菩提貪
恚癡盡常住无變不生不滅无有憂畏於諸
衆生其心平等猶如父母等視一子所有身
心衆中最勝雖勝一切而无憍慢塗割二事
其心无二智慧通達於法无㝵具足十力四
无所畏五智三昧大慈大悲及三念處故號
為佛明受我請是故忩忩未暇相瞻

大般涅槃經卷第廿九

BD03100 號　大般涅槃經（北本　異卷）卷二九　（25–25）

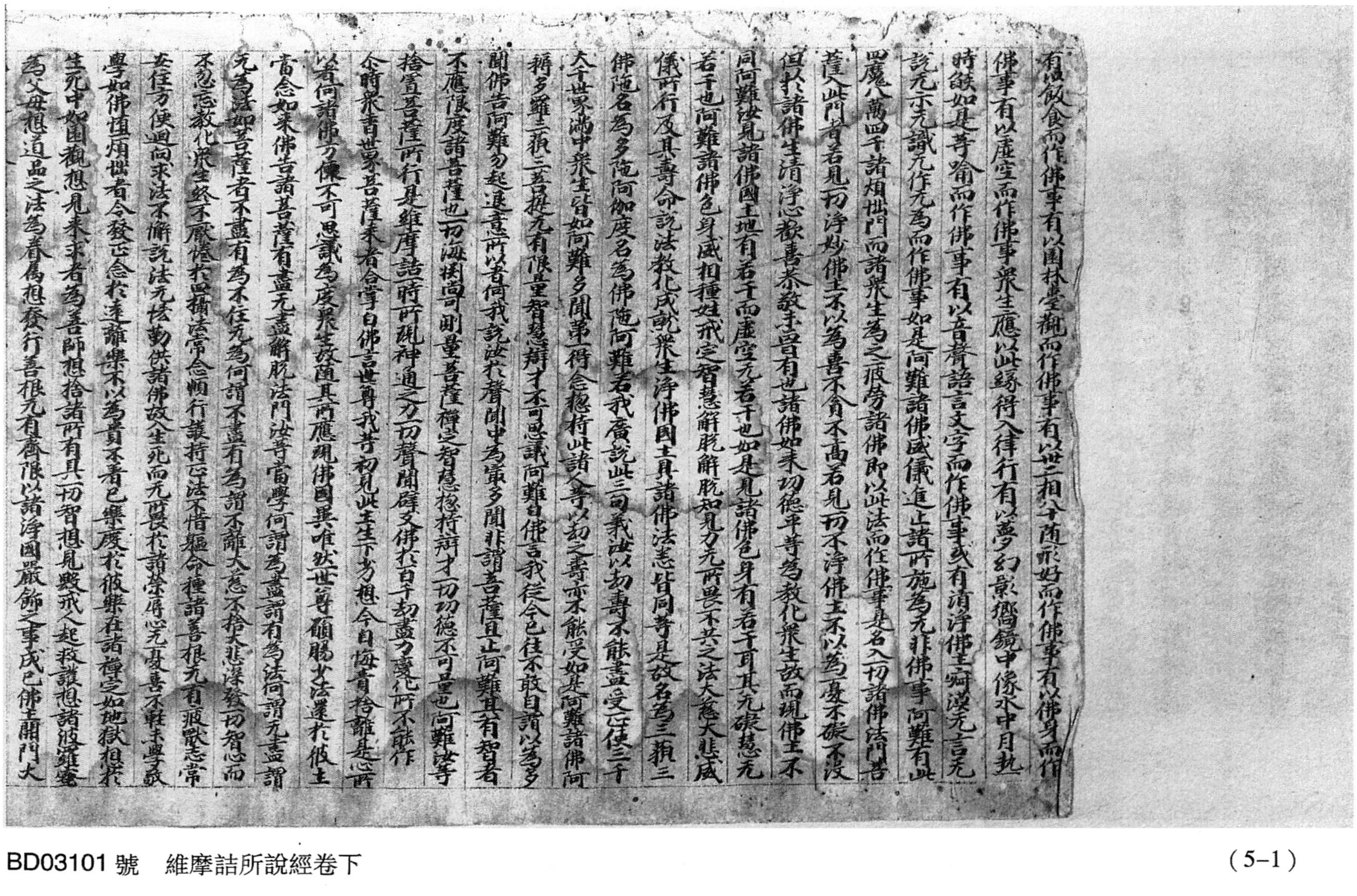

有以飯食而作佛事有以園林臺觀而作佛事有以卅二相八十隨形好而作佛事有以佛身而作
佛事有以虛空而作佛事衆生應以此緣得入律行有以夢幻影響鏡中像水中月熱
時焰如是等喻而作佛事有以音聲語言文字而作佛事或有清淨佛土寂漠无言无
說无示无識无作无為而作佛事如是阿難諸佛威儀進止諸所施為无非佛事阿難有此
四魔八萬四千諸煩惱門而諸衆生為之疲勞諸佛即以此法而作佛事是名入一切諸佛法門菩
薩入此門者若見一切淨好佛土不以為喜不貪不高若見一切不淨佛土不以為憂不礙不沒
但於諸佛生清淨心歡喜恭敬未曾有也諸佛如來功德平等為教化衆生故而現佛土不
同阿難汝見諸佛國土地有若干而虛空无若干也如是見諸佛色身有若干耳其无㝵慧无
若干也阿難諸佛色身威相種姓戒定智慧解脫解脫知見力无所畏不共之法大慈大悲威
儀所行及其壽命說法教化成就衆生淨佛國土具諸佛法悉皆同等是故名為三藐三
佛陁名為多陁阿伽度名為佛陁阿難若我廣說此三句義汝以劫壽不能盡受正使三千
大千世界滿中衆生皆如阿難多聞第一得念總持此諸人等以劫之壽亦不能受如是阿難諸佛阿
耨多羅三藐三菩提无有限量智慧辯才不可思議阿難白佛言我從今已往不敢自謂以為多
聞佛告阿難勿起退意所以者何我說汝於聲聞中為最多聞非謂菩薩且止阿難其有智者
不應限度諸菩薩也一切海淵尚可測量菩薩禪定智慧總持辯才一切功德不可量也阿難汝等
捨置菩薩所行是維摩詰一時所現神通之力一切聲聞辟支佛於百千劫盡力變化所不能作
爾時衆香世界菩薩來者合掌白佛言世尊我等初見此土生下劣想今自悔責捨離是心所
以者何諸佛方便不可思議為度衆生故隨其所應現佛國異唯然世尊願賜少法還於彼土
當念如來佛告諸菩薩有盡无盡解脫法門汝等當學何謂為盡謂有為法何謂无盡謂
无為法如菩薩者不盡有為不住无為何謂不盡有為謂不離大慈不捨大悲深發一切智心而
不忽忘教化衆生終不厭惓於四攝法常念順行護持正法不惜軀命種諸善根无有疲厭志常
安住方便迴向求法不懈說法无悋勤供諸佛故入生死而无所畏於諸榮辱心无憂喜不輕未學敬
學如佛墮煩惱者令發正念於遠離樂不以為貴不著己樂慶於彼樂在諸禪定如地獄想於
生死中如園觀想見來求者為善師想捨諸所有具一切智想見毀戒人起救護想諸波羅蜜
為父母想道品之法為眷屬想發行善根无有齊限以諸淨國嚴飾之事成己佛土開門大

BD03101 號　維摩詰所說經卷下　（5–1）

无為法如菩薩者不盡有為不住无為何謂不盡有為謂不離大慈不捨大悲深發一切智心而
不忽忘教化衆生終不厭倦於四攝法常念順行護持正法不惜軀命種諸善根无有疲厭志常
安住方便迴向求法不懈說法无悋勤供諸佛故入生死而无所畏於諸榮辱心无憂喜不輕未學敬
學如佛墮煩惱者令發正念於遠離樂不以為貴不著己樂慶於彼樂在諸禪定如地獄想於
生死中如園觀想見來求者為善師想捨諸所有具一切智想見毀戒人起救護想諸波羅蜜
為父母想道品之法為眷屬想發行善根无有齊限以諸淨國嚴飾之事成己佛土開門大
施具足相好除一切惡淨身口意生死无數劫意而有勇聞佛无量德志而不倦以智慧
劍破煩惱賊出陰界入荷負衆生永使解脫以大精進摧伏魔軍常求无念實相智慧於世間
法行少欲知足而不捨世法於出世間法求之无厭不壞威儀而能隨俗起神通慧引導衆生
得念總持所聞不忘善別諸根斷衆生疑以樂說辯演法无礙淨十善道受天人福脩四无
量開梵天道勸請說法隨喜讚善得佛音聲身口意善得佛威儀深脩善法所行轉
勝以大乘教成菩薩僧心无放逸不失衆善行如此法是名菩薩不盡有為何謂菩薩不住
无為謂脩學空不以空為證脩學无相无作不以无相无作為證脩學无起不以无起為證
觀於无常而不厭善本觀世間苦而不惡生死觀於无我而誨人不倦觀於寂滅而不永寂滅
觀於遠離而身心脩善觀无所歸而歸趣善法觀於无生而以生法荷負一切觀於无漏而不斷
諸漏觀无所行而以行法教化衆生觀於空无而不捨大悲觀正法位而不隨小乘觀諸法虛妄
无牢无人无主无相本願未滿而不虛福德禪定智慧脩如此法是名菩薩不住无為又具福德
故不住无為具智慧故不盡有為大慈悲故不住无為滿本願故不盡有為集法藥故不住无
為隨授藥故不盡有為知衆生病故不住无為滅衆生病故不盡有為諸正士菩薩已脩此法
不盡有為不住无為是名盡无盡解脫法門汝等當學爾時彼諸菩薩聞說是法皆大歡喜
以衆妙華若干種色若干種香散遍三千大千世界供養於佛及此經法并諸菩薩已稽首佛
足歎未曾有言釋迦牟尼佛乃能於此善行方便言已忽然不現還到彼國

維摩詰經見阿閦佛品第十二

爾時世尊問維摩詰汝欲見如來為以何等觀如來乎維摩詰言如自觀身實相觀佛亦然我觀
如來前際不來後際不去今則不住不觀色不觀色如不觀色性不觀受想行識不觀識如不
觀識性非四大起同於虛空六入无積眼耳鼻舌身心已過不在三界三垢已離順三脫門三明與无
明等不一相不異相不自相不他相非无相非取相不此岸不彼岸不中流而化衆生觀於寂滅亦
不永滅不此不彼不以此不以彼不可以智知不可以識識无晦无明无名无相无強无弱非淨非穢
不在方不離方非有為非无為无示无說不施不慳不戒不犯不忍不恚不進不怠不定不亂不智
不愚不誠不欺不來不去不出不入一切言語道斷非福田非不福田非應供養非不應供養非
取非捨非有相非无相同真際等法性不可稱不可量過諸稱量非大非小非見非聞非覺非

BD03101號　維摩詰所說經卷下　（5–2）

不永滅不此不彼不以此不以彼不可以智知不可以識識无晦无明无名无相无強无弱非淨非穢
不在方不離方非有為非无為无示无說不施不慳不戒不犯不忍不恚不進不怠不定不亂不智
不愚不誠不欺不來不去不出不入一切言語道斷非福田非不福田非應供養非不應供養非
取非捨非有相非无相同真際等法性不可稱不可量過諸稱量非大非小非見非聞非覺非
知離衆結縛等諸智同衆生於諸法无分別一切无失无濁无惱无作无起无生无滅无畏无憂
无喜无厭无著无已有无當有无今有不可以一切言說分別顯示世尊如來身為若此作
如是觀以斯觀者名為正觀若他觀者名為邪觀
爾時舍利弗問維摩詰汝於何沒而來生此維摩詰言汝所得法有沒生乎舍利弗言无沒生
也若諸法无沒生相云何問言汝於何沒而來生此於意云何譬如幻師幻作男女寧沒生耶舍利
弗言无沒生也汝豈不聞佛說諸法如幻相乎答曰如是若一切法如幻相者云何問言汝於何
沒而來生此舍利弗沒者為虛誑法壞敗之相生者為虛誑法相續之相菩薩雖沒不盡善本
雖生不長諸惡是時佛告舍利弗有國名妙喜佛號无動是維摩詰於彼國沒而來生此
舍利弗言未曾有也世尊是人乃能捨清淨佛土而來樂此多怒害處維摩詰語舍利弗於
意云何日光出時與冥合乎答曰不也日光出時則无衆冥維摩詰言夫日何故行閻浮提答曰欲以明
照為之除冥維摩詰言菩薩如是雖生不淨佛土為化衆生不與愚闇而共合也但滅衆生煩惱闇耳
是時大衆渴仰欲見妙喜世界不動如來及其菩薩聲聞之衆佛知一切衆會所念告維摩詰言善
男子為此衆會現妙喜國不動如來及諸菩薩聲聞之衆衆皆欲見於是維摩詰心念吾當不
起于座接妙喜國鐵圍山川溪谷江河大海泉源須彌諸山及日月星宿天龍鬼神梵天等宮并
諸菩薩聲聞之衆城邑聚落男女大小乃至无動如來及菩提樹諸妙蓮華能於十方作佛事
者三道寶階從閻浮提至忉利天以此寶階諸天來下悉為礼敬无動如來聽受經法閻浮提
人亦登其階上昇忉利見彼諸天妙喜世界成就如是无量功德上至阿迦膩吒天下至水際以右
手斷取如陶家輪入此世界猶持華鬘示一切衆作是念已入於三昧現神通力以其右手斷取
妙喜世界置於此土彼得神通菩薩及聲聞衆并餘天人俱發聲言唯然世尊誰取我
去願見救護无動佛言非我所為是維摩詰神力所作其餘未得神通者不覺不知己之
所往妙喜世界雖入此土而不增減於是世界亦不迫隘如本无異
爾時釋迦牟尼佛告諸大衆汝等且觀妙喜世界无動如來其國嚴飾菩薩行淨弟子清白皆
曰唯然已見佛言若菩薩欲得如是清淨佛土當學无動如來所行之道現此妙喜國時娑
婆世界十四那由他人發阿耨多羅三藐三菩提心皆願生於妙喜佛土釋迦牟尼佛即記之
曰當生彼國時妙喜世界於此國土所應饒益其事訖已還復本處舉衆皆見佛告舍利弗
汝見此妙喜世界及无動佛不唯然已見世尊願使一切衆生得清淨土如无動佛獲神通力如
維摩詰世尊我等快得善利得見是人親近供養其諸衆生若今現在若佛滅後聞此經者

BD03101號　維摩詰所說經卷下　（5–3）

婆世界十四那由他人發阿耨多羅三藐三菩提心皆願生於妙喜佛土釋迦牟尼佛即記之
曰當生彼國時妙喜世界於此國土所應饒益其事訖已還復本處舉衆皆見佛告舍利弗
汝見此妙喜世界及无動佛不唯然已見世尊願使一切衆生得清淨土如无動佛獲神通力如
維摩詰世尊我等快得善利得見是人親近供養其諸衆生若今現在若佛滅後聞此經者
亦得善利況復聞已信解受持讀誦解說如法脩行若有手得是經典者便為已得法寶之
藏若有讀誦解釋其義如說脩行則為諸佛之所護念其有供養如是人者當知則為供養
於佛其有書持此經卷者當知其室則有如來若聞是經能隨喜者斯人則為取一切智若
能信解此經乃至一四句偈為他說者當知此人即是受阿耨多羅三藐三菩提記

維摩詰經法供養品第十三

尒時釋提桓因於大衆中白佛言世尊我雖從佛及文殊師利聞百千經未曾聞此不可思
議自在神通決定實相經典如我解佛所說義趣若有衆生聞是經法信解受持讀誦之者
必得是法不疑何況如說脩行斯人則為閉衆惡趣開諸善門常為諸佛之所護念降伏外學
摧滅魔怨脩治菩提安處道場履踐如來所行之跡世尊若有受持讀誦如說脩行者我當
與諸眷屬供養給事所在聚落城邑山林曠野有是經處我亦與諸眷屬聽受法故共到其
所其未信者當令生信其已信者當為作護佛言善哉善哉天帝如汝所說吾助尒喜此
經廣說過去未來現在諸佛不可思議阿耨多羅三藐三菩提是故天帝若善男子善女
人受持讀誦供養是經者則為供養去來今佛天帝正使三千大千世界如來滿中譬如甘蔗
竹葦稻麻叢林若有善男子善女人或一劫或減一劫恭敬尊重讚歎供養奉諸所安
至諸佛滅後以一一全身舍利起七寶塔縱廣一四天下高至梵天表剎莊嚴以一切華香
瓔珞幢幡伎樂微妙第一若一劫若減一劫而供養之於天帝意云何其人植福寧為多不
釋提桓因言多矣世尊彼之福德若以百千億劫說不能盡佛告天帝當知是善男子
善女人聞是不可思議解脫經典信解受持讀誦脩行福多於彼所以者何諸佛菩提
皆從是生菩提之相不可限量以是因緣福不可量　佛告天帝過去无量阿僧祇劫
時世有佛號曰藥王如來應供正遍知明行足善逝世間解无上士調御丈夫天人師佛世尊
世界曰大莊嚴劫曰莊嚴佛壽廿小劫其聲聞僧卅六億那由他菩薩僧有十二億天帝是時
有轉輪聖王名曰寶蓋七寶具足主四天下王有千子端正勇健能伏怨敵尒時寶蓋與
其眷屬供養藥王如來施諸所安至滿五劫過五劫已告其千子汝等亦當如我
皆以深心供養於佛於是千子受父王命供養藥王如來復滿五劫一切施安其王一
子名曰月蓋獨坐思惟寧有供養殊過此者以佛神力空中有天曰善男子法之
供養勝諸供養即問何謂法之供養天曰汝可往問藥王如來當廣為汝說法之
供養即時月蓋王子行詣藥王如來稽首佛足却住一面白佛言世尊諸供養中法供
養勝云何為之法供養佛言善男子法供養者諸佛所說深經一切世間難信難

BD03101 號　維摩詰所說經卷下　（5-4）

皆從是生菩提之相不可限量以是因緣福不可量　佛告天帝過去无量阿僧祇劫
時世有佛號曰藥王如來應供正遍知明行足善逝世間解无上士調御丈夫天人師佛世尊
世界曰大莊嚴劫曰莊嚴佛壽廿小劫其聲聞僧卅六億那由他菩薩僧有十二億天帝是時
有轉輪聖王名曰寶蓋七寶具足主四天下王有千子端正勇健能伏怨敵尒時寶蓋與
其眷屬供養藥王如來施諸所安至滿五劫過五劫已告其千子汝等亦當如我
皆以深心供養於佛於是千子受父王命供養藥王如來復滿五劫一切施安其王一
子名曰月蓋獨坐思惟寧有供養殊過此者以佛神力空中有天曰善男子法之
供養勝諸供養即問何謂法之供養天曰汝可往問藥王如來當廣為汝說法之
供養即時月蓋王子行詣藥王如來稽首佛足却住一面白佛言世尊諸供養中法供
養勝云何為之法供養佛言善男子法供養者諸佛所說深經一切世間難信難
受微妙難見清淨无染非但分別思惟之所能得菩薩法藏所攝陀羅尼印印之至
不退轉成就六度善分別義順菩提法衆經之上入大慈悲離衆魔事及諸邪見
順因緣法无我无人无衆生无壽命空无相无作无起能令衆生坐於道場而轉法輪
諸天龍神乾闥婆等所共歎譽能令衆生入佛法藏攝諸賢聖一切智慧說衆菩
薩所行之道依於諸法實相之義明宣无常苦空无我寂滅之法能救一切毀禁衆生
諸魔外道及貪著者能使怖畏諸佛賢聖所共稱歎背生死苦示涅槃樂十方三世
諸佛所說若聞如是等經信解受持讀誦以方便力為諸衆生分別解說顯示分明守
護法故是名法之供養又於諸法如說脩行隨順十二因緣離諸邪見得无生忍決定
无我无有衆生而於因緣果報无違无諍離諸我所依於義不依語依於智不依
識依了義經不依不了義經依於法不依人隨順法相无所入无所歸无明畢竟
滅故諸行亦畢竟滅乃至生畢竟滅故老死亦畢竟滅作如是觀十二因緣无有
盡相不復起見是名最上法之供養　佛告天帝王子月蓋從藥王佛聞如是
法得柔順忍即解寶衣嚴身之具以供養佛白佛言世尊如來滅後我當行法供養
守護正法願以威神加哀建立令我得降魔怨脩菩薩行佛知其深心所念而記之曰
汝於末後守護法城天帝時王子月蓋見法清淨聞佛授記以信出家脩集善法精進不久
得五神通具菩薩道得陀羅尼无斷辯才於佛滅後以其所得神通摠持辯才之力滿十小劫
藥王如來所轉法輪隨而分布月蓋比丘以守護法懃行精進即於此身化百万億人於阿耨
多羅三藐三

BD03101 號　維摩詰所說經卷下　（5-5）

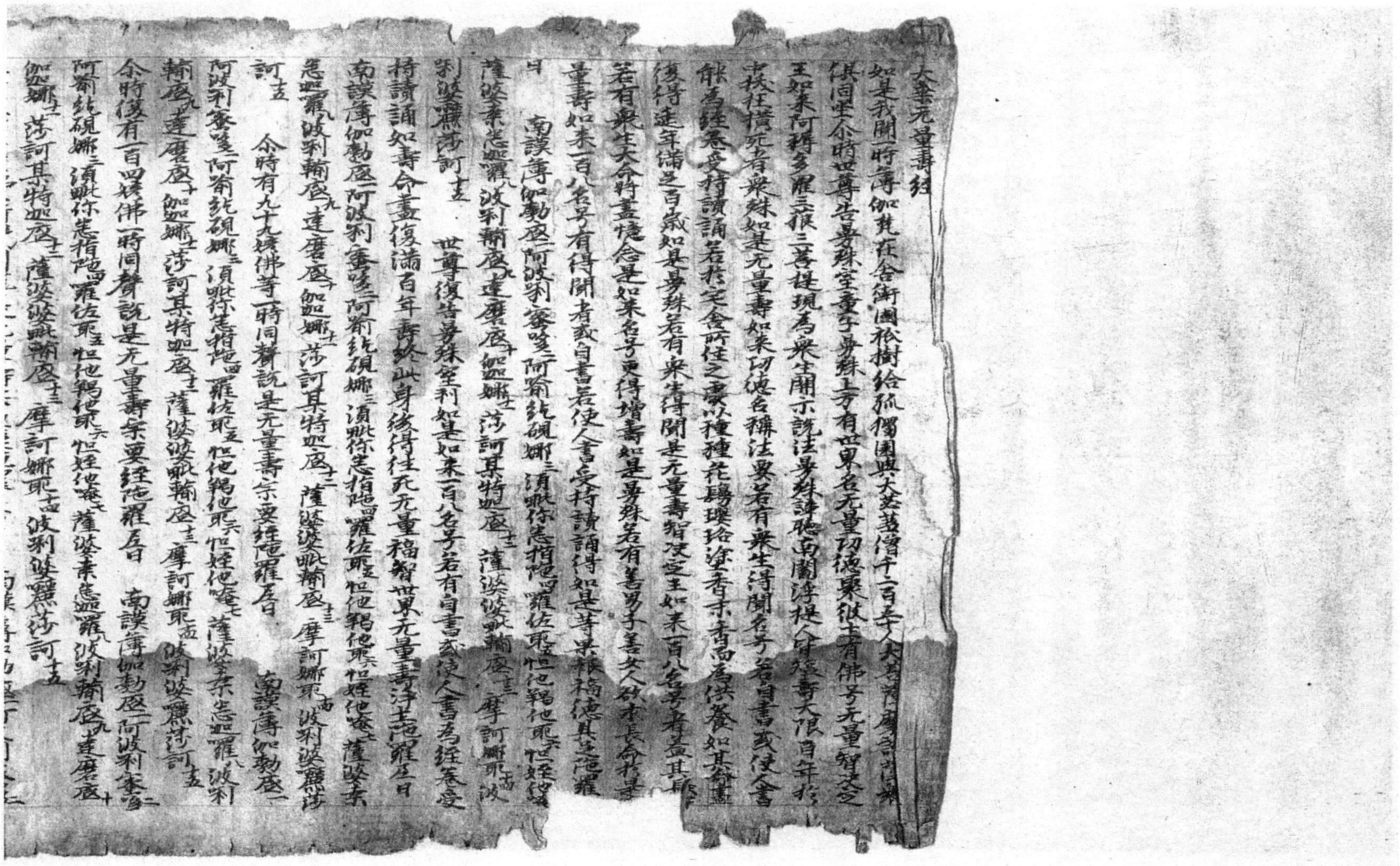

BD03102 號 1　無量壽宗要經　　（10–1）

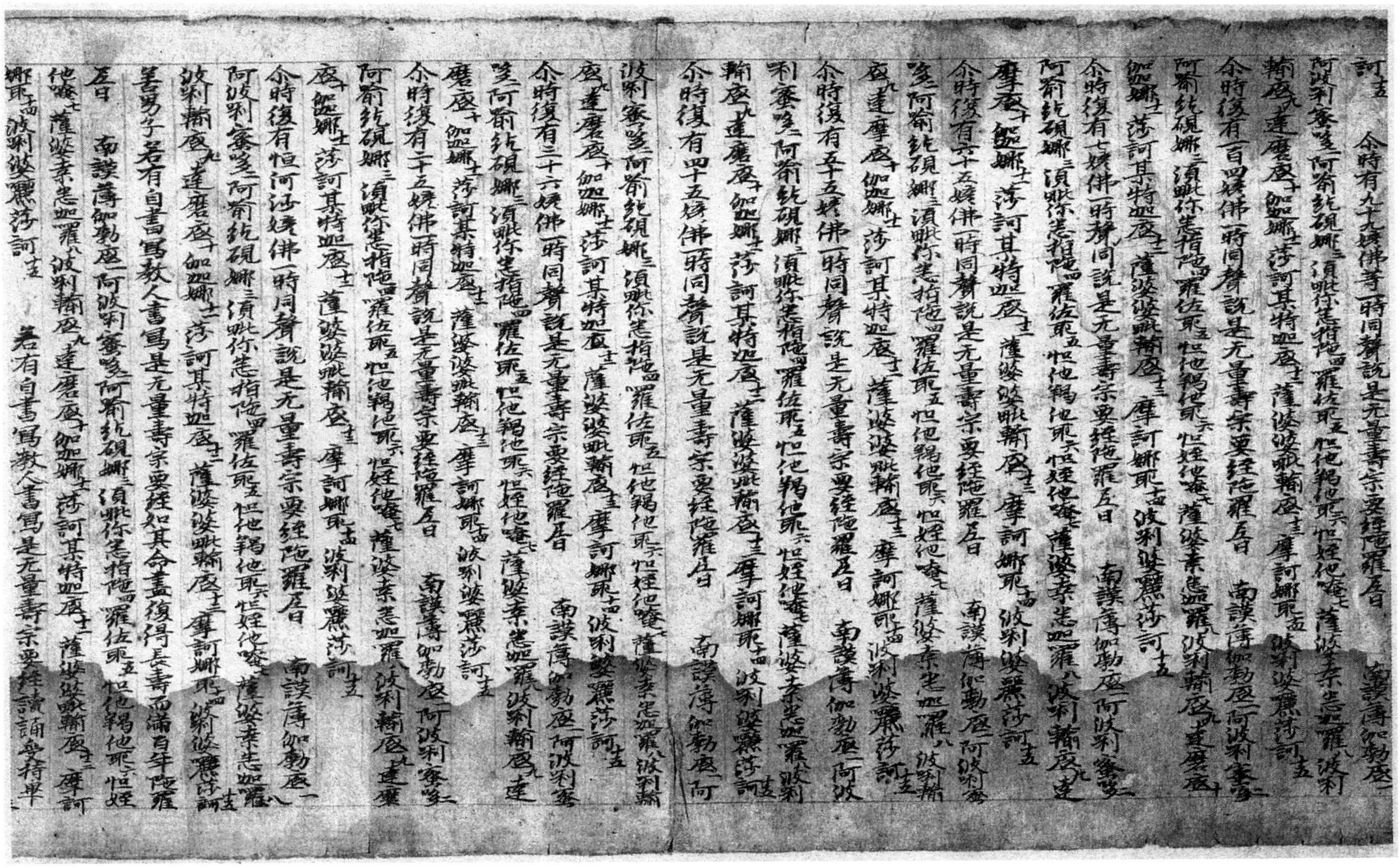

BD03102 號 1　無量壽宗要經　　（10–2）

阿波唎蜜多二阿喻紇硯娜三須毗你悉指陁四羅佐耶五怛他羯他耶六怛姪他七薩婆桒悉迦羅八
波唎輸底九達磨底十伽迦娜十一莎訶其特迦底十二薩婆婆毗輸底十三摩訶娜耶十四波唎婆羅莎訶十五
善男子若有自書寫教人書寫是无量壽宗要經如其命盡復得長壽滿百年陁羅
尼曰　南謨薄伽勃底一阿波唎蜜多二阿喻紇硯娜三須毗你悉指陁四羅佐耶五怛他羯他耶六怛姪
他七薩婆桒悉迦羅八波唎輸底九達磨底十伽迦娜十一莎訶其特迦底十二薩婆婆毗輸底十三摩訶
娜耶十四波唎婆羅莎訶十五　若有自書寫教人書寫是无量壽宗要經讀誦受持畢
竟不墮地獄在在所生得宿命智陁羅尼曰　南謨薄伽勃底一阿波唎蜜多二阿喻紇硯娜三
須毗你悉指陁四羅佐耶五怛他羯他耶六怛姪他七薩婆桒悉迦羅八波唎輸底九達磨底十伽迦娜十一
莎訶其特迦底十二薩婆婆毗輸底十三摩訶娜耶十四波唎婆羅莎訶十五　若有自書教人書
寫是无量壽宗要經受持讀誦如同書寫八万四千一切經典陁羅尼曰　南謨薄伽勃底一阿
波唎蜜多二阿喻紇硯娜三須毗你悉指陁四羅佐耶五怛他羯他耶六怛姪他七薩婆桒悉迦羅八波唎輸
底九達磨底十伽迦娜十一莎訶其特迦底十二薩婆婆毗輸底十三摩訶娜耶十四波唎婆羅莎訶十五
若有自書寫教人書寫是无量壽宗要經即是書寫八万四千部建立塔廟陁羅尼曰
南謨薄伽勃底一阿波唎蜜多二阿喻紇硯娜三須毗你悉指陁四羅佐耶五怛他羯他耶六怛姪
他七薩婆桒悉迦羅八波唎輸底九達磨底十伽迦娜十一莎訶其特迦底十二薩婆婆毗輸底十三摩
訶娜耶十四波唎婆羅莎訶十五　若有自書寫教人書寫是无量壽宗要經能消五无
間等一切重罪陁羅尼曰　南謨薄伽勃底一阿波唎蜜多二阿喻紇硯娜三須毗你悉指陁四
羅佐耶五怛他羯他耶六怛姪他七薩婆桒悉迦羅八波唎輸底九達磨底十伽迦娜十一莎訶其特
迦底十二薩婆婆毗輸底十三摩訶娜耶十四波唎婆羅莎訶十五　若有自書寫教人書寫
是无量壽宗要經受持讀誦設有重罪猶如須弥盡能除滅陁羅尼曰　南謨薄伽
勃底一阿波唎蜜多二阿喻紇硯娜三須毗你悉指陁四羅佐耶五怛他羯他耶六怛姪他七薩婆桒
悉迦羅八波唎輸底九達磨底十伽迦娜十一莎訶其特迦底十二薩婆婆毗輸底十三摩訶娜耶十四波
唎婆羅莎訶十五　若有自書寫教人書寫是无量壽宗要經受持讀誦若魔魔
之眷属夜叉羅剎不得其便終无枉死陁羅尼曰　南謨薄伽勃底一阿波唎蜜多二
阿喻紇硯娜三須毗你悉指陁四羅佐耶五怛他羯他耶六怛姪他七薩婆桒悉迦羅八波唎輸底九
達磨底十伽迦娜十一莎訶其特迦底十二薩婆婆毗輸底十三摩訶娜耶十四波唎婆羅莎訶十五
若有自書教人書寫是无量壽宗要經受持讀誦當命終時有九十九俱胝佛現其人前來
千佛授手能遊一切佛剎莫於此經生於疑惑陁羅尼曰　南謨薄伽勃底一阿波唎蜜多二
阿喻紇硯娜三須毗你悉指陁四羅佐耶五怛他羯他耶六怛姪他七薩婆桒悉迦羅八波唎輸底九達磨
底十伽迦娜十一莎訶其特迦底十二薩婆婆毗輸底十三摩訶娜耶十四波唎婆羅莎訶十五　若有自書
寫教人書寫是无量壽宗要經受持讀誦常得四天大王隨其衛護陁羅尼曰

BD03102 號 1　無量壽宗要經　（10–3）

達磨底十伽迦娜十一莎訶其特迦底十二薩婆婆毗輸底十三摩訶娜耶十四波唎婆羅莎訶十五
若有自書教人書寫是无量壽宗要經受持讀誦當命終時有九十九俱胝佛現其人前來
千佛授手能遊一切佛剎莫於此經生於疑惑陁羅尼曰　南謨薄伽勃底一阿波唎蜜多二
阿喻紇硯娜三須毗你悉指陁四羅佐耶五怛他羯他耶六怛姪他七薩婆桒悉迦羅八波唎輸底九達磨
底十伽迦娜十一莎訶其特迦底十二薩婆婆毗輸底十三摩訶娜耶十四波唎婆羅莎訶十五　若有自書
寫教人書寫是无量壽宗要經受持讀誦常得四天大王隨其衛護陁羅尼曰
南謨薄伽勃底一阿波唎蜜多二阿喻紇硯娜三須毗你悉指陁四羅佐耶五怛他羯他耶六怛姪他七
薩婆桒悉迦羅八波唎輸底九達磨底十伽迦娜十一莎訶其特迦底十二薩婆婆毗輸底十三摩訶娜耶十四波唎婆
羅莎訶十五　若有自書教人書寫是无量壽宗要經受持讀誦當得往生西方極樂世
界阿弥陁淨土陁羅尼曰　南謨薄伽勃底一阿波唎蜜多二阿喻紇硯娜三須毗你悉指陁四羅佐
耶五怛他羯他耶六怛姪他七薩婆桒悉迦羅八波唎輸底九達磨底十伽迦娜十一莎訶其特迦底十二薩
婆婆毗輸底十三摩訶娜耶十四波唎婆羅莎訶十五　若有方所自書寫使人書寫是无量
壽經典之處則為是塔皆應恭敬作礼若是畜生鳥獸得聞是經如是等類
皆當不久得成一切種智陁羅尼曰　南謨薄伽勃底一阿波唎蜜多二阿喻紇硯娜三須毗你悉
指陁四羅佐耶五怛他羯他耶六怛姪他七薩婆桒悉迦羅八波唎輸底九達磨底十伽迦娜十一莎訶其特
迦底十二薩婆婆毗輸底十三摩訶娜耶十四波唎婆羅莎訶十五　若有於是无量壽經自
書寫若使人書畢竟不受女人之身陁羅尼曰　南謨薄伽勃底一阿波唎蜜多二阿喻
紇硯娜三須毗你悉指陁四羅佐耶五怛他羯他耶六怛姪他七薩婆桒悉迦羅八波唎輸底九達磨底十伽迦
娜十一莎訶其特迦底十二薩婆婆毗輸底十三摩訶娜耶十四波唎婆羅莎訶十五
若有能於是經少分能惠施者等於三千大千世界滿中七寶布施陁羅尼曰　南謨薄伽
勃底一阿波唎蜜多二阿喻紇硯娜三須毗你悉指陁四羅佐耶五怛他羯他耶六怛姪他七薩婆桒悉迦
羅八波唎輸底九達磨底十伽迦娜十一莎訶其特迦底十二薩婆婆毗輸底十三摩訶娜耶十四波唎婆羅莎訶十五
若有能供養是經者則是供養一切諸經等无有異陁羅尼曰　南謨薄伽勃底一阿波唎
蜜多二阿喻紇硯娜三須毗你悉指陁四羅佐耶五怛他羯他耶六怛姪他七薩婆桒悉迦羅八
波唎輸底九達磨底十伽迦娜十一莎訶其特迦底十二薩婆婆毗輸底十三摩訶娜耶十四波唎婆
羅莎訶　如是毗婆尸佛尸弃佛毗舍浮佛俱留孫佛俱那含牟尼佛迦葉佛
釋迦牟尼佛　若有人以七寶供養如是七佛其福有限書寫受持是无量壽經典
所有功德不可限量陁羅尼曰　南謨薄伽勃底一阿波唎蜜多二阿喻紇硯娜三須毗
你悉指陁四羅佐耶五怛他羯他耶六怛姪他七薩婆桒悉迦羅八波唎輸底九達磨底十伽
迦娜十一莎訶其特迦底十二薩婆婆毗輸底十三摩訶娜耶十四波唎婆羅莎訶十五
若有七寶等於須弥以用布施其福上能知其限量是无量壽經典其福不可知數陁羅

BD03102 號 1　無量壽宗要經　（10–4）

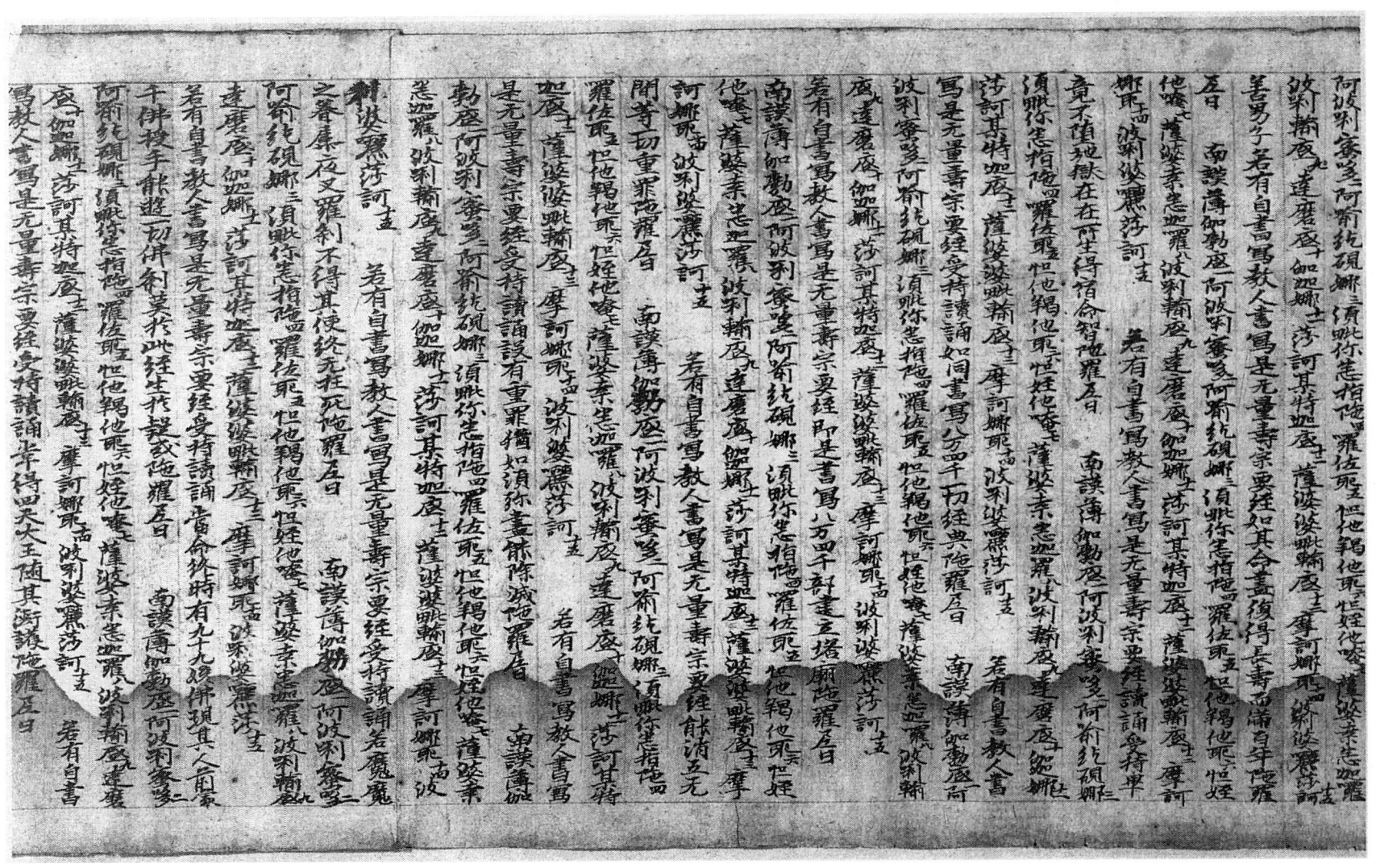

釋迦牟尼佛　若有人以七寶供養如是七佛其福有限書寫受持是无量壽経典
所有功德不可限量陁羅尼曰　南謨薄伽勃底一阿波唎蜜哆二阿喻紇硯娜三須毗
你爰指陁四羅佐耶五怛他羯他耶六怛姪他唵七薩婆桑悉迦羅八波唎輸底九達磨底十伽
迦娜十一莎訶其特迦底十二薩婆婆毗輸底十三摩訶娜耶十四波唎婆羅莎訶十五
若有七寶等於須弥山用布施其福上能知其限量是无量壽経典其福不可知數陁羅
尼曰　南謨薄伽勃底一阿波唎蜜哆二阿喻紇硯娜三須毗你爰指陁四羅佐耶五怛他羯他耶六
怛姪他唵七薩婆桑悉迦羅八波唎輸底九達磨底十伽迦娜十一莎訶其特迦底十二薩婆婆毗
輸底十三摩訶娜耶十四波唎婆羅莎訶十五　如是四大海水可知渧數是无量壽経典
所生果報不可數量陁羅尼曰　南謨薄伽勃底一阿波唎蜜哆二阿喻紇硯娜三須毗你
爰指陁四羅佐耶五怛他羯他耶六怛姪他唵七薩婆桑悉迦羅八波唎輸底九達磨底十伽迦娜十一莎訶其
特迦底十二薩婆婆毗輸底十三摩訶娜耶十四波唎婆羅莎訶十五
若有自書使人書寫是无量壽経典又能護持供養即如恭敬供養一切十方佛土如來无
有異別陁羅尼曰　南謨薄伽勃底一阿波唎蜜哆二阿喻紇硯娜三須毗你爰指陁四羅佐耶五怛
他羯他耶六怛姪他唵七薩婆桑悉迦羅八波唎輸底九達磨底十伽迦娜十一莎訶其特迦底十二薩婆婆
毗輸底十三摩訶娜耶十四波唎婆羅莎訶十五
布施力能成正覺　悟布施力人師子　布施力能聲善聞　慈悲随漸最能入
持戒力能成正覺　悟持戒力人師子　持戒力能聲善聞　慈悲随漸最能入
忍辱力能成正覺　悟忍辱力人師子　忍辱力能聲善聞　慈悲随漸最能入
精進力能成正覺　悟精進力人師子　精進力能聲善聞　慈悲随漸最能入
禪定力能成正覺　悟禪定力人師子　禪定力能聲善聞　慈悲随漸最能入
智慧力能成正覺　悟智慧力人師子　智慧力能聲善聞　慈悲随漸最能入
尒時如來說是経已一切世間天人阿脩羅揵闥婆等聞佛所說皆大歡喜信受奉行
佛說无量壽宗要経
大乘无量壽経
如是我聞一時薄伽梵在舍衛國祇樹給孤獨園與大苾蒭僧千二百五十人大菩薩摩訶薩
衆俱會尒時世尊告曼殊室利童子曼殊上方有世界名无量功德聚彼土有佛号
无量智决定王如来阿羅訶三藐三菩提現為衆生開示說法曼殊諦聽南閻浮提人命
短壽大限百年於中夭枉橫死者衆殊如是无量壽如来功德名稱法要若有衆生聞

BD03102 號 1　無量壽宗要經　（10–5）

大乘无量壽経
如是我聞一時薄伽梵在舍衛國祇樹給孤獨園與大苾蒭僧千二百五十人大菩薩摩訶薩
衆俱會尒時世尊告曼殊室利童子曼殊上方有世界名无量功德聚彼土有佛号
无量智决定王如来阿羅訶三藐三菩提現為衆生開示說法曼殊諦聽南閻浮提人命
短壽大限百年於中夭枉橫死者衆殊如是无量壽如来功德名稱法要若有衆生聞
得名号若自書或使人書能為経卷受持讀誦若於宅舍所住之處以種種花鬘瓔珞
塗香末香而為供養如其命盡復得延年滿足百歲如是曼殊若有衆生得聞
是无量壽智决定王如来一百八名号者益其長壽若有衆生大命將盡憶念是如来
名号更得增壽如是曼殊若有善男子善女人欲求長命於是无量壽如来一百八名
号者得聞者或自書若使人書受持讀誦得如是等果報福德具足陁羅尼曰
南謨薄伽勃底一阿波唎蜜哆二阿喻紇硯娜三須毗你爰指陁四羅佐耶五怛他羯他耶六怛姪他唵七
薩婆桑悉迦羅八波唎輸底九達磨底十伽迦娜十一莎訶其特迦底十二薩婆婆毗輸底十三摩訶
娜耶十四波唎婆羅莎訶十五　世尊復告曼殊室利如是如来一百八名号若有自書或使人
書為経卷受持讀誦如壽命盡復滿百年壽終此身後得往生无量福智世界无
量壽淨土陁羅尼曰　南謨薄伽勃底一阿波唎蜜哆二阿喻紇硯娜三須毗你爰指陁四羅佐耶五
怛他羯他耶六怛姪他唵七薩婆桑悉迦羅八波唎輸底九達磨底十伽迦娜十一莎訶其特迦底十二薩婆
婆毗輸底十三摩訶娜耶十四波唎婆羅莎訶十五　尒時有九十九俱胝佛一時同聲說是无量
壽宗要経陁羅尼曰　南謨薄伽勃底一阿波唎蜜哆二阿喻紇硯娜三須毗你爰指陁四羅佐
耶五怛他羯他耶六怛姪他唵七薩婆桑悉迦羅八波唎輸底九達磨底十伽迦娜十一莎訶其特迦底十二
薩婆婆毗輸底十三摩訶娜耶十四波唎婆羅莎訶十五　尒時復有一百四俱胝佛一時同聲說
是无量壽宗要経陁羅尼曰　南謨薄伽勃底一阿波唎蜜哆二阿喻紇硯娜三須毗你爰
指陁四羅佐耶五怛他羯他耶六怛姪他唵七薩婆桑悉迦羅八波唎輸底九達磨底十伽迦娜十一莎訶其特
迦底十二薩婆婆毗輸底十三摩訶娜耶十四波唎婆羅莎訶十五　尒時復有七俱胝佛一時同聲
說是无量壽宗要経陁羅尼曰　南謨薄伽勃底一阿波唎蜜哆二阿喻紇硯娜三須毗你
爰指陁四羅佐耶五怛他羯他耶六怛姪他唵七薩婆桑悉迦羅八波唎輸底九達磨底十伽迦娜十一莎訶其特
迦底十二薩婆婆毗輸底十三摩訶娜耶十四波唎婆羅莎訶十五　尒時復有六十五俱胝佛一時同
聲說是无量壽宗要経陁羅尼曰　南謨薄伽勃底一阿波唎蜜哆二阿喻紇硯娜三須
毗你爰指陁四羅佐耶五怛他羯他耶六怛姪他唵七薩婆桑悉迦羅八波唎輸底九達磨底十伽迦娜十一莎
訶其特迦底十二薩婆婆毗輸底十三摩訶娜耶十四波唎婆羅莎訶十五　尒時復有五十五俱胝佛一
時同聲說是无量壽宗要経陁羅尼曰　南謨薄伽勃底一阿波唎蜜哆二阿喻紇硯娜三
須毗你爰指陁四羅佐耶五怛他羯他耶六怛姪他唵七薩婆桑悉迦羅八波唎輸底九

BD03102 號 2　無量壽宗要經　（10–6）

迦底十一薩婆婆毗輸底十三摩訶娜耶十四波唎婆𠼪莎訶十五 介時復有六十五殑佛一時同
聲說是无量壽宗要經陀羅尼曰 南謨薄伽勃底一阿波唎蜜多二阿喻紇硯娜三須
毗你悉指陀四囉佐耶五怛他羯他耶六怛姪他唵七薩婆桑悉迦羅八波唎輸底九達摩底十伽伽娜十一莎
訶某特迦底十二薩婆婆毗輸底十三摩訶娜耶十四波唎婆𠼪莎訶十五 介時復有五十五殑佛一
時同聲說是无量壽宗要經陀羅尼曰 南謨薄伽勃底一阿波唎蜜多二阿喻紇硯娜三
須毗你悉指陀四囉佐耶五怛他羯他耶六怛姪他唵七薩婆桑悉迦羅八波唎輸底九達摩底十伽迦
娜十一莎訶某特迦底十二薩婆婆毗輸底十三摩訶娜耶十四波唎婆𠼪莎訶十五 介時復有四十五殑佛
一時同聲說是无量壽宗要經陀羅尼曰 南謨薄伽勃底一阿波唎蜜多二阿喻紇硯娜三
須毗你悉指陀四囉佐耶五怛他羯他耶六怛姪他唵七薩婆桑悉迦羅八波唎輸底九達摩底十伽迦
娜十一莎訶某特迦底十二薩婆婆毗輸底十三摩訶娜耶十四波唎婆𠼪莎訶十五 介時復有三
十五殑佛一時同聲說是无量壽宗要經陀羅尼曰 南謨薄伽勃底一阿波唎蜜多二阿
喻紇硯娜三須毗你悉指陀四囉佐耶五怛他羯他耶六怛姪他唵七薩婆桑悉迦羅八波唎輸底九達摩
底十伽迦娜十一莎訶某特迦底十二薩婆婆毗輸底十三摩訶娜耶十四波唎婆𠼪莎訶十五 南謨薄伽勃底一阿波
介時復有二十五殑佛一時同聲說是无量壽宗要經陀羅尼曰 南謨薄伽勃底一阿波
唎蜜多二阿喻紇硯娜三須毗你悉指陀四囉佐耶五怛他羯他耶六怛姪他唵七薩婆桑悉迦羅八波唎輸
底九達磨底十伽伽娜十一莎訶某特迦底十二薩婆婆毗輸底十三摩訶娜耶十四波唎婆𠼪莎訶十五
介時復有恒河沙殑佛一時同聲說是无量壽宗要經陀羅尼曰 南謨薄伽勃底一
阿波唎蜜多二阿喻紇硯娜三須毗你悉指陀四囉佐耶五怛他羯他耶六怛姪他唵七薩婆桑悉迦
羅八波唎輸底九達磨底十伽伽娜十一莎訶某特迦底十二薩婆婆毗輸底十三摩訶娜耶十四波唎婆
𠼪莎訶十五 善男子若有自書寫教人書寫是无量壽宗要經知其命盡復得長壽
而滿百年陀羅尼曰 南謨薄伽勃底一阿波唎蜜多二阿喻紇硯娜三須毗你悉指陀四囉
佐耶五怛他羯他耶六怛姪他唵七薩婆桑悉迦羅八波唎輸底九達磨底十伽伽娜十一莎訶
某特迦底十二薩婆婆毗輸底十三摩訶娜耶十四波唎婆𠼪莎訶十五 若有自書寫教人書
寫是无量壽宗要經讀誦受持畢竟不墮地獄在在所生得宿命智陀羅尼曰
南謨薄伽勃底一阿波唎蜜多二阿喻紇硯娜三須毗你悉指陀四囉佐耶五怛他羯他耶六怛姪他唵七
薩婆桑悉迦羅八波唎輸底九達磨底十伽伽娜十一莎訶某特迦底十二薩婆婆毗輸底十三摩
訶娜耶十四波唎婆𠼪莎訶十五 若有自書寫教人書寫是无量壽宗要經受持讀誦
如同書寫八万四千一切經典陀羅尼曰 南謨薄伽勃底一阿波唎蜜多二阿喻紇硯娜三須毗你
悉指陀四囉佐耶五怛他羯他耶六怛姪他唵七薩婆桑悉迦羅八波唎輸底九達磨底十伽伽娜十一莎訶
某特迦底十二薩婆婆毗輸底十三摩訶娜耶十四波唎婆𠼪莎訶十五 若有自書寫教
人書寫是无量壽宗要經即是書寫八万四千部建立塔廟陀羅尼曰

BD03102 號 2　無量壽宗要經　（10–7）

訶娜耶十四波唎婆𠼪莎訶十五 若有自書寫教人書寫是无量壽宗要經受持讀誦
如同書寫八万四千一切經典陀羅尼曰 南謨薄伽勃底一阿波唎蜜多二阿喻紇硯娜三須毗你
悉指陀四囉佐耶五怛他羯他耶六怛姪他唵七薩婆桑悉迦羅八波唎輸底九達磨底十伽伽娜十一莎訶
某特迦底十二薩婆婆毗輸底十三摩訶娜耶十四波唎婆𠼪莎訶十五 若有自書寫教
人書寫是无量壽宗要經即是書寫八万四千部建立塔廟陀羅尼曰
南謨薄伽勃底一阿波唎蜜多二阿喻紇硯娜三須毗你悉指陀四囉佐耶五怛他羯他耶六怛姪他
唵七薩婆桑悉迦羅八波唎輸底九達磨底十伽伽娜十一莎訶某特迦底十二薩婆婆毗輸底十三
摩訶娜耶十四波唎婆𠼪莎訶十五 若有自書寫教人書寫是无量壽宗要經能
消五无間等一切重罪陀羅尼曰 南謨薄伽勃底一阿波唎蜜多二阿喻紇硯娜三須
毗你悉指陀四囉佐耶五怛他羯他耶六怛姪他唵七薩婆桑悉迦羅八波唎輸底九達磨底十伽
伽娜十一莎訶某特迦底十二薩婆婆毗輸底十三摩訶娜耶十四波唎婆𠼪莎訶十五
若有自書寫教人書寫是无量壽宗要經受持讀誦設有重罪猶如須弥盡能除滅陀羅
尼曰 南謨薄伽勃底一阿波唎蜜多二阿喻紇硯娜三須毗你悉指陀四囉佐耶五怛他羯他耶六
怛姪他唵七薩婆桑悉迦羅八波唎輸底九達磨底十伽伽娜十一莎訶某特迦底十二薩婆婆毗輸底十三
摩訶娜耶十四波唎婆𠼪莎訶十五 若有自書寫教人書寫是无量壽宗要經受持讀
誦若魔魔之眷屬夜叉羅刹不得其便終无枉死陀羅尼曰 南謨薄伽勃底一阿波
唎蜜多二阿喻紇硯娜三須毗你悉指陀四囉佐耶五怛他羯他耶六怛姪他唵七薩婆桑悉迦羅八波唎
輸底九達磨底十伽伽娜十一莎訶某特迦底十二薩婆婆毗輸底十三摩訶娜耶十四波唎婆𠼪莎訶十五
若有自書教人書寫是无量壽宗要經受持讀誦當命終時有九十九殑佛現其人前家
千佛授手能遊一切佛刹莫於此經生於疑惑陀羅尼曰 南謨薄伽勃底一阿波唎
蜜多二阿喻紇硯娜三須毗你悉指陀四囉佐耶五怛他羯他耶六怛姪他唵七薩婆桑悉迦羅八波唎
輸底九達磨底十伽伽娜十一莎訶某特迦底十二薩婆婆毗輸底十三摩訶娜耶十四波唎婆𠼪莎訶十五
若有自書寫教人書寫是无量壽宗要經受持讀誦常得四天大王隨其衛護
陀羅尼曰 南謨薄伽勃底一阿波唎蜜多二阿喻紇硯娜三須毗你悉指陀四囉佐耶五
怛他羯他耶六怛姪他唵七薩婆桑悉迦羅八波唎輸底九達磨底十伽伽娜十一莎訶某特迦
底十二薩婆婆毗輸底十三摩訶娜耶十四波唎婆𠼪莎訶十五 若有自書教人書
寫是无量壽宗要經受持讀誦當得往生西方極樂世界阿彌陀淨土陀羅尼曰
南謨薄伽勃底一阿波唎蜜多二阿喻紇硯娜三須毗你悉指陀四囉佐耶五怛他羯他耶六
怛姪他唵七薩婆桑悉迦羅八波唎輸底九達磨底十伽伽娜十一莎訶某特迦底十二薩婆婆毗輸底十三
摩訶娜耶十四波唎婆𠼪莎訶十五 若有方所自書寫使人書寫是无量壽經典之處

BD03102 號 2　無量壽宗要經　（10–8）

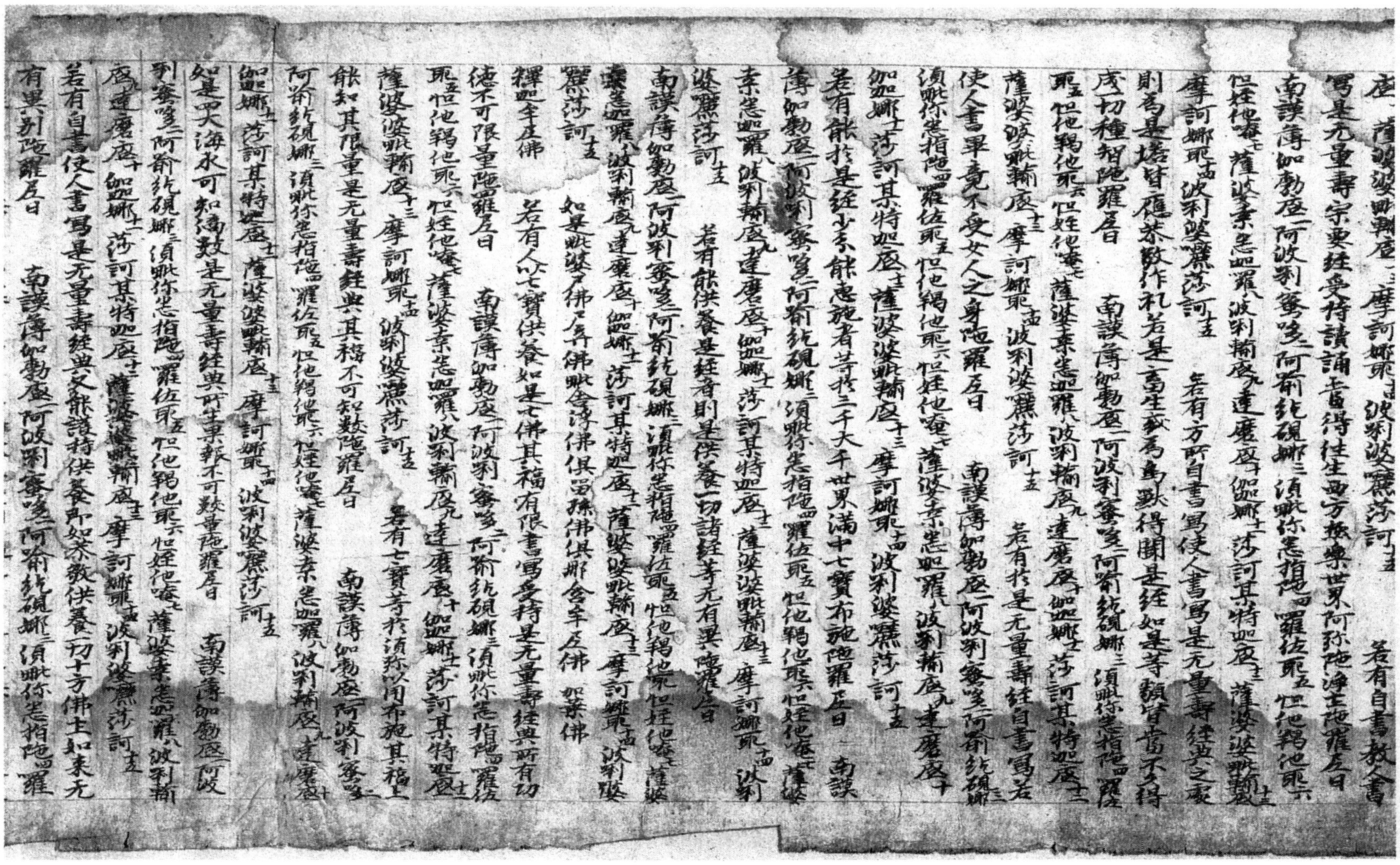

底十二 薩婆婆毗輸底十三 摩訶娜耶十四 波唎婆囉莎訶十五 若有自書教人書
寫是无量壽宗要經受持讀誦當得往生西方極樂世界阿彌陀淨土陀羅尼曰
南謨薄伽勃底一 阿波唎蜜多二 阿喻紇硯娘三 須毗你悉指陀四 囉佐耶五 怛他羯他耶六
怛姪他唵七 薩婆桑悉迦囉八 波唎輸底九 達磨底十 伽伽娜十一 莎訶某特伽底十二 薩婆婆毗輸底十三
摩訶娜耶十四 波唎婆囉莎訶十五 若有方所自書寫使人書寫是无量壽經典之處
則為是塔皆應恭敬作禮若是畜生禽獸鳥獸得聞是經如是等類皆當不久得
成一切種智陀羅尼曰 南謨薄伽勃底一 阿波唎蜜多二 阿喻紇硯娘三 須毗你悉指陀四 囉佐
耶五 怛他羯他耶六 怛姪他唵七 薩婆桑悉迦囉八 波唎輸底九 達磨底十 伽伽娜十一 莎訶某特伽底十二
薩婆婆毗輸底十三 摩訶娜耶十四 波唎婆囉莎訶十五 若有於是无量壽經自書寫若
使人書畢竟不受女人之身陀羅尼曰 南謨薄伽勃底一 阿波唎蜜多二 阿喻紇硯娘三
須毗你悉指陀四 囉佐耶五 怛他羯他耶六 怛姪他唵七 薩婆桑悉迦囉八 波唎輸底九 達磨底十
伽伽娜十一 莎訶某特伽底十二 薩婆婆毗輸底十三 摩訶娜耶十四 波唎婆囉莎訶十五
若有能於是經少分能惠施者若於三千大千世界滿中七寶布施陀羅尼曰 南謨
薄伽勃底一 阿波唎蜜多二 阿喻紇硯娘三 須毗你悉指陀四 囉佐耶五 怛他羯他耶六 怛姪他唵七 薩婆
桑悉迦囉八 波唎輸底九 達磨底十 伽伽娜十一 莎訶某特伽底十二 薩婆婆毗輸底十三 摩訶娜耶十四 波唎
婆囉莎訶十五 若有能供養是經者則是供養一切諸經等无有異陀羅尼曰
南謨薄伽勃底一 阿波唎蜜多二 阿喻紇硯娘三 須毗你悉指陀四 囉佐耶五 怛他羯他耶六 怛姪他唵七 薩婆
桑悉迦囉八 波唎輸底九 達磨底十 伽伽娜十一 莎訶某特伽底十二 薩婆婆毗輸底十三 摩訶娜耶十四 波唎婆
囉莎訶十五 如是毗婆尸佛尸棄佛毗舍浮佛俱留孫佛俱那含牟尼佛迦葉佛
釋迦牟尼佛 若有人以七寶供養如是七佛其福有限書寫受持是无量壽經典所有功
德不可限量陀羅尼曰 南謨薄伽勃底一 阿波唎蜜多二 阿喻紇硯娘三 須毗你悉指陀四 囉佐
耶五 怛他羯他耶六 怛姪他唵七 薩婆桑悉迦囉八 波唎輸底九 達磨底十 伽伽娜十一 莎訶某特伽底十二
薩婆婆毗輸底十三 摩訶娜耶十四 波唎婆囉莎訶十五 若有七寶等於須彌山用布施其福上
能知其限量是无量壽經典其福不可知數陀羅尼曰 南謨薄伽勃底一 阿波唎蜜多二
阿喻紇硯娘三 須毗你悉指陀四 囉佐耶五 怛他羯他耶六 怛姪他唵七 薩婆桑悉迦囉八 波唎輸底九 達磨底十
伽伽娜十一 莎訶某特伽底十二 薩婆婆毗輸底十三 摩訶娜耶十四 波唎婆囉莎訶十五
如是四大海水可知渧數是无量壽經典所生果報不可數量陀羅尼曰 南謨薄伽勃底一 阿波
唎蜜多二 阿喻紇硯娘三 須毗你悉指陀四 囉佐耶五 怛他羯他耶六 怛姪他唵七 薩婆桑悉迦囉八 波唎輸
底九 達磨底十 伽伽娜十一 莎訶某特伽底十二 薩婆婆毗輸底十三 摩訶娜耶十四 波唎婆囉莎訶十五
若有自書使人書寫是无量壽經典又能讚持供養即如恭敬供養一切十方佛土如來无
有異別陀羅尼曰 南謨薄伽勃底一 阿波唎蜜多二 阿喻紇硯娘三 須毗你悉指陀四 囉

BD03102 號 2　無量壽宗要經　（10–9）

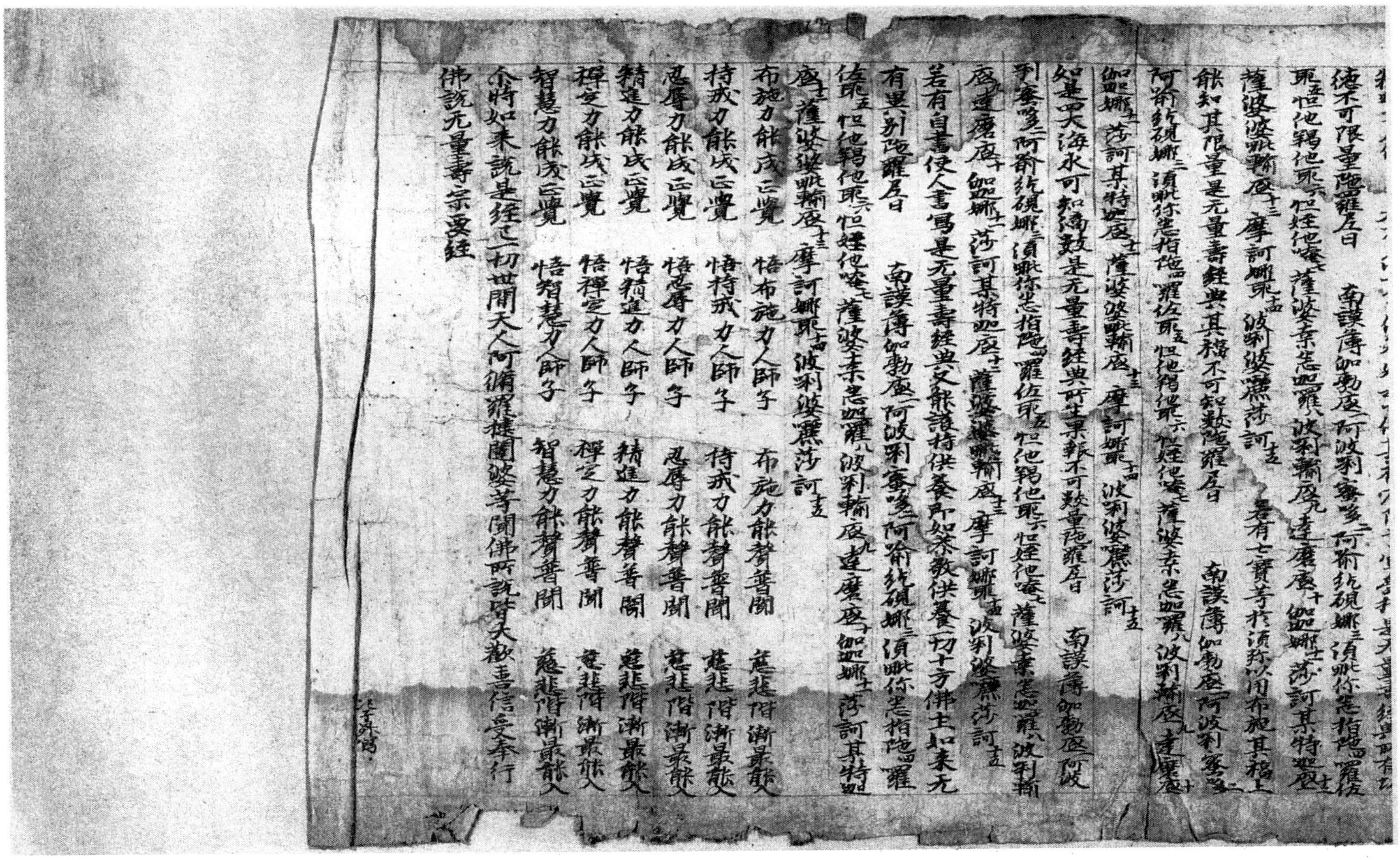

德不可限量陀羅尼曰 南謨薄伽勃底一 阿波唎蜜多二 阿喻紇硯娘三 須毗你悉指陀四 囉佐
耶五 怛他羯他耶六 怛姪他唵七 薩婆桑悉迦囉八 波唎輸底九 達磨底十 伽伽娜十一 莎訶某特伽底十二
薩婆婆毗輸底十三 摩訶娜耶十四 波唎婆囉莎訶十五 若有七寶等於須彌山用布施其福上
能知其限量是无量壽經典其福不可知數陀羅尼曰
阿喻紇硯娘三 須毗你悉指陀四 囉佐耶五 怛他羯他耶六 怛姪他唵七 薩婆桑悉迦囉八 波唎輸底九 達磨底十
伽伽娜十一 莎訶某特伽底十二 薩婆婆毗輸底十三 摩訶娜耶十四 波唎婆囉莎訶十五 南謨薄伽勃底一 阿波
如是四大海水可知渧數是无量壽經典所生果報不可數量陀羅尼曰
唎蜜多二 阿喻紇硯娘三 須毗你悉指陀四 囉佐耶五 怛他羯他耶六 怛姪他唵七 薩婆桑悉迦囉八 波唎輸
底九 達磨底十 伽伽娜十一 莎訶某特伽底十二 薩婆婆毗輸底十三 摩訶娜耶十四 波唎婆囉莎訶十五
若有自書使人書寫是无量壽經典又能讚持供養即如恭敬供養一切十方佛土如來无
有異別陀羅尼曰 南謨薄伽勃底一 阿波唎蜜多二 阿喻紇硯娘三 須毗你悉指陀四 囉
佐耶五 怛他羯他耶六 怛姪他唵七 薩婆桑悉迦囉八 波唎輸底九 達磨底十 伽伽娜十一 莎訶某特伽
底十二 薩婆婆毗輸底十三 摩訶娜耶十四 波唎婆囉莎訶十五
布施力能成正覺 悟布施力人師子 布施力能聲普聞 慈悲階漸最能入
持戒力能成正覺 悟持戒力人師子 持戒力能聲普聞 慈悲階漸最能入
忍辱力能成正覺 悟忍辱力人師子 忍辱力能聲普聞 慈悲階漸最能入
精進力能成正覺 悟精進力人師子 精進力能聲普聞 慈悲階漸最能入
禪定力能成正覺 悟禪定力人師子 禪定力能聲普聞 慈悲階漸最能入
智慧力能成正覺 悟智慧力人師子 智慧力能聲普聞 慈悲階漸最能入
尒時如來說是經已一切世間天人阿脩羅揵闥婆等聞佛所說皆大歡喜信受奉行
佛說无量壽宗要經

BD03102 號 2　無量壽宗要經　（10–10）

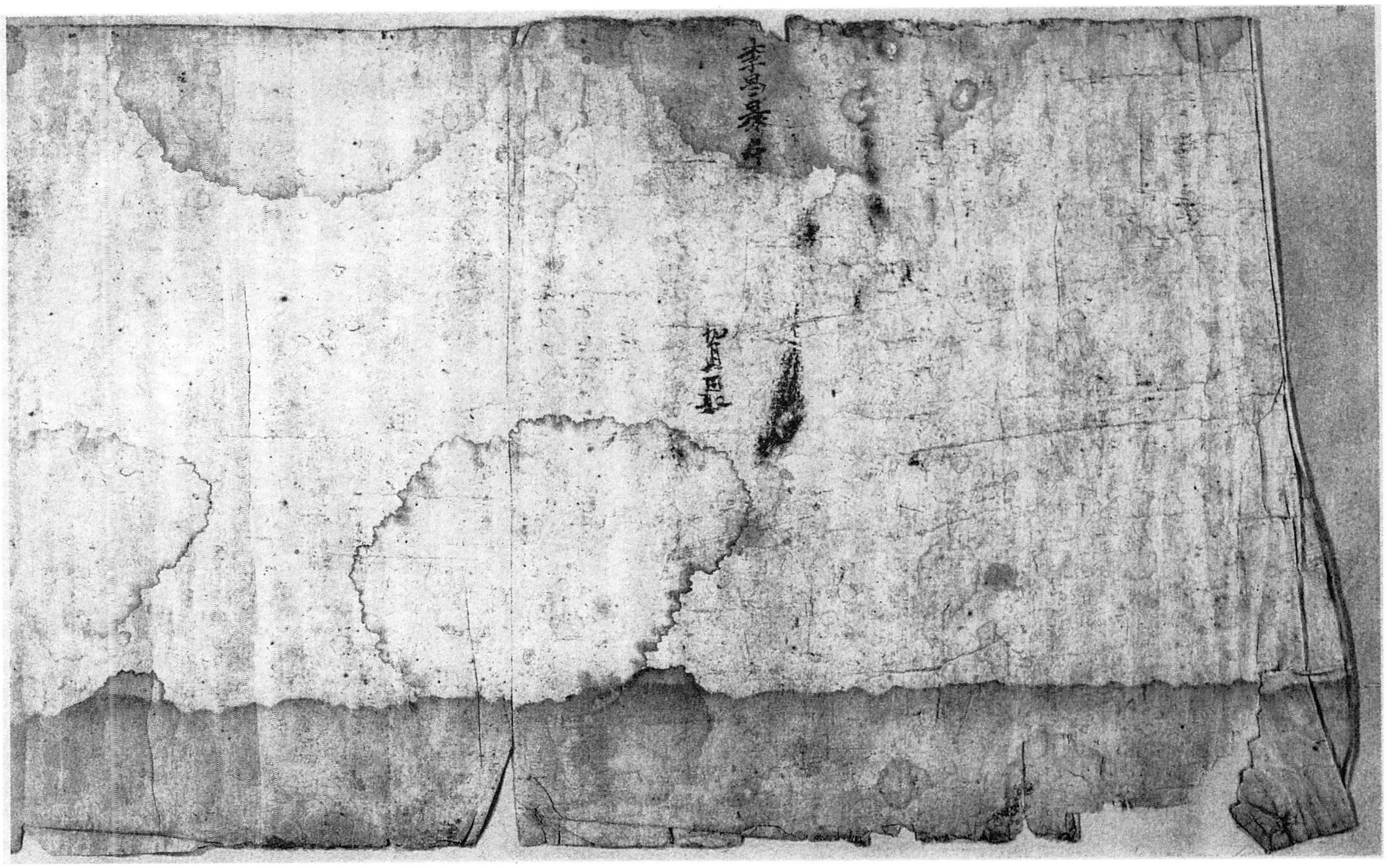

BD03102 號背　雜寫　　（1–1）

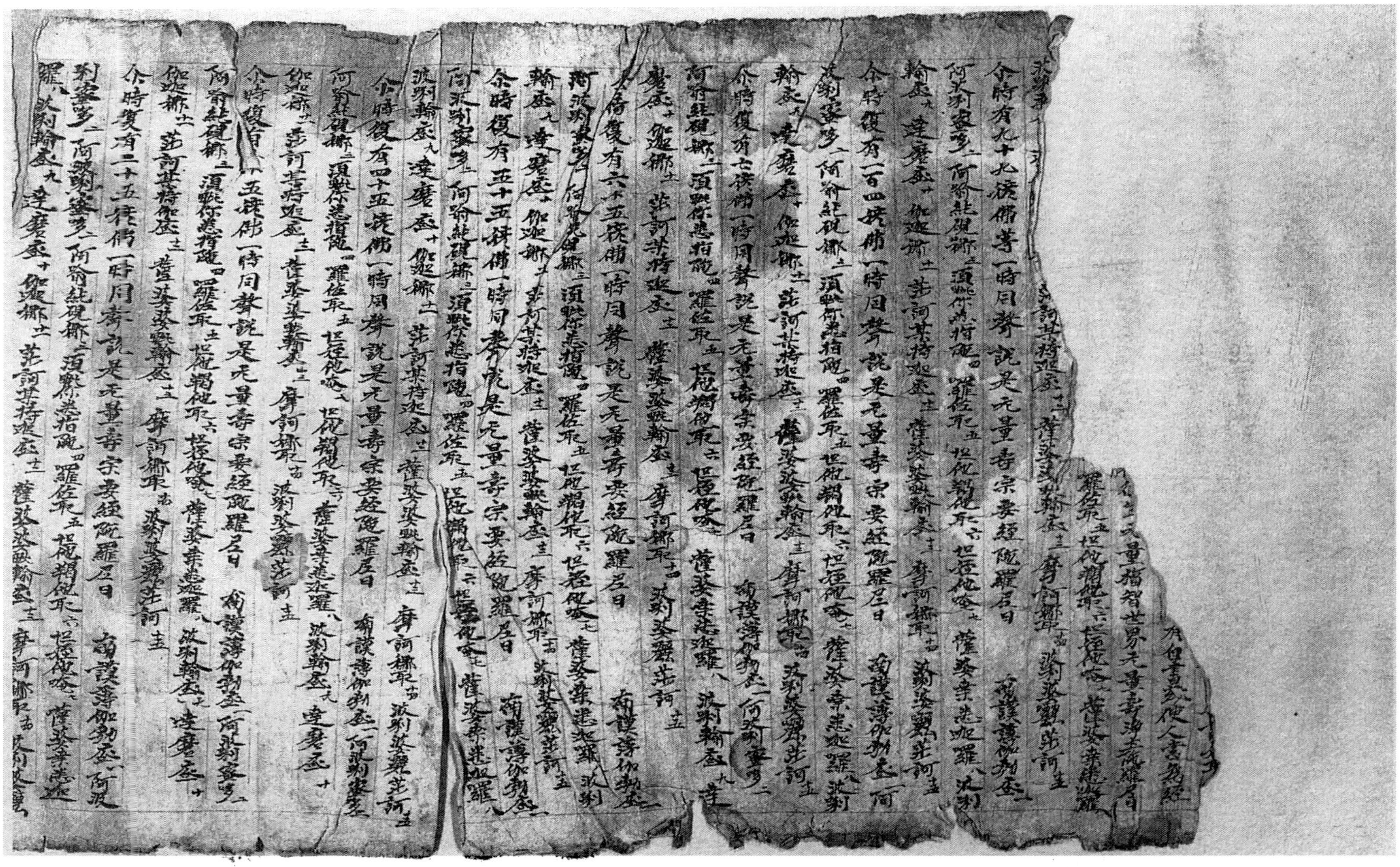

BD03103 號　無量壽宗要經　　（5–1）

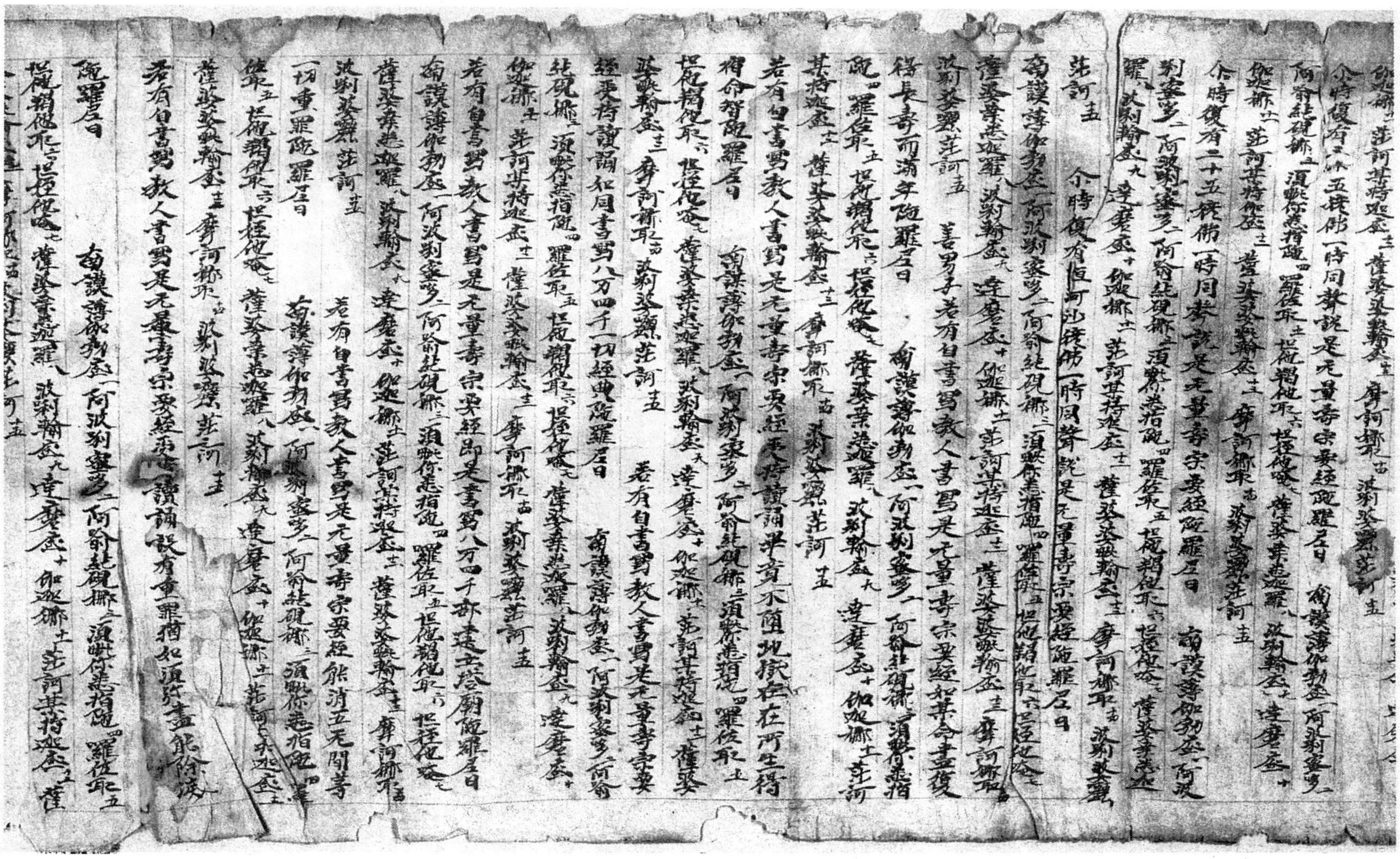

BD03103號　無量壽宗要經　（5–2）

BD03103號　無量壽宗要經　（5–3）

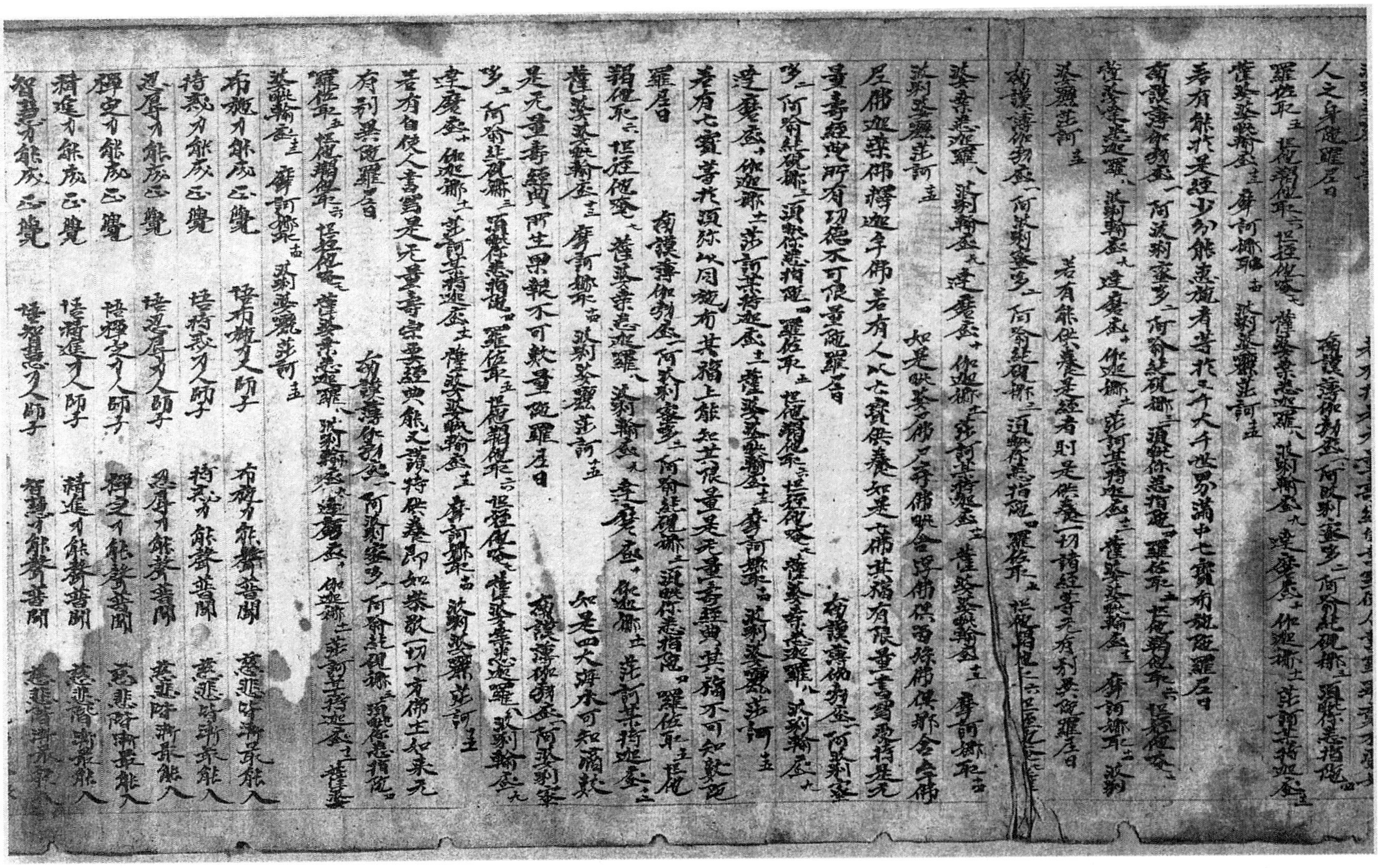

BD03103 號　無量壽宗要經　（5–4）

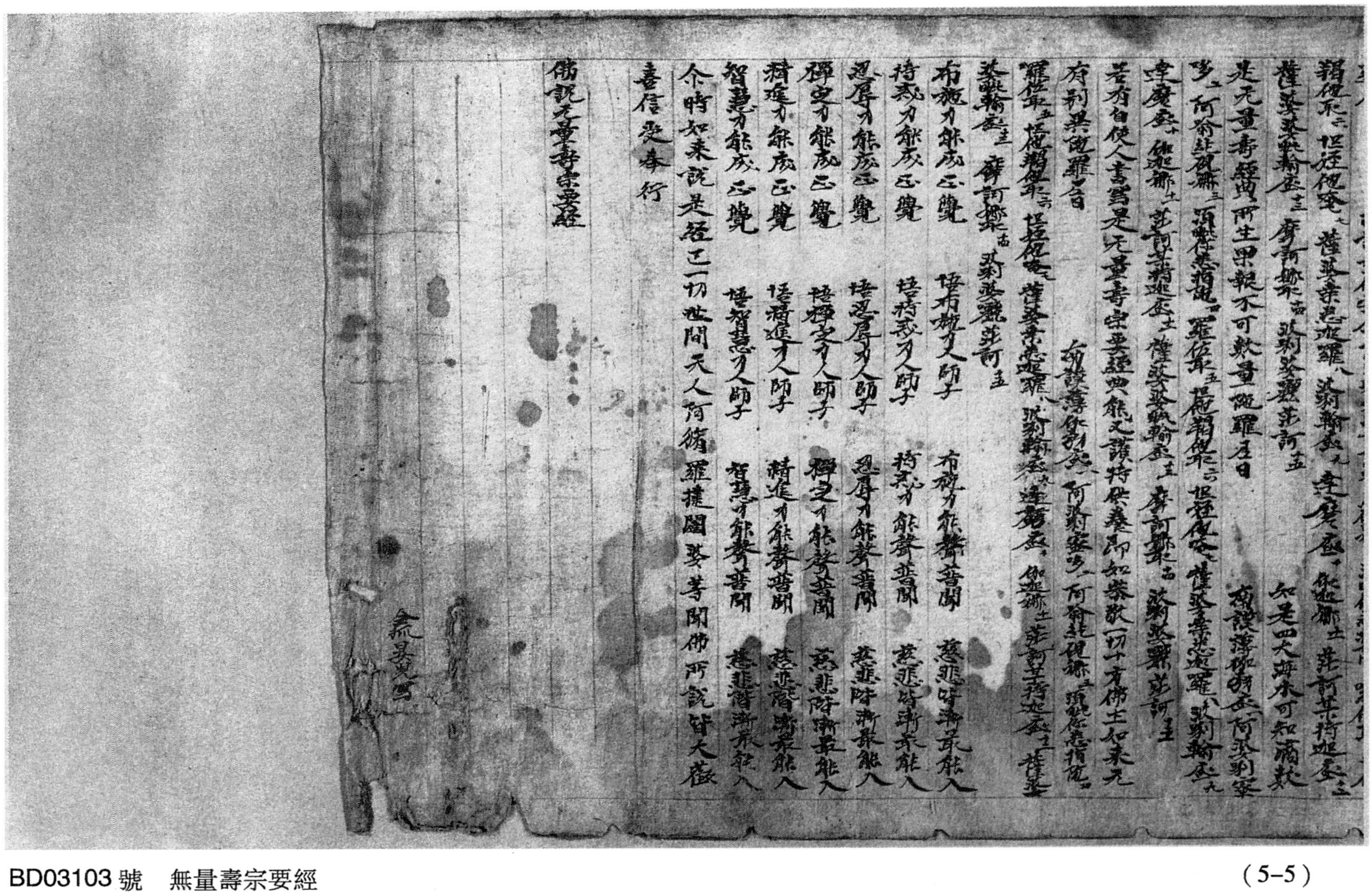

布施力能成正覺　悟布施力人師子　布施力能聲普聞　慈悲門中聲能入
持戒力能成正覺　悟持戒力人師子　持戒力能聲普聞　慈悲門中聲能入
忍辱力能成正覺　悟忍辱力人師子　忍辱力能聲普聞　慈悲門中聲能入
禪定力能成正覺　悟禪定力人師子　禪定力能聲普聞　慈悲門中聲能入
精進力能成正覺　悟精進力人師子　精進力能聲普聞　慈悲門中聲能入
智慧力能成正覺　悟智慧力人師子　智慧力能聲普聞　慈悲門中聲能入
尒時如來說是經已一切世間天人阿脩羅揵闥婆等聞佛所說皆大歡
喜信受奉行
佛說無量壽宗要經

BD03103 號　無量壽宗要經　（5–5）

……佛
……成就勝佛　南无……
南无善住王佛　南无寶勝香王佛
南无能與一切樂佛　南无能現一切念佛
南无不空名稱佛　南无寶光明佛
南无安隱與一切衆生樂佛　南无无邊虛空莊嚴勝佛
南无善莊嚴佛　南无虛空難兜佛
南无普花成就勝佛　南无可樂勝佛
南无多寶佛　南无聲相佛
南无无邊境界來佛　南无淨眼佛
南无高佛　南无不可降伏幢佛
南无可詣佛　南无无邊无際諸山佛
南无月輪莊嚴王佛　南无寶勝須弥留佛
南无樂成就德佛　南无清淨諸弥留佛
南无安樂德佛　南无梵德佛
南无无导目佛　南无作无邊功德佛
南无智高佛　南无勇猛仙佛
南无智積佛　南无作方佛

BD03104號　佛名經（十六卷本）卷一五　（24-1）

南无月輪莊嚴王佛　南无寶勝須弥留佛
南无樂成就德佛　南无清淨諸弥留佛
南无安樂德佛　南无梵德佛
南无无导目佛　南无作无邊功德佛
南无智高佛　南无勇猛仙佛
南无智積佛　南无作方佛
南无能忍佛　南无離諸有佛
南无智議佛　南无妙功德佛
南无隨衆生心視境界佛　南无鏡佛
南无无邊寶佛　南无離一切憂境无畏佛
南无无导寶光明佛　南无无导照佛
南无念一切佛境界佛　南无能現一切佛像佛
南无无相體佛　南无化聲佛
南无化聲善聲佛　南无寶成就勝功德佛
南无海弥留佛　南无无垢意佛
南无智華成就佛　南无高威德山佛
南无齊佛　南无離恨佛
南无斷一切諸道佛　南无成就不可量功德佛
南无樂成就勝境界佛　南无求无畏香佛
南无无障导香象佛　南无雲妙鼓聲佛
南无須弥山堅佛　南无勝香須弥佛
南无无邊光佛　南无普見佛
南无得无畏佛　南无月燈佛
南无火燈佛　南无勢燈佛
南无高脩佛　南无金剛生佛
南无智自在王佛　南无智力稱佛
……

BD03104號　佛名經（十六卷本）卷一五　（24-2）

南无無邊光佛　南无普見佛
南无得无畏佛　南无月燈佛
南无火燈佛　南无勢燈佛
南无高幢佛　南无金剛生佛
南无智自在王佛　南无智力稱佛
南无无畏上佛　南无功德王佛
南无波婆婆佛　南无善眼佛
南无妙莊嚴佛　南无寶蓋佛
從此以上二万一千六百佛十二部經一切賢聖
南无香象佛　南无无邊境界不空稱佛
南无不可思議功德王光明佛　南无種種華佛
南无无畏王佛　南无常歇香佛
南无妙藥樹王佛　南无常求安樂佛
南无无邊意行佛　南无无邊境界佛
南无无邊光佛　南无无邊日佛
南无邊虛空境界佛
南无聲色境界佛　南无香上勝佛
南无虛空勝佛　南无勝功德佛
南无現諸方佛　南无妙孫留佛
南无无障眼佛　南无沙伽羅佛
南无庭燎佛　南无然難兜佛
南无无垢月威德光佛　南无智山佛
南无稱力王佛　南无功德王光明佛
南无智見佛　南无波頭勝成就佛
南无寶火佛　南无寶蓮華勝佛
南无斷諸疑佛　南无領勝衆佛

BD03104號　佛名經（十六卷本）卷一五　（24–3）

南无稱力王佛　南无功德王光明佛
南无智見佛　南无波頭勝成就佛
南无寶火佛　南无寶蓮華勝佛
南无斷諸疑佛　南无領勝衆佛
南无難兜王佛　南无華勝佛
南无放光明佛　南无照波頭摩光明佛
南无方王法難兜佛　南无无邊步佛
南无婆伽羅山佛　南无阿尚見佛
南无无障身吼聲佛　南无无邊功德稱光明佛
南无世間涅槃无差别修行佛　南无无邊照佛
南无善眼佛　南无一蓋藏佛
南无放光明佛　南无過去未來現在无差别修行佛
南无无邊華佛　南无无邊淨佛
南无无邊光佛　南无无邊照佛
南无无邊明佛　南无妙明佛
南无无邊境界佛　南无无邊步佛
南无等蓋行佛　南无寶蓋佛
南无星宿王佛　南无蓋星宿佛
南无光明輪佛　南无光明王佛
南无勝光明功德佛　南无不可量光佛
南无勝佛　南无不可量境界步佛
南无无身聲吼佛　南无大雲光佛
南无閻梨尼山佛　南无佛華光明佛
南无波頭摩勝華山王佛　南无星宿上首佛
南无放光明佛　南无三周單那堅佛
南无不空見佛　南无貢勝功德佛

BD03104號　佛名經（十六卷本）卷一五　（24–4）

南无闍梨屋山佛　南无佛華光明佛
南无波頭摩勝華山王佛　南无星宿上首佛
南无放光明佛　南无三周單耶堅佛
南无不空見佛　南无頂勝功德佛
南无波頭頂勝功德佛　南无无癡佛
南无能度佛　南无无迷步佛
南无離愚境界佛　南无无闇光明佛
南无无邊精進佛　南无娑羅自在王佛
南无寶娑羅佛　南无一蓋佛
南无蓋莊嚴佛　南无寶聚佛
南无旃聚香佛　南无旃檀屋佛
南无无邊光明佛　南无光輪佛
南无山莊嚴佛　南无无障眼佛
南无善眼佛　南无寶成佛
從此以上一万一千七百佛十二部經一切賢聖
南无一切功德勝佛　南无成就佛華功德佛
南无善住意佛　南无无邊方便佛
南无不空功德佛　南无寶勢佛
南无无邊脩行佛　南无嚴无邊功德佛
南无虛空輪光佛　南无无相聲佛
南无藥王佛　南无不怯弱佛
南无離諸畏毛堅佛　南无功德王光明佛
南无觀智起華佛　南无虛空家佛
南无虛空聲佛　南无虛空莊嚴佛
南无大眼佛　南无勝功德佛

BD03104號　佛名經（十六卷本）卷一五　（24–5）

南无離諸畏毛堅佛　南无功德王光明佛
南无觀智起華佛　南无虛空家佛
南无虛空聲佛　南无虛空莊嚴佛
南无大眼佛　南无勝功德佛
南无成佛　南无佛波頭摩德佛
南无成功德佛　南无師子勝佛
南无成就義佛　南无師子讓佛
南无善住王佛　南无梵山佛
南无淨目佛　南无不空跡步佛
南无香鳥佛　南无香德佛
南无香弥留佛　南无无邊眼佛
南无財屋佛　南无香山佛
南无寶師子佛　南无堅固衆生佛
南无妙勝住王佛　南无无邊境界勝王佛
南无勝精進王佛　南无无疑佛
南无善星宿王佛　南无然燈佛
南无能住光明佛　南无光明山佛
南无光明輪佛　南无妙蓋佛
南无香蓋佛　南无寶蓋佛
南无香去蓋佛　南无旃檀勝佛
南无須弥山積聚佛　南无種種寶光明佛
南无堅固自在王佛　南无淨勝佛
南无淨眼佛　南无不弱佛
南无寶勝佛　南无施羅王佛
南无發脩行轉女根佛　南无无邊脩行佛
南无最妙光佛　南无闍梨屋光明山佛

BD03104號　佛名經（十六卷本）卷一五　（24–6）

南无堅固自在王佛　南无淨勝佛
南无淨眼佛　南无不弱佛
南无寶勝佛　南无施羅王佛
南无發脩行轉女根佛　南无无邊脩行佛
南无最妙光佛　南无闍梨足光明山佛
南无因王佛　南无梵勝佛
南无稱身佛　南无華山佛
南无轉胎佛　南无轉難佛
南无斷諸念佛　南无發起諸念佛
南无常脩行佛　南无善住佛
南无一藏佛　南无一山佛
南无无邊身佛　南无无邊精進佛
南无光明輪佛　南无无邊功德王光佛
南无降伏一切諸怨佛　南无過一切魔境界佛
南无不可量華佛　南无不可量香佛
南无不可量聲佛　南无光明頂佛
南无光明勝佛　南无不離二佛
次礼十二部尊經大藏法輪
南无梵聲經　南无須陁洹四功德經
南无持戒而人慾王經　南无蓮華女經
南无國王薩經　南无阿毗曇經
南无金剛蜜經　南无持世經
南无阿那律八念經　南无等集經
南无迦羅越經　南无阿難問緣持戒經
從此以上一万一千八百佛十二部尊經一切賢聖
南无薩和達王經　南无阿難分別四時施經

BD03104號　佛名經（十六卷本）卷一五　（24–7）

南无阿那律八念經　南无等集經
南无迦羅越經　南无阿難問緣持戒經
從此以上一万一千八百佛十二部尊經一切賢聖
南无薩和達王經　南无阿難分別四時施經
南无阿闍世王經　南无阿閦佛經
南无德光太子經　南无小阿闍經
南无阿陁三昧經　南无胞藏經
南无阿鳩鳩留經　南无漸備一切智經
次礼十方諸大菩薩
南无滅惡世界儀意菩薩　南无普樂世界華嚴菩薩
南无普樂世界大智菩薩　南无安樂世界賢見明菩薩
南无安樂世界師子吼身菩薩　南无蓮華藏世界寶首菩薩
南无安樂世界大勢至菩薩　南无袈裟世界法首菩薩
南无袈裟世界法英菩薩　南无妙樂世界香首菩薩
南无妙樂世界衆香首菩薩　南无照明世界師子意菩薩
南无照明世界師子菩薩　南无不瞬世界道御菩薩
南无光曜世界寶場菩薩　南无樂御世界慧步菩薩
南无樂御世界慧見菩薩　南无光察世界雨王菩薩
南无光察世界法王菩薩　南无愛見世界退魔菩薩
南无愛見世界右魔菩薩　南无照曜世界顯音執菩薩
南无寶燈須弥山幢世界无上普妙德王菩薩
南无一切香集世界虛空藏菩薩　次礼聲聞緣覺一切賢聖
南无優波羅辟支佛　南无波頭摩辟支佛
南无善賢辟支佛　南无賢德辟支佛
南无須摩辟支佛　南无輸那辟支佛
南无留闍辟支佛　南无憂留闍辟支佛

BD03104號　佛名經（十六卷本）卷一五　（24–8）

南无優波羅辟支佛　南无波頭摩辟支佛
南无善賢辟支佛　南无賢德辟支佛
南无須摩辟支佛　南无輸那辟支佛
南无留闍辟支佛　南无優留闍辟支佛
南无弗沙辟支佛　南无牛盧辟支佛
南无遍盡辟支佛　南无寂後身辟支佛
歸命如是等无量无邊辟支佛　礼三寶已次復懺悔
衆等相與即今身心寂靜无諂无障正是　生
善滅惡之時復應各起四種觀行以為滅罪
作前方便何等為四一者觀於因緣二者觀於
果報三者觀我自身四者觀如来身
第一觀因緣者知我以罪積以无明不善
思惟无正觀力不識其過遠離善友諸佛
菩薩隨逐魔道行邪嶮逕如魚吞鉤不知
其患如蚕作繭自縈自縛如蛾赴火自燒
自爛以是因緣不能自出
第二觀於果報者所有諸惡不善之業三世
流轉苦果无窮沉溺无邊巨夜不大海為諸煩
惱羅刹所食未来生死冥然无崖設使報得
轉輪聖王王四天下飛行自在七寶具足命終
之後不免惡趣四空果報三界尊極福盡還
作牛領中虫況復其餘无福德者而復懈
怠不勤懺悔此亦譬如抱石沉淵求出良難
第三觀我自身雖有正因靈覺之性而為
煩惱黑闇叢林之所覆蔽无了因力不能
得顯我今應當發起勝心破裂无明顛倒重

BD03104號　佛名經（十六卷本）卷一五

（24–9）

怠不勤懺悔此亦譬如抱石沉淵求出良難
第三觀我自身雖有正因靈覺之性而為
煩惱黑闇叢林之所覆蔽无了因力不能
得顯我今應當發起勝心破裂无明顛倒重
鄣斷滅生死虛偽苦因顯發如来大明覺
慧建立无上涅槃妙果
第四觀如来身无為寂照離四句絶百非衆
德具足湛然常住雖復方便入於滅度慈
悲救接未曾暫捨如是等心可謂滅罪之
良津除障之要行是故弟子今日到稽首歸依佛
南无東方勝藏珠光佛　南无南方寶積示現佛
南无西方法界智燈佛　南无北方衆勝降伏佛
南无東南方龍自在佛　南无西南方轉一切生死佛
南无西北方无量海智自在佛　南无東北方无邊功德月佛
南无下方海智神通佛　南无上方一切勝王佛
如是十方盡虛空界一切三寶至心歸命常住三寶
弟子等无始以来至於今日長養煩惱日深
日厚日滋日茂覆蓋慧眼令无所見斷障衆
善不得續起障不得見佛不聞正法不值
聖僧煩惱起障不見過去未来一切世中
善惡業行之煩惱障受人天尊貴之煩惱
障生色无色界禪定福樂之煩惱不得自在
神通飛騰隱顯遍至十方諸佛淨土聽法
之煩惱障學安那般數息不淨觀法煩
惱障學慈悲喜捨因緣煩惱障學七
方便三觀義煩惱障學四念處煖頂忍

BD03104號　佛名經（十六卷本）卷一五

（24–10）

神通飛騰隱顯遍至十方諸佛淨土聽法
之煩惱障學安那般數息不淨觀法煩
惱障學慈悲喜捨因緣煩惱障學七
方便三觀義煩惱障學四念處煖頂忍
煩惱障學聞思脩苐一法煩惱障學空平
等中道解煩惱障學八正道示相之煩惱
障學七覺枝不示相煩惱障學於道品因
緣觀煩惱障學八解脫九空之煩惱障學
於十智三三昧煩惱障學三明六通四无㝵
煩惱障學六度四等煩惱障學四攝法
廣化之煩惱障學大乘心四弘誓願煩惱
障學十明十行之煩惱障學十迴向十願之
煩惱障初地二地三地四地明解之煩惱障
五地六地七地諸知見煩惱障學八地九地
十地雙照之煩惱障如是乃至障學佛果
百万阿僧祇諸行上煩惱如是行障无量无
邊弟子今日至到稽顙向十方佛尊法聖衆
慚愧懺悔願皆消滅至心歸命常住三寶
願藉此懺悔障於諸行一切煩惱願弟子在
在處處自在受生不為結業之所迴轉以如
意通於一念頃遍至十方淨諸佛土攝化衆
生於諸禪定甚深境界及諸知見通達无㝵
心能普周一切諸法樂說无窮而不染著得
心自在得法自在智慧自在方便自在令此
煩惱及无智結習畢竟永斷不復相續无

生於諸禪定甚深境界及諸知見通達无㝵
心能普周一切諸法樂說无窮而不染著得
心自在得法自在智慧自在方便自在令此
煩惱及无智結習畢竟永斷不復相續无
漏聖道朗然如日至心歸命常住三寶
佛說罪業報應教化地獄經
復有衆生吃嗽瘖瘂口不能言若有所說
不能明了何罪所致佛言已前世時坐誹
謗三尊輕毀聖道論他好惡求人長短强
誣良善憎疾賢人故獲斯罪
復有衆生腹大頸細不能下食若有所食
變為膿血何罪所致佛言已前世時偷盜
僧食或為大會施設餚饍故取麻米屏處
食之慳惜己物但貪他有常行惡心與人毒
藥氣息不通故獲斯罪
復有衆生常為獄卒燒熱鐵丁貫之百節
針之以訖自然火生焚燒其身悉皆燋爛何
罪所致佛言以前世時坐為針師傷人身體
不能差病誑他取物徒令苦業故獲斯罪
南无輪　佛　南无不可量佛華光明佛
南无可量聲佛　南无光明山　佛
南无婆羅自在王佛　南无日面　佛
南无善目　佛　南无虛空　佛
南无寶華　佛　南无寶成　佛
南无月華　佛　南无發諸行佛
南无斷諸世間佛　南无无邊樂說佛

南无善目佛　南无虛空佛
南无寶華佛　南无寶成佛
南无月華佛　南无發諸行佛
南无斷諸世間佛　南无无邊樂說佛
南无離諸覺畏佛　南无樂說一切境界佛
南无普香光明佛　南无香光佛
南无香弥留佛　南无香勝佛
南无香烏佛　南无香林佛
南无香王佛　南无波頭摩勝王佛
南无佛境界佛　南无寂妙佛
南无妙勝佛　南无散華佛
南无華蓋蹟佛　南无華尼佛
南无金色華佛　南无香華佛
南无弥留王佛　南无導師佛
南无勝諸衆生佛　南无斷阿叉耶佛
南无發善行佛　南无善華佛
南无无邊香佛　南无普散香光明佛
南无普散香佛　南无普散佛
從此以上二万一千九百佛十二部經一切賢聖
南无普散波頭摩勝佛　南无寶闍梨尼手佛
南无起王佛　南无普佛國土一蓋佛
南无善住王佛　南无妙香佛
南无无邊智境界佛　南无不空發佛
南无不空見佛　南无无障目佛
南无不動佛　南无發生菩提佛

南无无邊智境界佛　南无不空發佛
南无不空見佛　南无无障目佛
南无不動佛　南无發生菩提佛
南无无量眼佛　南无有燈佛
南无普照佛　南无光明佛
南无一切佛國土佛　南无不斷慈一切衆生樂說佛
南无无垢步佛　南无无跡步佛
南无離一切憂佛　南无能離一切衆生有佛
南无勝山佛　南无香面佛
南无俱隣佛　南无大力勝佛
南无寶優波頭羅勝佛　南无拘牟頭成佛
南无高聲眼佛　南无上首佛
南无華成佛　南无无邊光明佛
南无月出光佛　南无十方稱佛
南无多羅歌王增上佛　南无无邊光明佛
南无最勝香山佛　南无无畏佛
南无成就无畏德佛　南无成就見无邊頂功德佛
南无一切功德莊嚴佛　南无華王佛
南无不可降伏幢佛　南无增上讓光佛
南无驚怖波頭摩勝佛　南无不異心成就勝佛
南无一切上佛　南无虛空輪清淨王佛
南无无相聲吼佛　南无寶契功德佛
南无梵勝佛　南无无障导香手佛
南无弥留山光明佛　南无波頭摩勝光佛
南无能住稱名佛　南无稱親佛
南无堅固自在王佛

南无无稱聲吼佛　南无寶蓋功德佛
南无梵勝佛　南无无㝵香手佛
南无弥留山光明佛　南无波頭摩勝光佛
南无能作稱名佛　南无稱親佛
南无堅固自在王佛　南无過去智具等无量无邊佛
南无現在積聚无邊佛　南无寶功德光明佛
南无普護佛　南无寶光明佛
南无月莊嚴寶光明智威德聲王佛
南无拘蘇摩樹提示現王遍佛　南无清淨月輪佛
南无寂靜月聲佛　南无阿僧祇往功德精進勝佛
南无善稱名勝佛　南无因陁羅雞兜幢星宿王佛
南无普光明莊嚴勝佛　南无降伏敵對步佛
南无无㝵藥王樹勝佛　南无普功德光明莊嚴勝佛
南无波頭摩勝佛　南无師子佛
南无寶波頭摩善住娑羅王佛
南无日光佛　南无大光佛
南无无邊光佛　南无波頭摩王佛
南无阿偶多羅佛　南无波頭摩勝佛
南无善華佛　南无寶心佛
南无无㝵光佛　南无山幢佛
南无寶幢佛　南无寶炎佛
南无大炎聚佛　南无旃檀香佛
南无善利光佛　南无波頭摩敷身佛
南无依止无邊功德佛　南无寶體法決定聲王佛
南无阿僧祇精進聚集勝佛　南无智通佛
南无弥留山積佛　南无然燈佛

BD03104 號　佛名經（十六卷本）卷一五　（24–15）

南无善利光佛　南无波頭摩敷身佛
南无依止无邊功德佛　南无寶體法決定聲王佛
南无阿僧祇精進聚集勝佛　南无智通佛
南无弥留山積佛　南无然燈佛
南无大威德力佛　南无日月佛
從此以上一万二千佛十二部經一切賢聖
南无旃檀佛　南无須弥劫佛
南无月色佛　南无不染佛
南无降伏龍佛　南无龍天佛
南无金色鏡像佛　南无山聲自在王佛
南无山積佛　南无須弥藏佛
南无供養光佛　南无勝覺佛
南无地山佛　南无瑠璃華佛
南无妙瑠璃金形像佛　南无降伏月佛
南无日聲佛　南无散華莊嚴佛
南无海山智奮迅通佛　南无水光佛
南无大香鏡象佛　南无不動山佛
南无寶集佛　南无勝山佛
南无勇猛山佛　南无多功德法住持得通佛
南无日月瑠璃光佛　南无勝瑠璃光佛
南无心聞智多拘蘇摩勝佛
南无栴檀月光佛　南无破无明闇佛
南无普蓋波娑羅佛　南无星宿佛
南无弗沙佛　南无法慧增長佛
南无師子鵝王吼佛　南无梵聲龍奮迅佛

BD03104 號　佛名經（十六卷本）卷一五　（24–16）

南无栴檀月光佛　南无破无明闇佛
南无普蓋波婆羅佛　南无星宿佛
南无弗沙佛　南无法慧增長佛
南无師子鵝王吼佛　南无梵聲龍奮迅佛
南无世間因陁羅佛　南无世間自在王佛
南无可得報佛　南无甘露聲佛
南无樹提光佛　南无耶延首龍佛
南无力天佛　南无師子佛
南无毗羅闍光佛　南无世間最上佛
南无山岳佛　南无人自在王佛
南无寶勝威德王動佛　南无不可嫌身佛
南无稱讃佛　南无稱威德佛
南无稱名聲佛　南无稱聲供養佛
南无勇猛稱佛　南无聲分清淨佛
南无智善點慧佛　南无智勝成就佛
南无智炎聚佛　南无智勇猛佛
南无智炎佛　南无妙智佛
南无梵聲佛　南无梵勝佛
南无淨天佛　南无善臂佛
南无華勝佛　南无得四无畏佛
南无善淨天佛　南无梵聲佛
南无淨自在佛　南无淨善眼佛
南无淨聲自在王佛　南无善淨德佛
南无威德力增上佛　南无善勢自在佛
南无威德大勢力佛　南无勝威德佛
南无毗摩勝佛

南无淨自在佛　南无淨善眼佛
南无淨聲自在王佛　南无善淨德佛
南无威德力增上佛　南无善勢自在佛
南无威德大勢力佛　南无勝威德佛
南无毗摩勝佛　南无毗摩意佛
南无善毗摩佛　南无毗摩面佛
南无毗摩成就佛　南无毗摩妙佛
南无見寶佛　南无須臣多佛
南无善眼清淨佛　南无无邊眼佛
南无普眼佛　南无无等眼佛
南无勝眼佛　南无不可降伏眼佛
南无不動眼佛　南无寂勝佛
南无善寂佛　南无善寂諸根佛
從此以上一万二千一百佛十二部經一切賢聖
南无寂勝佛　南无寂功德佛
南无寂彼岸佛　南无善住佛
南无寂心佛　南无寂意佛
南无寂靜然佛　南无自在王佛
南无衆勝佛　南无寂王佛
南无大衆自在勇猛佛　南无衆勝解脫佛
南无法幢佛　南无法難兜佛
南无法起佛　南无法體勝佛
南无法自在勝佛　南无法勇猛佛
南无樂說山佛　南无寶火佛
南无樂說莊嚴吼佛　南无勝聲佛

南无法自在勝佛　南无法勇猛佛
南无樂説山佛　南无寶火佛
南无樂説莊嚴吼佛　南无勝聲佛
南无妙眼佛　南无成就意佛
南无清淨面勝藏威德佛　南无滿足心佛
南无无比慧佛　南无淨迦羅迦叉迦威德佛
南无无邊精進佛　南无甘露光佛
南无大威德佛　南无月光佛
南无旃檀香佛　南无須弥劫佛
南无山積佛　南无无垢色佛
南无无染佛　南无龍勝佛
南无金色佛　南无山吼自在王佛
南无金藏佛　南无火光佛
南无火自在佛　南无瑠璃華佛
南无月勝佛　南无月聲佛
南无散華莊嚴光佛　南无大香去照明佛
南无離一切染意王佛　南无聚集寶佛
南无德山佛　南无勇猛山佛
南无梵聲龍奮迅佛　南无世間勝上佛
南无師子奮迅吼佛　南无華勝佛
南无山勝佛　南无成就娑羅自在王佛
南无吼聲佛　南无普光明佛
南无等蓋佛　南无无憂佛
南无智王佛　南无智山佛
南无月光佛　南无普光佛
南无[illegible]佛　南无[illegible]

南无吼聲佛　南无普光明佛
南无等蓋佛　南无无憂佛
南无智王佛　南无智山佛
南无月光佛　南无普光佛
南无聲德佛　南无无物成就佛
南无火幢佛　南无智自在佛
南无大自在佛　南无梵聲佛
次礼十二部尊經大藏法輪
南无菩薩悔過經　南无阿閦世女經
南无曉所諍不解者經　南无菩薩十遍和經
南无阿拔經　南无惡人經
南无菩薩等行[illegible]經　南无阿毗曇九十八結經
南无趣度世道經　南无摧摧經
南无五十五法戒經　南无受欲聲經
南无惟明經　南无五蓋離起經
南无一切義要經　南无慧行經
南无五陰喻經　南无思道經
南无王舍城靈鷲山經　南无賢劫五百佛經
南无五百弟子本起經　南无權變經
次礼十方諸大菩薩
南无寶須弥山幢世界蓋海天子菩薩
南无光明莊世界淨眼菩薩　南无光明世界淨藏菩薩
南无光莊嚴世界妙莊嚴王菩薩
從此以上二万二千二百佛十二部經一切賢聖
南无淨世界光頂菩薩　南无淨世界慧聚菩薩
南无[illegible]

南无光明吞世界淨眼菩薩　南无光明世界淨藏菩薩
南无光莊嚴世界妙莊嚴王菩薩
從此以上二万三千二百佛十二部經一切賢聖
南无淨世界光頂菩薩　南无淨世界慧眾菩薩
南无淨世界具足光聞智菩薩　南无金色世界文殊師利菩薩
南无樂色世界覺首菩薩　南无華色世界財首菩薩
南无青蓮華色世界德菩薩　南无勝蓮華色世界寶首菩薩
南无金色世界目首菩薩　南无寶首世界進首菩薩
南无金剛色世界法首菩薩　南无頗梨色世界智首菩薩
南无智寶色世界賢首菩薩　南无普慧世界功德林菩薩
南无憧慧世界林慧菩薩　南无地慧世界勝林菩薩
南无勝慧世界无盡林菩薩　南无燈慧世界慚愧林菩薩
南无金剛慧世界精進林菩薩　南无安樂世界力成就林菩薩
次礼聲聞緣覺一切賢聖
南无阿利多辟支佛　南无婆利多辟支佛
南无多伽樓辟支佛　南无稱辟支佛
南无見辟支佛　南无愛見辟支佛
南无覺見辟支佛　南无乾陁羅辟支佛
南无无妻辟支佛　南无梨沙婆辟支佛
南无聞辟支佛　南无身辟支佛
南无毗耶梨辟支佛　南无俱薩羅辟支佛
南无波藪陁辟支佛　南无无毒淨心辟支佛
南无寶无垢辟支佛　南无福德辟支佛
南无黑辟支佛　南无唯黑辟支佛
南无直福德辟支佛　南无識辟支佛
礼三寶已次復懺悔

南无波藪陁辟支佛　南无无毒淨心辟支佛
南无寶无垢辟支佛　南无福德辟支佛
南无黑辟支佛　南无唯黑辟支佛
南无直福德辟支佛　南无識辟支佛
礼三寶已次復懺悔
弟子等略懺煩惱障竟今當次第懺悔業
障夫業能莊飾世趣在在處處是以思惟求
離世解脫所以六道果報種種不同形類各
異當知皆各業力所作所以十力中業力甚
深凡夫之人多於此中好起疑惑何以故尒
現見世間行善之者觸向轗軻為惡之
者是事諧偶謂言天下善惡无分如此計
者皆是不能深達業理何以故尒經中說言有
三種業何等為三一者現報二者生報三者後
報現報業者現在作善作惡現身受報生
報業者此生作善作惡來生受報後報業
者或是過去无量生中作善作惡或於此生中
受或在未來无量生中方受其報向者行惡
之人現在見好此是過去生報後報善業
熟故所以現在有此樂果豈關現在作諸
惡業而得生報後報惡業熟故現善根
力弱不能排遣是故得此苦報豈關現在
作善而招惡報何以知然現見世間為善之
者為人所讚嘆人所尊重故知未來必招樂
果過去既有如此惡業所以諸佛菩薩教令
親近善友共行懺悔善知識者於得道中則

力務不能排遣是故得此苦報豈開現在
作善而招惡報何以知然現見世間為善之
者為人所讚嘆人所尊重故知未來必招樂
果過去既有如此惡業所以諸佛菩薩教令
親近善友共行懺悔善知識者於得道中則
為全利是故弟子等今日至誠歸依佛
南无東方无量離垢佛　南无南方樹根花王佛
南无西方蓮華自在佛　南无北方金剛能破佛
南无東南方悲檀義勝佛　南无西南方金光自在王佛
南无西北方无邊法自在幢佛　南无東北方无[illegible]鳥王佛
南无下方无量慧幢佛　南无上方甘露上王佛
如是十方盡虛空界一切三寶至心歸命常住三寶
弟子等无始以來至於今日積惡如恒河沙造罪
滿天地捨身與受身不覺亦不知或作五逆
深厚濁纏无間罪業或造一闡提斷善根
業輕誣佛語謗方等業破滅三寶毀正法業
不信罪福起十惡業迷真返正癡惑之業不孝
二親反戾之業朋友无信不義之業或作四
重六重八重障聖道業毀犯五戒破八齋業
五篇七聚多缺犯業優婆塞戒輕重垢業
或菩薩戒不能清淨如說行業前後方便汙
梵行業月无六齋懈怠之業年三長齋不
常脩業三千威儀不如法業八万律儀微細罪
業不脩身戒心慧之業春秋八王造即眾罪業
行十六種惡律儀業於苦眾生无慈愍業不矜
不念无憐愍業不扶不濟无救護業心懷嫉忌

五篇七聚多缺犯業優婆塞戒輕重垢業
或菩薩戒不能清淨如說行業前後方便汙
梵行業月无六齋懈怠之業年三長齋不
常脩業三千威儀不如法業八万律儀微細罪
業不脩身戒心慧之業春秋八王造即眾罪業
行十六種惡律儀業於苦眾生无慈愍業不矜
不念无憐愍業不扶不濟无救護業心懷嫉忌
无度彼業於怨親境不平等業躭著五欲
不猒離業或因衣食園林池沼生蕩逸業或以
盛年放恣情慾造眾罪業或善有漏迴向三
有障出世業如是等業无量无邊今日發露向
十方佛尊法聖眾皆悉懺悔至心歸命常住三寶
願弟子等承是懺悔无間等諸業所生福善
願生生世世滅[illegible]罪除一闡提惑如是輕重
諸罪從今以至道場誓不更犯恒脩出
世清淨善法精持律行守護威儀如度海者
愛惜浮囊六度四等常攝行首戒定慧品轉
得增明速成如來卅二相八十種好十力无畏大悲
三念常樂妙智八自在我至心歸命常住三寶
佛說罪業報應教化地獄經
復有眾生常在湯中牛頭阿婆手捉鐵叉

界清淨……若一来果
清淨若鼻界清淨若一切智智清淨無二無
二分無別無斷故一来果清淨故香界鼻識
界及鼻觸鼻觸為緣所生諸受清淨香界乃
至鼻觸為緣所生諸受清淨故一切智智清
淨何以故若一来果清淨若香界乃至鼻觸
為緣所生諸受清淨若一切智智清淨無二
無二分無別無斷故善現一来果清淨故舌
界清淨舌界清淨故一切智智清淨何以故
若一来果清淨若舌界清淨若一切智智清
淨無二無二分無別無斷故一来果清淨故
味界舌識界及舌觸舌觸為緣所生諸受清
淨味界乃至舌觸為緣所生諸受清淨故一
切智智清淨何以故若一来果清淨若味界
乃至舌觸為緣所生諸受清淨若一切智智
清淨無二無二分無別無斷故善現一来果
清淨故身界清淨身界清淨故一切智智清
淨何以故若一来果清淨若身界清淨若一
切智智清淨無二無二分無別無斷故一来
果清淨故觸界身識界及身觸身觸為緣所
生諸受清淨觸界乃至身觸為緣所生諸受
清淨故一切智智清淨何以故若一来果清
淨若觸界乃至身觸為緣所生諸受清淨若
一切智智清淨無二無二分無別無斷故善

BD03105 號　大般若波羅蜜多經卷二四二　（7–1）

切智智清淨無二無二分無別無斷故一来
果清淨故觸界身識界及身觸身觸為緣所
生諸受清淨觸界乃至身觸為緣所生諸受
清淨故一切智智清淨何以故若一来果清
淨若觸界乃至身觸為緣所生諸受清淨若
一切智智清淨無二無二分無別無斷故善
現一来果清淨故意界清淨意界清淨故一
切智智清淨何以故若一来果清淨若意界
清淨若一切智智清淨無二無二分無別無
斷故一来果清淨故法界意識界及意觸意
觸為緣所生諸受清淨法界乃至意觸為緣
所生諸受清淨故一切智智清淨何以故若
一来果清淨若法界乃至意觸為緣所生諸
受清淨若一切智智清淨無二無二分無別
無斷故善現一来果清淨故地界清淨地界
清淨故一切智智清淨何以故若一来果清
淨若地界清淨若一切智智清淨無二無二
分無別無斷故一来果清淨故水火風空識
界清淨水火風空識界清淨故一切智智清
淨何以故若一来果清淨若水火風空識界
清淨若一切智智清淨無二無二分無別無
斷故善現一来果清淨故無明清淨無明清
淨故一切智智清淨何以故若一来果清淨
若無明清淨若一切智智清淨無二無二分
無別無斷故一来果清淨故行識名色六處
觸受愛取有生老死愁歎苦憂惱清淨行乃
至老死愁歎苦憂惱清淨故一切智智清淨
何以故若一来果清淨若行乃至老死愁歎

BD03105 號　大般若波羅蜜多經卷二四二　（7–2）

無別無斷故一来果清淨故行識名色六處
觸受愛取有生老死愁歎苦憂惱清淨行乃
至老死愁歎苦憂惱清淨故一切智智清淨
何以故若一来果清淨若行乃至老死愁歎
苦憂惱清淨若一切智智清淨無二無二分
無別無斷故善現一来果清淨故布施波羅
蜜多清淨布施波羅蜜多清淨故一切智智
清淨何以故若一来果清淨若布施波羅蜜
多清淨若一切智智清淨無二無二分無別
無斷故一来果清淨故淨戒安忍精進靜慮
般若波羅蜜多清淨淨戒乃至般若波羅蜜
多清淨故一切智智清淨何以故若一来果
清淨若淨戒乃至般若波羅蜜多清淨若一
切智智清淨無二無二分無別無斷故善現
一来果清淨故內空清淨內空清淨故一切
智智清淨何以故若一来果清淨若內空清
淨若一切智智清淨無二無二分無別無斷
故一来果清淨故外空內外空空空大空勝
義空有為空無為空畢竟空無際空散空無
變異空本性空自相空共相空一切法空不
可得空無性空自性空無性自性空清淨外
空乃至無性自性空清淨故一切智智清淨
何以故若一来果清淨若外空乃至無性自
性空清淨若一切智智清淨無二無二分無
別無斷故善現一来果清淨故真如清淨真
如清淨故一切智智清淨何以故若一来果
清淨若真如清淨若一切智智清淨無二無

BD03105號　大般若波羅蜜多經卷二四二　（7–3）

何以故若一来果清淨若外空乃至無性自
性空清淨若一切智智清淨無二無二分無
別無斷故善現一来果清淨故真如清淨真
如清淨故一切智智清淨何以故若一来果
清淨若真如清淨若一切智智清淨無二無
二分無別無斷故一来果清淨故法界法性
不虛妄性不變異性平等性離生性法定法
住實際虛空界不思議界清淨法界乃至不
思議界清淨故一切智智清淨何以故若一
来果清淨若法界乃至不思議界清淨若一
切智智清淨無二無二分無別無斷故善現
一来果清淨故苦聖諦清淨苦聖諦清淨故
一切智智清淨何以故若一来果清淨若苦
聖諦清淨若一切智智清淨無二無二分無
別無斷故一来果清淨故集滅道聖諦清淨
集滅道聖諦清淨故一切智智清淨何以故
若一来果清淨若集滅道聖諦清淨若一切
智智清淨無二無二分無別無斷故善現一
来果清淨故四靜慮清淨四靜慮清淨故一
切智智清淨何以故若一来果清淨若四靜
慮清淨若一切智智清淨無二無二分無別
無斷故一来果清淨故四無量四無色定清
淨四無量四無色定清淨故一切智智清淨
何以故若一来果清淨若四無量四無色定
清淨若一切智智清淨無二無二分無別無
斷故善現一来果清淨故八解脫清淨八解
脫清淨故一切智智清淨何以故若一来果

BD03105號　大般若波羅蜜多經卷二四二　（7–4）

何以故若一来果清淨若四無量四無色定
清淨若一切智智清淨無二無二分無別無
斷故善現一来果清淨故八解脫清淨八解
脫清淨故一切智智清淨何以故若一来果
清淨若八解脫清淨若一切智智清淨無二
無二分無別無斷故一来果清淨故八勝處
九次第定十遍處清淨八勝處九次第定十
遍處清淨故一切智智清淨何以故若一来
果清淨若八勝處九次第定十遍處清淨若
一切智智清淨無二無二分無別無斷故善
現一来果清淨故四念住清淨四念住清淨
故一切智智清淨何以故若一来果清淨若
四念住清淨若一切智智清淨無二無二分
無別無斷故一来果清淨故四正斷四神足
五根五力七等覺支八聖道支清淨四正斷
乃至八聖道支清淨故一切智智清淨何以
故若一来果清淨若四正斷乃至八聖道支
清淨若一切智智清淨無二無二分無別無
斷故善現一来果清淨故空解脫門清淨空
解脫門清淨故一切智智清淨何以故若一
来果清淨若空解脫門清淨若一切智智清
淨無二無二分無別無斷故一来果清淨故
無相無願解脫門清淨無相無願解脫門清
淨故一切智智清淨何以故若一来果清淨
若無相無願解脫門清淨若一切智智清淨
無二無分無別無斷故善現一来果清淨故
故菩薩十地清淨菩薩十地清淨故一切智

BD03105號　大般若波羅蜜多經卷二四二　（7–5）

無相無願解脫門清淨無相無願解脫門清
淨故一切智智清淨何以故若一来果清淨
若無相無願解脫門清淨若一切智智清淨
無二無分無別無斷故善現一来果清淨故
故菩薩十地清淨菩薩十地清淨故一切智
智清淨何以故若一来果清淨若菩薩十地
清淨若一切智智清淨無二無二分無別無
斷故
善現一来果清淨故五眼清淨五眼清淨故
一切智智清淨何以故若一来果清淨若五
眼清淨若一切智智清淨無二無二分無別
無斷故一来果清淨故六神通清淨六神通
清淨故一切智智清淨何以故若一来果清
淨若六神通清淨若一切智智清淨無二無
二分無別無斷故善現一来果清淨故佛十
力清淨佛十力清淨故一切智智清淨何以
故若一来果清淨若佛十力清淨若一切智
智清淨無二無二分無別無斷故一来果清
淨故四無所畏四無礙解大慈大悲大喜大捨
十八佛不共法清淨四無所畏乃至十八佛
不共法清淨故一切智智清淨何以故若一
来果清淨若四無所畏乃至十八佛不共法
清淨若一切智智清淨無二無二分無別無
斷故善現一来果清淨故無忘失法清淨無
忘失法清淨故一切智智清淨何以故若一
来果清淨若無忘失法清淨若一切智智清
淨無二無二分無別無斷故一来果清淨故

BD03105號　大般若波羅蜜多經卷二四二　（7–6）

斷故善現一来果清淨故無忘失法清淨無
忘失法清淨故一切智智清淨何以故若一
来果清淨若無忘失法清淨若一切智智清
淨無二無二分無別無斷故一来果清淨故
恒住捨性清淨恒住捨性清淨故一切智智
清淨何以故若一来果清淨若恒住捨性清
淨若一切智智清淨無二無二分無別無斷
故善現一来果清淨故一切智清淨一切智
清淨故一切智智清淨何以故若一来果清
淨若一切智清淨若一切智智清淨無二無
二分無別無斷故一来果清淨故道相智一
切相智清淨道相智一切相智清淨故一切
智智清淨何以故若一来果清淨若道相智
一切相智清淨若一切智智清淨無二無二
分無別無斷故善現一来果清淨故一切陁
羅尼門清淨一切陁羅尼門清淨故一切智
智清淨何以故若一来果清淨若一切陁羅
尼門清淨若一切智智清淨無二無二分無
別無斷故一来果清淨故一切三摩地門清
淨一切三摩地門清淨故一切智智清淨何
以故若一来果清淨若一切三摩地門清淨
若一切智智清淨無二無二分無別無斷故
善現一来果清淨故預流果清淨預流果清

BD03105號　大般若波羅蜜多經卷二四二　（7–7）

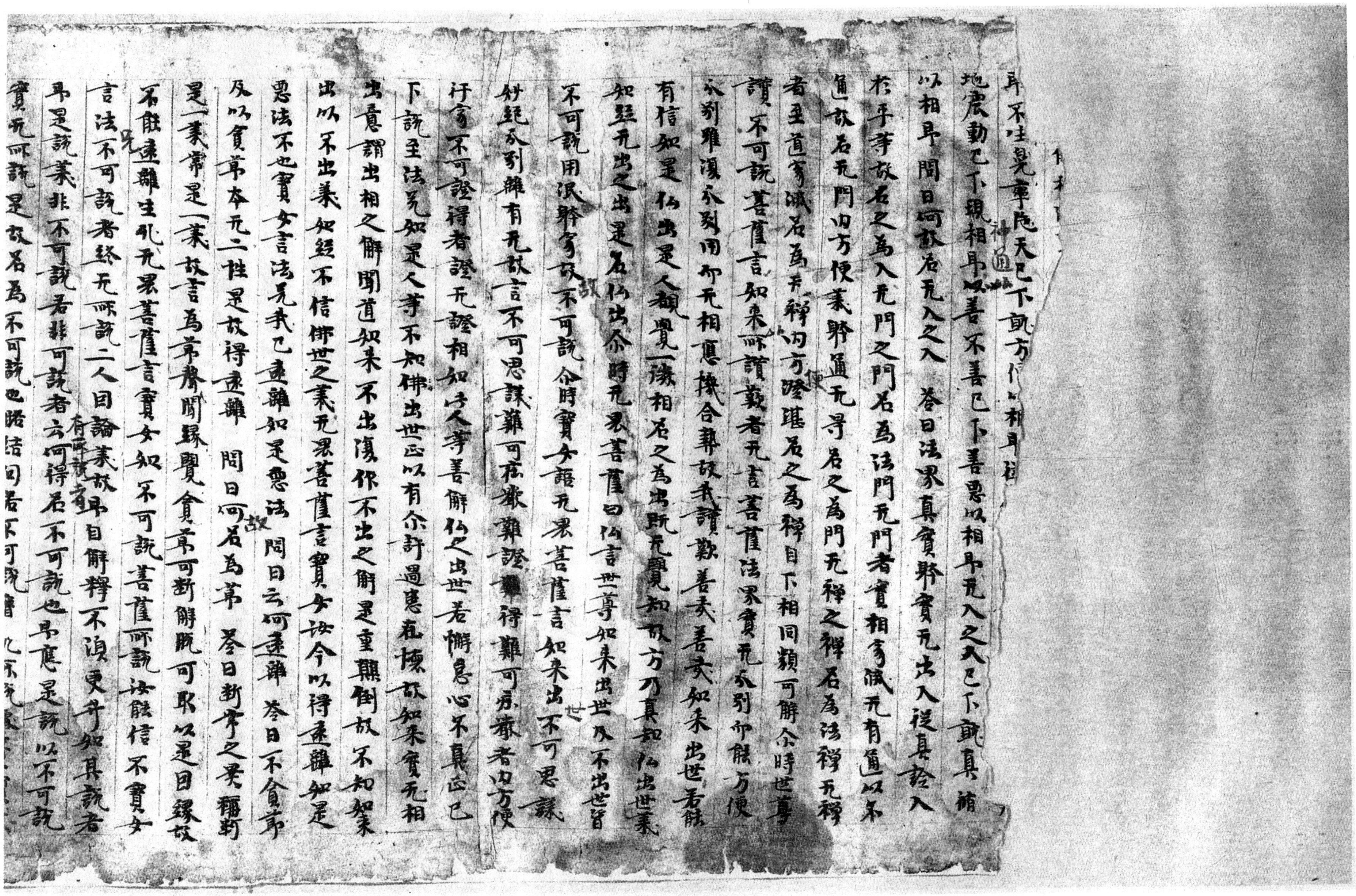
耳不住見事施天已下顯方便以神耳通
地震動已下現相耳以善不善已下善惡以相耳无入之入已下顯真 補
以相耳 問曰何故名无入之入 答曰法界真實體實无出入從真詮入
於耳等故名之為入无門之門名為法門无門者實相寂滅无有通道以不
通故名无門以方便義體通无导名之為門无禪之禪名為法禪无禪
者至道寂滅名為弄禪以方便證理名之為禪自下相同類可解尒時世尊
讚不可說菩薩言 如來所讚歎者无言菩薩法界實无分別而能方便
分別雖復分別用而无相應機合韋故我讚歎善哉善哉如來出世者能
有信知是佛出是人觀覺一緣相名之為出既无覺知故方乃真知佛出世義
知經无出之出是名佛出尒時无畏菩薩曰佛言世尊如來出世及不出世皆
不可說用泯體寂故不可說尒時實女語无畏菩薩言 如來出世不可思議
妙絕分別離有无故言不可思議難可措難證難得難可分辨者以方便
行寂不可證得者證无證相知行人等善解佛之出世若懈息心不真正已
下說至法无知是人等不知佛出世正以有尒許過患在懷故如來實无相
出意謂出相之解聞道如來不出復作不出之解是重顛倒故不知如來
出以不出義如經不信佛世之義无畏菩薩言實女汝今以得遠離知是
惡法不也實女言法无我已遠離知是惡法 問曰云何遠離 答曰不貪著
及以貪著本无二性是故得遠離 問曰何名為著 答曰斷常之見稱斷
是一義常是一義故言為著聲聞緣覺貪著可斷解既可取以是因緣故
不能遠離生死无畏菩薩言實女知不可說菩薩所說汝能信不實女
言法不可說者終无所說二人因論義故有所說者耳自解釋不須更斗知其說者
耳是說義非不可說若不可說者云何得名不可說也耳應是說以不可說
實无所說是故名為不可說也略結自者下可說會

BD03106號　大乘五門十地實相論（擬）　（20–1）

及以賓弟本无二性是故得遠離　問曰何名為弟　答曰斷常之異稱
是一兼常是一兼故言為弟聲聞緣覺貪弟可斷解既可取以是因緣故
不能遠離生死无果善薩言實女知不可說善薩所說汝能信不實女
言法不可說者終无所說二人因論義故有所說者身自解釋不須更并如其說者
身是說義非不可說若非可說者云何得名不可說也身應是說以不可說
實无所說是故名為不可說也略結句者不可說實　凡所說擬實不
不可說若尒我於今者所何得聞也若得无所聞何所可信无果善薩言
實女是不可說為實有所說為實无所說今有證知何誰是也所謂海
會大衆從汝聞法所汝言中我名不可說離信汝也若有言我聞不可說
之所說者是人身是大妄語何以故是不可說從本際已來於法界海會不
曾說一法以是因緣故我名不可說云何人者乃於大衆中所言聞也无果善
薩言實女汝於今者信有仏語不无果何故作是問正欲明佛是勝上福
田言語決定執實女佛上以難實女答實女屬於我當時正值實女并
宣返常之說法竟世間不信之人身是佛也何以故以有信故身有重欲
悉癡如來无信故貪瞋來三身是无證真時照三空理康爽然知何所
可得何所可證故天女云无得无證并乃如是實女与天女同是內方
便行超殊備絕功興自在并不必有言无不況无有无能觀故以子為并直
之道知絕真實无證知來不有无證法竟法界實性无住无為虛空等法
真實无證也是故知來本无所證名之為證无果善實女汝雖作是
說時會之中以誰為證實女言法竟若有稱法界所生解不見无量仏
法監衆差別如是之人可以為證无衆實女言時舍利弗目揵連等是證信人
不實女言如是知是是證是信何以乃以聲聞為證聲聞得三空觀門
与法界實相相似是故引來為證聲聞人界身有邊量知來之界无有
邊際云何乃引聲聞為證實女言大慧知何稱畫邑已下知來法而為譬
兩闇浮提者喻法性平等注法界皆悉增長者隨根受潤不同
兩水有差別不舍利弗領解答言不也實女大慧知何稱畫池河
稱大池者喻法性涅槃水本一味者正明性淨之義无雜不可見故言
一味德人用之者喻善薩相應解成則有種種微妙者喻与甚善
薩万行圓備故言種種微妙甘味者喻果常我淨經云醍醐甘味身是證
[illegible]

BD03106號　大乘五門十地實相論（擬）　（20–2）

雨水有差別不舍利弗領解答言不也實女大意如何稱畫池何
稱大池者喻法性涅槃水本一味者正明性淨之體无雜不可見故言
一味德人用之者喻菩薩相應解氏則有種種微妙者喻其善
薩万行圓滿故言種種微妙甘味者喻果常我淨經云醍醐甜味是是證
也薄福之人喻聲聞凡夫聲聞緣覺法界體性正得昔无常解菩
薩之盡其後際如來具是圓道如經三解脫門亦復如是如來聲
聞亦有差別法界體性言秘理妙實无差別尒時世尊讚寶女言
善哉善哉所以讚歎寶女者寶女上標除體尋教相俱顯二部盡
道會无住應時合機海會大衆獲无生大利三万二千人發向稱菩提
心舍利弗言大意譬如大海此喻与上大池喻有何異也上池喻明性解
不同此海喻明境界不等法界亦尒雖復千等諸學之得无價寶聲
聞之得於下劣寶此明境界不同義自下尒許譬可解大意以是義
故如來智惠无量无邊聲聞智慧有量有邊而法界實无差別无
異菩薩語寶女言是不可說菩薩摩訶薩空是汝所无異何故作
此問欲使寶女答言當无不可說何處有法能師於我我當不可得何
處有法能調伏我故經來女身相了不可得寶女答言善男子不可說
菩薩无所調伏何以故如是菩薩本來无自他既无自他何有能調伏
我故經言不見自他及以彼此知其尒者以何調伏善男子若有不覺
一切魔界及自境界如是之人則能調伏自此已下解調伏義可解善男
子卅二業名為菩提行以卅二業故終不退失菩提自下補菩提之義
相顯可解善男子不能行如是法當知是人不能兼恩尒時无畏菩
薩身脫己身所著上衣以兼寶女說法之恩寶女不肯受之何以不肯
受曰其不受廣得明論義无畏菩薩言我為法故唯願受之善男子法
離於貪身是非法不應說法受者无二故无物可取是故不應取供養物
也法者无著貪著我受物是貪業是故不應貪供養物也法者无我及
以我所我若受物是有我業我若取物是有我所業亦受供養也善男
子善云法是法供養是受者是施者亦是則名為分別法界若不分別法及
供養受者施是則不名分別法界實相尒時世尊讚寶女言善哉
善哉若有人能說是法是寶女是也如是之人難中无修堪受三千大
千世界天人供養我之所說盡不……

一切法者我無我若受物是貪兼不貪供養物一切法者无我及
以我所我若受物是有我兼我若取物是有我所兼亦受供養一切善男
子善云法界法供養界受者界施者亦界則名為分別法界者不分別法及
供養受者施是則不名分別法界實相爾時世尊讚寶女言善哉善哉
善哉若有人能說如是法即是寶女是也如是之人難中无脩堪受三千大
千世界天人供養我之所施善不足言云何不受佛說是已大眾諸人各各脫
身鬱多羅僧奉上寶女大眾何故施布寶女見如來讚歎其人必獲高
亮遠智惠精最堪為福田是故以衣奉上寶女爾時不可說菩薩白佛言世
尊凡可說之法即是世間 問曰世間有幾種 答曰有兩種世間何者是一
者世間世間二者聖世間世間應佛所化者世間世間聖仙所化者聖世間法佛所化
者勝出兩種世間之外故言不可宣說欲與應佛世間相應者要須斷別異
相障盡何者別異相障如見聲聞相異菩薩見菩薩相異佛相是名別
異相由有別異相障故不能見應身得獨頭初地已前斷四住煩惱消
然障盡故論地云聲聞緣覺不同盡復有處不同盡或有眾生見如來
身猶如赤土亦如黑鵝腳見千花時是處相即滅同相障者從初地已上
七地已來所有法界海會菩薩同名菩薩故名為同相正以有相故障於障
身不顯名之為障无功用智起時功用智盡海會菩薩相融无異或於障
佛故論云菩薩盡即是其事勝障者寶亦言一佛攝一切是合金理之解
者一切攝一處或具障何者是也謂乘果中各百各千即是其事正以緣智花
懷故一一仙勝上分別作无量佛解以是因緣故處障法身如來不離圓明
獨顯稱周法界是故地論云金剛藏入勝性三昧十方世界有心有相皆入
金剛藏身中見智通如來形无法界周圓百千億阿僧祇世界論勝實无
限量之解隱寄影像以彰之爾許謂乘果盡入超通如來身者因入果行也論
云佛盡者即是成證亦故名勝斷障爾時不可說菩薩白佛言世尊不可說何
以更發問正欲明世間出世間勝如不同故所以致問不可說者即是出世間
曰是出世者為可證也不可證也 答曰乃可无相故不可說智惠相應故可證但
說无相故不可得世間可說者一者有為之有為應仙世間經云汝持我語
為閻浮提瘦愛眾生分別演說即是其事无為之有為世間者法性虛空是
无為勝蓮華藏世界方便用相即是聖世間相經云有人出世書虛空作十二部
經十二部經者即是聖世間相可流布故所以可說知經不可說者即是法性虛空

以類隱不可說者即是出世間
曰是出世者為可證也不可證也　答曰乃可无相故不可說智惠相應故可證但
說无相故不可說得世間可說者一者有為之有為應似世間經云汝持義讃
為闡浮提癡愛眾生分別演說即是其事无為之有為世間者法性虛空是
无為蓮華藏世界方便用相即是罷世間相經云有人出世書虛空作十二部
經十二部經者即是罷世間相可流布故所以可說如經不可說者即是法性虛空
可宣說者即是十二部經文字章句尒時會中有一天子名曰勝意語不可說
菩薩言諸法若決定不可說者眾生云何得聞不可說理欲使无言菩薩顯
出不可說理有可說道理所以作是問不可說言汝寧知翳有言說不不可說
何故作是問譬為欲明有聲來時即有翳和无聲來時則无翳現法亦如是
有性根聲來時則有教習翳現故天子作是問如經善男子翳者皆從
因緣亦有即是其事天子尋聲難之是翳因者為定在內為定在外若
定在外不能顯於內若定在內不能彰於外欲使无言辯不定在內不定
在外諸法既无定故何處有翳之住處天子一切眾生雖作二相亦有所說唯一
切法性言盡相絕諸法之性實不可說天子言若諸法一何不可說者云何如來
則得宣說八万四千法乘令諸聲聞受持讀誦天子言汝知何等為如來也
持不謂色是如來乎汝若以色為如來者論云若色以求如來是人不見如
來汝將不說佛是過去未來中如來者非三世攝天子曰佛言世尊是不可
說菩薩所說誰當信之天子何故作是問欲使不可說菩薩化作方便身
現行无執著領受不可說所言欲令海會大眾齊其所學故作是問化
比丘與天子論義分明可解天子若有人言我是佛是當知是人行於分
別是魔弟子若有說言以我平等觀一切諸法悉皆平等眾生平等如來
平等如是之人即是平等如是知能過魔界說是語時五百比丘漏盡
解脫八千菩薩得忍辱即以香供養比丘者報恩供養舍利弗言何故
供養是化比丘欲使諸菩薩答化无異形即是不可說菩薩方便力為作辟
如如來以方便力隱化作如來為欲供養何離乎正還供養如來化比丘供養
化比丘即是不可說菩薩大悲若有智人无有聲行斷絕是非无字无
色化之及真俱无斷貫隨得受施是故供養化比丘即是不可說菩薩
時化比丘語舍利弗言大悲持无顯无我是今者是持无謂无我是於汝也

解脫八千菩薩成就忍辱耳以者供養化化立者報恩供養舍利弗言何故
供養是化化立欲使諸菩薩於化无異形即是不可說菩薩方便力為作解
如如來以方便力復化作如來為欲供養何離乎正還供養如來化化立供養
化化立即是不可說菩薩大慧者有智人无有養行斷絕是非无字无
色化之及真照无斷貫隨得受施是故供養化化立即是不可說菩薩
時化化立語舍利弗言大慧攝无前无我是舍者是攝无謂无我是於諍也
舍者是巨有女相是我也法界道理无異无不異者能如是解者一所倚亦
可也舍利弗領解不解也化化立何以故如來當說一切諸法皆悉如幻化无定性
故供養化化立即是供養如來義何以故因无邊身故善男子誰入是化
誰是化人入於化法中令化作是說化既无法何由能作是說大慧如鏡中
像誰能作鏡中之照有方便像現善男子法相道理无表中者无不表中之
真以法界鏡淨清故有真實緣起像現大慧化無如是真以法淨故能作
无方之說舍利弗更難者尔云一切眾生之是緣起何故如是不能宣說大慧
鏡之背後偶不離鏡何以不能顯於眾像善男子鏡背喻方喻於染緣
起緣起者因四大不清淨不能顯發群像大慧眾生之尔不能清淨法界
法界性故方便未圓是故不能宣說善男子諸光言業相應何以故法
從本已來常說法界自性清淨今乃云何說法界不淨是何謂也大慧者
尔者法界著本淨善男子我但聞道除滅客塵煩惱故名法眼淨然我尔時
實无所得虛空喻已下說至諸人悟道已來論義之道又顯可解
尔時世尊說是法時者說三世法中无受記義時八千菩薩得无生忍正明
悟道之中乎得是忍已者上已所已界虛空者表已所得離世間相故云
言以表之說試偈之中有六十七偈何以第故來化說偈有多少種者長行
中廣偈中廣云為鈍根人說者長行中略偈中略云為利根人說者長
行中略偈中廣云為後來人說云中長行中廣偈中廣似為鈍根人說物
之有兩偈正明觀五陰得方故則同於先佛者觀受想已下有兩偈觀四
四陰得道理故則得受記者能觀察已下有兩偈正明法界乎等可說不
可說分三世分已下有兩偈正明二諦乎等貪欲嗔癡已下五十九偈正
明法界圓道斷絕有无雖分別生死真能動散集不能發真實緣起
說圓法界義尔時魔王眾至諸人悟道正明欲自為不可說菩薩論義
以道一問曰摘道門中可以[illegible]魔來可[illegible]

BD03106號　大乘五門十地實相論（擬）　（20–6）

々中略偈中廣々為後來人說々中長行中廣偈中廣似為鈍根人說稍
之有兩偈正明觀五陰得方故則同於无佛著觀妄想已下有兩偈觀四
四陰得道理故則得受記若能觀察已下有兩偈正明法界平等可說不
可說分三世分已下有兩偈正明二諦平等貪欲為癡已下五十九偈正
明法界圓道體絕有无離分別出孔莫能動譬業不能救真實緣起
緣圓法界義分時魔王厭至諸悟道正明彼同與不可說菩薩論義
以道問曰補道門中何以數數魔來何意　答曰正明補道分分入勝進
之地凡解起之為體與魔魔相違是故魔來也乎魔為是權魔為是
實魔乎有一解乎大集經理微兼妙相翻翻相違恐已解不云是故
來也須有一釋故曰者乃是真實違々不可說菩薩是法界慎行非
違无以顯慎非慎无以通道共相顯發以成一化違无違相故可以違違
亦成慎是故彼曰乎自化身作比丘像語不可說菩薩言魔王彼因得
四兵來至彼曰已下明魔方便自謂秘要之術奧堅勢不可菩薩同解
已耶解何其不可說自體妙慧一折魔道狂惠不得施用故老子曰可謂
陽觀附化外囊汝今欲設何方便者魔王何所以問正欲試不可說菩薩智慧深
汝在言欲自靜无善心去何發善提心
如為可屈伏不不可說言若來者來當令發菩提心化比丘何以不言魔
王發菩提心菩提无分別魔是分別正相違背故是故不樂發心不可說
言我當調伏令得善心以是因緣發菩提心云何調伏前魔作化比丘耶
來問正云何調伏已下正同於耶不可說菩薩言變作他化自天王慎
无慎相故違相慎以成違欲使彼眷屬眷屬於我彼可聞子語已心生愁
惱不可說菩薩以妙惠辯財析之欲隱其形不能得去自觀己身其都
无縛繫之相其身心為惠力所羅不得自在知道力不敵是便替首
求哀懺悔若是實魔懺悔正是宜使若是權化化手化作為欲引
接不隨之流令入寶坊之會不可說言我无繫无縛者本自无繫令
何所放一切眾生從昔已來皆繫无放何以故正以无明愛故顛倒妄
相謂為繫縛心相得解脫時豈離知從誰得解脫汝今若欲還繫繫
縛者應當還發善提善提之體无有得乎是故另无繫縛之相汝何
故如是愛怖彼曰言成就與法發善提心彼曰成就十六種法發善提心
彼曰何故聞乎發心法同欲論善提妙道曉同法界相應則離自非
實周聞何由乎離法界入…々謂

BD03106號　大乘五門十地實相論（擬）

相謂為繫縛心相得解脫時豈離知從誰得解脫汝今若欲解繫繫
縛者應當速發菩提菩提之體无有得者是故名无繫縛之相汝何
故知是愛怖彼曰言成就與法發菩提心彼曰成就十六種法發菩提心
彼曰何故聞此發心法因緣論菩提猶直曠同法界相應則難自非
曠周聞何由行稱法界成就十六種法所謂常稱上心　問曰何物是上心
答曰阿梨耶識是為上心云何名為稱對斷鄣自體轉明名之為
稱不著塵以起惑故言瑩磨諸根自下十六之業相顯可解是名十六
之結句具足知是法者能發菩提心魔以得分相應解菩提故言式
今无知是法云何能得无上直心不可說菩薩与與喻辟知種樹雖
未有果實得之不久菩提之法亦復知是初相應時如初日月
後成就時如十五日月說是法時万二千天子得三菩提心同魔論
業悟道解脫彼曰善男子云何名為何菩提心前以教十六之法
行所為衆生勸歸生解故言云何回菩提心自下復救更教稱三十二
業如經卅二業回菩提心亦得增長无生轉著漸漸得入勝進之道
故言增長何等為卅二一者至心徹觀窮原故名至心二者定心理靜湛然
故名定心三者淨心真照獨顯故名淨心四者厳心一心專念求於菩提故
名厳自下業業分明可解顯示叡智惠者福智以相資是名卅二業結
句知一切法不可宣說實相寂絶故言不可宣說是名卅二者結同義善
男子菩薩若能具足知是卅二法因行備足得妙色相者十力四无所畏
是果圓滿故言妙色法界衆生无不欽敬故言人天供養難復證
果證无證相知經不求果鄣自下不可說菩薩教彼曰長養菩提之心法
善男子若一切法不可說者菩薩云何得發檀願无言何故作是說彼曰聞
體无得无成意謂方便中亦无得无成今不可說乃可體不可宣說緣教
詔之行得有發願得有回菩提義下以彼曰作喻不可宣說言彼曰譬如
虛空喻目體法界其性无遍者喻法界絶於分別是中寧可并池倚不
法界絶於名相不可作名相說不吹曰自領解不也善男子彼曰一切法
性都不可說終不可證不可說者如虛空中不可得并池衣地可安法然
如是觀法性體中實不可說緣方便教道為流布故可宣說彼曰言
若一向不可宣說云何名為發菩提不可說言乃知貪性无貪之可貪是

虛空喻目騖法界其性无邊者喻法界毙於分別是中寧可并池簡不
法界毙於名相不可作名相說不欬曰自領解不也善男子欬曰一切法
性都不可說終不可證不可說者如虛空中不可得并池衣地可妾法然
如是說法性騖中實不可說椽方便教道爲流布故可得宣說彼曰言
若一向不可宣說云何名爲發菩提不可說言了知貪性无貪之可貪是
名發心若復了知瞋癡乘努六入乃至老病死大苦本際來无是名發心
彼曰一切諸法有何等性爲明性騖无性彼曰一切諸法无出是性正以无出
之出名之爲性故曰言云何无出彼曰何以問敬曰問以生解夫无出者即无
无魔蹤魔蹤即是我及我所離我我所是无名出說是法時八千菩薩得无
生忍悟道成聖卅善男子菩薩具足何等法故得无生忍空中聲曰空中
聲曰者即是對惠目騖資補集具足六波羅蜜者教補福之行會得无生
之果尒時不可說菩薩白佛言唯願如來爲說諸菩薩說不可議　問曰云何
名爲不可議　答曰菩薩行檀波羅蜜時觀身如引觀受如夢觀於善椽
堤猶如虛空是名无相檀行成就即得无生之果若有菩薩觀貳已下正明
无相持貳三眼者一是持貳眼二是厭貳眼三是菩薩貳眼不見菩提亦來現
衣者正明无相持貳　若有菩薩觀諸衆生不生不出是名无相是義
若有菩薩懃脩精集退已下明无相精進義何以得知无相知經不見一
法是生不見一法是滅故名无相若有菩薩脩禪波羅蜜已下說平等
以明禪何以得知平等如經以不平等平等法故亦作平等故名平等禪　問曰
禪有幾種　答曰要有四禪何者爲四一者愚癡凡夫禪二者觀察第一
義禪三者真如禪四者諸佛如來禪禪名攝撿定名不散故言禪定
有波若波羅蜜已下明三相真照波若度何以得知三相如知經无去无來
是則名爲隨於惠行即是无相波若故義雖知本性寂滅以方便故爲諸
衆生宣說涅槃雖知无文字以方便故說於文字雖復了知无有身心以方便
故說於身心雖得无我及以受者以方便故說我說受已下方便之義相顯
可解不取不捨非我我所已下還據本宗實相以明道何以得知非對非
作即是真實之道是名波若羅蜜者還舉波羅蜜結可說是法時魔王
波旬得離於騖騖心大歡喜者化功得暢我聞是不可說離於有无是故
心得解脫万二千衆生發三菩提心者悟道成聖也何難曰佛已下正明請
勸流通如是正法名字何等何以問經名字欲以識經名意經旨底通[illegible]

衆生宣說涅槃難知无文字以方便故說文字難復了知无有身心以方便
故說於身心難得无說及以受者以方便故說說說受目下方便之義相顯
可解不取不捨非我我所已下還攝本宗實相以明道何以得知非對非
作耳是真實之道是名般若羅蜜者還攀波羅來結可說是法時魔王
波旬得離於縛繫心大歡喜者化功得暢我闇是不可說離於有无是故
心得解脫万二千衆生發三菩提心者悟道成聖也何難曰佛已下正明請
勸流通如是正法名字何等何以問名字欲以識經名書經首流通則无号
佛告阿難此經名爲方等大集亦復名爲不可說經物樹傍其目者是此
中是也若人能頂戴受持者勸阿難流通也三千大千六種震動者上
來不可說菩薩与魔王論義明法界圓道縛非分別離分別相爲功深
勝是動地以表之子耶

大乘五門實相論訖

寶幢初魔苦品第一

問曰此品何意而來　答曰上陁羅尼品正明捻持之稱不胸品不動
不此寶女品辨惠自在爲用海惠品稱惠達道之能无言童子
品寄絕衆相之趣不可說菩薩品言辭路斷思求相絕正明縛鑿相
應虛空藏品正明辨絕塵道驗賢一觀是非雙泯寶幢之品可
意而來上不可說菩薩品中魔共菩薩論義波旬乘擒未顯世
事以明道不可說據无言以明趣魔聞此言遂宗以失路高聲唱言
哀哉苦哉我哀憾損此之伴耶徒之黨以歸眠覓自此復有六十
億魔妖耶眷叉詣寶坊与其釋種子共相論義以是因緣故
寶幢品來也　問曰何故立此寶幢　答曰自下爲厭降魔是故竪
法幢打法鼓降魔之相故此品來也自陁羅尼品來至此凡有八品經
正明法界縛性絕分別離有无非内非外義寶幢品已下有十三品正明
顯相分尒時世尊放光色𦦨二界中何以道循光色二界乃是說法之
處法界證會示有動轉而无去来故言猶光眷屬圓遠者眷屬有兩
種一是福惠眷屬二是獨惠眷屬共成法身故言圓遠我昔初得阿
耨多羅三菩提時還菩昔尒初成道時在王舍城何以出此王城欲明
本曰降魔伏道處所　問曰何者是外道一是憂波提舍二是拘律陁此二
人皆法身大士現居外道引接不隊之流令入證會五百得益即是其事

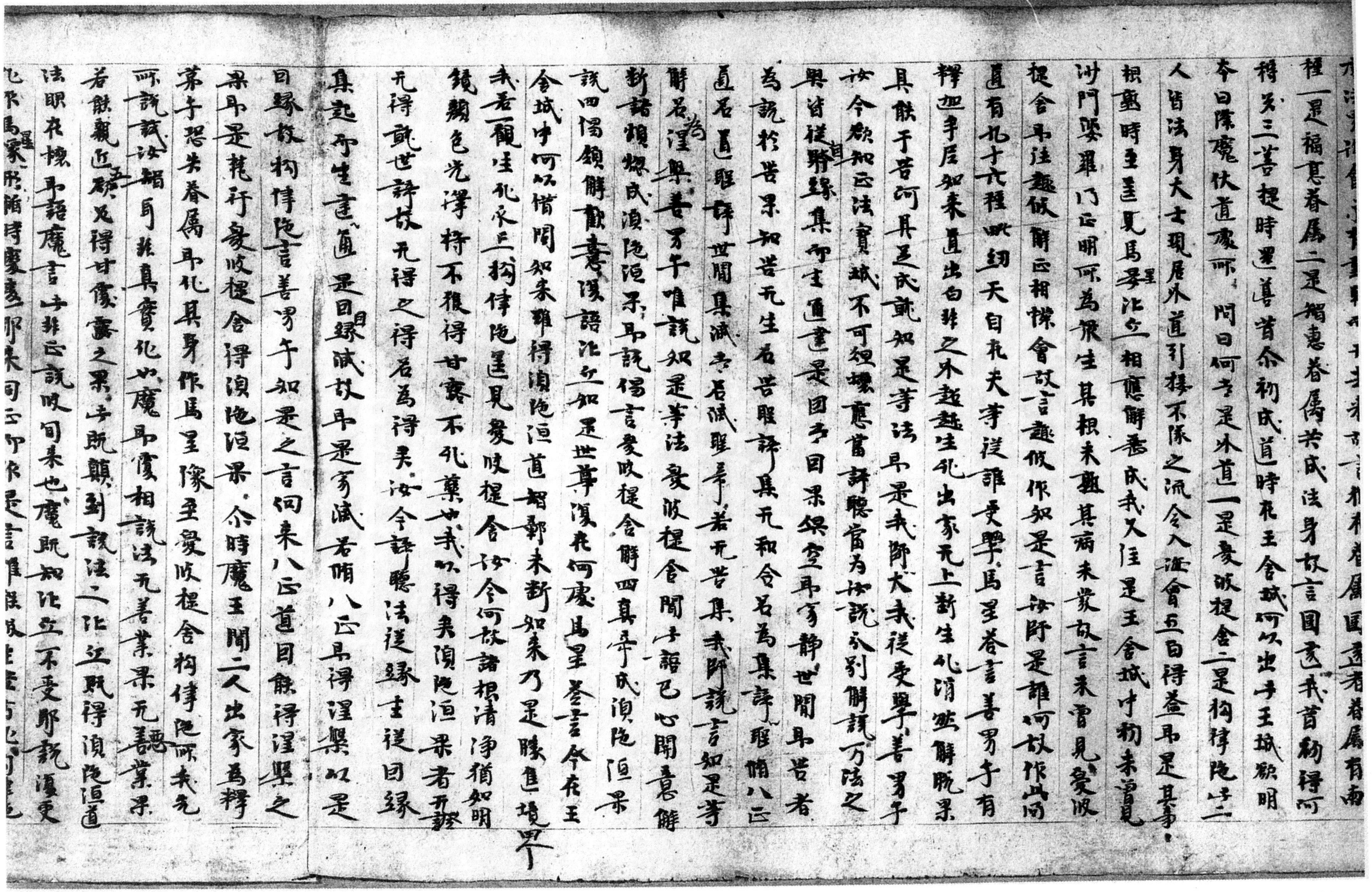

[illegible]眷屬有兩
種一是福德眷屬二是智惠眷屬共成法身故言圓遠我首勑得阿
耨多三菩提時還道菩尒初成道時在王舍城何以出于王城歎明
本日降魔伏道處所。問曰何者是外道一是婆提舍二是拘律陀等二
人皆法身大士現居外道引接不隊之流令入正會五百得益即是其事。
根熟時至王舍見馬星比丘相應解義成我久住是王舍城中初未曾見
沙門婆羅門正明所為衆生其根未熟其病未發故言未曾見。發心
提舍即往趣彼解正相撲會故言趣彼作如是言汝師是誰何故作此問
道有九十六種唯幻天自在天等從誰受學馬星答言善男子有
釋迦牟尼如來道出白非之外越超生死出家無上斷生死消然解脫果
具能于苦何具足成就知是等法即是我師大我從受學善男子
汝今欲知正法實滅不可細壞應當諦聽當為汝說分別解說方法之
果皆從因緣集而生道盡是因者因果俱空即寂靜世間即苦者
為說於苦果知苦無生名苦聖諦集無和合名為集諦聖脩八正
道名道聖諦世間集滅者名滅聖諦若無苦集我師說言如是等
解名為涅槃善男子唯說如是等法憂波提舍聞子語已心開意解
斷諸煩惱成須陀洹果即說偈言憂波提舍解四真諦成須陀洹果
說四偈頌解歡喜讚語比丘如是世尊復在何處馬星答言今在王
舍城中何以借問知來雖得須陀洹道智鄣未斷知來乃是勝進境界
我若一觀生死永亡拘律陀遙見憂波提舍汝今何故諸根清淨猶如明
鏡顏色光澤特不復得甘露不死藥也我以得須陀洹果者開發
無得觀世諦故無得之得名為得果。汝今諦聽法從緣生從因緣
集起亦生道通是因緣滅故即是寂滅若脩八正即得涅槃以是
因緣故拘律陀言善男子知是之言何來八正道因能得涅槃之
果即是梵行憂波提舍得須陀洹果。尒時魔王聞二人出家為釋
弟子恐失眷屬即化其身作馬星像至憂波提舍拘律陀所我先
所說誠汝錯耳非真實也以魔即處相說法無善業果無惡業果
若能親近五欲及得甘露之果子既顛到說法之比丘既得須陀洹道
法眼在懷即語魔言子非正說汝可來也魔既知比丘不受即說復更
比下馬星家形隨時變處那來[illegible]

BD03106號　大乘五門十地實相論（擬）

（20–11）

曰歸於佛隨言善哉于如是之言何來八正道曰能得涅槃之
果耶是梵行衆收捉舍得須陀洹果。爾時魔王聞二人出家爲釋
弟子恐失眷屬耶化其身作馬星像至曇收捉舍拘律陀所表先
所說議汝謂耶非真實化也魔耶處相說法无善業果无惡業果
若能親近五欲又得甘露之果子既顛倒說法二比丘既得須陀洹道
法眼在懷耶語魔言汝非正說收何來也魔既知比丘不受耶說還更
化作馬星像形貌時變邊耶來同正所作是言誰能脫生老病死拘律陀
語魔王言我欲須遠清淨之法遠離之昔汝乃以癡愚耶見何有一毛
之力能打壞須彌何有塵許大能燋枯大海何有蚊蝱之嘴能穿
金剛之山魔王知野狐鳴云所子吼色雖相似實非所于魔王
汝今雖作比丘形像所說既耶乃非正也 爾時魔王變大菩薩身
便隱滅更立餘姓爾時魔王見是二人得出家已作化自在天像向
於佛所說於四偈欲使正來同耶我時以偈答魔王言子復以八正
道是魔良藥欲令魔衆聞其兩偈迴耶以趣正並以孤身作師子吼
究竟會无歸依汝者徒設何爾時魔王隱自在天像復現梵像
魔王何故數數異方便者欲令瞿曇弟子伏從其化所說偈言
真實遠離諸煩惱過三千大千界何以復說四偈欲使瞿曇弟子
未得天眼未從我化我時以偈復答魔言我見世間及衆生能度
生死大險河知來何故復說此兩偈欲使諸魔衆中利根上達險解
脫際者聞知來一說得入无生解是知來說偈也爾時魔王變
大菩薩 問曰此魔是何處人也 答曰若是實魔何能說偈共
知來相對此應是法身大士是故經言世間作魔王者多是住不
可思議解脫菩薩 問曰雖知是權爲是佛也爲是菩薩此等應
是險後際之權教智雖顯解智未融耶時无尋解成者云騎非有非无非內非外
耶是騎顯无尋知此解者非是魔業聞實相是有耶作有解聞實
相是无耶作无解雖是解返成貳始智莫測便成魔業此中魔者如此
業作自下經文不過降伏魔王并五万梯女并諸眷屬來恭歸化
魔之方便世情麁淺足自可知知來直意智慧滿足亦未決可擬自
論直相顯可解　實幢分中住吉品第二
問曰法界分中有八品經文實幢初品應名第九未審品第[illegible]

業作自下經文不過降伏魔王并五万婇女并諸眷屬来養歸化
魔之方便世情底淺足自可知如来直意智慧滿足亦未況可擬自
論道相顯可解
寶幢分中往古品第二
問曰法界分中有八品經文寶幢初品應名弟九十應名弟十何用
弟一弟二　荅曰前八品等經文諸菩薩說論義以明道寶幢分中正明
陀羅尼實觀捻持相顯降伏天魔折諸木直是故寶幢分中別立一法門
次弟義故有十三品来世弟一弟二耳是其事何故名為往古品過去有
一佛名功德香如来有一比丘弥宣廣說大乘經典有一大臣心不正信語
比丘言汝若未来菩提樹下說大乘法時我權當遮正故不得行往昔比
丘者今釋迦身魔波旬大臣是也說往緣故故名往古品尒時魔衆已
下說主悟道已来復一周為魔說法尒曰佛言世尊我厭大乘念於大乘
初弟信受後成道說若作權解厭令[illegible]弟子速入法性之海現作斯
問世尊菩薩摩訶薩成就幾法不近惡友并能速得三菩提心善男子
菩薩具足四法不近惡友何等為四曰去已下正為魔說法魔龕於有无要
說不著有不著无能厭魔患如經不貪諸法耳无境可樂不捨法諸去
无魔業可捨不受諸法者无法可受不覺者无諍可會无我所去亦无能
會之人自下正出法界聆性平等之道耳是厭魔患業善男子者能觀上
来如是等法是名菩薩不親近惡友并復速得菩提復有二法已下正
出於魔行猶不得方何故以难復數心恒作生死涅槃異一新二事異猶不
得方故更起分別譬如有人已下与喻不得方作喻喻於緣智境塵心倒顛耳
不得方求大耶木是顛倒法離倒顛求无顛倒顛倒餘增不能合舉如經著
離是二更求異法亦復如是有一菩薩名曰地意聞上如来說實相圓道
无覺无知若无覺知耳是无知去何如来亭自讚言具一切智善男子
不可說智耳智是一切智何以故智上不可得何處有智耳一切智善男子我
今問汝隨汝意荅如来得一切智時有所得不也張去而聞厭後地意思
亦耳解地意耳便思惟我若說有便成常見我若說无耳是斷見我
當遠離二邊說於中道思惟是已曰佛言世尊如是義去亦有亦无亦
有去有无有相上无者无无无相若不出識是非陰非明非闇對治斯

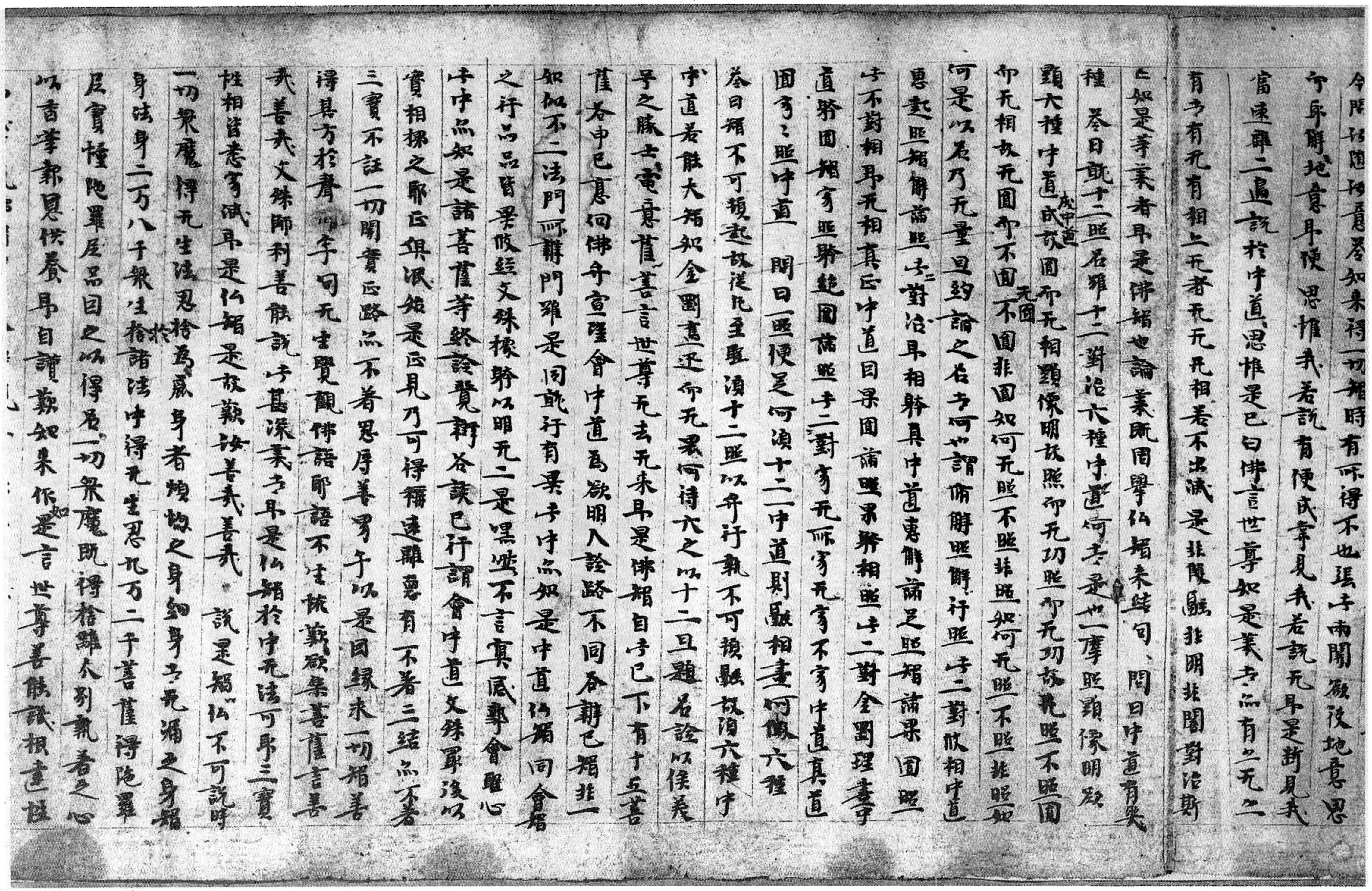
今問汝隨何意答如來得一切智時有所得不也張手兩闇顯彼地意恩
亦是解地意是便思惟我若說有便成常見我若說无是斷見我
當遠離二邊說於中道思惟是已白佛言世尊如是義者亦有亦无亦
有亦有无有相亦无者无无无相者不出識是非隱顯非明非闇對治斷
亦如是等義者是佛智也論義既周擧佛智來結句 問曰中道有幾
種 答曰既十二照名雖十二對治六種中道何者是也一摩照顯像明顯
顯大種中道成中道成故圓亦无相顯像明故照亦无功照亦无功故无照不照圓
亦无相故无圓亦不圓无圓不圓非圓如何无照不照非照如何无照不照非照如
何是以名乃无量且約論之名者何也謂循解照解行照 是二對攸相中道
恩起照智解論照 是二對治是相對真中道惠解論是照智論果圓照
是不對相是无相真正中道因果圓論照果對相照 是二對金剛理妻
道對圓智家照對絶圖論照 是二對家无所家无家不家中道真道
圓家之照中道 問曰一照便足何須十二中道則顯相妻何假六種
答曰智不可頓起故從凡至聖須十二照以弁行執不可頓顯故須六種中
中道若能大智知金剛喜退亦无果何詩六之以十二且題名詮以使義
子之勝士電意菩薩善言世尊无去无來是佛智自是已下有十五菩
薩各申已息向佛弁宣陛會中道為欲明入詮路不同各辯已智非一
知似不二法門所辯門雖是同觀行有異是中亦如是中道仏智同會智
之行品品皆異彼經文殊據驗以明无二是嘿然不言真底事會聖心
是中亦知是諸菩薩等終詮覺辯各談已行謂會中道文殊最後以
實相據之耶正與泯絶是正見乃可得稱遠離惡有不著三結亦不著
三寶不証一切明貴正路亦不著恩厚善男子以是因緣求一切智善
得其方於聲聞字句无生覺觀佛語耶語不生恢歎欲集菩薩言善
我善我文殊師利善能說是甚深義者是是仏智於中无法可得三寶
性相皆悉家滅是是仏智是故歎汝善我善我 說是智仏不可說時
一切衆魔得无生法忍捨於為處身著煩惱之身細身者无漏之身智
身法身二万八千衆生於捨諸法中得无生忍九万二千菩薩得陀羅
尼實幢陀羅尼品曰之以得名一切衆魔既得捨離大別執著之心
以香華郭具供養是自讚歎如來作如是言世尊善能識根盡性

BD03106號　大乘五門十地實相論（擬）　（20–14）

哉善哉文殊師利善能說此甚深義乎是仏智於中无法可得三寶
性相皆悉寂滅是仏智是故歎汝善哉善哉　說是智仏不可說時
一切衆魔得无生法忍捨為魔身者煩惱之身細身无漏之身智
身法身二万八千衆生捨(於)諸法中得无生忍九万二千菩薩得陁羅
尼實幢陁羅尼品因之以得者一切衆魔既得捨離分別執著之心
以香華鄣具供養而自讚歎如來作(如)是言世尊善能訳根盡性
為我等說佛智中道令得親近於佛善智說義於中觀成尒時世
尊而為衆會說過去業　問曰魔王彼因有何惡業如許時惱
說如來復有何善業今日值佛得成法侶善男子過无量阿僧祇
劫劫名電精是中有仏号書功慧如來何以出中仏會子何意正厭明
如來昔日脩善業處所魔數惡韷時亭以是因緣故引彼仏名号(来)
轉輪聖王名曰華目者出叛讒法輪王名字王尋乳釋以偈歎仏偈
歎中有四偈正明讚歎云何能過魔業　仏言大王具足三法何等為三
至心靜磨念一切衆生二者補集大慈能攝衆生之苦三者見一切法无
法可見无有衆生士夫得如是甚深之法能過魔業有一夫人名曰善見
与諸婇女須臾說偈讚歎偈歎中有八偈一曰歎仏二興願求捨女人之身故
經言云何令我捨離女身　仏言是女人有善方便得離女身何(但)得正得離女
身亦得發菩提心何等是也所謂實幢陁羅尼者有能隨脩是陁羅尼
是得離於女身陁羅尼力能令國土无有疾病不吉諍事皆悉除滅若
有法身師持戒精進月十五日當淨洗浴以妙香華供養如來然後可果
師子之坐斑宣廣說實幢陁羅尼乃有无邊大利益　尒時如來說是實幢
陁羅尼曰闍落翅闍落迦𨒪有八十四句陁羅尼正明自驕對治行以是
力故能降魔伏道変女成男發无上菩提心　尒時世尊而為大衆說陁羅
尼者而前陁羅尼咒是由是自驕力故能令五百婇女変成成男子皆
是咒力之功能有復一鮮能被内方便行甄変　假外方便行故言変
女身夫人聞是持以所持八万四千女人亦轉(女)身得男子身　時華
目比立聞是无量人生大邪見而發瞪言我若不能調伏如是諸
惡邪見何由能得阿耨三菩提　自下華目方便調伏諸魔種種方便
又顯可解　善男子尒時華目比立則我釋迦如來身是善行大臣者

BD03106號　大乘五門十地實相論(擬)　(20–15)

女身夫人聞是持以所持八万四千女人亦轉女身得男子身時華
日比丘聞是无量人生大邪見異数讚言我若不能調伏如是諸
惡邪見何由能得何耨三菩提目下華目方便調伏諸魔種種方便
又頭可解善男子尒時華目比丘則我釋迦如來身是善行大臣子
今日波旬魔王是由於首目教於衆生起惡邪見成彼旬業我初成
道至於菩提樹下以種種耶術惑於我正以注曰功德華香佛所化乳糜
我故我今授汝菩提記說是法時五百採女得男子身无量衆生以三
乘法而得調伏
一 寶幢分中魔調伏品第三　大乘五門實相論
問曰何故名作調伏品　答曰如來及弟子神通轉變令魔屈伏故名調
伏品若尒与上两品有何異也上初品初明降外道後調伏魔皆以法
界實相无分別之道以降伏之第二品正以八十六十句陀羅尼目骅之
行以對治之第三品如來大悲端坐默嘿先遣四弟子以善權方便而
調伏之然後如來以兩種方便權於天魔就此品中有四分明義從初已
下訖至舍利弗來正明波旬說詠驚方便望令如來弟子歸於耶化舍利
弗已下四弟子神通之力以外方便共魔相對治二千魔子於先調伏
從第三品已下正明諸天勸佛莫入王舍城知來入王舍城已下第四明諸佛
世尊入金剛三昧設異異方便令五百億魔王高聲唱言苦哉苦哉世間
空虛於茲調伏　尒時光味先仙人其人善達文天地理廿八宿善知相法
時已所得不降知來住雪山中志性高遠本來降知來住王舍城西門
下救五論義之端其人宿世深厚善知相法一觀如來見其身相炳著內外
明徹心漸啓伏　問曰光味仙人是何人也　答曰乃是法身大士現居外
道以揭法為首津通道教形寄法界与五百弟子根熟時至來入寶坊
之會畢作是言如是人者真是大堪受人天之所供養何以故其人奇逾
世表有福惠相我今當問生性經書何以乃問生性之由摩須問經書之
論端生性者受形之宗本若達本議者而知藥也經者五經內花名為十
二書者與書之別目　問曰書有幾種書　答曰如來有六十四能早有六十
四種書出在空提經出家又近者見其道惠巍巍能而問之吉其弟子
魔納彼仙人者福德成就了了可知自下与如來論義廣淺可解云何名
為宿星道光味答言謂廿八宿知來何故正問廿八宿者是天之精像道世

世尊有窮長初令富聞生性經書何以乃聞生性之由摩瀆聞經書之
論諦生性亦受形之衆今者達今議昔所知藥也經亦五經內在名為十
二書者與書之別目　問曰書有幾種書　答曰如來有六十四能界有六十
四種書出在空寂經出家又近亦見其直意魏魏能所問之昔其弟子
魔納故化人者福德成就了了可知自下子知來論義廣淺可解云何名
為宿星道光味答言謂廿八宿知來何故正問廿八宿者是天之精緣隨世影
像所用世間要事莫過於茲曰如來何故光味亦宣海會之衆得達無知
之識於自行外化法中消然無礙光味答如來言一切星宿略有四種何等
是也覺昴東方七宿謂角亢氐房心尾箕此七星屬東方所主事歲究
編經自解釋井鬼柳星張翼軫此七宿星屬南方宿其中事歲長短亦
知經并奎婁胃昴畢觜參此之七宿屬西方其中善惡亦知經并斗牛
女虛危室壁此之七宿屬北方　問曰日月五星廿八宿何以不相代　答曰
興之日月五星廿八宿者乃是法界之實用教喻功與自在殊途用而無相乃
是衆生依業餘也若爾有大利益何須代乎答有通達知是相者得到彼岸
光味目申巳德跨誕何知來佛言光味衆生闇行著於觀到煩惱纏縛隨
逐知是星宿書竟有何利光味星宿雖好我見世間解星宿者亦須生
於牛馬狗豬得星惡業有何好事自下正難光味譬如兩人同屬一星生者
而有貧賤富貴柔善不等是故我知汝所學之道是不定法化人於羅
得之是世俗定能通達一切甚深理照之解意何以不二問我乃問世間麁淺
之事光味有言汝今現身如世無畏我今不知汝為是天也仙也色如古仙正以
光味不識如來作如許異方便而聞唯願廣說已下方便始降伏我等聽受
方有論法之言爾時世尊正為光味說偈就偈中有十九偈正為光味說法初
之一偈正呵光味學不得方為賢聖所嫌第二一偈正以學不得方故為煩惱縛纏
第受大苦惱第三一偈正明如來備之得方故得六道果報第四一偈正以六波羅蜜
為我種性六和敬者一身行慈二口行慈三意行慈同見同聞同學是為六和
敬我以受持三種戒已下有十五偈教光味備行方法文頭可解光味化人及諸眷
屬皆見來今清淨身猶如來說法故得得寶幢三昧說偈讚仏就偈讚中
有廿六偈初有一偈歎如來智惠深遠第二一偈正明智光明照三千第三一偈歎如來
昔行超過出三界具足大悲已下有廿三偈正歎如來直行爾時光味既蒙如
來說法於中生其勝解早以勝業奉藏如來所說求速……

BD03106號　大乘五門十地實相論（擬）

（20–17）

第受苦惱第三一偈正明如來脩六得方故得六道果報第四一偈正以六波羅蜜
為我種性六和敬者一身行慈二口行慈三意行慈同見同聞同學是為六和
敬我以受持三種戒已下有十五偈教光味脩行方法文顯可解光味仙人及諸眷
屬皆見釋迦清淨身猶如來說法故身得寶幢三昧說偈讚仏說偈讚中
有廿六偈初有一偈歎如來智惠深遠第二一偈正明教光明照三千第三一偈歎如來
苦行超過出三界具足大悲已下有廿三偈正歎如來意行尒時光味既發如
來說法故於中生其勝解身以勝華奉散如來所感深遠是時三千大千世界
六種震動身是无我觀成尒時世尊前為降魔伏外道故入首楞嚴三昧　那提
愚癡者以歸化事以因說還出定　尒時世尊告光味言汝今決定發菩提心
如來何故乃問光味發菩提心但光味作外道師來日月退又聲有退轉是
故勸令決定發心善男子汝於來世過三阿僧祇劫當於彼土得成為佛名功
德光如來尒時大眾見光味得受記前五百弟子得阿耨三菩提
實幢品中相品第五　　大乘五門實相論　論記之　記之說調說
問曰此品何以而來前品中為光味仙人說種種法令外道調伏今此品中身入王舍
城方便廣為魔說法所以來也尒時佛知諸魔心已下說至七言偈已來正明如
來以神通力是指案地名集十方諸佛菩薩入王舍城中七言偈已下正為說
法知魔心者知魔根熟時至以三昧力故身宣智无量業何者是也王舍
城忽化為十二城門身是十二照業彼同見已身種種像現不定者皆是如
來神力之所為作是指案地者現希奇瑞相香華中說是偈讚　問曰何故
香華中能說是偈　答曰為是如來不可思議神力之所為作說偈讚中有
八偈初有一偈正呵嘖於魔第二偈已下正為廣說法并復名眾是偈音聲遍
至十方世界羅漢菩薩悉集依王舍城中淨土者諸十方世界蓮華藏土
純善業之所感得名為淨土五濁惡世諸煩惱業感生娑婆名為穢土淨
穢同質所要見猶如餓鬼不相離正中上見鬼不餘處來淨穢二淨土亦
復知是尒時世尊入莊嚴瓔珞三昧　問曰何故入是三昧　答曰但十方諸
佛菩薩悉在他方世界由如來入三昧力故諸佛菩薩雲擁影走馳電
驟悉來集會王舍城　問曰上八品經文皆言色欲二界中間寶坊之會是
寶幢品以來經文但道名法界菩薩入王舍城此言何謂　答曰前時八品經
文正身法界圓道是故從王舍城漸漸而入寶坊之會身是表入至寶之路

睇惹来集會王舍城　回日上八品經文皆言色欲二界中間實坊之會從
寶幢品以來經文但尊名法界菩薩入王舍城中言何謂　從日前時八品經
文正弁法界圓道是故從王舍城漸漸而入實坊之會身是表入至究之路
八品之中諸菩薩等共相諮議以明實相圓道本際之妙實諸菩薩等於
中生其事之異解不住道行純熟堪為利物之能是故相与還王舍城中本
說處所所以來者正以天魔水道根熟病發緣在王舍城故所以來也若尒為
實來不來經云普賢法身如圓鏡影現一切衆生海法身實无來去相而
於來去自在現此是成證何是同乎　尒時此界又有无量諸菩薩與
百千種異異香華身是五衆之相讚歎於仏此皆是香華中讚歎也或有現
作天許釋身已下正明諸仏菩薩神通道力作百千種身恐怖於魔須
作是念我今何故不往佛所見上諸佛菩薩作不思議轉變漸有歸化
合掌恭敬而說偈言此兩偈假詞說我今歸依如來此之一偈現歸敬如來顯見
於捨一偈言事中雅從如來意地還歸本宮正以五繫故不得自在尒時世
尊已下兩偈如來說偈辨假詞言初之一偈正明如來說法性无去來第二一偈
呵魔假詞汝道神通自在何以不隨意而去彼詞復說兩偈如來居寶語
上言我不繫汝我欲還天宮身自身見五處被縛語魔何處在七返知是旨
不得自在謹被如來墮妄語地佛言我以承對已下如來自洗澤都无惡心繫
縛於汝何以故我欲令衆生得解脫故汝之繫縛自業過也何關如來尒時
世尊見十方衆生悉來集身說偈言就偈有五十五就中正明勸伏於大衆
初十四難義初之一偈正勸攝心敬聽第二偈明法不思議第三偈以如
來難有第四偈明人身難得應當信難得遠離已下正明八難爭難
遠離我之所說已下卅五偈教令海會大衆說法方軌文顯可解如
來說此偈時花音功能遍覆十方法界衆生得不退轉心或有很
得陀羅尼或得三昧者所以聞偈處齊得法不同正由衆生稟歸異
重得法不同致使然也　尒時光味菩薩既聞如來說法故得勝法
治承稔无以報於聖恩造出世間七寶之梯登後如來勝蓮華大坐
猶如多鏡處於高堂法界群像斯皆眼現如來大慈悲法界衆生
又受昔惚惟願如來澍注无上甘露路法而令生法永令我身心是得
具足願說八道淨於眼法言八道者身八正道也法眼者徹觀窮虛名為

BD03106號　大乘五門十地實相論（擬）　（20–19）

廿十四難業𥘉之一偈正勸衆心者聽　第二偈明法不思議　第三偈明如
來難有　第四偈明人身難得　應當信難得遠離已下正明八難事難
遠離我之所說已下卅五偈教令海會大衆說法方軌文顯可解　如
來說十偈時　毘音功能遍覆十方法界衆生得不退轉心　或有獲
得陀羅尼者　得三昧者　所以聞偈處脩得法不同　正由衆生藥紛甚
重得法不同致使然也
尒時光味菩薩聞如來說法故得勝法
治有隱無以鄣於聰思造出世間七寶之樣　復知如來勝蓮華大坐
猶如多鏡處於高堂法界群像斯皆　眼現　如來大慈悲法界衆生
又受苦惱惟願如來除注無上甘露路法雨令生法　亦令我身心望得
具足顛說八道淨於眼法　言八道者　即八正道也　法眼者　徹觀窮虛名為
法眼　無量菩薩悲證人知我請法之心懃懃至到徹於後際　如來尒時自
言　我若不具十力四無所畏　當施衆生世甘露無上妙藥　尒時世尊不違
彼請　耳路寶標生蓮華坐　問曰　前入王舍城　今何故勝蓮華坐　答曰
有緣衆生在王舍城　現不捨世界方便　故以其道力推於彼旬　故在王
舍城今勝蓮華坐　言　表離世間相　特欲摧伏彼旬　屈伏在於寂滅道場
是故告　彼旬言　彼旬　汝亦當生歡喜　莫生憂惱　何以故　有是大集經之
事　由於汝　我以集十方諸佛菩薩集王舍城及以寶坊之會者　爲欲破
汝彼旬顛倒耶見之執　是名爲大集　說法因緣　斷諸生死度於四流　四
流者　欲流　有流　無明流　見流　是名四流　令諸衆生　得正道　八正道　彼旬言
旬我本在母胎時　入於慈定　尒時作種
心　自下彼旬百千種方便正欲害我
瞋　未成　尒時彼旬聞是說　以生瞋惡
亂我　我於尒時　慈悲入定　身是
汝　尒時知來以善權方
惡罵　意　成須彌
一切世界所有諸風

BD03106號　大乘五門十地實相論（擬）　（20–20）

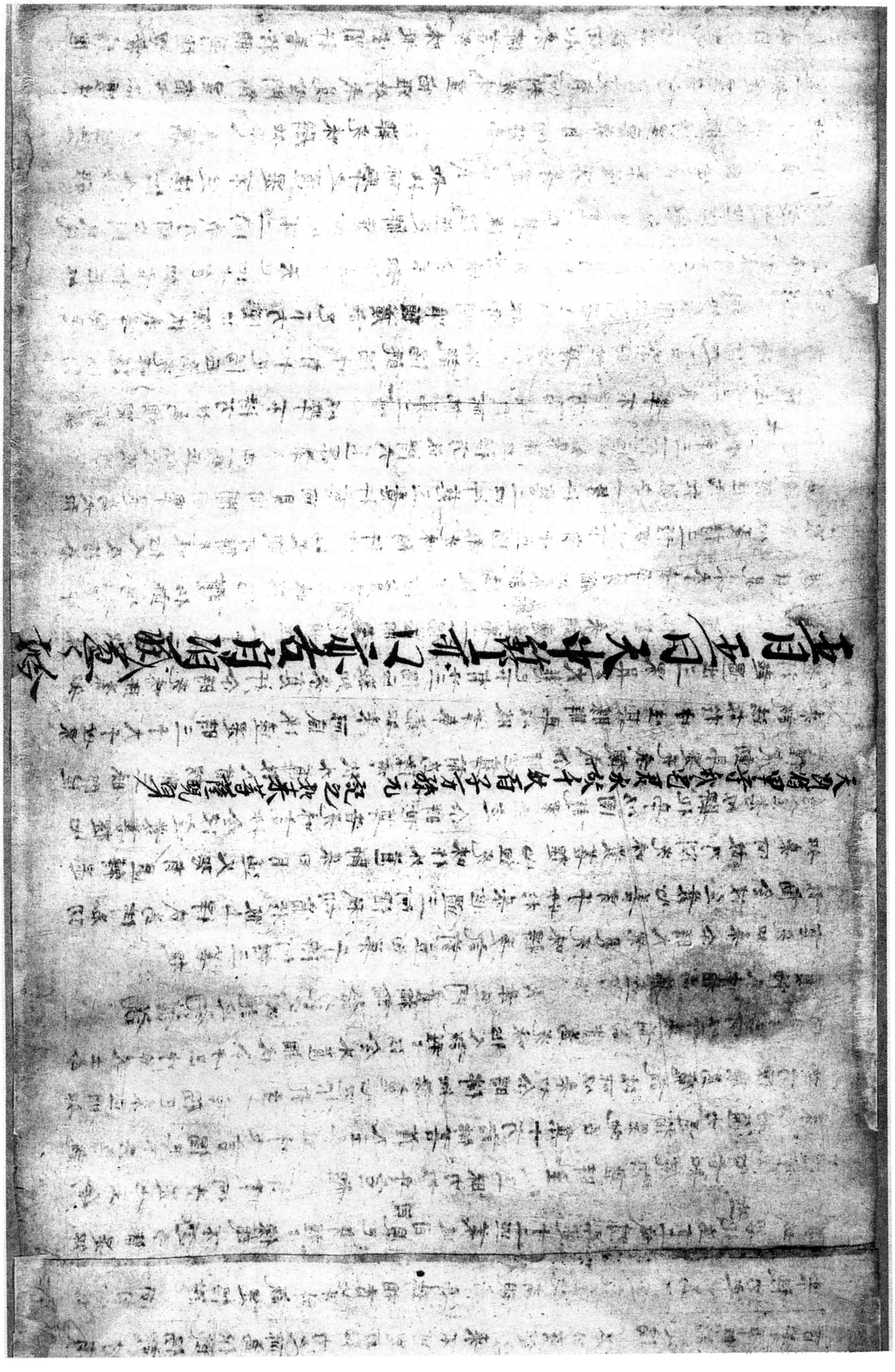

BD03106號背　白畫禽鳥、花邊裝飾圖案及雜寫（擬）　（5-1）

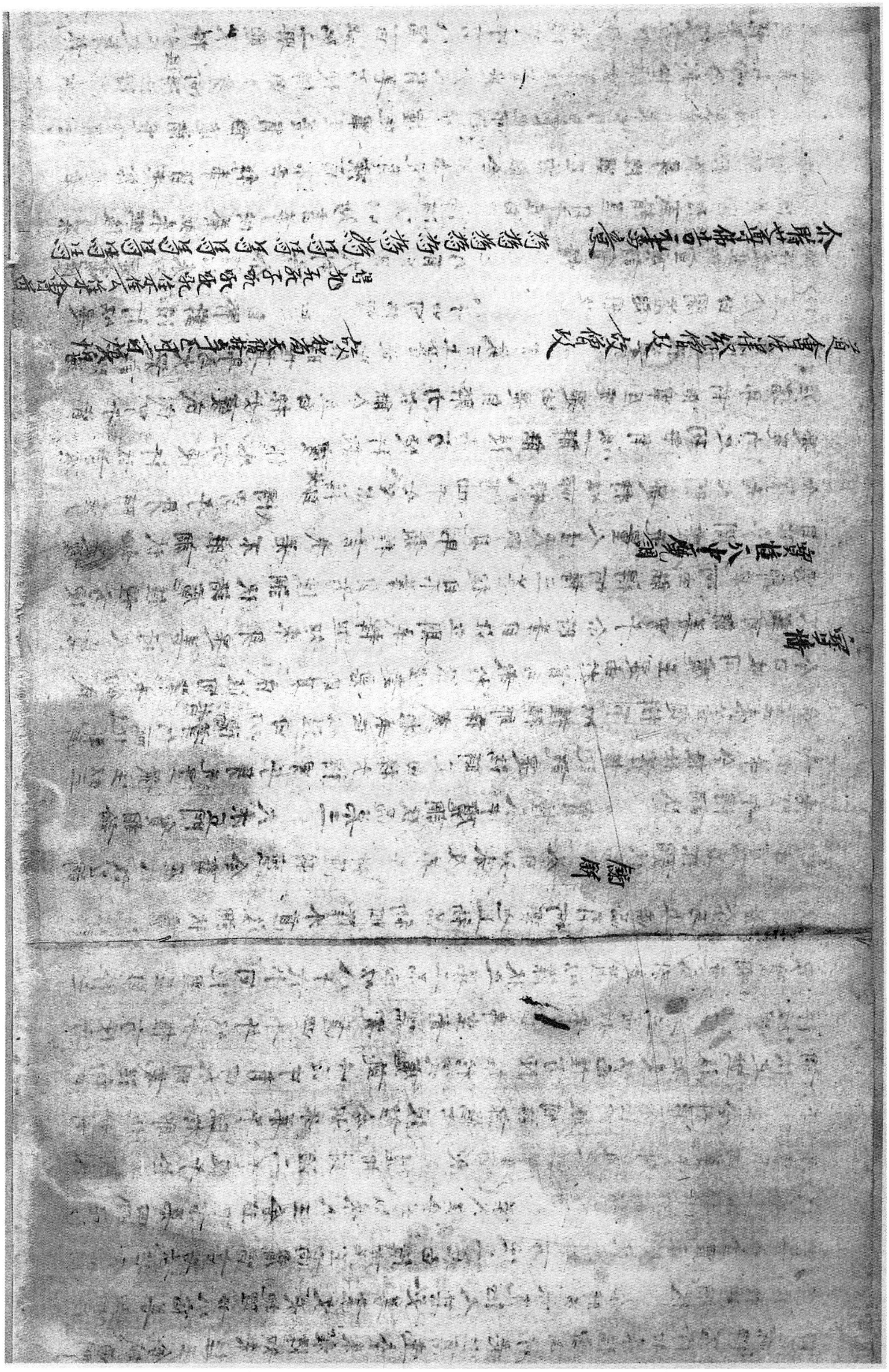

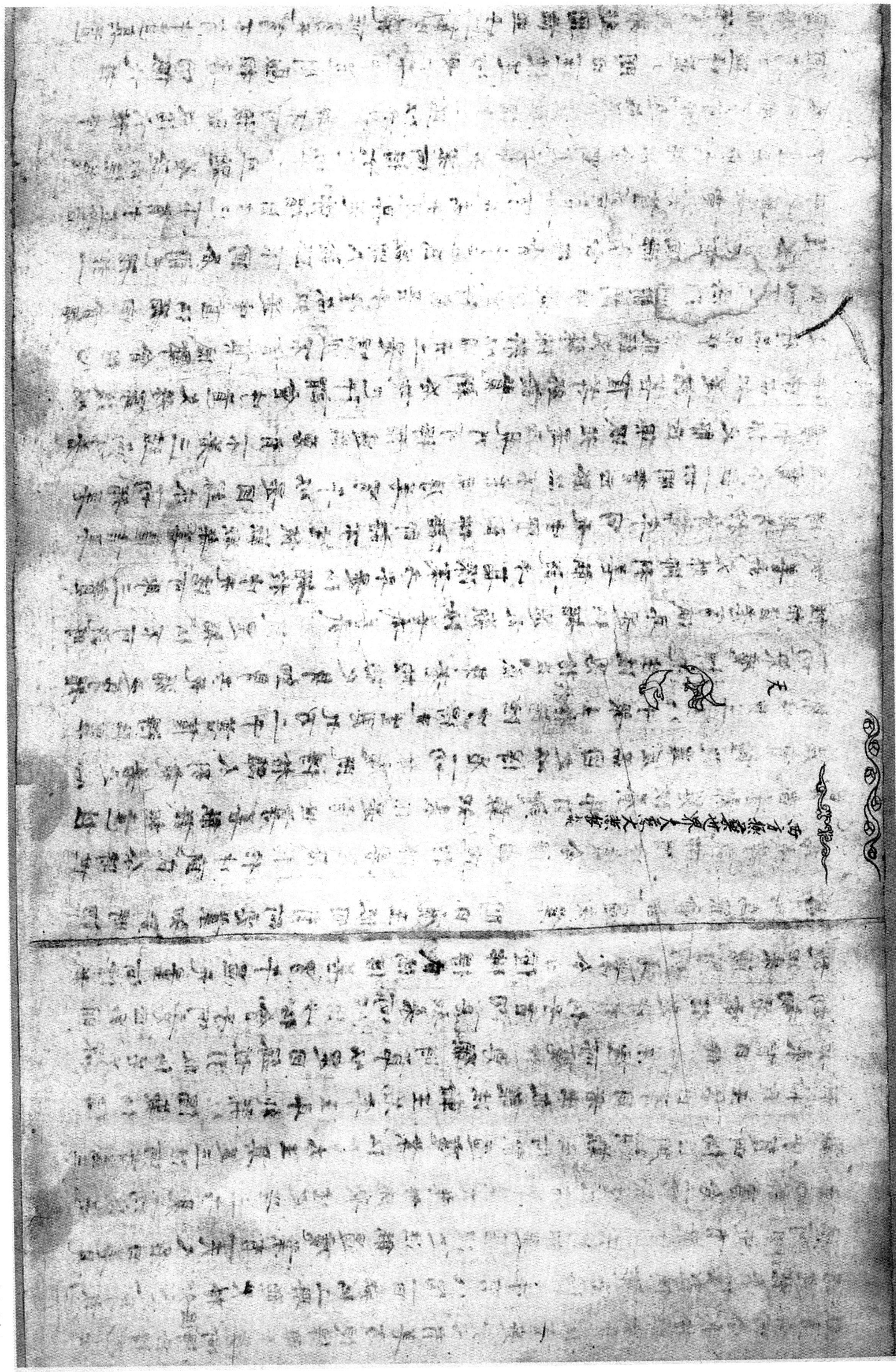

BD03106號背　白畫禽鳥、花邊裝飾圖案及雜寫（擬）

（5–3）

BD03106號背　白畫禽鳥、花邊裝飾圖案及雜寫（擬）

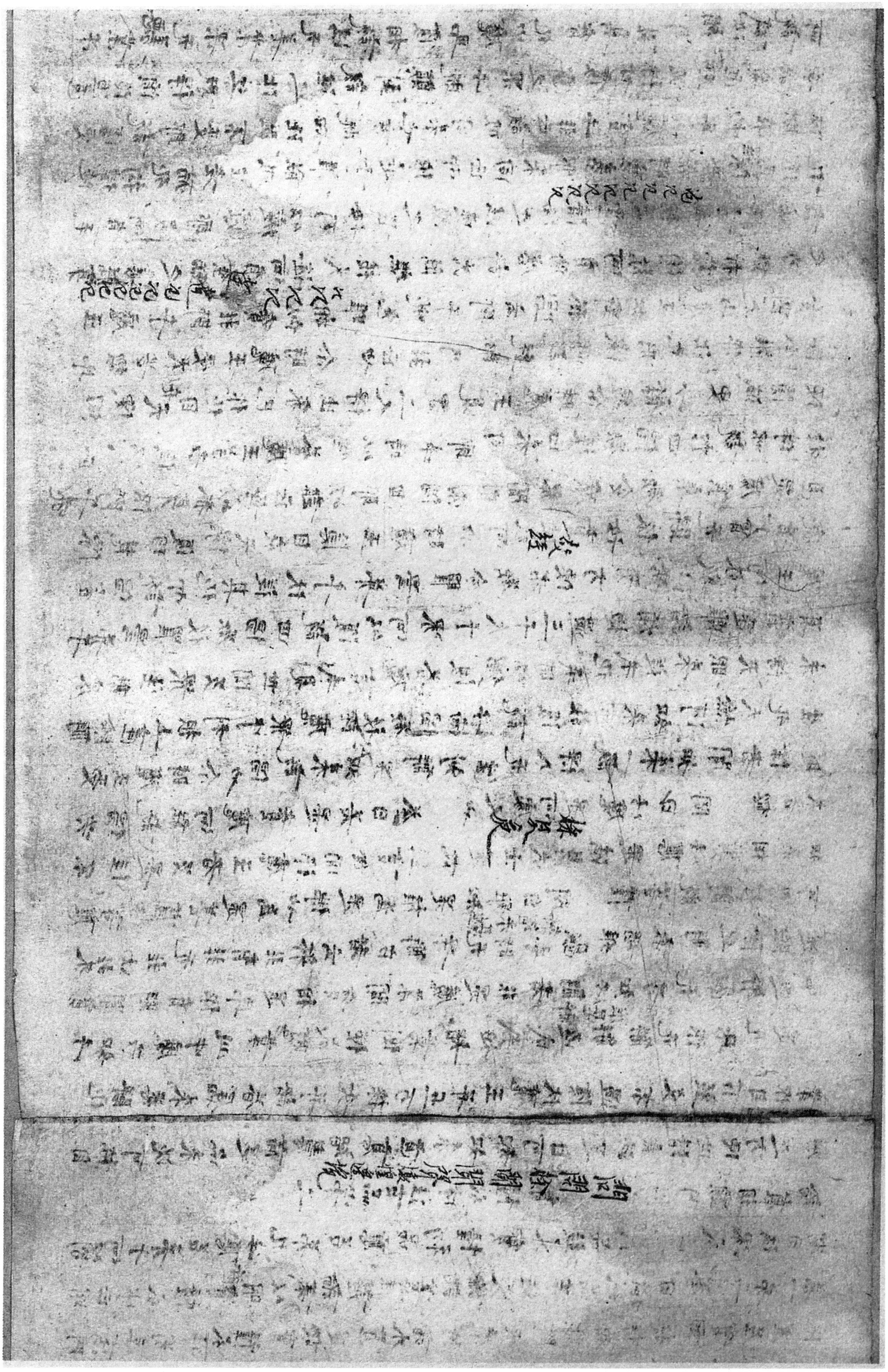

（5–4）

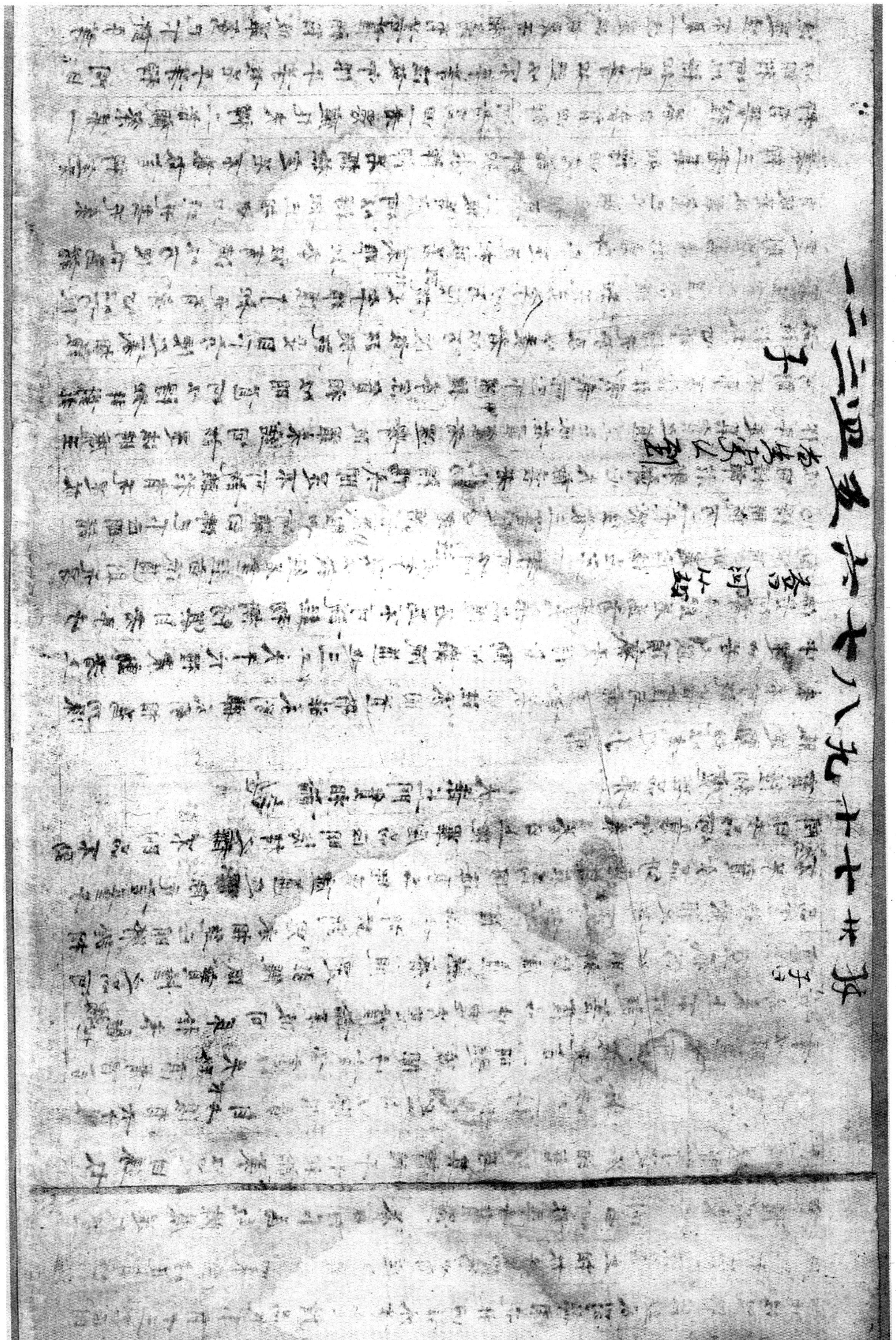

BD03106號背　白畫禽鳥、花邊裝飾圖案及雜寫（擬）

（5–5）

四五佛而種……量千
諸善根聞是章句乃至一念生淨信者須菩
提如來悉知悉見是諸衆生得如是无量
福德何以故是諸衆生无復我相人相衆
相壽者相无法相亦无非法相何以故是諸
衆生若心取相則爲著我人衆生壽者若取
法相即著我人衆生壽者何以故若
相即著我人衆生壽者是
取非法以是義故如來常說
說法如筏喻者法尚應捨何況非法
須菩提於意云何如來得阿耨多羅三藐三
菩提耶如來有所說法耶須菩提言如我解
佛所說義无有定法名阿耨多羅三藐三菩
提亦无有定法如來可說何以故如來所說
法皆不可取不可說非法非非法所以者何
一切賢聖皆以无爲法而有差別
須菩提於意云何若人滿三千大千世界七
寶以用布施是人所得福德寧爲多不須菩
提言甚多世尊何以故是福德即非福德性
是故如來說福德多若復有人於此經中受
持乃至四句偈等爲他人說其福勝彼何以
故須菩提一切諸佛及諸佛阿耨多羅三藐
三菩提法皆從此經出須菩提所謂佛法者
即非佛法

BD03107 號　金剛般若波羅蜜經　　（12–1）

提言甚多世尊何以故是福德即非福德性
是故如來說福德多若復有人於此經中受
持乃至四句偈等爲他人說其福勝彼何以
故須菩提一切諸佛及諸佛阿耨多羅三藐
三菩提法皆從此經出須菩提所謂佛法者
即非佛法
須菩提於意云何須陁洹能作是念我得須
陁洹果不須菩提言不也世尊何以故須陁
洹名爲入流而无所入不入色聲香味觸法
是名須陁洹須菩提於意云何斯陁含能作
是念我得斯陁含果不須菩提言不也世尊
何以故斯陁含名一往來而實无往來是名
斯陁含須菩提於意云何阿那含能作是念
我得阿那含果不須菩提言不也世尊何以
故阿那含名爲不來而實无來是故名阿那
含須菩提於意云何阿羅漢能作是念我得
阿羅漢道不須菩提言不也世尊何以故實
无有法名阿羅漢世尊若阿羅漢作是念我
得阿羅漢道即爲著我人衆生壽者世尊佛
說我得无諍三昧人中最爲第一是第一離
欲阿羅漢我不作是念我是離欲阿羅漢世
尊我若作是念我得阿羅漢道世尊則不說
須菩提是樂阿蘭那行者以須菩提實无所
行而名須菩提是樂阿蘭那行
佛告須菩提於意云何如來昔在然燈佛所
於法有所得不世尊如來在然燈佛所於法
實无所得須菩提於意云何菩薩莊嚴佛土不不
也世尊何以故莊嚴佛土者則非莊嚴是名莊嚴
是故須菩提諸菩薩摩訶薩應如是生清淨

BD03107 號　金剛般若波羅蜜經　　（12–2）

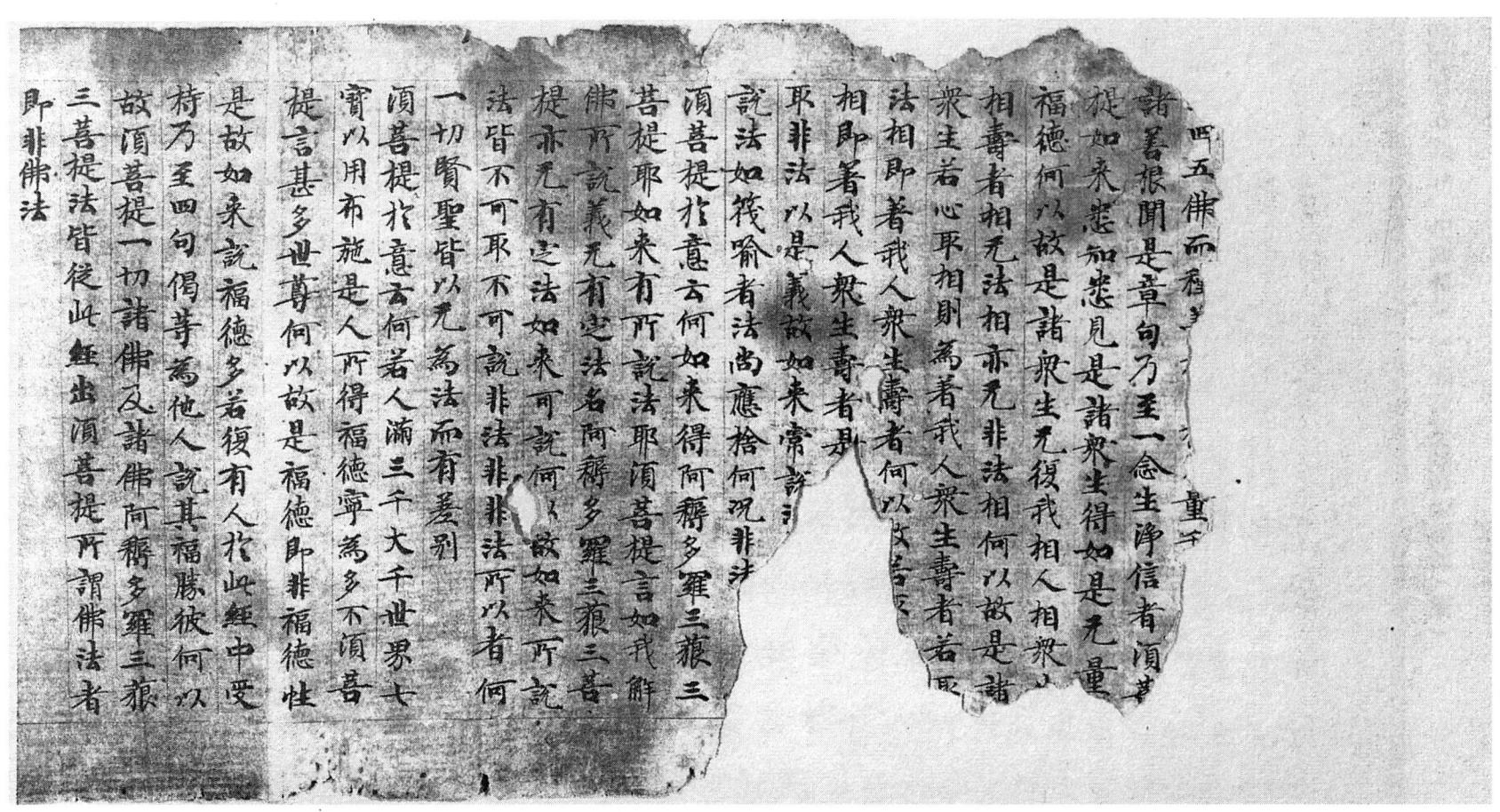

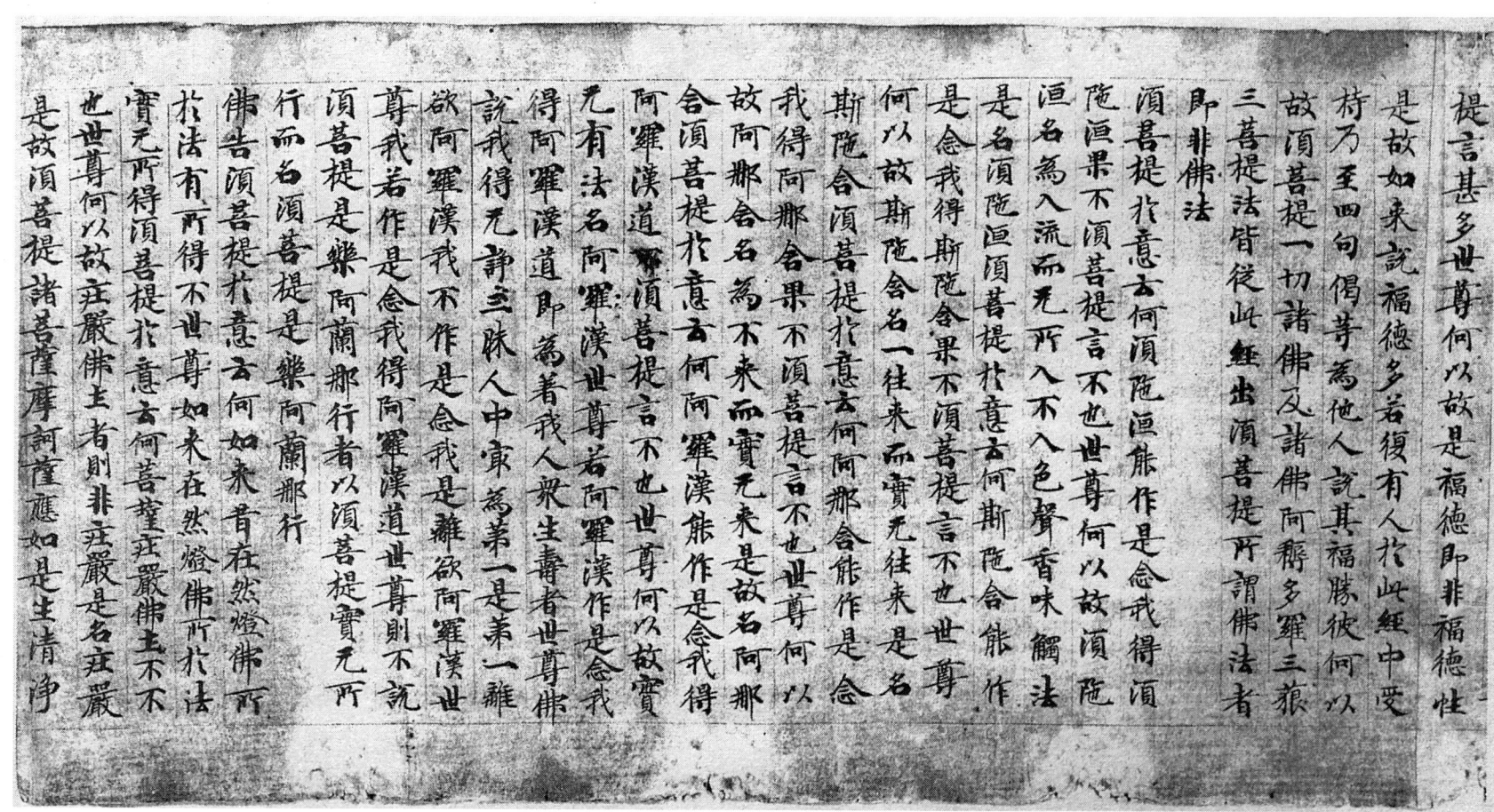

於法有所得不世尊如来在然燈佛所於法
實无所得須菩提於意云何菩薩莊嚴佛土不不
也世尊何以故莊嚴佛土者則非莊嚴是名莊嚴
是故須菩提諸菩薩摩訶薩應如是生清淨
心不應住色生心不應住聲香味觸法生心
應无所住而生其心須菩提譬如有人身如
須弥山王於意云何是身為大不須菩提言
甚大世尊何以故佛說非身是名大身
須菩提如恒河中所有沙數如是沙等恒河
於意云何是諸恒河沙寧為多不須菩提言
甚多世尊但諸恒河尚多无數何況其沙須
菩提我今實言告汝若有善男子善女人以
七寶滿尒所恒河沙數三千大千世界以用
布施得福多不須菩提言甚多世尊佛告須
菩提若善男子善女人於此經中乃至受持
四句偈等為他人說而此福德勝前福德
復次須菩提隨說是經乃至四句偈等當知
此處一切世間天人阿脩羅皆應供養如佛
塔廟何況有人盡能受持讀誦須菩提當知
是人成就最上第一希有之法若是經典所
在之處則為有佛若尊重弟子
尒時須菩提白佛言世尊當何名此經我等
云何奉持佛告須菩提是經名為金剛般若
波羅蜜以是名字汝當奉持所以者何須菩
提佛說般若波羅蜜則非般若波羅蜜須
菩提於意云何如来有所說法不須菩提白
佛言世尊如来无所說須菩提於意云何三千
大千世界所有微塵是為多不須菩提言甚

BD03107 號　金剛般若波羅蜜經　　（12–3）

提佛說般若波羅蜜則非般若波羅蜜須
菩提於意云何如来有所說法不須菩提白
佛言世尊如来无所說須菩提於意云何三千
大千世界所有微塵是為多不須菩提言甚
多世尊須菩提諸微塵如来說非微塵是名
微塵如来說世界非界是名世界須菩提於
意云何可以三十二相見如来不不也世
尊不可以三十二相得見如来何以故如来
說三十二相即是非相是名三十二相
須菩提若有善男子善女人以恒河沙等身
命布施若復有人於此經中乃至受持四句
偈等為他人說其福甚多
尒時須菩提聞說是經深解義趣涕淚悲泣
而白佛言希有世尊佛說如是甚深經典我
從昔来所得慧眼未曾得聞如是之經世尊
若復有人得聞是經信心清淨則生實相當
知是人成就第一希有功德世尊是實相者
則是非相是故如来說名實相世尊我今得
聞如是經典信解受持不足為難若當来世
後五百歲其有衆生得聞是經信解受持
是人則為第一希有何以故此人无我相人相
衆生相壽者相所以者何我相即是非相人
相衆生相壽者相即非相何以故離一切
諸相則名諸佛佛告須菩提如是如是若
復有人得聞是經不驚不怖不畏當知是人甚
為希有何以故須菩提如来說第一波羅蜜非
第一波羅蜜是名第一波羅蜜

BD03107 號　金剛般若波羅蜜經　　（12–4）

[illegible]
復有人得聞是經不驚不怖不畏當知是人甚
為希有何以故須菩提如来說第一波羅蜜非
第一波羅蜜是名第一波羅蜜
須菩提忍辱波羅蜜如来說非忍辱波羅蜜
何以故須菩提如我昔為歌利王割截身體
我於尒時无我相无人相无衆生相无壽者
相何以故我於往昔節節支解時若有我相
人相衆生相壽者相應生瞋恨須菩提又念
過去於五百世作忍辱仙人於尒所世无我
相无人相无衆生相无壽者相是故須菩提
菩薩應離一切相發阿耨多羅三藐三菩提
心不應住色生心不應住聲香味觸法生心
應生无所住心若心有住則為非住是故佛
說菩薩心不應住色布施須菩提菩薩為
利益一切衆生應如是布施如来說一切諸相
即是非相又說一切衆生則非衆生須菩提
如来是真語者實語者如語者不誑語者不
異語者須菩提如来所得法此法无實无虛
須菩提若菩薩心住於法而行布施如人入
闇則无所見若菩薩心不住法而行布施如
人有目日光明照見種種色
須菩提當来之世若有善男子善女人能於此
經受持讀誦則為如来以佛智慧悉知是人
悉見是人皆得成就无量无邊功德
須菩提若有善男子善女人初日分以恒河
沙等身布施中日分復以恒河沙等身布
施後日分亦以恒河沙等身布施如是无量百

BD03107 號　金剛般若波羅蜜經　（12–5）

悉見是人皆得成就无量无邊功德
須菩提若有善男子善女人初日分以恒河
沙等身布施中日分復以恒河沙等身布
施後日分亦以恒河沙等身布施如是无量百
千万億劫以身布施若復有人聞此經典信心
不逆其福勝彼何况書寫受持讀誦為人
解說須菩提以要言之是經有不可思議不可
稱量无邊功德如来為發大乘者說為發最
上乘者說若有人能受持讀誦廣為人說如来
悉知是人悉見是皆得成就不可量不可
稱无有邊不可思議功德如是人等則為荷
擔如来阿耨多羅三藐三菩提何以故須菩
提若樂小法者著我見人見衆生見壽者見
則於此經不能聽受讀誦為人解說須菩提
在在處處若有此經一切世間天人阿脩羅
所應供養當知此處則為是塔皆應恭敬作
礼圍遶以諸華香而散其處
復次須菩提善男子善女人受持讀誦此 經
若為人輕賤是人先世罪業應墮惡道以今
世人輕賤故先世罪業則為消滅當得阿耨
多羅三藐三菩提須菩提我念過去无量阿
僧祇劫於然燈佛前得值八百四千万億那
由他諸佛悉皆供養承事无空過者若復有
人於後末世能受持讀誦此經所得功德於
我所供養諸佛功德百分不及一千万億分
乃至筭數譬喻所不能及須菩提若善男子
善女人於後末世有受持讀誦此經所得功德

BD03107 號　金剛般若波羅蜜經　（12–6）

由他諸佛悉皆供養承事无空過者若復有
人於後末世能受持讀誦此經所得功德於
我所供養諸佛功德百分不及一千万億分
乃至筭數譬喻所不能及須菩提若善男子
善女人於後末世有受持讀誦此經所得功德
我若具說者或有人聞心則狂亂狐疑不信須
菩提當知是經義不可思議果報亦不可思議
尒時須菩提白佛言世尊善男子善女人發
阿耨多羅三藐三菩提心云何應住云何降
伏其心佛告須菩提善男子善女人發阿耨
多羅三藐三菩提者當生如是心我應滅度
一切衆生滅度一切衆生已而无有一衆生
實滅度者何以故若菩薩有我相人相衆生
相壽者相則非菩薩所以者何須菩提實无
有法發阿耨多羅三藐三菩提者
須菩提於意云何如来於然燈佛所有法得
阿耨多羅三藐三菩提不不也世尊如我解
佛所說義佛於然燈佛所无有法得阿耨多
羅三藐三菩提佛言如是如是須菩提實无
有法如来得阿耨多羅三藐三菩提須菩提
若有法如来得阿耨多羅三藐三菩提然燈
佛則不與我受記汝於来世當得作佛号釋
迦牟尼以實无有法得阿耨多羅三藐三菩
提是故然燈佛與我受記作是言汝於来世
當得作佛号釋迦牟尼何以故如来者即諸
法如義若有人言如来得阿耨多羅三藐
三菩提須菩提實无有法佛得阿耨多羅
三藐三菩提須菩提如来所得阿耨多羅三藐

BD03107 號　金剛般若波羅蜜經　（12–7）

當得作佛号釋迦牟尼何以故如来者即諸
法如義若有人言如来得阿耨多羅三藐
三菩提須菩提實无有法佛得阿耨多羅
三藐三菩提須菩提如来所得阿耨多羅三藐
三菩提於是中无實无虛是故如来說一切法皆
是佛法須菩提所言一切法者即非一切法是故名一切
法須菩提譬如人身長大須菩提言世尊如来
說人身長大則為非大身是名大身
須菩提菩薩亦如是若作是言我當滅度无
量衆生則不名菩薩何以故須菩提實无有
法名為菩薩是故佛說一切法无我无人无
衆生无壽者須菩提若菩薩作是言我當
莊嚴佛土是不名菩薩何以故如来說莊嚴
佛土者即非莊嚴是名莊嚴須菩提若菩薩
通達无我法者如来說名真是菩薩
須菩提於意云何如来有肉眼不如是世尊
如来有肉眼須菩提於意云何如来有天眼
不如是世尊如来有天眼須菩提於意云何
如来有慧眼不如是世尊如来有慧眼須菩
提於意云何如来有法眼不如是世尊如来
有法眼須菩提於意云何如来有佛眼不如
是世尊如来有佛眼須菩提於意云何恒河
中所有沙佛說是沙不如是世尊如来說是
沙須菩提於意云何如一恒河中所有沙有
如是等恒河是諸恒河所有沙數佛世界如
是寧為多不甚多世尊佛告須菩提尒所國
土中所有衆生若干種心如来悉知何以故
如来說諸心皆為非心是名為心所以者何

BD03107 號　金剛般若波羅蜜經　（12–8）

如是等恒河是諸恒河所有沙數佛世界如
是寧為多不甚多世尊佛告須菩提尒所國
土中所有衆生若干種心如来悉知何以故
如来說諸心皆為非心是名為心所以者何
須菩提過去心不可得現在心不可得未来
心不可得須菩提於意云何若有人滿三千
大千世界七寶以用布施是人以是因緣得
福多不如是世尊此人以是因緣得福甚多
須菩提若福徳有實如来不說得福徳多
以福徳无故如来說得福徳多
須菩提於意云何佛可以具足色身見不不
也世尊如来不應以具足色身見何以故如
来說具足色身即非具足色身是名具足色
身須菩提於意云何如来可以具足諸相見
不不也世尊如来不應以具足諸相見何以故
如来說諸相具足即非具足是名諸相具
足須菩提汝勿謂如来作是念我當有所說
法莫作是念何以故若人言如来有所說法
即為謗佛不能解我所說故須菩提說法者
无法可說是名說法
須菩提白佛言世尊佛得阿耨多羅三藐三
菩提為无所得耶如是如是須菩提我於阿
耨多羅三藐三菩提乃至无有少法可得是
名阿耨多羅三藐三提復次須菩提是法
平等无有高下是名阿耨多羅三藐三菩提
以无我无人无衆生无壽者脩一切善法則
得阿耨多羅三藐三菩提須菩提所言善
法者如来說非善法是名善法

BD03107 號　金剛般若波羅蜜經　（12–9）

[illegible]
平等无有高下是名阿耨多羅三藐三菩提
以无我无人无衆生无壽者脩一切善法則
得阿耨多羅三藐三菩提須菩提所言善
法者如来說非善法是名善法
須菩提若三千大千世界中所有諸須弥山
王如是等七寶聚有人持用布施若人以此
般若波羅蜜經乃至四句偈等受持讀誦為
他人說於前福徳百分不及一百千万億不
乃至筭數譬喻所不能及
須菩提於意云何汝等勿謂如来作是念我
當度衆生須菩提莫作是念何以故實无有
衆生如来度者若有衆生如来度者如来則
有我人衆生壽者須菩提如来說有我者則
非有我而凡夫之人以為有我須菩提凡夫者
如来說則非凡夫
須菩提於意云何可以三十二相觀如来不須
菩提言如是如是以三十二相觀如来佛言
須菩提若以三十二相觀如来者轉輪聖王則
是如来須菩提白佛言世尊如我解佛所說義
不應以三十二相觀如来尒時世尊而說偈言
若以色見我　以音聲求我　是人行邪道　不能見如来
須菩提汝若作是念如来不以具足相故得
阿耨多羅三藐三菩提須菩提莫作是念如
来不以具足相故得阿耨多羅三藐三菩提須
菩提汝若作是念發阿耨多羅三藐三菩
提者說諸法斷滅相莫作是念何以故發阿耨
多羅三藐三菩提者於法不說斷滅相須菩
[illegible]

BD03107 號　金剛般若波羅蜜經　（12–10）

阿耨多羅三藐三菩提須菩提莫作是念如
来不以具足相故得阿耨多羅三藐三菩提須
菩提汝若作是念發阿耨多羅三藐三菩
提者說諸法斷滅相莫作是念何以故發阿耨
多羅三藐三菩提者於法不說斷滅相須菩
提若菩薩以滿恒河沙等世界七寶布施若
復有人知一切法无我得成於忍此菩薩勝
前菩薩所得功德須菩提以諸菩薩不受福
德故須菩提白佛言世尊云何菩薩不受福德須
菩提菩薩所作福德不應貪著是故說不受福
德須菩提若有人言如来若来若去若坐若卧
是人不解我所說義何以故如来者无所從
来亦无所去故名如来
須菩提若善男子善女人以三千大千世界
碎為微塵於意云何是微塵衆寧為多不甚
多世尊何以故若是微塵衆實有者佛則不
說是微塵衆所以者何佛說微塵衆則非微
塵衆是名微塵衆世尊如来所說三千大千
世界則非世界是名世界何以故若世界實
有者則是一合相如来說一合相則非一合
相是名一合相須菩提一合相者則是不可
說但凡夫之人貪著其事須菩提若人言佛
說我見人見衆生見壽者見須菩提於意云
何是人解我所說義不世尊是人不解如来
所說義何以故世尊說我見人見衆生見壽
者見即非我見人見衆生見壽者見是名我
見人見衆生見壽者見須菩提發阿耨多
羅三藐三菩提心者於一切法應如是知如是

BD03107號　金剛般若波羅蜜經　（12–11）

世界則非世界是名世界何以故若世界實
有者則是一合相如来說一合相則非一合
相是名一合相須菩提一合相者則是不可
說但凡夫之人貪著其事須菩提若人言佛
說我見人見衆生見壽者見須菩提於意云
何是人解我所說義不世尊是人不解如来
所說義何以故世尊說我見人見衆生見壽
者見即非我見人見衆生見壽者見是名我
見人見衆生見壽者見須菩提發阿耨多
羅三藐三菩提心者於一切法應如是知如是
見如是信解不生法相須菩提所言法相者
如来說即非法相是名法相須菩提若有人
以滿无量阿僧祇世界七寶持用布施若有
善男子善女人發菩薩心者持於此經乃至
四句偈等受持讀誦為人演說其福勝彼云何
為人演說不取於相如如不動何以故
一切有為法　如夢幻泡影　如露亦如電　應作如是觀
佛說是經已長老須菩提及諸比丘比丘尼
優婆塞優婆夷一切世間天人阿脩羅聞佛
所說皆大歡喜信受奉行

BD03107號　金剛般若波羅蜜經　（12–12）

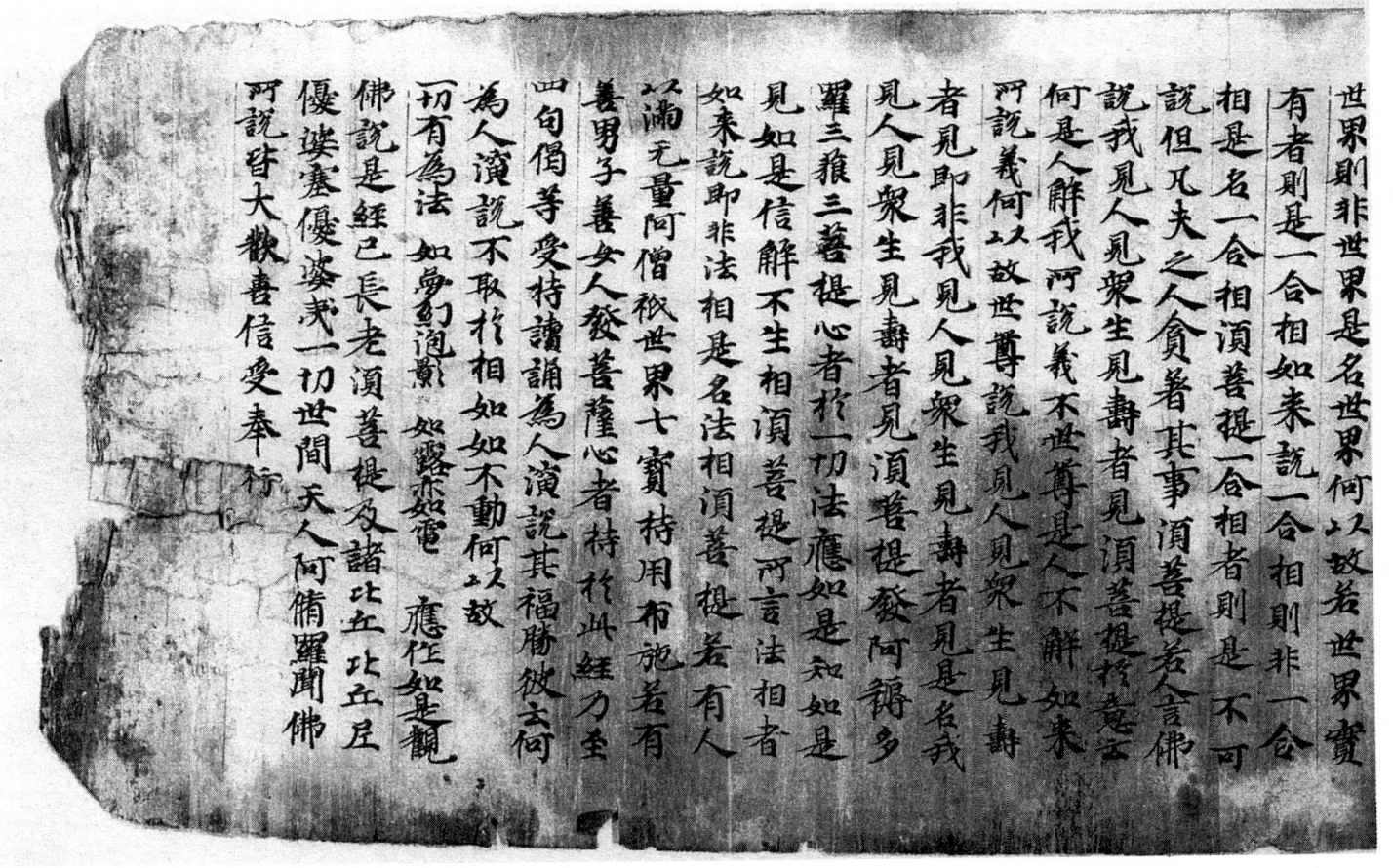

則為供養 我及多寶
寶塔 常遊十方 為是經故
化佛 莊嚴光飾 諸世界者
為見我 多寶如來 及諸化佛
惟 此為難事 宜發大願
沙 雖說此等 未足為難
方 无數佛土 亦未為難
千界 遠擲他國 亦未為難
衆演說 无量餘經 亦未為難
惡世中 能說此經 是則為難
把虛空 而以遊行 亦未為難
自持 若使人書 是則為難
甲上 昇於梵天 亦未為難
於恐世中 暫讀此經 是則為難
負乾草 入中不燒 亦未為難
我滅度後 若持此經 為一人說 是則為難
若持八万 四千法藏 十二部經 為人演說
令諸聽者 得六神通 雖能如是 亦未為難
於我滅後 聽受此經 問其義趣 是則為難
若人說法 令千万億 无量无數 恒沙衆生
得阿羅漢 具六神通 雖有此益 亦未為難
於我滅後 若能奉持 如斯經典 是則為難

BD03108 號　妙法蓮華經卷四　（11–1）

若持八万 四千法藏 十二部經 為人演說
令諸聽者 得六神通 雖能如是 亦未為難
於我滅後 聽受此經 問其義趣 是則為難
若人說法 令千万億 无量无數 恒沙衆生
得阿羅漢 具六神通 雖有此益 亦未為難
於我滅後 若能奉持 如斯經典 是則為難
我為佛道 於无量土 從始至今 廣說諸經
而於其中 此經第一 若有能持 則持佛身
諸善男子 於我滅後 誰能受持 讀誦此經
今於佛前 自說誓言
此經難持 若暫持者 我則歡喜 諸佛亦然
如是之人 諸佛所歎 是則勇猛 是則精進
是名持戒 行頭陀者 則為疾得 无上佛道
能於來世 讀持此經 是真佛子 住純善地
佛滅度後 能解其義 是諸天人 世間之眼
於恐畏世 能須臾說 一切天人 皆應供養
妙法蓮華經提婆達多品第十二
尒時佛告諸菩薩及天人四衆 吾於過去无
量劫中求法華經无有懈惓 於多劫中常
作國王發願求於无上菩提心不退轉為欲滿
足六波羅蜜勤行布施心无悋惜象馬七珎
國城妻子奴婢僕從頭目髓腦身肉手足不
惜軀命時世人民壽命无量為於法故捐捨
國位委政太子擊鼓宣令四方求法誰能為
我說大乘者吾當終身供給走使時有仙人

BD03108 號　妙法蓮華經卷四　（11–2）

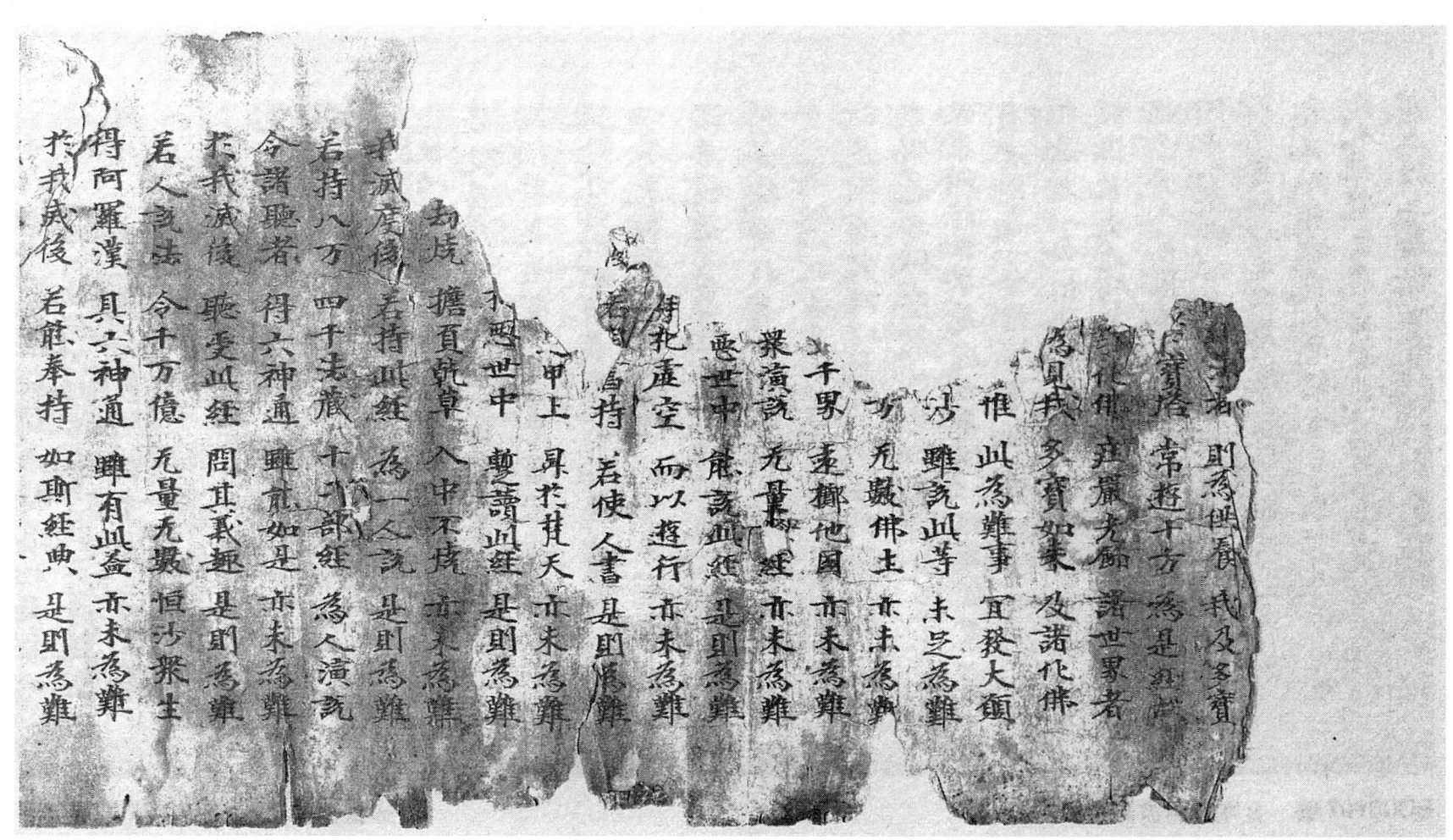

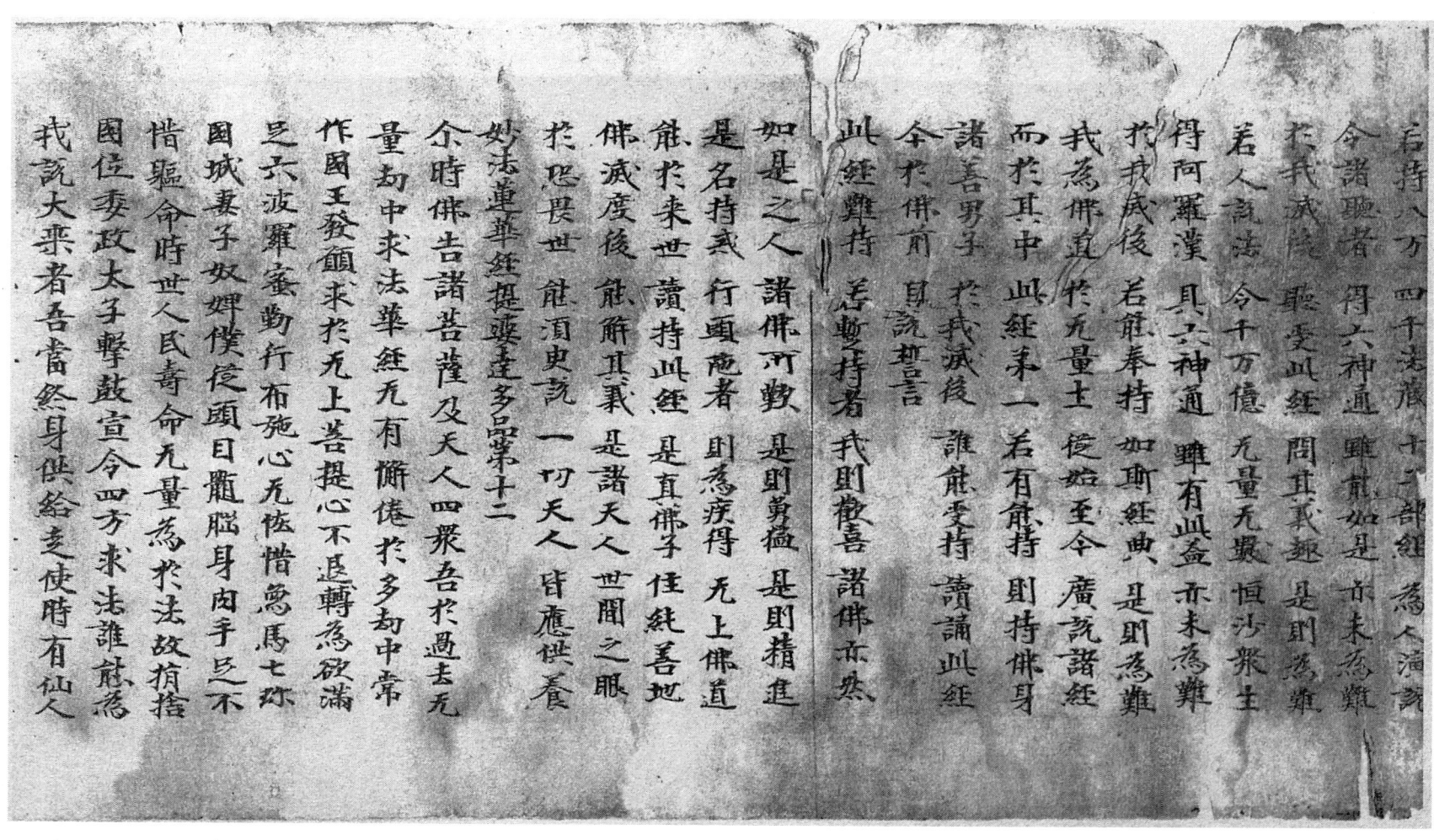

國城妻子奴婢僕從頭目髓腦身肉手足不
惜軀命時世人民壽命无量為於法故捐捨
國位委政太子擊鼓宣令四方求法誰能為
我說大乘者吾當終身供給走使時有仙人
來白王言我有大乘名妙法蓮華經若不違
我當為宣說王聞仙言歡喜踊躍即隨仙人
供給所須採菓汲水拾薪設食乃至以身而
為牀座身心无惓于時奉事經於千歲為
於法故精勤給侍令无所乏尒時世尊欲重宣
此義而說偈言
我念過去世　為求大法故　雖作世國王　不貪五欲樂
椎鍾告四方　誰有大法者　若為我解說　身當為奴僕
時有阿私仙　來白於大王　我有微妙法　世間所希有
若能脩行者　吾當為汝說　時王聞仙言　心生大喜悅
即便隨仙人　供給於所須　採薪及菓蓏　隨時恭敬與
情存妙法故　身心无懈惓　普為諸衆生　勤求於大法
亦不為己身　及以五欲樂　故為大國王　勤求獲此法
遂致得成佛　今故為汝說
佛告諸比丘尒時王者則我身是時仙人者
今提婆達多是由提婆達多善知識故令
我具足六波羅蜜慈悲喜捨三十二相八十種
好紫磨金色十力四无所畏四攝法十八不共
神通道力成等正覺廣度衆生皆因提婆
達多善知識故告諸四衆提婆達多却後過
无量劫當得成佛号曰天王如來應供正遍

我具足六波羅蜜慈悲喜捨三十二相八十種
好紫磨金色十力四无所畏四攝法十八不共
神通道力成等正覺廣度衆生皆因提婆
達多善知識故告諸四衆提婆達多却後過
无量劫當得成佛号曰天王如來應供正遍
知明行足善逝世間解无上士調御丈夫天
人師佛世尊世界名天道時天王佛住世二
十中劫廣為衆生說於妙法恒河沙衆生得
阿羅漢果无量衆生發緣覺心恒河沙衆生
發无上道心得无生法忍至不退轉時天王
佛般涅槃後正法住世二十中劫全身舍利
起七寶塔高六十由旬縱廣四十由旬諸天
人民悉以雜華末香燒香塗香衣服瓔珞幢
幡寶蓋伎樂歌頌礼拜供養七寶妙塔无
量衆生得阿羅漢果无量衆生悟辟支佛不可
思議衆生發菩提心至不退轉佛告諸比丘
未來世中若有善男子善女人聞妙法蓮
華經提婆達多品淨心信敬不生疑惑者
不墮地獄餓鬼畜生生十方佛前所生之處常
聞此經若生人天中受勝妙樂若在佛前蓮
華化生於時下方多寶世尊所從菩薩名曰
智積白多寶佛當還本土釋迦牟尼佛告
智積曰善男子且待須臾此有菩薩名文殊
師利可與相見論說妙法可還本土
尒時文殊師利坐千葉蓮華大如車輪俱來

智積曰善男子且待須臾此有菩薩名文殊
師利可與相見論說妙法可還本土
尒時文殊師利坐千葉蓮華大如車輪俱來
菩薩亦坐寶蓮華從於大海娑竭羅龍宮
自然踊出住虛空中詣靈鷲山從蓮華下至
於佛所頭面敬禮二世尊足修敬已畢往智
積所共相慰問却坐一面智積菩薩問文殊
師利仁往龍宮所化衆生其數幾何文殊師
利言其數无量不可稱計非口所宣非心所測
且待須臾自當有證所言未竟无數菩薩坐
寶蓮華從海踊出詣靈鷲山住在虛空此
諸菩薩皆是文殊師利之所化度具菩薩行皆
共論說六波羅蜜本聲聞人在虛空中說聲
聞行今皆修行大乘空義文殊師利謂智積
曰於海教化其事如此尒時智積菩薩以偈
讚曰
大智德勇健　化度无量衆　今此諸大會　及我皆已見
演暢實相義　開闡一乘法　廣導諸衆生　令速成菩提
文殊師利言我於海中唯常宣說妙法華經
智積問文殊師利言此經甚深微妙諸經中寶
世所希有頗有衆生勤加精進修行此經
速得佛不文殊師利言有娑竭羅龍王女年
始八歲智慧利根善知衆生諸根行業得陁
羅尼諸佛所說甚深秘藏悉能受持深入禪
定了達諸法於剎那頃發菩提心得不退轉

BD03108號　妙法蓮華經卷四　（11-5）

速得佛不文殊師利言有娑竭羅龍王女年
始八歲智慧利根善知衆生諸根行業得陁
羅尼諸佛所說甚深秘藏悉能受持深入禪
定了達諸法於剎那頃發菩提心得不退轉
辯才无㝵慈念衆生猶如赤子功德具足心
念口演微妙廣大慈悲仁讓志意和雅能至
菩提智積菩薩言我見釋迦如來於无量劫
難行苦行積功累德求菩薩道未曾止息觀
三千大千世界乃至无有如芥子許非是菩
薩捨身命處為衆生故然後乃得成菩提道
不信此女於須臾頃便成正覺言論未訖時
龍王女忽現於前頭面禮敬却住一面以偈讚
曰
深達罪福相　遍照於十方　微妙淨法身　具相三十二
以八十種好　用莊嚴法身　天人所戴仰　龍神咸恭敬
一切衆生類　无不宗奉者　又聞成菩提　唯佛當證知
我闡大乘教　度脫苦衆生
時舍利弗語龍女言汝謂不久得无上道是
事難信所以者何女身垢穢非是法器云何
能得无上菩提佛道懸曠經无量劫勤苦積
行具修諸度然後乃成又女身猶有五障一
者不得作梵天王二者帝釋三者魔王四者
轉輪聖王五者佛身云何女身速得成佛尒
時龍女有一寶珠價直三千大千世界持以
上佛佛即受之龍女謂智積菩薩尊者舍利

BD03108號　妙法蓮華經卷四　（11-6）

者不得作梵天王二者帝釋三者魔王四者
轉輪聖王五者佛身云何女身速得成佛尒
時龍女有一寶珠價直三千大千世界持以
上佛佛即受之龍女謂智積菩薩尊者舍利
弗言我獻寶珠世尊納受是事疾不答言甚
疾女言以汝神力觀我成佛復速於此當時衆
會皆見龍女忽然之間變成男子具菩薩行
即往南方无垢世界坐寶蓮華成等正覺
三十二相八十種好普為十方一切衆生演
說妙法尒時娑婆世界菩薩聲聞天龍八部
人與非人皆遥見彼龍女成佛普為時會人
天說法心大歡喜悉遥礼敬无量衆生聞法
解悟得不退轉无量衆生得受道記无垢世
界六反震動娑婆世界三千衆生住不退地
三千衆生發菩提心而得受記智積菩薩
及舍利弗一切衆會默然信受

妙法蓮華經勸持品第十三

尒時藥王菩薩摩訶薩及大樂說菩薩摩
訶薩與二万菩薩眷屬俱皆於佛前作是誓
言唯願世尊不以為慮我等於佛滅後當奉
持讀誦說此經典後惡世衆生善根轉少多
增上慢貪利供養增不善根遠離解脫雖難
可教化我等當起大忍力讀誦此經持說書
寫種種供養不惜身命尒時衆中五百阿羅
漢得受記者白佛言世尊我等亦自誓願於

可教化我等當起大忍力讀誦此經持說書
寫種種供養不惜身命尒時衆中五百阿羅
漢得受記者白佛言世尊我等亦自誓願於
異國土廣說此經復有學无學八千人得受
記者從座而起合掌向佛作是誓言世尊我
等亦當於他國土廣說此經所以者何是娑婆
國中人多弊惡懷增上慢功德淺薄瞋濁諂
曲心不實故
尒時佛姨母摩訶波闍波提比丘尼與學无學
比丘尼六千人俱從座而起一心合掌瞻仰尊
顔目不暫捨於時世尊告憍曇弥何故憂
色而視如来汝心將无謂我不說汝名授阿
耨多羅三藐三菩提記耶憍曇弥我先揔說
一切聲聞皆已授記今汝欲知記者將来之世
當於六万八千億諸佛法中為大法師及
六千學无學比丘尼俱為法師汝如是漸
漸具菩薩道當得作佛号一切衆生喜見如
来應供正遍知明行足善逝世間解无上士
調御丈夫天人師佛世尊憍曇弥是一切衆
生喜見佛及六千菩薩轉次授記得阿耨多
羅三藐三菩提尒時羅睺羅母耶輸陀羅
比丘尼作是念世尊於授記中獨不說我名佛
告耶輸陀羅汝於来世百千万億諸佛法中
脩菩薩行為大法師漸具佛道於善國中當
得作佛号具足千万光相如来應供正遍知

比丘尼作是念世尊於授記中獨不說我名佛
告耶輸陀羅汝於來世百千万億諸佛法中
脩菩薩行為大法師漸具佛道於善國中當
得作佛号具足千万光相如來應供正遍知
明行足善逝世間解无上士調御丈夫天人
師佛世尊佛壽无量阿僧祇劫尒時摩訶
波闍波提比丘尼及耶輸陀羅比丘尼并其眷
屬皆大歡喜得未曾有即於佛前而說偈
言
世尊導師　安隱天人　我等聞記　心安具足
諸比丘尼說是偈已白佛言世尊我等亦能
於他方國土廣宣此經
尒時世尊視八十万億那由他諸菩薩摩訶
薩是諸菩薩皆是阿惟越致轉不退法輪得
諸陀羅尼即從座起至於佛前一心合掌而
作是念若世尊告勅我等持說此經者當
如佛教廣宣斯法復作是念佛今默然不見告
勅我當云何時諸菩薩敬順佛意并欲自滿
本願便於佛前作師子吼而發誓言世尊
我等於如來滅後周旋往反十方世界能令衆
生書寫此經受持讀誦解說其義如法脩行正
憶念皆是佛之威力唯願世尊在於他方遙
見守護即時諸菩薩俱同發聲而說偈言
唯願不為慮　於佛滅度後　恐怖惡世中　我等當廣說
有諸无智人　惡口罵詈等　及加刀杖者　我等皆當忍

BD03108號　妙法蓮華經卷四　（11–9）

憶念皆是佛之威力唯願世尊在於他方遙
見守護即時諸菩薩俱同發聲而說偈言
唯願不為慮　於佛滅度後　恐怖惡世中　我等當廣說
有諸无智人　惡口罵詈等　及加刀杖者　我等皆當忍
惡世中比丘　耶智心諂曲　未得謂為得　我慢心充滿
或有阿練若　納衣在空閑　自謂行真道　輕賤人間者
貪著利養故　與白衣說法　為世所恭敬　如六通羅漢
是人懷惡心　常念世俗事　假名阿練若　好出我等過
而作如是言　此諸比丘等　為貪利養故　說外道論議
自作此經典　誑惑世間人　為求名聞故　分別於是經
常在大衆中　欲毀我等故　向國王大臣　婆羅門居士
及餘比丘衆　誹謗說我惡　謂是耶見人　說外道論議
我等敬佛故　悉忍是諸惡　為斯所輕言　汝等皆是佛
如此輕慢言　皆當忍受之
濁劫惡世中　多有諸恐怖　惡鬼入其身　罵詈毀辱我
我等敬信佛　當著忍辱鎧　為說是經故　忍此諸難事
我不愛身命　但惜无上道　我等於來世　護持佛所囑
世尊自當知　濁世惡比丘　不知佛方便　隨宜所說法
惡口而頻蹙　數數見擯出　遠離於塔寺　如是等衆惡
念佛告勅故　皆當忍是事
諸聚落城邑　其有求法者　我皆到其所　說佛所囑法
我是世尊使　處衆无所畏　我當善說法　願佛安隱住
我於世尊前　諸來十方佛　發如是誓言　佛自知我心
妙法蓮華經卷第四

BD03108號　妙法蓮華經卷四　（11–10）

常在大眾中　欲毀我等故　向國王大臣　婆羅門居士
及餘比丘眾　誹謗說我惡　謂是邪見人　說外道論議
我等敬佛故　悉忍是諸惡　為斯所輕言　汝等皆是佛
如此輕慢言　皆當忍受之
濁劫惡世中　多有諸恐怖　惡鬼入其身　罵詈毀辱我
我等敬信佛　當著忍辱鎧　為說是經故　忍此諸難事
我不愛身命　但惜無上道　我等於來世　護持佛所囑
世尊自當知　濁世惡比丘　不知佛方便　隨宜所說法
惡口而顰蹙　數數見擯出　遠離於塔寺　如是等眾惡
念佛告勑故　皆當忍是事
諸聚落城邑　其有求法者　我皆到其所　說佛所囑法
我是世尊使　處眾無所畏　我當善說法　願佛安隱住
我於世尊前　諸來十方佛　發如是誓言　佛自知我心

妙法蓮華經卷第四

BD03108 號　妙法蓮華經卷四　　(11–11)

黃金精舍滿於三千大千世界復有一人造紫
磨黃金精舍亦滿三千大千世界如此二人功
德云何阿難言紫磨黃金功德甚多佛言阿難
若復有人造栴檀像及香木像滿於三千大千
世界供養禮拜復有人造紫磨黃金及七寶像
亦滿三千大千世界供養禮拜於此二人功德
云何阿難言七寶紫磨黃金像者功德甚多佛
言阿難若復有人起大心施持七寶庫藏并及
妻子持用布施復有一人持頭目身體并及難
得七寶庫藏持用布施此等二人功德云何阿難
言難得七寶身體妻子者多佛言復有一人書
寫十二部經流通世間使人讀誦滿於三千大千
世界復有一人執文如讀於文通利亦滿三千大千
世界於此二人功德云何阿難言執文者多佛言
復有一人能誦十二部經悉皆通利不解深義其
經卷亦滿三千大千世界復有一人讀誦十二部
經悉皆通利并復解說深義亦滿三千大千世界
於此二人功德云何阿難言讀誦解說其功德甚
多佛告阿難若復有人解說十二部經不行布
施[illegible]

BD03109 號　最妙勝定經　　(2–1)

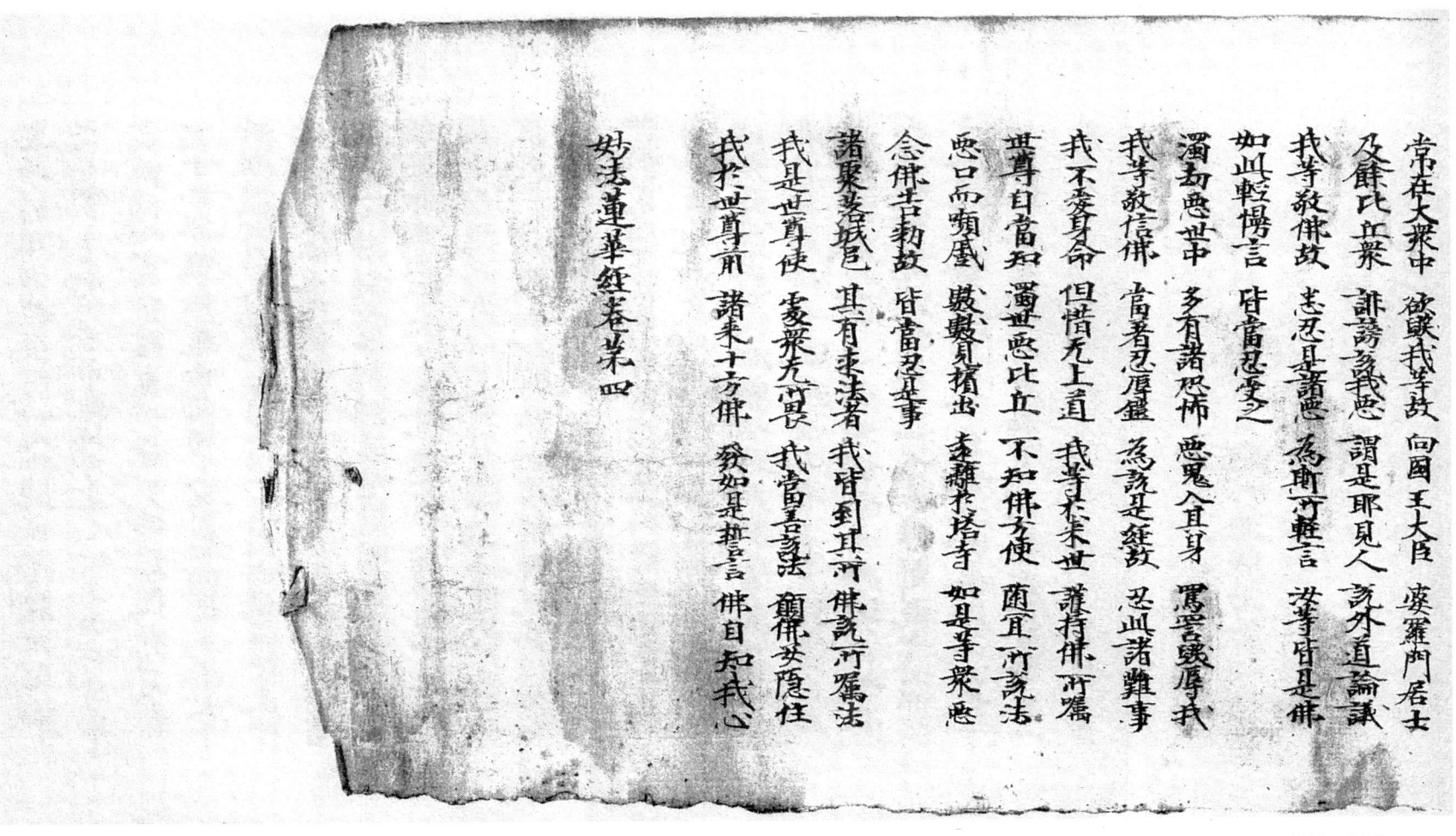

妻子持用布施復有一人持頭目身體并及難
得七寶庫藏持用布施此等二人功德去何阿難
言難得七寶身體妻子者多佛言復有一人書
寫十二部經流通世間使人讀誦滿於三千大千
世界復有一人執文如讀於文通利亦滿三千大千
世界於此二人功德去何阿難言執文者多佛言
復有一人能誦十二部經悉皆通利不解深義其
經卷亦滿三千大千世界復有一人讀誦十二部
經悉皆通利并復解說深義亦滿三千大千世界
於此二人功德去何阿難言讀誦解說其功德甚
多佛告阿難若復有人解說十二部經不行布
施持戒忍辱慈悲喜捨復有一人解說十二部經
廣行布施持戒忍辱慈悲喜捨於諸眾生等
心如子而此二人功德去何阿難言其慈悲喜
捨持戒忍辱布施眾生功德甚多佛言阿難
若有一人解說十二部經講說十五違他論為
人宣說流通於世復有一人善能解說十二部經
十五違他論所謂生論定論五陰論十二入論十
八門論大空論日月論月愛論莊嚴論第一
義空金剛心論種智論姓定三空門論復能布

BD03109號　最妙勝定經　（2–2）

由他阿僧
世界說法教
他阿僧祇國導
聞我說燃燈佛等
如是皆以方便分別諸
有眾生來至我所我以佛眼觀其
信等諸根利鈍隨所應度處處自說名字不
同年紀大小亦復現言當入涅槃又以種種
方便說微妙法能令眾生發歡喜心諸善男
子如來見諸眾生樂於小法德薄垢重者為
是人說我少出家得阿耨多羅三藐三菩提
然我實成佛已來久遠若斯但以方便教化
眾生令入佛道作如是說諸善男子如來所
演經典皆為度脫眾生或說己身或說他身
或示己身或示他身或示己事或示他事諸
所言說皆實不虛所以者何如來如實知見
三界之相无有生死若退若出亦无在世及
滅度者非實非虛非如非異不如三界見於
三界如斯之事如來明見无有錯謬以諸眾
生有種種性種種欲種種行種種憶想分別

BD03110號　妙法蓮華經卷五　（12–1）

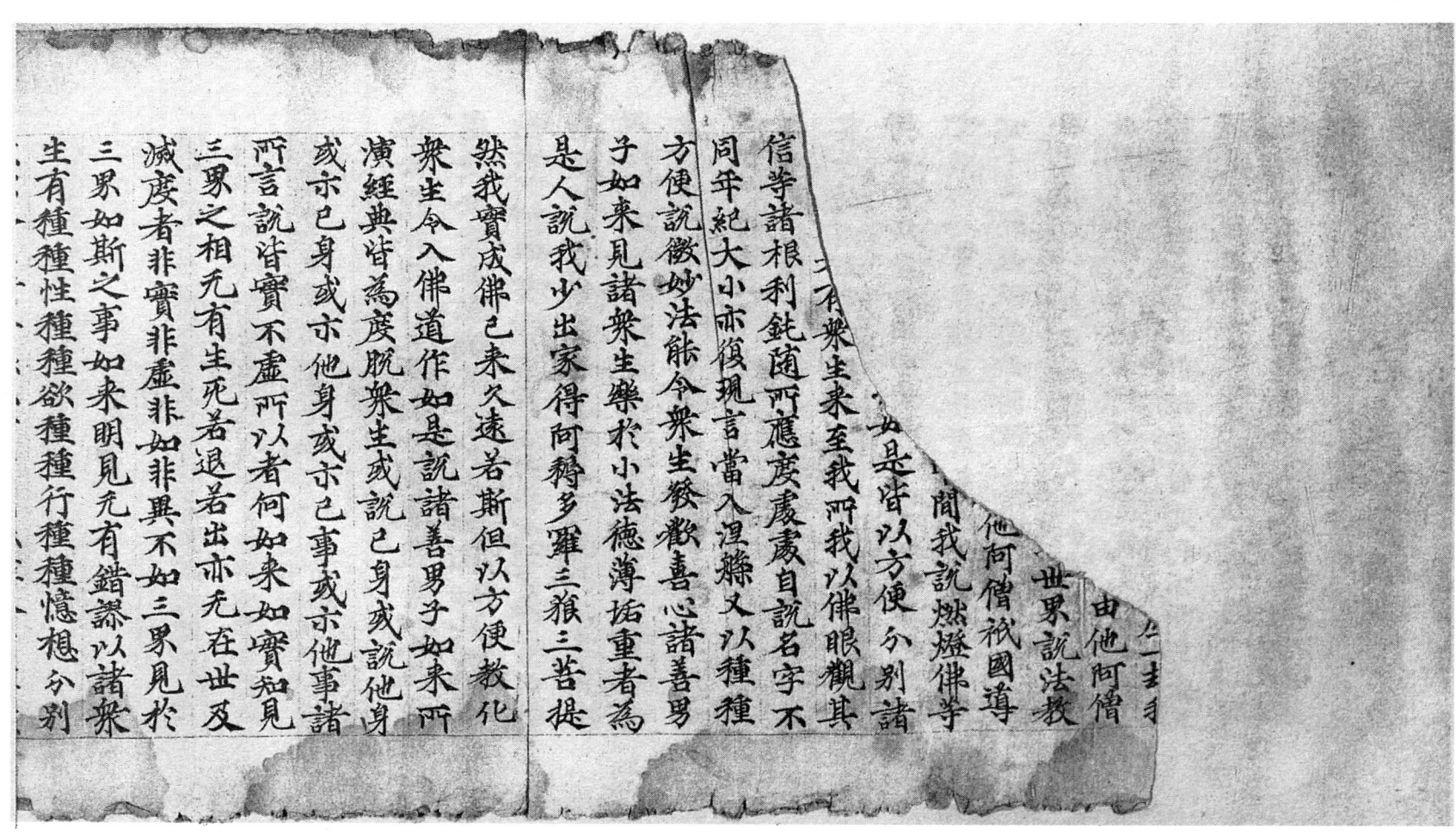

三界之相无有生死若退若出亦无在世及
滅度者非實非虛非如非異不如三界見於
三界如斯之事如來明見无有錯謬以諸衆
生有種種性種種欲種種行種種憶想分別
故欲令生諸善根以若干因緣譬喻言辭種
種說法所作佛事未曾暫廢如是我成佛已
來甚大久遠壽命无量阿僧祇劫常住不滅
諸善男子我本行菩薩道所成壽命今猶未
盡復倍上數然今非實滅度而便唱言當取
滅度如來以是方便教化衆生所以者何若
佛久住於世薄德之人不種善根貧窮下賤
貪著五欲入於憶想妄見網中若見如來常
在不滅便起憍恣而懷猒怠不能生難遭之
想恭敬之心是故如來以方便說比丘當知
諸佛出世難可值遇所以者何諸薄德人過
无量百千万億劫或有見佛或不見者以此
事故我作是言諸比丘如來難可得見斯衆
生等聞如是語必當生於難遭之想心懷戀慕
渴仰於佛便種善根是故如來雖不實滅
而言滅度又善男子諸佛如來法皆如是為
度衆生皆實不虛譬如良醫智慧聰達明練
方藥善治衆病其人多諸子息若十二十乃
至百數以有事緣遠至餘國諸子於後飲他
毒藥藥發悶亂宛轉于地是時其父還來歸
家諸子飲毒或失本心或不失者遙見其父
皆大歡喜拜跪問訊善安隱歸我等愚癡誤

BD03110號　妙法蓮華經卷五　（12–2）

至百數以有事緣遠至餘國諸子於後飲他
毒藥藥發悶亂宛轉于地是時其父還來歸
家諸子飲毒或失本心或不失者遙見其父
皆大歡喜拜跪問訊善安隱歸我等愚癡誤
服毒藥願見救療更賜壽命父見子等苦惱
如是依諸經方求好藥草色香美味皆悉具
足擣篩和合與子令服而作是言此大良藥
色香美味皆悉具足汝等可服速除苦惱无
復衆患其諸子中不失心者見此良藥色香
俱好即便服之病盡除愈餘失心者見其父
來雖亦歡喜問訊求索治病然與其藥而不
肯服所以者何毒氣深入失本心故於此好
色香藥而謂不美父作是念此子可愍為毒
所中心皆顛倒雖見我喜求索救療如是好
藥而不肯服我今當設方便令服此藥即作
是言汝等當知我今衰老死時已至是好良
藥今留在此汝可取服勿憂不差作是教已
復至他國遣使還告汝父已死是時諸子聞
父背喪心大憂惱而作是念若父在者慈愍
我等能見救護今者捨我遠喪他國自惟孤
露无復恃怙常懷悲感心遂醒悟乃知此藥
色味香美即取服之毒病皆愈其父聞子悉
已得差尋便來歸咸使見之諸善男子於意
云何頗有人能說此良醫虛妄罪不不也世
尊佛言我亦如是成佛已來无量无邊百千
万億那由他阿僧祇劫為衆生故以方便力

BD03110號　妙法蓮華經卷五　（12–3）

已得差尋便来歸咸使見之諸善男子於意
云何頗有人能説此良醫虚妄罪不不也世
尊佛言我亦如是成佛已来无量无邊百千
万億那由他阿僧祇劫為衆生故以方便力
言當滅度亦无有能如法説我虚妄過者尒
時世尊欲重宣此義而説偈言
自我得佛来　所經諸劫數　无量百千万　億載阿僧祇
常説法教化　无數億衆生　令入於佛道　尒来无量劫
為度衆生故　方便現涅槃　而實不滅度　常住此説法
我常住於此　以諸神通力　令顛倒衆生　雖近而不見
衆見我滅度　廣供養舎利　咸皆懐戀慕　而生渇仰心
衆生既信伏　質直意柔軟　一心欲見佛　不自惜身命
時我及衆僧　倶出靈鷲山　我時語衆生　常在此不滅
以方便力故　現有滅不滅　餘國有衆生　恭敬信樂者
我復於彼中　為説无上法　汝等不聞此　但謂我滅度
我見諸衆生　没在於苦惱　故不為現身　令其生渇仰
因其心戀慕　乃出為説法　神通力如是　於阿僧祇劫
常在靈鷲山　及餘諸住處　衆生見劫盡　大火所焼時
我此土安隠　天人常充滿　園林諸堂閣　種種寶莊嚴
寶樹多華菓　衆生所遊樂　諸天擊天鼓　常作衆伎樂
雨曼陁羅華　散佛及大衆　我淨土不毁　而衆見焼盡
憂怖諸苦惱　如是悉充滿　是諸罪衆生　以悪業因縁
過阿僧祇劫　不聞三寶名　諸有脩功徳　柔和質直者
則皆見我身　在此而説法　或時為此衆　説佛壽无量
久乃見佛者　為説佛難值　我智力如是　慧光照无量
壽命无數劫　久脩業所得　汝等有智者　勿於此生疑

BD03110號　妙法蓮華經卷五　（12–4）

過阿僧祇劫　不聞三寶名　諸有脩功徳　柔和質直者
則皆見我身　在此而説法　或時為此衆　説佛壽无量
久乃見佛者　為説佛難值　我智力如是　慧光照无量
壽命无數劫　久脩業所得　汝等有智者　勿於此生疑
當斷令永盡　佛語實不虚　如醫善方便　為治狂子故
實在而言死　无能説虚妄　我亦為世父　救諸苦患者
為凡夫顛倒　實在而言滅　以常見我故　而生憍恣心
放逸著五欲　墮於悪道中　我常知衆生　行道不行道
随應所可度　為説種種法　毎自作是意　以何令衆生
得入无上道　速成就佛身

妙法蓮華經分別功徳品第十七

尒時大會聞佛説壽命劫數長遠如是无量
无邊阿僧祇衆生得大饒益於時世尊告弥
勒菩薩摩訶薩阿逸多我説是如来壽命長
遠時六百八十万億那由他恒河沙衆生得
无生法忍復千倍菩薩摩訶薩得聞持陁羅
尼門復有一世界微塵數菩薩摩訶薩得樂
説无礙辯才復有一世界微塵數菩薩摩訶
薩得百万億无量旋陁羅尼復有三千大千
世界微塵數菩薩摩訶薩能轉不退法輪復
有二千中國土微塵數菩薩摩訶薩能轉清
淨法輪復有小千國土微塵數菩薩摩訶薩
八生當得阿耨多羅三藐三菩提復有四四
天下微塵數菩薩摩訶薩四生當得阿耨多
羅三藐三菩提復有三四天下微塵數菩薩
摩訶薩三生當得阿耨多羅三藐三菩提復

BD03110號　妙法蓮華經卷五　（12–5）

八生當得阿耨多羅三藐三菩提復有四四
天下微塵數菩薩摩訶薩四生當得阿耨多
羅三藐三菩提復有三四天下微塵數菩薩
摩訶薩三生當得阿耨多羅三藐三菩提復
有二四天下微塵數菩薩摩訶薩二生當得
阿耨多羅三藐三菩提復有一四天下微塵
數菩薩摩訶薩一生當得阿耨多羅三藐三
菩提復有八世界微塵數衆生皆發阿耨多
羅三藐三菩提心佛說是諸菩薩摩訶薩得
大法利時於虛空中雨曼陁羅華摩訶曼陁
羅華以散无量百千万億寶樹下師子座上
諸佛并散七寶塔中師子座上釋迦牟尼佛
及久滅度多寶如來亦散一切諸大菩薩及
四部衆又雨細末栴檀沉水香等於虛空中
天鼓自鳴妙聲深遠又雨千種天衣垂諸瓔
珞真珠瓔珞摩尼珠瓔珞如意珠瓔珞遍於
九方衆寶香爐燒无價香自然周至供養大
會一一佛上有諸菩薩執持幡蓋次第而上
至于梵天是諸菩薩以妙音聲歌无量頌讚
歎諸佛尒時弥勒菩薩從座而起偏袒右肩
合掌向佛而說偈言
佛說希有法　昔所未曾聞　世尊有大力　壽命不可量
无數諸佛子　聞世尊分別　說得法利者　歡喜充遍身
或住不退地　或得陁羅尼　或无礙樂說　万億旋總持
或有大千界　微塵數菩薩　各各皆能轉　不退之法輪
或有中千界　微塵數菩薩　各各皆能轉　清淨之法輪

无數諸佛子　聞世尊分別　說得法利者　歡喜充遍身
或住不退地　或得陁羅尼　或无礙樂說　万億旋總持
或有大千界　微塵數菩薩　各各皆能轉　不退之法輪
或有中千界　微塵數菩薩　各各皆能轉　清淨之法輪
復有小千界　微塵數菩薩　餘各八生在　當得成佛道
復有四三二　如是四天下　微塵諸菩薩　隨數生成佛
或一四天下　微塵數菩薩　餘有一生在　當成一切智
如是等衆生　聞佛壽長遠　得无量无漏　清淨之果報
復有八世界　微塵數衆生　聞佛說壽命　皆發无上心
世尊說无量　不可思議法　多有所饒益　如虛空无邊
雨天曼陁羅　摩訶曼陁羅　釋梵如恒沙　无數佛土來
雨栴檀沉水　繽紛而亂墜　如鳥飛空下　供散於諸佛
天鼓虛空中　自然出妙聲　天衣千万種　旋轉而來下
衆寶妙香爐　燒无價之香　自然悉周遍　供養諸世尊
其大菩薩衆　執七寶幡蓋　高妙万億種　次第至梵天
一一諸佛前　寶幢懸勝幡　亦以千万偈　歌詠諸如來
如是種種事　昔所未曾有　聞佛壽无量　一切皆歡喜
佛名聞十方　廣饒益衆生　一切具善根　以助无上心
尒時佛告弥勒菩薩摩訶薩阿逸多其有衆
生聞佛壽命長遠如是乃至能生一念信解
所得功德无有限量若有善男子善女人為
阿耨多羅三藐三菩提於八十万億那由他
劫行五波羅蜜檀波羅蜜尸羅波羅蜜羼提
波羅蜜毗梨耶波羅蜜禪波羅蜜除般若波
羅蜜以是功德比前功德百分千分百千万
億分不及其一乃至筭數譬喻所不能知若

劫行五波羅蜜檀波羅蜜尸羅波羅蜜羼提
波羅蜜毗梨耶波羅蜜禪波羅蜜除般若波
羅蜜以是功德比前功德百分千分百千万
億分不及其一乃至筭數譬喻所不能知若
善男子有如是功德於阿耨多羅三藐三菩
提退者无有是處尒時世尊欲重宣此義而
說偈言
若人求佛慧　於八十万億　那由他劫數　行五波羅蜜
於是諸劫中　布施供養佛　及緣覺弟子　并諸菩薩眾
珍異之飲食　上服與臥具　栴檀立精舍　以園林莊嚴
如是等布施　種種皆微妙　盡此諸劫數　以迴向佛道
若復持禁戒　清淨无缺漏　求於无上道　諸佛之所歎
若復行忍辱　住於調柔地　設眾惡來加　其心不傾動
諸有得法者　懷於增上慢　為此所輕惱　如是亦能忍
若復勤精進　志念常堅固　於无量億劫　一心不懈息
又於无數劫　住於空閑處　若坐若經行　除睡常攝心
以是因緣故　能生諸禪定　八十億万劫　安住心不亂
持此一心福　願求无上道　我得一切智　盡諸禪定際
是人於百千　万億劫數中　行此諸功德　如上之所說
有善男女等　聞我說壽命　乃至一念信　其福過於彼
若人悉无有　一切諸疑悔　深心須臾信　其福為如此
其有諸菩薩　无量劫行道　聞我說壽命　是則能信受
如是諸人等　頂受此經典　願我於未來　長壽度眾生
如今日世尊　諸釋中之王　道場師子吼　說法无所畏
我等未來世　一切所尊敬　坐於道場時　說壽亦如是
若有深心者　清淨而質直　多聞能總持　隨義解佛語

BD03110 號　妙法蓮華經卷五　（12–8）

如今日世尊　諸釋中之王　道場師子吼　說法无所畏
我等未來世　一切所尊敬　坐於道場時　說壽亦如是
若有深心者　清淨而質直　多聞能總持　隨義解佛語
如是諸人等　於此无有疑
又阿逸多若有聞佛壽命長遠解其言趣是
人所得功德无有限量能起如來无上之慧
何況廣聞是經若教人聞若自持若教人持
若自書若教人書若以華香瓔珞幢幡繒蓋
香油蘇燈供養經卷是人功德无量无邊能
生一切種智阿逸多若善男子善女人聞我
說壽命長遠深心信解則為見佛常在耆闍
崛山共大菩薩諸聲聞眾圍繞說法又見此
娑婆世界其地瑠璃坦然平正閻浮檀金以
界八道寶樹行列諸臺樓觀皆悉寶成其菩
薩眾咸處其中若有能如是觀者當知是為
深信解相又復如來滅後若聞是經而不毀
呰起隨喜心當知已為深信解相何況讀誦
受持之者斯人則為頂戴如來阿逸多是善
男子善女人不須為我復起塔寺及作僧坊
以四事供養眾僧所以者何是善男子善女
人受持讀誦是經典者為已起塔造立僧坊
供養眾僧則為以佛舍利起七寶塔高廣漸
小至于梵天懸諸幡蓋及眾寶鈴華香瓔珞
末香塗香燒香眾鼓伎樂簫笛箜篌種種儛
戲以妙音聲歌唄讚頌則為於无量千万億

BD03110 號　妙法蓮華經卷五　（12–9）

佛舍利起七寶塔高廣漸
小至于梵天懸諸幡蓋及衆寶鈴華香瓔珞
末香塗香燒香衆皷伎樂簫笛箜篌種種儛
戲以妙音聲歌唄讃頌則爲於无量千万億
劫作是供養已阿逸多若我滅後聞是經典
有能受持若自書若教人書則爲起立僧坊
以赤栴檀作諸殿堂三十有二高八多羅樹
高廣嚴好百千比丘於其中止園林浴池經
行禪窟衣服飲食床褥湯藥一切樂具充滿
其中如是僧坊堂閣若干百千万億其數无
量以此現前供養於我及比丘僧是故我說
如來滅後若有受持讀誦爲他人說若自書
若教人書供養經卷不須復起塔寺及造僧
坊供養衆僧況復有人能持是經兼行布施
持戒忍辱精進一心智慧其德最勝无量无
邊譬如虛空東西南北四維上下无量无邊
是人功德亦復如是无量无邊疾至一切種
智若人讀誦受持是經爲他人說若自書若
教人書復能起塔及造僧坊供養讃歎聲聞
衆僧亦以百千万億讃歎之法讃歎菩薩功
德又爲他人種種因緣隨義解說此法華經
復能清淨持戒與柔和者而共同止忍辱无
瞋志念堅固常貴坐禪得諸深定精進勇猛
攝諸善法利根智慧善荅問難阿逸多若我
滅後諸善男子善女人受持讀誦是經典者
復有如是諸善功德當知是人已趣道場近
阿耨多羅三藐三菩提坐道樹下阿逸多是

復能清淨持戒與柔和者而共同止忍辱无
瞋志念堅固常貴坐禪得諸深定精進勇猛
攝諸善法利根智慧善荅問難阿逸多若我
滅後諸善男子善女人受持讀誦是經典者
復有如是諸善功德當知是人已趣道場近
阿耨多羅三藐三菩提坐道樹下阿逸多是
善男子若坐若立若行處此中便應起塔一
切天人皆應供養如佛之塔尒時世尊欲重
宣此義而說偈言
若我滅度後　能奉持此經　斯人福无量　如上之所說
是則爲具足　一切諸供養　以舍利起塔　七寶而莊嚴
表刹甚高廣　漸小至梵天　寶鈴千万億　風動出妙音
又於无量劫　而供養此塔　華香諸瓔珞　天衣衆伎樂
燃香油蘇燈　周帀常照明　惡世法末時　能持是經者
則爲已如上　具足諸供養　若能持此經　則如佛現在
以牛頭栴檀　起僧坊供養　堂有三十二　高八多羅樹
上饌妙衣服　床臥皆具足　百千衆住處　園林諸流池
經行及禪窟　種種皆嚴好　若有信解心　受持讀誦書
若復教人書　及供養經卷　散華香末香　以須曼瞻蔔
阿提目多伽　薰油常燃之　如是供養者　得无量功德
如虛空无邊　其福亦如是　況復持此經　兼布施持戒
忍辱樂禪定　不瞋不惡口　恭敬於塔廟　謙下諸比丘
遠離自高心　常思惟智慧　有問難不瞋　隨順爲解說
若能行是行　功德不可量　若見此法師　成就如是德
應以天華散　天衣覆其身　頭面接足礼　生心如佛想
又應作是念　不久詣道樹　得无漏无爲　廣利諸人天

以牛頭栴檀 起僧坊供養 堂有三十二 高八多羅樹
上饌妙衣服 床卧皆具足 百千眾住處 園林諸流池
經行及禪窟 種種皆嚴好 若有信解心 受持讀誦書
若復教人書 及供養經卷 散華香末香 以須曼瞻蔔
阿提目多伽 薰油常燃之 如是供養者 得无量功德
如虛空无邊 其福亦如是 況復持此經 兼布施持戒
忍辱樂禪定 不瞋不惡口 恭敬於塔廟 謙下諸比丘
遠離自高心 常思惟智慧 有問難不瞋 隨順為解說
若能行是行 功德不可量 若見此法師 成就如是德
應以天華散 天衣覆其身 頭面接足禮 生心如佛想
又應作是念 不久詣道樹 得无漏无為 廣利諸人天
其所住止處 經行若坐卧 乃至說一偈 是中應起塔
莊嚴令妙好 種種以供養 佛子住此地 則是佛受用
常在於其中 經行及坐卧

妙法蓮華經卷第五

BD03110號　妙法蓮華經卷五　（12–12）

淨故一切智智清淨何以故一來果清淨若
預流果清淨若一切智智清淨無二無二分
無別無斷故一來果清淨故不還阿羅漢果
清淨不還阿羅漢果清淨故一切智智清淨
何以故若一來果清淨若不還阿羅漢果清
淨若一切智智清淨無二無二分無別無斷
故善現一來果清淨故獨覺菩提清淨獨覺
菩提清淨故一切智智清淨何以故若一來
果清淨若獨覺菩提清淨若一切智智清淨
無二無二分無別無斷故善現一來果清淨
無一切菩薩摩訶薩行清淨一切菩薩摩訶
薩行清淨故一切智智清淨何以故若一來
果清淨若一切菩薩摩訶薩行清淨若一切
智智清淨無二無二分無別無斷故善現一
來果清淨故諸佛無上正等菩提清淨諸佛
無上正等菩提清淨故一切智智清淨何以
故若一來果清淨若諸佛無上正等菩提清
淨若一切智智清淨無二無二分無別無斷
故
復次善現不還果清淨故色清淨色清淨故
一切智智清淨何以故若不還果清淨若色

BD03111號　大般若波羅蜜多經卷二四二　（13–1）

無上正等菩提清淨故一切智智清淨何以
故若一來果清淨若諸佛無上正等菩提清
淨若一切智智清淨無二無二分無別無斷
故
復次善現不還果清淨故色清淨色清淨故
一切智智清淨何以故若不還果清淨若色
清淨若一切智智清淨無二無二分無別無
斷故不還果清淨故受想行識清淨受想行
識清淨故一切智智清淨何以故若不還果
清淨若受想行識清淨若一切智智清淨無
二無二分無別無斷故善現不還果清淨故
眼處清淨眼處清淨故一切智智清淨何以
故若不還果清淨若眼處清淨若一切智智
清淨無二無二分無別無斷故不還果清淨
故耳鼻舌身意處清淨耳鼻舌身意處清淨
故一切智智清淨何以故若不還果清淨若
耳鼻舌身意處清淨若一切智智清淨無二
無二分無別無斷故善現不還果清淨故色
處清淨色處清淨故一切智智清淨何以故
若不還果清淨若色處清淨若一切智智清
淨無二無二分無別無斷故不還果清淨故
聲香味觸法處清淨聲香味觸法處清淨故
一切智智清淨何以故若不還果清淨若聲
香味觸法處清淨若一切智智清淨無二無
二分無別無斷故善現不還果清淨故眼界
清淨眼界清淨故一切智智清淨何以故若
不還果清淨若眼界清淨若一切智智清淨
無二無二分無別無斷故不還果清淨

BD03111號　大般若波羅蜜多經卷二四二　（13–2）

香味觸法處清淨若一切智智清淨無二無
二分無別無斷故善現不還果清淨故眼界
清淨眼界清淨故一切智智清淨何以故若
不還果清淨若眼界清淨若一切智智清淨
無二無二分無別無斷故不還果清淨故色
界眼識界及眼觸眼觸為緣所生諸受清淨
色界乃至眼觸為緣所生諸受清淨故一切
智智清淨何以故若不還果清淨若色界乃
至眼觸為緣所生諸受清淨若一切智智清
淨無二無二分無別無斷故善現不還果清
淨故耳界清淨耳界清淨故一切智智清淨
何以故若不還果清淨若耳界清淨若一切
智智清淨無二無二分無別無斷故不還果
清淨故聲界耳識界及耳觸耳觸為緣所生
諸受清淨聲界乃至耳觸為緣所生諸受清
淨故一切智智清淨何以故若不還果清淨
若聲界乃至耳觸為緣所生諸受清淨若一
切智智清淨無二無二分無別無斷故善現
不還果清淨故鼻界清淨鼻界清淨故一切智
智清淨何以故若不還果清淨若鼻界清
淨若一切智智清淨無二無二分無別無斷
故不還果清淨故香界鼻識界及鼻觸鼻觸
為緣所生諸受清淨香界乃至鼻觸為緣所
生諸受清淨故一切智智清淨何以故若不
還果清淨若香界乃至鼻觸為緣所生諸受
清淨若一切智智清淨無二無二分無別無
斷故善現不還果清淨故舌界清淨舌界清
淨故一切智智清淨何以故若

BD03111號　大般若波羅蜜多經卷二四二　（13–3）

生諸受清淨故一切智智清淨何以故若不
還果清淨若香界乃至鼻觸為緣所生諸受
清淨若一切智智清淨無二無二分無別無
斷故善現不還果清淨故舌界清淨舌界清
淨故一切智智清淨何以故若不還果清淨
若舌界清淨若一切智智清淨無二無二分
無別無斷故不還果清淨故味界舌識界及
舌觸舌觸為緣所生諸受清淨味界乃至舌
觸為緣所生諸受清淨若味界乃至舌
以故若不還果清淨若味界乃至舌觸為緣
所生諸受清淨若一切智智清淨無二無二
分無別無斷故善現不還果清淨故身界清
淨身界清淨故一切智智清淨何以故若不
還果清淨若身界清淨若一切智智清淨無
二無二分無別無斷故不還果清淨故觸界
身識界及身觸身觸為緣所生諸受清淨觸
界乃至身觸為緣所生諸受清淨故一切智
智清淨何以故若不還果清淨若觸界乃至
身觸為緣所生諸受清淨若一切智智清淨
無二無二分無別無斷故善現不還果清淨
故意界清淨意界清淨故一切智智清淨何
以故若不還果清淨若意界清淨若一切智
智清淨無二無二分無別無斷故不還果清
淨故法界意識界及意觸意觸為緣所生諸
受清淨法界乃至意觸為緣所生諸受清淨
故一切智智清淨何以故若不還果清淨若
法界乃至意觸為緣所生諸受清淨若一切

BD03111號　大般若波羅蜜多經卷二四二　（13-4）

淨故法界意識界及意觸意觸為緣所生諸
受清淨法界乃至意觸為緣所生諸受清淨
故一切智智清淨何以故若不還果清淨若
法界乃至意觸為緣所生諸受清淨若一切
智智清淨無二無二分無別無斷故善現不
還果清淨故地界清淨地界清淨故一切智
智清淨何以故若不還果清淨若地界清淨
若一切智智清淨無二無二分無別無斷故
不還果清淨故水火風空識界清淨水火風
空識界清淨故一切智智清淨何以故若不
還果清淨若水火風空識界清淨若一切智
智清淨無二無二分無別無斷故善現不還
果清淨故無明清淨無明清淨故一切智智
清淨何以故若不還果清淨若無明清淨若
一切智智清淨無二無二分無別無斷故不
還果清淨故行識名色六處觸受愛取有生
老死愁歎苦憂惱清淨行乃至老死愁歎苦
憂惱清淨故一切智智清淨何以故若不還
果清淨若行乃至老死愁歎苦憂惱清淨若
一切智智清淨無二無二分無別無斷故
善現不還果清淨故布施波羅蜜多清淨布
施波羅蜜多清淨故一切智智清淨何以故
若不還果清淨若布施波羅蜜多清淨若一
切智智清淨無二無二分無別無斷故不還
果清淨故淨戒安忍精進靜慮般若波羅蜜
多清淨淨戒乃至般若波羅蜜多清淨故一
切智智清淨何以故若不還果清淨若淨戒

BD03111號　大般若波羅蜜多經卷二四二　（13-5）

切智智清淨無二無二分無別無斷故不還
果清淨故淨戒安忍精進靜慮般若波羅蜜
多清淨淨戒乃至般若波羅蜜多清淨故一
切智智清淨何以故若不還果清淨若淨戒
乃至般若波羅蜜多清淨若一切智智清淨
無二無二分無別無斷故善現不還果清淨
故內空清淨內空清淨故一切智智清淨何
以故若不還果清淨若內空清淨若一切智智
清淨無二無二分無別無斷故不還果清
淨故外空內空內外空空空大空勝義空有為空
無為空畢竟空無際空散空無變異空本性
空自相空共相空一切法空不可得空無性
空自性空無性自性空清淨外空乃至無性
自性空清淨故一切智智清淨何以故若不
還果清淨若外空乃至無性自性空清淨若
一切智智清淨無二無二分無別無斷故善
現不還果清淨故真如清淨真如清淨故一
切智智清淨何以故若不還果清淨若真如
清淨若一切智智清淨無二無二分無別無
斷故不還果清淨故法界法性不虛妄性不
變異性平等性離生性法定法住實際虛空
界不思議界清淨法界乃至不思議界清淨
故一切智智清淨何以故若不還果清淨若
法界乃至不思議界清淨若一切智智清淨
無二無二分無別無斷故善現不還果清淨
故苦聖諦清淨苦聖諦清淨故一切智智清
淨何以故若不還果清淨若苦聖諦清淨若
一切智智清淨無二無二分無別無斷故不

法界乃至不思議界清淨若一切智智清淨
無二無二分無別無斷故善現不還果清淨
故苦聖諦清淨苦聖諦清淨故一切智智清
淨何以故若不還果清淨若苦聖諦清淨若
一切智智清淨無二無二分無別無斷故不
還果清淨故集滅道聖諦清淨集滅道聖諦
清淨故一切智智清淨何以故若不還果清
淨若集滅道聖諦清淨若一切智智清淨無
二無二分無別無斷故善現不還果清淨故
四靜慮清淨四靜慮清淨故一切智智清淨
何以故若不還果清淨若四靜慮清淨若一
切智智清淨無二無二分無別無斷故不還
果清淨故四無量四無色定清淨四無量四
無色定清淨故一切智智清淨何以故若不
還果清淨若四無量四無色定清淨若一切
智智清淨無二無二分無別無斷故善現不
還果清淨故八解脫清淨八解脫清淨故一
切智智清淨何以故若不還果清淨若八解
脫清淨若一切智智清淨無二無二分無別
無斷故不還果清淨故八勝處九次第定十
遍處清淨八勝處九次第定十遍處清淨故
一切智智清淨何以故若不還果清淨若八
勝處九次第定十遍處清淨若一切智智清
淨無二無二分無別無斷故
善現不還果清淨故四念住清淨四念住清
淨故一切智智清淨何以故若不還果清淨
若四念住清淨若一切智智清淨無二無二

勝處九次第定十遍處清淨若一切智智清
淨無二無二分無別無斷故
善現不還果清淨故四念住清淨四念住清
淨故一切智智清淨何以故若不還果清淨
若四念住清淨若一切智智清淨無二無二
分無別無斷故不還果清淨故四正斷四神
足五根五力七等覺支八聖道支清淨四正
斷乃至八聖道支清淨故一切智智清淨何
以故若不還果清淨若四正斷乃至八聖道
支清淨若一切智智清淨無二無二分無別
無斷故善現不還果清淨故空解脫門清淨
空解脫門清淨故一切智智清淨何以故若
不還果清淨若空解脫門清淨若一切智智
清淨無二無二分無別無斷故不還果清淨
故無相無願解脫門清淨無相無願解脫門
清淨故一切智智清淨何以故若不還果清
淨若無相無願解脫門清淨若一切智智清
淨無二無二分無別無斷故善現不還果清
淨故菩薩十地清淨菩薩十地清淨故一切
智智清淨何以故若不還果清淨若菩薩十
地清淨若一切智智清淨無二無二分無別
無斷故
善現不還果清淨故五眼清淨五眼清淨故
一切智智清淨何以故若不還果清淨若五眼
清淨若一切智智清淨無二無二分無別
無斷故不還果清淨故六神通清淨六神通
清淨故一切智智清淨何以故若不還果清

BD03111號　大般若波羅蜜多經卷二四二　（13–8）

一切智智清淨何以故若不還果清淨若五眼
清淨若一切智智清淨無二無二分無別
無斷故不還果清淨故六神通清淨六神通
清淨故一切智智清淨何以故若不還果清
淨若六神通清淨若一切智智清淨無二無
二分無別無斷故善現不還果清淨故佛十
力清淨佛十力清淨故一切智智清淨何以
故若不還果清淨若佛十力清淨若一切智
智清淨無二無二分無別無斷故不還果清
淨故四無所畏四無礙解大慈大悲大喜大
捨十八佛不共法清淨四無所畏乃至十八
佛不共法清淨故一切智智清淨何以故若
不還果清淨若四無所畏乃至十八佛不共
法清淨若一切智智清淨無二無二分無別
無斷故善現不還果清淨故無忘失法清淨
無忘失法清淨故一切智智清淨何以故若
不還果清淨若無忘失法清淨若一切智智
清淨無二無二分無別無斷故不還果清淨
故恒住捨性清淨恒住捨性清淨故一切智
智清淨何以故若不還果清淨若恒住捨性
清淨若一切智智清淨無二無二分無別無斷
故善現不還果清淨故一切智清淨一切智
清淨故一切智智清淨何以故若不還果清
淨若一切智清淨若一切智智清淨無二無
二分無別無斷故不還果清淨故道相智一
切相智清淨道相智一切相智清淨故一切
智智清淨何以故若不還果清淨若道相智

BD03111號　大般若波羅蜜多經卷二四二　（13–9）

清淨故一切智智清淨何以故若不還果清
淨若一切智清淨若一切智智清淨無二無
二分無別無斷故不還果清淨故道相智一
切相智清淨道相智一切相智清淨故一切
智智清淨何以故若不還果清淨若道相智
一切相智清淨若一切智智清淨無二無二
分無別無斷故善現不還果清淨故一切陁
羅尼門清淨一切陁羅尼門清淨故一切智
智清淨何以故若不還果清淨若一切陁羅
尼門清淨若一切智智清淨無二無二分無
別無斷故不還果清淨故一切三摩地門清
淨一切三摩地門清淨故一切智智清淨何
以故若不還果清淨若一切三摩地門清淨
若一切智智清淨無二無二分無別無斷故
善現不還果清淨故預流果清淨預流果清
淨故一切智智清淨何以故若不還果清淨
若預流果清淨若一切智智清淨無二無二
分無別無斷故不還果清淨故一來阿羅漢
果清淨一來阿羅漢果清淨故一切智智清
淨何以故若不還果清淨若一來阿羅漢果
清淨若一切智智清淨無二無二分無別無
斷故善現不還果清淨故獨覺菩提清淨獨
覺菩提清淨故一切智智清淨何以故若不
還果清淨若獨覺菩提清淨若一切智智清
淨無二無二分無別無斷故善現不還果清
淨故一切菩薩摩訶薩行清淨一切菩薩摩
訶薩行清淨故一切智智清淨何以故若不
還果清淨若一切菩薩摩訶薩行清淨若一

覺菩提清淨故一切智智清淨何以故若不
還果清淨若獨覺菩提清淨若一切智智清
淨無二無二分無別無斷故善現不還果清
淨故一切菩薩摩訶薩行清淨一切菩薩摩
訶薩行清淨故一切智智清淨何以故若不
還果清淨若一切菩薩摩訶薩行清淨若一
切智智清淨無二無二分無別無斷故善現
不還果清淨故諸佛無上正等菩提清淨諸
佛無上正等菩提清淨故一切智智清淨何
以故若不還果清淨若諸佛無上正等菩提
清淨若一切智智清淨無二無二分無別無
斷故
復次善現阿羅漢果清淨故色清淨色清淨
故一切智智清淨何以故若阿羅漢果清淨
若色清淨若一切智智清淨無二無二分無
別無斷故阿羅漢果清淨故受想行識清淨
受想行識清淨故一切智智清淨何以故若
阿羅漢果清淨若受想行識清淨若一切智
智清淨無二無二分無別無斷故善現阿羅
漢果清淨故眼處清淨眼處清淨故一切智
智清淨何以故若阿羅漢果清淨若眼處清
淨若一切智智清淨無二無二分無別無斷
故阿羅漢果清淨故耳鼻舌身意處清淨耳
鼻舌身意處清淨故一切智智清淨何以故
若阿羅漢果清淨若耳鼻舌身意處清淨若
一切智智清淨無二無二分無別無斷故善
現阿羅漢果清淨故色處清淨色處清淨故

一切智智清淨無二無二分無別無斷故善
現阿羅漢果清淨故色處清淨色處清淨故
一切智智清淨何以故若阿羅漢果清淨若
色處清淨若一切智智清淨無二無二分無
別無斷故阿羅漢果清淨故聲香味觸法處
清淨聲香味觸法處清淨故一切智智清淨
何以故若阿羅漢果清淨若聲香味觸法處
清淨若一切智智清淨無二無二分無別無
斷故善現阿羅漢果清淨故眼界清淨眼界清
淨故一切智智清淨何以故若阿羅漢果
清淨若眼界清淨若一切智智清淨無二無
二分無別無斷故阿羅漢果清淨故色界眼
識界及眼觸眼觸為緣所生諸受清淨色界
乃至眼觸為緣所生諸受清淨故一切智智
清淨何以故若阿羅漢果清淨若色界乃至
眼觸為緣所生諸受清淨若一切智智清淨
無二無二分無別無斷故善現阿羅漢果清
淨故耳界清淨耳界清淨故一切智智清淨
何以故若阿羅漢果清淨若耳界清淨若一
切智智清淨無二無二分無別無斷故阿羅
漢果清淨故聲界耳識界及耳觸耳觸為緣
所生諸受清淨聲界乃至耳觸為緣所生諸
受清淨故一切智智清淨何以故若阿羅漢
果清淨若聲界乃至耳觸為緣所生諸受清
淨若一切智智清淨無二無二分無別無斷
故

BD03111號　大般若波羅蜜多經卷二四二　（13–12）

切智智清淨無二無二分無別無斷故阿羅
漢果清淨故聲界耳識界及耳觸耳觸為緣
所生諸受清淨聲界乃至耳觸為緣所生諸
受清淨故一切智智清淨何以故若阿羅漢
果清淨若聲界乃至耳觸為緣所生諸受清
淨若一切智智清淨無二無二分無別無斷
故

大般若波羅蜜多經卷第二百卌二

BD03111號　大般若波羅蜜多經卷二四二　（13–13）

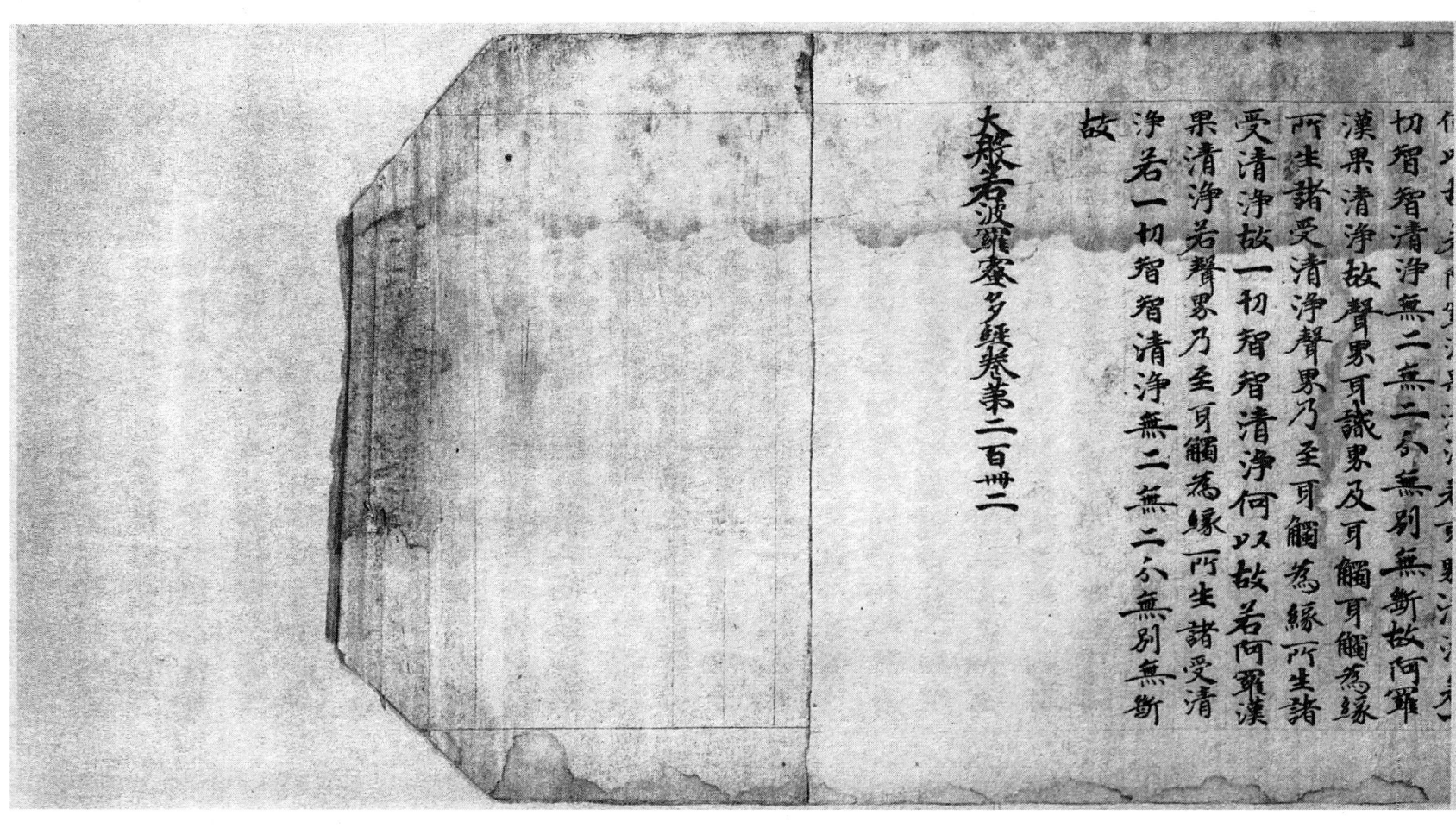

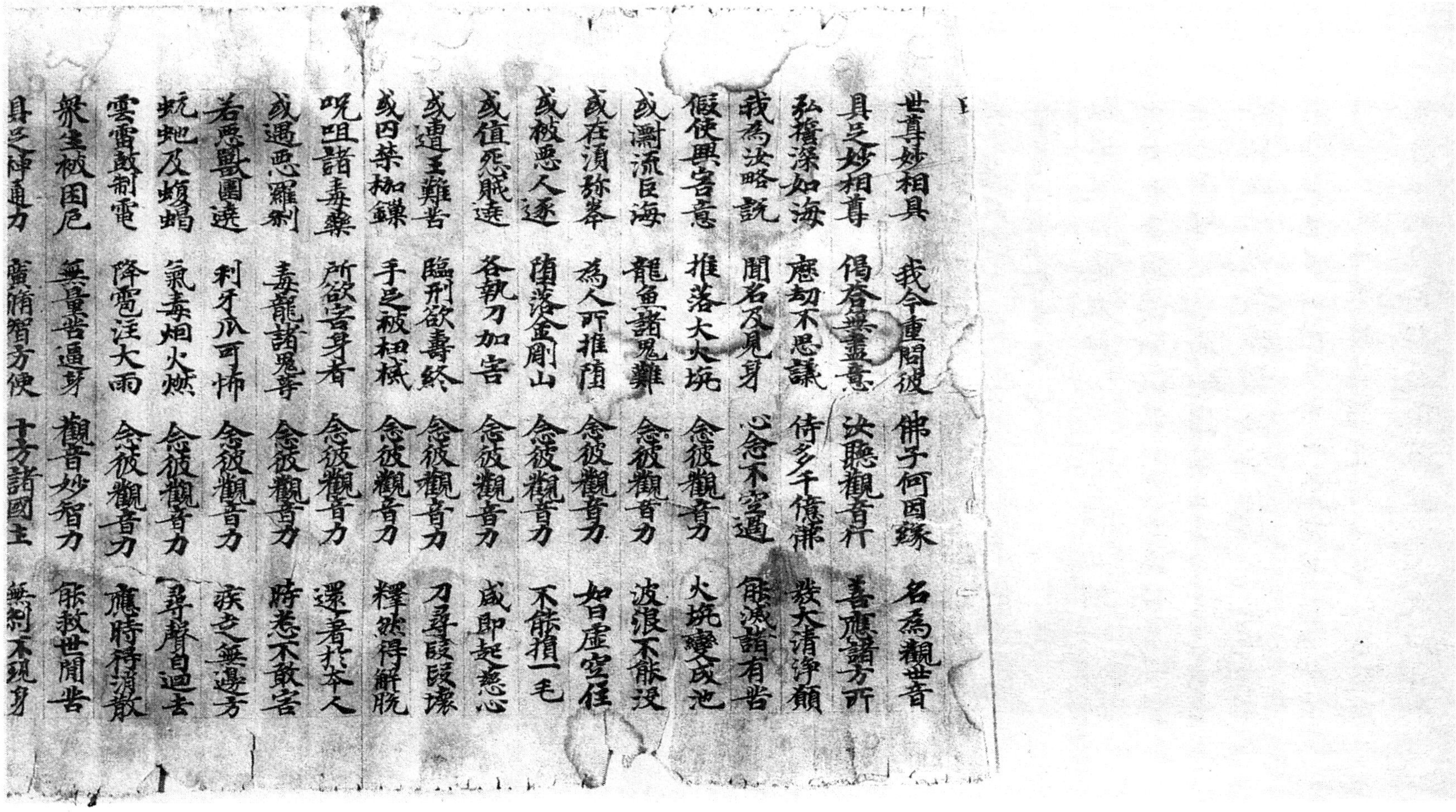
世尊妙相具　我今重問彼　佛子何因緣　名爲觀世音
具足妙相尊　偈荅無盡意　汝聽觀音行　善應諸方所
弘誓深如海　歷劫不思議　侍多千億佛　發大清淨願
我爲汝略說　聞名及見身　心念不空過　能滅諸有苦
假使興害意　推落大火坑　念彼觀音力　火坑變成池
或漂流巨海　龍魚諸鬼難　念彼觀音力　波浪不能沒
或在須弥峯　爲人所推墮　念彼觀音力　如日虛空住
或被惡人逐　墮落金剛山　念彼觀音力　不能損一毛
或值怨賊遶　各執刀加害　念彼觀音力　咸即起慈心
或遭王難苦　臨刑欲壽終　念彼觀音力　刀尋段段壞
或囚禁枷鎖　手足被杻械　念彼觀音力　釋然得解脫
呪詛諸毒藥　所欲害身者　念彼觀音力　還著於本人
或遇惡羅剎　毒龍諸鬼等　念彼觀音力　時悉不敢害
若惡獸圍遶　利牙爪可怖　念彼觀音力　疾走無邊方
蚖虵及蝮蝎　氣毒烟火燃　念彼觀音力　尋聲自迴去
雲雷鼓掣電　降雹澍大雨　念彼觀音力　應時得消散
眾生被困厄　無量苦逼身　觀音妙智力　能救世間苦
具足神通力　廣脩智方便　十方諸國土　無剎不現身

BD03112號　妙法蓮華經卷七　（15–1）

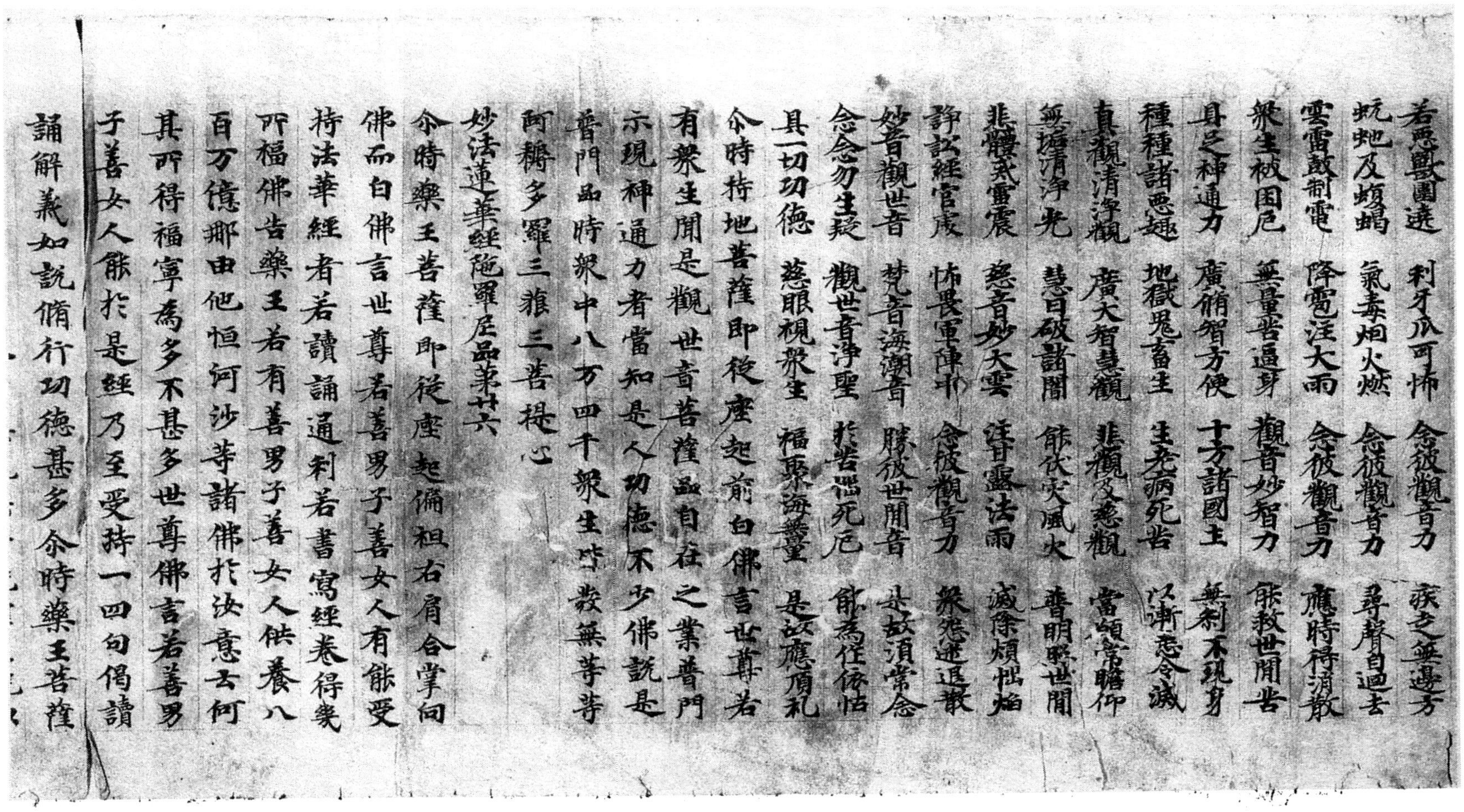
若惡獸圍遶　利牙爪可怖　念彼觀音力　疾走無邊方
蚖虵及蝮蝎　氣毒烟火燃　念彼觀音力　尋聲自迴去
雲雷鼓掣電　降雹澍大雨　念彼觀音力　應時得消散
眾生被困厄　無量苦逼身　觀音妙智力　能救世間苦
具足神通力　廣脩智方便　十方諸國土　無剎不現身
種種諸惡趣　地獄鬼畜生　生老病死苦　以漸悉令滅
真觀清淨觀　廣大智慧觀　悲觀及慈觀　常願常瞻仰
無垢清淨光　慧日破諸闇　能伏災風火　普明照世間
悲體戒雷震　慈意妙大雲　澍甘露法雨　滅除煩惱焰
諍訟經官處　怖畏軍陣中　念彼觀音力　眾怨悉退散
妙音觀世音　梵音海潮音　勝彼世間音　是故須常念
念念勿生疑　觀世音淨聖　於苦惱死厄　能爲作依怙
具一切功德　慈眼視眾生　福聚海無量　是故應頂禮
尔時持地菩薩即從座起前白佛言世尊若
有眾生聞是觀世音菩薩品自在之業普門
示現神通力者當知是人功德不少佛說是
普門品時眾中八万四千眾生皆發無等等
阿耨多羅三藐三菩提心
妙法蓮華經陁羅尼品第廿六
尔時藥王菩薩即從座起偏袒右肩合掌向
佛而白佛言世尊若善男子善女人有能受
持法華經者若讀誦通利若書寫經卷得幾
所福佛告藥王若有善男子善女人供養八
百万億那由他恒河沙等諸佛於汝意云何
其所得福寧爲多不甚多世尊佛言若善男
子善女人能於是經乃至受持一四句偈讀
誦解義如說脩行功德甚多尔時藥王菩薩

BD03112號　妙法蓮華經卷七　（15–2）

所福佛告藥王若有善男子善女人供養八
百万億那由他恒河沙等諸佛於汝意云何
其所得福寧為多不甚多世尊佛言若善男
子善女人能於是經乃至受持一四句偈讀
誦解義如說脩行功德甚多尒時藥王菩薩
白佛言世尊我今當與說法者陁羅尼呪以
守護之即說呪曰
安尒一 曼尒二 摩祢三 摩摩祢四 旨隸五 遮
梨苐六 賒咩羊鳴音七 賒履因雉反多瑋八 羶輸千反帝九
目帝十 目多履十一 娑履十二 阿瑋娑履十三 桒履
十四 娑履十五 叉裔十六 阿叉裔十七 阿耆膩十八 羶帝十九
賒履二十 陁羅尼廿一 阿盧伽婆娑蘇奈反簸蔗毗
叉膩廿二 祢毗剃廿三 阿便哆都餓反邏祢履剃廿四 阿
亶哆波隸輸地廿五 途賣反 漚究隸廿六 牟究隸廿七 阿
羅隸廿八 波羅隸廿九 首迦差初几反卅 阿三磨三履
卅一 佛馱毗吉利袠帝卅二 達磨波利差猜離反帝卅三
僧伽涅瞿沙祢卅四 婆舍婆舍輸地卅五 曼哆邏
卅六 曼哆邏叉夜多卅七 郵樓哆卅八 郵樓哆憍舍
略卅九 惡叉邏卌 惡叉冶多冶卌一 阿婆盧卌二 阿
摩若荏蔗反那多夜卌三
世尊是陁羅尼神呪六十二億恒河沙等諸
佛所說若有侵毀此法師者則為侵毀是諸
佛已時釋迦牟尼佛讚藥王菩薩言善哉善
哉藥王汝愍念擁護此法師故說是陁羅尼
於諸衆生多所饒益尒時勇施菩薩白佛言
世尊我亦為擁護讀誦受持法華經者說陁
羅尼若此法師得是陁羅尼若夜叉若羅剎

BD03112號　妙法蓮華經卷七　（15–3）

佛已時釋迦牟尼佛讚藥王菩薩言善哉善
哉藥王汝愍念擁護此法師故說是陁羅尼
於諸衆生多所饒益尒時勇施菩薩白佛言
世尊我亦為擁護讀誦受持法華經者說陁
羅尼若此法師得是陁羅尼若夜叉若羅剎
若富單那若吉蔗若鳩槃荼若餓鬼等伺求
其短无能得便即於佛前而說呪曰
痤楷頰反隸一 摩訶痤隸二 郁枳三 目枳四 阿隸
五 阿羅婆苐六 涅隸苐七 涅隸多婆苐八 伊
緻楷履反抳九 韋緻抳十 旨緻抳十一 涅隸墀抳二十
涅犁墀婆底十三
世尊是陁羅尼神呪恒河沙等諸佛所說亦
皆隨喜若有侵毀此法師者則為侵毀是諸
佛已尒時毗沙門天王護世者白佛言世尊
我亦為愍念衆生擁護此法師故說是陁羅
尼即說呪曰
阿梨一 那梨二 㝹那梨三 阿那盧四 那履五
拘那履六
世尊以是神呪擁護法師我亦自當擁護持
是經者令百由旬內无諸衰患尒時持國天
王在此會中與千万億那由他乾闥婆衆恭
敬圍繞前詣佛所合掌白佛言世尊我亦以
陁羅尼神呪擁護持法華經者即說呪曰
阿伽祢一 伽祢二 瞿利三 乾陁利四 旃陁利
五 摩蹬耆六 常求利七 浮樓莎柅八 頞底九
世尊是陁羅尼神呪四十二億諸佛所說若
有侵毀此法師者則為侵毀是諸佛已尒時
有羅剎女等一名藍婆二名毗藍婆三名曲

BD03112號　妙法蓮華經卷七　（15–4）

阿伽祢一伽祢二瞿利三乾陁利四旃陁利
五摩蹬者六常求利七浮樓莎柅八頞底九
世尊是陁羅尼神呪四十二億諸佛所說若
有侵毀此法師者則為侵毀是諸佛已尒時
有羅刹女等一名藍婆二名毗藍婆三名曲
齒四名華齒五名黑齒六名多髮七名无猒
足八名持瓔珞九名睪帝十名奪一切衆生
精氣是十羅刹女與鬼子母并其子及眷屬
俱詣佛所同聲白佛言世尊我等亦欲擁護
讀誦受持法華經者除其衰患若有伺求法
師短者令不得便即於佛前而說呪曰
伊提履一伊提泯二伊提履三阿提履四伊
提履五泥履六泥履七泥履八泥履九泥履
十樓醯十一樓醯十二樓醯十三樓醯十四多醯十五多
醯十六多醯十七兜醯十八嵬醯十九
寧上我頭上莫惱於法師若夜叉若羅刹若
餓鬼若富單那若吉蔗若毗陁羅若揵馱若
烏摩勒伽若阿䟦摩羅若夜叉吉蔗若人吉
蔗若熱病若一日若二日若三日若四日若
至七日若常熱病若男形若女形若童男形
若童女形乃至夢中亦復莫惱即於佛前而
說偈言
若不順我呪　惱亂說法者　頭破作七分　如阿梨樹枝
如煞父母罪　亦如壓油殃　斗秤欺誑人　調達破僧罪
犯此法師者　當獲如是殃
諸羅刹女說此偈已白佛言世尊我等亦當
身自擁護受持讀誦脩行是經者令得安隱

BD03112號　妙法蓮華經卷七　（15–5）

若不順我呪　惱亂說法者　頭破作七分　如阿梨樹枝
如煞父母罪　亦如壓油殃　斗秤欺誑人　調達破僧罪
犯此法師者　當獲如是殃
諸羅刹女說此偈已白佛言世尊我等亦當
身自擁護受持讀誦脩行是經者令得安隱
離諸衰患消衆毒藥佛告諸羅刹女善哉善
哉汝等但能擁護受持法華名者福不可量
何況擁護具足受持供養經卷華香瓔珞末
香塗香燒香幡蓋伎樂然種種燈蘇燈油燈
諸香油燈蘇摩那華油燈瞻蔔華油燈婆師
迦華油燈優鉢羅華油燈如是等百千種供
養者睪帝汝等及眷屬應當擁護如是法師
說是陁羅尼品時六万八千人得无生法忍
妙法蓮華經妙莊嚴王本事品第廿七
尒時佛告諸大衆乃往古世過无量无邊不
可思議阿僧祇劫有佛名雲雷音宿王華智
多陁阿伽度阿羅訶三藐三佛陁國名光明
莊嚴劫名憙見彼佛法中有王名妙莊嚴其
王夫人名曰淨德有二子一名淨藏二名淨
眼是二子有大神力福德智慧久脩菩薩所
行之道所謂檀波羅蜜尸羅波羅蜜羼提波
羅蜜毗梨耶波羅蜜禪波羅蜜般若波羅蜜
方便波羅蜜慈悲喜捨乃至三十七助道法
皆悉明了通達又得菩薩淨三昧日星宿三
昧淨光三昧淨色三昧淨照明三昧長莊
嚴三昧大威德藏三昧於此三昧亦悉通達
尒時彼佛欲引導妙莊嚴王及愍念衆生故

BD03112號　妙法蓮華經卷七　（15–6）

皆悉明了通達又得菩薩淨三昧日星宿三
昧淨光三昧淨色三昧淨照明三昧長莊
嚴三昧大威德藏三昧於此三昧亦悉通達
尒時彼佛欲引導妙莊嚴王及愍念衆生故
說是法華經時淨藏淨眼二子到其母所合
十指爪掌白言願母往詣雲雷音宿王華智
佛所我等亦當侍從親近供養礼拜所以者
何此佛於一切天人衆中說法華經宜應聽
受母告子言汝父信受外道深著婆羅門法
汝等應往白父與共俱去淨藏淨眼合十指
爪掌白母我等是法王子而生此耶見家母
告子言汝等當憂念汝父為現神變若得見
者心必清淨或聽我等往至佛所於是二子
念其父故踊在虛空高七多羅樹現種種神
變於虛空中行住坐臥身上出水身下出火
身下出水身上出火或現大身滿虛空中而
復現小小復現大於空中滅忽然在地入地
如水履水如地現如是等種種神變令其父
王心淨信解時父見子神力如是心大歡喜
得未曾有合掌向子言汝等師為是誰誰之
弟子二子白言大王彼雲雷音宿王華智佛
今在七寶菩提樹下法座上坐於一切世間
天人衆中廣說法華經是我等師我是弟子
父語子言我今亦欲見汝等師可共俱往於
是二子從空中下到其母所合掌白母父王
今已信解堪任發阿耨多羅三藐三菩提心
我等為父已作佛事願母見聽於彼佛所出

是二子從空中下到其母所合掌白母父王
今已信解堪任發阿耨多羅三藐三菩提心
我等為父已作佛事願母見聽於彼佛所出
家脩道尒時二子欲重宣其意以偈白母
願母放我等　出家作沙門　諸佛甚難值　我等隨佛學
如優曇波羅　值佛復難是　脫諸難亦難　願聽我出家
母即告言聽汝出家所以者何佛難值故於
是二子白父母言善哉父母願時往詣雲雷
音宿王華智佛所親近供養所以者何佛難
得值如優曇波羅華又如一眼之龜值浮木
孔而我等宿福深厚生值佛法是故父母當
聽我等令得出家所以者何諸佛難值時亦
難遇彼時妙莊嚴王後宮八万四千人皆悉
堪任受持是法華經淨眼菩薩於法華三昧
久已通達淨藏菩薩已於无量百千万億劫
通達離諸惡趣三昧欲令一切衆生離諸惡
趣故其王夫人得諸佛習三昧能知諸佛秘
密之藏二子如是以方便力善化其父令心
信解好樂佛法於是妙莊嚴王與群臣眷屬
俱淨德夫人與後宮婇女眷屬俱其王二子
與四万二千人俱一時共詣佛所到已頭面
礼足繞佛三帀却住一面尒時彼佛為王說
法示教利喜王大歡悅尒時妙莊嚴王及其
夫人解頸真珠瓔珞價直百千以散佛上於
虛空中化成四柱寶臺臺中有大寶牀敷百
千万天衣其上有佛結加趺坐放大光明尒
時妙莊嚴王作是念佛身希有端嚴殊特成

夫人解頸真珠瓔珞價直百千以散佛上於
虛空中化成四柱寶臺臺中有大寶牀敷百
千万天衣其上有佛結跏趺坐放大光明尒
時妙莊嚴王作是念佛身希有端嚴殊特成
就第一微妙之色時雲雷音宿王華智佛告
四衆言汝等見是妙莊嚴王於我前合掌立
不此王於我法中作比丘精懃修習助佛道
法當得作佛号娑羅樹王國名大光劫名大
高王其娑羅樹王佛有无量菩薩衆及无量
聲聞其國平正功德如是其王即時以國付
弟王與夫人二子并諸眷屬於佛法中出家脩
道王出家已於八万四千歲常勤精進脩行
妙法華經過是已後得一切淨功德莊嚴三
昧即昇虛空高七多羅樹而白佛言世尊此
我二子已作佛事以神通變化轉我邪心令
得安住於佛法中得見世尊此二子者是我
善知識為欲發起宿世善根饒益我故來生
我家尒時雲雷音宿王華智佛告妙莊嚴王
言如是如是如汝所言若善男子善女人種
善根故世世得植善知識其善知識能作佛事
示教利喜令入阿耨多羅三藐三菩提大王
當知善知識者是大因緣所謂化導令得見
佛發阿耨多羅三藐三菩提心大王汝見此
二子不此二子已曾供養六十五百千万億
那由他恒河沙諸佛親近恭敬於諸佛所受
持法華經愍念邪見衆生令住正見妙莊嚴
王即從虛空中下而白佛言世尊如來甚希

BD03112號　妙法蓮華經卷七　（15–9）

佛發阿耨多羅三藐三菩提心大王汝見此
二子不此二子已曾供養六十五百千万億
那由他恒河沙諸佛親近恭敬於諸佛所受
持法華經愍念邪見衆生令住正見妙莊嚴
王即從虛空中下而白佛言世尊如來甚希
有以功德智慧故頂上肉髻光明顯照其眼
長廣而紺青色眉間豪相白如珂月齒白齊
密常有光明脣色赤好如頻婆菓尒時妙莊
嚴王讚歎佛如是等无量百千万億功德已
於如來前一心合掌復白佛言世尊未曾有
也如來之法具足成就不可思議微妙功德
教戒所行安隱快善我從今日不復自隨心
行不生邪見憍慢瞋恚諸惡之心說是語已
礼佛而出佛告大衆於意云何妙莊嚴王豈
異人乎今華德菩薩是其淨德夫人今佛前
光照莊嚴相菩薩是哀愍妙莊嚴王及諸眷
屬故於彼中生其二子者今藥王菩薩藥上
菩薩是是藥王藥上菩薩成就如此諸大功
德已於无量百千万億諸佛所殖衆德本成
就不可思議諸善功德若有人識是二菩薩
名字者一切世間諸天人民亦應礼拜佛說
是妙莊嚴王本事品時八万四千人遠塵離
垢於諸法中得法眼淨

妙法蓮華經普賢菩薩勸發品第廿八

尒時普賢菩薩以自在神通威德名聞與大
菩薩无量无邊不可稱數從東方來所經諸
國普皆震動雨寶蓮華作无量百千万億種
[illegible]

BD03112號　妙法蓮華經卷七　（15–10）

垢於諸法中得法眼淨
妙法蓮華經普賢菩薩勸發品第廿八
尒時普賢菩薩以自在神通威德名聞與大
菩薩无量无邊不可稱數從東方來所經諸
國普皆震動雨寶蓮華作无量百千万億種
種伎樂又與无數諸天龍夜叉乾闥婆阿脩
羅迦樓羅緊那羅摩睺羅伽人非人等大衆
圍繞各現威德神通之力到娑婆世界耆闍
崛山中頭面禮釋迦牟尼佛右繞七帀白佛
言世尊我於寶威德上王佛國遥聞此娑
婆世界說法華經與无量无邊百千万億諸
菩薩衆共來聽受唯願世尊當為說之若善
男子善女人於如來滅後云何能得是法華
經佛告普賢菩薩若善男子善女人成就四
法於如來滅後當得是法華經一者為諸佛
護念二者殖衆德本三者入正定聚四者發
救一切衆生之心善男子善女人如是成就
四法於如來滅後必得是經尒時普賢菩薩
白佛言世尊於後五百歲濁惡世中其有受
持是經典者我當守護除其衰患令得安隱
使无伺求得其便者若魔若魔子若魔女若
魔民若為魔所著者若夜叉若羅剎若鳩槃
荼若毗舍闍若吉蔗若富單那若韋陁羅等
諸惱人者皆不得便是人若行若立讀誦此
經我尒時乘六牙白象王與大菩薩衆俱詣
其所而自現身供養守護安慰其心亦為供
養法華經故是人若坐思惟此經尒時我復
乘白象王現其人前其人若於法華經有所

BD03112 號　妙法蓮華經卷七　（15–11）

荼若毗舍闍若吉蔗若富單那若韋陁羅等
諸惱人者皆不得便是人若行若立讀誦此
經我尒時乘六牙白象王與大菩薩衆俱詣
其所而自現身供養守護安慰其心亦為供
養法華經故是人若坐思惟此經尒時我復
乘白象王現其人前其人若於法華經有所
忘失一句一偈我當教之與共讀誦還令通
利尒時受持讀誦法華經者得見我身甚大
歡喜轉復精進以見我故即得三昧及陁羅
尼名為旋陁羅尼百千万億旋陁羅尼法音
方便陁羅尼得如是等陁羅尼世尊若後世
後五百歲濁惡世中比丘比丘尼優婆塞優
婆夷求索者受持者讀誦者書寫者欲脩習
是法華經於三七日中應一心精進滿三七
日已我當乘六牙白象與无量菩薩而自圍
繞以一切衆生所憙見身現其人前而為說
法示教利喜亦復與其陁羅尼呪得是陁羅
尼故无有非人能破壞者亦不為女人之所
惑亂我身亦自常護是人唯願世尊聽我說
此陁羅尼呪即於佛前而說呪曰
阿檀地（途賣反）一　檀陁婆地二　檀陁婆帝三　檀陁
鳩舍隸四　檀陁脩陁隸五　脩陁隸六　脩陁羅
婆底七　佛馱波羶禰八　薩婆陁羅尼阿婆多
尼九　薩婆婆沙阿婆多尼十　脩阿婆多尼十一
僧伽婆履叉尼十二　僧伽涅伽陁尼十三　阿僧祇十四
僧伽波伽地十五　帝隸阿惰僧伽兜略（盧遮反）阿羅帝
波羅帝十六　薩婆僧伽三摩地伽蘭地十七　薩婆達
[illegible]

BD03112 號　妙法蓮華經卷七　（15–12）

尼九薩婆婆沙阿婆多尼十脩阿婆多尼十一
僧伽婆履叉尼十二僧伽涅伽陁尼十三阿僧祇十四
僧伽波伽地十五帝隸阿惰僧伽兜略盧遮反阿羅帝
波羅帝十六薩婆僧伽三摩地伽蘭地十七薩婆達
磨脩波利剎帝十八薩婆薩埵樓馱憍舍略阿
㝹伽地十九辛阿毗吉利地帝二十
世尊若有菩薩得聞是陁羅尼者當知普賢
神通之力若法華經行閻浮提有受持者應
作此念皆是普賢威神之力若有受持讀誦
正憶念解其義趣如說脩行當知是人行普
賢行於无量无邊諸佛所深種善根為諸如
来手摩其頭若但書寫是人命終當生忉利
天上是時八万四千天女作衆伎樂而来迎之
其人即著七寶冠於婇女中娛樂快樂何況
受持讀誦正憶念解其義趣如說脩行若
有人受持讀誦解其義趣是人命終為千佛
授手令不恐怖不墮惡趣即往兜率天上彌
勒菩薩所彌勒菩薩有三十二相大菩薩衆
所共圍繞有百千万億天女眷屬而於中生有
如是等功德利益是故智者應當一心自書
若使人書受持讀誦正憶念如說脩行世尊
我今以神通力守護是經於如来滅後閻
浮提内廣令流布使不斷絕尒時釋迦牟
尼佛讚言善哉善哉普賢汝能護助是經令
多所衆生安樂利益汝已成就不可思議功
德深大慈悲從久遠来發阿耨多羅三藐三
菩提意而能作是神通之願守護是經我當

BD03112號　妙法蓮華經卷七　（15–13）

浮提内廣令流布使不斷絕尒時釋迦牟
尼佛讚言善哉善哉普賢汝能護助是經令
多所衆生安樂利益汝已成就不可思議功
德深大慈悲從久遠来發阿耨多羅三藐三
菩提意而能作是神通之願守護是經我當
以神通力守護能受持普賢菩薩名者普賢
若有受持讀誦正憶念脩習書寫是法華經
者當知是人則見釋迦牟尼佛如從佛口聞
此經典當知是人供養釋迦牟尼佛當知是
人佛讚善哉當知是人為釋迦牟尼佛手摩
其頭當知是人為釋迦牟尼佛衣之所覆如
是之人不復貪著世樂不好外道經書手筆
亦復不喜親近其人及諸惡者若屠兒若畜
猪羊雞狗若獵師若衒賣女色是人心意質
直有正憶念有福德力是人不為三毒所惱
亦不為嫉妬我慢邪慢增上慢所惱是人少
欲知足能脩普賢之行普賢若如来滅後後
五百歲若有人見受持讀誦法華經者應作
是念此人不久當詣道場破諸魔衆得阿耨
多羅三藐三菩提轉法輪擊法鼓吹法螺雨
法雨當坐天人大衆中師子法座上普賢若
於後世受持讀誦是經典者是人不復貪著
衣服臥具飲食資生之物所願不虛亦於現
世得其福報若有人輕毀之言汝狂人耳空
作是行終无所獲如是罪報當世世无眼若
有供養讚嘆之者當於今世得現果報若復
見受持是經者出其過惡若實若不實此人

BD03112號　妙法蓮華經卷七　（15–14）

是念此人不久當詣道場破諸魔衆得阿耨
多羅三藐三菩提轉法輪擊法鼓吹法螺雨
法雨當坐天人大衆中師子法座上普賢若
於後世受持讀誦是經典者是人不復貪著
衣服卧具飲食資生之物所願不虚亦於現
世得其福報若有人輕毀之言汝狂人耳空
作是行終无所獲如是罪報當世世无眼若
有供養讚歎之者當於今世得現果報若復
見受持是經者出其過惡若實若不實此人
現世得白癩病若輕咲之者當世世牙齒踈
缺醜脣平鼻手脚繚戾眼目角睞身體臭穢
惡瘡膿血水腹短氣諸惡重病是故普賢若
見受持是經典者當起遠迎當如敬佛説是
普賢勸發品時恒河沙等无量无邊菩薩得
百千萬億旋陁羅尼三千大千世界微塵等
諸菩薩具普賢道佛説是經時普賢等諸菩
薩舍利弗等諸聲聞及諸天龍人非人等一
切大會皆大歡喜受持佛語作礼而去

妙法蓮華經卷第七

BD03112號　妙法蓮華經卷七　（15–15）

妙

齒白齊密如…　猶如…
目淨无垢妙端嚴　譬如
舌相廣長…　右旋
眉間常有白豪光　宛轉
眉細纖長類初月　其色光耀比蜂王
鼻高脩直如金鋌　淨妙光潤相无虧
一切世間殊妙香　聞時悉知其所在
世尊最勝身金色　一一毛端相不殊
紺青柔耎右旋文　微妙光彩難爲喻
初誕身有妙光明　普照一切十方界
能滅三有衆生苦　令彼悉蒙安隱樂
地獄傍生鬼道中　阿蘇羅天及人趣
令彼除滅於衆苦　常受自然安隱樂
身色光明常普照　譬如鎔金妙无比
面貌圓明如滿月　脣色赤好喻頻婆
行步威儀類師子　身光朗耀同初日
臂肘纖長立過膝　狀若垂下娑羅枝
圓光一尋照无邊　赫奕猶如百千日
悉能遍至諸佛刹　隨緣所在覺群迷
淨光明網无倫比　流輝遍滿百千界
普照十方无障礙　一切冥闇悉皆除
善逝慈光能與樂　妙色照曜等金山
流光悉至百千土　衆生遇者皆出離
佛身成就无量福　一切功德共莊嚴

BD03113號　金光明最勝王經卷五　（18–1）

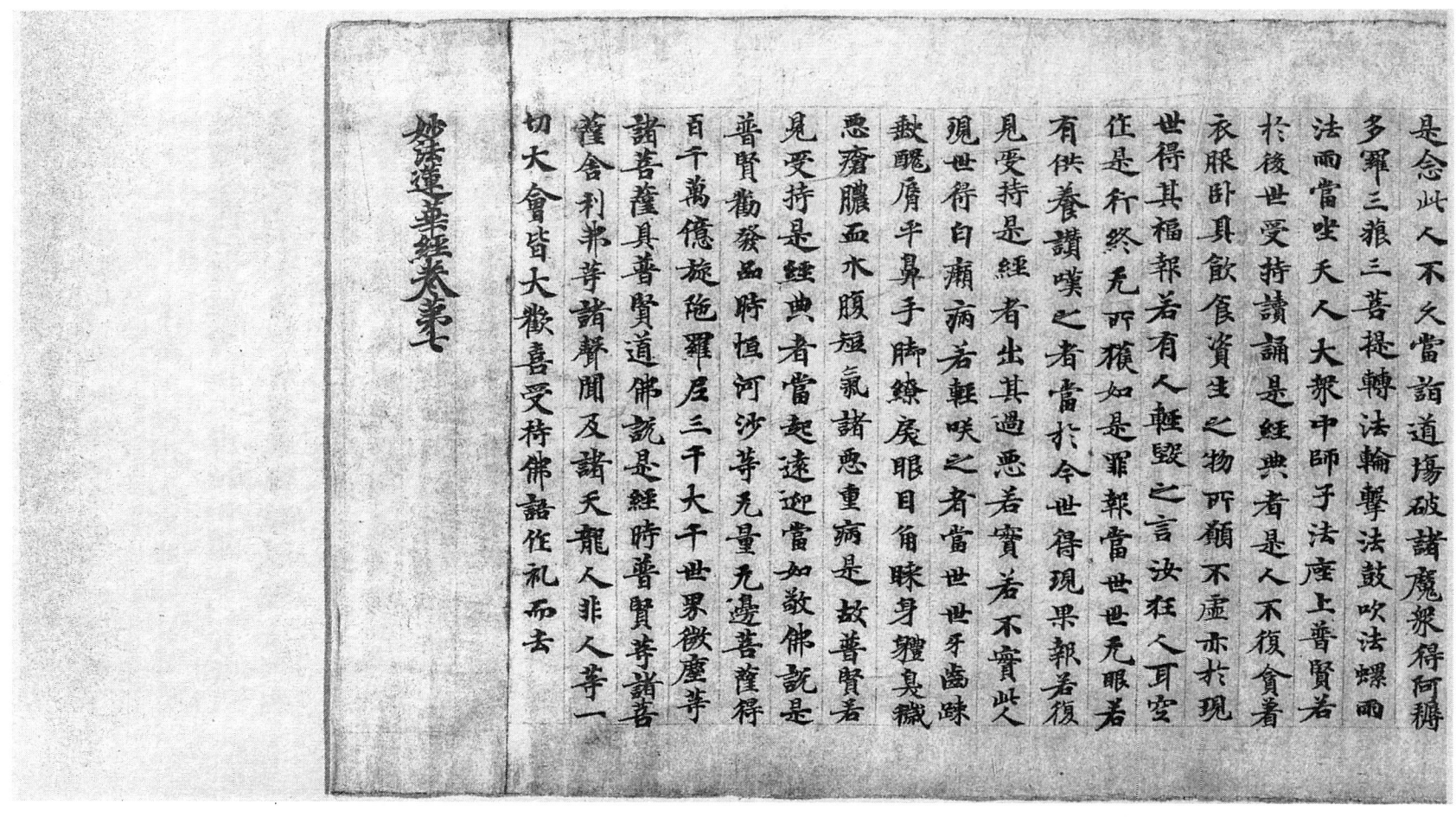

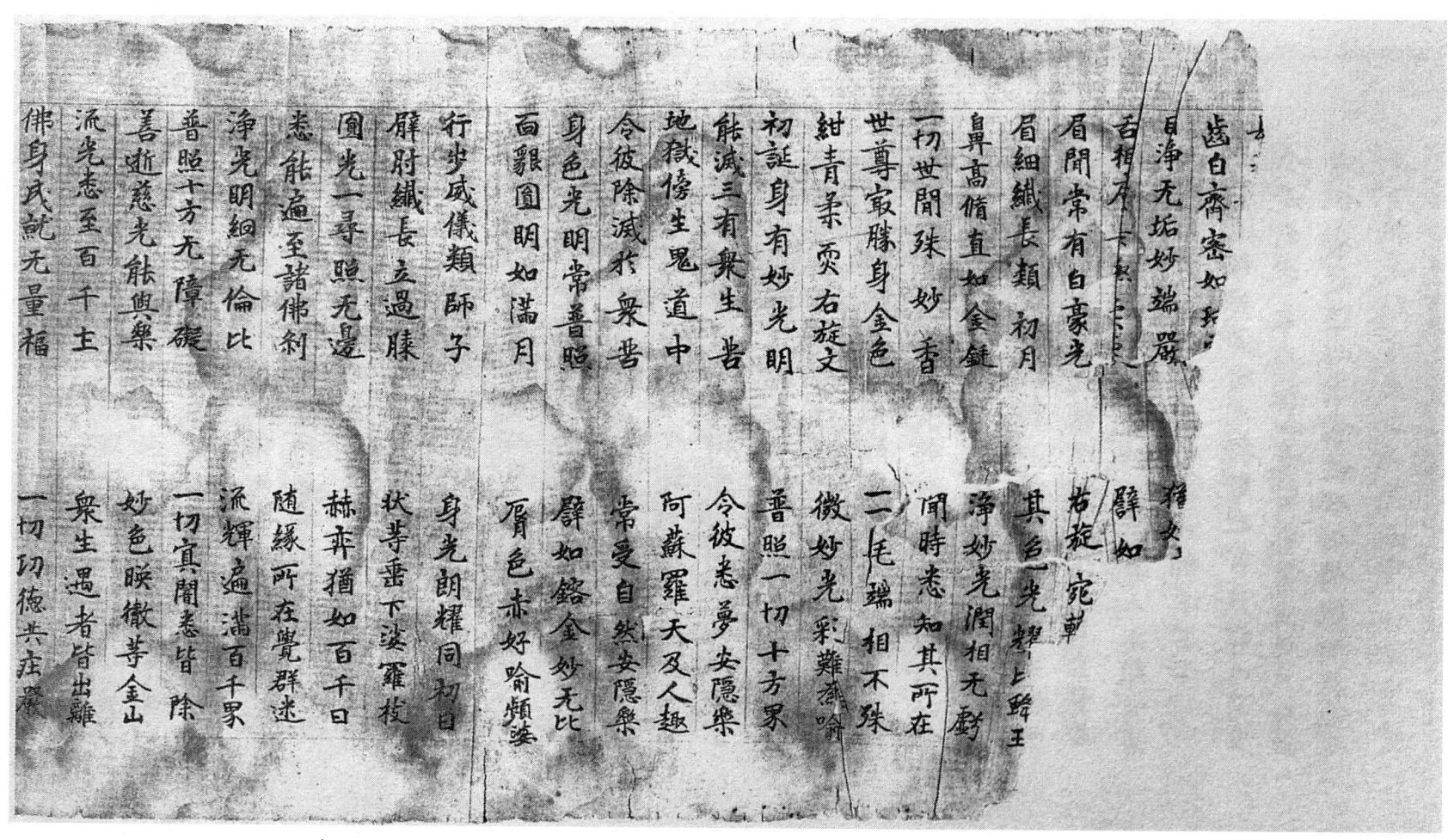

淨光明細无倫比　流輝遍滿百千界
普照十方无障礙　一切冥闇悉皆除
善逝慈光能與樂　妙色暎徹等金山
流光悉至百千土　衆生遇者皆出離
佛身成就无量福　一切功德共莊嚴
超過三界獨稱尊　世間殊勝无與等
所有過去一切佛　數同大地諸微塵
未來現在十方尊　亦如大地微塵衆
我以至誠身語意　稽首歸依三世佛
讚歎无邊功德海　種種香花皆供養
設我口中有千舌　經无量劫讚如來
世尊功德不思議　㝡勝甚深難可說
假令我舌有百千　讚歎一佛一功德
於中少分尚難知　况諸佛德无邊際
假使大地及諸天　乃至有頂爲海水
可以毛端滴知數　佛一功德甚難量
我以至誠身語意　礼讚諸佛德无邊
所有勝福果難思　迴施衆生速成佛
彼王讚歎如來已　倍復深心發弘願
願我當於未來世　生在无量无數劫
夢中常見大金鼓　得聞顯說懺悔音
讚佛功德喻蓮花　願證无生成正覺
諸佛出世時一現　於百千劫甚難逢
夜夢常聞妙鼓音　晝則隨應而懺悔
我當圓滿脩六度　拔濟衆生出苦海
然後得成无上覺　佛土清淨不思議
以妙金鼓奉如來　并讚諸佛實功德
因斯當見釋迦佛　記我當紹人中尊

BD03113號　金光明最勝王經卷五　（18–2）

諸佛出世時一現　於百千劫甚難逢
夜夢常聞妙鼓音　晝則隨應而懺悔
我當圓滿脩六度　拔濟衆生出苦海
然後得成无上覺　佛土清淨不思議
以妙金鼓奉如來　并讚諸佛實功德
因斯當見釋迦佛　記我當紹人中尊
金龍金光是我子　過去曾爲善知識
世世願生於我家　共受无上菩提記
若有衆生无救護　長夜輪迴受衆苦
我於來世作歸依　令彼常得安隱樂
三有衆苦願除滅　悉得隨心安樂處
於未來世修菩提　皆如過去成佛者
願此金光懺悔福　永竭苦海罪消除
業障煩惱悉皆亡　令我速招清淨果
福智大海量无邊　清淨離垢深无底
願我獲斯功德海　速成无上大菩提
以此金光懺悔力　當獲福德淨光明
既得清淨妙光明　常以智光照一切
願我身光等諸佛　福德智慧亦復然
一切世界獨稱尊　威力自在无倫疋
有漏苦海願超越　无爲樂海願常遊
現在福海願恒盈　當來智海願圓滿
願我剎土超三界　殊勝功德量无邊
諸有緣者悉同生　皆得速成清淨智
妙幢汝當知　國王金龍主　曾發如是願　彼即是汝身
往時有二子　金龍及金光　即銀相銀光　當受我所記
大衆聞是說　皆發菩提心　願現在未來　常依此懺悔
金光明㝡勝王經金勝陁羅尼品第八

BD03113號　金光明最勝王經卷五　（18–3）

諸有緣者悉同生　皆得速成清淨智
妙幢汝當知　國王金龍主　曾發如是願　彼即是汝身
往時有二子　金龍及金光　即銀相銀光　當受我所記
大衆聞是說　皆發菩提心　願現在未來　常依此懺悔
金光明最勝王經金勝陀羅尼品第八
尒時世尊復於衆中告善住菩薩摩訶薩善男
子有陀羅尼名曰金勝若有善男子善女人
欲求親見過去未來現在諸佛恭敬供
養者應當受持此陀羅尼何以故此陀羅尼
乃是過現未來諸佛之母是故當知持此陀羅
尼者具大福德已於過去无量佛所殖諸善
本今得受持於戒清淨不毀不缺无有障礙
決定能入甚深法門世尊即為說持呪法先
稱諸佛及菩薩名至心礼敬然後誦呪
南謨十方一切諸佛　南謨諸大菩薩摩訶薩
南謨聲聞緣覺一切賢聖
南謨釋迦牟尼佛　南謨東方不動佛
南謨南方寶幢佛　南謨西方阿弥陀佛
南謨北方天鼓音佛　南謨上方廣衆德佛
南謨下方明德佛　南謨寶藏佛
南謨普光佛　南謨普明佛
南謨香積王佛　南謨蓮花勝佛
南謨平等見佛　南謨寶髻佛
南謨寶上佛　南謨寶光佛
南謨无垢光明佛　南謨辯才莊嚴思惟佛
南謨淨月光稱相王佛　南謨花嚴光佛
南謨光明王佛　南謨善光无垢稱王佛

BD03113號　金光明最勝王經卷五　（18–4）

南謨平等見佛　南謨寶髻佛
南謨寶上佛　南謨寶光佛
南謨无垢光明佛　南謨辯才莊嚴思惟佛
南謨淨月光稱相王佛　南謨花嚴光佛
南謨光明王佛　南謨善光无垢稱王佛
南謨觀察无畏自在王佛　南謨无畏名稱佛
南謨最勝王佛
南謨觀自在菩薩摩訶薩　南謨地藏菩薩摩訶薩
南謨虛空藏菩薩摩訶薩　南謨妙吉祥菩薩摩訶薩
南謨金剛手菩薩摩訶薩　南謨普賢菩薩摩訶薩
南謨无盡意菩薩摩訶薩　南謨大勢至菩薩摩訶薩
南謨慈氏菩薩摩訶薩　南謨善惠菩薩摩訶薩
陀羅尼曰
南謨曷喇怛娜怛喇夜也　怛姪他
君睇君睇　矩折嚟矩折嚟
壹窒哩蜜窒哩　莎訶
佛告善住菩薩此陀羅尼是三世佛母若有
善男子善女人持此呪者能生无量无邊
福德之聚即是供養恭敬尊重讚歎无數
諸佛如是諸佛皆與此人授阿耨多羅三藐
三菩提記善住若有人能持此呪者隨其所
欲衣食財寶多聞聰慧无病長壽獲福甚
多隨所願求无不遂意善住持是呪者乃至
未證无上菩提常與金城山菩薩慈氏菩薩大
海菩薩觀自在菩薩妙吉祥菩薩大氷伽羅菩
薩等而共居止為諸菩薩之所攝護善住當
知持此呪時作如是法先應誦持滿一万八遍
為前方便次於闇室莊嚴道場黑月一日清

BD03113號　金光明最勝王經卷五　（18–5）

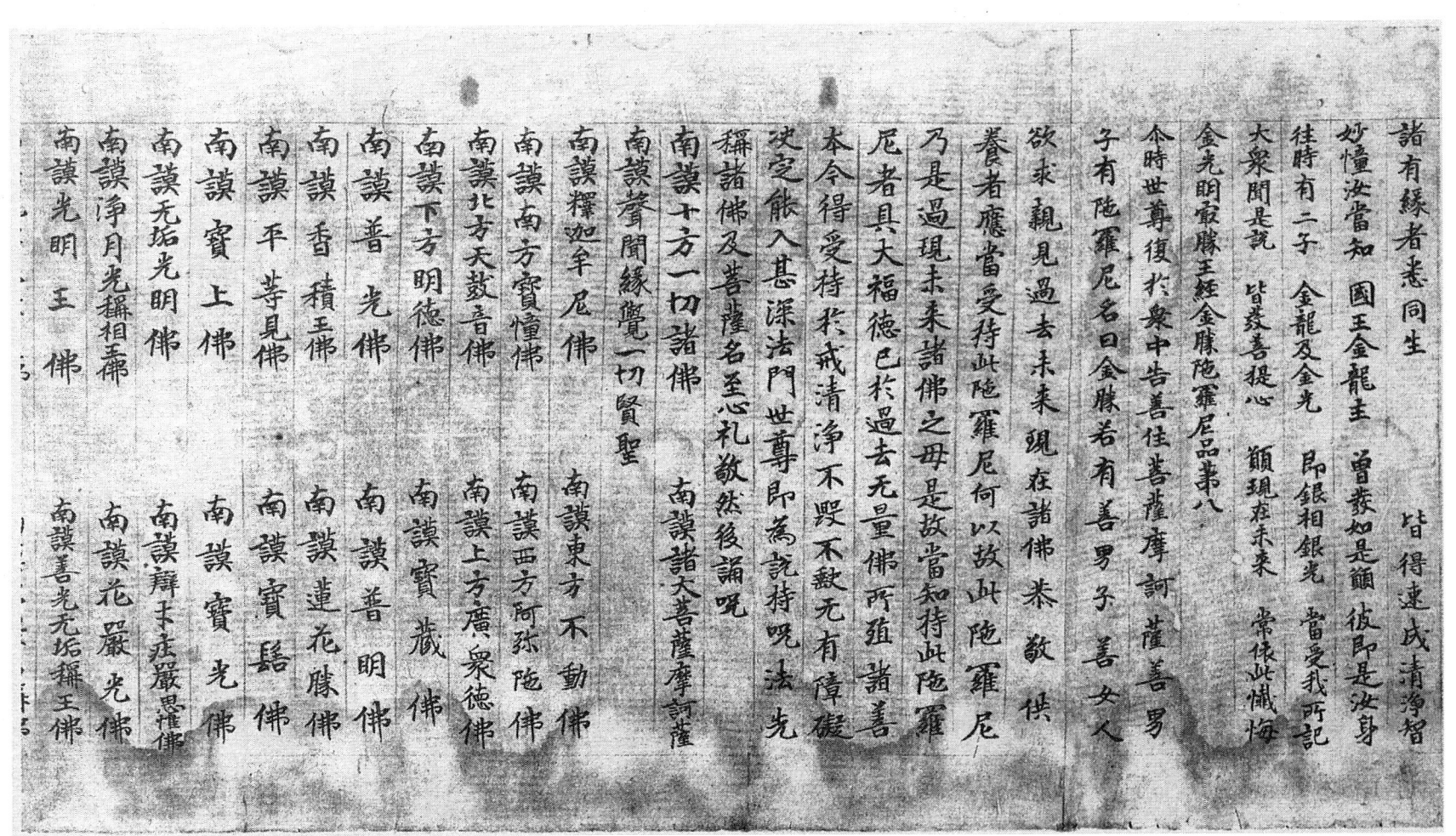

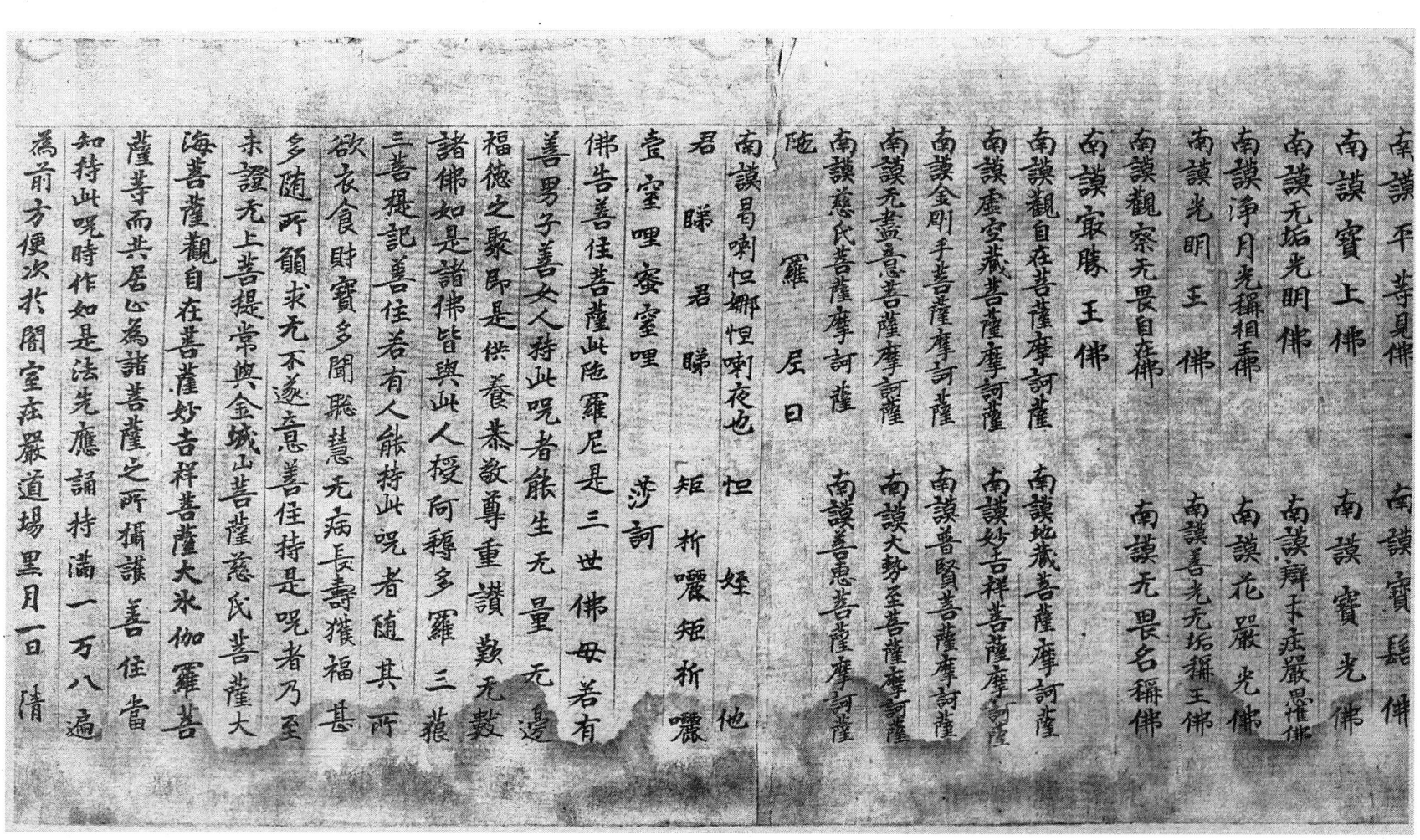

海菩薩觀自在菩薩妙吉祥菩薩大氷伽羅菩
薩等而共居止爲諸菩薩之所稱讚善住當
知持此呪時作如是法先應誦持滿一万八遍
爲前方便次於闇室莊嚴道場黑月一日清
淨洗浴著鮮潔衣燒香散花種種供養并
諸飲食入道場中先當稱礼如前所說諸佛
菩薩至心懇重悔先罪已右膝著地可誦前
呪滿一千八遍端坐思惟念其所願日未出時
於道場中食淨黑食日唯一食至十五日方
出道場能令此人福德威力不可思議隨所
願求无不圓滿若不遂意重入道場既稱心
已常持莫忘

金光明最勝王經重顯空性品第九

尒時世尊說此呪已爲欲利益菩薩摩訶薩人
天大衆令得悟解甚深真實第一義故重明
空性而說頌曰

我已於餘甚深經　廣說真空微妙法
今復於此經王內　略說空法不思議
於諸廣大甚深法　有情无智不能解
故我於斯重敷演　令於空法得開悟
大悲哀愍有情故　以善方便勝因緣
我今於此大衆中　演說令彼明空義
當知此身如空聚　六賊依止不相知
六塵諸賊別依根　各不相知亦如是
眼根常觀於色處　耳根聽聲不斷絕
鼻根恒齅於香境　舌根鎮嘗於美味
身根受於輕耎觸　意根了法不知猒

六塵諸賊別依根　各不相知亦如是
眼根常觀於色處　耳根聽聲不斷絕
鼻根恒齅於香境　舌根鎮嘗於美味
身根受於輕耎觸　意根了法不知猒
此等六根隨事起　各於自境生分別
識如幻化非真實　依止根處妄貪求
如人奔走空聚中　六識依根亦如是
心遍馳求隨處轉　託根緣境了諸事
常愛色聲香味觸　於法尋思无暫停
隨緣遍行於六根　如鳥飛空无障礙
藉此諸根作依處　方能了別於外境
此身无知无作者　體不堅固託緣成
皆從虛妄分別生　譬如機關由業轉
地水火風共成身　隨彼因緣招異果
同在一處相違害　如四毒虵居一篋
此四大虵性各異　雖居一處有昇沉
或上或下遍於身　斯等終歸於滅法
於此四種毒虵中　地水二虵多沉下
風火二虵性輕舉　由此乖違衆病生
心識依止於此身　造作種種善惡業
當往人天三惡趣　隨其業力受身形
遭諸疾病身死後　大小便利悉盈流
膿爛蟲蛆不可樂　棄在屍林如朽木
汝等當觀法如是　云何執有我衆生
一切諸法盡无常　悉從无明緣力起
彼諸大種咸虛妄　本非實有體无生
故說大種性皆空　知此浮虛非實有

汝等當觀法如是　云何執有我衆生
一切諸法盡无常　悉從无明緣力起
彼諸大種咸虛妄　本非實有體无生
故說大種性皆空　知此浮虛非實有
无明自性本是无　藉衆緣力和合有
於一切時失正慧　故我說彼為无明
行識為緣有名色　六處及觸受隨生
愛取有緣生老死　憂悲苦惱恒隨逐
衆苦惡業常纏迫　生死輪迴无息時
本來非有體是空　由不如理生分別
我斷一切諸煩惱　常以正智現前行
了五蘊宅悉皆空　求證菩提真實處
我開甘露大城門　示現甘露微妙器
既得甘露真實味　常以甘露施群生
我擊最勝大法鼓　我吹最勝大法蠡
我然最勝大明燈　我降最勝大法雨
降伏煩惱諸怨結　建立无上大法幢
於生死海濟群迷　我當閉絕三惡趣
煩惱熾火燒衆生　无有救護无依怙
清涼甘露充足彼　身心熱惱並皆除
由是我於无量劫　恭敬供養諸如來
堅持禁戒趣菩提　求證法身安樂處
施他眼耳及手足　妻子僮僕心无悋
財寶七珍莊嚴具　隨來求者咸供給
忍辱諸度皆遍脩　十地圓滿成正覺
故我得稱一切智　无有衆生度量者
假使三千大千界　盡此土地生長物
所有叢林諸樹木　稻麻竹葦及枝條

BD03113號　金光明最勝王經卷五　（18-8）

施他眼耳及手足　妻子僮僕心无悋
財寶七珍莊嚴具　隨來求者咸供給
忍辱諸度皆遍脩　十地圓滿成正覺
故我得稱一切智　无有衆生度量者
假使三千大千界　盡此土地生長物
所有叢林諸樹木　稻麻竹葦及枝條
此等諸物皆伐取　並悉細末作微塵
隨處積集量難知　乃至充滿虛空界
一切十方諸剎土　所有三千大千界
地土皆悉末為塵　此微塵量不可數
假使一切衆生智　以此智慧與一人
如是智者量无邊　容可知彼微塵數
牟尼世尊一念智　令彼智人共度量
於多俱胝劫數中　不能算知其少分

時諸大衆聞佛說此甚深空性有无量衆生悉能了達四大五蘊體性俱空六根六境妄生繫縛願捨輪迴正脩出離深心慶喜如說奉持

金光明最勝王經依空滿願品第十

尒時如意寶光耀天女於大衆中聞說深法歡喜踊躍從座而起偏袒右肩右膝著地合掌恭敬白佛言世尊唯願為說於甚深理脩行之法而說頌言

我問照世界　兩足最勝尊　菩薩正行法　唯願慈聽許
佛言善女天　若有疑惑者　隨汝意所問　吾當分別說

是時天女請世尊曰

云何諸菩薩　行菩提正行　離生死涅槃　饒益自他故

佛告善女天依於法界行菩提法脩平等

BD03113號　金光明最勝王經卷五　（18-9）

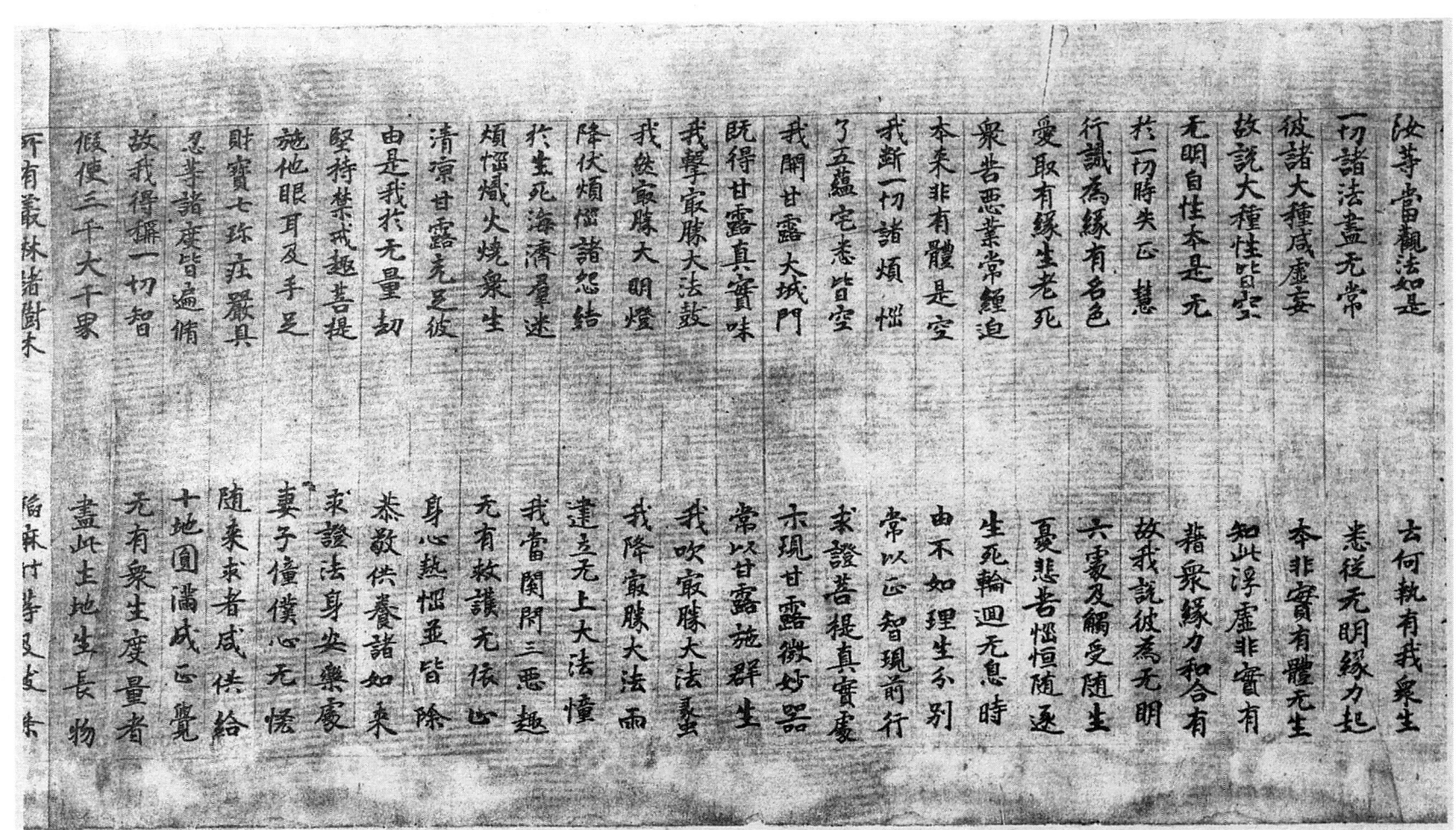

是最勝尊　菩薩正行法　唯願慈聽許
佛言善女天　若有疑惑者　隨汝意所問　吾當分別說
是時天女請世尊曰
云何諸菩薩　行菩提正行　離生死涅槃　饒益自他故
佛告善女天依於法界行菩提法脩平等行
云何依於法界行菩提法脩平等行謂於五
蘊能現法界法界即是五蘊五蘊不可說非
五蘊亦不可說何以故若法界是五蘊即是斷
見若離五蘊即是常見離於二相不著二
邊不可見過所見无名无相是則名為說於
法界善女天云何五蘊能現法界如是五蘊
不從因緣生何以故若從因緣生者為已生故
生為未生故生若已生生者何用因緣若未
生生者不可得生何以故未生諸法即是非
有无名无相非挍量譬喻之所能及非是因
緣之所生故善女天譬如鼓聲依木依皮及
桴手等故得出聲如是鼓聲過去亦空未來
亦空現在亦空何以故是鼓音聲不從木生
不從皮生及桴手生不於三世生是則不生
若不可生則不可滅若不可滅无所從來若无
所從來亦无所去若无所去則非常非斷若
非常非斷則不一不異何以故此若是一則
不異法界若如是者凡夫之人應見真諦得於
无上安樂涅槃既不如是故知不一若言
異者一切諸佛菩薩行相即是執著未得
解脫煩惱繫縛即不證阿耨多羅三藐三菩
提何以故一切聖人於行非行同真實性是
故不異故知五蘊非有非无不從因緣生非无

BD03113號　金光明最勝王經卷五　（18–10）

无上安樂涅槃既不如是故知不一若言
異者一切諸佛菩薩行相即是執著未得
解脫煩惱繫縛即不證阿耨多羅三藐三菩
提何以故一切聖人於行非行同真實性是
故不異故知五蘊非有非无不從因緣生非无
因緣生是聖所知非餘境故亦非言說之
所能及无名无相无因无緣亦无譬喻始終
寂靜本來自空是故五蘊能現法界善女天
若善男子善女人欲求阿耨多羅三藐三菩提
異真異俗難可思量於凡聖境體非一異
不捨於俗不離於真依於法界行菩提行尒時
世尊作是語已時善女天踊躍歡喜即從座
起偏袒右肩右膝著地合掌恭敬一心頂
礼而白佛言世尊如上所說菩提正行我今
當學是時索訶世界主大梵天王於大衆中
問如意寶光耀善女天曰此菩提行難可脩
行汝今云何於菩提行而得自在尒時善女天
荅梵王曰大梵王如佛所說實是甚深一切
異生不解其義是聖境界微妙難知若使
我今依於此法得安樂住是實語者願令一
切五濁惡世无量无數无邊衆生皆得金色
三十二相非男非女坐寶蓮花受无量樂雨天
妙花諸天音樂不鼓自鳴一切供養皆悉具
是時善女天說是語已一切五濁惡世所有
衆生皆悉金色具大人相非男非女坐寶蓮
花受无量樂猶如他化自天宮无諸惡道
寶樹行列七寶蓮花遍滿世界又雨七寶上
妙天花作天伎樂如意寶光耀善女天即轉
女身作梵

BD03113號　金光明最勝王經卷五　（18–11）

是時善女天說是語已一切五濁惡世所有
衆生皆悉金色具大人相非男非女坐寶蓮
花受无量樂猶如他化自天宮无諸惡道
寶樹行列七寶蓮花遍滿世界又雨七寶上
妙天花作天伎樂如意寶光耀善女天即轉
女身作梵天身時大梵王問如意寶光耀菩
薩言仁者如何行菩提行答言梵王若水中
月行菩提行我亦行菩提行若夢中行菩提
行我亦行菩提行若陽焰行行菩提行我
亦行菩提行若谷響行菩提行我亦行菩
提行時大梵王聞此說已白菩薩言仁依何
義而說此語答言梵王无有一法是實相者
但由因緣而得成故梵王言若如是者諸凡夫
人皆悉應得阿耨多羅三藐三菩提答言仁
以何意而作是說愚癡人異智慧人異菩提
異非菩提異解脫異非解脫異梵王如是諸
法平等无異於此法界真如不一不異无有中
間而可執著无增无減梵王譬如幻師及幻弟
子善解幻術於四衢道取諸沙土草木葉等
聚在一處作諸幻術使人觀見象衆馬衆車
兵等衆七寶之聚種種倉庫若有衆生愚
癡无智不能思惟不知幻本若見若聞作是
思惟我所見聞象馬等衆此是實有餘皆
虛妄於後更不審察思惟有智之人則不如
是了於幻本若見若聞作如是念如我所見
象馬等衆非是真實唯有幻事惑人眼目妄
謂象等及諸倉庫有名无實如我見聞不執
爲實後時思惟知其虛妄是故智者了一切

BD03113號　金光明最勝王經卷五　（18–12）

虛妄於後更不審察思惟有智之人則不如
是了於幻本若見若聞作如是念如我所見
象馬等衆非是真實唯有幻事惑人眼目妄
謂象等及諸倉庫有名无實如我見聞不執
爲實後時思惟知其虛妄是故智者了一切
法皆无實體但隨世俗如見如聞表宣其事
思惟諦理則不如是復由假說顯實義故梵
王愚癡異生未得出世聖慧之眼未知一切諸
法真如不可說故是諸凡愚若見若聞行非
行法如是思惟便生執著謂以爲實於第一
義不能了知諸法真如是不可說是諸聖人
若見若聞行非行法隨其力能不生執著
以爲實有了知一切无實行法无實非行法
但妄思量行非行相唯有名字无有實體是
諸聖人隨世俗說爲欲令他知真實義如是梵
王是諸聖人以聖智見了法真如不可說故行
非行法亦復如是令他證知故說種種世俗
名言時大梵王問如意寶光耀菩薩言有
幾衆生能解如是甚深正法答言梵王有衆
幻人心心數法能解如是甚深正法梵王曰此
幻化人體是非有此之心數從何而生答曰
若知法界不有不无如是衆生能解深義
尒時梵王白佛言世尊是如意寶光耀菩
薩不可思議通達如是甚深之義佛言如是
如是梵王如汝所言此如意寶光耀已教汝等
發心修學无生忍法是時大梵天王與諸梵
衆從座而起偏袒右肩合掌恭敬頂礼如意
寶光耀菩薩足作如是言希有希有我等

BD03113號　金光明最勝王經卷五　（18–13）

如是梵王如汝所言此如意寶光耀已教汝等
發心脩學无生忍法是時大梵天王與諸梵
衆從座而起偏袒右肩合掌恭敬頂礼如意
寶光耀菩薩足作如是言希有希有我等
今日幸遇大士得聞正法
尒時世尊告梵王言是如意寶光耀於未來
世當得作佛号寶燄吉祥藏如来應正遍
知明行圓滿善逝世間解无上士調御丈夫
天人師佛世尊說是品時有三千億菩薩
於阿耨多羅三藐三菩提得不退轉八千億
天子无量无數國王臣民遠塵離垢得法
眼淨
尒時會中有五十億苾芻行菩薩行欲退
菩提心聞如意寶光耀菩薩說是法時皆
得堅固不思議滿足上願更復發起菩提
之心各自脫衣供養菩薩重發无上勝進
之心作如是願願令我等功德善根悉皆不
退迴向阿耨多羅三藐三菩提梵王是諸苾
芻依此功德如說脩行過九十大劫當得解
悟出離生死尒時世尊即為授記汝諸苾芻
過三十阿僧祇劫當得作佛劫名難勝光王
國名无垢光同時皆得阿耨多羅三藐三菩
提皆同一号名願莊嚴聞飾王十号具足梵
王是金光明微妙經典若正聞持有大威力
假使有人於百千大劫行六波羅蜜无有方
便若有善男子善女人書寫如是金光明經半
月半月專心讀誦是功德聚於前功德百分不
及一乃至筭數譬喻所不能及梵王是故我

BD03113號　金光明最勝王經卷五　（18–14）

假使有人於百千大劫行六波羅蜜无有方
便若有善男子善女人書寫如是金光明經半
月半月專心讀誦是功德聚於前功德百分不
及一乃至筭數譬喻所不能及梵王是故我
今令汝脩學憶念受持為他廣說何以故我
於往昔行菩薩道時猶如勇士入於戰陣不惜
身命流通如是微妙經王受持讀誦為他解
說梵王譬如轉輪聖王若王在世七寶不滅
王若命終所有七寶自然滅盡梵王是金光
明微妙經王若現在世无上法寶悉皆不滅
若无是經隨處隱沒是故應當於此經王
專心聽聞受持讀誦為他解說勸令書寫
行精進波羅蜜不惜身命不憚疲勞功德中
勝我諸弟子應當如是精勤脩學
尒時大梵天王與无量梵衆帝釋四王及諸
藥叉俱從座起偏袒右肩右膝著地合掌
恭敬而白佛言世尊我等皆願守護流通
是金光明微妙經典及說法師若有諸難我
當除遣令具衆善色力充足辯才无礙身
意泰然時會聽者皆受安樂所在國土若有
飢饉怨賊非人為惱害者我等天衆皆為擁
護使其人民安隱豐樂无諸枉橫皆是我等
天衆之力若有供養是經典者我等亦當
恭敬供養如佛不異
尒時佛告大梵天王及諸梵衆乃至四王諸
藥叉等善哉善哉汝等得聞甚深妙法復
能於此微妙經王發心擁護及持經者當獲
无邊殊勝之福速成无上正等菩提時梵王等

BD03113號　金光明最勝王經卷五　（18–15）

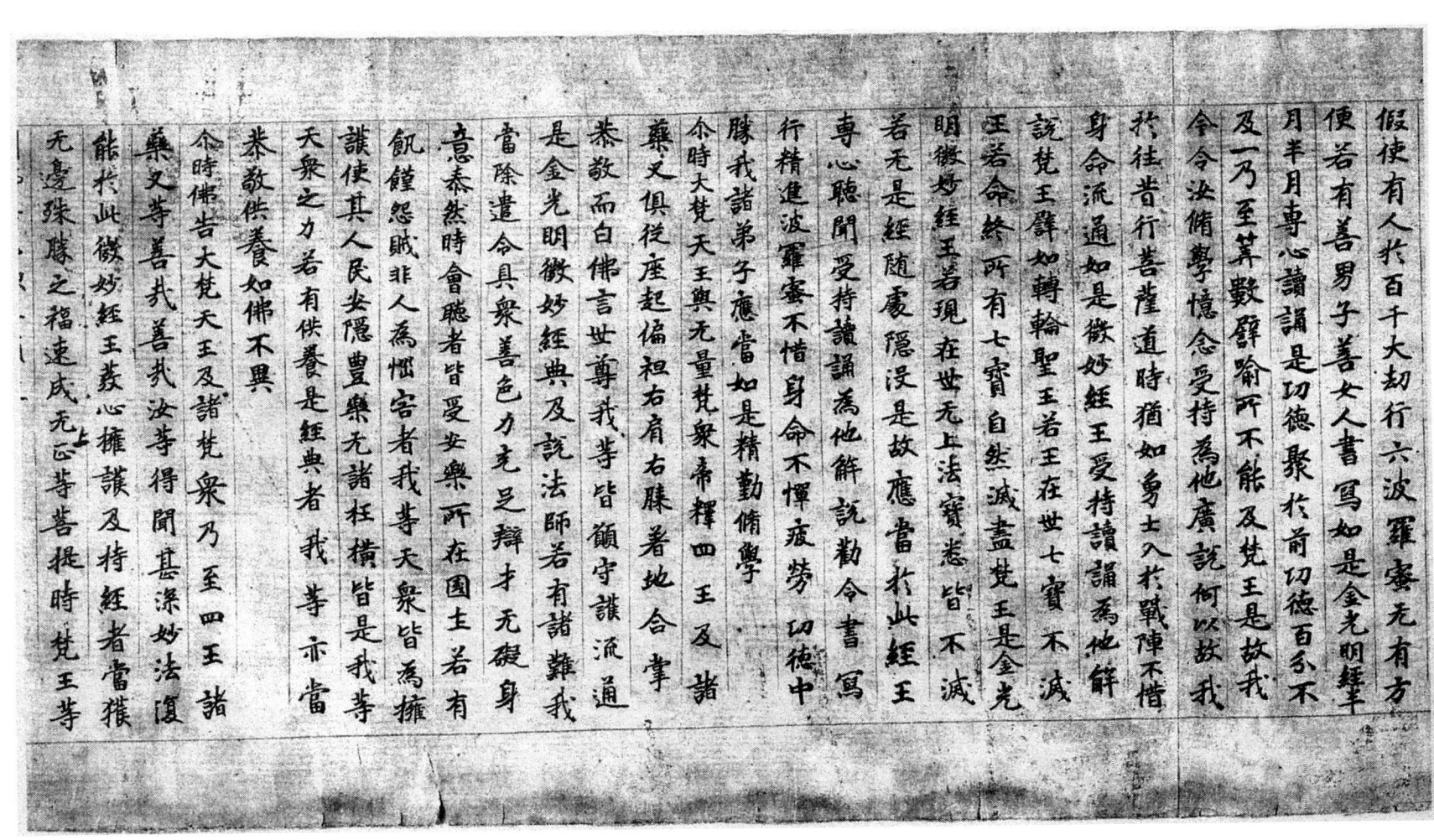

尒時佛告大梵天王及諸梵衆乃至四王諸
藥叉等善哉善哉汝等得聞甚深妙法復
能於此微妙經王䖍心擁護及持經者當獲
无邊殊勝之福速成无上正等菩提時梵王等
聞佛語已歡喜頂受
金光明最勝王經四天王觀察人天品第十一
尒時多聞天王持國天王增長天王廣目天王
俱從座起偏袒右肩右膝著地合掌向佛
礼佛足已白言世尊是金光明最勝王經一
切諸佛常念觀察一切菩薩之所恭敬一切
天龍常所供養及諸天衆常生歡喜一切護
世稱揚讚歎聲聞獨覺皆共受持悉能明
照諸天宮殿能與一切衆生殊勝安樂止息
地獄餓鬼傍生諸趣苦惱一切怖畏悉能除殄
所有怨敵尋即退散飢饉惡時能令豊
稔疾疫病苦皆令蠲愈一切災變百千苦
惱咸悉消滅世尊是金光明最勝王經能爲
如是安隱利樂饒益我等唯願世尊於大衆
中廣爲宣說我等四王并諸眷屬聞此甘露
无上法味氣力充實增益威光精進勇猛
神通倍勝世尊我等四王脩行正法常說正
法以法化世我等令彼天龍藥叉健闥婆阿
蘇羅揭路荼俱槃荼緊那羅莫呼羅伽及
諸人王常以正法而化於世遮去諸惡所有
鬼神吸人精氣无慈悲者悉令遠去世尊我
等四王與二十八部藥叉大將并與无量百千
藥叉以淨天眼過於世人觀察擁護此贍部
洲世尊以此因緣我等諸王名護世者又復於

BD03113 號　金光明最勝王經卷五　（18–16）

諸人王常以正法而化於世遮去諸惡所有
鬼神吸人精氣无慈悲者悉令遠去世尊我
等四王與二十八部藥叉大將并與无量百千
藥叉以淨天眼過於世人觀察擁護此贍部
洲世尊以此因緣我等諸王名護世者又復於
此洲中若有國王被他怨賊常來侵擾及多
飢饉疾疫流行无量百千災厄之事世尊我
等四王於此金光明最勝王經恭敬供養若
有苾芻法師受持讀誦我等四王往覺悟
勸請其人時彼法師由我神通覺悟力故
往彼國界廣宣流布是金光明微妙經典
由經力故令彼无量百千衰惱災厄之事悉
皆除遣世尊若諸人王於其國内有持是經
苾芻法師至彼國時當知此經亦至其國世尊
時彼國王應往法師處聽其所說聞已歡喜於
彼法師恭敬供養深心擁護令无憂惱演說此
經利益一切世尊以是緣故我等四王皆共一心
護是人王及國人民令離災患常得安隱世
尊若有苾芻尼鄔波索迦鄔波斯迦持是經者
時彼人王隨其所須供給供養令无乏少
我等四王令彼國主及以國人悉皆安隱遠離
災患世尊若有受持讀誦是經典者人王
於此供養恭敬尊重讚歎我等當令彼王
於諸王中恭敬尊重最爲第一諸餘國王
共所稱歎大衆聞已歡喜受持
金光明經卷第五

BD03113 號　金光明最勝王經卷五　（18–17）

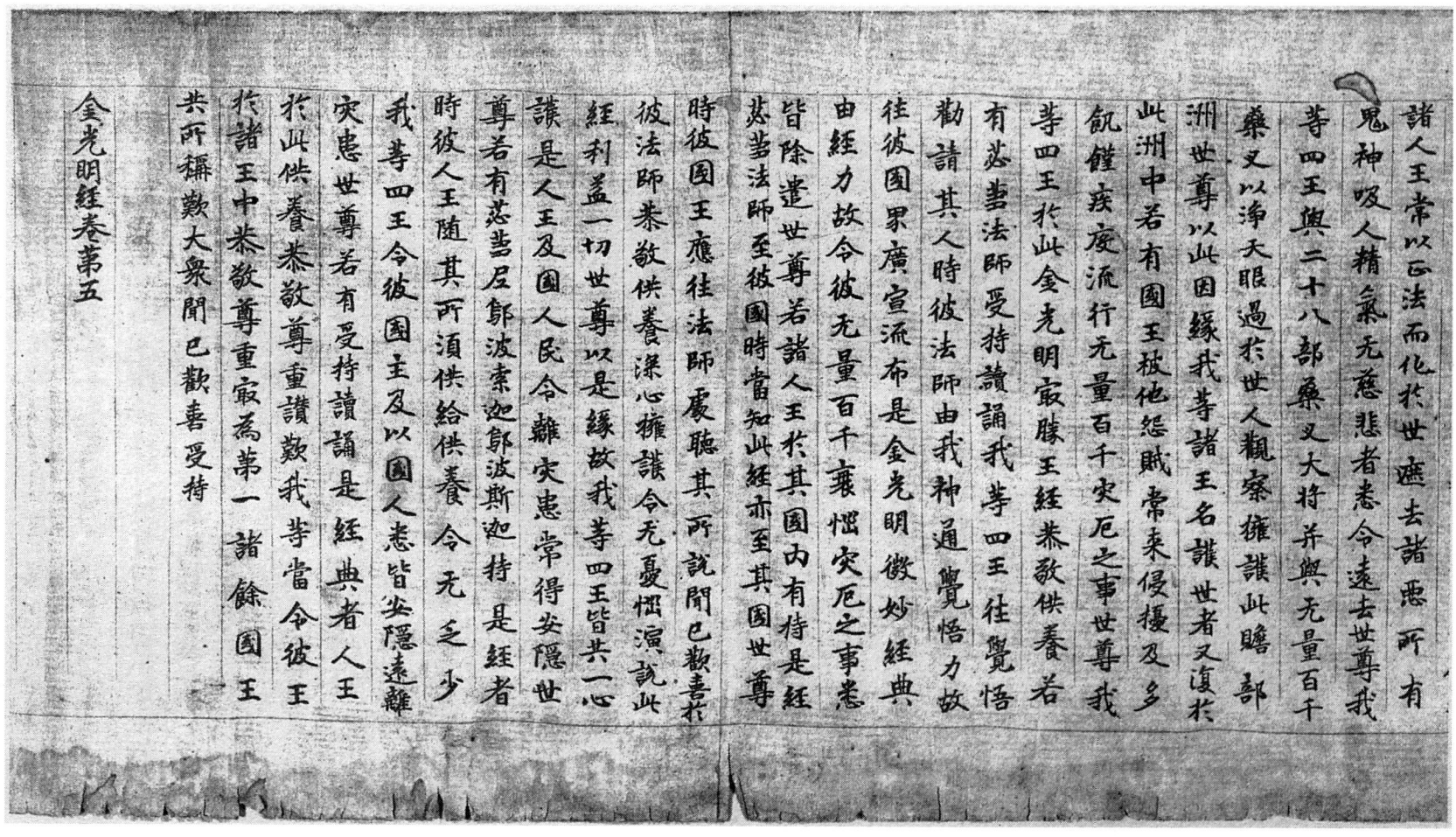

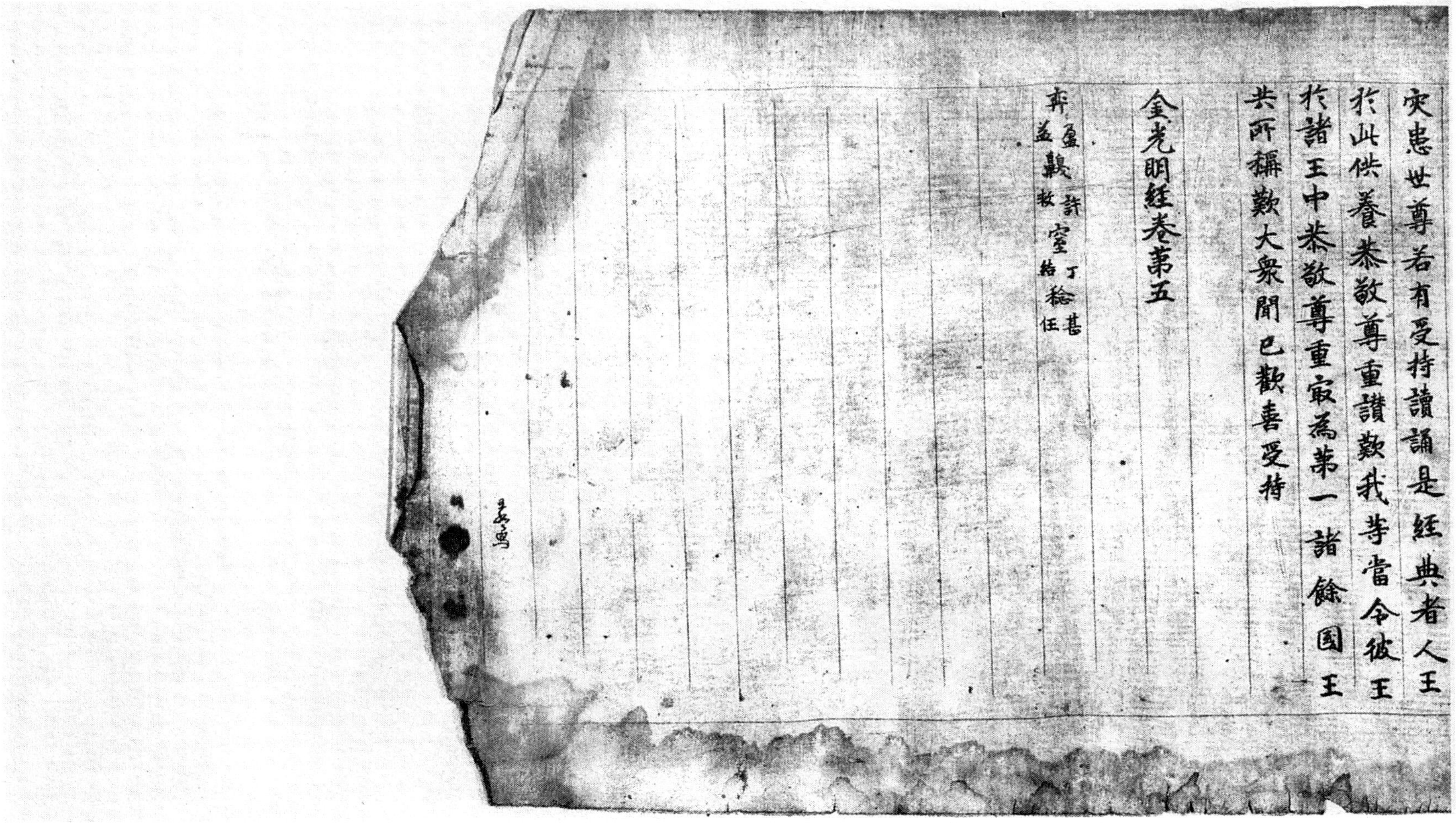

灾患世尊若有受持讀誦是經典者人王
於此供養恭敬尊重讚歎我等當令彼王
於諸王中恭敬尊重冣為第一諸餘國王
共所稱歎大衆聞已歡喜受持
金光明經卷第五
弃盈益 顗許救 室丁結 稔甚任

BD03113 號　金光明最勝王經卷五　　（18–18）

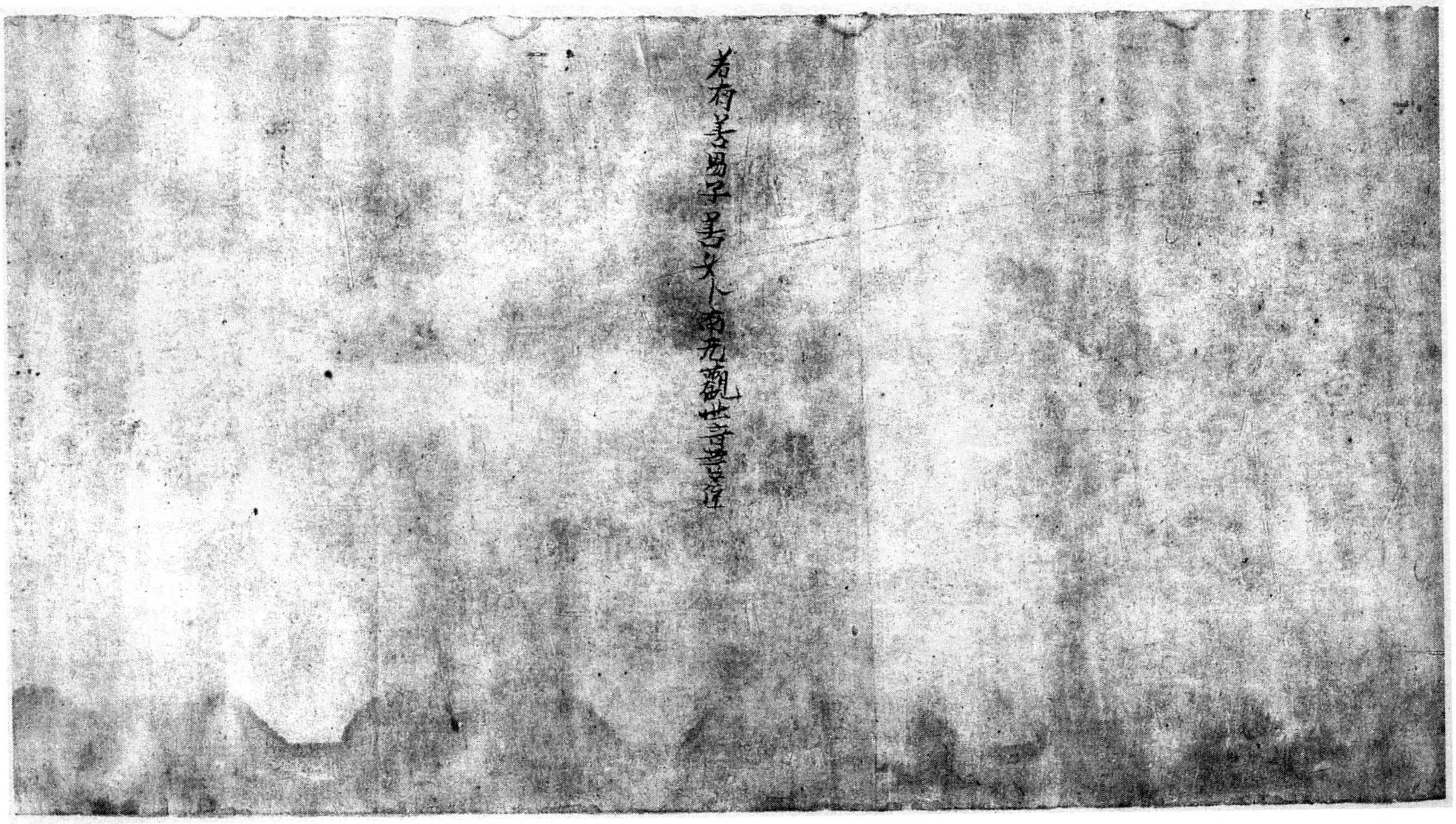

若有善男子善女人南无觀世音菩薩

BD03113 號背　雜寫　　（2–1）

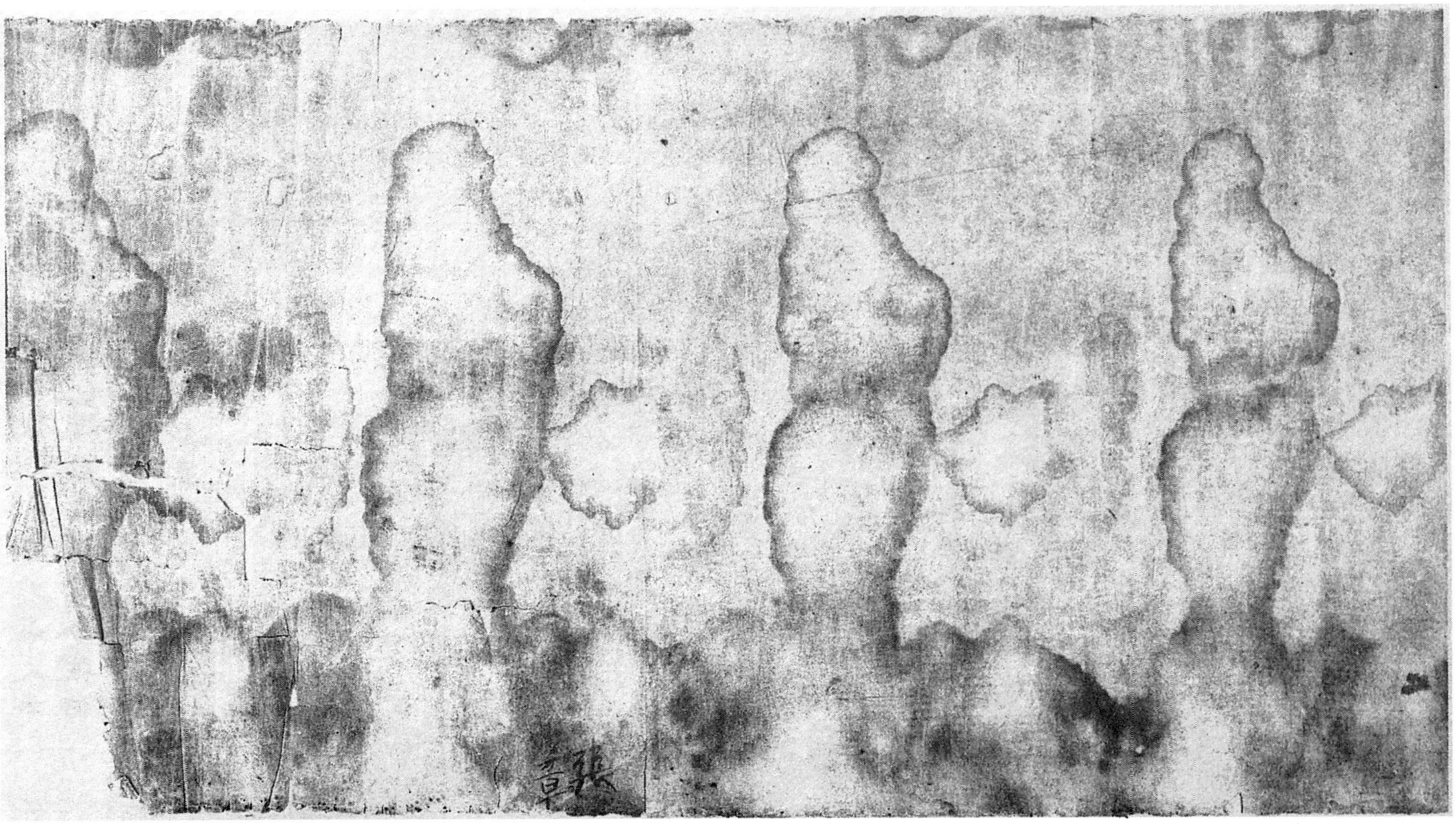

BD03113 號背　雜寫　　（2–2）

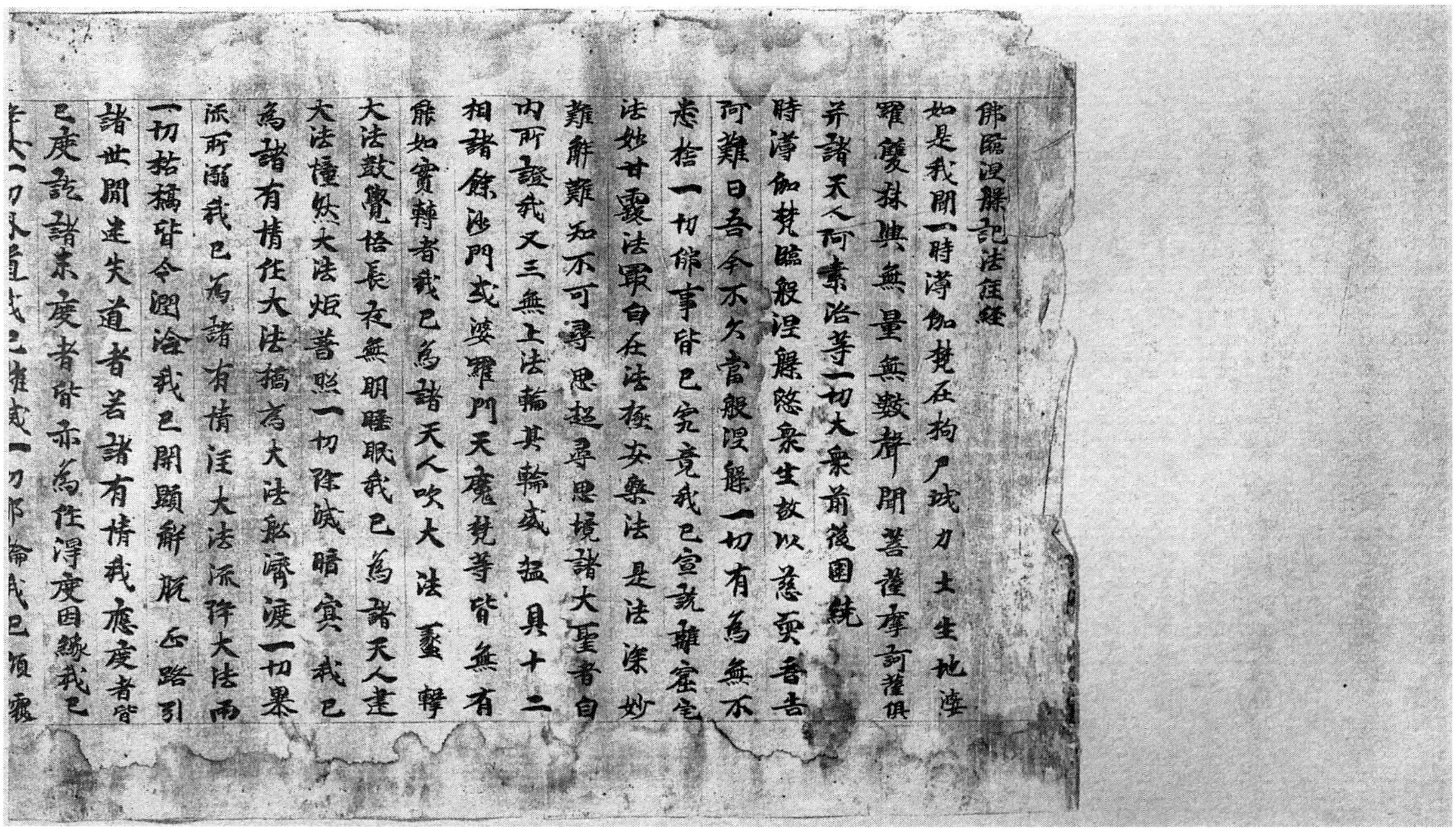

佛臨涅槃記法住經
如是我聞一時薄伽梵在拘尸城力士生地娑
羅雙林與無量無數聲聞菩薩摩訶薩俱
并諸天人阿素洛等一切大衆前後圍繞
時薄伽梵臨般涅槃愍衆生故以慈耎音告
阿難曰吾今不久當般涅槃一切有為無不
悲捨一切佛事皆已究竟我已宣說離窒宅
法妙甘露法最自在法極安樂法是法深妙
難解難知不可尋思超尋思境諸大聖者自
内所證我又三無上法輪其輪或揺具十二
相諸餘沙門或婆羅門天魔梵等皆無有
能如實轉者我已為諸天人吹大法螺擊
大法鼓覺悟長夜無明睡眠我已為諸天人建
大法幢然大法炬普照一切除滅暗冥我已
為諸有情作大法橋為大法船濟渡一切暴
流所溺我已為諸有情注大法流降大法雨
一切枯槁皆令潤洽我已開顯解脫正路引
諸世間迷失道者若諸有情我應度者皆
已度訖諸未度者皆亦為作得度因緣我已
伏一切外道我已摧滅一切邪論我已傾覆

BD03114 號　佛臨涅槃記法住經　　（6–1）

[illegible]
派所溺我已為諸有情注大法派降大法雨
一切枯槁皆令潤洽我已開顯解脫正路引
諸世間迷失道者若諸有情我應度者皆
已度訖諸未度者皆亦為作得度因緣我已
降伏一切外道我已摧滅一切邪論我已傾覆
諸魔宮殿我已破壞一切魔軍心師子吼作
大佛事圓滿丈夫本所誓願護持法眼令無
毀缺化諸聲聞授菩薩記為未來世無上佛
眼開照世間常無斷絶阿難汝等當於如是
無上正法勤加護持令不滅沒阿難我今更
無所作唯大涅槃是所歸趣
尒時阿難聞佛語已悲慕感絶良久而言未
審如來為諸有情三無數劫勤苦所得無上
正法於佛滅後住世幾時饒益天人阿素洛
等當漸隱沒
尒時世尊重以慈音告阿難曰諸佛化迹法
皆如是勿復憂悲無上正法於我滅後住世
千年饒益天人阿素洛等從是已後漸當
隱沒
阿難當知我涅槃後第一百年吾聖教中聖
法堅固我諸弟子聡慧多聞無畏辯才能伏
邪論具大神力於諸有情多所饒益由是義
故天龍歡喜勤加守護國王大臣長者居士
亦復如是善識福田於佛法僧深生淨信供
養恭敬尊重讚嘆一百年末有大國王名阿
輸迦出現於世具大威力王贍部洲達窣堵
波高廣嚴飾其數滿足八万四千供養吾身

亦復如是善識福田於佛法僧深生淨信供
養恭敬尊重讚嘆一百年末有大國王名阿
輸迦出現於世具大威力王贍部洲達窣堵
波高廣嚴飾其數滿足八万四千供養吾身
所留舍利令無量衆見聞歡喜皆樹生天解
脫之業
我涅槃後第二百年吾聖教中寂靜堅固我
諸弟子聡慧多聞如天人師具大威德多所
饒益以是義故天龍歡喜常加守護國王大
臣長者居士亦復如是善識福田於佛法僧
深生淨信供養恭敬尊重讚嘆
我涅槃後第三百年吾聖教中正行堅固
我諸弟子證慧解脫俱分解脫身證見至無
量百千由是多人得聖果故天龍歡喜常加守
護國至大臣長者居士亦復如是善識福田
於佛法僧深生淨信供養恭敬尊重讚歎
我涅槃後第四百年吾聖教中遠離堅固我
諸弟子樂住空閑勤脩寂定以是義故天龍
歡喜常隨守護國王大臣長者居士亦復如
是善識福田於佛法僧深生淨信供養恭敬
尊重讚嘆
我涅槃後第五百年吾聖教中法義堅固我
諸弟子愛樂正法精勤脩學論議決擇由是
義故天龍歡喜常勤守護國王大臣長者居
士亦復如是善識福田於佛法僧深生淨信供
養恭敬尊重讚嘆
我涅槃後第六百年吾聖教中法教堅固我
[illegible]

義故天龍歡喜常勤守護國王大臣長者居
士亦復如是善識福田於佛法僧深生淨信供
養恭敬尊重讚嘆
我涅槃後第六百年吾聖教中法教堅固我
諸弟子多於教法精勤誦習心無厭倦能多
饒益無量有情以是義故天龍歡喜勤加守
護國王大臣長者居士亦復如是善識福田
於佛法僧深生淨信供養恭敬尊重讚嘆然
於義趣多有懷疑
我涅槃後第七百年吾聖教中利養堅固天
龍藥叉阿素洛等於佛法僧能養恭敬尊重
讚嘆我諸弟子多著利養恭敬名譽於增上
學究竟慧等不勤修習
我涅槃後第八百年吾聖教中乖諍堅固我
諸弟子多相嫉妒結構惡人虛空誹謗輕訶
持戒鄙賤多聞不念六和專思乖諍見不善
巧不敬師長不正知住欺誑諂曲言詞麁獷
如旃荼羅依附國王大臣長者方便損費三
寶財物結惡朋黨析挫善人
我涅槃後第九百年吾聖教中事業堅固我
諸弟子多營俗業耕種商估通致使命以自
存活於諸如來所制學處慢緩毀犯
我涅槃後第十百年吾聖教中戲論堅固我
諸弟子多勤習學種種戲論捨出世間諸
佛正教所謂契經應頌記別諷誦自說緣起譬
喻本事本生方廣希法及與論義精勤習誦
世間戲論所謂王論賊論戰論食論飲論衣

BD03114號　佛臨涅槃記法住經　（6–4）

我涅槃後第十百年吾聖教中戲論堅固我
諸弟子多勤習學種種戲論捨出世間諸
佛正教所謂契經應頌記別諷誦自說緣起譬
喻本事本生方廣希法及與論義精勤習誦
世間戲論所謂王論賊論戰論食論飲論衣
論乘論我論婬論男論女論諸國土論諸河
海論諸外道論由樂此等種種戲論令諸沙
門婆羅門等輕毀退失我之聖教於我正法毗
奈耶中當有如斯諸惡苾芻苾芻尼等不
善修習身戒心慧更相忿諍誹毀誹謗耽著
妙好種種衣鉢房舍敷具由與諸惡徒黨集
會雖經多年守護淨戒於須臾頃悉皆毀犯
雖經多年集諸善本由多瞋恚悉皆退失以
是因緣天龍等眾悲傷懊惱捨不守護國王
大臣長者居士於三寶所不生淨信誹謗輕
毀由是因緣令正法滅
從是已後諸苾芻等造惡轉深國王大臣長者
居士蓋不恭敬三寶餘勢猶未全滅故於
彼時復有苾芻苾芻尼等少欲知足護持禁戒
修行靜慮愛樂多聞受持如來三藏教法
廣為四眾分別演說利益安樂無量有情復
有國王大臣長者及居士等愛楷正法於三
寶所供養恭敬尊重讚嘆護持建立無所顧
戀當知皆是不可思議諸菩薩等以本願力
生於此時護持如來無上正法與諸有情作
大饒益
爾時阿難聞菩薩天龍藥叉人非人等一
切大眾聞薄伽梵懸記當來法住時亦諸苾

BD03114號　佛臨涅槃記法住經　（6–5）

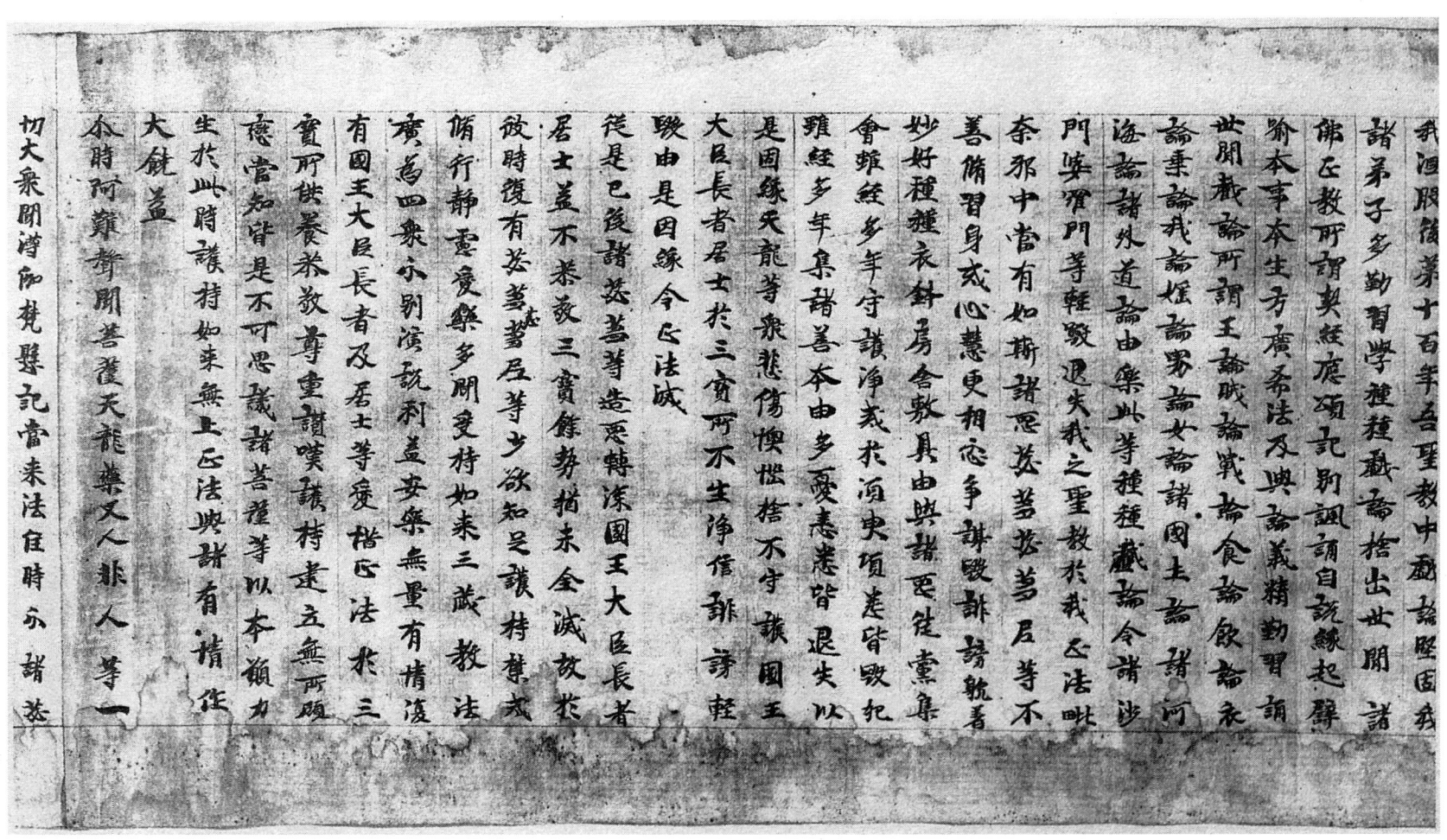

居士並不恭敬三寶餘勢猶未全滅故於
彼時復有苾芻苾芻尼等少欲知足護持禁戒
脩行靜慮愛樂多聞受持如來三藏教法
廣為四衆分別演說利益安樂無量有情復
有國王大臣長者及居士等愛惜正法於三
寶所供養恭敬尊重讚歎護持建立無所顧
戀當知皆是不可思議諸菩薩等以本願力
生於此時護持如來無上正法與諸有情作
大饒益
尒時阿難并諸菩薩天龍藥叉人非人等一
切大乘聞薄伽梵懸記當來法住時分諸苾
芻等行業差別皆増悲歎信受奉行
佛臨涅槃記法住經

BD03114號　佛臨涅槃記法住經　（6–6）

佛身過一切種相非執相境界是故說名不一不二善男子是
身依於法身得顯現故是法身者是真實有无依處故
義故說於无常化身者恒轉法輪處處隨緣方便相
用不顯現故說為无常應身者從无始來相續不斷一切
用亦无盡是故說常非是本故以具足用不顯現故說為无常
本故猶如虛空是故說常善男子離无分別智更无勝智離
如如是二種如如不一不異是故法身慧清淨故滅清淨故是
復次善男子分別三身有四種異有化身非應身有應
化身亦非應身何者化身非應身謂諸如來般涅槃後以 … 是名化身何
應身非化身是地前身何者化身亦應身謂住有餘涅槃之身何者非化身非應身謂是
法身善男子是法身者二无所有所顯現故何者名為二无所 … 於此法身相及相處二皆是
无非有非无非一非異非數非非數非明非闇如是如如智不見相及相處不見非有非无不見非
非異不見非數非非數不見非明非闇是故當知境界清淨智慧清淨不可分別无有中間為
滅道本故於此法身能顯如來種種事業善男子是身因緣境界處所果依於本難思議故
了此義是身即是大乘是如來性是如來藏依於此身得發初心 … 現不退地心亦
得現一生補處心金剛之心如來之心而悉顯現无量无邊如來 … 悉顯現依此法身不可思
摩訶三昧而得顯現依此法身得現一切大智是故二身依於三昧依於智慧而得顯現如此法
於自體說常說我依大三昧故說於樂依於大智故說清淨是故如來常住自在安樂清
三昧一切禪定首楞嚴等一切念處大法念等大慈大悲一切陀羅尼一切神通一切自在一切法
平等攝受如是佛法悉皆出現依此大智十力四无所畏四无礙辯一百八十不共之法一切希有不可
思議法悉皆顯現譬如依如意寶珠无量无邊種種珍寶悉皆得現如是依大三昧寶依大智
慧寶能出種種无量无邊諸佛妙法善男子如是法身三昧智慧過一切相不著於相不可分別
非常非斷是名中道雖有分別體无分別雖有三數而无三體不增不減猶如夢幻亦无所執亦
无能執法體如如是解脫處過死王境越生死闇一切衆生不能修行所不能至一切諸佛菩薩之所住
處善男子譬如有人願欲得金處處求覓遂得金鑛既得鑛已即便碎之擇取精者鑪中銷鍊
得清淨金隨意迴轉作諸鐶釧種種嚴具雖有諸用金性不改　復次善男子若善男子善女人

BD03115號 1　金光明最勝王經卷二　（7–1）

慧實能出種種无量无邊諸佛妙法。善男子，如是法身三昧智慧，過一切相，不著於相，不可分別，
非常非斷，是名中道。雖有分別，體无分別；雖有三數，而无三體；不增不減，猶如夢幻，亦无所執，亦
无能執，法體如如，是解脫處，過死王境，越生死闇。一切眾生不能修行，所不能至，一切諸佛菩薩之所住
處。善男子，譬如有人願欲得金，處處求覓，遂得金鑛，既得鑛已，即便碎之，擇取精者，鑪中銷鍊，
得清淨金，隨意迴轉，作諸鐶釧種種嚴具，雖有諸用，金性不改。復次善男子，若善男子、善女人
求勝解脫，修行世善，得見如來及弟子眾，得親近已，白佛言：世尊，何者為善？何者不善？何者正修
得清淨行？諸佛如來及弟子眾見彼問時，如是思惟：是善男子、善女人，欲求清淨，欲聽正法，即便為
說，令其開悟。彼既聞已，正念憶持，發心修行，得精進力，除懶墮障，滅一切罪，於諸學處，離不尊重，
息掉悔心，入於初地。依初地心，除利有情障，得入二地。於此地中，除不逼惱障，入於三地。於此地中，除心
軟淨障，入於四地。於此地中，除善方便障，入於五地。於此地中，除見真俗障，入於六地。於此地中，除見行
相障，入於七地。於此地中，除不見滅相障，入於八地。於此地中，除不見生相障，入於九地。於此地中，除六通
障，入於十地。於此地中，除所知障，除根本心，入如來地。如來地者，由三淨故，名極清淨。云何為三？一者煩惱
淨，二者苦淨，三者相淨。譬如真金，鎔銷治鍊，既燒打已，无復塵垢，為顯金性本清淨故，金體清淨，
非謂无金。譬如濁水，澄渟清淨，无復滓穢，為顯水性本清淨故，非謂无水。如是法身，與煩惱雜，苦
集除已，无復餘習，為顯佛性本清淨故，非謂无體。譬如虛空，煙雲塵霧之所障蔽，若除屏已，是
空界淨，非謂无空。如是法身，一切眾苦悉皆盡故，說為清淨，非謂无體。譬如有人，於睡夢中見
大河水，漂泛其身，運手動足，截流而渡，得至彼岸，由彼身心不懈退故，從夢覺已，不見有水
彼此岸別，非謂无心。生死妄想既滅盡已，是覺清淨，非謂无覺。如是法界，一切妄想不復生故，
說為清淨，非是諸佛无其實體。復次善男子，是法身者，惑障清淨，能現應身；業障清淨，
能現化身；智障清淨，能現法身。譬如依空出電，依電出光，如是依法身故能現應身，依應故身
能現化身。由性淨故，能現法身；智慧清淨，能現應身；三昧清淨，能現化身。此三清淨是法如如，不異
如如，一味如如，解脫如如，究竟如如，是故諸佛體无有異。善男子，若有善男子、善女人說於如來是我
大師，若作如是決定信者，此人即應深心解了如來之身無有別異。善男子，以是義故，於諸境界
不正思惟，悉皆除斷，即知彼法无有二相，亦无分別，聖所修行，如如於彼，无有二相，正修行故，如是如是一
切諸障，悉皆除滅；如如一切障滅，如是如是法如如、如如智得最清淨；如如法界正智清淨，如是如是一切
自在具足攝受，皆得成就。一切諸障悉皆除滅，一切諸障得清淨故，是名真如正智真實之相。如是
見者，是名聖見，是則名為真實見佛。何以故？如實得見法真如故，是故諸佛悉能普見一切如來。何
以故？聲聞獨覺已出三界，求真實境，不能知見。如是聖人所不知見，一切凡夫皆生疑惑，顛倒分別，不
能得度，如兔浮海，必不能過。所以者何？力微劣故。凡夫之人亦復如是，不能通達法如如故。然諸如來无
分別心，於一切法得大自在，具足清淨深智慧故，是自境界，不共他故。是故諸佛如來於无量无邊阿
僧祇劫，不惜身命，難行苦行，方得此身，最上无比，不可思議，過言說境，是妙寂靜，離諸怖畏。善男
子，如是知見法真如者，无生老死，壽命无限，无有睡眠，亦无飢渴，心常在定，无有散動。若於如來起諍論

BD03115 號 1　金光明最勝王經卷二

（7–2）

以故？聲聞獨覺已出三界，求真實境，不能知見。如是聖人所不知見，一切凡夫皆生疑惑，顛倒分別，不
能得度，如兔浮海，必不能過。所以者何？力微劣故。凡夫之人亦復如是，不能通達法如如故。然諸如來无
分別心，於一切法得大自在，具足清淨深智慧故，是自境界，不共他故。是故諸佛如來於无量无邊阿
僧祇劫，不惜身命，難行苦行，方得此身，最上无比，不可思議，過言說境，是妙寂靜，離諸怖畏。善男
子，如是知見法真如者，无生老死，壽命无限，无有睡眠，亦无飢渴，心常在定，无有散動。若於如來起諍論
心，是則不能見於如來。諸佛所說皆能利益，有聽聞者无不解脫，諸惡禽獸、惡人惡鬼不相逢值，由聞
法故，果報无盡。然諸如來无无記事，一切境界無欲知心，生死涅槃无有異想，如來所說无不決定。諸
佛如來四威儀中无非智攝，一切諸法无有不為慈悲所攝，无有不為利益安樂諸眾生者。善男子，
若有善男子、善女人，於此金光明經聽聞信解，不墮地獄、餓鬼、傍生、阿蘇羅道，常處人天，不生下
賤，恒得親近諸佛如來，聽受正法，常生諸佛清淨國土。所以者何？由得聞此甚深法故。是善男子、善
女人，則為如來已知已記，當得不退阿耨多羅三藐三菩提。若善男子、善女人於此甚深微妙之
法，一經耳者，當知是人不謗如來，不毀正法，不輕聖眾，一切眾生未種善根，令得種故，已種善根，令
增長成就故，一切世界所有眾生，皆勸修行六波羅蜜多。　爾時虛空藏菩薩、梵釋四王、諸天眾
等即從座起，偏袒右肩，合掌恭敬，頂禮佛足，白佛言：世尊，若所在處講說如是金光明王微妙
經典，於其國土有四種利益。何者為四？一者國王軍眾強盛，無諸怨敵，離於疾病，壽命延長，吉
祥安樂，正法興顯；二者中宮妃后、王子諸臣，和悅无諍，離於諂佞，王所愛重；三者沙門、婆羅門及
諸國人，修行正法，无病安樂，无枉死者，於諸福田悉皆修立；四者於三時中，四大調適，常為諸天增
加守護，慈悲平等，无傷害心，令諸眾生歸敬三寶，皆願修習菩提之行。是為四種利益之事。世尊，
我等亦常為弘經故，隨逐如是持經之人，所在住處，為作利益。佛言：善哉善哉，善男子，如是如是，
汝等應當勤心流布此妙經王，則令正法久住於世。
金光明最勝王經夢見懺悔品第四　爾時妙幢
菩薩親於佛前聞妙法已，歡喜踊躍，一心思惟，還至本處。於夜夢中見大金鼓，光明晃耀，猶如日
輪。於此光中，得見十方无量諸佛，於寶樹下坐琉璃座，无量百千大眾圍繞而為說法。見一婆羅門
桴擊金鼓，出大音聲，聲中演說微妙伽他明懺悔法。妙幢聞已，皆悉憶持，繫念而住。至天曉已，與
无量百千大眾圍繞，持諸供具，出王舍城，詣鷲峯山，至世尊所，禮佛足已，布設香華，右繞三币，退
坐一面，合掌恭敬，瞻仰尊顏，白佛言：世尊，我於夢中見婆羅門以手執桴，擊妙金鼓，出大音聲，
聲中演說微妙伽他明懺悔法。我皆憶持，唯願世尊降大慈悲，聽我所說。即於佛前而說頌曰：
我於昨夜中　夢見大金鼓　其形極姝妙　周遍有金光　猶如盛日輪　光明皆普耀　充滿十方界　咸見於諸佛
在於寶樹下　各處琉璃座　无量百千眾　恭敬而圍繞　有一婆羅門　以桴擊金鼓　於其鼓聲內　說此妙伽他
金光明鼓出妙聲　遍至三千大千界　能滅三途極重罪　及以人中諸苦厄　由此金鼓聲威力
永滅一切煩惱障　斷除怖畏令安隱　譬如自在牟尼尊　佛於生死大海中　積行修成一切智
能令眾生覺品具　究竟咸歸功德海　由此金鼓出妙聲　普令聞者獲梵響　證得无上菩提果

BD03115 號 1　金光明最勝王經卷二

（7–3）

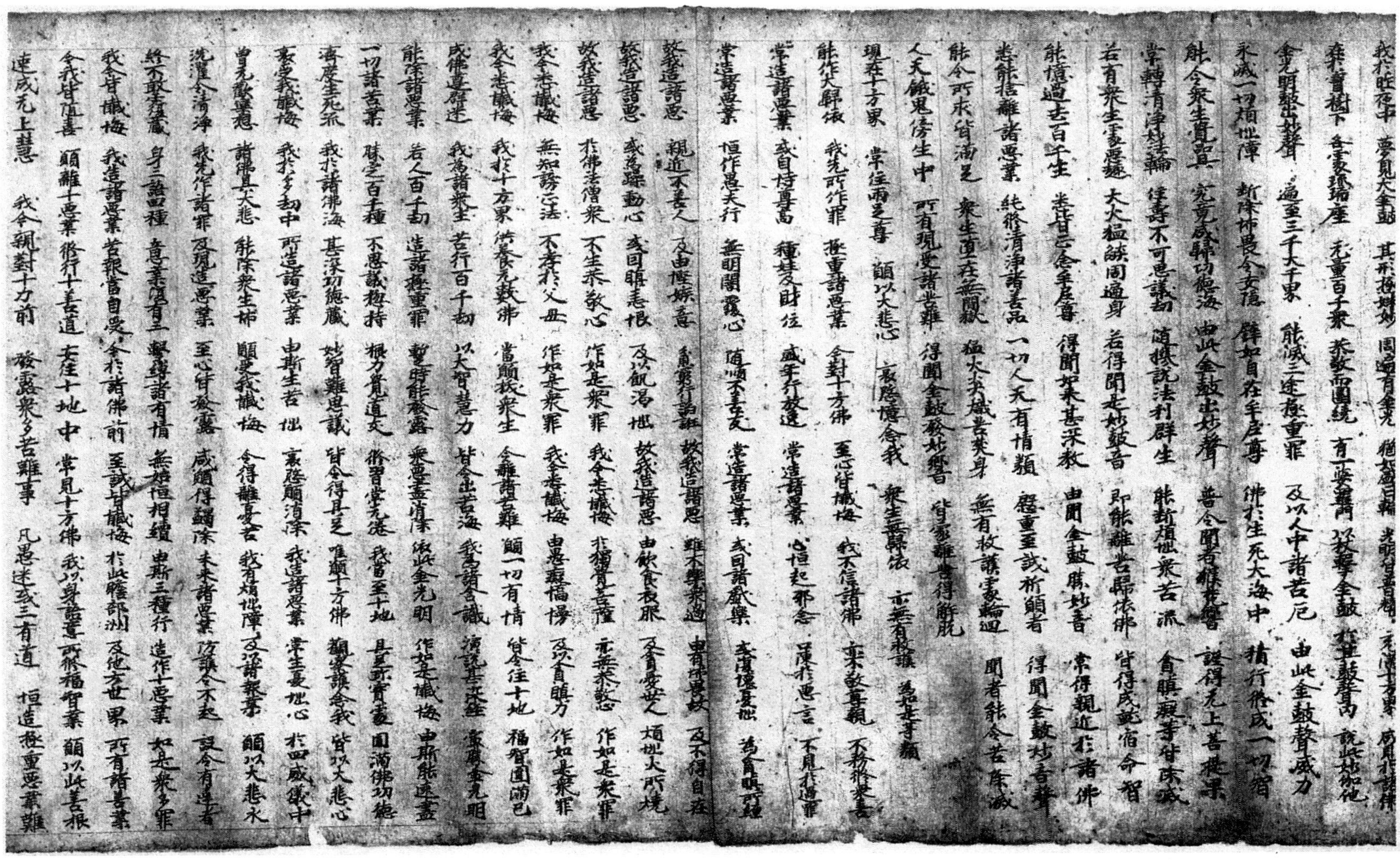

BD03115 號 1　金光明最勝王經卷二　　（7–4）

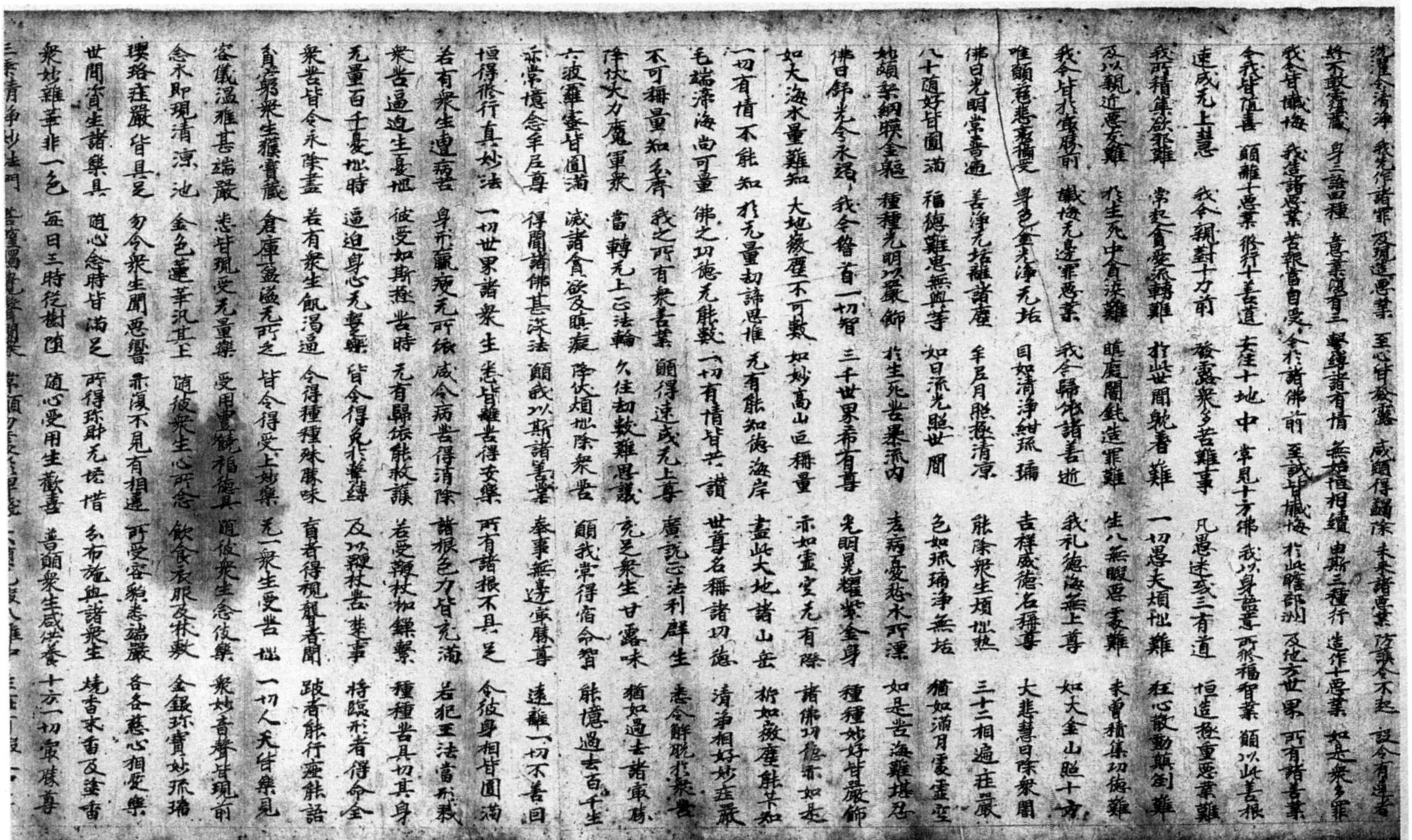

BD03115 號 1　金光明最勝王經卷二　　（7–5）

金銀珍寶妙琉璃
瓔珞莊嚴皆具足　勿令衆生聞惡響　亦復不見有相違　所受容貌悉端嚴　各各慈心相愛樂
世間資生諸樂具　隨心念時皆滿足　所得珍財无恡惜　分布施與諸衆生　燒香末香及塗香
衆妙雜華非一色　每日三時從樹墮　隨心受用生歡喜　普願衆生咸供養　十方一切最勝尊
三乘清淨妙法門　菩薩獨覺聲聞衆　常願勿處於卑賤　不墮无暇八難中　生在有暇人中尊
恒得親承十方佛　願得常生富貴家　財寶倉庫皆盈滿　顏貌名稱无與等　壽命延長經劫數
悉願女人變為男　勇健聰明多智慧　一切常行菩薩道　勤修六度到彼岸　常見十方无量佛
寶王樹下而安處　處妙琉璃師子座　恒得親承轉法輪　若於過去及現在　輪迴三有造諸業
能招可厭不善趣　願得消滅永无餘　一切衆生於有海　生死羂網堅牢縛　願以智劍為斷除
離苦速證菩提處　衆生於此贍部內　或於他方世界中　所作種種勝福田　我今皆悉生隨喜
以此隨喜福德事　及身語意造衆善　願此勝業常增長　速證无上大菩提　所有礼讚佛功德
深心清淨无瑕穢　迴向發願福无邊　當超惡趣六十劫　若有男子及女人　婆羅門等諸勝族
合掌一心讚歎佛　生生常憶宿世事　諸根清淨身圓滿　殊勝功德皆成就　願於未來所生處
常得人天共瞻仰　非於一佛十佛所　修諸善根今得聞　百千佛所種善根　方得聞斯懺悔法
爾時世尊聞此說已讚妙幢菩薩言善哉善哉善男子如汝所夢金鼓出聲讚歎如來真實
功德并懺悔法若有聞者獲福甚多廣利有情滅除罪障汝今應知此之勝業皆是過去讚
歎發願宿習因緣及由諸佛威力加護此之因緣當為汝說諸大衆聞是法已咸皆歡喜信受
奉行

金光明最勝王經卷第二

金光明最勝王經滅業障品第五　卷三　三藏法師義淨奉　制譯

爾時世尊住正分別入於甚深微妙靜慮從身毛孔放大光明无量百千種種諸色諸佛刹土悉
現光中十方恒河沙校量譬喻所不能及五濁惡世為光所照是諸衆生作十惡業五无間罪誹
謗三寶不孝尊親輕慢師長婆羅門衆應墮地獄餓鬼傍生彼各蒙光至所住處是諸有
情見斯光已因光力故皆得安樂端正殊妙色相具足福智莊嚴得見諸佛是時帝釋一切
天衆及恒河女神并諸大衆蒙光希有皆至佛所右繞三匝退坐一面爾時天帝釋承佛威力
即從座起偏袒右肩右膝著地合掌向佛而白佛言世尊云何善男子善女人願求阿耨多
羅三藐三菩提修行大乘攝受一切邪倒有情曾所造作業障罪者云何懺悔當得除滅

BD03115 號 1　金光明最勝王經卷二　（7–6）
BD03115 號 2　金光明最勝王經卷三

天衆及恒河女神并諸大衆蒙光希有皆至佛所右繞三匝退坐一面爾時天帝釋承佛威力
即從座起偏袒右肩右膝著地合掌向佛而白佛言世尊云何善男子善女人願求阿耨多
羅三藐三菩提修行大乘攝受一切邪倒有情曾所造作業障罪者云何懺悔當得除滅

BD03115 號 2　金光明最勝王經卷三　（7–7）

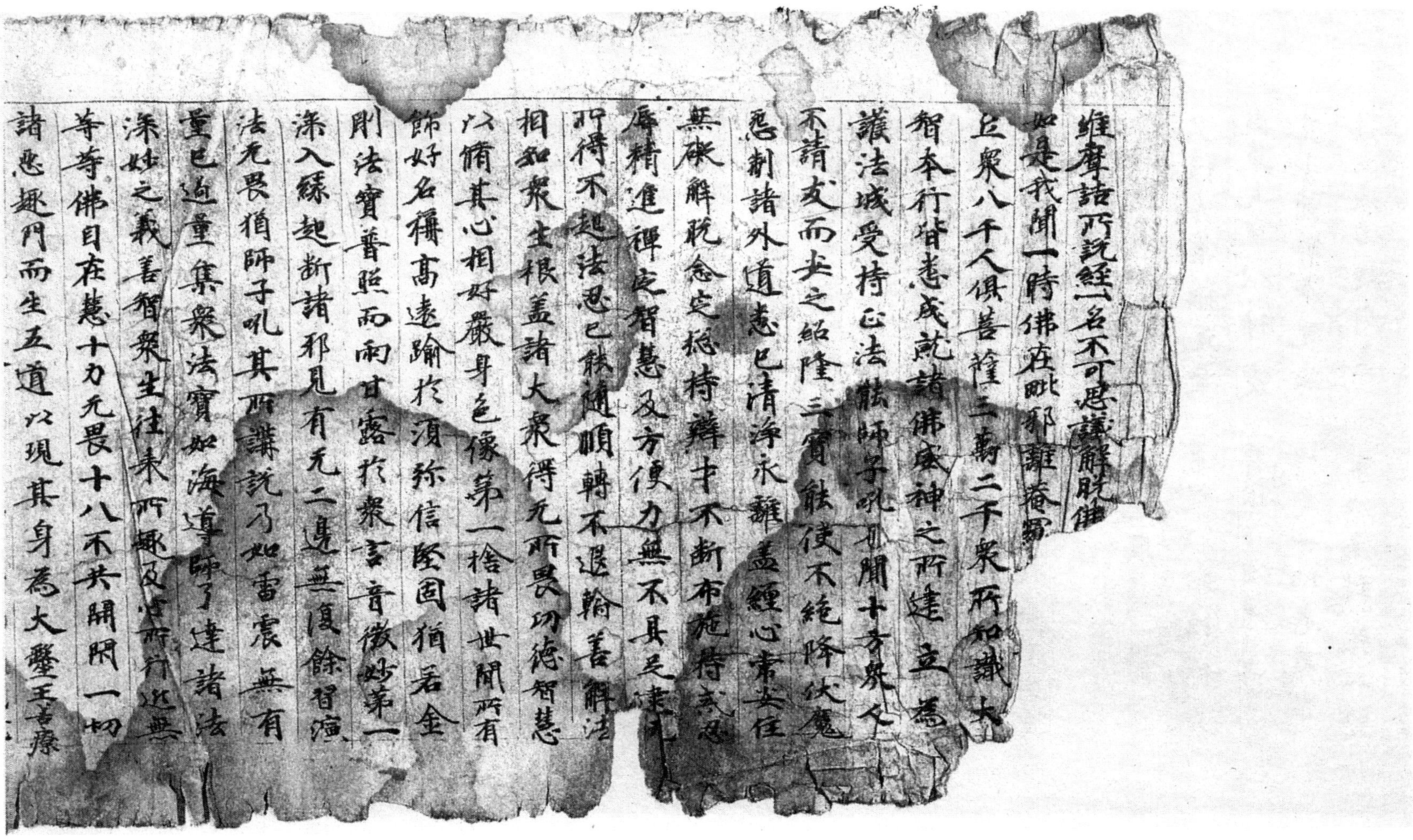

維摩詰所說經一名不可思議解脫佛
如是我聞一時佛在毗耶離菴羅
丘衆八千人俱菩薩三萬二千衆所知識大
智本行皆悉成就諸佛威神之所建立爲
護法城受持正法能師子吼名聞十方衆人
不請友而安之紹隆三寶能使不絶降伏魔
怨制諸外道悉已清淨永離蓋纏心常安住
無礙解脫念定總持辯才不斷布施持戒忍
辱精進禪定智慧及方便力無不具足逮
所得不起法忍已能隨順轉不退輪善解法
相知衆生根蓋諸大衆得无所畏功德智慧
以脩其心相好嚴身色像第一捨諸世間所有
飾好名稱高遠踰於須弥信堅固猶若金
剛法寶普照而雨甘露於衆言音微妙第一
深入緣起斷諸邪見有无二邊無復餘習演
法无畏猶師子吼其所講說乃如雷震無有
量已過量集衆法寶如海導師了達諸法
深妙之義善智衆生往來所趣及心所行近無
等等佛自在慧十力无畏十八不共關閉一切
諸惡趣門而生五道以現其身爲大醫王善療

BD03116 號　維摩詰所說經卷上　（28–1）

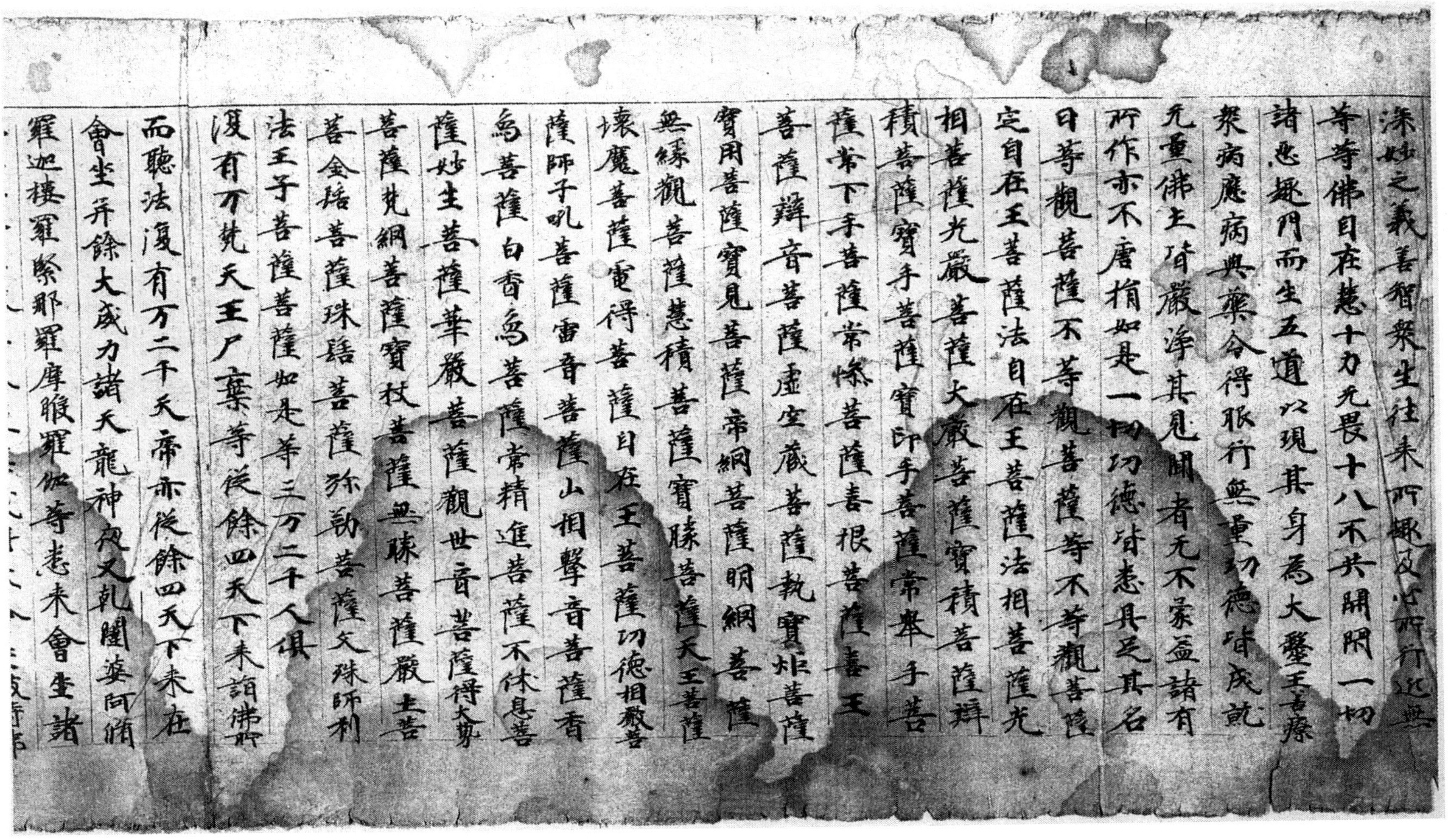

深妙之義善智衆生往來所趣及心所行近無
等等佛自在慧十力无畏十八不共關閉一切
諸惡趣門而生五道以現其身爲大醫王善療
衆病應病與藥令得服行無量功德皆成就
无量佛土皆嚴淨其見聞者无不蒙益諸有
所作亦不唐捐如是一切功德皆悉具足其名
曰等觀菩薩不等觀菩薩等不等觀菩薩
定自在王菩薩法自在王菩薩法相菩薩光
相菩薩光嚴菩薩大嚴菩薩寶積菩薩辯
積菩薩寶手菩薩寶印手菩薩常舉手菩
薩常下手菩薩常慘菩薩喜根菩薩喜王
菩薩辯音菩薩虛空藏菩薩執寶炬菩薩
寶勇菩薩寶見菩薩帝網菩薩明網菩薩
無緣觀菩薩慧積菩薩寶勝菩薩天王菩薩
壞魔菩薩電得菩薩自在王菩薩功德相嚴菩
薩師子吼菩薩雷音菩薩山相擊音菩薩香
象菩薩白香象菩薩常精進菩薩不休息菩
薩妙生菩薩華嚴菩薩觀世音菩薩得大勢
菩薩梵網菩薩寶杖菩薩無勝菩薩嚴土菩
菩金髻菩薩珠髻菩薩弥勒菩薩文殊師利
法王子菩薩如是等三万二千人俱
復有万梵天王尸棄等從餘四天下來詣佛所
而聽法復有万二千天帝亦從餘四天下來在
會坐并餘大威力諸天龍神夜叉乾闥婆阿脩
羅迦樓羅緊那羅摩睺羅伽等悉來會坐諸

BD03116 號　維摩詰所說經卷上　（28–2）

復有万梵天王尸棄等從餘四天下來詣佛所
而聽法復有万二千天帝亦從餘四天下來在
會坐并餘大威力諸天龍神夜叉乹闥婆阿脩
羅迦樓羅緊那羅摩睺羅伽等悉來會坐諸
比丘比丘尼優婆塞優婆夷俱來會坐彼時佛
與无量百千之衆恭敬圍繞而爲說法譬如須
弥山王顯于大海安處衆寶師子之座蔽於一
切諸來大衆
尒時毗耶離城有長者子名曰寶積與五百
長者子俱持七寶蓋來詣佛所頭面礼足各
以其蓋共供養佛佛之威神令諸寶蓋合成
一蓋遍覆三千大千世界而此世界廣長之
相悉於中現又此三千大千世界諸須弥山
雪山目真隣陁山摩訶目真隣陁山香山寶
山金山黑山鐵圍山大鐵圍山大海江河川流
泉源及日月星辰天宮龍宮諸神宮悉現於
寶蓋中又十方諸佛諸佛說法亦現於寶蓋
尒時一切大衆覩佛神力歎未曾有合掌礼佛
瞻仰尊顔目不暫捨長者子寶積即於佛前
以偈頌曰
目淨脩廣如青蓮　心淨已度諸禪定
久積淨業稱无量　導衆以寂故稽首
既見大聖以神變　普現十方无量土
其中諸佛演說法　於是一切悉見聞
法王法力超群生　常以法財施一切

久積淨業稱无量　導衆以寂故稽首
既見大聖以神變　普現十方无量土
其中諸佛演說法　於是一切悉見聞
法王法力超群生　常以法財施一切
能善分別諸法相　於第一義而不動
已於諸法得自在　是故稽首此法王
說法不有亦不无　以因緣故諸法生
无我无造无受者　善惡之業亦不亡
始在佛樹力降魔　得甘露滅覺道成
已无心意无受行　而悉摧伏諸外道
三轉法輪於大千　其輪本來常清淨
天人得道此爲證　三寶於是現世間
以斯妙法濟郡生　一受不退常寂然
度老病死大醫王　當礼法海德无邊
毀譽不動如須弥　於善不善等以慈
心行平等如虛空　孰聞人寶不敬承
今奉世尊此微蓋　於中現我三千界
諸天龍神所居宮　揵闥婆等及夜叉
悉見所居諸所有　十力哀現是化變
衆覩希有皆歎佛　今我稽首三界尊
大聖法王衆所歸　淨心觀佛靡不欣
各見世尊在其前　斯則神力不共法
佛以一音演說法　衆生隨類各得解
皆謂世尊同其語　斯則神力不共法
佛以一音演說法　衆生各各隨所解

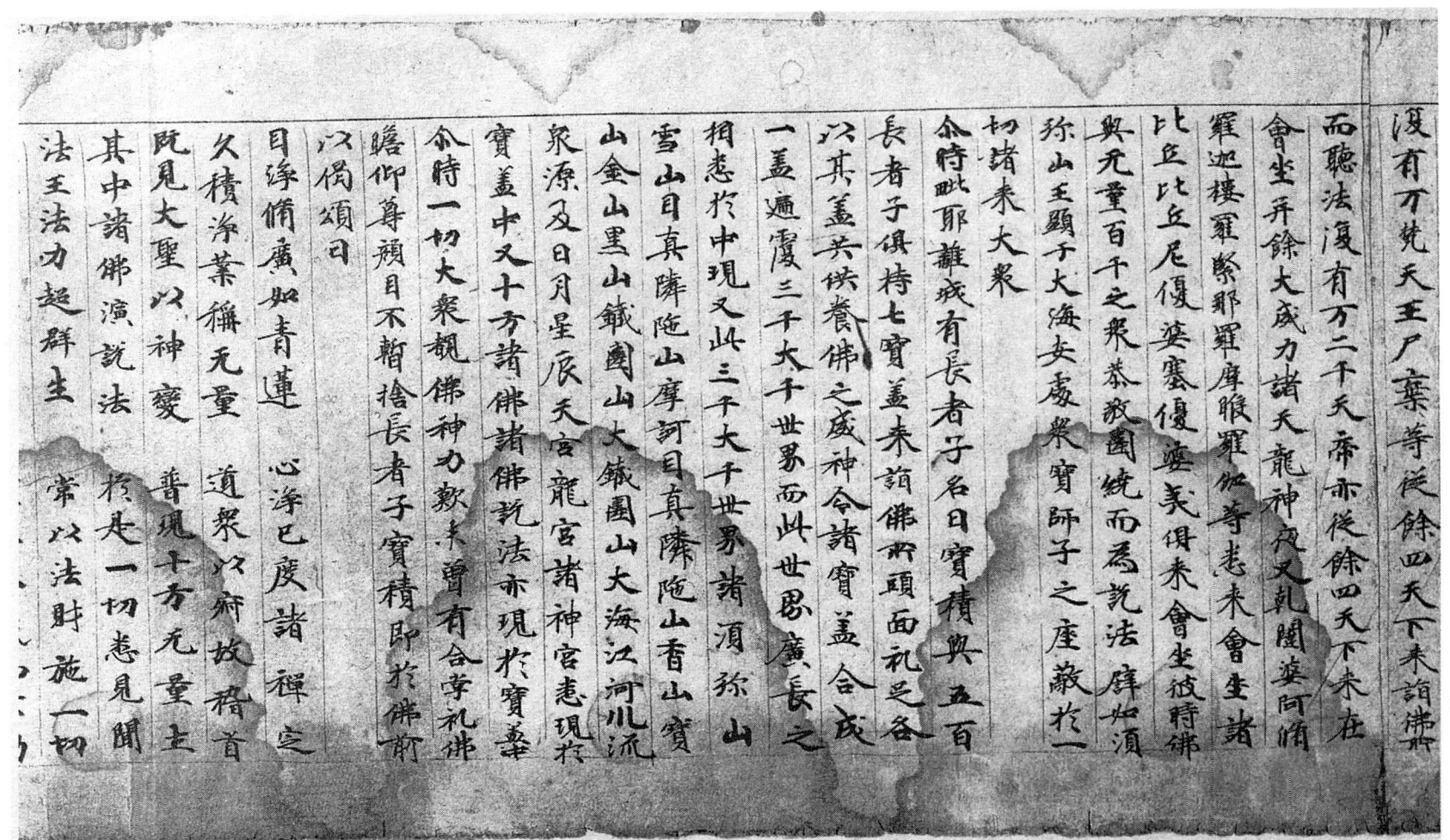

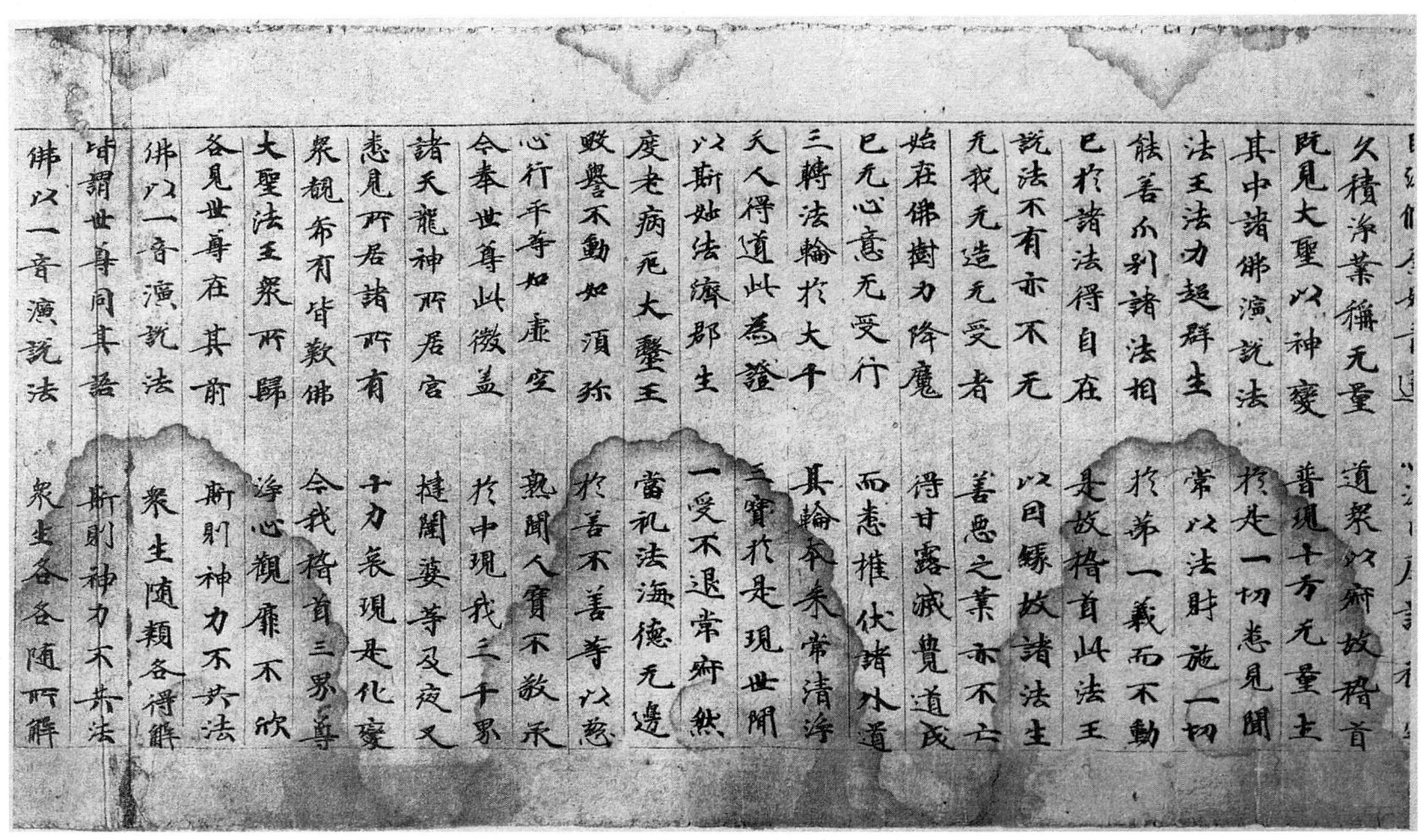

大聖法王衆所歸　淨心觀佛靡不欣
各見世尊在其前　斯則神力不共法
佛以一音演說法　衆生隨類各得解
皆謂世尊同其語　斯則神力不共法
佛以一音演說法　衆生各各隨所解
普得受行獲其利　斯則神力不共法
佛以一音演說法　或有恐畏或歡喜
或生厭離或斷疑　斯則神力不共法
稽首十力大精進　稽首已得无所畏
稽首住於不共法　稽首一切大導師
稽首能斷衆結縛　稽首已到於彼岸
稽首能度諸世間　稽首永離生死道
悉知衆生來去相　善於諸法得解脫
不著世間如蓮華　常善入於空寂行
達諸法相无罣礙　稽首如空无所依
尒時長者子寶積說此偈已白佛言世尊
是五百長者子皆以發阿耨多羅三藐三菩提
心願聞得佛國土清淨唯願世尊說諸菩薩
淨土之行佛言善哉寶積乃能為諸菩薩問於
如來淨土之行諦聽諦聽善思念之當為汝
說於是寶積及五百長者子受教而聽佛言
寶積衆生之類是菩薩佛土所以者何菩薩
隨所化衆生而取佛土隨所調伏衆生而取佛
土隨諸衆生應以何國入佛智慧而取佛土隨
諸衆生應以何國起菩薩根而取佛土所以者

BD03116 號　維摩詰所說經卷上　（28–5）

隨所化衆生而取佛土隨所調伏衆生而取佛
土隨諸衆生應以何國入佛智慧而取佛土隨
諸衆生應以何國起菩薩根而取佛土所以者
何菩薩取於淨國皆為饒益諸衆生故譬
如有人欲於空地造立宮室隨意无礙若
於虛空終不能成菩薩如是為成就衆生故
願取佛國願取佛國者非於空也寶積當知
直心是菩薩淨土菩薩成佛時不諂衆生
來生其國深心是菩薩淨土菩薩成佛時
具足功德衆生來生其國大乘心是菩薩淨
土菩薩成佛時大乘衆生來生其國布施是
菩薩淨土菩薩成佛時一切能捨衆生來生
其國持戒是菩薩淨土菩薩成佛時行十善
道滿願衆生來生其國忍辱是菩薩淨土菩
薩成佛時三十二相莊嚴衆生來生其國精
進是菩薩淨土菩薩成佛時勤脩一切功德
衆生來生其國禪定是菩薩淨土菩薩成佛時
攝心不亂衆生來生其國智慧是菩薩淨土
菩薩成佛時正定衆生來生其國四无量心
是菩薩淨土菩薩成佛時成就慈悲喜捨衆
生來生其國四攝法是菩薩淨土菩薩成佛時
解脫所攝衆生來生其國方便是菩薩淨
土菩薩成佛時於一切法方便无礙衆生來生
其國卅七道品是菩薩淨土菩薩成佛時念
處正勤神足根力覺道衆生來生其國迴向

BD03116 號　維摩詰所說經卷上　（28–6）

解脫所攝衆生來生其國方便是菩薩淨
土菩薩成佛時於一切法方便无㝵衆生來生
其國卅七道品是菩薩淨土菩薩成佛時念
處正勤神足根力覺道衆生來生其國迴向
心是菩薩淨土菩薩成佛時得一切具足功
德國土說除八難是菩薩淨土菩薩成佛時
國土无有三惡八自守戒行不識彼闕是菩
薩淨土菩薩成佛時國土无有犯禁之
名十善是菩薩淨土菩薩成佛時命不中夭
大富梵行所言誠諦常以軟語眷屬不離善
和諍訟言必饒益不嫉不恚正見衆生來生
其國如是寶積菩薩隨其直心則能發行隨
其發言則得深心隨其深心則意調伏隨意
調伏則如說行隨如說行則能迴向隨其迴向則
有方便隨其方便則成就衆生隨成就衆生
則佛土淨隨佛土度淨則說法淨隨說法淨則
智慧淨隨智慧淨則其心淨隨其心淨則一
切功德淨是故寶積若菩薩欲得淨土當
淨其心隨其心淨則佛土淨
尒時舍利弗承佛威神作是念若菩薩心淨則
佛土淨者我世尊本為菩薩時意豈不淨而是
佛土不淨若此佛知其念即告之言於意云
何日月豈不淨耶而盲者不見對曰不也世尊
是盲者過非日月咎舍利弗衆生罪故不見
如來佛國嚴淨非如來咎舍利弗我見此
土清淨而汝不見尒時蠡髻梵王語舍利弗

是盲者過非日月咎舍利弗衆生罪故不見
如來佛國嚴淨非如來咎舍利弗我見此
土清淨而汝不見尒時蠡髻梵王語舍利弗
勿作是意謂此佛土以為不淨所以者何我
見釋迦牟尼佛土清淨譬如自在天宮舍利
弗言我見此土丘陵坑坎荊蕀沙礫土石諸山
穢惡充滿蠡髻梵言仁者心有高下不依佛
慧故見此土為不淨耳舍利弗菩薩於一切
衆生意皆平等深心清淨依佛則能見
此佛土清淨於是佛以足指案地即時三千
大千世界若干百千珍寶嚴飾譬如寶莊
嚴佛无量功德寶莊嚴土一切大衆嘆未曾
有而皆自見坐寶蓮華佛告舍利弗汝且觀
是佛土嚴淨舍利弗言唯然世尊本所不見
本所不聞今佛國土嚴淨悉現佛語舍利弗我
佛國土常淨若此為欲度斯下劣人故示是衆
惡不淨土耳譬如諸天共寶器食隨其福德
飯色有異如是舍利弗若人心淨便見此土功
德莊嚴當佛現此國土嚴淨之時寶積所將
五百長者子皆得无所法忍八万四千人發
阿耨多羅三藐三菩提心佛攝神足於是
世界還復如故求聲聞乘三万二千天及人
知有為法皆悉无常遠塵離垢得法眼淨
八千比丘不受諸法漏盡意解

方便品第二

[illegible]
知有為法皆悉无常遠塵離垢得法眼淨
八千比丘不受諸法漏盡意解
方便品第二
尒時毗耶離大城中有長者名維摩詰已曾
供養无量諸佛深植善本得无生忍辯才无
礙遊戲神通逮諸揔持獲无所畏降魔勞怨
入深法門善於智度通達方便大願成就明
了衆生心之所趣又能分別諸根利鈍久於佛
道心已純淑決定大乘諸有所作能善思量
住佛威儀心大如海諸佛咨嗟弟子釋梵世
主所敬欲度人故以善方便居毗耶離資財无
量攝諸貧民奉戒清淨攝諸毀禁以忍調
行攝諸恚怒以大精進攝諸懈怠一心禪寂
攝諸亂意以決定慧攝諸无智雖為白衣奉
持沙門淨清律行雖處居家不著三界示有
妻子常脩梵行現有眷屬常樂遠離雖服寶
飾而以相好嚴身雖復飲食而以禪悅為味若
至博弈戲處輒以度人受諸異道不毀正
信雖明世典常樂佛法一切見敬為供養中
最執持正法攝諸長幼一切治生諧偶雖獲
俗利不以喜悅遊諸四衢饒益衆生入治正
法救護一切入講論處導以大乘入諸學堂
誘開童蒙入諸婬舍示欲之過入諸酒肆能
立其志若在長者長者中尊為說勝法若在
居士居士中尊斷諸貪著若在剎利剎利中尊

法救護一切入講論處導以大乘入諸學堂
誘開童蒙入諸婬舍示欲之過入諸酒肆能
立其志若在長者長者中尊為說勝法若在
居士居士中尊斷諸貪著若在剎利剎利中尊
教以忍辱若在婆羅門婆羅門中尊除其我
慢若在大臣大臣中尊教以正法若在王子
王子中尊示以中孝若在內官內官中尊化正
宮女若在庶人庶人中尊令興福力若在
梵天梵天中尊誨以勝慧若在帝釋帝釋
中尊示現无常若在護世護世中尊護諸衆
生長者維摩詰以如是等无量方便饒益
衆生其以方便現身有疾以其疾故國王大
臣長者居士婆羅門等及諸王子并餘官
屬无數人天皆往問疾其往者維摩詰因
以身疾廣為說法諸仁者是身无常无彊无
力无堅速朽之法不可信也為苦為惱衆病所
集諸仁者如此身明智者所不怙是身如聚沫
不可撮摩是身如泡不得久立是身如焰從
渴愛生是身如芭蕉中无有堅是身如幻從顛
倒起是身如夢為虛妄見是身如影從業緣現
是身如響屬諸因緣是身如浮雲須臾變滅
是身如電念念不住是身无主為如地是
身无我為如火是身无壽為如風是身无
人為如水是身不實四大為家是身為空離
我我所是身无知如草木瓦礫是身无作風
力所轉是身不淨穢惡充滿是身為虛偽雖

身无我爲如火是身无壽爲如風是身无
人爲如水是身不實四大爲家是身爲空離
我我所是身无知如草木瓦礫是身无作風
力所轉是身不淨穢惡充滿是身爲虛僞雖
假以澡浴衣食必歸磨滅是身爲災百一病
惱是身如丘井爲老所逼是身无定爲要當
死是身如毒虵如怨賊如空聚陰界諸入所共合
成諸仁者此可患厭當樂佛身所以者何佛
身者即法身也從无量功德智慧生從戒
定慧解脫解脫知見生從慈悲喜捨生從布
施持戒忍辱柔和勤行精進禪定解脫三昧多
聞智慧諸波羅蜜生從方便生從六通生從
明生從卅七道品生從止觀生從十力四无所
畏十八不共法生從斷一切不善法集一
切善法生從真實生從不放逸生從如是无量
清淨法生如來身諸仁者欲得佛身斷一切
衆生病者當發阿耨多羅三藐三菩提心如
是長者維摩詰爲諸問疾者應說法令
无數千人皆發阿耨多羅三藐三菩提心

弟子品第三

尒時長者維摩詰自念寢疾于林世尊大慈
寧不垂愍佛知其意即告舍利弗汝行詣維
摩詰問疾舍利弗白佛言世尊我不堪任詣
彼問疾所以者何憶念我昔曾於林中宴坐
樹下時維摩詰來謂我言唯舍利弗不必是

BD03116號　維摩詰所說經卷上　（28–11）

寧不垂愍佛知其意即告舍利弗汝行詣維
摩詰問疾舍利弗白佛言世尊我不堪任詣
彼問疾所以者何憶念我昔曾於林中宴坐
樹下時維摩詰來謂我言唯舍利弗不必是
坐爲宴坐也夫宴坐者不於三界現身意是爲
宴坐不起滅定而現諸威儀是爲宴坐不捨
道法而現凡夫事是爲宴坐心不住內亦不在
外是爲宴坐於諸見不動而脩行三十七品
是爲宴坐不斷煩惱而入涅槃是爲宴坐若
能如是坐者佛所印可時我世尊聞是語已
默然而心不能加報故我不任詣彼問疾
佛告大目揵連汝行詣維摩詰問疾目連白
佛言世尊我不堪任詣彼問疾所以者何憶念
我昔入毗耶離大城於里巷中爲諸居士說
法時維摩詰來謂我言唯大目連爲白衣
居士說法不當如仁者所說夫說法者當如
法說法无衆生離衆生垢故法无有我離
我垢故法无壽命離生死故法无有人前後
際斷故法常寂然滅諸相故法離於相无所
緣故法无名字言語斷故法无有說離覺觀
故法无形相如虛空故法无戲論畢竟空故
法无我所離我所故法无分別離諸識故法
无有比无相待故法不屬因不在緣故法同
法性入諸法故法隨於如无所隨故法住實際
諸邊不動故法无動搖不依六塵故法无去來
常不住故法順空隨无相應无作去離好醜去

BD03116號　維摩詰所說經卷上　（28–12）

无有比无相待故法不屬因不在緣故法同
法性入諸法故法隨於如无所隨故法住實際
諸邊不動故法无動搖不依六塵故法无去來
常不住故法順空隨无相應无作法離好醜法
无增損法无生滅法无所歸法過眼耳鼻
舌身心法无高下法常住不動法離一切觀行唯
大目連法相如是豈可說乎夫說法者无說无
示其聽法者无聞无得譬如幻士為幻人說法
當建是意而為說法當了衆生根有利鈍善
於知見无所罣礙以大悲心讚于大乘念報佛
恩不斷三寶然後說法維摩詰說是法時八
百居士發阿耨多羅三藐三菩提心我无此辯
是故不任詣彼問疾
佛告大迦葉汝行詣維摩詰問疾迦葉白佛言
尊我不堪任詣彼問疾所以者何憶念我昔於
貧里而行乞食時維摩詰來謂我言唯大迦
葉有慈悲心而不能普捨豪富從貧乞迦葉
住平等法應次行乞食為不食故應行乞食為
壞和合相故應取揣食為不受故應受彼食
以空聚入於聚落所見色與盲等所聞聲與
響等所嗅香與風等所食味不分別受諸觸如智
證知諸法如幻相无自性无他性本自不然今
則无滅迦葉若能不捨八邪入八解脫以邪相
入正法以一食施一切供養諸佛及衆賢聖然
後可食如是食者非有煩惱非離煩惱非入定

BD03116號　維摩詰所說經卷上　（28–13）

證知諸法如幻相无自性无他性本自不然今
則无滅迦葉若能不捨八邪入八解脫以邪相
入正法以一食施一切供養諸佛及衆賢聖然
後可食如是食者非有煩惱非離煩惱非入定
意非起定意非住世間非住涅槃其有施者无
大福无小福不為益不為損是為正入佛道不
依聲聞迦葉若如是食為不空食人之施也時
我世尊聞說是語得未曾有即於一切菩薩深
起敬心復作是念斯有家名辯才智慧乃能如
是其誰不發阿耨多羅三藐三菩提心我從
是來不復勸人以聲聞辟支佛行故我不任詣
彼問疾佛告須菩提汝行詣維摩詰問疾須菩
提白佛言世尊我不堪任詣彼問疾所以者何憶
念我昔入其舍從乞食時維摩詰取我鉢盛滿飯
謂我言唯須菩提若能於食等者諸法亦等諸
法等者於食亦等如是行乞乃可取食若須菩
提不斷婬怒癡亦不與俱不壞於身而隨一相不滅
癡愛起於明脫以五逆相而得解脫亦不解不縛
不見四諦非不見諦非得果非不得果非凡夫
非離凡夫法非聖人非不聖人雖成就一切法
而離諸法相乃可取食若須菩提不見佛不聞
法彼外道六師富蘭那迦葉末伽梨拘賒梨
子刪闍夜毗羅胝子阿耆多翅舍欽婆羅迦羅
鳩馱迦旃延尼揵陁若提子等是汝之師因其
出家彼師所墮汝亦隨墮乃可取食若須菩

BD03116號　維摩詰所說經卷上　（28–14）

子刪闍夜毗羅胝子阿耆多翅舍欽婆羅迦羅
鳩馱迦旃延尼揵陁若提子等是汝之師因其
出家彼師所墮汝亦隨墮乃可取食若須菩
提入諸邪見不到彼岸住於八難不得无難同
於煩惱離清淨法汝得无諍三昧一切衆生亦
得是定其施汝者不名福田供養汝者墮三惡
道為與衆魔共一手作諸勞侶汝與衆魔及諸
塵勞等无有異於一切衆生而有惡心謗諸
佛毀於法而不入衆數終不得滅度若如是乃
可取食時我世尊聞此茫然不識是何言不知
何荅便置鉢欲出其舍維摩詰言唯須菩提
取鉢勿懼於意云何如來所作化人若以是
事詰寧有懼不我言不也維摩詰言一切諸
法如幻化相汝今不應有所懼也所以者何一
切言說不離是相至於智者不著文字故无
所懼何以故文字性離无有文字是則解脫
解脫相者則諸法也維摩詰說是法時二百
天子得法眼淨故我不任詣彼問疾
佛告富樓那彌多羅尼子汝行詣維摩詰問疾
富樓那白佛言世尊我不堪任詣彼問疾所以
者何憶念我昔於大林中在一樹下為諸新學
比丘說法時維摩詰來謂我言唯富樓那先
當入定觀此人心然後說法无以穢食置於寶
器當知是比丘心之所念无以瑠璃同彼水精不
能知衆生根原无得發起以小乘法彼自无瘡勿
傷之也欲行大道莫示小徑无以大海內於牛跡无

BD03116 號　維摩詰所說經卷上　（28–15）

者何憶念我昔於大林中在一樹下為諸新學
比丘說法時維摩詰來謂我言唯富樓那先
當入定觀此人心然後說法无以穢食置於寶
器當知是比丘心之所念无以瑠璃同彼水精不
能知衆生根原无得發起以小乘法彼自无瘡勿
傷之也欲行大道莫示小徑无以大海內於牛跡无
以日光等彼螢火唯富樓那此比丘久發大乘心
中忘此意如何以小乘法而教道之我觀小乘
知慧微淺猶如盲人不能分別一切衆生根之利
鈍時維摩詰即入三昧令此比丘自識宿命曾
於五百佛所殖衆德本迴向阿耨多羅三藐三菩
提即時豁然還得本心於是諸比丘稽首礼維
摩詰足時維摩詰因為說法於阿耨多羅三
藐三菩提不復退轉我念聲聞不觀人根不應說
法是故不任詣彼問疾
佛告摩訶迦旃延汝行詣維摩詰問疾迦旃延
白佛言世尊我不堪任詣彼問疾所以者何
憶念昔者佛為諸比丘略說法要我即於後
敷演其義謂无常義苦義空義无我義寂滅
義時維摩詰來謂我言唯迦旃延无以生滅
心行說實相法迦旃延諸法畢竟不生不滅是
无常義五受陰洞達空无所起是苦義諸法究
竟无所有是空義於我无我而不二是无我義
法本不然今則无滅是寂滅義說是法時彼諸
比丘心得解脫故我不任詣彼問疾

BD03116 號　維摩詰所說經卷上　（28–16）

无常義五受陰洞達空无所起是苦義諸法究
竟无所有是空義於我无我而不二是无我義
法本不然今則无滅是寂滅義說是法時彼諸
比丘心得解脫故我不任詣彼問疾
佛告阿那律汝行詣維摩詰問疾阿那律白
佛言世尊我不堪任詣彼問疾所以者何憶念
我昔於一處經行時有梵王名曰嚴淨與万梵
俱放淨光明來詣我所稽首作礼問我言幾
何阿那律天眼所見我即荅言仁者吾見此釋
迦牟尼佛土三千大千世界如觀掌中菴摩勒
果時維摩詰來謂我言唯阿那律天眼所見
為作相耶无作相耶假使作相則與外道五
通等若无作相即是无為不應有見世尊我
時嘿然彼諸梵聞其言得未曾有即為作
礼而問曰世孰有真天眼者維摩詰言有
佛世尊得真天眼常在三昧悉見諸佛國不
以二相於是嚴淨梵王及其眷屬五百梵天
皆發阿耨多羅三藐三菩提心礼維摩詰足
忽然不現故我不任詣彼問疾
佛告優婆離汝行詣維摩詰問疾優婆離
白佛言世尊我不堪任詣彼問疾所以者何憶
念昔者有二比丘犯律行以為恥不敢問佛來
問我言唯優婆離我等犯律誠以為恥不敢問
佛願解疑悔得免斯咎我即為其如法解
說時維摩詰來謂我言唯優婆離无重增此二

BD03116號　維摩詰所說經卷上　(28–17)

問我言唯優婆離我等犯律誠以為恥不敢問
佛願解疑悔得免斯咎我即為其如法解
說時維摩詰來謂我言唯優婆離无重增此二
比丘罪當直除滅勿擾其心所以者何彼罪性
不在內不在外不在中間如佛所說心垢故眾生
垢心淨故眾生淨心亦不在內不在外不在中
間如其心然罪垢亦然諸法亦然不出於如
如優波離以心相得解脫時寧有垢不我
言不也維摩詰言一切眾生心相无垢亦復
如是唯優波離妄想是垢无妄想是淨顛倒
是垢无顛倒是淨取我是垢不取我是淨優
波離一切法生滅不住如幻如電諸法不相
待乃至一念不住諸法皆妄見如夢如焰如
水中月如鏡中像以妄想生其知此者是名
奉律其知此者是名善解於是二比丘言上
智哉是優波離所不及持律之上而不能說
我荅言自捨如來未有聲聞及菩薩能制其
樂說之辯其智慧明達為若此也時二比丘疑
悔即除發阿耨多羅三藐三菩提心作是願
言令一切眾生皆得是辯故我不任詣彼問疾
佛告羅睺羅汝行詣維摩詰問疾羅睺羅
白佛言世尊我不堪任詣彼問疾所以者何
憶念昔時毗耶離諸長者子來詣我所稽首
作礼問我言唯羅睺羅汝佛之子捨轉輪王位
出家為道其出家者有何等利我即如法為

BD03116號　維摩詰所說經卷上　(28–18)

憶念昔時毗耶離諸長者子来詣我所稽首
作礼問我言唯羅睺羅汝佛之子捨轉輪王位
出家為道其出家者有何等利我即如法為
説出家功德之利時維摩詰来謂我言唯羅
睺羅不應説出家功德之利所以者何无利无
功德是為出家有為法者可説有利有功德
夫出家者為无為法无為法中无利无功德
羅睺羅夫出家者无彼无此亦无中間離六
十二見處於涅槃智者所受聖所行處降伏
衆魔度五道淨五眼得五力立五根不惱於
彼離衆雜惡摧諸外道超越假名出淤泥
无繫著无我所无所受无擾亂内懷喜守彼
意隨禪定離衆過若能如是真出家於是維
摩詰諸長者子汝等於正法中宜共出家所以者
何佛世難值諸長者子言居士我聞佛言父母不
聽不得出家維摩詰言然汝等便發阿耨多羅
三藐三菩提心是即出家是即具足尒時三十
二長者子皆發阿耨多羅三藐三菩提心故
我不任詣彼問疾
佛告阿難汝行詣維摩詰問疾阿難白佛言
世尊我不堪任詣彼問疾所以者何憶念昔時
世尊身小有疾當用牛乳我即持鉢詣大婆
羅門家門下立時維摩詰来謂我言唯阿難
何為晨朝持鉢住此我言居士世尊身小有
疾當用牛乳故来至此維摩詰言止止阿難
莫作是語如来身者金剛之體惡已斷衆善

BD03116 號　維摩詰所説經卷上　（28–19）

世尊身小有疾當用牛乳我即持鉢詣大婆
羅門家門下立時維摩詰来謂我言唯阿難
何為晨朝持鉢住此我言居士世尊身小有
疾當用牛乳故来至此維摩詰言止止阿難
莫作是語如来身者金剛之體惡已斷衆善
普會當有何疾當有何惱嘿往阿難勿謗
如来莫使異人聞此麁言无令大威德諸天
及他方淨土諸来菩薩得聞斯語阿難轉輪
聖王以少福故尚得无病豈况如来无量福會
普勝者哉行矣阿難勿使我等受斯恥也外
道梵志若聞此語當作是念何名為師自疾不
能救而能救諸疾人可密速去勿使人聞
當知阿難諸如来身即是法身非思欲身佛
為世尊過於三界佛身无漏諸漏已盡佛身
无為不墮諸數如此之身當有何疾時我世
尊實懷慙愧得无近佛而謬聽耶即聞空中
聲曰阿難如居士言但為佛出五濁惡世現行
斯法度脱衆生行矣阿難取乳勿慙世尊
維摩詰智慧辯才為若此也是故不任詣彼
問疾如是五百大弟子各各向佛説其本緣
稱述維摩詰所言皆曰不任詣彼問疾
菩薩品第四
於是佛告弥勒菩薩汝行詣維摩詰問疾
弥勒白佛言世尊我不堪任詣彼問疾所以
者何憶念我昔為兜率天王及其眷屬説
不退轉地之行時維摩詰来謂我言弥勒

BD03116 號　維摩詰所説經卷上　（28–20）

於是佛告弥勒菩薩汝行詣維摩詰問疾
弥勒白佛言世尊我不堪任詣彼問疾所以
者何憶念我昔為兜率天王及其眷屬說
不退轉地之行時維摩詰來謂我言弥勒
世尊授仁者記一生當得阿耨多羅三藐三菩
提為用何生得受記乎過去耶未來耶現在耶
若過去生過去生已滅若未來生未來生未至
若現在生現在生无住如佛所說比丘汝今即時
亦生亦老亦滅若以无生得受記者无生即是
正位於正位中亦无受記亦无得阿耨多羅
三藐三菩提心云何弥勒受一生記乎為
從如生得受記耶為從如滅得受記耶若
以如生得受記者如无有生若以如滅得受記
者如无有滅一切眾生皆如也一切法亦如也
眾聖賢亦如也至於弥勒亦如也若弥勒
得受記者一切眾生亦應受記所以者何夫
如者不二不異若弥勒得阿耨多羅三藐三
菩提者一切眾生皆亦應得所以者何一切眾
生即菩提相若弥勒滅度者一切眾生亦當
滅度所以者何諸佛知一切眾生畢竟寂滅
即涅槃相不復更滅是故弥勒无以此法誘
諸天子實无發阿耨多羅三藐三菩提心
者亦无退者弥勒當令此諸天子捨於分別
菩提之見所以者何菩提者不可以身得不可以
心得寂滅是菩提滅諸相故不觀是菩提
離諸緣故不行是菩提无憶念故斷是菩

者亦无退者弥勒當令此諸天子捨於分別
菩提之見所以者何菩提者不可以身得不可以
心得寂滅是菩提滅諸相故不觀是菩提
離諸緣故不行是菩提无憶念故斷是菩
提捨諸見故離是菩提離諸妄想故鄣是
菩提鄣諸願故不入是菩提无貪著故順是
菩提順於如故住是菩提住法性故至是菩
提至實際故不二是菩提離意法故等是菩
提等虛空故无為是菩提无生住滅故知是
菩提了眾生心行故不會是菩提諸入不會
故不合是菩提離煩惱習故无處是菩提无
形色故假名是菩提名字空故如化是菩提无
取捨故无亂是菩提常自靜故善寂是菩
提性清淨故无取是菩提離攀緣故无異
是菩提諸法等故无比是菩提无可喻故微
妙是菩提諸法難知故世尊維摩詰說是法
時二百天子得无生法忍故我不堪詣彼問疾
佛告光嚴童子汝行詣維摩詰問疾光嚴白
佛言世尊我不堪任詣彼問疾所以者何憶
念我昔出毗耶離大城時維摩詰方入城我即
為作礼而問言居士從何所來荅我言吾從道
場來我問道場者何所是荅曰直心是道場
虛假故發行是道場能辦事故深心是道場
增益功德故菩提心是道場无錯謬故布施
是道場不望報故持戒是道場得願具故
忍辱是道場於諸眾生心无㝵故精進是

虛假故發行是道場辦事故深心是道場
增益功德故菩提心是道場无錯謬故布施
是道場不望報故持戒是道場得願具故
忍辱是道場於諸衆生心无㝵故精進是
道場不懈退故禪定是道場心調柔故智
慧是道場現見諸法故慈是道場等衆生故
悲是道場忍疲苦故喜是道場悅樂法故捨
是道場憎愛斷故神通是道場成就六通故
解脫是道場能背捨故方便是道場教化
衆生故四攝是道場攝衆生故多聞是道
場如聞行故伏心是道場正觀諸法故卅七
品是道場捨有為法故諦是道場不誑世間
故緣起是道場无明乃至老死皆无盡故諸
煩惱是道場知如實故衆生是道場知无我
故一切法是道場知諸法空故降魔是道場
不傾動故三界是道場无所趣故師子吼是道場
所畏故力无畏不共法是道場无諸過故三
明是道場无餘礙故一念知一切法是道
場成就一切智故如是善男子菩薩若應諸
波羅蜜教化衆生諸有所作舉足下足當知
皆從道場來住於佛法矣說是法時五百天
人皆發阿耨多羅三藐三菩提心故我不任詣
彼問疾
佛告持世菩薩汝行詣維摩詰問疾持世白
佛言世尊我不堪任詣彼問疾所以者何憶
念我昔住於淨室時魔波旬從万二千

彼問疾
佛告持世菩薩汝行詣維摩詰問疾持世白
佛言世尊我不堪任詣彼問疾所以者何憶
念我昔住於淨室時魔波旬從万二千
天女狀如帝釋鼓樂絃歌來詣我所與其
眷屬稽首我足合掌恭敬於一面立我意謂
是帝釋而語之言善來憍尸迦雖福應有
不當自恣當觀五欲无常以求善本於身命
財而脩堅法即語我言正士受是万二千天女
可備掃灑我言憍尸迦无以此非法之物要我
沙門釋子此非我宜所言未訖時維摩詰來謂
我言非帝釋也是為魔來嬈固汝耳即語
魔言是諸女等可以與我如我應受魔即驚懼
念維摩詰將无惱我欲隱形去而不能隱盡其
神力亦不得去即聞空中聲曰波旬以女與之
乃可得去魔以畏故俛仰而與尒時維摩詰
語諸女言魔以汝等與我今汝皆當發阿耨
多羅三藐三菩提心即隨所應而為說法令
發道意復言汝等已發道意有法樂可
以自娛不應復樂五欲樂也天女即問何謂法
樂荅言樂常信佛樂欲聽法樂供養衆樂
離五欲樂觀五陰如怨賊樂觀四大如毒蛇樂
觀內入如空聚樂隨護道意樂饒益衆生樂敬
養師樂廣行施樂堅持戒樂忍辱柔和樂勤
集善根樂禪定不亂樂離垢明慧樂廣菩提
心樂降伏衆魔樂斷諸煩惱樂淨佛國土樂

觀内入如空聚樂隨護道意樂饒益衆生樂敬
養師樂廣行施樂堅持戒樂忍辱柔和樂勤
集善根樂禪定不亂樂離垢明慧樂廣菩提
心樂降伏衆魔樂斷諸煩惱樂淨佛國土樂
成就相好故脩諸功德樂莊嚴道場樂聞深法
不畏樂三脫門不樂非時樂近同學樂於非同學
中心无恚礙樂將護惡知識樂近善知識樂心
喜清淨樂脩无量道品之法是爲菩薩法樂
於是波旬告諸女言我欲與汝俱還天宮諸
女言以我等與此居士有法樂我等甚樂不
復樂五欲樂也魔言居士可捨此女一切所
有施於彼者是爲菩薩維摩詰言我已捨
矣汝便將去令一切衆生得法願具足於是
諸女問維摩詰我等云何止於魔宮維摩
詰言諸姊有法門名无盡燈汝等當學无
盡燈者譬如一燈然百千燈冥者皆明明終
不盡如是諸姊夫一菩薩開導百千衆生令
發阿耨多羅三藐三菩提心於其道意亦不
滅盡隨所說法而自增益一切善法是名无
盡燈也汝等雖住魔宮以是无盡燈令无數
天子天女皆發阿耨多羅三藐三菩提心者爲
報佛恩亦大饒益一切衆生尒時天女頭面礼
維摩詰足隨魔還宮忽然不現世尊維摩詰
有如是自在神力智慧辯才故我不任詣彼問
疾佛告長者子善得汝行詣維摩詰問疾
善得白佛言世尊我不堪任詣彼問疾所以

維摩詰足隨魔還宮忽然不現世尊維摩詰
有如是自在神力智慧辯才故我不任詣彼問
疾佛告長者子善得汝行詣維摩詰問疾
善得白佛言世尊我不堪任詣彼問疾所以
者何憶念我昔自於父舍設大施會供養一切沙
門婆羅門及諸外道貧窮下賤孤露乞人期
滿七日時維摩詰來入會中謂我言長者子
夫大施會不當如汝所設當爲法施之會何
用是財施會爲我言居士何謂法施之會法
施會者无前无後一時供養一切衆生是名
法施之會何謂也謂以菩提起於慈心以救
衆生起大悲心以持正法起於喜心以攝智
慧行於捨心以攝慳貪起檀波羅蜜以化犯
戒起尸波羅蜜以无我法起羼提波羅蜜以
離身心相起毗梨耶波羅蜜以菩提相起禪
波羅蜜以一切智起般若波羅蜜教化衆生
而起於空不捨有爲法而起无相示現受生
而起无作護持正法起方便力以度衆生起四
攝法以敬事一切起除慢法於身命財起三
堅法於六念中起思念法於六和敬起質直
心正行善法起於淨命心淨歡喜起近賢聖
不憎惡人起調伏心以出家法起於深心以
如說行起於多聞以无諍法起空閑處趣
向佛慧起於宴坐解衆生縛起脩行地以具
相好及淨佛土起福德業知一切衆生心念
如應說法起於智業知一切法不取不捨以

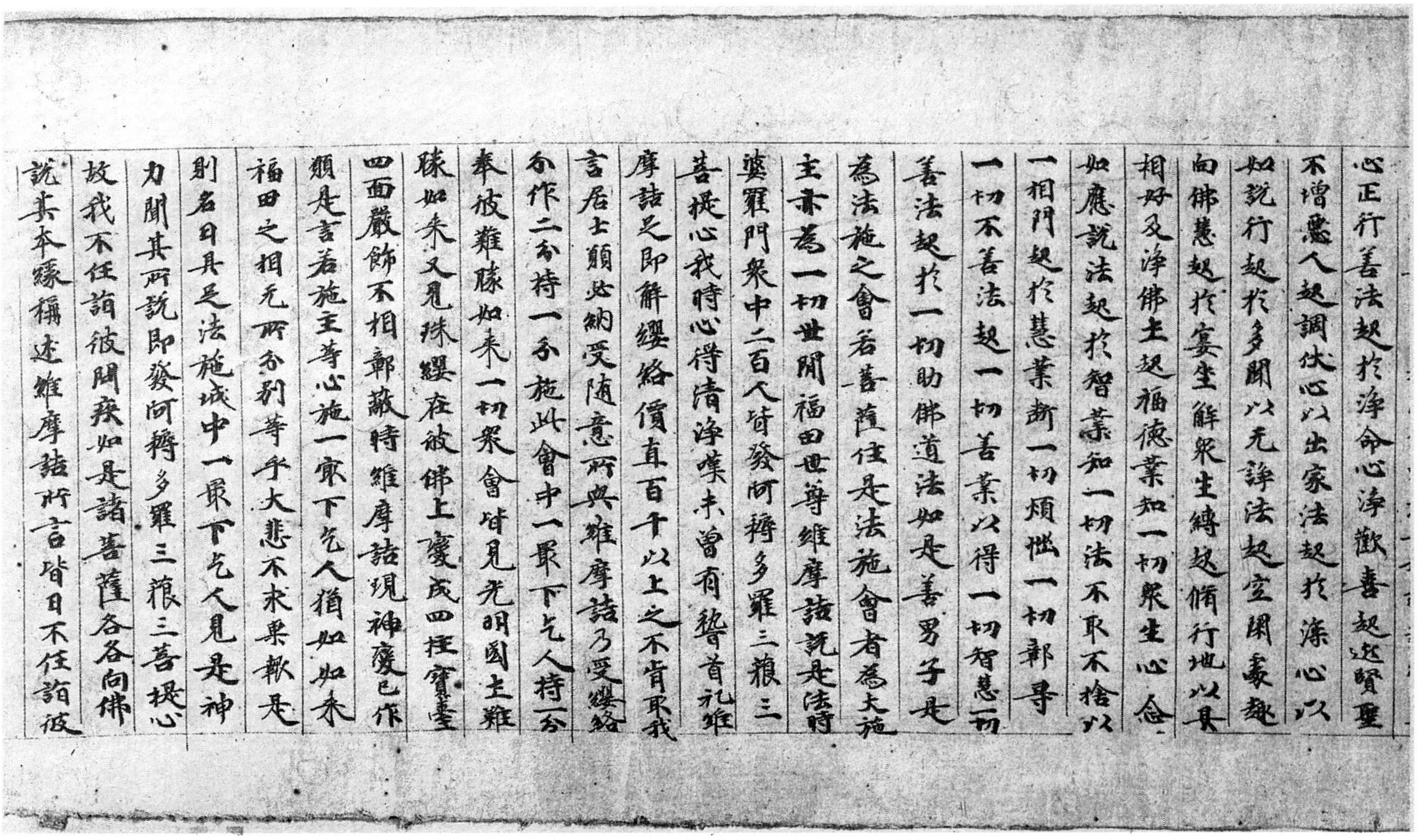
心正行善法起於淨命心淨歡喜起近賢聖
不憎惡人起調伏心以出家法起於深心以
如說行起於多聞以無諍法起空閑處趣
向佛慧起於宴坐解衆生縛起脩行地以具
相好及淨佛土起福德業知一切衆生心念
如應說法起於智業知一切法不取不捨以
一相門起於慧業斷一切煩惱一切鄣导
一切不善法起一切善業以得一切智慧一切
善法起於一切助佛道法如是善男子是
為法施之會若菩薩住是法施會者為大施
主亦為一切世間福田世尊維摩詰說是法時
婆羅門衆中二百人皆發阿耨多羅三藐三
菩提心我時心得清淨歎未曾有稽首礼維
摩詰足即解纓絡價直百千以上之不肯取我
言居士願必納受隨意所與維摩詰乃受纓絡
分作二分持一分施此會中一最下乞人持一分
奉彼難勝如來一切衆會皆見光明國土難
勝如來又見珠纓在彼佛上變成四柱寶臺
四面嚴飾不相鄣蔽時維摩詰現神變已作
願是言若施主等心施一最下乞人猶如如來
福田之相无所分別等于大悲不求果報是
則名曰具足法施城中一最下乞人見是神
力聞其所說即發阿耨多羅三藐三菩提心
故我不任詣彼問疾如是諸菩薩各各向佛
說其本緣稱述維摩詰所言皆曰不任詣彼

BD03116 號　維摩詰所說經卷上　（28–27）

勝如來又見珠纓在彼佛上變成四柱寶臺
四面嚴飾不相鄣蔽時維摩詰現神變已作
願是言若施主等心施一最下乞人猶如如來
福田之相无所分別等于大悲不求果報是
則名曰具足法施城中一最下乞人見是神
力聞其所說即發阿耨多羅三藐三菩提心
故我不任詣彼問疾如是諸菩薩各各向佛
說其本緣稱述維摩詰所言皆曰不任詣彼
問疾
維摩詰經卷上

BD03116 號　維摩詰所說經卷上　（28–28）

行步威儀
髀肘纖長
圓光一尋照無邊
悉能遍至諸佛剎
淨光明網無倫比
普照十方無障礙
善逝慈光能與樂
流光悉至百千土
佛身成就無量福
超過三界獨稱尊　無與等
所有過去一切佛　諸微塵
未來現在十方尊　亦如大地微塵眾
我以至誠身語意　稽首歸依三世佛
讚歎無邊功德海　種種香花皆供養
設我口中有千舌　經無量劫讚如來
世尊功德不思議　㝡勝甚深難可說
假令我舌有百千　讚歎一佛一功德
於中少分尚難知　況諸佛德無邊際
假使大地及諸天　乃至有頂為海水
可以毛端滴知數　佛一功德甚難量
我以至誠身語意　禮讚諸佛德無邊
所有勝福果難思　迴施眾生速成佛
彼王讚歎如來已　倍復深心發弘願

BD03117號　金光明最勝王經卷五　（9–1）

……佛德……無邊際
假使大地及諸天　乃至有頂為海水
可以毛端滴知數　佛一功德甚難量
我以至誠身語意　禮讚諸佛德無邊
所有勝福果難思　迴施眾生速成佛
彼王讚歎如來已　倍復深心發弘願
願我當於未來世　生在無量無數劫
夢中常見大金鼓　得聞顯說懺悔音
讚佛功德喻蓮花　願證無生成正覺
諸佛出世一一現　於百千劫甚難遇
夜夢常聞妙鼓音　晝則隨應而懺悔
我當圓滿修六度　拔濟眾生出苦海
然後得成無上覺　佛土清淨不思議
以妙金鼓奉如來　并讚諸佛實功德
因斯當見釋迦佛　記我當為人中尊
金龍金光是我子　過去曾為善知識
世世願生於我家　共受無上菩提記
若有眾生無救護　長夜輪迴受眾苦
我於來世作歸依　令彼常得安隱樂
三有眾苦願除滅　悉得隨心安樂處
於未來世修菩提　皆如過去成佛者
願此金光懺悔福　永竭苦海罪消除
業障煩惱悉皆亡　令我速招清淨果
福智大海量無邊　清淨離垢深無底
願我獲斯功德海　速成無上大菩提
以此金光懺悔力　當獲福德淨光明
既得清淨妙光明　常以智光照一切
願我身光等諸佛　福德智慧亦復然

BD03117號　金光明最勝王經卷五　（9–2）

福智大海量無邊　清淨離垢深無底
願我獲斯功德海　速成无上大菩提
以此金光懺悔力　當獲福德淨光明
既得清淨妙光明　常以智光照一切
願我身光等諸佛　福德智慧亦復然
一切世界獨稱尊　威力自在無倫匹
有漏苦海願超越　無為樂海願常遊
現在福海願恒盈　當來智海願圓滿
願我剎土超三界　殊勝功德量無邊
諸有緣者悉同生　皆得速成清淨智
妙幢汝當知　國王金龍主　曾發如是願　彼即是汝身
往時有二子　金龍及金光　即銀相銀光　當受我所記
大衆聞是說　皆發菩提心　願現在未來　常依此懺悔

金光明最勝王經金勝陀羅尼品第八

尒時世尊復於衆中告善住菩薩摩訶薩善
男子有陀羅尼名曰金勝若有善男子善女
人欲求親見過去未來現在諸佛恭敬供養
者當受持此陀羅尼何以故此陀羅尼乃是
過現未來諸佛之母是故當知持此陀羅尼
者具大福德已於過去無量佛所殖諸善
本今得受持於戒清淨不毀不缺無有障礙
決定能入甚深法門世尊即為說持呪法先
稱諸佛及菩薩名至心礼敬然後誦呪
南无十方一切諸佛　南无諸大菩薩摩訶薩
南无聲聞緣覺一切賢聖
南无釋迦牟尼佛　南无東方不動佛
南无南方寶幢佛　南无西方阿弥陀佛

BD03117號　金光明最勝王經卷五　（9-3）

稱諸佛及菩薩名至心礼敬然後誦呪
南无十方一切諸佛　南无諸大菩薩摩訶薩
南无聲聞緣覺一切賢聖
南无釋迦牟尼佛　南无東方不動佛
南无南方寶幢佛　南无西方阿弥陀佛
南无北方天鼓音王佛　南无上方廣衆德佛
南无下方明德佛　南无寶藏佛
南无普光佛　南无普明佛
南无香積王佛　南无蓮花勝佛
南謨平等見佛　南无寶髻佛
南无寶上佛　南无寶光佛
南无無垢光明佛　南无辯才莊嚴思惟佛
南无淨月光稱相王佛　南无花嚴光佛
南无光明王佛　南无善光無垢稱王佛
南无觀察無畏自在佛　南无無畏名稱佛
南无最勝王佛
南无觀自在菩薩摩訶薩　南无地藏菩薩摩訶薩
南无虛空藏菩薩摩訶薩　南无妙吉祥菩薩摩訶薩
南无金剛手菩薩摩訶薩　南无普賢菩薩摩訶薩
南无無盡意菩薩摩訶薩　南无大勢至菩薩摩訶薩
南无慈氏菩薩摩訶薩　南无善慧菩薩摩訶薩
陀羅尼曰
南无曷喇怛娜怛喇夜也　怛姪他
君睇　君睇　短析囇　矩析囇
壹窒哩　蜜窒哩　莎訶
佛告善住菩薩此陀羅尼是三世佛母若有
善男子善女人持此呪者能生無量無邊福
德之聚即是供養恭敬尊重讚歎[illegible]

BD03117號　金光明最勝王經卷五　（9-4）

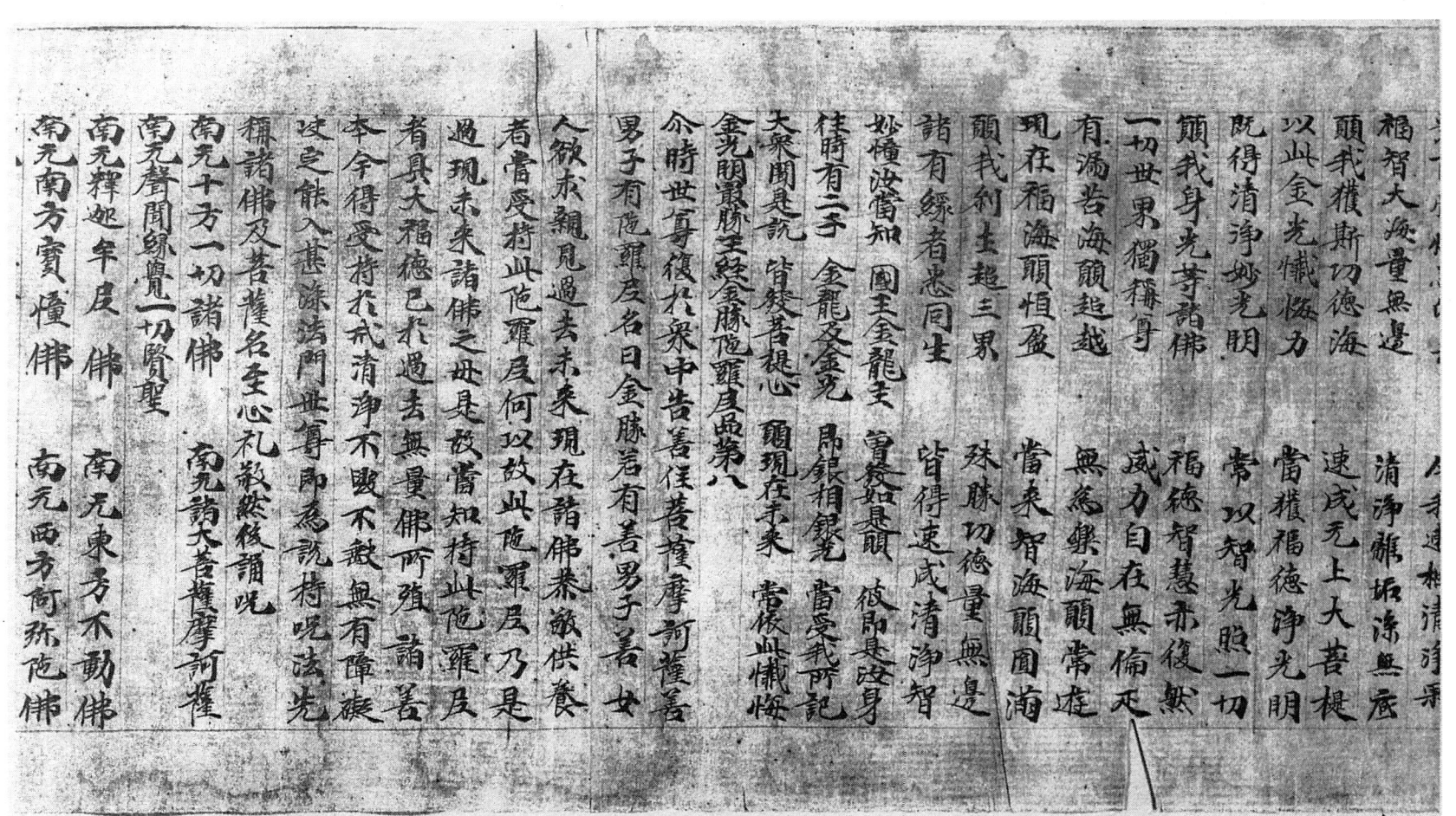

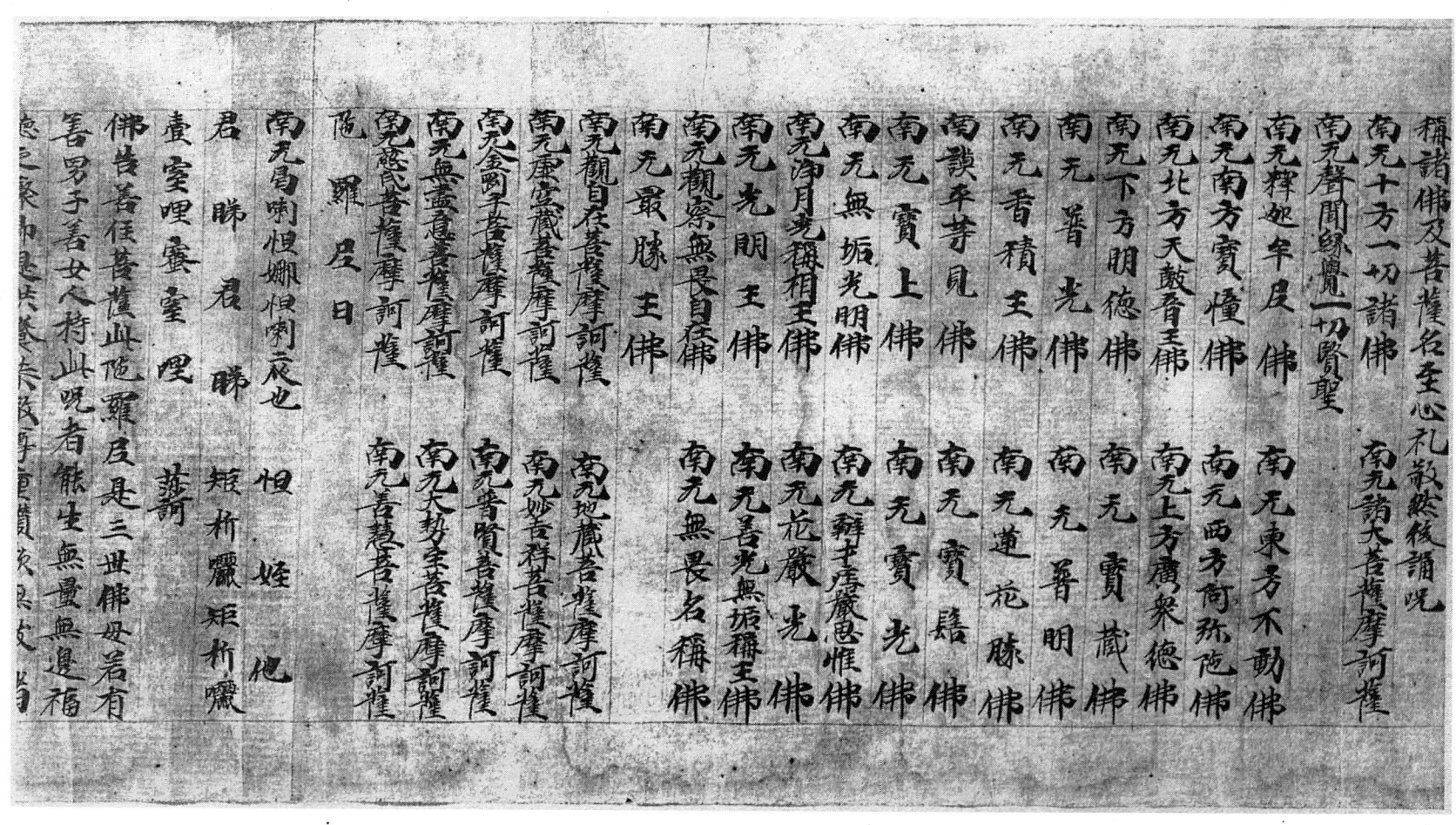

君　畔　君　畔　矩析爛矩析爛
晝室哩蹇室哩　莎訶
佛告善住菩薩此陁羅尼是三世佛母若有
善男子善女人持此呪者能生無量無邊福
德之聚即是供養恭敬尊重讚歎無數諸
佛如是諸佛皆與此人授阿耨多羅三藐三菩
提記善住若有人能持此呪者隨其所欲衣
食財寶多聞聰慧無病長壽獲福甚多隨所
願求無不遂意善住持是呪者乃至未證無
上菩提常與金城山菩薩慈氏菩薩大海菩
薩自在菩薩妙吉祥菩薩大氷伽羅菩薩
等而共居止為諸菩薩之所攝護善住當知
持此呪時作如是法先應誦持滿一万八遍
為前方便次於闇室莊嚴道場黑月一日清
淨洗浴著鮮潔衣燒香散花種種供養并諸
飲食入道場中先當稱礼如前所說諸佛菩
薩至心慇重悔先罪已右膝著地可誦前呪
滿一千八遍端坐思惟念其所願日未出時
於道場中食淨黑食日唯一食至十五日方
出道場能令此人福德威力不可思議隨所
願求無不圓滿若不遂意重入道場既稱心
已常持莫忘

金光明最勝王經顯空性品第九

尒時世尊說此呪已為欲利益菩薩摩訶薩
人天大衆令得悟解甚深真實第一義故重
明空性而說頌曰

我已於餘甚深經　廣說真空微妙法
今復於此經王內　略說空

金光明最勝王經顯空性品第九

尒時世尊說此呪已為欲利益菩薩摩訶薩
人天大衆令得悟解甚深真實第一義故重
明空性而說頌曰
我已於餘甚深經　廣說真空微妙法
今復於此經王內　略說空法不思議
於諸廣大甚深法　有情無智不能解
故我於斯重敷演　令於空法得開悟
大悲哀愍有情故　以善方便勝因緣
我今於此大衆中　演說令彼明空義
當知此身如空聚　六賊依止不相知
六塵諸賊別依根　各不相知亦如是
眼根常觀於色處　耳根聽聲不斷絕
鼻根恒嗅於香境　舌根鎮嘗於美味
身根受於輕耎觸　意根了法不知猒
此等六根隨事起　各於自境生分別
識如幻化非真實　依止根處妄貪求
如人奔走空聚中　六識依根亦如是
心遍馳求隨處轉　託根緣境了諸事
常受色聲香味觸　於法尋思無暫停
隨緣遍行於六根　如鳥飛空無障礙
藉此諸根作依處　方能了別於外境
此身無知無作者　體不堅固託緣成
皆從虛妄分別生　譬如機關由業轉
地水火風共成身　隨彼因緣招異果
同在一處相違害　如四毒蛇居一篋
此四大蛇性各異　雖居一處有昇沉

此身無知無作者　體不堅固託緣成
皆從虛妄分別生　譬如機關由業轉
地水火風共成身　隨彼因緣招異果
同在一處相違害　如四毒蛇居一篋
此四大蛇性各異　雖居一處有昇沈
或上或下遍於身　斯等終歸於滅法
於此四種毒蛇中　地水二蛇多沈下
風火二蛇性輕舉　由此乖違眾病生
心識依止於此身　造作種種善惡業
當往人天三惡趣　隨其業力受身形
遭諸疾病身死後　大小便利悉盈流
膿爛蟲蛆不可樂　棄在屍林如朽木
汝等當觀法如是　云何執有我眾生
一切諸法悉無常　悉從無明緣力起
彼諸大種咸虛妄　本非實有體無生
故說大種性皆空　知此浮虛非實有
無明自性本是無　藉眾緣力和合有
於一切時失正慧　故我說彼為無明
行識為緣有名色　六處及觸受隨生
愛取有緣生老死　憂悲苦惱恒隨逐
眾苦惡業常纏迫　生死輪迴無息時
本來非有體是空　由不如理生分別
我斷一切諸煩惱　常以正知現前行
了五蘊宅悉皆空　求證菩提真實處
我開甘露大城門　示現甘露微妙器
既得甘露真實味　常以甘露施群生
我擊最勝大法鼓　我吹最勝大法螺

BD03117號　金光明最勝王經卷五　（9-7）

我斷一切諸煩惱　常以正知現前行
了五蘊宅悉皆空　求證菩提真實處
我開甘露大城門　示現甘露微妙器
既得甘露真實味　常以甘露施群生
我擊最勝大法鼓　我吹最勝大法螺
我然最勝大明燈　我降最勝大法雨
降伏煩惱諸怨結　建立無上大法幢
於生死海濟群迷　我當關閉三惡趣
煩惱熾火燒眾生　無有救護無依止
清涼甘露充足彼　身心熱惱並皆除
由是我於無量劫　恭敬供養諸如來
堅持禁戒趣菩提　求證法身安樂處
施他眼耳及手足　妻子僮僕心無悋
財寶七珍莊嚴具　隨來求者咸供給
忍等諸度皆遍修　十地圓滿成正覺
故我得稱一切智　無有眾生度量者
假使三千大千界　盡此土地生長物
所有叢林諸樹木　稻麻竹葦及枝條
此等諸物皆伐取　並悉細末作微塵
隨處積集量難知　乃至充滿虛空界
一切十方諸剎土　所有三千大千界
地土皆悉末為塵　此微塵量不可數
假使一切眾生智　以此智慧與一人
如是智者量無邊　容可知彼微塵數
牟尼世尊一念智　令彼智人共度量
於多俱胝劫數中　不能算知其少分
時諸大眾聞佛說此甚深空性有無量眾

BD03117號　金光明最勝王經卷五　（9-8）

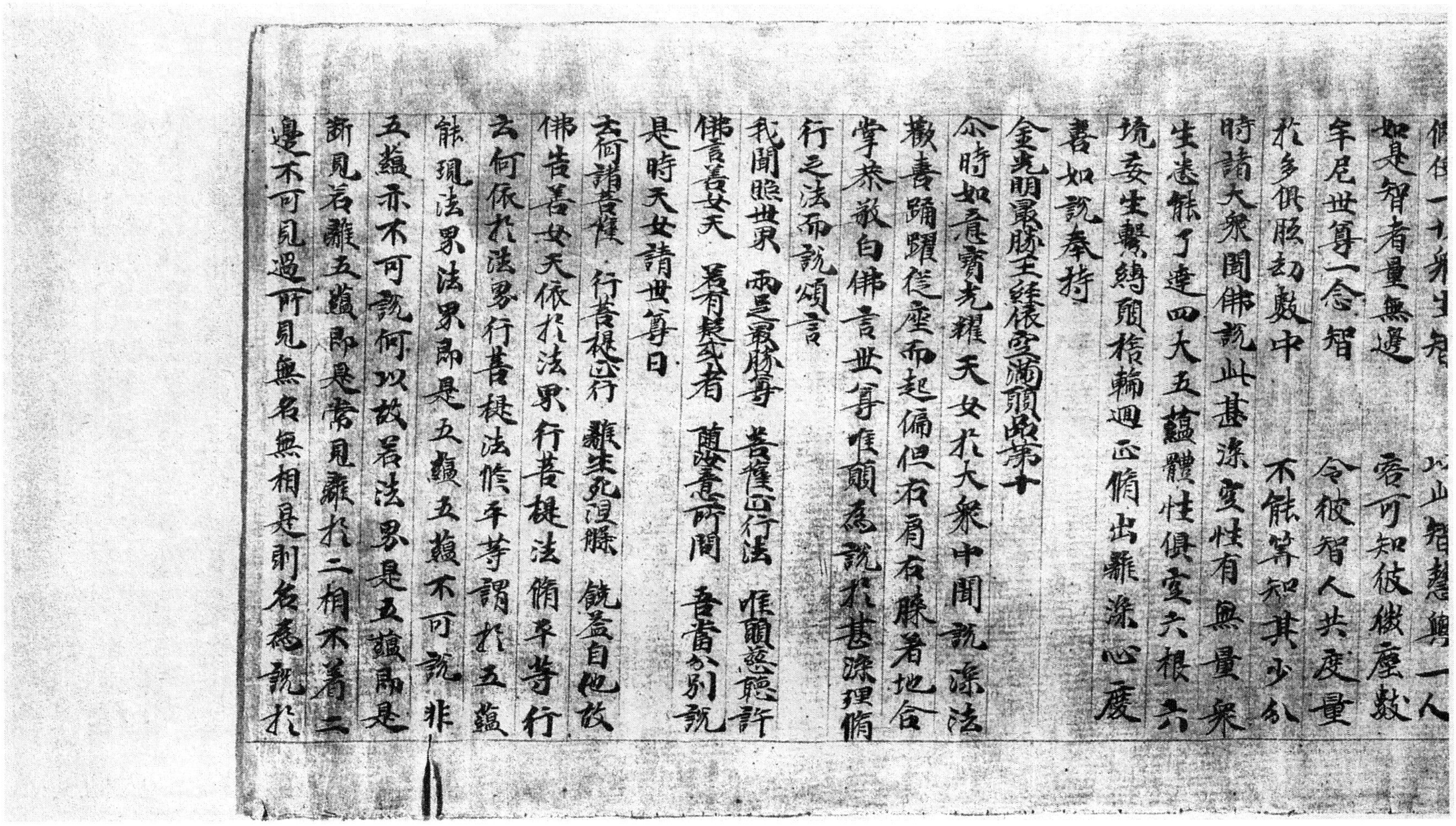

假使一切衆生智　以此智慧與一人
如是智者量無邊　若可知彼微塵數
牟尼世尊一念智　令彼智人共度量
於多俱胝劫數中　不能筭知其少分
時諸大衆聞佛說此甚深實性有無量衆
生悉能了達四大五蘊體性俱空六根六
境妄生繫縛願捨輪迴正脩出離深心慶
喜如說奉持
金光明最勝王經依空滿願品第十
尒時如意寶光耀天女於大衆中聞說深法
歡喜踊躍從座而起偏袒右肩右膝著地合
掌恭敬白佛言世尊唯願為說於甚深理脩
行之法而說頌言
我聞照世界　兩足最勝尊　菩薩正行法　唯願慈聽許
佛言善女天　若有疑惑者　隨汝意所問　吾當分別說
是時天女請世尊曰
云何諸菩薩　行菩提正行　離生死涅槃　饒益自他故
佛告善女天依於法界行菩提法脩平等行
云何依於法界行菩提法脩平等行謂於五蘊
能現法界法界即是五蘊五蘊不可說非
五蘊亦不可說何以故若法界是五蘊即是
斷見若離五蘊即是常見離於二相不著二
邊不可見過所見無名無相是則名為說於

BD03117 號　金光明最勝王經卷五　（9–9）

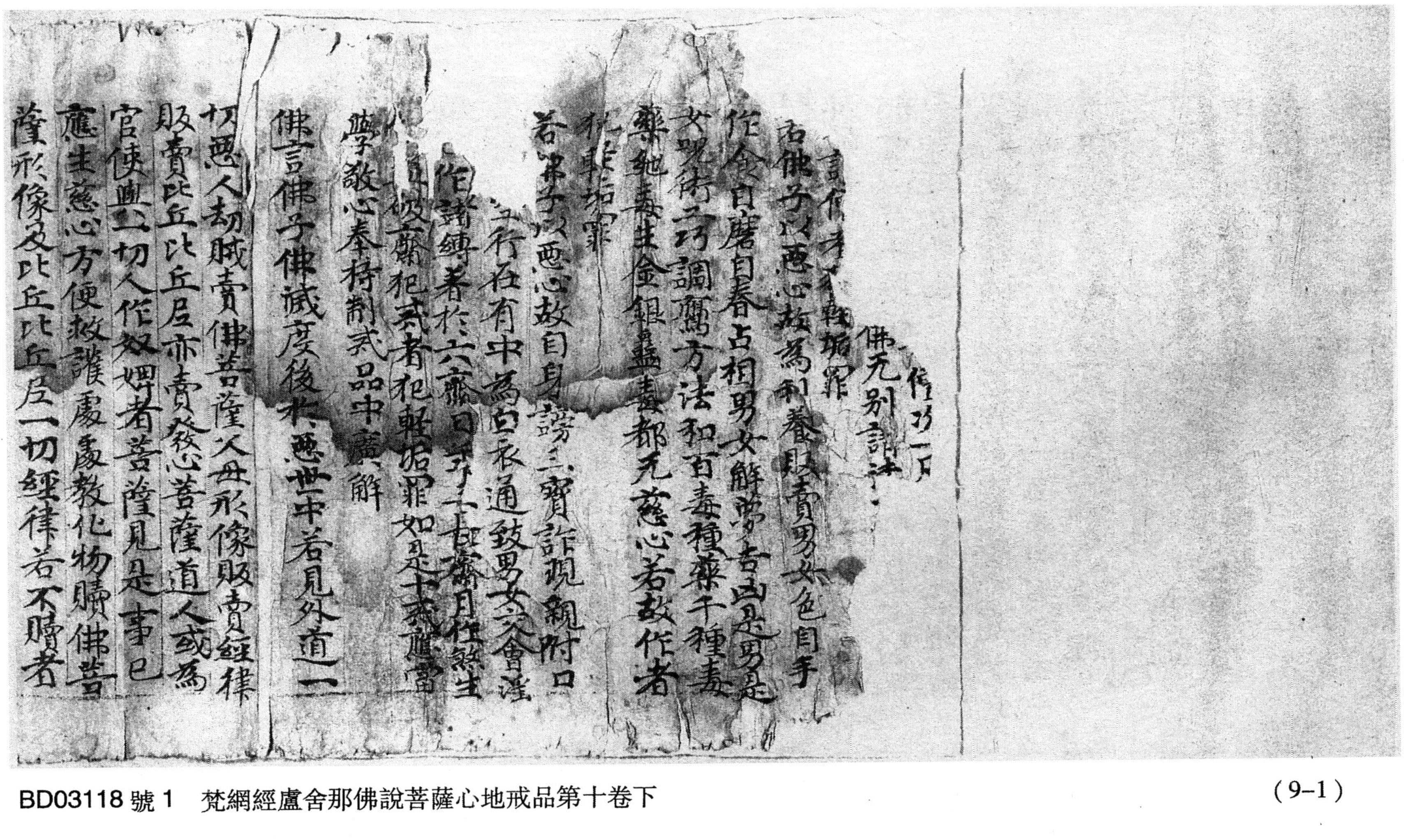

作於一切
佛无別說法
言作[illegible]犯輕垢罪
若佛子以惡心故為利養販賣男女色自手
作食自磨自舂占相男女解夢吉凶是男是
女咒術工巧調鷹方法和百毒種藥千種毒
藥蛇毒生金銀蠱毒都无慈心若故作者
犯輕垢罪
若佛子以惡心故自身謗三寶詐現親附口
[illegible]行在有中為白衣通致男女交會淫
作諸縛著於六齋日年三長齋月作殺生
[illegible]破齋犯戒者犯輕垢罪如是十戒應當
學敬心奉持制戒品中廣解
佛言佛子佛滅度後於惡世中若見外道一
切惡人劫賊賣佛菩薩父母形像販賣經律
販賣比丘比丘尼亦賣發心菩薩道人或為
官使與一切人作奴婢者菩薩見是事已
應生慈心方便救護處處教化物贖佛菩
薩形像及比丘比丘尼一切經律若不贖者

BD03118 號 1　梵網經盧舍那佛說菩薩心地戒品第十卷下　（9–1）

佛言佛子佛滅度後於惡世中若見外道一
切惡人劫賊賣佛菩薩父母形像販賣經律
販賣比丘比丘尼亦賣發心菩薩道人或為
官使與一切人作奴婢者菩薩見是事已
應生慈心方便救護處處教化物贖佛菩
薩形像及比丘比丘尼一切經律若不贖者
犯輕垢罪
若佛子不得畜刀仗弓箭販賣輕秤小斗因
官形勢取人財物害心繫縛破壞成功長養
猫狸猪狗若故養者犯輕垢罪
若佛子以惡心故觀一切男女等鬪軍陣兵
將劫賊等鬪亦不得聽吹貝鼓角琴瑟箏
笛箜篌歌叫伎樂之聲不得樗蒲圍碁
波羅塞戲彈碁六博拍毱擲石投壺八道行
城爪鏡蓍草楊枝鉢盂髑髏而作卜筮不得作
盜賊使命一一不得作若故作者犯輕垢罪
若佛子護持禁戒行住坐臥日夜六時讀誦
是戒猶如金剛如帶持浮囊欲渡大海如草
繫比丘常生大乘信自知我是未成之佛諸
佛是已成之佛發菩提心念念不去心若起
一念二乘外道心者犯輕垢罪
若佛子常應發一切願孝順父母師僧三寶
常願得好師僧同學善友知識常教我大乘
經律十發趣十長養十金剛十地使我開解如
法脩行堅持佛戒寧捨身命念念不去心若
一切菩薩不發是願者犯輕垢罪
若佛子發十大願已持佛禁戒作是願言寧
以此身投火熾然大坑刀山終不毀犯三

BD03118 號 1　梵網經盧舍那佛說菩薩心地戒品第十卷下　（9–2）

法脩行堅持佛戒寧捨身命念念不去心若
一切菩薩不發是願者犯輕垢罪
若佛子發十大願已持佛禁戒作是願言寧
以此身投火熾然大坑刀山終不毀犯三
世諸佛經律與一切女人作不淨行復作是
願寧以熱鐵羅網千重周帀纏身終不以
破戒之身受信心檀越一切衣服復作是願
寧以此口吞熱鐵丸及大流猛火經百千劫
終不以破戒之口食信心檀越百味飲食復作
是願寧以此身臥大猛火羅網熱鐵地上終
不以破戒之身受信心檀越百種牀坐復作是
願寧以此身受三百鉾刺終不以破戒之身
受信心檀越百味醫藥復作是願寧以此
身投熱鐵鑊千劫終不以破戒之身受信心
檀越千種房舍屋宅園林田地復作是願寧
以鐵鎚打碎此身從頭至足令如微塵終不以
此破戒之身受信心檀越恭敬礼拜復作是
願寧以百千熱鐵刀鉾挑其兩目終不以此破
戒之心視他好色復作是願寧以百千鐵錐遍
身挑刺耳根逕一劫二劫終不以破戒之心
聽好音聲復作是願寧以百千刃刀割去
其鼻終不以破戒之心貪嗅諸香復作
是願寧以百千刃刀割斷其舌終不以破戒
之心食人百味淨食復作是願寧以利斧
斬斫其身終不以破戒之心貪著好觸復作
是願願一切衆生悉得成佛而菩薩若不
發是願者犯輕垢罪
若佛子常應二時頭陀冬夏坐禪結夏安

BD03118 號 1　梵網經盧舍那佛說菩薩心地戒品第十卷下　（9–3）

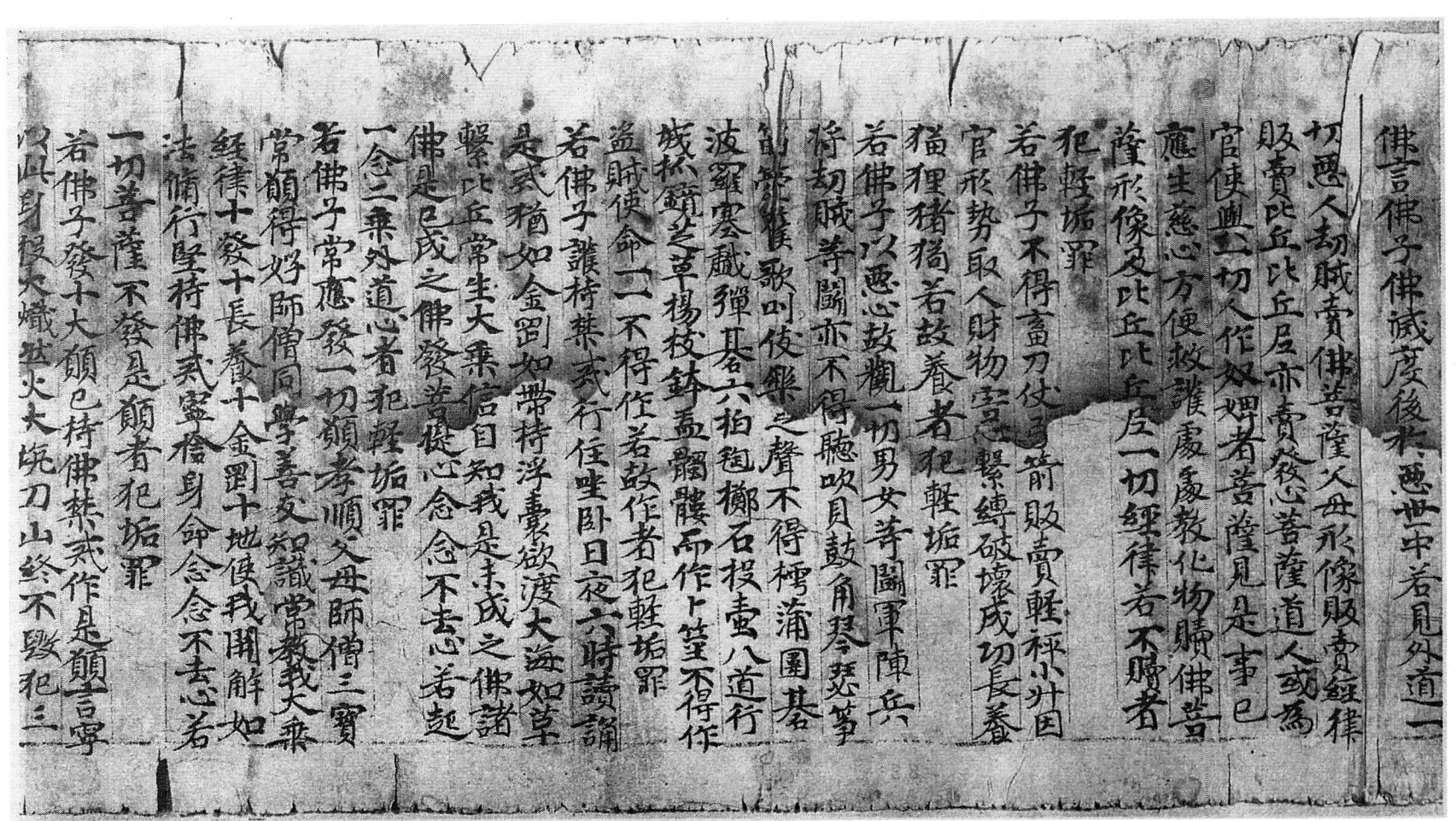

之心食人百味淨食復作是願寧以
斬斫其身終不以破戒之心貪著好觸復作
是願願一切衆生悉得成佛而菩薩若不
發是願者犯輕垢罪
若佛子常應二時頭陀冬夏坐禪結夏安
居常用楊枝澡豆三衣瓶鉢坐具錫杖香
爐漉水囊手巾刀子火燧鑷子繩床經律
佛像菩薩形像而菩薩行頭陀時及遊方時行
來時百里千里此十八種物常隨其身頭陀者
從正月十五日至月十五日八月十五日至十月十五日
是二時中十八種物常隨其身如鳥二翼若布
薩日新學菩薩半月半月布薩誦十重四
十八輕戒時於諸佛菩薩形像前一人布薩
一人誦若二若三乃至百千人亦一人誦誦
者高坐聽者下坐各各被九條七條五條袈
裟結夏安居一一如法若頭陀時莫入難處
若國難惡王土地高下草木深邃師子虎
狼水火惡風劫賊毒虵道路一切難處悉不
得入若頭陀行道乃至夏坐安居是諸難處
皆不得入若故入者犯輕垢罪
若佛子應如法次第坐先受戒者在前坐後
受戒者在後坐不問老少比丘比丘尼貴人國
王王子乃至黃門奴婢皆應先受戒者在前
坐後受戒者隨次第坐莫如外道癡人若老
若少无前无後坐无次第兵奴之法我佛法
中先者先坐後者後坐而菩薩不次第坐者
犯輕垢罪
若佛子常應教化一切衆生建立僧房山林
園田立作佛塔冬夏安居坐禪處所一切行

BD03118 號 1　梵網經盧舍那佛說菩薩心地戒品第十卷下　（9–4）

若少无前无後坐无次第兵奴之法我佛法
中先者先坐後者後坐而菩薩不次第坐者
犯輕垢罪
若佛子常應教化一切衆生建立僧房山林
園田立作佛塔冬夏安居坐禪處所一切行
道處皆應立之而菩薩應爲一切衆生講說
大乘經律若疾病國難賊難父母兄弟和上
阿闍梨亡滅之日及三七日四五七日乃至七七
日亦應講說大乘經律齋會求福行來治生
大火所燒大水所漂黑風所吹船舫江河大海
羅刹之難乃至一切罪報七逆八難杻械枷
鏁繫縛其身多婬多瞋多癡多病疾皆
應讀誦講說大乘經律而新學菩薩若不
介者犯輕罪如是九戒應當學敬心奉持如
梵壇品中廣說
佛言佛子與人受戒時不得簡擇一切國王王
子大臣百官比丘比丘尼信男信女婬男婬女
十八梵六欲天无根二根黃門奴婢一切鬼神盡
得受戒應教身所著袈裟皆使色壞與道相
應皆染使青黃赤黑紫色一切染衣乃至臥
具盡以壞色身所著衣一切染色若一切國土
中人所著服比丘皆應與其俗服有異若欲
受戒時師應問言汝現身不作七逆罪不而菩
薩法師不得與七逆人現身受戒七逆者出
佛身血煞父母和上阿闍梨破羯磨轉法輪僧
煞聖人若具七遮即身不得戒餘一切人得受
戒出家人法不向國王禮拜不向父母禮拜六親不
敬鬼神不禮但解法師語有百里千里來求戒

BD03118 號 1　梵網經盧舍那佛說菩薩心地戒品第十卷下　（9–5）

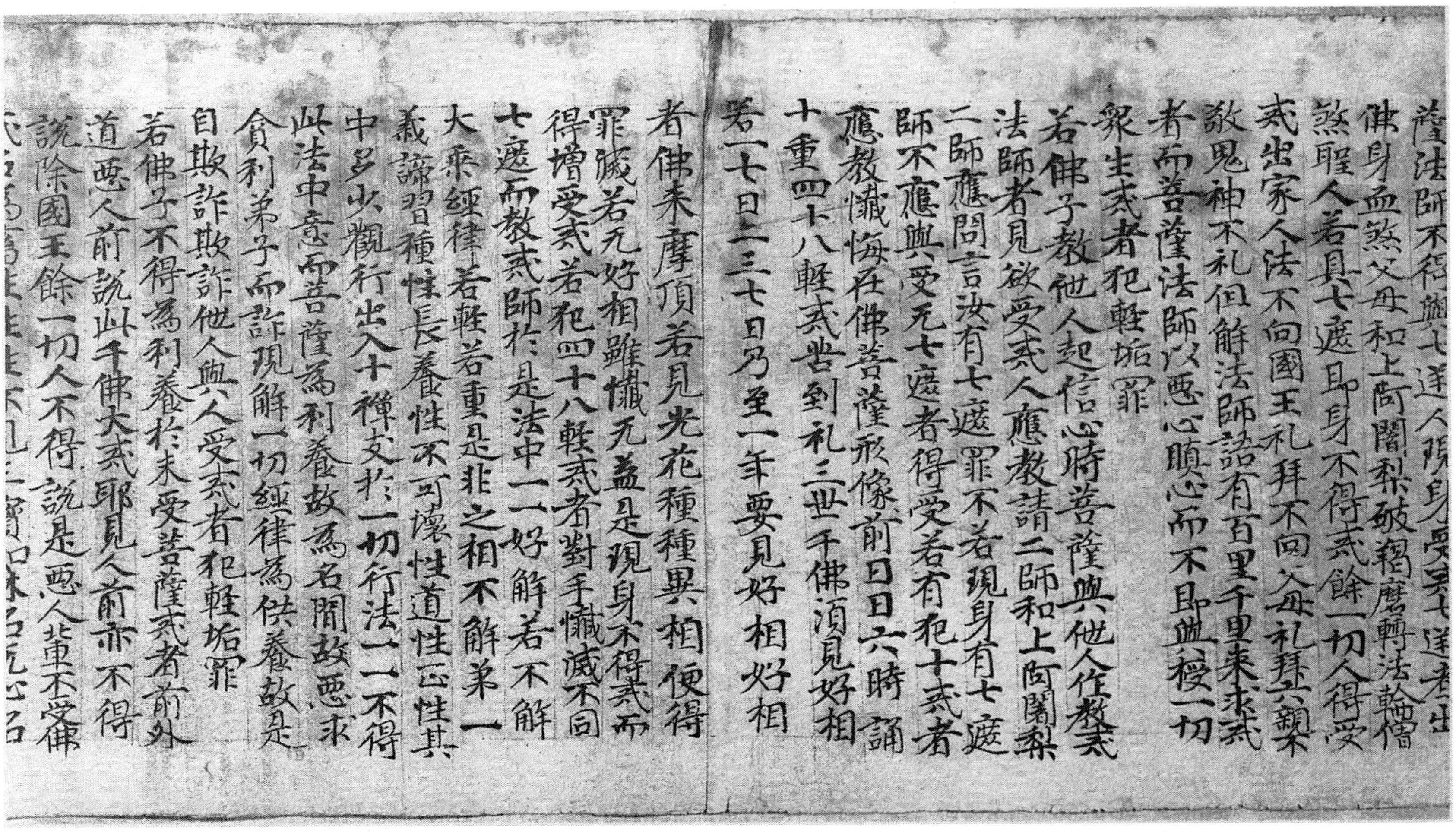

薩法師不得與七逆人現身受戒七逆者出
佛身血殺父母和上阿闍梨破羯磨轉法輪僧
殺聖人若具七遮即身不得戒餘一切人得受
戒出家人法不向國王礼拜不向父母礼拜六親
敬鬼神不礼但解法師語有百里千里來求法
者而菩薩法師以惡心瞋心而不即與授一切
衆生戒者犯輕垢罪
若佛子教化人起信心時菩薩與他人作教戒
法師者見欲受戒人應教請二師和上阿闍梨
二師應問言汝有七遮罪不若現身有七遮
師不應與受无七遮者得受若有犯十戒者
應教懺悔在佛菩薩形像前日日六時誦
十重四十八輕戒苦到礼三世千佛須見好相
若一七日二三七日乃至一年要見好相好相
者佛來摩頂若見光花種種異相便得
罪滅若无好相雖懺无益是現身亦不得戒而
得增受戒若犯四十八輕戒者對手懺滅不同
七遮而教戒師於是法中一一好解若不解
大乘經律若輕若重是非之相不解第一
義諦習種性長養性不可壞性道性正性其
中多少觀行出入十禪支於一切行法一一不得
此法中意而菩薩爲利養故爲名聞故惡求
貪利弟子而詐現解一切經律爲供養故是
自欺詐欺詐他人與人受戒者犯輕垢罪
若佛子不得爲利養於未受菩薩戒者前外
道惡人前說此千佛大戒邪見人前亦不得
說除國王餘一切人不得說是惡人輩不受佛
戒名爲畜生生生不見三寶如木石无心名

BD03118 號 1　梵網經盧舍那佛說菩薩心地戒品第十卷下　（9–6）

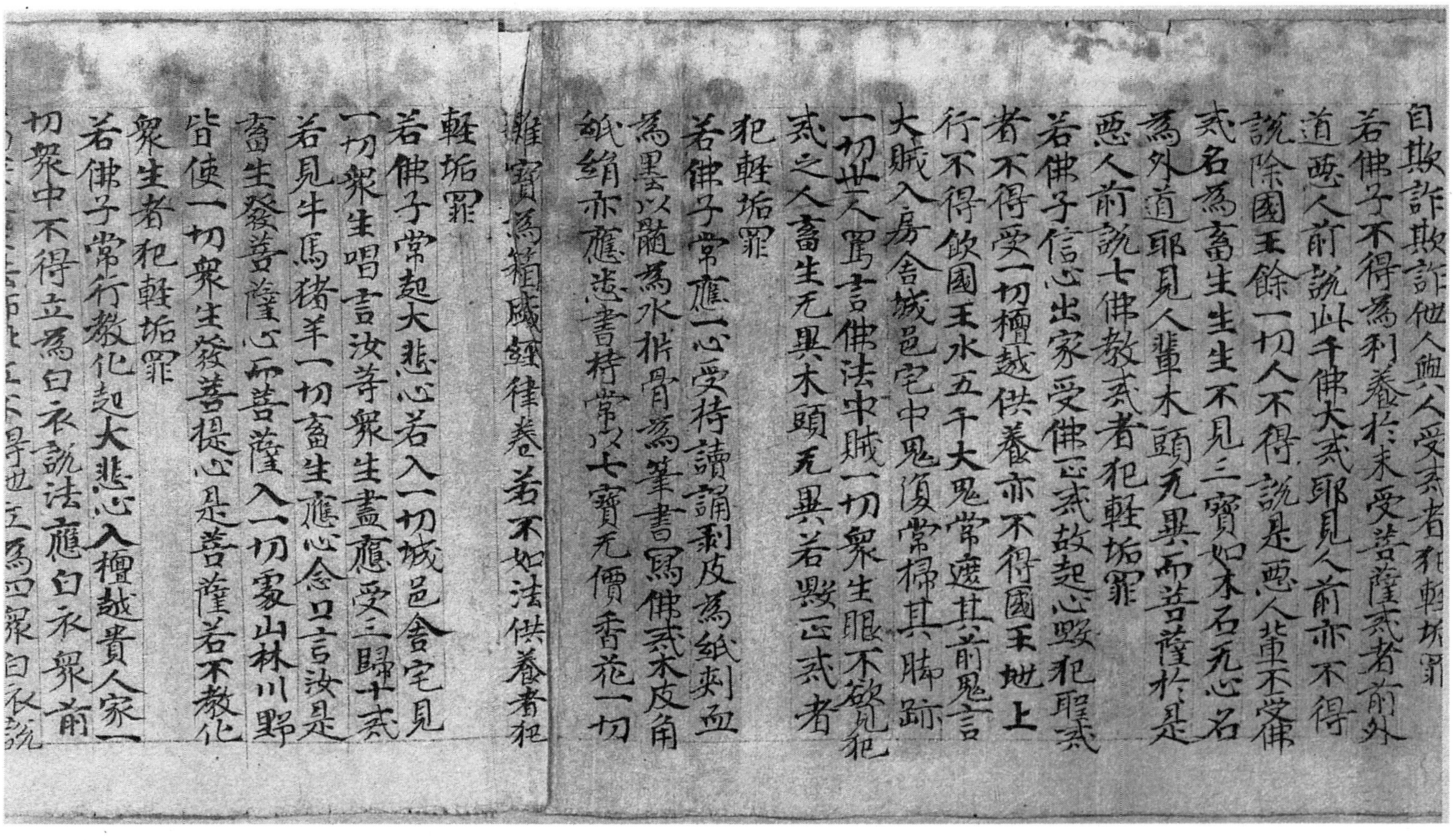

自欺詐欺詐他人與人受戒者犯輕垢罪
若佛子不得爲利養於未受菩薩戒者前外
道惡人前說此千佛大戒邪見人前亦不得
說除國王餘一切人不得說是惡人輩不受佛
戒名爲畜生生生不見三寶如木石无心名
爲外道邪見人輩木頭无異而菩薩於是
惡人前說七佛教戒者犯輕垢罪
若佛子信心出家受佛正戒故起心毀犯聖戒
者不得受一切檀越供養亦不得國王地上
行不得飲國王水五千大鬼常遮其前鬼言
大賊入房舍城邑宅中鬼復常掃其脚跡
一切世人罵言佛法中賊一切衆生眼不欲見犯
戒之人畜生无異木頭无異若毀正戒者
犯輕垢罪
若佛子常應一心受持讀誦剝皮爲紙刺血
爲墨以髓爲水析骨爲筆書寫佛戒木皮角
紙絹素亦應悉書持常以七寶无價香花一切
雜寶爲箱囊盛經律卷若不如法供養者犯
輕垢罪
若佛子常起大悲心若入一切城邑舍宅見
一切衆生唱言汝等衆生盡應受三歸十戒
若見牛馬猪羊一切畜生應心念口言汝是
畜生發菩提心而菩薩入一切山林川野
皆使一切衆生發菩提心是菩薩若不教化
衆生者犯輕垢罪
若佛子常行教化起大悲心入檀越貴人家一
切衆中不得立爲白衣說法應白衣衆前

BD03118 號 1　梵網經盧舍那佛說菩薩心地戒品第十卷下　（9–7）

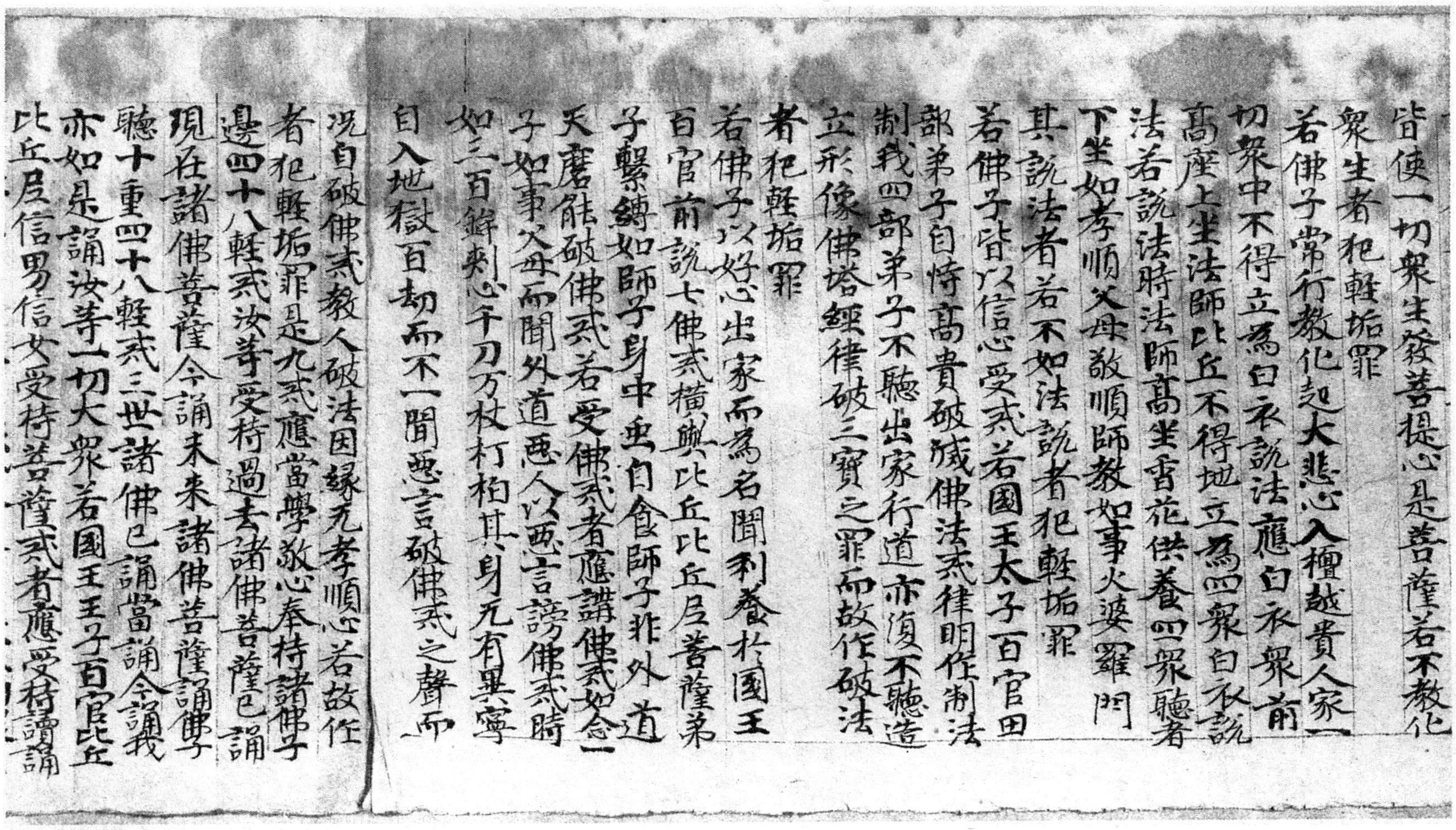
皆使一切衆生發菩提心是菩薩若不敎化
衆生者犯輕垢罪
若佛子常行敎化起大悲心入檀越貴人家一
切衆中不得立爲白衣說法應白衣衆前
高座上坐法師比丘不得地立爲四衆白衣說
法若說法時法師高坐香花供養四衆聽者
下坐如孝順父母敬順師敎如事火婆羅門
其說法者若不如法說者犯輕垢罪
若佛子皆以信心受戒若國王太子百官四
部弟子自恃高貴破滅佛法戒律明作制法
制我四部弟子不聽出家行道亦復不聽造
立形像佛塔經律破三寶之罪而故作破法
者犯輕垢罪
若佛子以好心出家而爲名聞利養於國王
百官前說七佛戒橫與比丘比丘尼菩薩弟
子繫縛如師子身中虫自食師子非外道
天魔能破佛戒若受佛戒者應護佛戒如念一
子如事父母而聞外道惡人以惡言謗佛戒時
如三百鉾刺心千刀万杖打柏其身无有異寧
自入地獄百劫而不一聞惡言破佛戒之聲而
況自破佛戒教人破法因緣无孝順心若故作
者犯輕垢罪是九戒應當學敬心奉持諸佛子
是四十八輕戒汝等受持過去諸佛菩薩已誦
現在諸佛菩薩今誦未來諸佛菩薩當誦佛子
聽十重四十八輕戒三世諸佛已誦當誦今誦我
亦如是誦汝等一切大衆若國王王子百官比丘
比丘尼信男信女受持菩薩戒者應受持讀誦

BD03118 號 1　梵網經盧舍那佛說菩薩心地戒品第十卷下　（9–8）

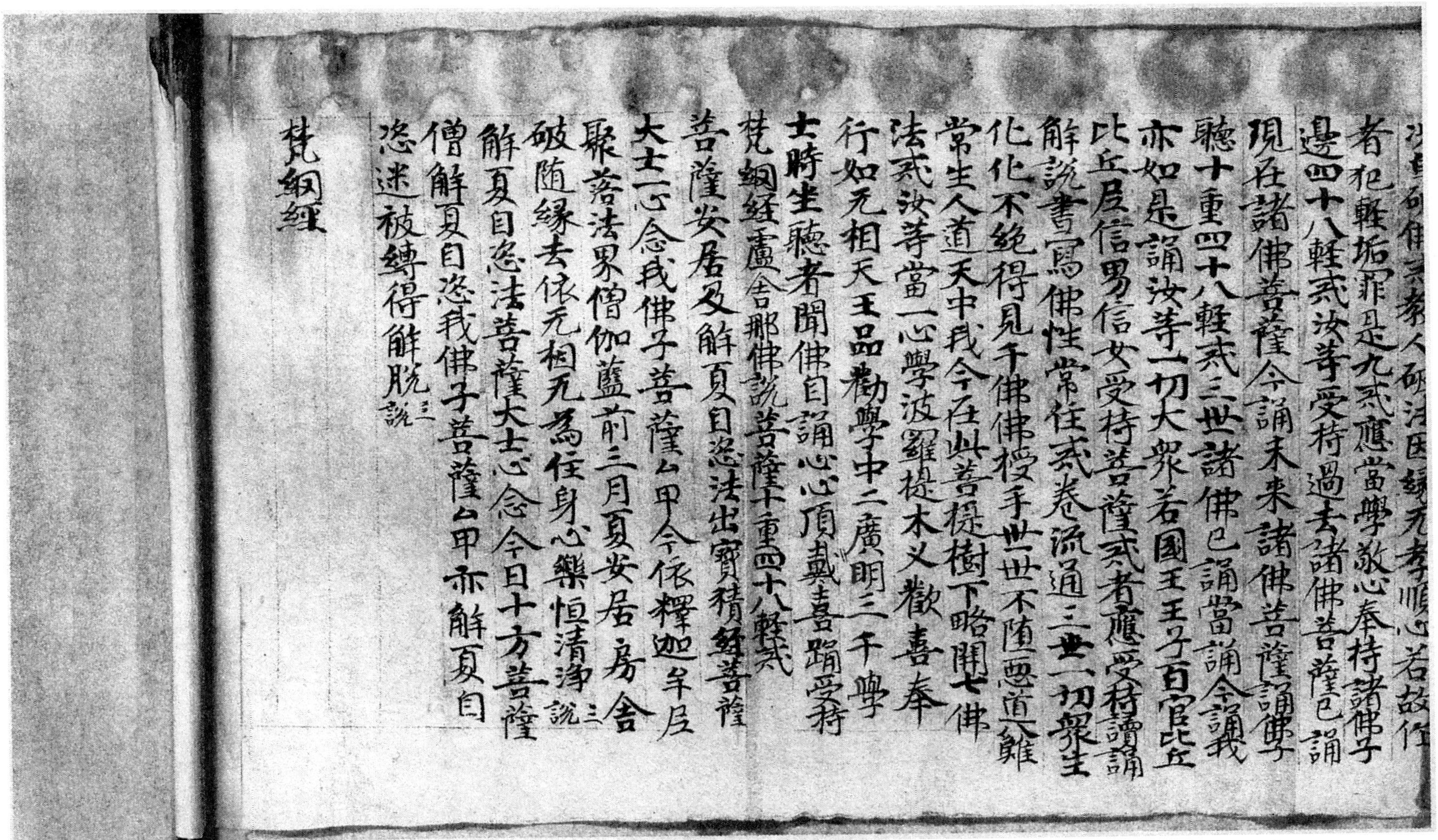
況自破佛戒教人破法因緣无孝順心若故作
者犯輕垢罪是九戒應當學敬心奉持諸佛子
是四十八輕戒汝等受持過去諸佛菩薩已誦
現在諸佛菩薩今誦未來諸佛菩薩當誦佛子
聽十重四十八輕戒三世諸佛已誦當誦今誦我
亦如是誦汝等一切大衆若國王王子百官比丘
比丘尼信男信女受持菩薩戒者應受持讀誦
解說書寫佛性常住戒卷流通三世一切衆生
化化不絕得見千佛佛授手世世不墮惡道八難
常生人道天中我今在此菩提樹下略開七佛
法戒汝等當一心學波羅提木叉歡喜奉
行如无相天王品勸學中一一廣明三千學
士時坐聽者聞佛自誦心心頂戴喜躍受持
梵網經盧舍那佛說菩薩十重四十八輕戒
菩薩安居及解夏自恣法出寶積經菩薩
大士一心念我佛子菩薩厶甲今依釋迦牟尼
聚落法界僧伽藍前三月夏安居房舍三說
破隨緣去依无相无爲住身心樂恒清淨說
解夏自恣法菩薩大士心念今日十方菩薩
僧解夏自恣我佛子菩薩厶甲亦解夏自
恣迷被縛得解脫說三
梵網經

BD03118 號 1　梵網經盧舍那佛說菩薩心地戒品第十卷下　（9–9）
BD03118 號 2　菩薩安居及解夏自恣法

生已自然食乳如是等事誰有教者
已自然頭炎飛鳥毛羽自然色別
亦復如是有利有鈍有富有貧有何有
得解脫有得下有是故當知一切法中
自性復次瞿曇說貪欲瞋癡從
生如是三毒因緣五塵是義不然何以
生睡時遠離五塵亦復生於貪欲瞋癡大
亦於初出胎時未能分別五塵好醜亦復生
於貪欲瞋癡諸仙賢聖處在寂處無有五
塵亦能生於貪欲瞋癡亦復有人因於五塵
生於不貪不瞋不癡是故不必從於因緣生一
切法以自性故復次瞿曇我見世人五根不
具多財饒寶得大自在有根具足貧窮下賤
不得自在為人僕使若有因緣何故如是是
故諸法各有自性不由因緣瞿曇世間小兒
亦復未能分別五塵或笑或啼笑時知喜啼
時知愁是故當知一切諸法各有自性復次
瞿曇世法有二一者有二者无有即虛空无
即兔角如是二法一是有故不從因緣二是
无故亦非因緣是故諸法有自性故不從因

BD03119號　大般涅槃經（北本）卷四〇　（20-1）

亦復未能分別五塵或笑或啼笑時知喜啼
時知愁是故當知一切諸法各有自性復次
瞿曇世法有二一者有二者无有即虛空无
即兔角如是二法一是有故不從因緣二是
无故亦非因緣是故諸法有自性故不從因
緣佛言善男子如汝所言如五大性一切諸
法亦應如是是義不然何以故善男子汝法
中以五大是常何因緣故一切諸法悉不是
常若世間物是无常者是五大性何因緣故
不是无常若五大常世間之物亦應是常是
故汝說五大之性有自性故不從因緣令一
切法同五大者无有是處善男子汝言用處
定故有自性者是義不然何以故皆從因緣
得名字故若從因得名亦從因得義云何名
為從因得名如在額上名之為鬘在頸名瓔
在臂名釧在車名輪火在草木名草木火善
男子樹初生時无箭矟性從因緣故工造為
箭從因緣故工造為矟是故不應說一切法
有自性也汝言如龜陸生性自入水犢子生
已性能飲乳是義不然何以故若言入水非
因緣者俱非因緣何不入火犢子生已性能
唼乳不從因緣俱非因緣何不唼角善男子
若言諸法悉有自性不須教習无有增長是
義不然何以故今見有教緣教增長是故當
知无有自性善男子若一切法有自性者諸
婆羅門一切不應為清淨身煞羊祀祠若為
身祠是故當知无有自性善男子世間語法

BD03119號　大般涅槃經（北本）卷四〇　（20-2）

味乳不從因緣俱非因緣何不味角善男子
若言諸法悉有自性不須教習无有增長是
義不然何以故今見有教緣教增長是故當
知无有自性善男子若一切法有自性者諸
婆羅門一切不應為清淨身煞羊祀祠若為
身祠是故當知无有自性善男子世間語法
凡有三種一者欲作二者作時三者作已若
一切法有自性者何故世中有是三語有三
語故故知一切无有自性善男子若言諸法
有自性者當知諸法各有定性若有定性甘
蔗一物何緣作漿作蜜石蜜酒苦酒等若有
一性何緣乃出如是等物若一物中出如是
等當知諸法不得一定各有一性善男子若
一切法有定性者聖人何故飲甘蔗漿石蜜
黑蜜酒時不飲後為苦酒復還得飲是故當
知无有定性若无定性云何不因因緣而有
善男子汝說一切法有自性者云何說喻若
有喻者當知諸法无有自性若有自性當知
无喻世間智者皆說譬喻當知諸法无有自
性无有一性善男子汝言身為在先煩惱先
者是義不然何以故若我當說身在先者汝
可難言汝亦同我身不在先何因緣故而往
是難善男子一切眾生身及煩惱俱无先後
一時而有雖一時有要因煩惱而得有身終
不因身有煩惱也汝意若謂如人二眼一時
而得不相因待左不因右右不因左煩惱及
身亦如是者是義不然何以故善男子世間

一時而有雖一時有要因煩惱而得有身終
不因身有煩惱也汝意若謂如人二眼一時
而得不相因待左不因右右不因左煩惱及
身亦如是者是義不然何以故善男子世間
眼見炷之與明雖復一時明要因炷終不因
明而有炷也善男子汝意若謂身不在先故
知无因是義不然何以故若以身先无因緣
故名為无者汝不應說一切諸法无有因緣
若言不見故不說者今見瓶等從因緣出何
故不說如瓶身先因緣亦復如是善男子若
見不見一切諸法皆從因緣无有自性善男
子若言一切法悉有自性无因緣者汝何因
緣說於五大是五大性即是因緣善男子五
大因緣雖復如是亦不應說諸法皆同五大
因緣如世人說一切出家精勤持戒旃陁羅
等亦應如是精勤持戒善男子汝言五大有
定堅性我觀是性轉故不定善男子蘇臘胡
膠於汝法中名之為地是地不定或同於水
或同於地故不得說自性故堅善男子白臘
鈆錫銅鐵金銀於汝法中名之為火是火四
性流時水性動時風性熱時火性堅時地性
云何說言定名火性善男子水性名流若水
凍時不名為地故名水者何因緣故波動之
時不名為風若動不名風凍時亦應不名為
水若是二義從因緣者何故說言一切諸法
不從因緣善男子若言五根性能見聞覺知
觸皆是自性不從因緣是義不然何以故善

時不名爲風若動不名風凍時亦應不名爲
水若是二義從因緣者何故說言一切諸法
不從因緣善男子若言五根性能見聞覺知
觸皆是自性不從因緣是義不然何以故善
男子自性之性性不可轉若言眼性見者常
應能見不應有見有不見時是故當知從因
緣見非无因緣汝言非因五塵生貪解脫是
義不然何以故善男子生貪解脫雖復不因
五塵因緣惡覺觀故則生貪欲善覺觀故則
得解脫善男子內因緣故生貪解脫外因緣
故則能增長是故汝言一切諸法各有自性
不因五塵生貪解脫无有是處善男子汝言
具足諸根之於財物不得自在諸根殘缺多
饒財寶得大自在因此以明有自性故不從
因緣者是義不然何以故善男子衆生從業
而有果報如是果報則有三種一者現報二
者生報三者後報貧窮巨富根具不具是業
各異若有自性具諸根者應饒財寶饒財寶
者應具諸根今則不尒是故定知无有自性
皆從因緣如汝所言世間小兒未能分別五
塵因緣亦啼亦笑是故一切有自性者是義
不然何以故若自性者笑應常笑啼應常啼
不應一笑一啼若一笑一啼當知一切悉從
因緣是故不應說一切法有自性故不從因
緣梵志言世尊若一切法從因緣有如是身
者從何因緣佛言善男子是身因緣煩惱與
業梵志言世尊如其是身從煩惱業是煩惱

BD03119號　大般涅槃經（北本）卷四〇　（20–5）

因緣是故不應說一切法有自性故不從因
緣梵志言世尊若一切法從因緣有如是身
者從何因緣佛言善男子是身因緣煩惱與
業梵志言世尊如其是身從煩惱業是煩惱
業可斷不耶佛言如是如是梵志復言世尊
唯願爲我分別解說令我聞已不移是處悉
得斷之佛言善男子若知二邊中間无礙是
人則能斷煩惱業世尊我已知解得正法眼
佛言汝云何知世尊二邊即色及色解脫中
間即是八正道也受想行識亦復如是佛言
善哉善哉善男子善知二邊斷煩惱業世尊
唯願聽我出家受戒佛言善來比丘即時斷
除三界煩惱得阿羅漢果
尒時復有一婆羅門名曰弘廣復作是言瞿
曇知我今所念不佛言善男子涅槃是常有
爲无常曲即邪見直即聖道婆羅門言瞿曇
何因緣故作如是說善男子汝意每謂乞食
是常別請无常曲是户鑰直是帝幢是故我
說涅槃是常有爲无常曲謂邪見直謂八正
非如汝先所思惟也婆羅門言瞿曇實知我
心是八正道悉令衆生得盡滅不尒時世尊
嘿然不荅婆羅門言瞿曇已知我心我今所
問何故嘿然而不見荅時憍陳如即作是言
大婆羅門若有問世有邊无邊如來常尒嘿
然不荅八聖是直涅槃是常若修八聖即得
滅盡若不修集則不能得大婆羅門譬如大
城其城四壁都无孔竅唯有一門其守門者

BD03119號　大般涅槃經（北本）卷四〇　（20–6）

大婆羅門若有問世有邊无邊如來常尒嘿
然不荅八聖是直涅槃是常若脩八聖即得
滅盡若不脩集則不能得大婆羅門辟如大
城其城四壁都无孔竅唯有一門其守門者
聡明有智能善分別可放則放可遮則遮雖
不能知出入多少定知一切有入出者皆由
此門善男子如來亦尒城喻涅槃門喻八正
守門之人喻於如來善男子如來今者雖不
荅汝盡與不盡其有盡者要當脩集是八正
道婆羅門言善哉善哉大德憍陳如如來善
能說微妙法我今實欲知城知道自住守門
憍陳如言善哉善哉汝婆羅門能發无上廣
大之心佛言止止憍陳如是婆羅門非適今
日發是心也憍陳如乃往過去過无量佛有
佛世尊名普光明如來應正遍知明行足善
逝世間解无上士調御丈夫天人師佛世尊
是人先已於彼佛所發阿耨多羅三藐三菩
提心此賢劫中當得作佛久已通達了知法
相為衆生故現處外道示无所知以是因緣
汝憍陳如不應讚言善哉善哉汝今能發如
是大心尒時世尊知已即告憍陳如言阿難
比丘今為所在憍陳如言世尊阿難比丘在
娑羅林外去此大會十二由延而為六万四
千億魔之所嬈亂是諸魔衆悉自變身為如
來像或有宣說一切諸法不從因生或有說
言一切因緣皆是常法從緣生者悉是无常
或有說言五陰是實或說虗假入界亦尒或

千億魔之所嬈亂是諸魔衆悉自變身為如
來像或有宣說一切諸法不從因生或有說
言一切因緣皆是常法從緣生者悉是无常
或有說言五陰是實或說虗假入界亦尒或
有說言十二因緣或有說言正有四緣或說
諸法如幻如化如熱時焰或有說言因聞得
法或有說言因思得法或有說言因脩得法
或復有說不淨觀法或復有說出息入息或
復有說四念處觀或復有說三種觀義七種
方便或復有說煖法頂法忍法世間第一法
學无學地菩薩初住乃至十住或有說空无
相无作或復有說脩多羅祇夜和伽羅那伽
陁憂陁那比陁那阿波陁那伊帝目多伽闍
陁伽毗佛略阿浮陁達磨憂波提舍或說四
念處四正勤四如意足五根五力七覺八聖
道或說內空外空內外空有為空无為空无
始空性空遠離空散空自相空无相空陰
入界空善空不善空无記空菩提空道空涅
槃空行空得空第一義空空空大空或有示
現神通變化身出水火或身上出水身下出
火身下出水身上出火左脅在下右脅出水
右脅在下左脅出水一脅震雷一脅降雨或
有示現諸佛世界或復示現菩薩初生行至
七步處在深宮受五欲時初始出家脩苦行
時往菩提樹坐三昧時壞魔軍衆轉法輪時
示大神通入涅槃時世尊阿難比丘見是事
已生是念言此是神變皆未曾見誰之所作

有示現諸佛世界或復示現菩薩初生行至
七步處在深宮受五欲時初始出家修苦行
時往菩提樹坐三昧時壞魔軍衆轉法輪時
示大神通入涅槃時世尊阿難比丘見是事
已作是念言如是神變昔來未見誰之所作
將非世尊釋迦作耶欲起欲語都不從意阿
難比丘入魔羂故復作是念諸佛所說各各
不同我於今者當受誰語世尊阿難今者極
受大苦雖念如來无能救者以是因緣不來
至此大衆之中
尒時文殊師利菩薩摩訶薩白佛言世尊此
大衆中有諸菩薩已於一生發阿耨多羅三
藐三菩提心至无量生發菩提心已能供養
无量諸佛其心堅固具足修行檀波羅蜜乃
至般若波羅蜜成就功德久已親近无量諸
佛淨修梵行得不退轉菩提之心得不退忍
不退轉持得如法忍首楞嚴等无量三昧如
是等輩聞大乘經終不生疑善能分別宣說
三寶同一性相常住不變聞不思議不生驚
怖聞種種空心不怖懅了了通達一切法性
能持一切十二部經廣解其義亦能受持无
量諸佛十二部經何憂不能受持如是大涅
槃典何因緣故問憍陳如阿難所在
尒時世尊告文殊師利諦聽諦聽善男子我
成佛已過三十年住王舍城尒時我告諸比
丘言諸比丘今此衆中誰能為我受持如來
十二部經供給左右所須之事亦使不失自

BD03119號　大般涅槃經（北本）卷四〇　（20–9）

尒時世尊告文殊師利諦聽諦聽善男子我
成佛已過三十年住王舍城尒時我告諸比
丘言諸比丘今此衆中誰能為我受持如來
十二部經供給左右所須之事亦使不失自
身善利時憍陳如在彼衆中來白我言我能
受持十二部經供給左右不失所作自利益
事我言憍陳如汝已朽邁當須使人云何方
欲為我給使時舍利弗復作是言我能受持
佛一切語供給所須不失所作自利益事我
言舍利弗汝已朽邁當須使人云何方欲為
我給使乃至五百諸阿羅漢皆亦如是佛悉
不受尒時目連在大衆中作是思惟如來今
者不受五百比丘給使佛意為欲令誰作耶
思惟是已即便入定見如來心在阿難許如
日初出光照西壁見是事已即從定起語憍
陳如大德我觀如來欲令阿難給事左右尒
時憍陳如與五百阿羅漢往阿難所作如是
言阿難汝今當為如來給使請受是事阿難
言諸大德我實不堪給事如來何以故如來
尊重如師子王如龍如火我今穢弱云何能
辦諸比丘言阿難汝受我語給事如來得大
利益第二第三亦復如是阿難言諸大德我
亦不求大利益事實不堪任奉給左右時目
揵連復作是言阿難汝今未知阿難言大德
唯願說之目揵連言如來先日僧中求使五
百羅漢皆求為之如來不聽我即入定見如
來意欲令汝為汝今云何反更不受阿難聞

BD03119號　大般涅槃經（北本）卷四〇　（20–10）

亦不求大利益事實不堪任奉給左右時目
揵連復作是言阿難汝今未知阿難言大德
唯願說之目揵連言如來先日僧中求使五
百羅漢皆求為之如來不聽我即入定見如
來意欲令汝為汝今云何反更不受阿難聞
已合掌長跪作如是言諸大德若有是事如
來世尊與我三願當順僧命給事左右目揵
連言何等三願阿難言一者如來設以故衣
賜我聽我不受二者如來設受檀越別請聽
我不往三者聽我出入无有時節如是三事
佛若聽者當順僧命奉給左右時憍陳如五
百比丘還來我所作如是言我等已勸阿難
比丘唯求三願若佛聽者當順僧命文殊師
利我於尒時讚阿難言善哉善哉阿難比丘
具足智慧預見譏嫌何以故當有人言汝為
衣食奉給如來是故先求不受故衣不隨別
請憍陳如阿難比丘具足智慧入出有時則
不能得廣作利益四部之眾是故求欲出入
无時憍陳如我為阿難開是三事隨其意願
時目揵連還阿難所語阿難言吾已為汝咨
請三事如來大慈皆已聽許阿難言大德若
佛聽者請往給侍文殊師利阿難事我二十
餘年具足八種不可思議何等為八一者事
我已來二十餘年初不隨我受別請食二者
事我已來初不受我陳故衣服三者自事我
來至我所時終不非時四者自事我來具足
煩惱隨我入出諸王剎利豪貴大姓見諸女

餘年具足八種不可思議何等為八一者事
我已來二十餘年初不隨我受別請食二者
事我已來初不受我陳故衣服三者自事我
來至我所時終不非時四者自事我來具足
煩惱隨我入出諸王剎利豪貴大姓見諸女
人及天龍女不生欲心五者自事我來持我
所說十二部經一經於耳曾不再問如寫瓶
水置之一瓶唯除一問善男子瑠璃太子煞
諸釋氏壞迦毗羅城阿難尒時心懷愁惱發
聲大哭來至我所作如是言我與如來俱生
此城同一釋種云何如來光顏如常我則憔
悴我時答言阿難我修空定故不同汝過三
年已還來問我世尊我往於彼迦毗羅城曾
聞如來修空三昧是事虛實我言阿難如是
如是如汝所說六者自事我來雖未獲得知
他心智常知如來所入諸定七者自事我來
未得願智而能了知如是眾生到如來所現
在能得四沙門果有後得者有得人身有得
天身八者自事我來如來所有祕密之言悉
能了知善男子阿難比丘具足如是八不思
議是故我稱阿難比丘為多聞藏善男子阿
難比丘具足八法能具足持十二部經何等
為八一者信根堅固二者其心質直三者身
无病苦四者常勤精進五者具足念心六者
心无憍慢七者成就定意八者具足從聞生
智文殊師利毗婆尸佛侍者弟子名阿叔迦
亦復具足如是八法尸棄如來侍者弟子名

心无惱憹七者成就定意八者具足從聞生
智文殊師利毗婆尸佛侍者弟子名阿絺迦
亦復具足如是八法尸棄如來侍者弟子名
差摩迦羅毗舍浮佛侍者弟子名憂波扇陁
迦羅鳩村大佛侍者弟子名曰扰提迦那牟
尼佛侍者弟子名曰蘇坻迦葉佛侍者弟子
名葉婆蜜多皆亦具足如是八法我今阿難
亦復如是具足八法是故我稱阿難比丘為
多聞藏善男子如汝所說此大衆中雖有无
量无邊菩薩是諸菩薩皆有重任所謂大慈
大悲如是慈悲之因緣故各各忩務調伏眷
属莊嚴自身以是因緣我涅槃後不能宣通
十二部經若有菩薩或時能說人不信受文
殊師利阿難比丘是吾之弟給事我來二十
餘年所可聞法具足受持喻如寫水置之一
器是故我今顧問阿難為何所在欲令受持
是涅槃經善男子我涅槃後阿難比丘所未
聞者弘廣菩薩當能流布阿難所聞自能宣
通文殊師利阿難比丘今在他處去此會外
十二由延而為六万四千億魔之所惱亂汝
可往彼發大聲言一切諸魔諦聽諦聽如來
今說大陁羅尼一切天龍乾闥婆阿脩羅迦
樓羅緊那羅摩睺羅伽人非人山神樹神
河神海神舍宅等神聞是持名无不恭敬受
持之者是陁羅尼十恒河沙諸佛世尊所共
宣說能轉女身自識宿命若受五事一者梵
行二者斷肉三者斷酒四者斷辛五者樂在

河神海神舍宅等神聞是持名无不恭敬受
持之者是陁羅尼十恒河沙諸佛世尊所共
宣說能轉女身自識宿命若受五事一者梵
行二者斷肉三者斷酒四者斷辛五者樂在
寂静處受五事已至心信受讀誦書寫是陁
羅尼當知是人則得超越七十七億弊惡之
身尒時世尊即便說之
阿摩隷　毗摩隷　涅摩隷　瞢伽隷
醯摩羅若竭捭　三曼那扰提　娑婆陀婆
檀尼　波羅摩他娑檀　尸摩那斯　阿扰
啼　比羅祇　菴摩賴坻　波嵐弥婆嵐
摩莎隷　富沮　富那摩　奴賴綿
尒時文殊師利從佛受是陁羅尼已至阿難
所在魔衆中作如是言諸魔眷屬諦聽我說
所從佛受陁羅尼呪魔王聞是陁羅尼已悉
發阿耨多羅三藐三菩提心捨於魔業即放
阿難文殊師利與阿難俱來至佛所阿難見
佛至心礼敬却住一面
佛告阿難言是娑羅林外有一梵志名須扰
陁其年極老已百二十雖得五通未捨憍慢
獲得非想非非想定生一切智起涅槃想汝
可往彼語須扰言如來出世如憂曇花於今
中夜當般涅槃若有所作可及時作莫於後
日而生悔心阿難汝之所說彼定信受何以
故汝曾往昔五百世中作須扰陁子其人愛
心習猶不盡以是因緣信受汝語尒時阿難
受佛勑已往須扰所作如是言仁者當知如

中夜當般涅槃若有所作可及時作莫於後
日而生悔心阿難汝之所說彼定信受何以
故汝曹往昔五百世中作須跋陀子其人愛
心習猶不盡以是因緣信受汝語爾時阿難
受佛勑已往須跋所作如是言仁者當知如
來出世如優曇花於今中夜當般涅槃欲有
所作可及時作莫於後日生悔心也須跋言
善哉阿難我今當往至如來所
爾時阿難與須跋陀還至佛所時須跋陀到
已問訊作如是言瞿曇我今欲問隨我意答
佛言須跋今正是時隨汝所問我當方便隨
汝意答瞿曇有諸沙門婆羅門等作如是言
一切眾生受苦樂報皆隨往日本業因緣是
故若有持戒精進受身心苦能壞本業本業
既盡眾苦盡滅眾苦盡滅即得涅槃是義云
何佛言善男子若有沙門婆羅門等作是說
者我為憐愍常當往來如是人所既至彼已
我當問之仁者實作如是說不彼若見答我
如是說何以故瞿曇我見眾生習行諸惡多
饒財寶身得自在又見修善貧窮多之不得
自在又見有人多役力用求財不得又見不
求自然得之又見有人慈心不殺反更中夭
又見喜殺終保年壽又見有人淨修梵行精
勤持戒有得解脫有不得者是故我說一切
眾生受苦樂報皆由往日本業因緣須跋我
復當問仁者實見過去業不若有是業為多
少耶現在苦行能破多少耶能知是業已盡

BD03119號　大般涅槃經（北本）卷四〇　（20–15）

眾生受苦樂報皆由往日本業因緣須跋我
復當問仁者實見過去業不若有是業為多
少耶現在苦行能破多少耶能知是業已盡
不盡耶是業既盡一切盡耶彼若見答我實
不知我便當為彼人引喻譬如有人身被毒
箭其家眷屬為請醫師令拔此箭既拔箭已
身得安隱其後十年是人猶憶了了分明是
醫為我拔出毒箭以藥塗拊令我得差安隱
受樂仁既不知過去本業云何能知現在苦
行定能破壞過去業耶彼若復言瞿曇汝今
亦有過去本業何故獨責我過去業瞿曇經
中亦作是說若見有人豪富自在當知是人
先世好施如是不名過去業耶我復答言仁
者如是知者名為比知不名真知我佛法中
或有從因知果或有從果知因我佛法中有
過去業有現在業汝則不爾唯有過去業无
現在業汝法不從方便斷業我法不爾從方
便斷汝業盡已則得苦盡我則不爾煩惱盡
已業苦則盡是故我今責汝過去業彼人若
言瞿曇我實不知從師受之師作是說我實
无咎我言仁者汝師是誰彼若見答是富蘭
那我復言曰汝昔何不一一諮啟大師實知
過去業不汝師若言我不知者汝復云何受
是師語若言我知復應問言下苦因緣受中上
苦不中苦因緣受下上苦不上苦因緣受
中下苦不若言不者復應問言師云何說苦
樂之報唯過去業非現在耶復應問言是現

BD03119號　大般涅槃經（北本）卷四〇　（20–16）

冊我復言曰汝昔何不一一語破大師實知
過去業不汝師若言我不知者汝復云何受
是師語若言我知復應問言下苦因緣受中上
苦不中苦因緣受下上苦不上苦因緣受
中下苦不若言不者復應問言師云何說苦
樂之報唯過去業非現在耶復應問言是現
在苦過去有不若過去有過去之業悉已都
盡若都盡者云何復受今日之身若過去无
唯現在有云何復言衆生苦樂皆過去業仁
者若知現在苦行能壞過業現在苦行復以
何破如其不破苦即是常苦若是常云何說
言得苦解脫若更有行壞苦行者過去已盡
云何有苦仁者如是苦行能令樂業受苦果
不復令苦業受樂果不能令无苦无樂業作
不受果不能令現報作生報不能令生報作
現報不令是二報作无報不能令定報作无
報不能令无報作定報不彼若復言瞿曇不
能我復當言仁者如其不能何因緣故受是
苦行仁者當知定有過業現在因緣是故我
言因煩惱生業因業受報仁者當知一切衆
生有過去業有現在因衆生雖有過去壽業
要賴現在飲食因緣仁者若說衆生受苦受
樂定由過去本業因緣是事不然何以故仁
者譬如有人為王除怨以是因緣多得財寶
因是財寶受現在樂如是之人現作樂因現
受樂報譬如有人煞王愛子以是因緣喪失
身命如是之人現作苦因現受苦報仁者一

者譬如有人為王除怨以是因緣多得財寶
因是財寶受現在樂如是之人現作樂因現
受樂報譬如有人煞王愛子以是因緣喪失
身命如是之人現作苦因現受苦報仁者一
切衆生現在因於四大時節土地人民受苦
受樂是故我說一切衆生不必盡因過去本
業受苦樂也仁者若以斷業因緣力故得解
脫者一切聖人不得解脫何以故一切衆生
過去本業无始終故是故我說修聖道時是
道能遮无始終業仁者若受苦行便得道者
一切畜生悉應得道是故先當調伏其心不
調伏身以是因緣我經中說斫伐此林莫斫
伐樹何以故從林生怖不從樹生欲調伏身
先當調心心喻於林身喻於樹須扶陁言世
尊我已先調伏心佛言善男子汝今云何能
先調心須扶陁言世尊我先思惟欲是无常
无樂无淨觀色即是常樂清淨作是觀已欲
界結斷獲得色處是故名為先調伏心次復
觀色色是无常如癰如瘡如毒如箭見无色
常清淨寂靜如是觀已色界結盡得无色處
是故名為先調伏心次復觀想即是无常癰
瘡毒箭如是觀已獲得非想非非想處是非
非想即一切智寂靜清淨无有墮墜常恒不
變是故我能調伏其心佛言善男子汝云何
能調伏心耶汝今所得非想非非想定猶名
為想涅槃无想汝云何言獲得涅槃善男子
汝已先能呵責麁想今者云何愛著細想不

非想即一切智寂靜清淨无有墮墜常恒不
變是故我能調伏其心佛言善男子汝云何
能調伏心耶汝今所得非想非非想定猶名
為想涅槃无想汝云何言推得涅槃善男子
汝已先能呵責麁想今者云何愛著細想不
知呵責如是非想非非想處故名為想如癰
如瘡如毒如箭善男子汝師鬱頭藍弗利根
聰明尚不能斷如是非想非非想處受於惡
身況其餘者世尊云何能斷一切諸有佛言
善男子若觀實想是人能斷一切諸有須拔
陁言世尊云何名為實想善男子无想之想
名為實想世尊云何名為无想之想善男子
一切法无自相他相及自他相无无因相无
作相无受相无作者相无受者相无法非法
相无男女相无士夫相无微塵相无時節相
无為自相无為他相无為自他相无有相无
无相无生相无生者相无因相无因因相无
果相无果果相无晝夜相无明闇相无見相
无見者相无聞相无聞者相无覺知相无覺
知者相无菩提相无得菩提者相无業相无
業主相无煩惱相无煩惱主相善男子如是
等相隨所滅處名真實相善男子一切諸法
皆是虛假隨其滅處是名為實是名實想是
名法界名畢竟智名第一義諦第一義空善
男子是想法界畢竟智第一義諦第一義空
下智觀故得聲聞菩提中智觀故得緣覺菩
提上智觀故得无上菩提說是法時十千菩

BD03119號　大般涅槃經（北本）卷四〇　（20–19）

名法界名畢竟智名第一義諦第一義空善
男子是想法界畢竟智第一義諦第一義空
下智觀故得聲聞菩提中智觀故得緣覺菩
提上智觀故得无上菩提說是法時十千菩
薩得一生實想万五千菩薩得二生法界二
万五千菩薩得畢竟智三万五千菩薩悟第
一義諦是第一義諦亦名第一義空亦名首
楞嚴三昧四万五千菩薩得虛空三昧是虛
空三昧亦名廣大三昧亦名智印三昧五万
五千菩薩得不退忍是不退忍亦名如法忍
亦名如法界六万五千菩薩得陁羅尼是陁
羅尼亦名大念心亦名无礙智七万五千菩
薩得師子吼三昧是師子吼亦名金剛三昧
亦名五智印三昧八万五千菩薩得平等三
昧是平等三昧亦名大慈大悲无量恒河沙
等衆生發阿耨多羅三藐三菩提心无量恒
河沙等衆生發緣覺心无量恒河沙等衆生
發聲聞心人女天女二万億人現轉女身得
男子身須跋陁羅得阿羅漢果

大般涅槃經卷第卌

BD03119號　大般涅槃經（北本）卷四〇　（20–20）

十方尋
行自淨其意
說初夜无常偈
汝昔般未立　云何樂去
應勤修精進
睡眠當覺悟　勿令睡覆心　懃修六度行　菩提道
歎佛功德　天地此界多聞失逝宮天處十方
夫牛王大沙門尋地山林遍无等佛有如是
功德恒沙劫中讚揚難盡然今衆等故能依
焚香礼懺功德迴施有情普共成佛
南无善德如來十方佛等一切諸佛
南无狗那提如來賢劫千佛等一切諸佛
南无釋迦牟尼如來三十五佛等一切諸
南无釋迦牟尼佛　南无金剛不壞
南无寶光佛　南无龍尊王
南无精進軍佛　南无精進喜佛
南无寶火佛　南无寶月光佛
南无現无愚佛　南无寶月佛
南无无垢佛　南无離垢佛
南无勇施佛　南无清淨佛
南无清淨施佛　南无娑留那佛

BD03120 號　禮佛懺悔文（擬）　（11–1）

南无現无愚佛　南无寶月佛
南无无垢佛　南无離垢佛
南无勇施佛　南无清淨佛
南无清淨施佛　南无娑留那佛
南无水天佛　南无堅德佛
南无梅檀功德佛　南无无量掬光佛
南无光德佛　南无无憂德佛
南无那羅延佛　南无功德花佛
南无蓮花光遊戲神通佛　南无財功德佛
南无德念佛　南无善名稱功德佛
南无紅炎幢王佛　南无善遊步功德佛
南无鬪戰勝佛　南无善遊步佛
南无周迊莊嚴功德佛　南无寶花遊步佛
南无寶蓮花善住娑羅樹王佛
志心懺悔　南无佛　南无法　南无一切賢聖比丘僧
如是等一切世界諸佛世尊常住在世是諸世尊當慈
念我當憶念我當證知我若我此生若我前生從无
始生死已來所作衆罪若自作若教他作見作隨喜
若塔若僧若四方僧物若自取若教人取見取隨
喜或作五逆无間重罪若自作若教他作見作隨喜
十不善道自作教他見作隨喜　作罪障或有覆藏
或无覆藏應墮地獄餓鬼畜生諸餘惡趣邊地下賤及
弥戾車如是等處所作罪障今皆懺悔
今諸佛世尊當慈念我當憶念我我復於諸佛世
尊前作如是言若我此生若於餘　生布施或守淨
戒乃至施与畜生一揣之食或脩　有善根成就衆
生所有善根脩行菩提所有善根　无上智所有善根一

BD03120 號　禮佛懺悔文（擬）　（11–2）

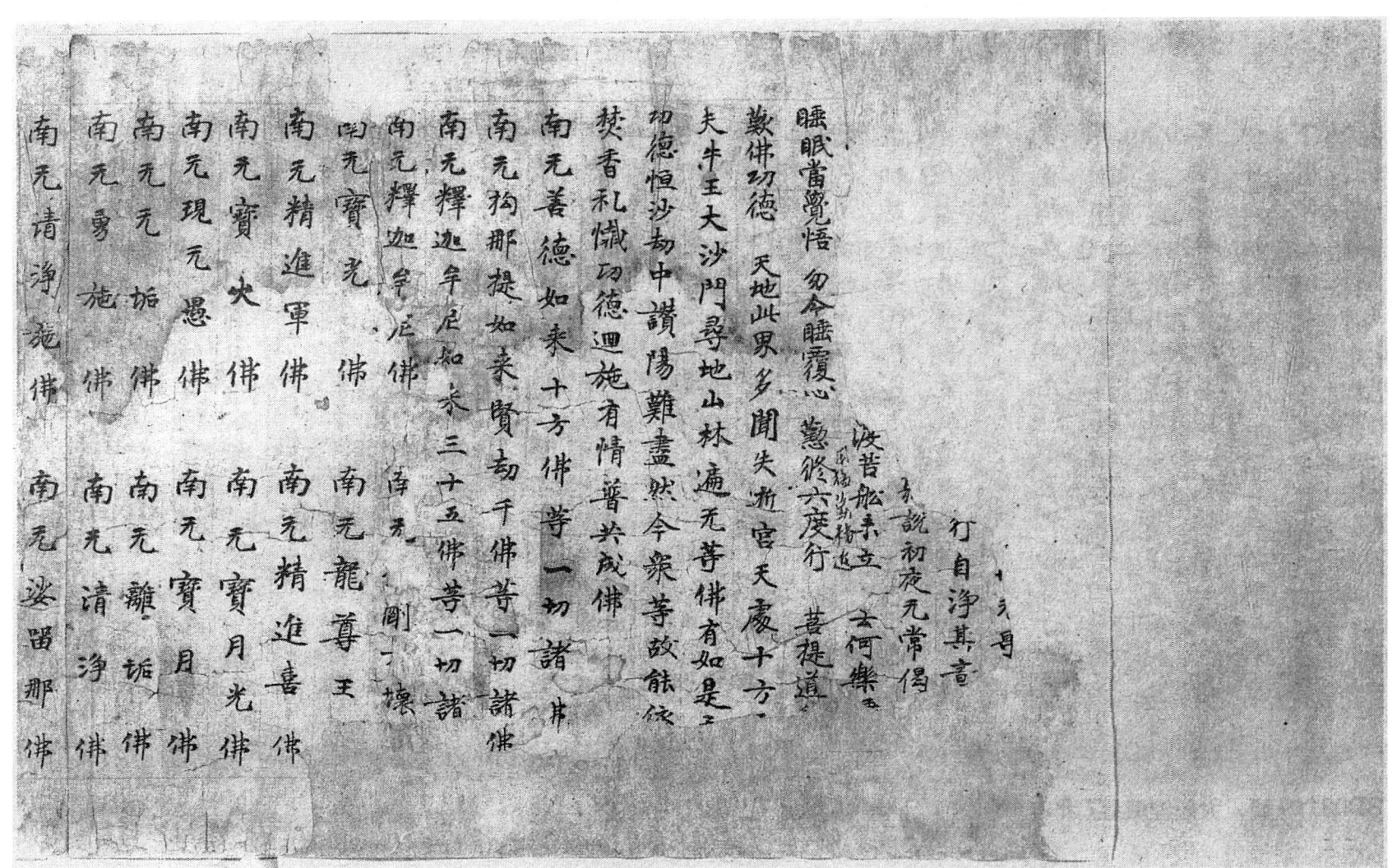

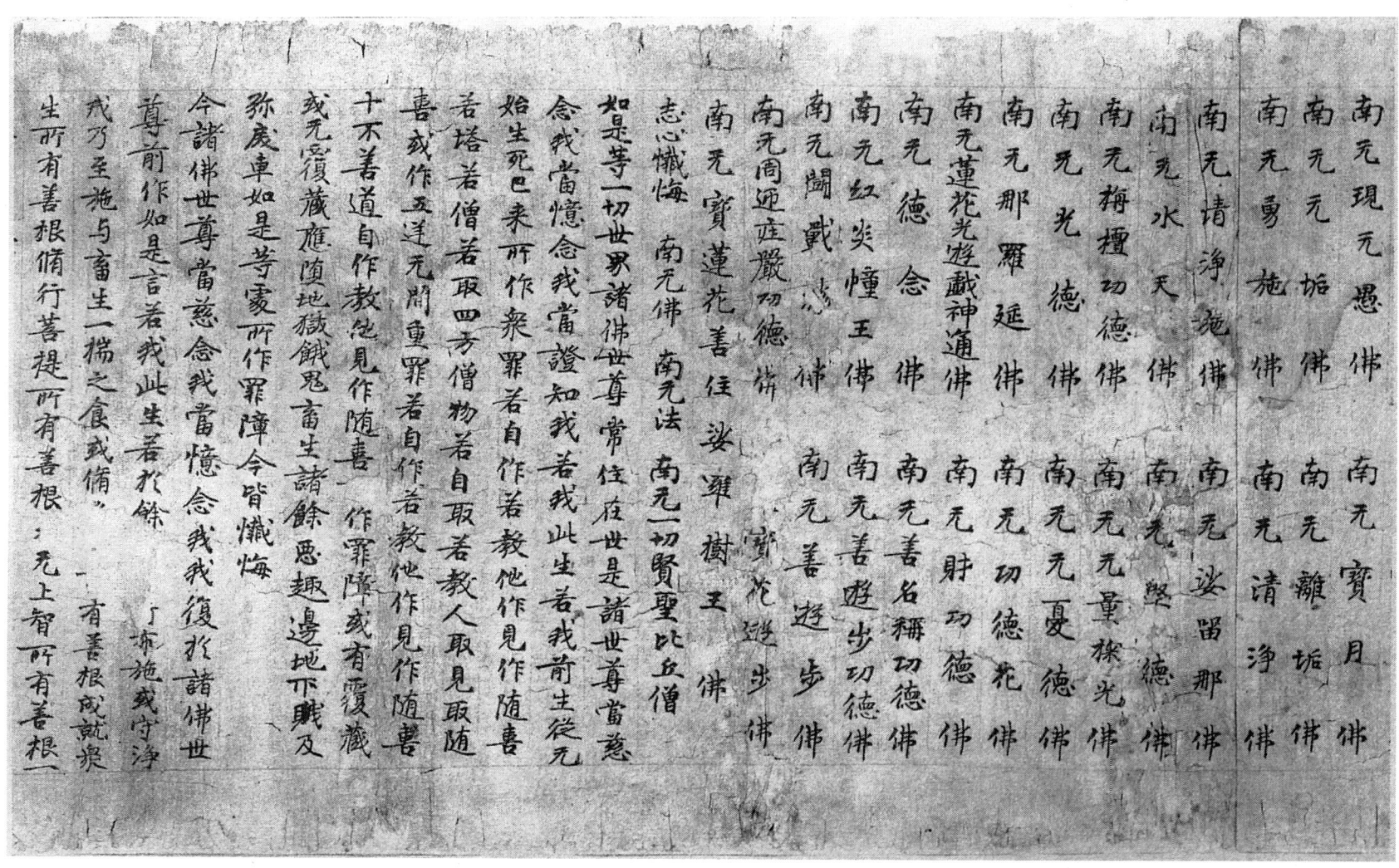

今諸佛世尊當慈念我當憶念我我復於諸佛世
尊前作如是言若我此生若於餘　亦施或守淨
戒乃至施与畜生一揣之食或脩〃　有善根成就衆
生所有善根脩行菩提所有善根〃〃无上智所有善根一
切合集計挍籌量皆悉迴向阿耨多羅三藐三菩提如過
去未来現在諸佛所作迴向我亦如是迴向
白衆等聽說中夜无常偈
汝等勿抱臭屍臥種種不淨假名身如得重病箭入體
今勸諸衆等……
衆苦痛集安可眠　歎佛功德
自在熾盛与端嚴　名稱吉祥及尊貴
讚詠如来當願衆生度功德岸
南无阿閦如来一万五千
南无寶集如来二十五
南无寶集佛
南无成就盧舍那佛
南无盧舍那光明佛
南无阿弥陁劬沙佛　南
南无大光明佛　南
南无寶光明佛　南无
南无總燈火佛　南…
南无无邊无垢佛　南
南无无邊稱佛　南无日
南无无垢光明佛　南无清
南无日光明佛　南无…
南无花勝佛　南无妙
南无法光明清淨開敷蓮花佛
……佛　後十二光佛

南无无垢光明佛　南无清
南无日光明佛　南无…
南无花勝佛　南无妙
南无法光明清淨開敷蓮花佛
已前廿五佛　後十二光佛
南无清淨法身毗盧遮那佛
南无圓滿報身盧舍那佛
南无千百億化身釋迦牟尼佛
南无當来下生弥勒尊佛　右此四佛餘時亦准此
南无无量光佛　南无无邊光佛
南无无礙光佛　南无无對光佛
南无光焰光佛　南无清淨光佛
南无歡喜光佛　南无智慧光佛
南无不斷光佛　南无難思光佛
南无无稱光佛　南无超日月光佛
南无過現未来盡十方空界一切諸佛
南无舍利形像浮圖寶塔
南无十二部尊経甚深法藏
南无諸大菩薩摩訶薩衆
南无聲聞緣覺一切賢聖
普為四恩三有法界衆生悉願斷除三鄣歸命懺悔
志心懺悔　唯願十方諸大慈尊證知讃念我今懺
悔不復更造願我等及一切衆生速得除滅无量
劫来十悪四重五逆顛倒謗毀三寶一闡提罪
深應思惟如是罪性但從虛妄顛倒心起无有定
實而可得者本唯空寂願我及一切衆生速達心

劫来十惡四重五逆顛倒謗毀三寶一闡提罪
復應思惟如是罪性但從虛妄顛倒心起无有定
實而可得者本唯空寂願我及一切衆生速達心
本永滅罪根懺悔已歸命礼三寶
敬礼寅朝清請佛依前　歎佛功德
我礼一切佛　調御无等雙　丈六真法身　亦礼於佛塔
生處得道處　法輪涅槃處　行住坐卧處　我等皆悉礼
又聞成正覺　唯佛當證知　諸佛不思議　妙法亦如是已上卌拜
讚詠如来當願衆生度功德岸嘆无窮盡
敬礼清淨法身毗盧遮那佛　敬礼圓滿寶身盧舍那佛
敬礼千百億化身同名釋迦牟尼佛
敬礼東方善德佛　敬礼東南方无憂德佛
敬礼南方栴檀德佛　敬礼西南方寶施佛
敬礼西方无量明佛　敬礼西北方花德佛
敬礼北方相德佛　敬礼東北方三乘行佛
敬礼上方廣衆德佛　敬礼下方明德佛
敬礼當来下生弥勒尊佛　敬礼過現未来一切諸佛
敬礼舍利形像无量寶塔　敬礼十二分教甚深法藏
敬礼諸大菩薩摩訶薩衆　敬礼聲聞緣覺一切賢聖
敬次礼須弥燈光明如来十方佛等一切諸佛
敬礼東方須弥燈光明佛　敬礼東南方寶藏莊嚴佛
敬礼南方旃檀摩尼光佛　敬礼西南方金海自在王佛
敬礼西方大悲光明王佛　敬礼西北方優鉢羅蓮華佛
敬礼北方蓮華鬘莊嚴王佛　敬礼東北方金剛堅強自在王佛
敬礼上方殊勝月王佛　敬礼下方日月光王佛
為天龍八部諸善神王敬礼常住三寶

BD03120號　禮佛懺悔文（擬）　（11–5）

敬礼西方大悲光明王佛　敬礼西北方優鉢羅蓮華佛
敬礼北方蓮華鬘莊嚴王佛　敬礼東北方金剛堅強自在王佛
敬礼上方殊勝月王佛　敬礼下方日月光王佛
為天龍八部諸善神王敬礼常住三寶
為過現諸師恒為導首敬礼常住三寶
為皇帝皇后聖化无窮敬礼常住三寶
為太子諸王福延万葉敬礼常住三寶
為師僧父母及善知識敬礼常住三寶
為十方施主六度圓滿敬礼常住三寶
為三塗八難受苦衆生願令離苦敬礼常住三寶
為國土安寧法輪常轉敬礼常住三寶
為法界有情礼佛懺悔　志心懺悔
十方无量佛所知无不盡我今悉於前發露誨
諸惡三三合九種從三煩惱起今身若前身有
罪皆懺悔懺悔已歸命礼三寶　志心勸請
十方一切佛現在成道者我請轉法輪安樂諸衆
生十方一切佛若欲捨壽命我今頭面礼勸請
令久住勸請已歸命礼三寶　志心隨喜
所有布施福持戒修禪惠從身口意生去来今所
有習學三乘人具足三乘者无量人天福衆善皆
隨喜隨喜已歸命礼三寶　志心迴向
我所作福業一切皆和合為度群生故正迴向佛道
罪應如是懺勸請隨喜福迴向於菩提迴向已歸
命礼三寶　志心發願　願諸衆生等悉發菩提
心繫心常思念十方一切佛復願諸衆生永破諸
煩惱了了見佛性由如妙德等發願已歸命礼三寶

BD03120號　禮佛懺悔文（擬）　（11–6）

我所作福業一切皆和合為度群生故正迴向佛道
罪應如是懺勸請隨喜福迴向於菩提迴向已歸
命礼三寶　志心發願　願諸衆生等悉發菩提
心繫心常思念十方一切佛復願諸衆生永破諸
煩惱了了見佛性由如妙德等發願已歸命礼三寶
白衆等聽說寅朝清淨偈
欲求寂滅樂當學沙門法衣食支身命精麁隨
衆得諸衆等今日寅朝清淨各記六念 自歸依佛當願衆生體解大道發
无上意 自歸依法當願衆生深入經藏智慧如海 自歸依僧當願衆生統理大衆一切无㝵
願諸衆生三業清淨奉持佛教和南一切賢聖 歎佛功德
諸佛真容及衆法離相无比等虛空自性清淨如
蓮華无滿知恒普照願佛慈光照一切永斷生死
无明論令我等与諸衆生同悟如來平等性讚詠
如來當願衆生度功德岸歎无窮盡
南无清淨法身毗盧遮那佛
南无圓滿報身盧舍那佛
南无千百億化身同名釋迦牟尼佛
南无東方阿閦佛　南无東南方持地佛
南无南方普滿佛　南无西南方那羅延佛
南无西方无量壽佛　南无西北方月光面佛
南无北方難勝佛　南无東北方寂諸根佛
南无上方无量勝佛　南无下方寶行佛
南无當來下生彌勒尊佛
一切懺悔發願依黃昏中夜次說後夜偈
時光遷流轉　忽至五更初　无常念念至　恒与四魔居
念念催人促　如由少水魚　勸諸行道衆　修道至无餘
諸行无常　是生滅法　生滅滅已　寂滅為樂　如來入涅槃

BD03120 號　禮佛懺悔文（擬）　　（11–7）

時光遷流轉　忽至五更初　无常念念至　恒与四魔居
念念催人促　如由少水魚　勸諸行道衆　修道至无餘
諸行无常　是生滅法　生滅滅已　寂滅為樂　如來入涅槃
永斷於生死　若能至心聽　常得无量樂
次礼午時佛一切請佛法事依前　歎佛功德
佛身法身猶若虛空應物見形如水月如來勝
相非歎能盡讚詠如來當願衆生度功德岸歎
无窮盡
南无清淨法身毗盧遮那佛
南无圓滿報身盧舍那佛
南无千百億化身同名釋迦牟尼佛
无色无形相　无根无住處　不生不滅故　敬礼无所觀
不住亦不去　不取亦不捨　遠離六入故　敬礼无所觀
出過於三界　等同於虛空　諸欲不染故　敬礼无所觀
於諸威儀中　去來及睡寤　常在寂淨故　敬礼无所觀
去來悉平等　以住於平等　不懷平等故　敬礼无所觀
入諸无想定　見諸法寂靜　常在寂靜故　敬礼无所觀
諸佛虛空相　虛空亦无相　離諸因果故　敬礼无所觀
虛空无中邊　諸佛身亦然　心同虛空故　敬礼无所觀
佛常在世間　而不染世法　不分別世間故　敬礼无所觀
諸法由如幻　而幻不可得　離諸幻法故　敬礼无所觀
志心懺悔　我於三時求罪性内外中間心實无已无
心故諸法寂三毒四倒悉皆如懺悔已歸命礼三寶
志心勸請　一切諸法不自生以无生故何有滅不生
不滅性常住唯願諸佛莫涅槃勸請已歸礼三寶
志心隨喜　法本不貪亦不恚勿我不一亦不異同觀實

BD03120 號　禮佛懺悔文（擬）　　（11–8）

志心勸請　一切諸法不自生以无生故何有滅不生
不滅性常住唯願諸佛莫涅槃勸請已歸礼三寶
志心隨喜　法本不貪亦不恚勿我不一亦不異同觀寶
悟无生无緣等觀盡隨喜隨喜已歸礼三寶
志心迴向　迷於一實隨名相名相執故我塵生今照我
塵无自性迴向不住涅槃城迴向已歸命礼三寶
志心發願　願諸衆生防六賊悲智二照見前行不斷
不常理如量非空非有非行行發願已歸命礼三寶
一切恭敬　歸佛得菩提道心恒不退願共諸衆生歸向
真如海
歸法薩波若得大揔持門願共諸衆生歸向真如海
歸僧息爭論同入和合海願共諸衆生歸向真如海
願諸衆生諸惡莫作諸善奉行自淨其意是諸
佛教和南一切賢聖
向来礼懺所生功德盡將迴施上界諸天龍梵
天八部願威光熾盛何護世界使海内海外安宮
不生若天若人吉无不利龍王歡喜風雨順時五穀
熟成万人安樂國王万歲天下太平法界衆生普
共成佛時衆運志成心為國為家為自為他施一切誦
白衆等聽說午時偈
人生不精進　喻若樹无根　採花至日中　能得幾時新
花亦不久鮮　色亦非常好　人命如剎那　百年難可保
諸行无常　是生滅法　生滅滅已　寂滅為樂
如来證涅槃　永斷於生死　如来證涅槃　永斷於生死
若能至心聽　常得无量樂　十念
南无西方極樂世界大慈大悲阿弥陁佛　三稱
南无大慈大悲觀世音菩薩　三稱

BD03120號　禮佛懺悔文（擬）　（11–9）

花亦不久鮮　色亦非常好　人命如剎那　百年難可保
諸行无常　是生滅法　生滅滅已　寂滅為樂
如来證涅槃　永斷於生死　如来證涅槃　永斷於生死
若能至心聽　常得无量樂　十念
南无西方極樂世界大慈大悲阿弥陁佛　三稱
南无大慈大悲觀世音菩薩　三稱
南无大慈大悲大勢至菩薩　三稱
南无大慈大悲地藏菩薩　一稱
世尊世尊唯願慈光普照接引亡靈上品往
生諸佛國土　向来稱揚十念功德迴施亡
者即使花臺花蓋空裏来迎寶座金牀承
空下接摩尼殿上聽說苦空八解池中蕩除
无明之垢觀音佛所合掌聽經弥勒尊前分明
受記然後即願三途息苦地獄停酸九族六親
咸蒙利益和南一切賢聖
夫欲懺悔先須啓請賢聖
啓請文　仰啓盡虛空遍法界微塵剎土中十方三世一切諸
佛諸大菩薩聲聞緣覺四向四果滿无漏僧道眼他
心證知讚念起慈悲心受弟子請降臨道場證明
懺悔敬礼常住三寶　弟子某甲等自從无始已来
至于今日身是凡夫具足煩惱在於塵境廣造諸非𨗉
生无量断大慈種偷盜无量奪人財寶耶婬无量行
淨梵行妄語无量欺誑一切綺語无量戲弄正法惡
口无量打罵衆生兩舌无量懷亂和合十惡五逆三界
塵勞逢緣即造不可知數或焚燒山澤溉灌陸
田決水沽魚引流灌蟻遮斷僧利障法輪因見非
因法說非法或恃種性色力威嚴矯慢憍慢癡盛年
放逸三毒惡覺模動身心五欲因緣發生身口如是
等罪无量无邊自作交他見聞隨喜今日今對十方

BD03120號　禮佛懺悔文（擬）　（11–10）

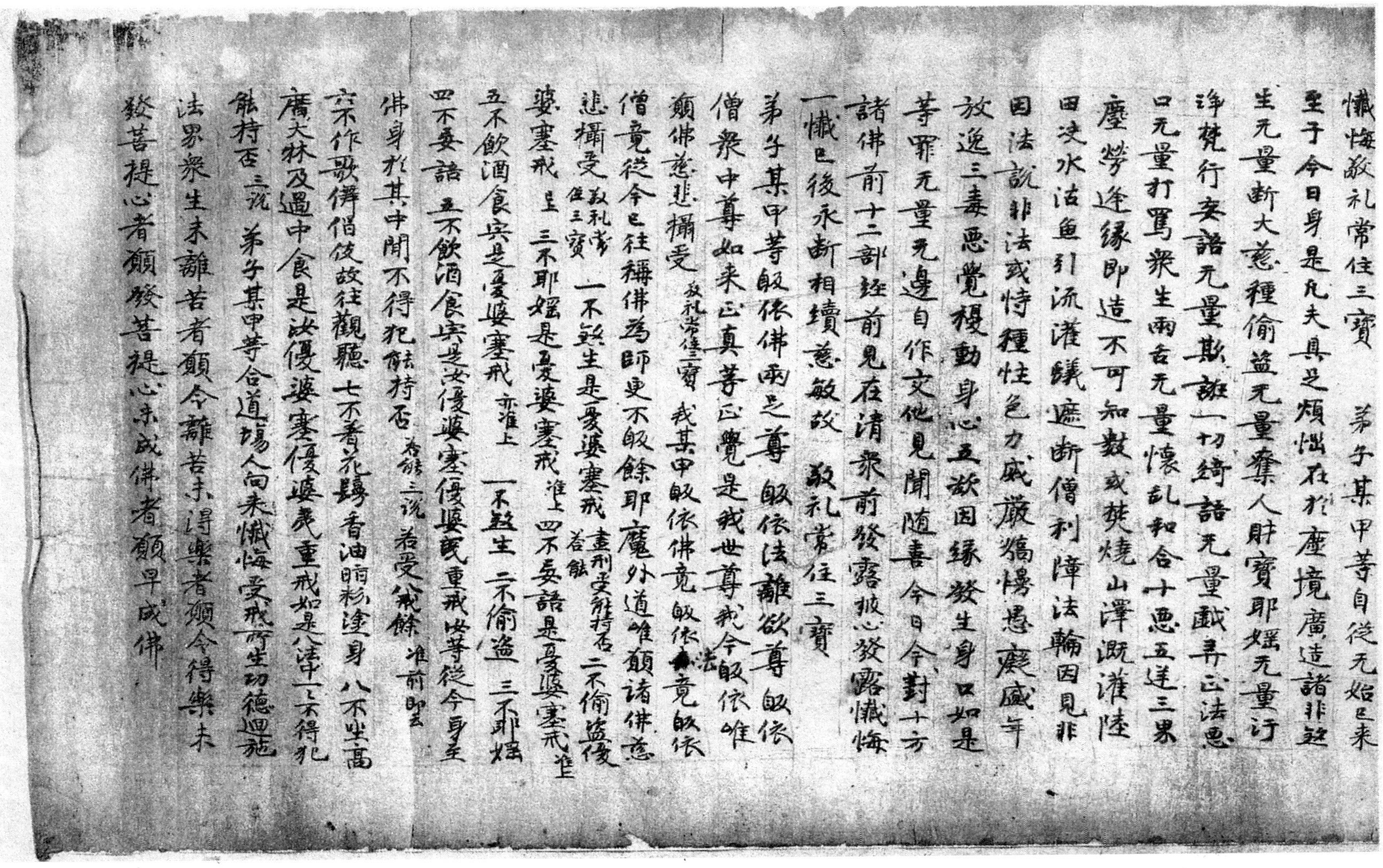

懺悔敬礼常住三寶　弟子某甲等自從无始已来
至于今日身是凡夫具足煩惱在於塵境廣造諸非殺
生无量断大慈種偷盜无量奪人財寶耶婬无量汙
淨梵行妄語无量欺誑一切綺語无量戲弄正法惡
口无量打罵衆生兩舌无量懷乱和合十惡五逆三界
塵勞逢縁即造不可知數或焚燒山澤溉灌陸
田決水泊魚引流灌蟻遮断僧利障法輪因見非
因法説非法或恃種性色力威嚴矯慢憍慢慶盛年
放逸三毒惡覺穫動身心五欲因縁發生身口如是
等罪无量无邊自作交他見聞随喜今日今對十方
諸佛前十二部經前見在清衆前發露披心發露懺悔
一懺已後永断相續慈愍故　敬礼常住三寶
弟子某甲等敀依佛兩足之尊　敀依法離欲尊　敀依
僧衆中尊如来正真等正覺是我世尊我今敀依唯
願佛慈悲攝受　敬礼常住三寶　我某甲敀依佛竟敀依法竟敀依
僧竟從今已往稱佛為師更不敀餘耶魔外道唯願諸佛慈
悲攝受　敬礼常住三寶　一不煞生是優婆塞戒　盡形受能持否　答能　二不偷盜優
婆塞戒　呈　三不耶婬是優婆塞戒　准上　四不妄語是優婆塞戒　准上
五不飲酒食宍是優婆塞戒　亦准上　一不煞生　二不偷盜　三不耶婬
四不妄語　五不飲酒食宍是汝優婆塞優婆夷重戒汝等從今身至
佛身於其中間不得犯能持否　答能　三説　若受八戒餘　准前即去
六不作歌儛倡伎故往觀聽　七不著花鬘香油脂粉塗身　八不坐高
廣大牀及過中食是汝優婆塞優婆夷重戒如是八法中一一不得犯
能持否　三説　弟子某甲等合道場人向来懺悔受戒所生功德迴施
法界衆生未離苦者願令離苦未得樂者願令得樂未
發菩提心者願發菩提心未成佛者願早成佛

BD03120 號　禮佛懺悔文（擬）　　（11–11）

云何自從資　於是無光時　勸請行道衆　慈愍諸无餘
能説午時光已得　人生不精進　喻若樹无根　菜花至日中
能得幾時仙　花開不久仙　色不非常好　人命一剎那　須自
雖可保

BD03120 號背　雜寫　　（3–1）

BD03120 號背　雜寫　（3–2）

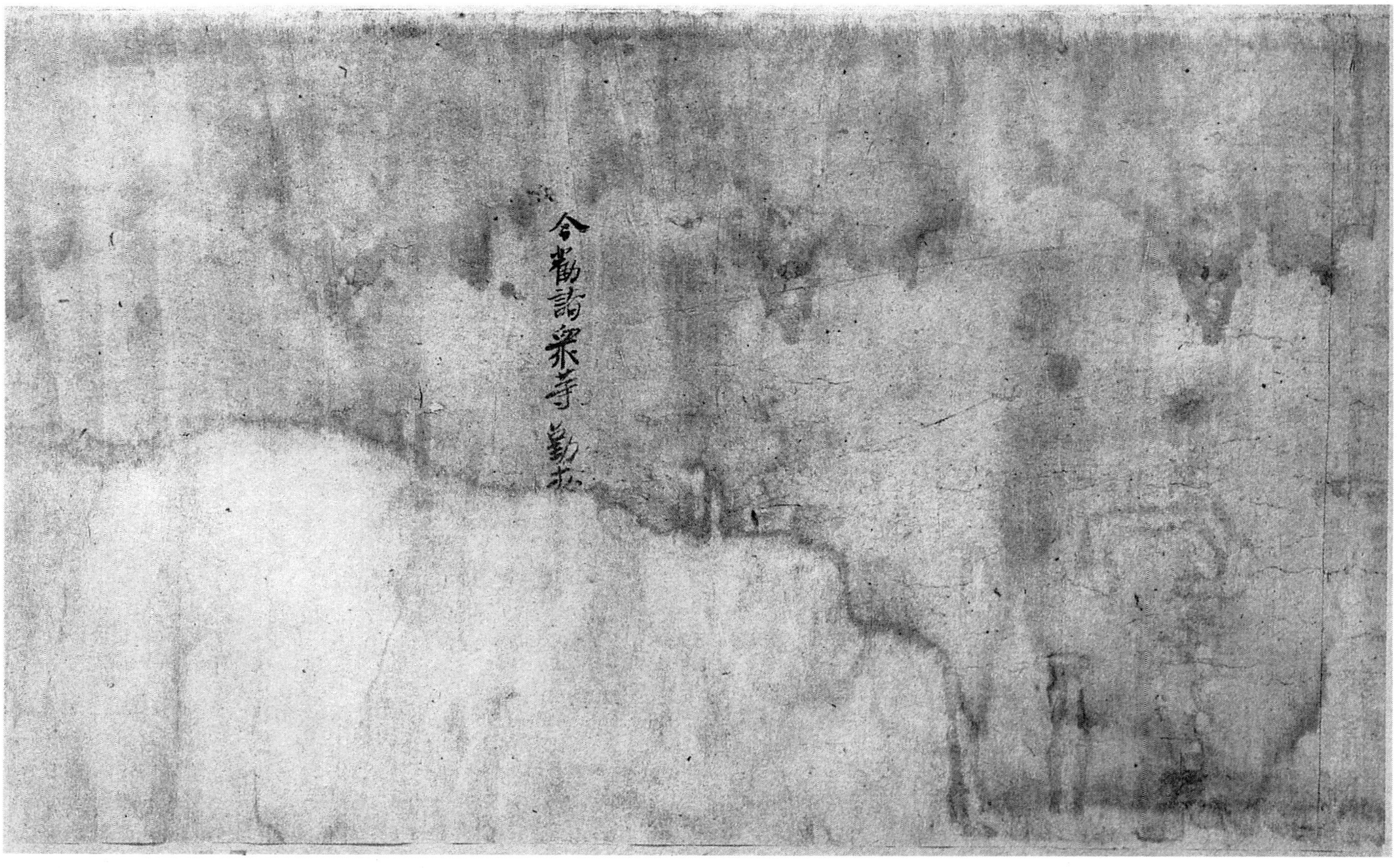

BD03120 號背　雜寫　（3–3）

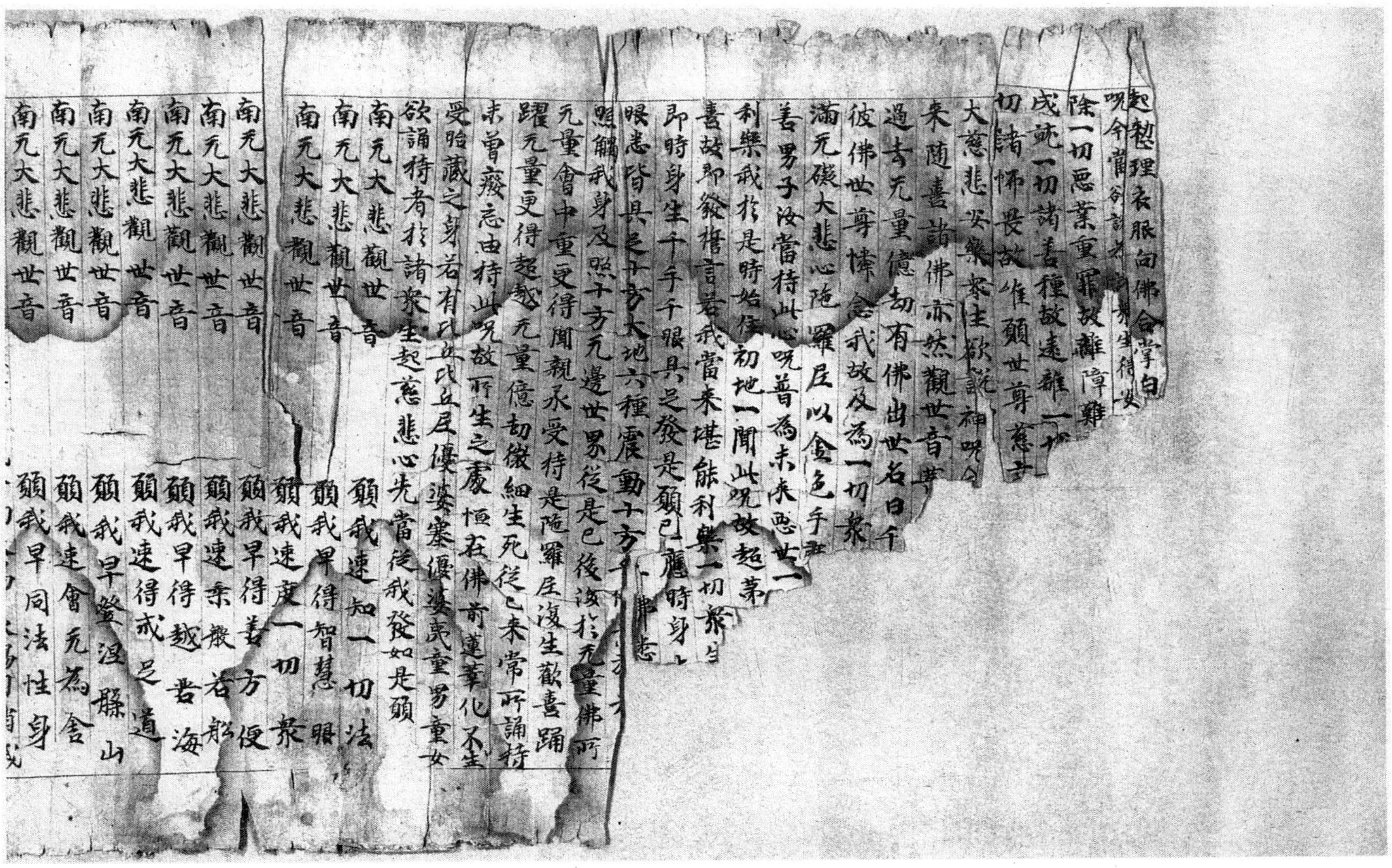

起整理衣服向佛合掌白
呪令當…衆生得安
除一切惡業重罪故離障難
成就一切諸善種故遠離一切
切諸怖畏故作願世尊慈哀
大慈悲安樂衆生欲說神呪今
來隨喜諸佛亦然觀世音菩
過去无量億劫有佛出世名曰千
彼佛世尊憐念我故及爲一切衆
滿无礙大悲心陀羅尼以金色手
善男子汝當持此心呪普爲未來惡世一
利樂我於是時始住初地一聞此呪故超第
喜故即發誓言若我當來堪能利樂一切衆
即時身生千手千眼具足發是願已應時身
眼悉皆具足十方大地六種震動十方千佛悉
照觸我身及照十方无邊世界從是已後復於无量佛所
无量會中重更得聞親承受持是陀羅尼復生歡喜踊
躍无量更得超越无量億劫微細生死從是已來常所誦持
未曾廢忘由持此呪故所生之處恒在佛前蓮華化生不受
受胎藏之身若有比丘比丘尼優婆塞優婆夷童男童女
欲誦持者於諸衆生起慈悲心先當從我發如是願

南无大悲觀世音　願我速知一切法
南无大悲觀世音　願我早得智慧眼
南无大悲觀世音　願我速度一切衆
南无大悲觀世音　願我早得善方便
南无大悲觀世音　願我速乘般若船
南无大悲觀世音　願我早得越苦海
南无大悲觀世音　願我速得戒足道
南无大悲觀世音　願我早登涅槃山
南无大悲觀世音　願我速會无爲舍
南无大悲觀世音　願我早同法性身

BD03121號　千手千眼觀世音菩薩廣大圓滿無礙大悲心陀羅尼經　（12–1）

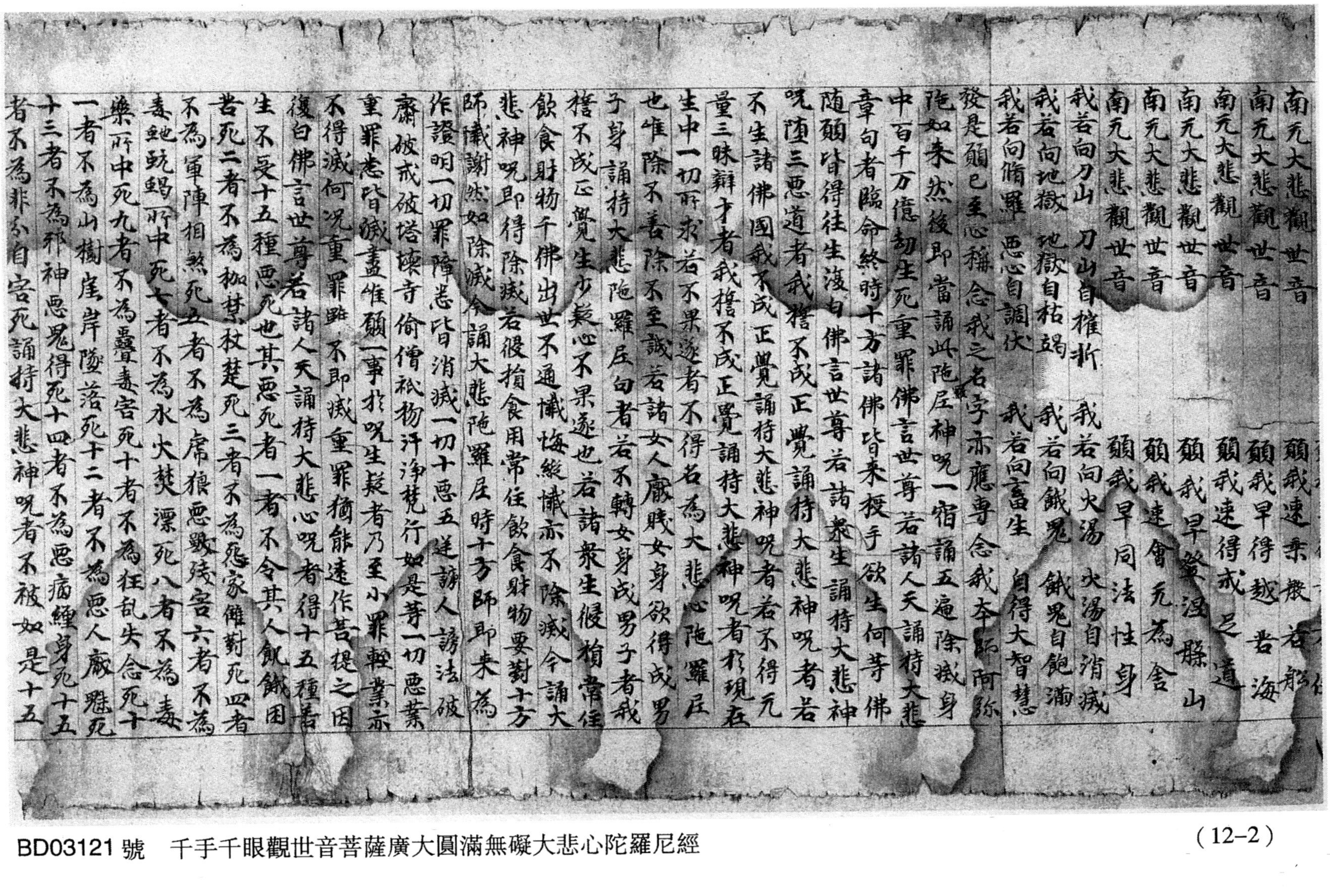

南无大悲觀世音　願我速乘般若船
南无大悲觀世音　願我早得越苦海
南无大悲觀世音　願我速得戒足道
南无大悲觀世音　願我早登涅槃山
南无大悲觀世音　願我速會无爲舍
南无大悲觀世音　願我早同法性身
我若向刀山　刀山自摧折　我若向火湯　火湯自消滅
我若向地獄　地獄自枯竭　我若向餓鬼　餓鬼自飽滿
我若向脩羅　惡心自調伏　我若向畜生　自得大智慧

發是願已至心稱念我之名字亦應專念我本師阿彌
陀如來然後即當誦此陀羅尼神呪一宿誦五遍除滅身
中百千万億劫生死重罪佛言世尊若諸人天誦持大悲
章句者臨命終時十方諸佛皆來授手欲生何等佛
隨願皆得往生復白佛言世尊若諸衆生誦持大悲神
呪墮三惡道者我誓不成正覺誦持大悲神呪者若
不生諸佛國者我誓不成正覺誦持大悲神呪者若不得无
量三昧辯才者我誓不成正覺誦持大悲神呪者於現在
生中一切所求若不果遂者不得名爲大悲心陀羅尼
也唯除不善除不至誠者若諸女人厭賤女身欲得成男
子身誦持大悲陀羅尼句者若不轉女身成男子者我
誓不成正覺生少疑心者必不果遂也若諸衆生侵損常住
飲食財物千佛出世不通懺悔縱懺亦不除滅今誦大
悲神呪即得除滅若侵損食用常住飲食財物要對十方
師懺謝然始除滅今誦大悲陀羅尼時十方師即來爲
作證明一切罪障悉皆消滅一切十惡五逆謗人謗法破
齋破戒破塔壞寺偷僧祇物汙淨梵行如是等一切惡業
重罪悉皆滅盡唯除一事於呪生疑者乃至小罪輕業亦
不得滅何況重罪雖不即滅重罪猶能遠作菩提之因
復白佛言世尊若諸人天誦持大悲心呪者得十五種善
生不受十五種惡死也其惡死者一者不令其人飢餓困
苦死二者不爲枷禁杖楚死三者不爲怨家讎對死四者
不爲軍陣相殺死五者不爲豺狼惡獸殘害死六者不爲
毒蛇蚖蝎所中死七者不爲水火焚漂死八者不爲毒
藥所中死九者不爲蠱毒害死十者不爲狂亂失念死十
一者不爲山樹崖岸墜落死十二者不爲惡人厭魅死
十三者不爲邪神惡鬼得便死十四者不爲惡病纏身死十五
者不爲非分自害死誦持大悲神呪者不被如是十五

BD03121號　千手千眼觀世音菩薩廣大圓滿無礙大悲心陀羅尼經　（12–2）

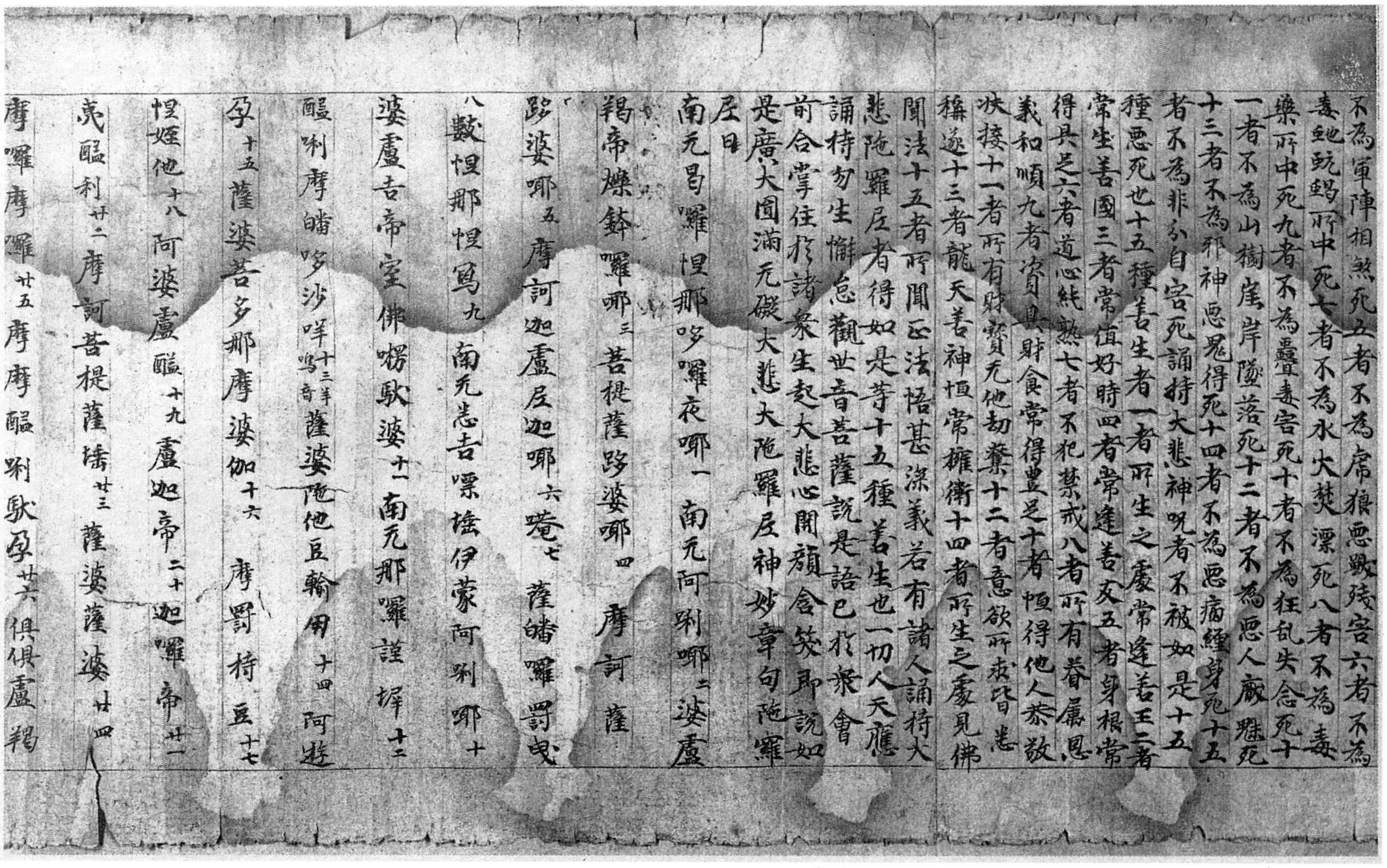
不為軍陣相煞死五者不為豺狼惡獸殘害六者不為
毒虵蚖蝎所中死七者不為水火焚漂死八者不為毒
藥所中死九者不為蠱毒害死十者不為狂乱失念死十
一者不為山樹崖岸墜落死十二者不為惡人厭魅死
十三者不為邪神惡鬼得死十四者不為惡病纏身死十五
者不為非分自害死誦持大悲神呪者不被如是十五
種惡死也十五種善生者一者所生之處常逢善王二者
常生善國三者常值好時四者常逢善友五者身根常
得具足六者道心純熟七者不犯禁戒八者所有眷屬恩
義和順九者資具財食常得豐足十者恒得他人恭敬
扶接十一者所有財寶无他劫奪十二者意欲所求皆悉
稱遂十三者龍天善神恒常擁衛十四者所生之處見佛
聞法十五者所聞正法悟甚深義若有諸人誦持大
悲陁羅尼者得如是等十五種善生也一切人天應
誦持勿生懈怠觀世音菩薩說是語已於衆會
前合掌住於諸衆生起大悲心開顏含笑即說如
是廣大圓滿无礙大悲大陁羅尼神妙章句陁羅
尼曰
南无喝囉怛那哆囉夜耶一 南无阿唎耶二 婆盧
羯帝爍鉢囉耶三 菩提薩埵婆耶四 摩訶薩
埵婆耶五 摩訶迦盧尼迦耶六 唵七 薩皤囉罰曳
八 數怛那怛寫九 南无悉吉嘌埵伊蒙阿唎耶十
婆盧吉帝室佛囉楞馱婆十一 南无那囉謹墀十二
醯唎摩皤哆沙咩十三 羊鳴音 薩婆阿他豆輸朋十四 阿逝
孕十五 薩婆菩多那摩婆伽十六 摩罰特豆十七
怛姪他十八 阿婆盧醯十九 盧迦帝二十 迦囉帝廿一
夷醯利廿二 摩訶菩提薩埵廿三 薩婆薩婆廿四
摩囉摩囉廿五 摩摩醯唎馱孕廿六 俱俱盧羯

BD03121 號　千手千眼觀世音菩薩廣大圓滿無礙大悲心陀羅尼經　（12–3）

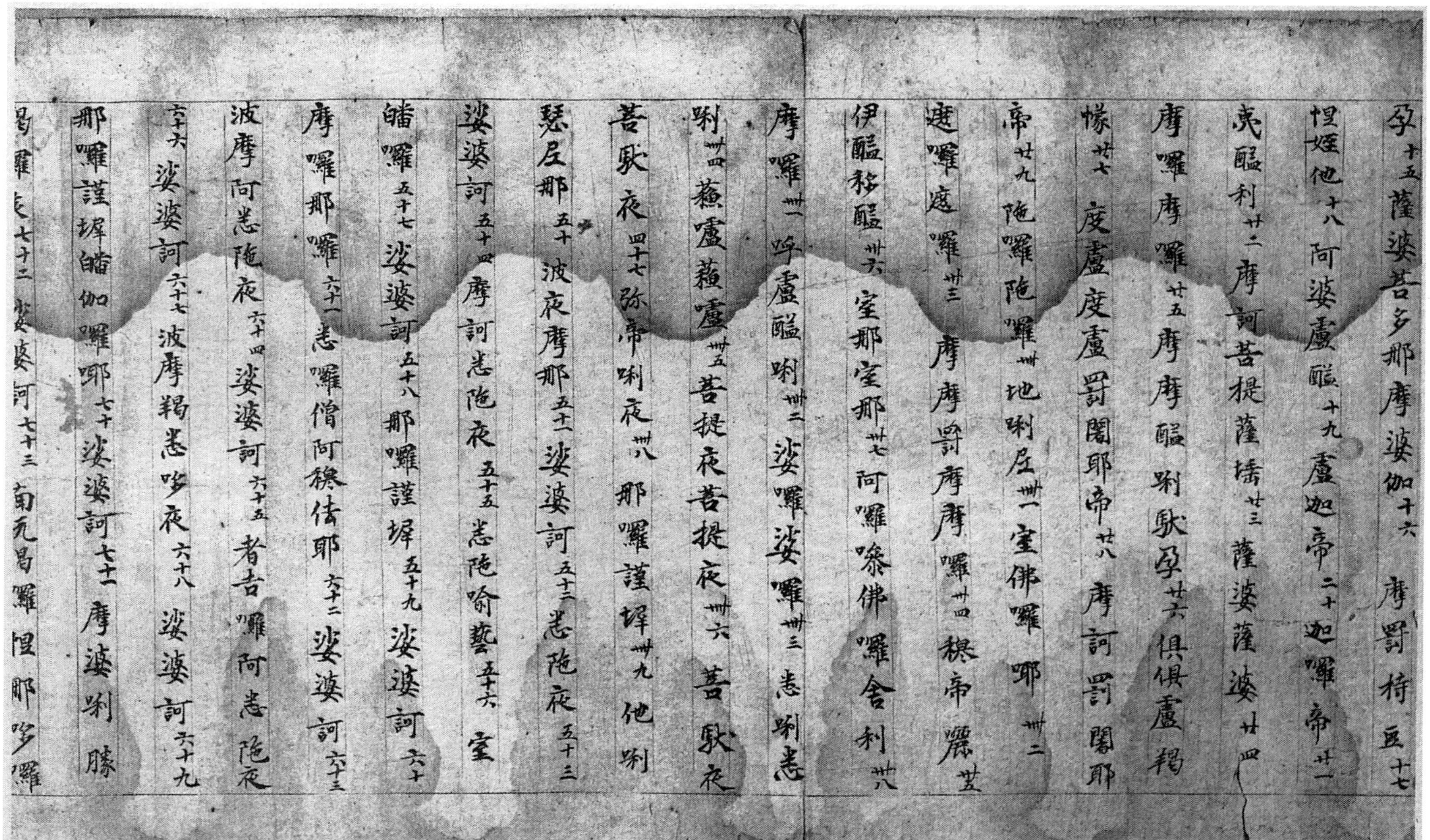
孕十五 薩婆菩多那摩婆伽十六 摩罰特豆十七
怛姪他十八 阿婆盧醯十九 盧迦帝二十 迦囉帝廿一
夷醯利廿二 摩訶菩提薩埵廿三 薩婆薩婆廿四
摩囉摩囉廿五 摩摩醯唎馱孕廿六 俱俱盧羯
懞廿七 度盧度盧罰闍耶帝廿八 摩訶罰闍耶
帝廿九 陁囉陁囉卅 地唎尼卅一 室佛囉耶卅二
遮囉遮囉卅三 摩摩罰摩囉卅四 穆帝隸卅五
伊醯移醯卅六 室那室那卅七 阿囉嘇佛囉舍利卅八
摩囉卌一 呼盧醯唎卌二 娑囉娑囉卌三 悉唎悉
唎卌四 蘇爐蘇爐卌五 菩提夜菩提夜卌六 菩馱夜
菩馱夜卌七 弥帝唎夜卌八 那囉謹墀卌九 他唎
瑟尼那五十 波夜摩那五十一 娑婆訶五十二 悉陁夜五十三
娑婆訶五十四 摩訶悉陁夜五十五 悉陁喻藝五十六 室
皤囉五十七 娑婆訶五十八 那囉謹墀五十九 娑婆訶六十
摩囉那囉六十一 悉囉僧阿穆佉耶六十二 娑婆訶六十三
波摩阿悉陁夜六十四 娑婆訶六十五 者吉囉阿悉陁夜
六十六 娑婆訶六十七 波摩羯悉哆夜六十八 娑婆訶六十九
那囉謹墀皤伽囉耶七十 娑婆訶七十一 摩婆唎勝
羯囉夜七十二 娑婆訶七十三 南无喝囉怛那哆囉

BD03121 號　千手千眼觀世音菩薩廣大圓滿無礙大悲心陀羅尼經　（12–4）

六十六 娑婆訶 六十七 波摩羯悉哆夜 六十八 娑婆訶 六十九
那囉謹墀皤伽囉耶 七十 娑婆訶 七十一 摩婆唎勝
羯囉夜 七十二 娑婆訶 七十三 南无喝囉怛那哆囉
夜耶 七十四 南无阿唎耶 七十五 婆盧吉帝 七十六
爍皤囉夜 七十七 娑婆訶
觀世音菩薩說此呪已大地六變震動天雨寶花
繽紛而下十方諸佛悉皆歡喜天魔外道恐怖毛竪
一切衆會皆獲果證或得須陀洹果或得斯陀含果
或得阿那含果或得阿羅漢果者或得一地二地三地四
地五地六地乃至十地者无量衆生發菩提心尒時大梵天王從
座而起整理衣服合掌恭敬白觀世音菩薩言善哉大士
我從昔來經无量佛會聞種種法種種陀羅尼未曾聞
說如此无礙大悲心大陀羅尼神妙章句唯願大士爲我說
此陀羅尼形貌狀相我等大衆願樂欲聞觀世音菩薩
告梵天王言汝爲方便利益一切衆生故作如是問汝今
善聽吾爲汝等略說耳觀世音菩薩言大慈悲心是平等
心是无爲心是无染著心是空觀心是恭敬心是卑下心是
无雜乱心是无上菩提心是當知如是等心即是陀羅尼相
貌汝當依此而修行之大梵王言我等大衆今始識此陀
羅尼相貌從今受持不敢忘失觀世音言若善男子
善女人誦持此神呪者發廣大菩提心誓度一切衆生身
持齋戒於諸衆生起平等心常誦此呪莫令斷絶住於淨
室澡浴清淨著淨衣服懸幡然燈香花飲食以用供養
制心一處更莫異緣如法誦持是時當有日光菩薩月光
菩薩與无量神仙來作爲證益効驗我時當以千眼照
見千手護持所是世間經書悉能受持一切外道法術違
陀典籍亦能通達持此神呪者世間八万四千種鬼病悉
皆治之无不差者亦能使令一切鬼神降諸天魔定諸
外道若在山野誦經坐禪有諸山雜魅魍魎鬼神横相
惱乱心不安定者誦此呪一遍是諸鬼神皆悉被縛也若能
如法誦持於諸衆生起慈悲心者我時當勑一切善神龍

BD03121號　千手千眼觀世音菩薩廣大圓滿無礙大悲心陀羅尼經　（12–5）

陀典籍亦能通達持此神呪者世間八万四千種鬼病悉
皆治之无不差者亦能使令一切鬼神降諸天魔定諸
外道若在山野誦經坐禪有諸山雜魅魍魎鬼神横相
惱乱心不安定者誦此呪一遍是諸鬼神皆悉被縛也若能
如法誦持於諸衆生起慈悲心者我時當勑一切善神龍
王金剛密跡常隨衛護不離其側如護眼精如護己命說
偈勑曰
我遣密跡金剛士　烏芻君荼鴦俱尸
八部力士賞迦羅　常當擁護受持者
我遣摩醯那羅延　金毗羅陀迦毗羅
常當擁護受持者　我遣婆馺婆樓那
滿善車鉢真陀羅　常當擁護受持者
我遣薩遮摩和羅　鳩蘭單吒半祇羅
常當擁護受持者　我遣畢婆伽羅王
應德毗多薩和羅　常當擁護受持者
我遣梵摩三鉢羅　五部淨居炎摩羅
常當擁護受持者　我遣釋王三十三
大辯功德娑怛那　常當擁護受持者
我遣提頭賴吒王　神母女等大力衆
常當擁護受持者　我遣毗樓勒叉王
毗樓博叉毗沙門　常當擁護受持者
我遣金色孔雀王　二十八部大仙衆
常當擁護受持者　我遣摩尼跋陀羅
散脂大將弗羅婆　常當擁護受持者
我遣難陀跋難陀　婆伽羅龍伊鉢羅
常當擁護受持者　我遣脩羅乾闥婆
迦樓緊那摩睺羅　常當擁護受持者
我遣水火雷電神　鳩槃荼王毗舍闍
常當擁護受持者
是諸善神及龍王神母女等各有五百眷屬大力
夜叉常隨擁護誦持大悲神呪者其人若在空山
曠野獨宿孤眠是諸善神番代宿衛辟除災鄣
若在深山迷失道路誦此呪故善神龍王作善人
示其正道若在山林曠野乏少水火龍王護故化
出水火觀世音菩薩復爲誦持者說消除災禍清
涼之偈

BD03121號　千手千眼觀世音菩薩廣大圓滿無礙大悲心陀羅尼經　（12–6）

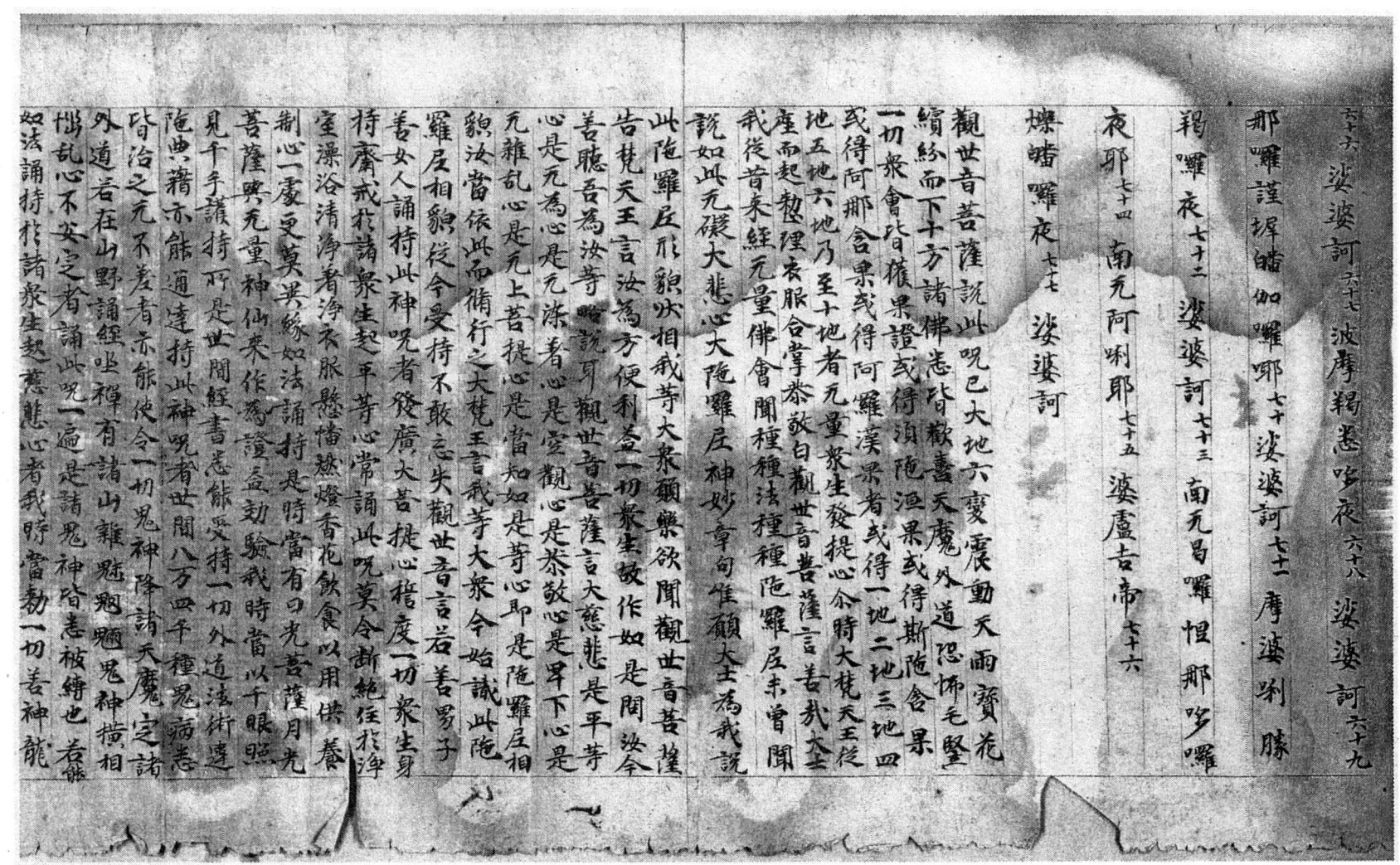

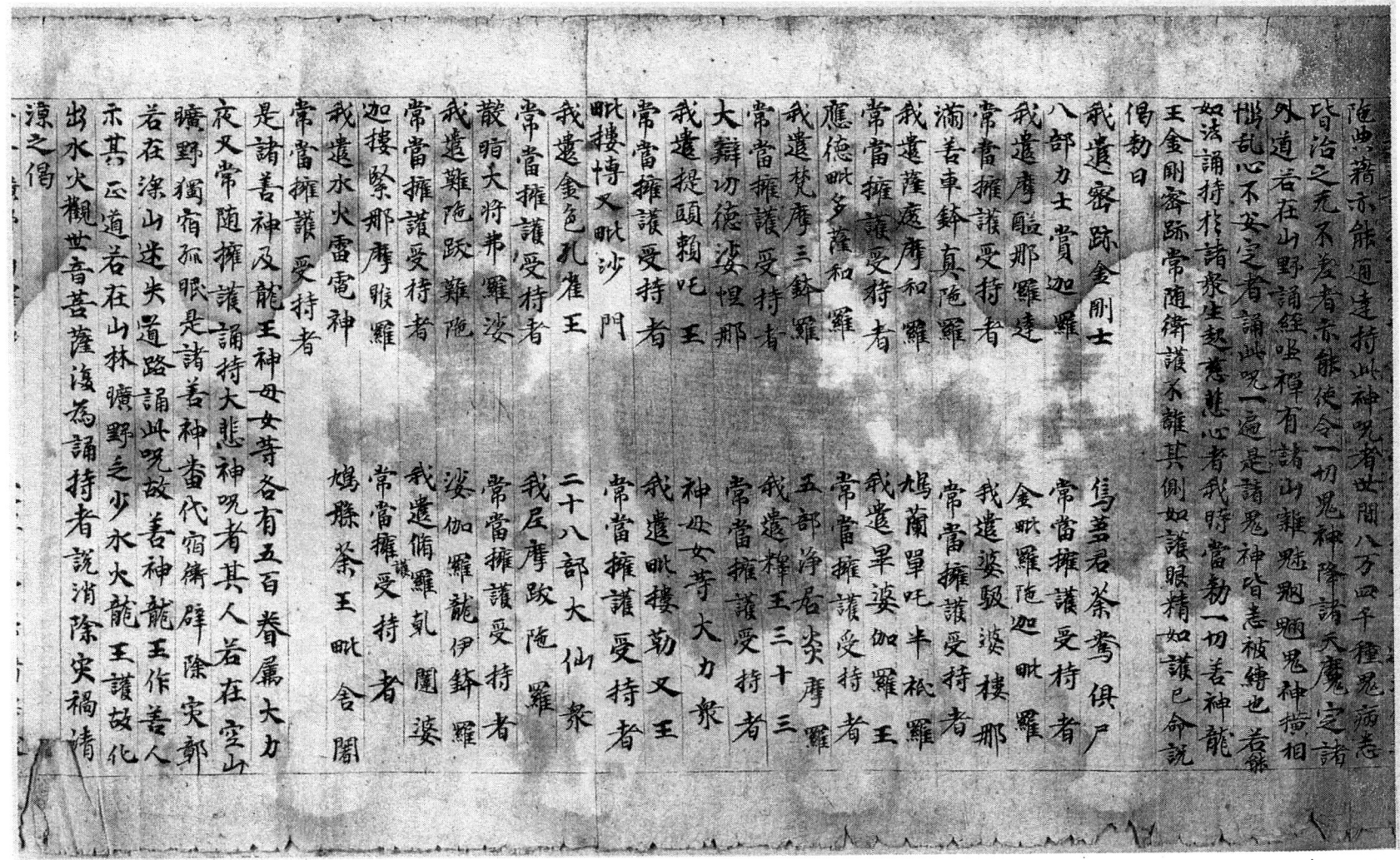

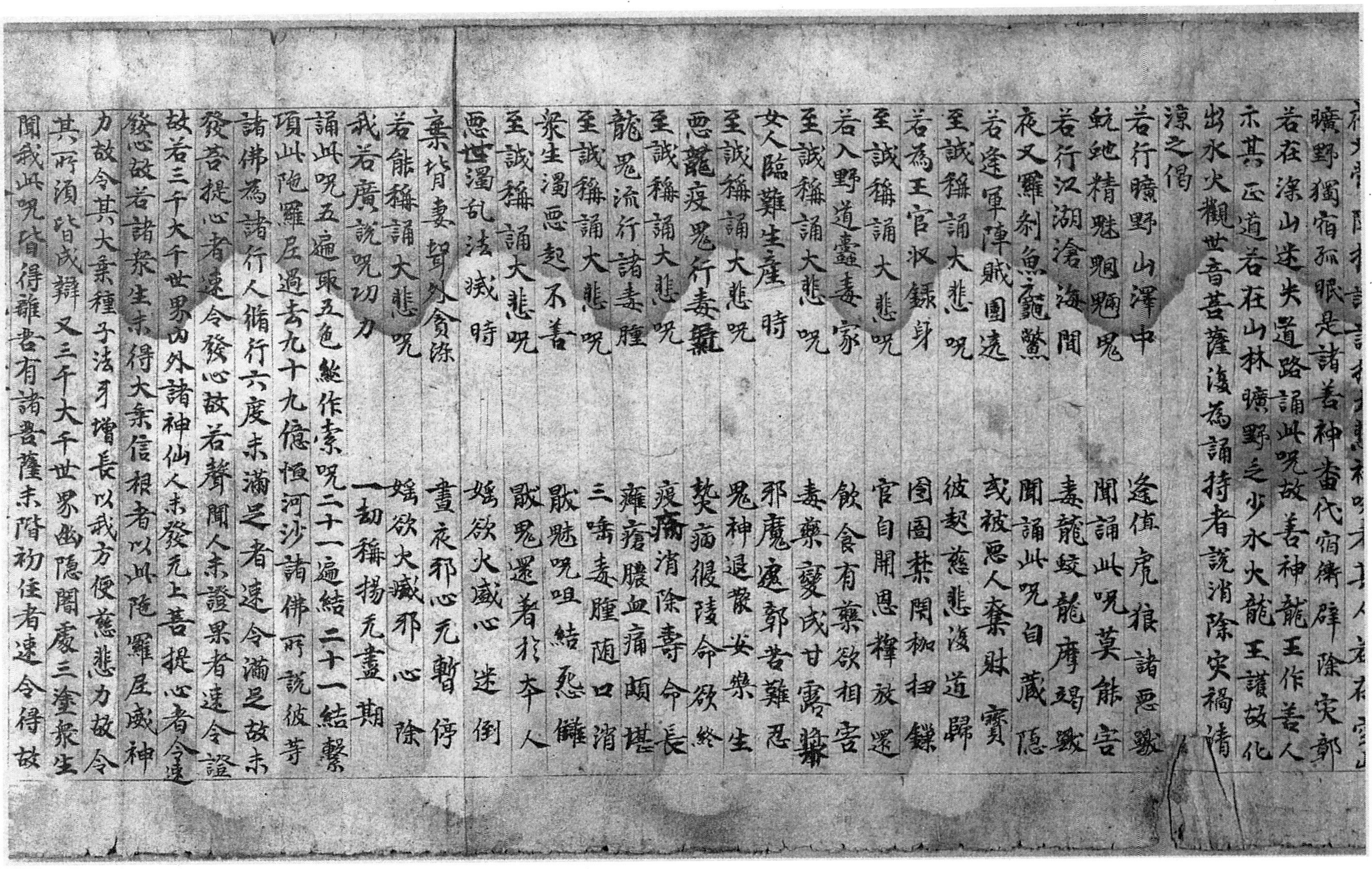
曠野獨宿孤眠是諸善神番代宿衛辟除災鄣
若在深山迷失道路誦此咒故善神龍王作善人
示其正道若在山林曠野乏少水火龍王護故化
出水火觀世音菩薩復為誦持者說消除災禍清
涼之偈
若行曠野山澤中　逢值虎狼諸惡獸
蛇蚖精魅魍魎鬼　聞誦此咒莫能害
若行江湖滄海間　毒龍蛟龍摩竭獸
夜叉羅剎魚黿鱉　聞誦此咒自藏隱
若逢軍陣賊圍遶　或被惡人奪財寶
至誠稱誦大悲咒　彼起慈悲復道歸
若為王官收錄身　囹圄禁閉杻械鎖
至誠稱誦大悲咒　官自開恩釋放還
若入野道蠱毒家　飲食有藥欲相害
至誠稱誦大悲咒　毒藥變成甘露漿
女人臨難生產時　邪魔遮鄣苦難忍
至誠稱誦大悲咒　鬼神退散安樂生
惡龍疫鬼行毒氣　熱病侵陵命欲終
至誠稱誦大悲咒　疫病消除壽命長
龍鬼流行諸毒腫　癰瘡膿血痛叵堪
至誠稱誦大悲咒　三唾毒腫隨口消
眾生濁惡起不善　厭魅咒詛結怨讎
至誠稱誦大悲咒　厭魅還著於本人
惡世濁亂法滅時　婬欲火盛心迷倒
棄背妻婿外貪染　晝夜邪心无暫停
若能稱誦大悲咒　婬欲火滅邪心除
我若廣說咒功力　一劫稱揚无盡期
誦此咒五遍取五色線作索咒二十一遍結二十一結繫
項此陀羅尼過去九十九億恒河沙諸佛所說彼等
諸佛為諸行人修行六度未滿足者速令滿足故未
發菩提心者速令發心故若聲聞人未證果者速令證
故若三千大千世界內外諸神仙人未發无上菩提心者令速
發心故若諸眾生未得大乘信根者以此陀羅尼威神
力故令其大乘種子法芽增長以我方便慈悲力故令
其所須皆得成辦又三千大千世界幽隱闇處三塗眾生
聞我此咒皆得離苦有諸菩薩未階初住者速令得故

BD03121 號　千手千眼觀世音菩薩廣大圓滿無礙大悲心陀羅尼經　（12–7）

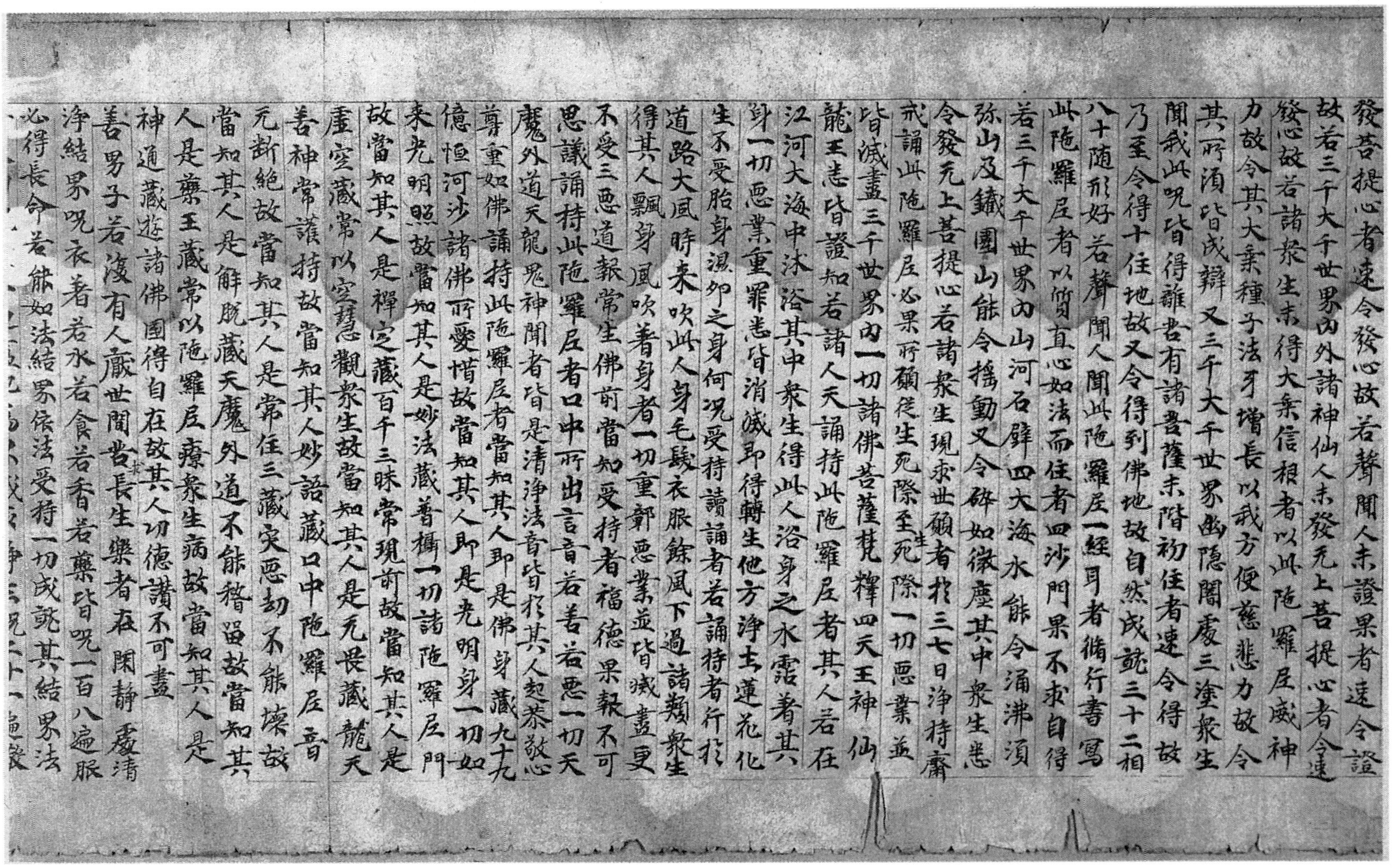
發菩提心者速令發心故若聲聞人未證果者速令證
故若三千大千世界內外諸神仙人未發无上菩提心者令速
發心故若諸眾生未得大乘信根者以此陀羅尼威神
力故令其大乘種子法芽增長以我方便慈悲力故令
其所須皆得成辦又三千大千世界幽隱闇處三塗眾生
聞我此咒皆得離苦有諸菩薩未階初住者速令得故
乃至令得十住地故又令得到佛地故自然成就三十二相
八十隨形好若聲聞人聞此陀羅尼一經耳者修行書寫
此陀羅尼者以質直心如法而住者四沙門果不求自得
若三千大千世界內山河石壁四大海水能令涌沸須
弥山及鐵圍山能令搖動又令碎如微塵其中眾生悉
令發无上菩提心若諸眾生現世求願者於三七日淨持齋
戒誦此陀羅尼必果所願從生死際至生死際一切惡業並
皆滅盡三千大千世界內一切諸佛菩薩梵釋四天王神仙
龍王悉皆證知若諸人天誦持此陀羅尼者其人若在
江河大海中沐浴其中眾生得此人浴身之水霑著其
身一切惡業重罪悉皆消滅即得轉生他方淨土蓮花化
生不受胎身濕卵之身何況受持讀誦者若誦持者行於
道路大風時來吹此人身毛髮衣服餘風下過諸類眾生
得其人飄身風吹著身者一切重罪惡業並皆滅盡更
不受三惡道報常生佛前當知受持者福德果報不可
思議誦持此陀羅尼者口中所出言音若善若惡一切天
魔外道天龍鬼神聞者皆是清淨法音皆於其人起恭敬心
尊重如佛誦持此陀羅尼者當知其人即是佛身藏九十九
億恒河沙諸佛所愛惜故當知其人即是光明身一切如
來光明照故當知其人是妙法藏普攝一切諸陀羅尼門
故當知其人是禪定藏百千三昧常現前故當知其人是
虛空藏常以空慧觀眾生故當知其人是无畏藏龍天
善神常護持故當知其人妙語藏口中陀羅尼音
无斷絕故當知其人是常住三藏災惡劫不能壞故
當知其人是解脫藏天魔外道不能稽留故當知其
人是藥王藏常以陀羅尼療眾生病故當知其人是
神通藏遊諸佛國得自在故其人功德讚不可盡
善男子若復有人厭世間苦求長生樂者在閑靜處清
淨結界咒衣著若水若食若香若藥皆咒一百八遍服
必得長命若能如法結界依法受持一切成就其結界法

BD03121 號　千手千眼觀世音菩薩廣大圓滿無礙大悲心陀羅尼經　（12–8）

人是藥王藏常以陁羅尼療衆生病故當知其人是
神通藏遊諸佛國得自在故其人功德讚不可盡
善男子若復有人厭世間苦長生樂者在閑静處清
淨結界呪衣著若水若食若香若藥皆呪一百八遍服
必得長命若能如法結界依法受持一切成就其結界法
者取刀呪二十一遍畫地爲界或取淨水呪二十一遍散
著四方爲界或取白芥子呪二十一遍擲著四方爲界
或以想到處爲界或取淨灰呪二十一遍爲界或呪五色
線呪二十一遍遶四邊爲界皆得若能如法受持自然
尅果若聞此陁羅尼名當滅无量劫生死重罪何况誦
持者若得此神呪誦者當知其人已曾供養无量諸佛
廣種善根若能爲諸衆生拔其苦難如法誦持者當
知其人即是具大悲者成佛不久所見衆生皆悉爲誦
令彼耳聞與作菩提因是人功德无量无邊讚不可盡若
能精誠用心身持齋戒爲一切衆生懺悔先業之罪亦自
懺謝无量劫來種種惡業口中駿駿誦此陁羅尼聲
不絶者四沙門果此生即證其利根有慧觀方
便者十地果位尅獲不難何况世間小小福報所有
求願无不果遂者也猶此菩薩大悲願力深重
故亦爲此陁羅尼威神廣大故
佛告阿難若有國土災難起時是土國王若
以正法治國寛縱人物不枉衆生赦諸有過七日
七夜身心精進誦持如是大悲心陁羅尼神呪令
彼國土一切災難悉皆除滅五穀豐登万姓安樂又
若爲於他國怨敵數來侵擾百姓不安大臣謀叛
疫氣流行水旱不調日月失度如是災起時當造
千眼大悲心像面向其方以種種香花幢幡寶蓋
百味飲食至心供養其王又能七日七夜身心精進誦
持如是陁羅尼神妙章句外國怨敵即自降伏各還
政治國土通同慈心相向王子百官皆行忠赤妃后采女
孝敬向王諸龍鬼神擁護其國雨澤順時菓實豐
饒人民歡樂又若家内遇大惡病百怪競起鬼神
邪魔耗亂其家惡人横造口舌以相謀害家室大小
内外不和者當於千眼大悲像前設其壇場至心念觀
世音菩薩誦此陁羅尼滿其千遍如上惡事悉皆消滅
阿難白佛言世尊此呪何名云何受持佛告阿難如是
神呪有種種名一名廣大圓滿一名无礙大悲一名救

BD03121 號　千手千眼觀世音菩薩廣大圓滿無礙大悲心陀羅尼經　（12–9）

饒人民歡樂又若家内遇大惡病百怪競起鬼神
邪魔耗亂其家惡人横造口舌以相謀害家室大小
内外不和者當於千眼大悲像前設其壇場至心念觀
世音菩薩誦此陁羅尼滿其千遍如上惡事悉皆消滅
阿難白佛言世尊此呪何名云何受持佛告阿難如是
神呪有種種名一名廣大圓滿一名无礙大悲一名救
苦陁羅尼一名延壽陁羅尼一名滅惡趣陁羅尼一名
破業鄣陁羅尼一名滿願陁羅尼一名随心自在陁
羅尼一名速超上地陁羅尼如是受持阿難白佛言
此菩薩摩訶薩名字何等善能宣說如是陁羅尼
佛言此菩薩名觀世自在亦名撚索亦名千光眼
善男子此觀世音菩薩不可思議威神之力已於過
去无量劫中已作佛竟号正法明如来大悲願力安樂
衆生故現作菩薩汝等大衆諸菩薩摩訶薩梵釋龍
神皆應恭敬莫生輕慢一切人天常須供養專稱名号
得无量福滅无量罪命終往生阿弥陁佛國佛告阿難若
爲富饒種種珎財資具者當於如意珠手若爲種種
不安求安隱者當於羂索手若爲腹中諸病當於
寶鉢手若爲降伏一切魍魎鬼神者當於寶劒手若
爲降伏一切大魔神者當於跋折羅若爲摧伏一切怨
敵者當於金剛杵手若爲一切處怖畏不安者當
於施无畏手若爲眼闇无光明者當於日精摩尼手若
爲熱病求清涼者當於月精摩尼手若爲榮官益
職者當於寶弓手若爲諸善朋友早相逢者當於
寶箭手若爲身上種種病者當於楊柳枝手若爲
除身上惡鄣難者當於白拂手若爲一切善和眷屬
者當於胡瓶手若爲辟除一切虎狼犲豹諸惡獸者當
於傍牌手若爲一切時處好離官難者當於鉞斧手
若爲男女僕使者當於玉環手若爲種種功德者當於
白蓮花手若爲欲得往生十方淨土者當於青蓮花手
若爲大智慧者當於寶鏡手若爲面見十方一切諸佛者
當於紫蓮花手若爲地中伏藏者當於寶篋手若爲
仙道者當於五色雲手若爲生梵天者當於君遅手
若爲往生諸天宫者當於紅蓮花手若爲辟除他方逆
賊者當於寶戟手若爲呼召一切諸天善神者當於寶螺
手若爲使令一切鬼神者當於髑髏杖手若爲十方諸

BD03121 號　千手千眼觀世音菩薩廣大圓滿無礙大悲心陀羅尼經　（12–10）

若為大智慧者當於寶鏡手若為面見十方一切諸佛者
當於紫蓮花手若為地中伏藏者當於寶篋手若為
仙道者當於五色雲手若為生梵天者當於君遅手
若為往生諸天宮者當於紅蓮花手若為辟除他方逆
賊者當於戟手若為呼召一切諸天善神者當於寶螺
手若為使令一切鬼神者當於髑髏杖手若為十方諸
佛速來授手者當於數珠手若為成就一切上妙梵
音聲者當於寶鐸手若為口業辭辯巧妙者當於寶
印手若為善神龍王常來擁護者當於倶尸鐵鉤手
若為慈悲覆護一切衆生者當於錫杖手若為一切衆生
常相恭敬愛念者當於合掌手若為所生之處不離諸
佛邊者當於化佛手若為生生世世常在佛宮殿中不
處胎藏中受身者當於化宮殿手若為多聞廣學者
當於寶經手若為從今身至佛身菩提心常不退轉
者當於不退金輪手若為十方諸佛速來摩頂授記者
當於頂上化佛手若為菓蓏諸穀稼者當於蒲桃手
如是可求之法有其千條今粗略說少耳
佛告阿難汝當深心清淨受持此陀羅尼廣宣流布於閻
浮提莫令斷絶此陀羅尼大大利益三界衆生一切患苦
縈身者以此陀羅尼治之无有不差者此大神呪呪乾枯
樹尚得生枝柯葉何况有情識衆生身有病患治之不差
必无有是處善男子此陀羅尼威神之力不可思議不可
思議歎莫能盡若不過去久遠已來廣種善根乃至
名字不可得聞何况得見汝等大衆天龍人神聞我
讃歎皆應隨喜若有謗此呪者即為謗彼九十九億
恒河沙諸佛若於此陀羅尼生疑不信者當知其人永
失大利百千万劫中輪轉惡趣无有出期常不見佛聞
法不覩僧一切衆會菩薩摩訶薩金剛密跡梵釋四王天
龍鬼神聞佛如来讃歎此陀羅尼皆悉歡喜奉教脩行千
手千眼陀羅尼經
曰光菩薩為受持大悲陀羅尼者說大神呪而擁護之
南无勃陀瞿那迷一 南无達摩莫訶低二 南无僧伽
多夜泥三 底哩部畢薩僧設反 咄僧發反 攞納摩 娑 嚕 訶
誦此呪滅一切罪亦能辟魔及除天災若誦一遍礼佛
一拜如是日別三時誦呪礼佛未来之世所受身處當

BD03121 號　千手千眼觀世音菩薩廣大圓滿無礙大悲心陀羅尼經　（12–11）

當於寶經手若為從今身至佛身菩提心常不退轉
者當於不退金輪手若為十方諸佛速來摩頂授記者
當於頂上化佛手若為菓蓏諸穀稼者當於蒲桃手
如是可求之法有其千條今粗略說少耳
佛告阿難汝當深心清淨受持此陀羅尼廣宣流布於閻
浮提莫令斷絶此陀羅尼大大利益三界衆生一切患苦
縈身者以此陀羅尼治之无有不差者此大神呪呪乾枯
樹尚得生枝柯葉何况有情識衆生身有病患治之不差
必无有是處善男子此陀羅尼威神之力不可思議不可
思議歎莫能盡若不過去久遠已來廣種善根乃至
名字不可得聞何况得見汝等大衆天龍人神聞我
讃歎皆應隨喜若有謗此呪者即為謗彼九十九億
恒河沙諸佛若於此陀羅尼生疑不信者當知其人永
失大利百千万劫中輪轉惡趣无有出期常不見佛聞
法不覩僧一切衆會菩薩摩訶薩金剛密跡梵釋四王天
龍鬼神聞佛如来讃歎此陀羅尼皆悉歡喜奉教脩行千
手千眼陀羅尼經
曰光菩薩為受持大悲陀羅尼者說大神呪而擁護之
南无勃陀瞿那迷一 南无達摩莫訶低二 南无僧伽
多夜泥三 底哩部畢薩僧設反 咄僧發反 攞納摩 娑 嚕 訶
誦此呪滅一切罪亦能辟魔及除天災若誦一遍礼佛
一拜如是日別三時誦呪礼佛未来之世所受身處當
時二相貌端正可喜果報
月光菩薩亦為行人說陀羅尼而擁護

BD03121 號　千手千眼觀世音菩薩廣大圓滿無礙大悲心陀羅尼經　（12–12）

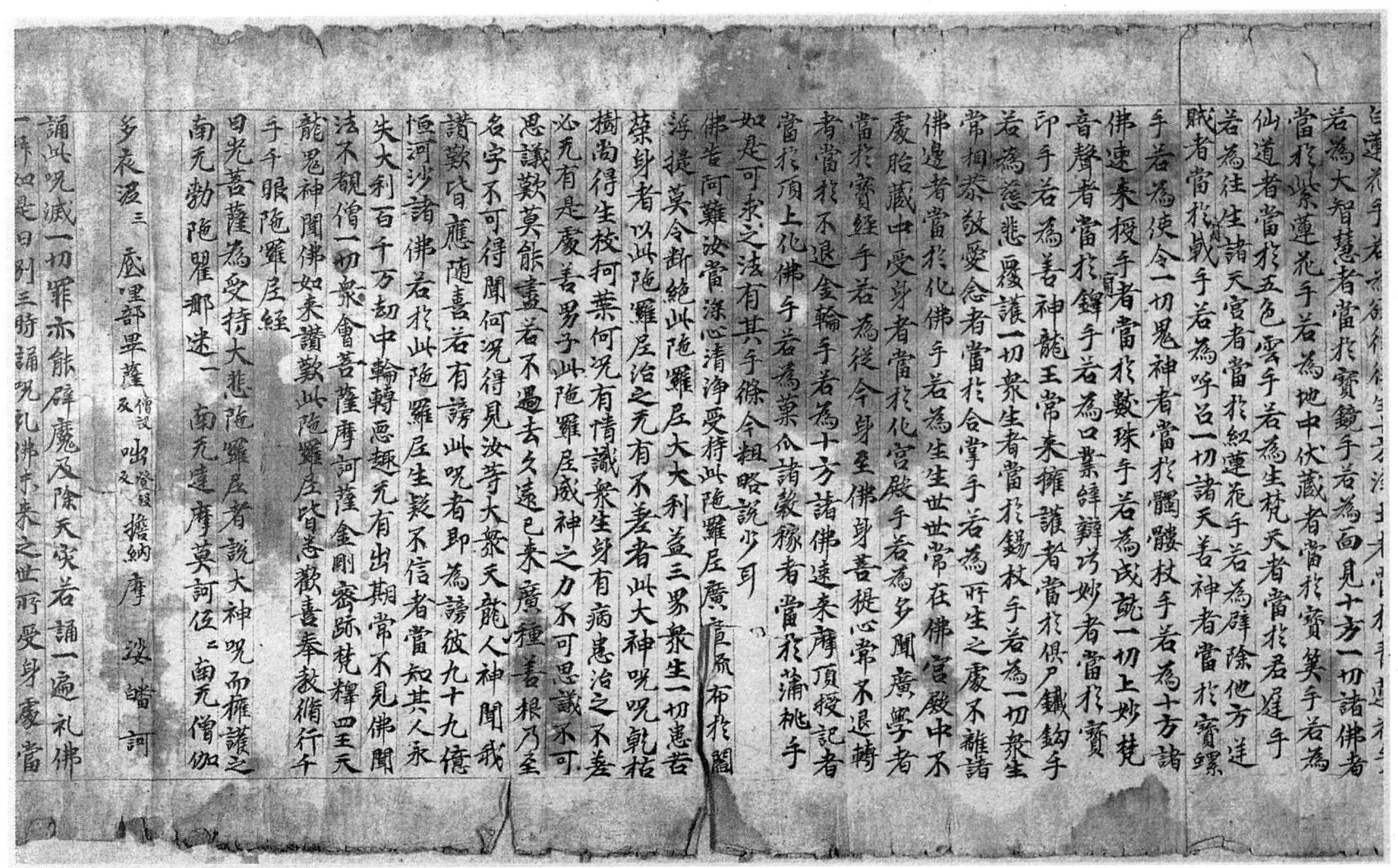

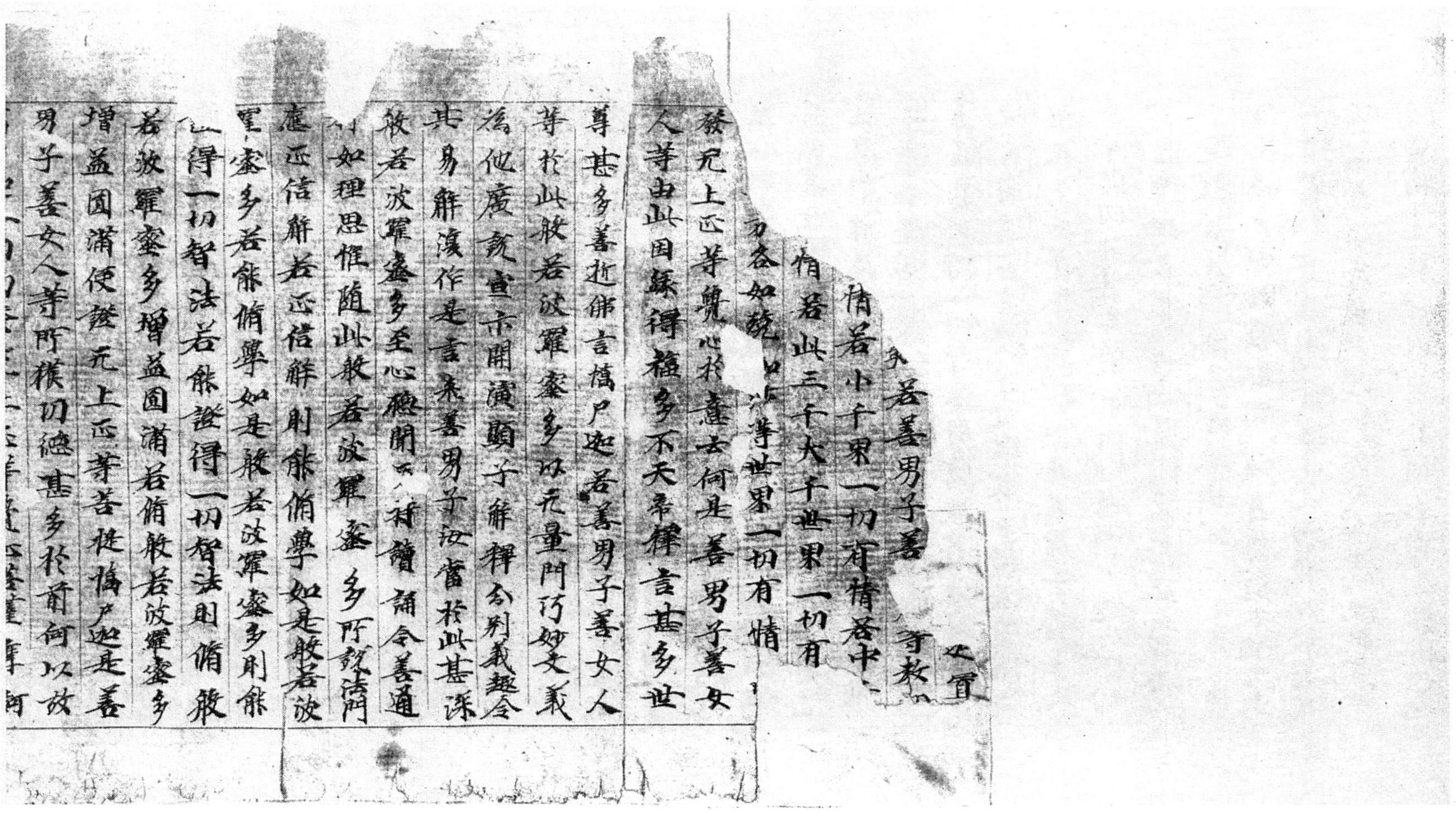

BD03122 號　大般若波羅蜜多經卷四三二　　（19–1）

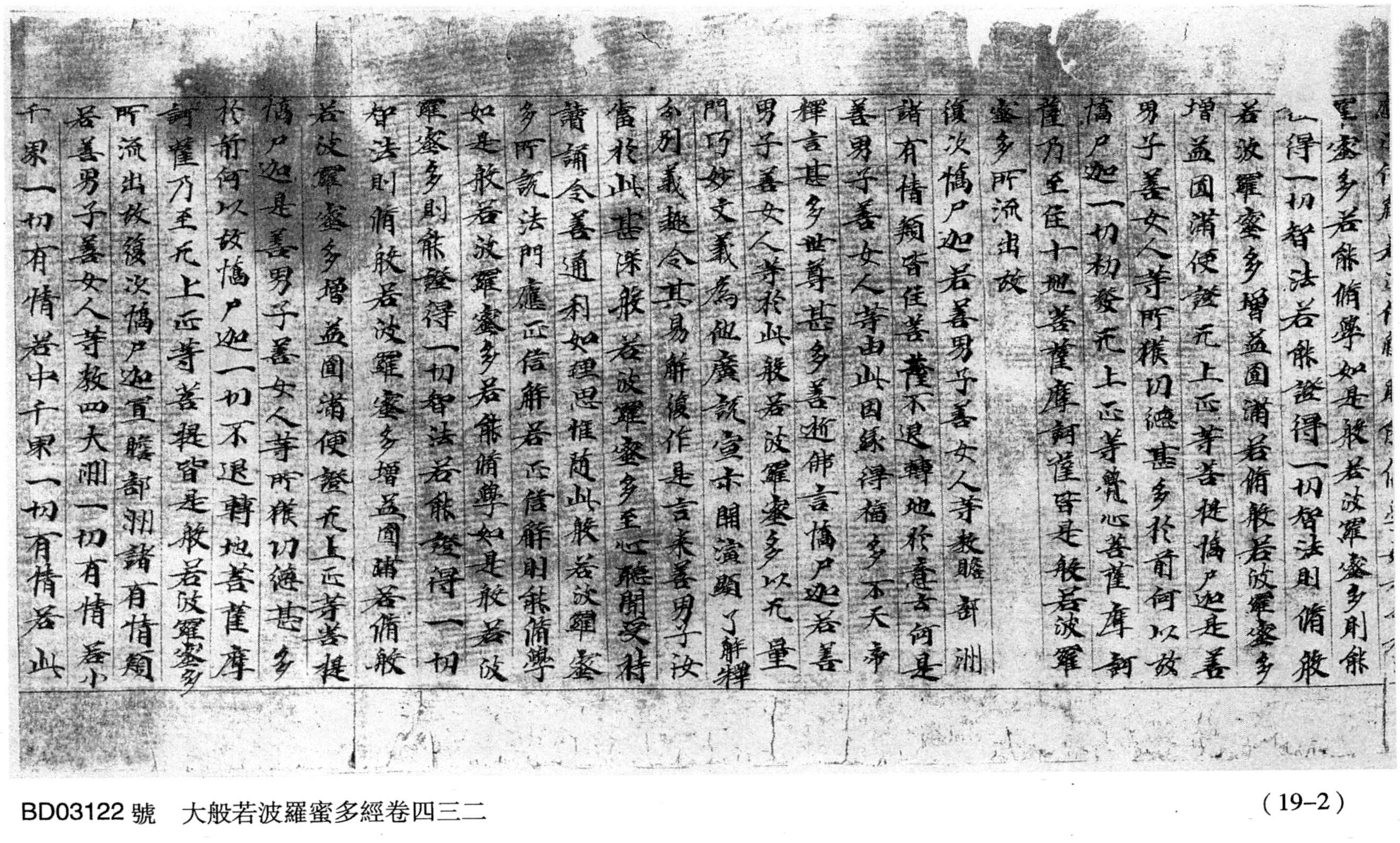

BD03122 號　大般若波羅蜜多經卷四三二　　（19–2）

憍尸迦是善男子善女人等所獲功德甚多
於前何以故憍尸迦一切不退轉地菩薩摩
訶薩乃至无上正等菩提皆是般若波羅蜜多
所流出故復次憍尸迦置贍部洲諸有情類
若善男子善女人等教四大洲一切有情若小
千界一切有情若中千界一切有情若此
三千大千世界一切有情若復十方各如
殑伽沙等世界一切有情皆住菩薩不退轉
地於意云何是善男子善女人等由此因緣
得福多不天帝釋言甚多世尊甚多善逝佛
言憍尸迦若善男子善女人等於此般若波
羅蜜多以无量門巧妙文義為他廣說宣示
開演顯了解釋分別義趣令其易解復作是
言來善男子汝當於此甚深般若波羅蜜多
至心聽聞受持讀誦令善通利如理思惟隨
此般若波羅蜜多所說法門應正信解若正
信解則能修學如是般若波羅蜜多若能
修學如是般若波羅蜜多則能證得一切智
法若能證得一切智法則修般若波羅蜜多
增益圓滿若修般若波羅蜜多增益圓滿便
證无上正等菩提憍尸迦是善男子善女人
等所獲功德甚多於前何以故憍尸迦一切
不退轉地菩薩摩訶薩乃至无上正等菩提
皆是般若波羅蜜多所流出故
復次憍尸迦若贍部洲諸有情類皆趣无上
正等菩提有善男子善女人等於此般若波
羅蜜多以无量門巧妙文義廣為他說宣示
開演顯了解釋分別義趣令其易解復作是

BD03122 號　大般若波羅蜜多經卷四三二　（19–3）

皆是般若波羅蜜多所流出故
復次憍尸迦若贍部洲諸有情類皆趣无上
正等菩提有善男子善女人等於此般若波
羅蜜多以无量門巧妙文義廣為他說宣示
開演顯了解釋分別義趣令其易解復作是
言來善男子汝當於此甚深般若波羅蜜多
至心聽聞受持讀誦令善通利如理思惟隨
此般若波羅蜜多所說法門應正信解若正
信解則能修學如是般若波羅蜜多若能修
學如是般若波羅蜜多則能證得一切智法
若能證得一切智法則修般若波羅蜜多增
益圓滿若修般若波羅蜜多增益圓滿便證
无上正等菩提憍尸迦是善男子善女人等
所獲功德甚多於前復次憍尸迦置贍部洲
諸有情類若四大洲一切有情若小千界一
切有情若中千界一切有情若此三千大千
世界一切有情若復十方各如殑伽沙等世
界一切有情皆趣无上正等菩提有善男子
善女人等於此般若波羅蜜多以无量門巧
妙文義為他廣說宣示開演顯了解釋分
別義趣令其易解復作是言來善男子汝當
於此甚深般若波羅蜜多至心聽聞受持讀
誦令善通利如理思惟隨此般若波羅蜜多
所說法門應正信解若信解則能修學如是
般若波羅蜜多若能修學如是般若波羅蜜
多則能證得一切智法若能證得一切智法
則修般若波羅蜜多增益圓滿若修般若波
羅蜜多增益圓滿便證无上正等菩提憍尸
迦是善男子善女人等所獲功德甚多於前

BD03122 號　大般若波羅蜜多經卷四三二　（19–4）

般若波羅蜜多若能脩學如是般若波羅蜜
多則能證得一切智法若能證得一切智法
則脩般若波羅蜜多增益圓滿若脩般若波
羅蜜多增益圓滿便證无上正等菩提憍尸
迦是善男子善女人等所獲功德甚多於前
復次憍尸迦若贍部洲諸有情類皆於无上
正等菩提得不退轉有善男子善女人等於
此般若波羅蜜多以无量門巧妙文義為他
廣說宣示開演顯了解釋分別義趣令其易
解復作是言來善男子汝當於此甚深般若
波羅蜜多至心聽聞受持讀誦令善通利如
理思惟隨此般若波羅蜜多所說法門應正
信解若正信解則能脩學如是般若波羅蜜
多若能脩學如是般若波羅蜜多則能證得
一切智法若能證得一切智法則脩般若 波
羅蜜多增益圓滿若脩般若波羅蜜多增益
圓滿便證无上正等菩提憍尸迦是善男子
善女人等所獲功德甚多於前復次憍尸迦
置贍部洲諸有情類若四大洲一切有情若
小千界一切有情若中千界一切有情若此
三千大千世界一切有情若復十方各如殑
伽沙等世界一切有情皆於无上正等菩提
得不退轉有善男子善女人等於此般若波
羅蜜多以无量門巧妙文義為他廣說宣示
開演顯了解釋分別義趣令其易解復作是
言來善男子汝當於此甚深般若波羅蜜多
至心聽聞受持讀誦令善通利如理思惟隨
此般若波羅蜜多所說法門應正信解若正
信解則能脩學如是般若波羅蜜多若能脩

BD03122號　大般若波羅蜜多經卷四三二　（19–5）

開演顯了解釋分別義趣令其易解復作是
言來善男子汝當於此甚深般若波羅蜜多
至心聽聞受持讀誦令善通利如理思惟隨
此般若波羅蜜多所說法門應正信解若正
信解則能脩學如是般若波羅蜜多若能脩
學如是般若波羅蜜多則能證得一切智法
若能證得一切智法則脩般若波羅蜜多增
益圓滿若脩般若波羅蜜多增益圓滿便證
无上正等菩提憍尸迦是善男子善女人 等
所獲功德甚多於前
復次憍尸迦若善男子善女人等教贍部洲
諸有情類皆趣无上正等菩提復於般若波
羅蜜多以无量門巧妙文義為其廣說宣示
開演顯了解釋分別義趣令其易解有善男
子善女人等教一有情令於无上正等菩提
得不退轉復於般若波羅蜜多以无量門巧
妙文義為其廣說宣示開演顯了解釋分別
義趣令其易解憍尸迦此善男子善女人等
所獲功德甚多於前復次憍尸迦置贍部洲
諸有情類若善男子善女人等教四大洲一
切有情若小千界一切有情若中千界一切
有情若此三千大千世界一切有情若復十
方各如殑伽沙等世界一切有情皆趣无上
正等菩提復於般若波羅蜜多以无量門巧
妙文義為其廣說宣示開演顯了解釋分別
義趣令其易解有善男子善女人等教一有
情令於无上正等菩提得不退轉復於般若
波羅蜜多以无量門巧妙文義為其廣說宣
示開演顯了解釋分別義趣令其易解憍尸

BD03122號　大般若波羅蜜多經卷四三二　（19–6）

正等菩提復於般若波羅蜜多以无量門巧
妙文義為其廣說宣示開演顯了解釋分別
義趣令其易解有善男子善女人等教一有
情令於无上正等菩提得不退轉復於般若
波羅蜜多以无量門巧妙文義為其廣說宣
示開演顯了解釋分別義趣令其易解憍尸
迦此善男子善女人等所獲功德甚多於前
復次憍尸迦若善男子善女人等教瞻部洲
諸有情類皆於无上正等菩提得不退轉復
於般若波羅蜜多以无量門巧妙文義為其
廣說宣示開演顯了解釋分別義趣令其易
解若一有情作如是語我今欲樂速證无上正
等菩提拔濟有情諸惡趣苦有善男子善
女人等為成彼事以无量門巧妙文義廣說
般若波羅蜜多宣示開演顯了解釋分別義
趣令其易解憍尸迦此善男子善女人等所
獲功德甚多於前何以故憍尸迦住不退轉
地菩薩摩訶薩不甚假藉所說法故於大菩
提定趣向故必於无上正等菩提不退轉故
欲樂速證大菩提者要甚假藉所說法故於
无上覺求速證故觀生死苦一切有情運大
悲心極痛切故復次憍尸迦置贍部洲諸有
情類若善男子善女人等教四大洲一切有
情若小千界一切有情若中千界一切有情
若此三千大千世界一切有情若復十方各
如殑伽沙等世界一切有情皆於无上正等
菩提得不退轉復於般若波羅蜜多以无量
門巧妙文義為其廣說宣示開演顯了解釋
分別義趣令其易解若一切有情作如是語

BD03122號　大般若波羅蜜多經卷四三二　（19–7）

若此三千大千世界一切有情若復十方各
如殑伽沙等世界一切有情皆於无上正等
菩提得不退轉復於般若波羅蜜多以无量
門巧妙文義為其廣說宣示開演顯了解釋
分別義趣令其易解若一切有情作如是語
我今欲樂速證无上正等菩提拔濟有情三
惡趣苦有善男子善女人等為成彼事以无
量門巧妙文義廣說般若波羅蜜多宣示開
演顯了解釋分別義趣令其易解憍尸迦此
善男子善女人等所獲功德甚多於前何以
故憍尸迦住不退轉地菩薩摩訶薩不甚假
藉所說法故於大菩提定趣向故必於无上
正等菩提不退轉故欲樂速證大菩提者要
甚假藉所說法故於无上覺求速證故觀生
死苦一切有情運大悲心極痛切故
爾時天帝釋白佛言世尊如菩薩摩訶薩
轉近无上正等菩提如是如是應以布施波
羅蜜多乃至般若波羅蜜多教誡教授應以
內空乃至无性自性空教誡教授應以四念
住乃至八聖道支教誡教授如是乃至應以
佛十力乃至十八佛不共法教誡教授應以
上妙衣服飲食臥具醫藥隨其所須種種資
具供養攝受世尊若善男子善女人等能以
如是法施財施教誡教授供養攝受彼菩薩
摩訶薩是善男子善女人等所獲功德甚多
於前何以故世尊彼菩薩摩訶薩要由如是
法施財施教誡教授供養攝受速證无上正
等菩提爾時具壽善現告天帝釋言善哉善

BD03122號　大般若波羅蜜多經卷四三二　（19–8）

摩訶薩是善男子善女人等所獲功德甚多
於前何以故世尊彼菩薩摩訶薩要由如是
法施財施教誡教授供養攝受速證无上正
等菩提尒時具壽善現告天帝釋言善哉善
哉憍尸迦汝乃能勸勵彼菩薩摩訶薩復能
攝受彼菩薩摩訶薩亦能讚助彼菩薩摩訶
薩汝今已作佛聖弟子所應作事何以故憍
尸迦一切如來諸聖弟子為欲利樂諸有情
故方便勸勵彼菩薩摩訶薩令速趣无上正
等菩提以法施財施教誡教授供養攝受勤
加讚助彼菩薩摩訶薩令速證无上正等菩
提所以者何一切如來聲聞獨覺世間勝事
由彼菩薩摩訶薩故而得出現何以故憍尸
迦若无菩薩摩訶薩發起无上正等覺心則
无菩薩摩訶薩能學六波羅蜜多乃至十八
佛不共法若无菩薩摩訶薩學六波羅蜜多
乃至十八佛不共法則无菩薩摩訶薩證得
无上正等菩提若无菩薩摩訶薩證得无上
正等菩提則无如來聲聞獨覺世間勝事憍
尸迦由有菩薩摩訶薩發起无上正等覺心
便有菩薩摩訶薩能學六波羅蜜多乃至十
八佛不共法由有菩薩摩訶薩學六波羅
羅蜜多乃至十八佛不共法便有菩薩摩訶
薩證得无上正等菩提由有菩薩摩訶薩證
得无上正等菩提轉妙法輪能斷地獄傍生
鬼界亦能損減阿素洛黨增天人衆便有
剎帝利大族婆羅門大族長者大族居士大
族出現世間亦有四大王衆天乃至非想非

BD03122號　大般若波羅蜜多經卷四三二　（19–9）

得无上正等菩提轉妙法輪能斷地獄傍生
鬼界亦能損減阿素洛黨增天人衆便有
剎帝利大族婆羅門大族長者大族居士大
族出現世間亦有四大王衆天乃至非想非
非想處天出現世間復有布施波羅蜜多乃
至般若波羅蜜多內空乃至无性自性空四
念住廣說乃至十八佛不共法出現世間復
有聲聞乘獨覺乘正等覺乘出現世間

第二分隨喜迴向品第卅七

尒時慈氏菩薩摩訶薩白具壽善現言大德
若菩薩摩訶薩以无所得而為方便於諸有
情所有功德隨喜俱行諸福業事若菩薩摩
訶薩以无所得而為方便持此隨喜俱行諸
福業事與一切有情平等共有迴向无上正
等菩提若餘有情隨喜迴向諸福業事若諸
異生聲聞獨覺諸福業事所謂施性戒性脩
性三福業事若四念住乃至八聖道支若三
解脫門八解脫九次第定四无礙解六神通
等諸福業事是菩薩摩訶薩所有隨喜迴向
功德於彼異生聲聞獨覺諸福業事為最為
勝為尊為高為妙為微妙為上為无上无
等无等等何以故大德以諸異生脩福業事
但為令己自在安樂聲聞獨覺脩福業事
但為自調伏為自寂靜為自涅槃諸菩薩摩
訶薩所有隨喜迴向功德普為一切有情調
伏寂靜般涅槃故
尒時具壽善現問慈氏菩薩摩訶薩言大
士是菩薩摩訶薩隨喜迴向心普緣十方无

BD03122號　大般若波羅蜜多經卷四三二　（19–10）

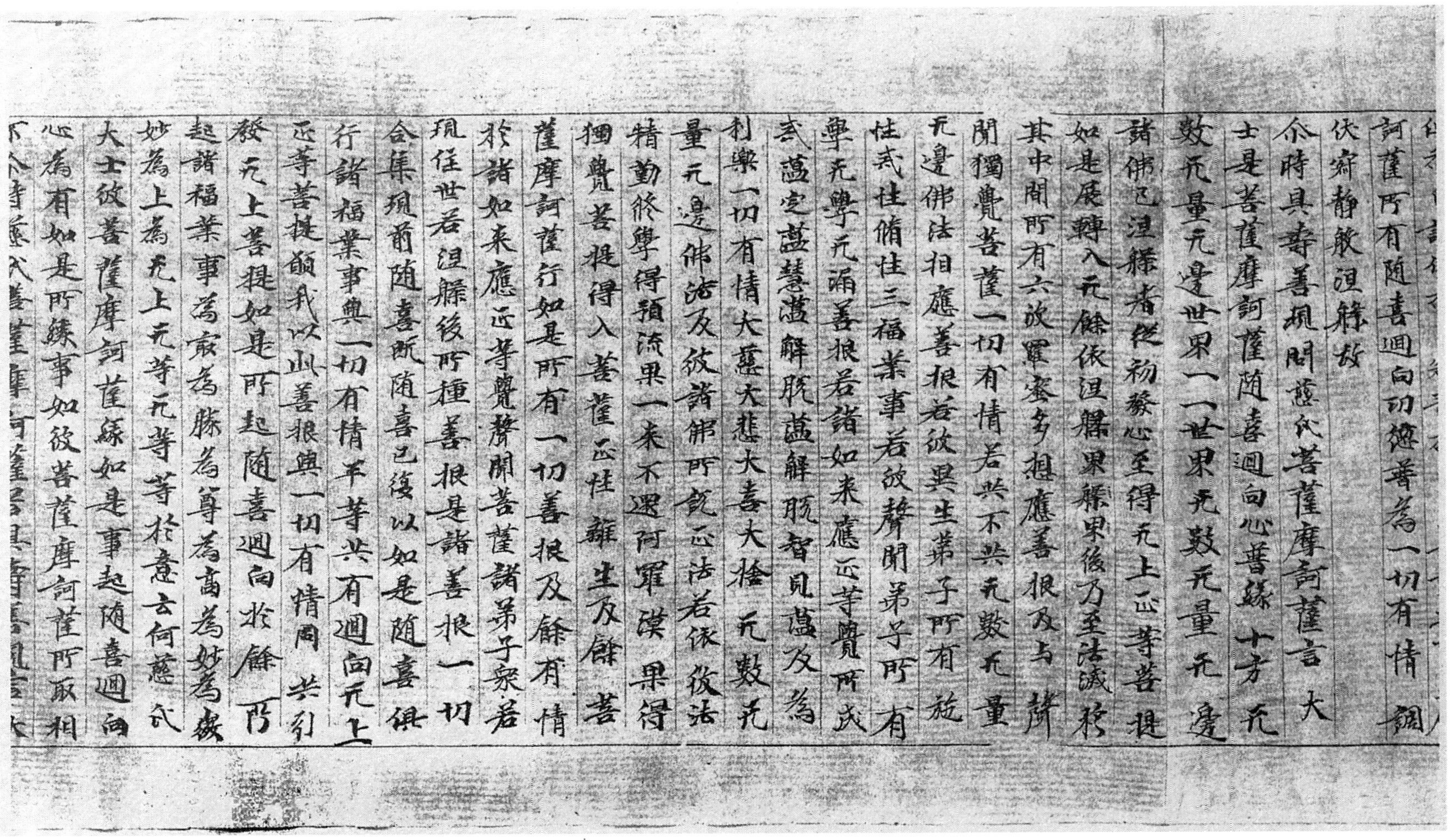

訶薩所有隨喜迴向功德普爲一切有情調
伏寂靜般涅槃故
尒時具壽善現聞慈氏菩薩摩訶薩言大
士是菩薩摩訶薩隨喜迴向心普緣十方无
數无量无邊世界一一世界无數无量无邊
諸佛已涅槃者從初發心至得无上正等菩提
如是展轉入无餘依涅槃界乃至法滅於
其中間所有六波羅蜜多相應善根及与諸
聞獨覺菩薩一切有情若共不共无數无量
无邊佛法相應善根若彼異生弟子所有施
性戒性脩性三福業事若彼聲聞弟子所有
學无學无漏善根若諸如來應正等覺所戒
蘊定蘊慧蘊解脫蘊解脫智見蘊及爲
利樂一切有情大慈大悲大喜大捨无數无
量无邊佛法及彼諸佛所說正法若依彼法
精勤修學得預流果一來不還阿羅漢果得
獨覺菩提得入菩薩正性離生及餘菩
薩摩訶薩行如是所有一切善根及餘有情
於諸如來應正等覺聲聞菩薩諸弟子衆若
現在世若涅槃後所種善根是諸善根一切
合集現前隨喜既隨喜已復以如是隨喜俱
行諸福業事與一切有情平等共有迴向无上
正等菩提願我以此善根與一切有情同共引
發无上菩提如是所起隨喜迴向於餘所
起諸福業事爲最爲勝爲尊爲高爲妙爲微
妙爲上爲无上无等无等等於意云何慈氏
大士彼菩薩摩訶薩緣如是事起隨喜迴向
心爲有如是所緣事如彼菩薩摩訶薩所取相

BD03122號　大般若波羅蜜多經卷四三二　（19-11）

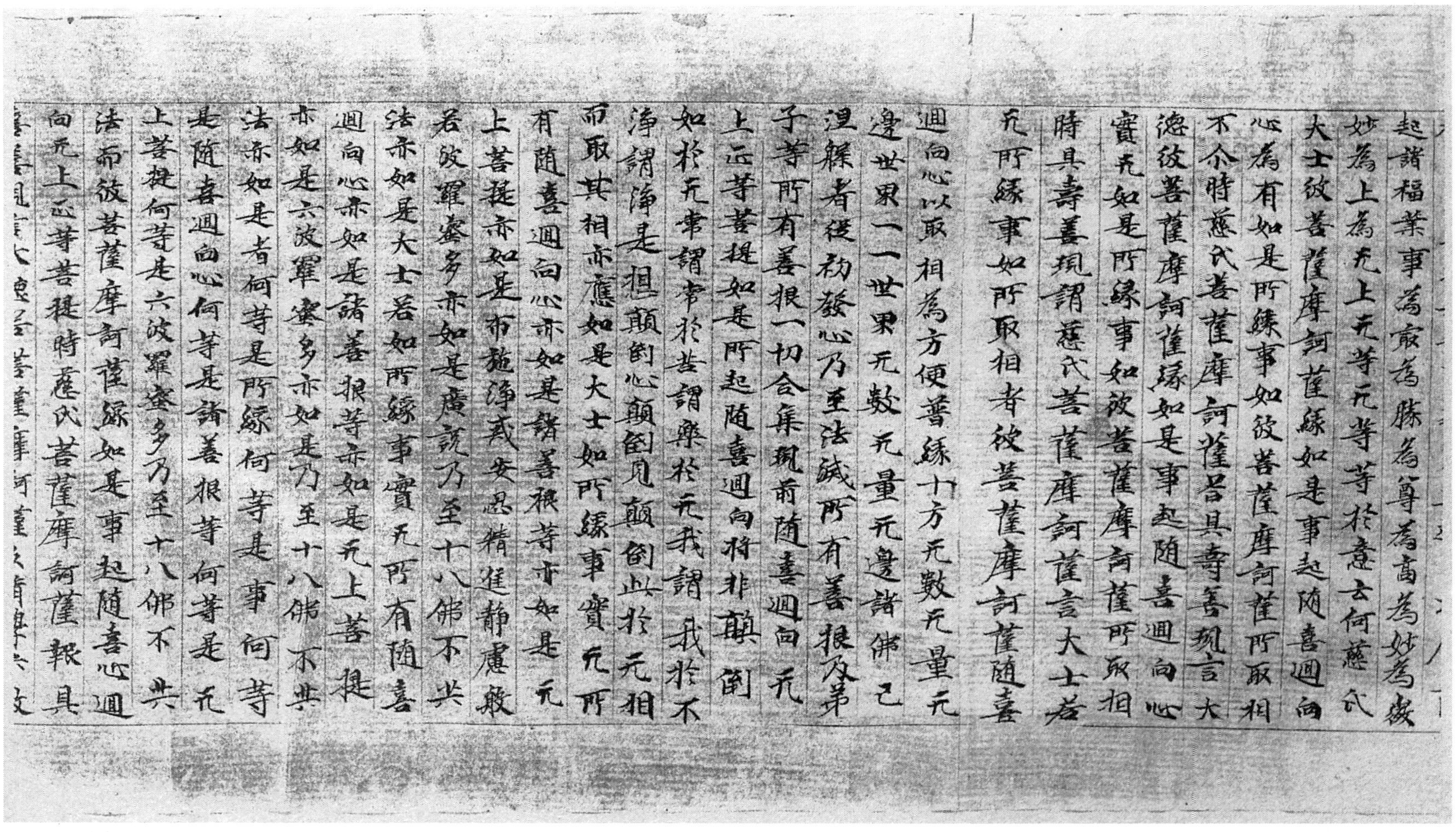

起諸福業事爲最爲勝爲尊爲高爲妙爲微
妙爲上爲无上无等无等等於意云何慈氏
大士彼菩薩摩訶薩緣如是事起隨喜迴向
心爲有如是所緣事如彼菩薩摩訶薩所取相
不尒時慈氏菩薩摩訶薩答具壽善現言大
德彼菩薩摩訶薩緣如是事起隨喜迴向心
實无如是所緣事如彼菩薩摩訶薩所取相
時具壽善現謂慈氏菩薩摩訶薩言大士若
无所緣事如所取相者彼菩薩摩訶薩隨喜
迴向心以取相爲方便普緣十方无數无量无
邊世界一一世界无數无量无邊諸佛已
涅槃者從初發心乃至法滅所有善根及弟
子等所有善根一切合集現前隨喜迴向无
上正等菩提如是所起隨喜迴向將非顛倒
如於无常謂常於苦謂樂於无我謂我於不
淨謂淨是想顛倒心顛倒見顛倒此於无相
而取其相亦應如是大士如所緣事實无所
有隨喜迴向心亦如是諸善根等亦如是无
上菩提亦如是布施淨戒安忍精進靜慮般
若波羅蜜多亦如是廣說乃至十八佛不共
法亦如是大士若如所緣事實无所有隨喜
迴向心亦如是諸善根等亦如是无上菩提
亦如是六波羅蜜多亦如是乃至十八佛不共
法亦如是者何等是所緣何等是事何等
是隨喜迴向心何等是諸善根何等是无
上菩提何等是六波羅蜜多乃至十八佛不共
法而彼菩薩摩訶薩緣如是事起隨喜心迴
向无上正等菩提時慈氏菩薩摩訶薩報具

BD03122號　大般若波羅蜜多經卷四三二　（19-12）

是隨喜迴向心何等是諸善根何等是无
上菩提何等是六波羅蜜多乃至十八佛不共
法而彼菩薩摩訶薩緣如是事起隨喜心迴
向无上正等菩提時慈氏菩薩摩訶薩報具
壽善現言大德若菩薩摩訶薩久脩學六波
羅蜜多已曾供養无量諸佛宿殖善根久發
大願為諸善友之所攝受善學諸法自相空
義是菩薩摩訶薩能於所緣事隨喜迴向
心諸善根等无上菩提諸佛世尊及一切法
皆不取相而能發起隨喜之心迴向无上正
等菩提如是所起隨喜迴向以非二非不二為
方便非有相非无相為方便非有所得非无
所得為方便非染非淨為方便非生非滅為方
便於所緣事乃至无上正等菩提能不取相
不取相故非顛倒攝若有菩薩未久脩學六
波羅蜜多未曾供養无量諸佛未宿殖善根
未久發大願未多善友之所攝受未於一切
法善學自相空是諸菩薩於所緣事隨喜迴
向諸善根等无上菩提諸佛世尊及一切法
猶取其相起隨喜心迴向无上正等菩提如
是所起隨喜迴向以取相故猶顛倒攝非真
隨喜迴向无上正等菩提
復次大德不應為彼新學大乘諸菩薩等及
對其前宣說般若波羅蜜多乃至布施波
羅蜜多內空乃至无性自性空四念住廣說
乃至十八佛不共法及一切法自相空義何
以故大德新學大乘諸菩薩等於如是法雖
有少分信敬愛樂而彼聞已尋皆忘失驚怖
疑惑生毀謗故若不退轉諸菩薩摩訶薩或

羅蜜多內空乃至无性自性空四念住廣說
乃至十八佛不共法及一切法自相空義何
以故大德新學大乘諸菩薩等於如是法雖
有少分信敬愛樂而彼聞已尋皆忘失驚怖
疑惑生毀謗故若不退轉諸菩薩摩訶薩或
曾供養无量諸佛宿殖善根久發大願為多
善友所攝受者應對其前為彼廣說亦別開
示一切般若波羅蜜多乃至布施波羅蜜多
內空乃至无性自性空四念住廣說乃至十
八佛不共法及一切法自相空義何以故大
德以不退轉諸菩薩摩訶薩及曾供養无
量諸佛宿殖善根久發大願為多善友所攝
受者若聞此法皆能受持終不忘失亦不驚
怖疑惑毀謗大德諸菩薩摩訶薩以如是
隨喜俱行諸福業事迴向无上正等菩提
爾時具壽善現白慈氏菩薩摩訶薩言大士
諸菩薩摩訶薩應以如是隨喜俱行諸福業
事迴向无上正等菩提諸所用心隨喜迴
向此所用心盡滅離變此所緣事及諸善根
亦皆如心盡滅離變此中何等是所用心復
以何等為所緣事及諸善根而說隨喜迴向
无上正等菩提是心於心理不應有隨喜迴
向以无二心俱時起故心亦不可隨喜迴向心
自性故若菩薩摩訶薩脩行般若波羅蜜多
時能如是知一切般若波羅蜜多无所有乃
至布施波羅蜜多无所有色无所有受想行
識无所有乃至无上正等菩提亦无所有是
菩薩摩訶薩知一切法皆无所有而後能以
隨喜俱行諸福業事迴向无上正等菩提如

時能如是知一切般若波羅蜜多无所有乃
至布施波羅蜜多无所有色无所有受想行
識无所有乃至无上正等菩提亦无所有是
菩薩摩訶薩知一切法皆无所有而後能以
隨喜俱行諸福業事迴向无上正等菩提如
是隨喜迴向之心非顛倒攝以无所得為方
便故時天帝釋白具壽善現言大德新學大
乘諸菩薩摩訶薩聞如是法其心將无驚
恐疑惑大德新學大乘諸菩薩摩訶薩云何
能以所脩善根迴向无上正等菩提大德新
學大乘諸菩薩摩訶薩云何攝受隨喜俱行
諸福業事迴向无上正等菩提具壽善現承
慈氏菩薩摩訶薩威力加被告天帝釋言憍
尸迦新學大乘諸菩薩摩訶薩若脩般若乃
至布施波羅蜜多以无所得為方便无相為
方便攝受般若乃至布施波羅蜜多是菩薩
摩訶薩由此因緣多信解内空乃至无性自
性空多信解四念住廣說乃至十八佛不共
法常為善友之所攝受如是善友以无量門
巧妙文義為其廣說般若靜慮精進安忍淨
戒布施波羅蜜多相應之法以如是法教誡
教授令其乃至得入菩薩正性離生未入菩薩
正性離生亦常不離所脩般若波羅蜜多乃
至布施波羅蜜多内空乃至无性自性空四
念住廣說乃至十八佛不共法亦為廣說種
種魔事令其聞已於諸魔事心无增減何以
故諸魔事業性无所有不可得故亦以此法
教誡教授令其乃至得入菩薩正性離生常

BD03122 號　大般若波羅蜜多經卷四三二　（19–15）

念住廣說乃至十八佛不共法亦為廣說種
種魔事令其聞已於諸魔事心无增減何以
故諸魔事業性无所有不可得故亦以此法
教誡教授令其乃至得入菩薩正性離生常
不離佛於諸佛所種諸善根復由善根所攝
受故常生菩薩摩訶薩家乃至无上正等菩
提於諸善根常不遠離憍尸迦新學大乘諸
菩薩摩訶薩若能如是以无所得為方便无
相為方便攝受諸功德於諸功德多住信解
常為善友之所攝受聞如是法心不驚恐亦
不疑惑復次憍尸迦新學大乘諸菩薩摩
訶薩隨所脩集布施波羅蜜多乃至般若波
羅蜜多隨所安住内空乃至无性自性空隨
所脩集四念住廣說乃至十八佛不共法及
餘无量无邊佛法皆應以无所得為方便无
相為方便與諸有情平等共有迴向无上正
等菩提復次憍尸迦新學大乘諸菩薩摩
訶薩普於十方无數无量无邊世界一切如來
正等覺斷諸有路絕戲論道棄諸重擔
聚落刺盡諸有結具足正智心善解脫巧說
法者及彼如來應正等覺諸弟子衆所成戒
蘊定蘊慧蘊解脫蘊解脫智見蘊及餘所作
種種功德并於是處所種善根謂剎帝利大
族婆羅門大族長者大族居士大族等所種
善根若四大王衆天乃至他化自在天所種
善根若梵衆天乃至色究竟天等所種善根
如是一切合集稱量現前發起皆餘善根
為最為勝為尊為高為妙微妙為上為無

BD03122 號　大般若波羅蜜多經卷四三二　（19–16）

善根若四大王衆天乃至他化自在天所種
善根若梵衆天乃至色究竟天等所種善根
如是一切合集稱量現前發起皆餘善根
為㝡為勝為尊為高為妙微妙為上為無
上无等无等等隨喜之心復以如是隨喜俱
行諸福業事與諸有情平等共有迴向无上
正等菩提
尒時慈氏菩薩摩訶薩具壽善現言大德
新學大乘諸菩薩摩訶薩若念諸佛及弟子
衆所有功德并人天等所種善根如是一切
合集稱量現前發起比餘善根為㝡為勝為
尊為高為妙為微妙為上為无上无等无等
等隨喜之心復以如是隨喜善根與諸有情
平等共有迴向无上正等菩提是菩薩摩訶
薩云何不墮想顛倒心顛倒見顛倒耶時具
壽善現答慈氏菩薩摩訶薩言大士若菩薩
摩訶薩於所念佛及弟子衆所有功德不起
諸佛及弟子衆功德之想於人天等所種善
根不起善根人天等想於所發起隨喜迴向
大菩提心亦復不起隨喜迴向菩提心想是
菩薩摩訶薩所起隨喜迴向之心无想顛倒
无心顛倒无見顛倒若菩薩摩訶薩於所念
佛及弟子衆所有功德起佛弟子功德之想
於人天等所種善根起彼善根人天等想於
所發起隨喜迴向大菩提心起所發起隨喜
迴向菩提心想是菩薩摩訶薩所起隨喜迴
向之心有想顛倒有心顛倒有見顛倒復次
大士若菩薩摩訶薩以如是隨喜心念一切

BD03122號　大般若波羅蜜多經卷四三二　（19–17）

所發起隨喜迴向大菩提心起所發起隨喜
迴向菩提心想是菩薩摩訶薩所起隨喜迴
向之心有想顛倒有心顛倒有見顛倒復次
大士若菩薩摩訶薩以如是隨喜心念一切
佛及弟子衆功德善根正知此心盡滅離變
非能隨喜正知彼法其性亦然非所隨喜又
正了達能迴向心法性亦尒非能迴向及正了
達所迴向法其性亦尒非所迴向若有能依
如是所說隨喜迴向是正非邪諸菩薩摩訶
薩皆應如是隨喜迴向復次大士若菩薩摩
訶薩普於過去未來現在一切如來應正等
覺從初發心至得无上正等菩提乃至法滅
於其中間所有功德若佛弟子及諸獨覺依
彼佛法所起善根若諸異生聞彼說法所種
善根若龍藥叉健達縛阿素洛揭路荼緊捺
洛莫呼洛伽人非人等聞彼說法所種善根
若剎帝利大族婆羅門大族長者大族居
士大族聞彼說法所種善根若四大王衆天
乃至色究竟天聞彼說法所種善根若善男
子善女人等聞彼說法發趣無上正等覺心勤
脩種種諸菩薩行如是一切合集稱量現前
發起比餘善根為㝡為勝為尊為高為妙為
微妙為上為无上无等无等等隨喜之心復
以如是隨喜善根與諸有情平等共有迴向
无上正等菩提於如是時若正解了諸能隨
喜迴向之法盡滅離變諸所隨喜迴向之法
自性皆空雖如是知而能隨喜迴向无上正
等菩提復於是時若正解了都无有法可能
隨喜迴向於法所以者何以一切法自性皆

BD03122號　大般若波羅蜜多經卷四三二　（19–18）

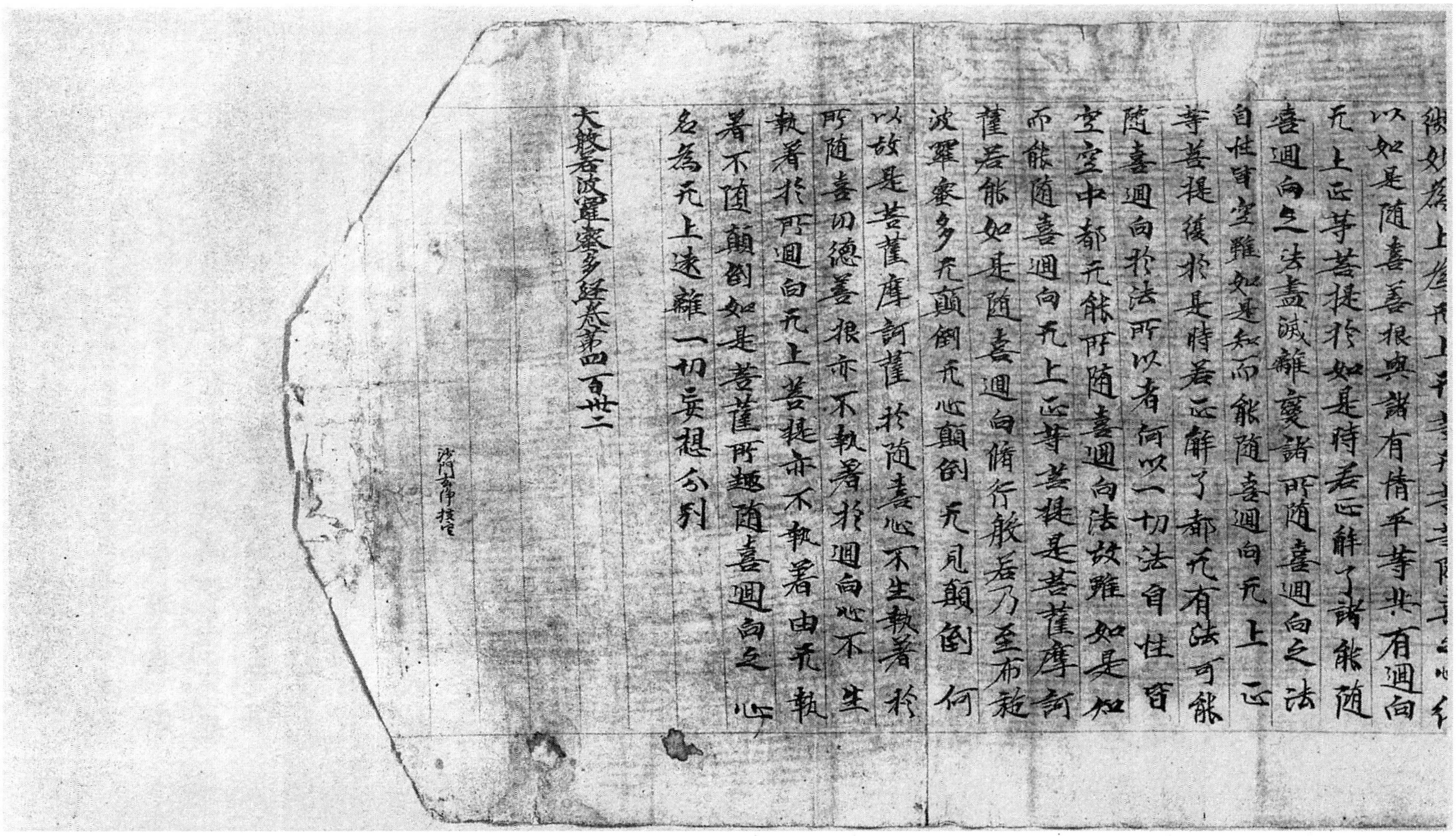

微妙最上无上无等无等等隨喜之心作
以如是隨喜善根與諸有情平等共有迴向
无上正等菩提於如是時若正解了諸能隨
喜迴向之法盡滅離變諸所隨喜迴向之法
自性皆空雖如是知而能隨喜迴向无上正
等菩提復於是時若正解了都无有法可能
隨喜迴向於法所以者何以一切法自性皆
空空中都无能所隨喜迴向法故雖如是知
而能隨喜迴向无上正等菩提是菩薩摩訶
薩若能如是隨喜迴向脩行般若乃至布施
波羅蜜多无顛倒无心顛倒无見顛倒何
以故是菩薩摩訶薩於隨喜心不生執著於
所隨喜功德善根亦不執著於迴向心不生
執著於所迴向无上菩提亦不執著由无執
著不隨顛倒如是菩薩所趣隨喜迴向之心
名為无上遠離一切妄想分別

大般若波羅蜜多經卷第四百卅二

沙門玄淨校定

BD03122號　大般若波羅蜜多經卷四三二　　（19–19）

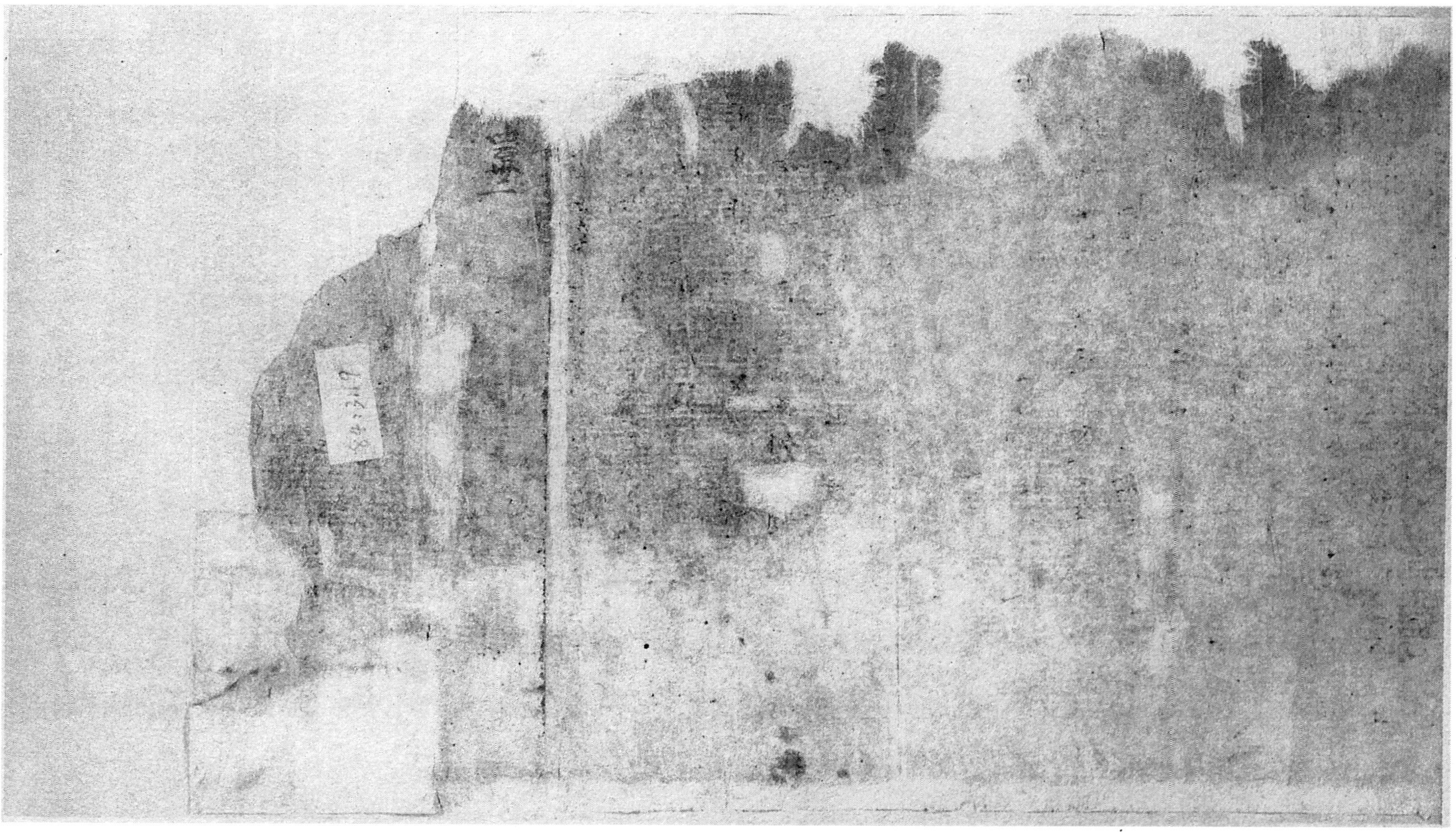

BD03122號背　勘記　　（1–1）

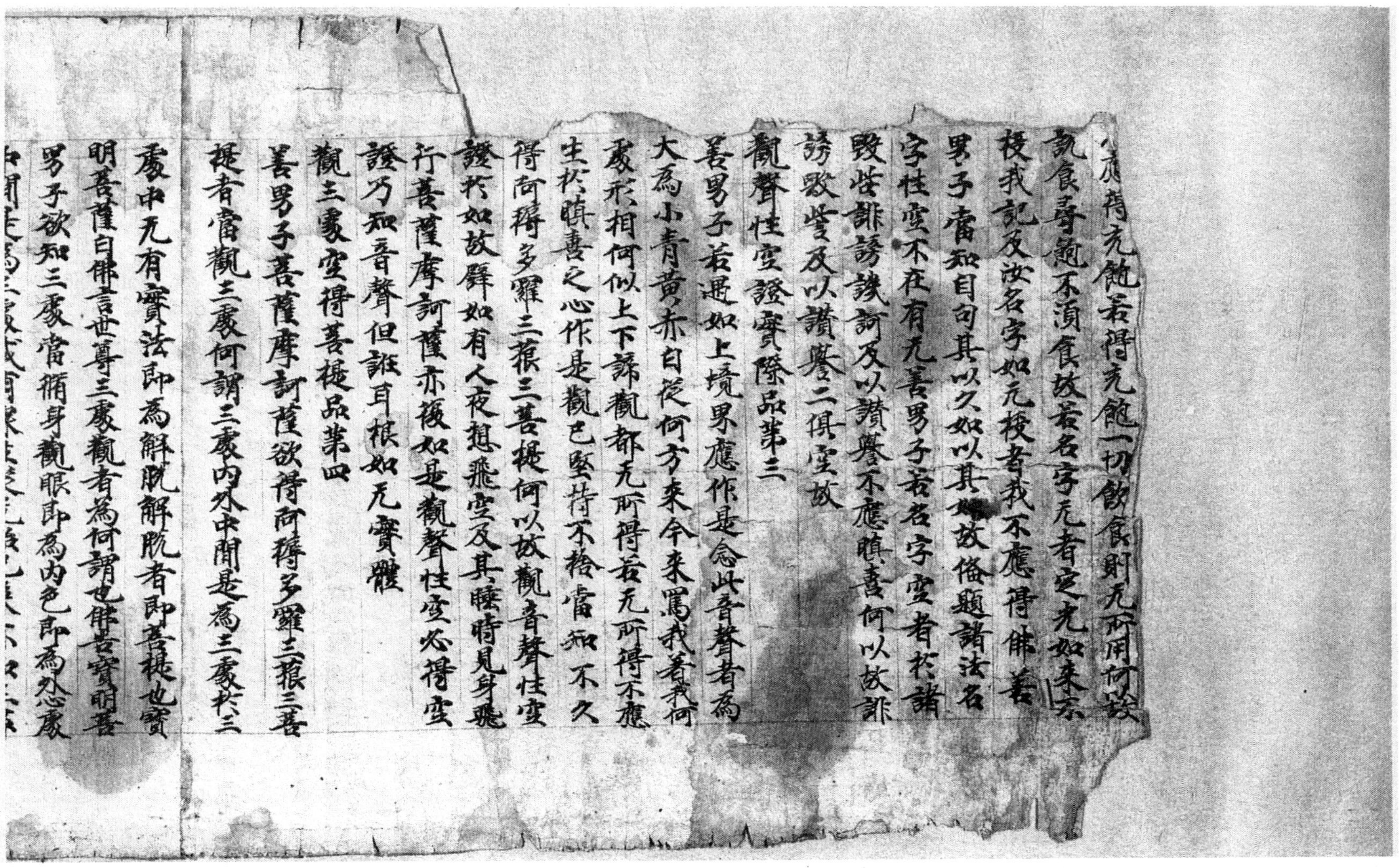

之處得无飽若得无飽一切飲食則无所用何故
飢食尋飽不須食故若名字无者定无如來亦
授我記及汝名字如无授者我不應得佛善
男子當知自句其以久如以其實故假題諸法名
字性空不在有无善男子若名字空者於諸
毀呰誹謗譏訶及以讚譽不應瞋喜何以故誹
謗毀呰及以讚譽二俱空故
觀聲性空證實際品第三
善男子若遇如上境界應作是念此音聲者爲
大爲小青黃赤白從何方來今來罵我著我何
處形相何似上下諦觀都无所得若无所得不應
生於瞋喜之心作是觀已堅持不捨當知不久
得阿耨多羅三藐三菩提何以故觀音聲性空
證於如故譬如有人夜想飛空及其睡時見身飛
行菩薩摩訶薩亦復如是觀聲性空必得空
證乃知音聲但誑耳根如无實體
觀三處空得菩提品第四
善男子菩薩摩訶薩欲得阿耨多羅三藐三菩
提者當觀三處何謂三處內外中間是爲三處於三
處中无有實法即爲解脫解脫者即菩提也實
明菩薩白佛言世尊三處觀者爲何謂也佛告寶明菩
男子欲知三處當循身觀眼即爲內色即爲外心處

BD03123號　法句經（僞經）　（3–1）

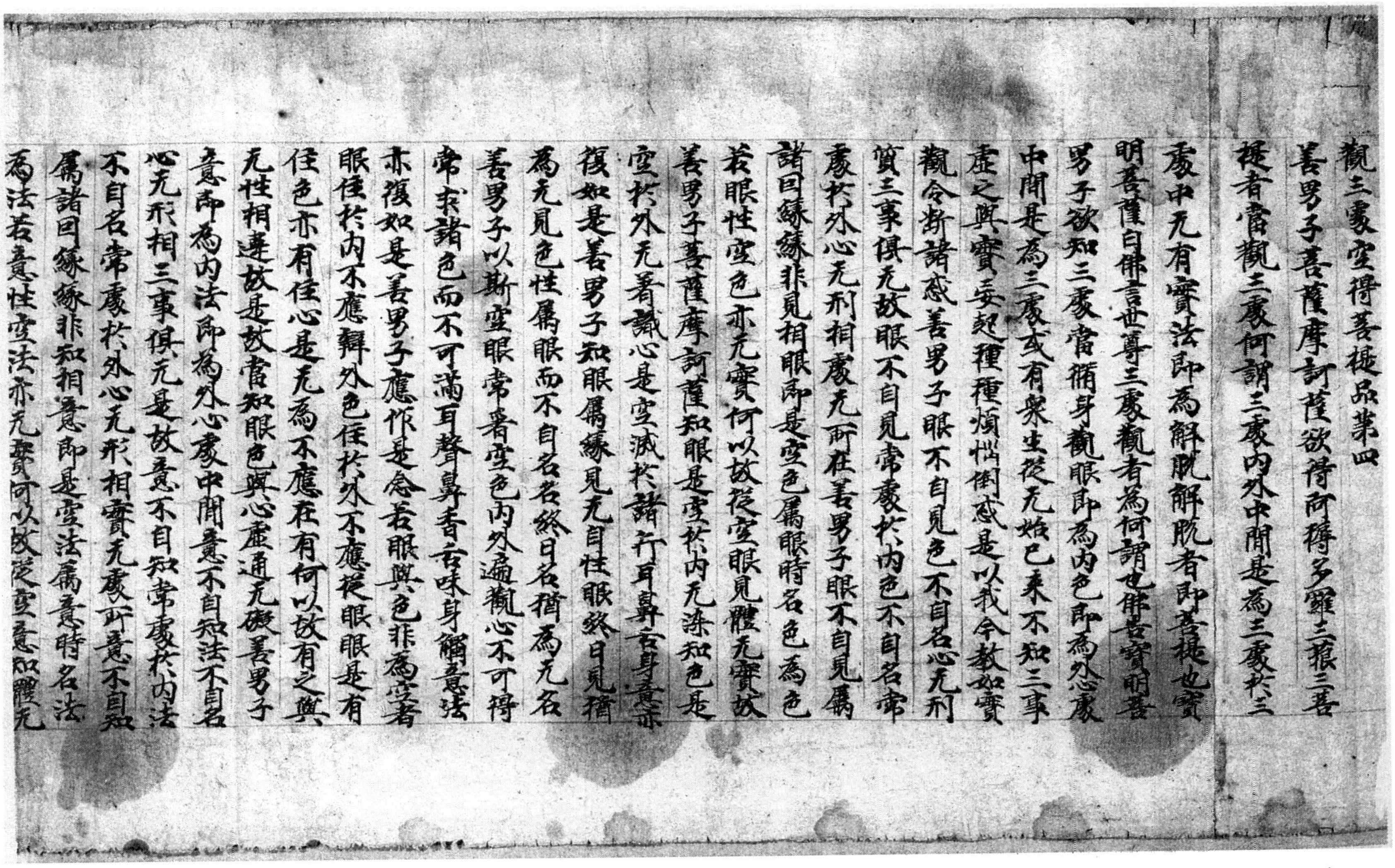

觀三處空得菩提品第四
善男子菩薩摩訶薩欲得阿耨多羅三藐三菩
提者當觀三處何謂三處內外中間是爲三處於三
處中无有實法即爲解脫解脫者即菩提也實
明菩薩白佛言世尊三處觀者爲何謂也佛告寶明菩
男子欲知三處當循身觀眼即爲內色即爲外心處
中間是爲三處或有衆生從无始已來不知三事
虛之與實妄起種種煩惱倒惑是以我今教如實
觀令斷諸惑善男子眼不自見色不自名心无形
質三事俱无故眼不自見常處於內色不自名常
處於外心无形相處无所在善男子眼不自見屬
諸因緣緣非見相眼即是空色屬眼時名色爲色
若眼性空色亦无實何以故從空眼見體无實故
善男子菩薩摩訶薩知眼是空於內无染知色是
空於外无著識心是空滅於諸行耳鼻舌身意亦
復如是善男子知眼屬緣見无自性眼終日見猶
爲无見色性屬眼而不自名名終日名猶爲无名
善男子以斯空眼常看空色內外遍觀心不可得
常求諸色而不可滿耳聲鼻香舌味身觸意法
亦復如是善男子應作是念若眼與色非爲空者
眼住於內不應離外色住於外不應從眼眼是有
住色亦有住心是无爲不應在有何以故有之與
无性相違故是故當知眼色與心虛通无礙善男子
意即爲內法即爲外心處中間意不自知法不自名
心无形相三事俱无是故意不自知常處於內法
不自名常處於外心无形相實无處所意不自知
屬諸因緣緣非知相意即是空法屬意時名法
爲法若意性空法亦无實何以故從空意知體无

BD03123號　法句經（僞經）　（3–2）

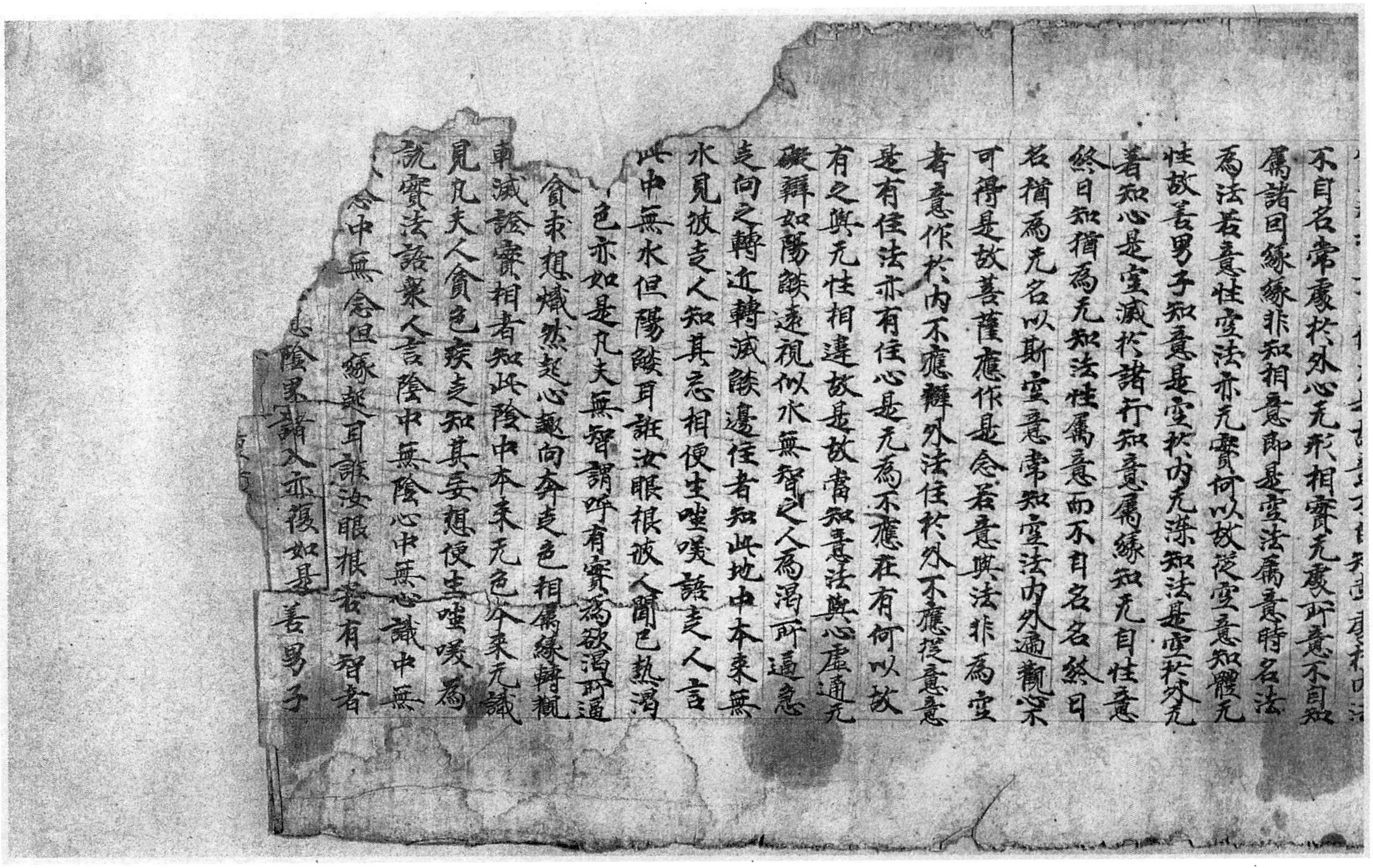
不自名常處於外心无形相實无處所意不自知
屬諸因緣緣非知相意即是空法屬意時名法
爲法若意性空法亦无實何以故從空意知體无
性故善男子知意是空於內无染知法是空於外无
著知心是空滅於諸行知意屬緣知无自性意
終日知猶爲无知法性屬意而不自名名終日
名猶爲无名以斯空意常知空法內外遍觀空不
可得是故菩薩應作是念若意與法非爲空
者意作於內不應離外法住於外不應從意意
是有住法亦有住心是无爲不應在有何以故
有之與无性相違故是故當知意法與心虛通无
礙辯如陽焰遠視似水無智之人爲渴所逼急
走向之轉近轉滅焰邊住者知此地中本來無
水見彼走人知其忘相便生嗟嘆語走人言
此中無水但陽焰耳誑汝眼根彼人聞已熱渴
色亦如是凡夫無智謂呼有實爲欲渴所逼
貪求想熾然起心趣向奔走色相屬緣轉觀
東滅證實相者知此陰中本來无色外來无識
見凡夫人貪色疾走知其妄想便生嗟嘆爲
說實法語衆人言陰中無陰心中無心識中無
心中無念但緣起耳誑汝眼根著有智者
心陰界諸入亦復如是善男子

BD03123 號　法句經（僞經）　（3–3）

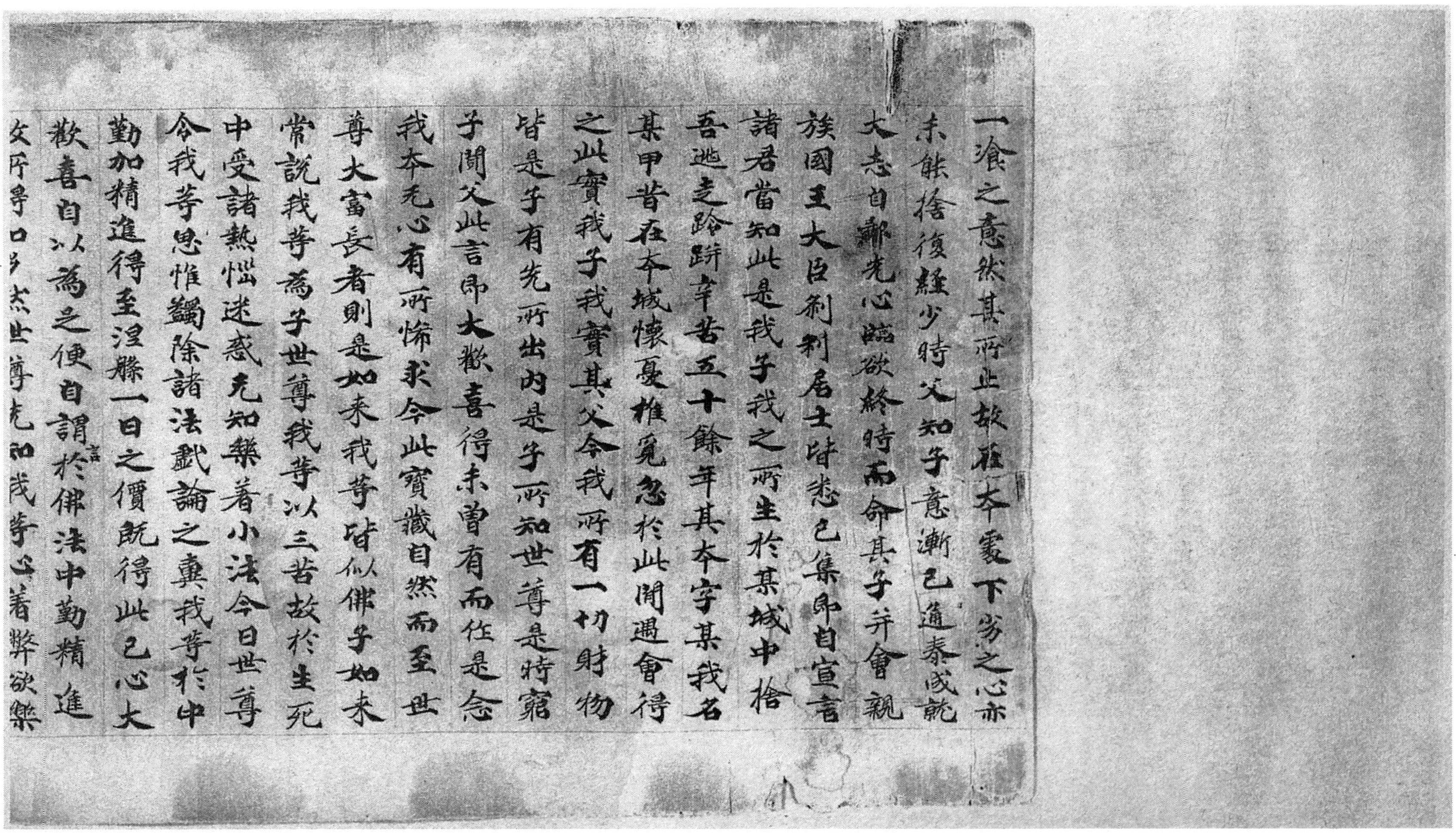
一飡之意然其所止故在本處下劣之心亦
未能捨復經少時父知子意漸已通泰成就
大志自鄙先心臨欲終時而命其子并會親
族國王大臣剎利居士皆悉已集即自宣言
諸君當知此是我子我之所生於某城中捨
吾逃走跉跰辛苦五十餘年其本字某我名
某甲昔在本城懷憂推覓忽於此間遇會得
之此實我子我實其父今我所有一切財物
皆是子有先所出內是子所知世尊是時窮
子聞父此言即大歡喜得未曾有而作是念
我本无心有所悕求今此寶藏自然而至世
尊大富長者則是如來我等皆似佛子如來
常說我等爲子世尊我等以三苦故於生死
中受諸熱惱迷惑无知樂著小法今日世尊
令我等思惟蠲除諸法戲論之糞我等於中
勤加精進得至涅槃一日之價既得此已心大
歡喜自以爲足便自謂言於佛法中勤精進
故所得弘多然世尊先知我等心著弊欲樂

BD03124 號　妙法蓮華經卷二　（7–1）

中受諸熱惱迷惑无知樂著小法今日世尊
令我等思惟蠲除諸法戲論之糞我等於中
勤加精進得至涅槃一日之價既得此已心大
歡喜自以為足便自謂言於佛法中勤精進
故所得弘多然世尊先知我等心著弊欲樂
於小法便見縱捨不為分別汝等當有如來
知見寶藏之分世尊以方便力說如來智慧
我等從佛得涅槃一日之價以為大得於此
大乘无有志求我等又因如來智慧為諸菩
薩開示演說而自於此无有志願所以者何
佛知我等心樂小法以方便力隨我等說而
我等不知真是佛子今我等方知世尊於佛
智慧无所悋惜所以者何我等昔來真是佛
子而但樂小法若我等有樂大之心佛則為
我說大乘法此經中唯說一乘而昔於菩薩
前毀呰聲聞樂小法者然佛實以大乘教化
是故我等說本无心有所悕求今法王大寶
自然而至如佛子所應得者皆已得之尒時
摩訶迦葉欲重宣此義而說偈言
我等今日　聞佛音教　歡喜踊躍　得未曾有
佛說聲聞　當得作佛　无上寶聚　不求自得
譬如童子　幼稚无識　捨父逃逝　遠到他土
周流諸國　五十餘年　其父憂念　四方推求
求之既疲　頓止一城　造立舍宅　五欲自娛
其家巨富　多諸金銀　車𤦲馬瑙　真珠琉璃

BD03124號　妙法蓮華經卷二　（7–2）

譬如童子　幼稚无識　捨父逃逝　遠到他土
周流諸國　五十餘年　其父憂念　四方推求
求之既疲　頓止一城　造立舍宅　五欲自娛
其家巨富　多諸金銀　車𤦲馬瑙　真珠琉璃
象馬牛羊　輦輿車乘　田業僮僕　人民衆多
出入息利　乃遍他國　商估賈人　无處不有
千万億衆　圍繞恭敬　常為王者　之所愛念
群臣豪族　皆共宗重　以諸緣故　往來者衆
豪富如是　有大力勢　而年朽邁　益憂念子
夙夜惟念　死時將至　癡子捨我　五十餘年
庫藏諸物　當如之何　尒時窮子　求索衣食
從邑至邑　從國至國　或有所得　或无所得
飢餓羸瘦　體生瘡癬　漸次經歷　到父住城
傭賃展轉　遂至父舍　尒時長者　於其門內
施大寶帳　處師子座　眷屬圍繞　諸人侍衛
或有計算　金銀寶物　出內財產　注記券疏
窮子見父　豪貴尊嚴　謂是國王　若是王等
驚怖自怪　何故至此　覆自念言　我若久住
或見逼迫　強驅使作　思惟是已　馳走而去
借問貧里　欲往傭作　長者是時　在師子座
遥見其子　嘿而識之　即勑使者　追捉將來
窮子驚喚　迷悶躃地　是人執我　必當見殺
何用衣食　使我至此　長者知子　愚癡狹劣
不信我言　不信是父　即以方便　更遣餘人
眇目矬陋　无威德者　汝可語之　云當相雇

BD03124號　妙法蓮華經卷二　（7–3）

窮子驚喚　迷悶躃地　是人執我　必當見煞
何用衣食　使我至此　長者知子　愚癡狹劣
不信我言　不信是父　即以方便　更遣餘人
眇目矬陋　无威德者　汝可語之　云當相雇
除諸糞穢　倍與汝價　窮子聞之　歡喜隨來
為除糞穢　淨諸房舍　長者於牖　常見其子
念子愚劣　樂為鄙事　於是長者　著弊垢衣
執除糞器　往到子所　方便附近　語令勤作
既益汝價　并塗足油　飲食充足　薦席厚暖
如是苦言　汝當勤作　又以軟語　若如我子
長者有智　漸令入出　經二十年　執作家事
示其金銀　真珠頗梨　諸物出入　皆使令知
猶處門外　止宿草菴　自念貧事　我无此物
父知子心　漸已曠大　欲與財物　即聚親族
國王大臣　剎利居士　於此大眾　說是我子
捨我他行　經五十歲　自見子來　已二十年
昔於某城　而失是子　周行求索　遂來至此
凡我所有　舍宅人民　悉以付之　恣其所用
子念昔貧　志意下劣　今於父所　大獲珍寶
并及舍宅　一切財物　甚大歡喜　得未曾有
佛亦如是　知我樂小　未曾說言　汝等作佛
而說我等　得諸无漏　成就小乘　聲聞弟子
佛勅我等　說最上道　脩習此者　當得成佛
我承佛教　為大菩薩　以諸因緣　種種譬喻
若干言辭　說无上道　諸佛子等　從我聞法

BD03124號　妙法蓮華經卷二　（7–4）

佛勅我等　說最上道　脩習此者　當得成佛
我承佛教　為大菩薩　以諸因緣　種種譬喻
若干言辭　說无上道　諸佛子等　從我聞法
日夜思惟　精勤脩習　是時諸佛　即授其記
汝於來世　當得作佛　一切諸佛　祕藏之法
但為菩薩　演其實事　而不為我　說斯真要
如彼窮子　得近其父　雖知諸物　心不悕取
我等雖說　佛法寶藏　自无志願　亦復如是
我等內滅　自謂為足　唯了此事　更无餘事
我等若聞　淨佛國土　教化眾生　都无欣樂
所以者何　一切諸法　皆悉空寂　无生无滅
无大无小　无漏无為　如是思惟　不生喜樂
我等長夜　於佛智慧　无貪无著　无復志願
而自於法　謂是究竟　我等長夜　脩習空法
得脫三界　苦惱之患　住最後身　有餘涅槃
佛所教化　得道不虛　則為已得　報佛之恩
我等雖為　諸佛子等　說菩薩法　以求佛道
而於是法　永无願樂　導師見捨　觀我心故
初不勸進　說有實利　如富長者　知子志劣
以方便力　柔伏其心　然後乃付　一切財物
佛亦如是　現希有事　知樂小者　以方便力
調伏其心　乃教大智　我等今日　得未曾有
非先所望　而今自得　如彼窮子　得无量寶
世尊我今　得道得果　於无漏法　得清淨眼
我等長夜　持佛淨戒　始於今日　得其果報

BD03124號　妙法蓮華經卷二　（7–5）

佛亦如是　現希有事　知樂小者　以方便力
調伏其心　乃教大智　我等今日　得未曾有
非先所望　而今自得　如彼窮子　得无量寶
世尊我今　得道得果　於无漏法　得清淨眼
我等長夜　持佛淨戒　始於今日　得其果報
法王法中　久脩梵行　今得无漏　无上大果
我等今者　真是聲聞　以佛道聲　令一切聞
我等今者　真阿羅漢　於諸世間　天人魔梵
普於其中　應受供養　世尊大恩　以希有事
憐愍教化　利益我等　无量億劫　誰能報者
手足供給　頭頂礼敬　一切供養　皆不能報
若以頂戴　兩肩荷負　於恒沙劫　盡心恭敬
又以美膳　无量寶衣　及諸卧具　種種湯藥
牛頭栴檀　及諸珎寶　以起塔廟　寶衣布地
如斯等事　以用供養　於恒沙劫　亦不能報
諸佛希有　无量无邊　不可思議　大神通力
无漏无為　諸法之王　能為下劣　忍于斯事
取相凡夫　隨宜為説　諸佛於法　得冣自在
知諸衆生　種種欲樂　及其志力　隨所堪任
以无量喻　而為説法　隨諸衆生　宿世善根
又知成熟　未成熟者　種種籌量　分別知已
於一乘道　隨宜説三

妙法蓮華經卷第二

BD03124號　妙法蓮華經卷二　（7–6）

若以頂戴　兩肩荷負　於恒沙劫　盡心恭敬
又以美膳　无量寶衣　及諸卧具　種種湯藥
牛頭栴檀　及諸珎寶　以起塔廟　寶衣布地
如斯等事　以用供養　於恒沙劫　亦不能報
諸佛希有　无量无邊　不可思議　大神通力
无漏无為　諸法之王　能為下劣　忍于斯事
取相凡夫　隨宜為説　諸佛於法　得冣自在
知諸衆生　種種欲樂　及其志力　隨所堪任
以无量喻　而為説法　隨諸衆生　宿世善根
又知成熟　未成熟者　種種籌量　分別知已
於一乘道　隨宜説三

妙法蓮華經卷第二

BD03124號　妙法蓮華經卷二　（7–7）

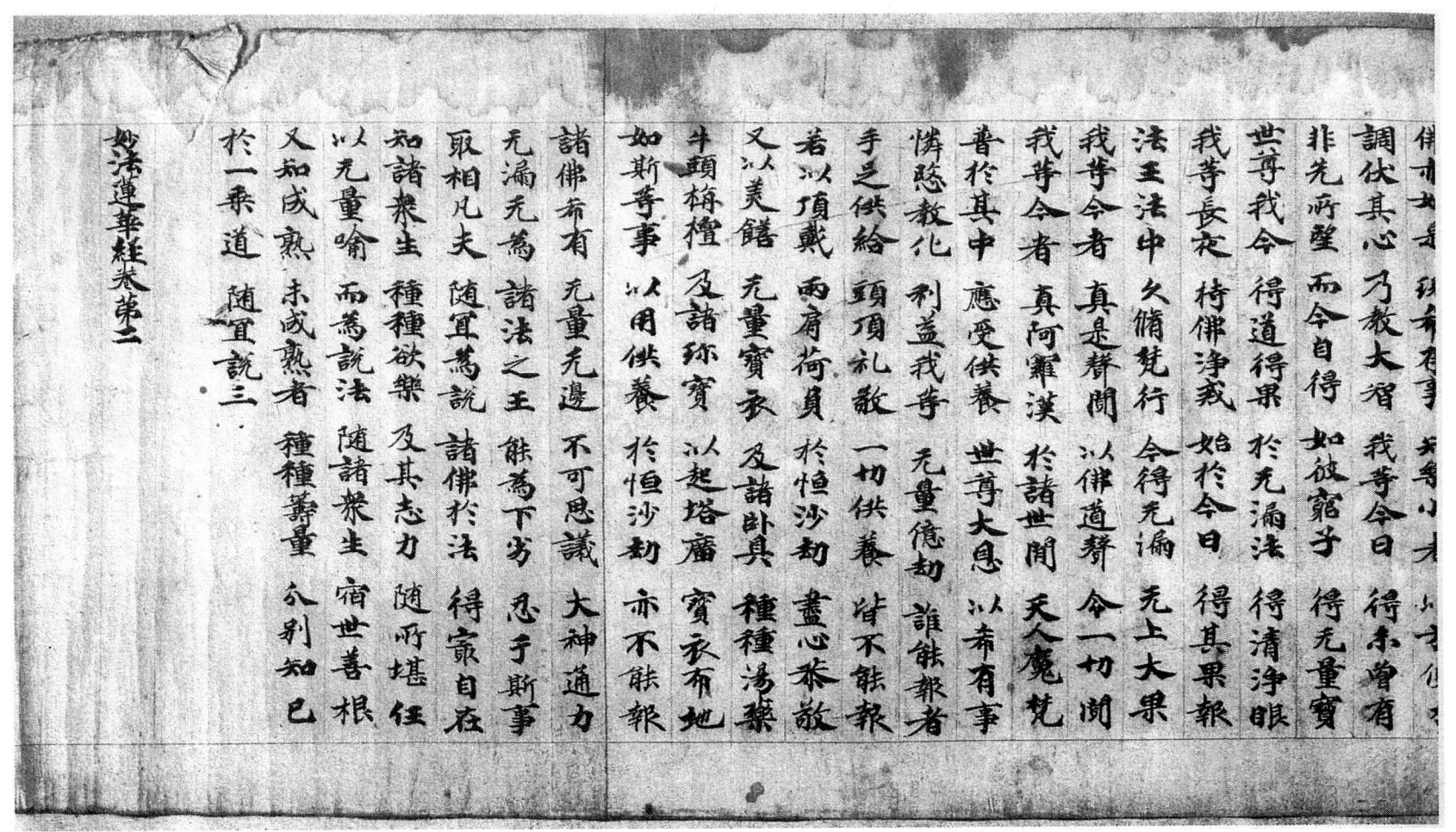

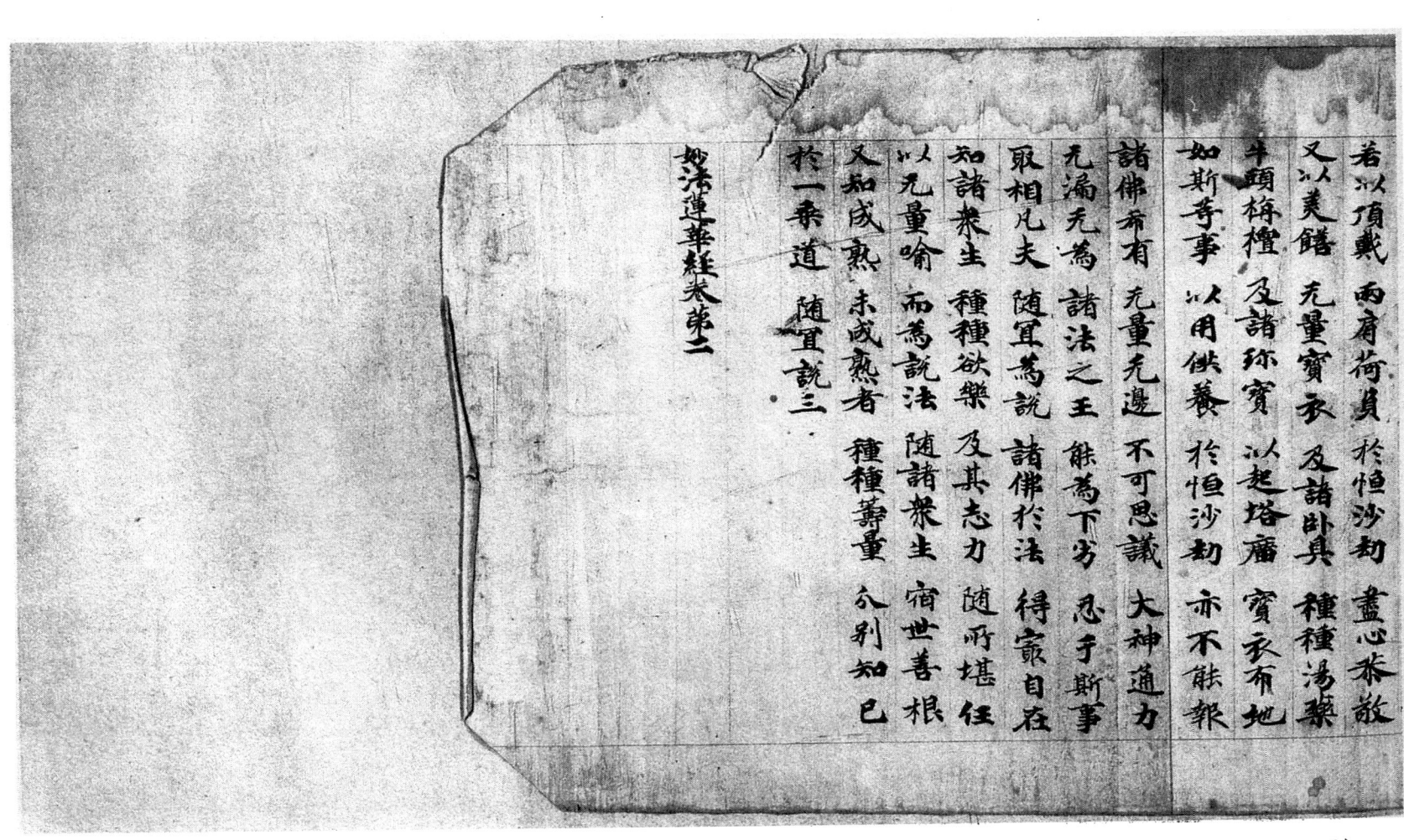

……苦從地獄出
希得人身生於貧賤處於母胎即无兩目尒時
善住天子聞此聲已即大驚怖身毛皆竪
愁憂不樂速疾往詣天帝釋所悲號啼哭惶
怖无計頂礼帝釋二足尊已白帝釋言聽我
所說我與諸天女共相圍遶受諸快樂聞有
聲言善住天子却後七日命將欲盡命終之
後生贍部洲七返受畜生身受七身已即生
諸地獄從地獄出希得人身生貧賤家无其
兩目天帝云何令我得免斯苦尒時帝釋聞
善住天子語已甚大驚愕即自思惟此善住
天子受何七返惡道之身尒時帝釋須臾靜
住入定諦觀即見善住當受七返惡道之身
所謂猪狗野干獼猴蟒虵烏鷲等身食諸穢
惡不淨之物尒時帝釋觀見善住天子當墮
七返惡道之身極助苦惱痛割於心諦思无
計何所歸依唯有如來應正等覺令具善
住得免斯苦
尒時帝釋即於此日初夜分時以種種花鬘
塗香末香以妙天衣莊嚴執持往詣檐多林

BD03125號　佛頂尊勝陀羅尼經（佛陀波利本）　（9–1）

惡不淨之物尒時帝釋觀見善住天子當墮
七返惡道之身極助苦惱痛割於心諦思无
計何所歸依唯有如來應正等覺令具善
住得免斯苦
尒時帝釋即於此日初夜分時以種種花鬘
塗香末香以妙天衣莊嚴執持往詣檐多林
園於世尊所到已頂礼佛足右遶七帀即於
佛前廣大供養佛前胡跪而白佛言世尊
善住天子云何當受七返畜生惡道之身具
如上說
尒時如來頂上放種種光遍滿十方一切世界
已其光還來遶佛三帀從佛口入佛便微笑
告帝釋言天帝有陁羅尼名為如來佛頂
尊勝能淨一切惡道能淨除一切生死苦惱
又能淨除諸地獄閻羅王界畜生之苦又破
一切地獄能迴向善道天帝此佛頂尊勝陁
羅尼若有人聞一經於耳先世所造一切地獄
惡業皆悉消滅當得清淨之身隨所生處憶
持不忘從一佛剎至一佛剎從一天界至一天
界遍歷三十三天所生之處憶持不忘天帝
若人命欲將終須臾憶念此陁羅尼還得增
壽得身口意淨身无苦痛隨其福利隨處安
隱一切如來之所觀視一切天神恒常侍衛為人
所敬惡鄣消滅一切菩薩同心覆護天帝若人
能須臾讀誦此陁羅尼者此人所有一切地獄
畜生閻羅王界餓鬼之苦破壞消滅无有遺
餘諸佛剎土及諸天宮一切菩薩所之門无
有鄣礙隨意遊入

BD03125號　佛頂尊勝陀羅尼經（佛陀波利本）　（9–2）

能須臾讀誦此陁羅尼者此人所有一切地獄
畜生閻羅王界餓鬼之苦破壞消滅无有遺
餘諸佛刹土及諸天宮一切菩薩所之門无
有鄣礙隨意進入
尒時帝釋白佛言世尊唯願如來為衆
生說增益壽命之法
尒時世尊知帝釋意心之所念樂聞佛說
是陁羅尼法即說呪曰
那謨薄伽跋帝一啼入聲𠺕路迦䂦耶反鉢囉底毗
失瑟吒長聲耶余何反下同二勃陁長聲耶薄伽跋底三怛姪他四
唵長聲五毗輸駄耶沙摩三漫多皤又何反下准婆長聲婆六
娑撥囉拏揭底伽訶那娑婆長聲婆輸秫輸律反下同音地七
阿鼻詵去聲者蘇揭多伐折那八阿嚧蜜嘌多毗曬
罽平聲九阿上聲訶囉長聲阿訶囉十下同阿長聲瑜散陁長聲
羅尼十一輸駄耶輸駄耶十二伽伽那毗秫提十三烏瑟
尼沙毗逝耶秫提十四娑訶娑囉喝囉濕弭珊珠
地帝十五薩婆怛他揭多地瑟吒長聲那阿地瑟恥
帝慕姪曬十六拔折囉迦長聲耶僧訶多那秫提
十七薩婆伐囉拏毗秫提十八鉢囉底祢怛耶阿長聲
瑜秫提十九薩末耶阿地瑟恥帝廿末祢末祢廿一
怛闥多部多俱胝鉢唎秫提廿二毗薩普吒勃地
秫提廿三社耶社耶余何反下同二十四毗社耶毗社耶二十五薩
末囉薩末囉勃陁阿地瑟恥多秫提二十六跋折
㘑跋折囉揭鞞二十七跋折藍婆伐都二十八摩
摩某甲受持者自稱名薩婆薩埵寫迦長聲耶毗秫提二十九
薩婆揭底鉢唎秫提三十薩婆怛他揭多三摩
濕婆娑遏地瑟恥帝三十一勃陁地耶反勃陁上同蒲
陁蒲陁耶三漫多鉢唎秫提三十二薩婆怛他

BD03125號　佛頂尊勝陀羅尼經（佛陀波利本）　（9–3）

㘑跋折囉揭鞞二十七跋折藍婆伐都二十八摩
摩某甲受持者自稱名薩婆薩埵寫迦長聲耶毗秫提二十九
薩婆揭底鉢唎秫提三十薩婆怛他揭多三摩
濕婆娑遏地瑟恥帝三十一勃陁地耶反勃陁上同蒲
陁蒲陁耶三漫多鉢唎秫提三十二薩婆怛他
揭多地瑟吒長聲那遏地瑟恥帝三十三莎婆訶長聲
佛告帝釋言此呪名淨除一切惡道佛頂
尊勝陁羅尼能除一切罪業等鄣能破一切
穢惡道苦天帝此陁羅尼八十八殑伽沙俱
胝百千諸佛同共宣說隨喜受持大如來智
印印之為破一切衆生穢惡道苦為一切地
獄畜生閻羅王界衆生得解脫故臨急苦
難墮生死海中衆生得解脫故短命薄福无
救護衆生樂造雜染惡業衆生故說又此陁
羅尼於贍部洲住持力故能令地獄惡道衆
生種種流轉生死薄福衆生不信善惡業失正
道衆生等得解脫義故
佛告天帝我說此陁羅尼付囑於汝汝當授
與善住天子復當受持讀誦思惟愛樂憶念
供養於贍部洲一切衆生廣為宣說此陁羅
尼亦為一切諸天子故說此陁羅尼印付囑
於汝天帝汝當善持守護勿令忘失
天帝若人須臾得聞此陁羅尼千劫已來積
造惡業重鄣應受種種流轉生死地獄餓鬼
畜生閻羅王界阿脩羅身夜叉羅刹身夜叉
羅刹鬼神布單那羯吒布單那阿波娑摩囉
蚊蝱龜狗蟒蛇一切諸鳥及諸猛獸一切蠢動

BD03125號　佛頂尊勝陀羅尼經（佛陀波利本）　（9–4）

畜生閻羅王界阿脩羅身夜叉羅刹身夜叉
羅刹鬼神布單那羯吒布單那阿波娑摩囉
蚊蝎龜狗蟒虵一切諸鳥及諸猛獸一切蠢動
含靈乃至蟻子之身更不重受即得轉生
諸佛如來一生補處菩薩同會處生或得大姓
婆羅門家生或得大刹利種家生或得豪貴
最勝家生天帝此人身如上貴處生者皆由聞
此陁羅尼故轉所生處皆得清淨天帝乃至
得到菩提道場最勝之處皆由讃歎此陁
羅尼功德如是
天帝此陁羅尼名吉祥能淨一切惡道此佛頂
尊勝陁羅尼猶如日藏摩尼之寶淨无瑕穢
淨等虛空光焰照徹无不周遍若諸衆生持
此陁羅尼亦復如是亦如閻浮檀金明淨柔
軟令人喜見不爲穢惡之所染著天帝若
有衆生持此陁羅尼亦復如是乘斯善淨得
生善道天帝此陁羅尼所在之處若能書寫
流通受持讀誦聽聞供養能如是者一切惡道
皆得清淨一切地獄苦惱皆消滅
佛告天帝若人能書寫此陁羅尼安高幢上
或安高山或安樓上乃至安置窣堵波中天
帝若有苾芻苾芻尼優婆塞優婆夷族
姓男族女於幢等上或見幢或與幢相近其
影映身或風吹陁羅尼上幢等上塵落在身
上天帝彼諸衆生所有罪業應墮惡道地獄
畜生閻羅王界餓鬼阿脩羅身惡道之苦皆
悉不受亦不爲罪垢染汙天帝此等衆生爲一

BD03125號　佛頂尊勝陀羅尼經（佛陀波利本）　（9–5）

姓男族女於幢等上或見幢或與幢相近其
影映身或風吹陁羅尼上幢等上塵落在身
上天帝彼諸衆生所有罪業應墮惡道地獄
畜生閻羅王界餓鬼阿脩羅身惡道之苦皆
悉不受亦不爲罪垢染汙天帝此等衆生爲一
切諸佛之所授記皆得不退轉於阿耨多羅
三藐三菩提
天帝何況更以多諸供具花鬘塗香末香幢
幡蓋等衣服瓔珞作莊嚴於四衢道造窣
堵波安陁羅尼合掌恭敬旋遶行道歸命礼
拜天帝彼人能如是供養者名摩訶薩埵真
是佛子持法棟梁又是如來全身舍利窣堵
波塔
尒時閻摩羅法王於時夜分來詣佛所到已
以種種天衣妙花塗香莊嚴供養佛已遶佛
七帀頂礼佛足而作是言我聞如來演說讃
持大力陁羅尼者我常隨逐守護不令持者
隨於地獄以彼隨順如來言教而護念之
尒時護世四天大王遶佛三帀白佛言世尊
唯願如來爲我廣說持陁羅尼法尒時佛
告四天王汝今諦聽我當爲汝宣說受持此陁
羅尼法亦爲短命諸衆生說當先洗浴著新
淨衣白月圓滿十五日時持齋誦此陁羅尼
滿其千遍令短命衆生還得增壽永離病苦
一切業鄣悉皆消滅一切地獄諸苦亦得解
脫諸飛鳥畜生含靈之類聞此陁羅尼一經
於耳盡此一身更不復受

BD03125號　佛頂尊勝陀羅尼經（佛陀波利本）　（9–6）

淨衣白月圓滿十五日時持齋誦此陁羅尼
滿其千遍令短命衆生還得增壽永離病苦
一切業鄣悉皆消滅一切地獄諸苦亦得解
脫諸飛鳥畜生含靈之類聞此陁羅尼一經
於耳盡此一身更不復受
佛言若遇大惡病聞陁羅尼即得永離一切
諸病亦得消滅應墮惡道亦得除斷即得
往生喜樂世界從此身已後更不受胞胎之身
所生之處蓮華化生一切生處憶持不忘常
識宿命佛言若人先造一切極重罪業遂即
命終乘斯惡業應墮地獄或墮畜生閻羅
王界或墮餓鬼乃至墮大阿鼻地獄或生水
中或生禽獸異類之身取其亡者隨身分
骨以土一把誦此陁羅尼二十一遍散亡者骨
上即得生天佛言若人能日日誦此陁羅尼
二十一遍應消一切世間廣大供養捨身往
生極樂世界若常誦念得大涅槃復增壽
命受勝快樂捨此身已即得往生種種微妙諸
佛剎土常與諸佛俱會一處一切如來恒為演說
微妙之義一切世尊即授其記身光照曜一
切剎土佛言若誦此陁羅尼法於其佛前先
取淨土作壇隨其大小方四角作以種種草花
花散於壇上燒衆名香右膝着地胡跪心常
念佛作慕陁羅印屈其頭指以大母指押合
掌當其心上誦此陁羅尼一百八遍訖於其
壇中如雲王雨花能遍供養八十八俱胝殑伽
沙那庚多百千諸佛彼佛世尊咸共讚言

BD03125號　佛頂尊勝陀羅尼經（佛陀波利本）　（9–7）

念佛作慕陁羅印屈其頭指以大母指押合
掌當其心上誦此陁羅尼一百八遍訖於其
壇中如雲王雨花能遍供養八十八俱胝殑伽
沙那庚多百千諸佛彼佛世尊咸共讚言
善哉希有真是佛子即得无鄣礙智三昧得
大菩提心莊嚴三昧持此陁羅尼法應如是
佛言天帝我以此方便一切衆生應墮地獄
道令得解脫一切惡道亦得清淨復令持者
增益壽命天帝汝去將我陁羅尼授與善住
天子滿其七日與善住俱來見我
尒時天帝於世尊所受此陁羅尼法奉持還
於本天授與善住天子尒時善住天子受此
陁羅尼已滿六日六夜依法受持一切願滿
應受一切惡道等苦即得解脫住菩提道增
壽无量甚大歡喜高聲歎言希有如來希
有妙法希有明驗甚為難得令我解脫
尒時帝釋至第七日與善住天子將諸天衆
嚴持花鬘塗香末香寶幢幡蓋天衣瓔珞微
妙莊嚴往詣佛所設大供養以妙天衣及諸
瓔珞供養世尊遶百千帀於佛前立踊躍歡
喜而坐聽法
尒時世尊舒金色臂摩善住天子頂而為說
法授菩提記佛言此經名淨一切惡道佛頂
尊勝陁羅尼汝當受持尒時大衆聞法
歡喜信受奉行
佛頂尊勝陁羅尼經

BD03125號　佛頂尊勝陀羅尼經（佛陀波利本）　（9–8）

於本天授與善住天子尒時善住天子受此
陁羅尼已滿六日六夜依法受持一切願滿
應受一切惡道等苦即得解脫住菩提道增
壽无量甚大歡喜高聲難言希有如來希
有妙法希有明驗甚為難得令我解脫
尒時帝釋至第七日與善住天子將諸天衆
嚴持花鬘塗香末香寶幢幡蓋天衣瓔珞微
妙莊嚴往詣佛所設大供養以妙天衣及諸
瓔珞供養世尊遶百千帀於佛前立踊躍歡
喜而坐聽法
尒時世尊舒金色臂摩善住天子頂而為說
法授菩提記佛言此經名淨一切惡道佛頂
尊勝陁羅尼汝當受持尒時大衆聞法
歡喜信受奉行

佛頂尊勝陁羅尼經

BD03125 號　佛頂尊勝陀羅尼經（佛陀波利本）　（9–9）

色白光　白潔舍利弗極樂國
莊嚴
復次舍利弗　國常有　妙雜色之鳥白鵠孔
雀鸚鵡舍利迦陵頻伽共命之　諸衆鳥晝
時出和雅音其音演暢五根五　提分八聖
如是等法其土衆生聞是音已　悉念佛念法念僧
舍利弗汝勿謂此鳥實　所生所以者何彼佛
國土无三惡趣舍利弗　土尚无三惡道之名何
況有實是諸衆鳥皆是阿彌陁佛欲令法音宣流
變化所作舍利弗彼佛國土微風吹動諸寶行樹及
寶羅網出微妙音譬如百千種樂同時俱作聞是音
者皆自然生念佛念法念僧之心舍利弗其佛國土成
就如是功德莊嚴
舍利弗於汝意云何彼佛何故号阿弥陁舍利弗彼佛
光明无量照十方國无所鄣㝵是故号阿弥陁又舍利
弗彼佛壽命及其人民无量无邊阿僧祇劫故名
阿弥陁舍利弗阿弥陁佛成佛已來於今十劫又舍利弗
彼佛有无量无邊聲聞弟子皆阿羅漢非是筭數
之所能知諸菩薩亦如是舍利弗彼佛國土成就如
是功德莊嚴

BD03126 號　阿彌陀經　（4–1）

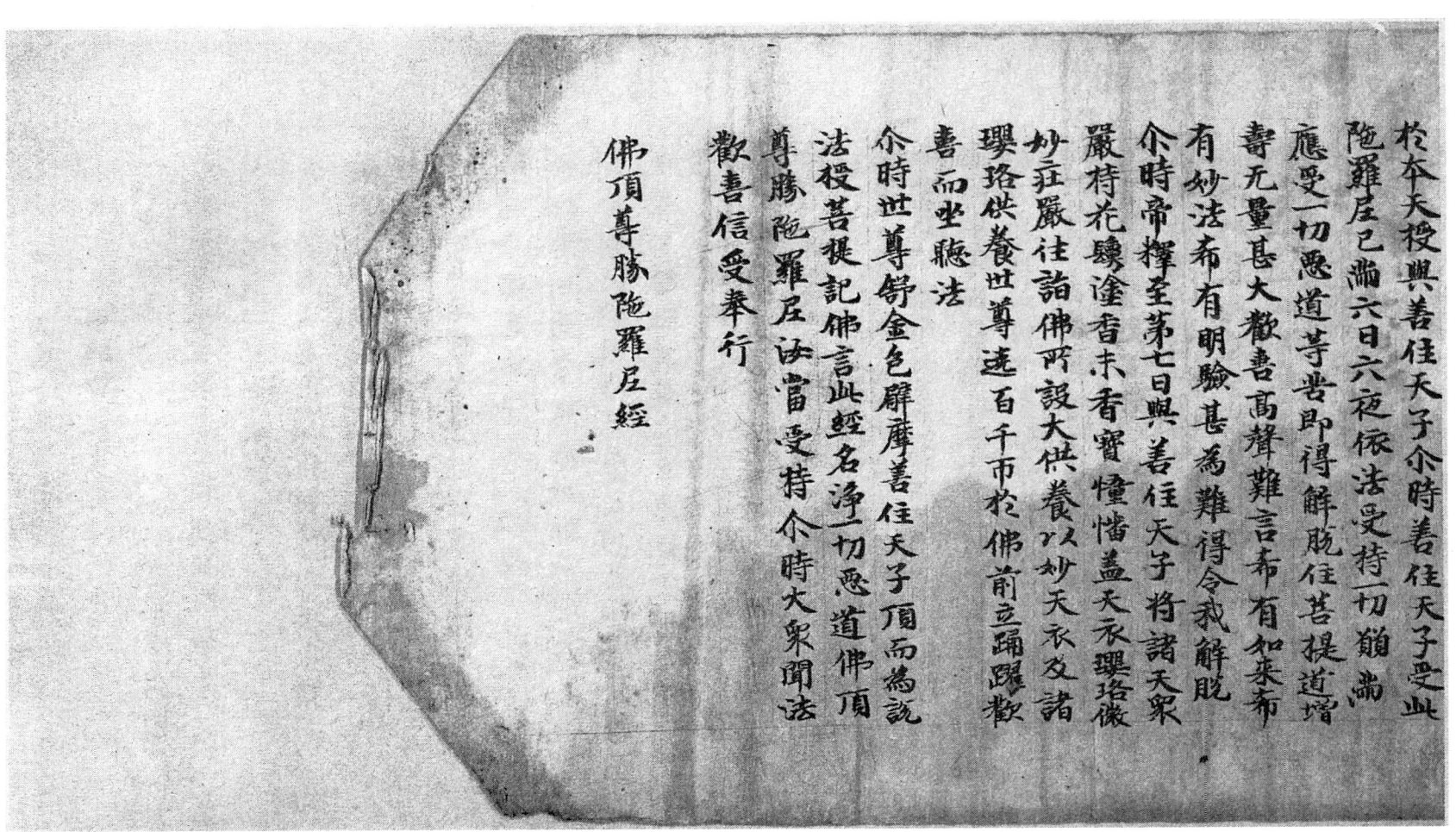

阿弥陀舍利弗阿弥陀佛成佛已來於今十劫又舍利弗
彼佛有无量无邊聲聞弟子皆阿羅漢非是筭數
之所能知諸菩薩亦如是舍利弗彼佛國土成就如
是功德莊嚴
又舍利弗極樂國衆生生者皆是阿鞞跋致其中多
有一生補處其數甚多非是筭數所能知之但可以无
量无邊阿僧祇劫說舍利弗衆生聞者應當發願
願生彼國所以者何得與如是諸上善人俱會一處舍利
弗不可以少善根福德因緣得生彼國
舍利弗若有善男子善女人聞說阿弥陀佛執持名号若
一日若二日若三日若四日若五日若六日若七日一心不亂
其人臨命終時阿弥陀佛與諸聖衆現在其前是人
終時心不顛倒即得往生阿弥陀佛極樂國舍利弗
我見是利故說此言若有衆生聞是說者應當發
願生彼國土
舍利弗如我今者讚歎阿弥陀佛不可思議功德東
方有阿閦佛鞞須弥相佛大須弥佛須弥光佛妙音
佛如是等恒河沙數諸佛各於其國出廣長舌相遍
覆三千大千世界說誠實言汝等衆生當信是稱
讚不可思議功德一切諸佛所護念經
舍利弗南方世界有日月燈佛名聞光佛大焰肩佛
須弥燈佛无量精進佛如是等恒河沙數諸佛各
於其國出廣長舌相遍覆三千大千世界說誠實
言汝等衆生當信是稱讚不可思議功德一切諸
佛所護念經
舍利弗西方世界有无量壽佛无量相佛无量幢
佛大光佛大明佛寶相佛淨光佛如是等恒河沙
數諸佛各於其國出廣長舌相遍覆

BD03126 號　阿彌陀經　（4–2）

言汝等衆生當信是稱讚不可思議功德一切諸
佛所護念經
舍利弗西方世界有无量壽佛无量相佛无量幢
佛大光佛大明佛寶相佛淨光佛如是等恒河沙
數諸佛各於其國出廣長舌相遍覆三千大千世界
說誠實言汝等衆生當信是稱讚不可思議功德
一切諸佛所護念經
舍利弗北方世界有焰肩佛最勝音佛難沮佛日
生佛網明佛如是等恒河沙數諸佛各於其國出廣
長舌相遍覆三千大千世界說誠實言汝等衆生
當信是稱讚不可思議功德一切諸佛所護念經
舍利弗下方世界有師子佛名聞佛名光佛達摩佛
法幢佛持法佛如是等恒河沙數諸佛各於其國
出廣長舌相遍覆三千大千世界說誠實言汝等
衆生當信是稱讚不可思議功德一切諸佛所護念
經
舍利弗上方世界有梵音佛宿王佛香上佛香光佛大
焰肩佛雜色寶華嚴身佛娑羅樹王佛寶華德
佛見一切義佛須弥山佛如是等恒河沙數諸佛各於
其國出廣長舌相遍覆三千大千世界說誠實言汝
等衆生當信是稱讚不可思議功德一切諸佛所護念
經
　舍利弗於汝意云何何故名一切諸佛所護念經
舍利弗若有善男子善女人聞是諸佛所說名及經名
者是諸善男子善女人皆為一切諸佛共所護念皆得不
退轉於阿耨多羅三藐三菩提故舍利弗汝等皆當
信受我語及諸佛所說
舍利弗若有人已發願當發願今發願欲生阿弥陀佛
國者是諸人等皆不退轉於阿耨多羅三藐三菩提於

BD03126 號　阿彌陀經　（4–3）

衆生當信是稱讚不可思議功德一切諸佛所護念
經　舍利弗於汝意云何何故名一切諸佛所護念經
舍利弗若有善男子善女人聞是諸佛所說名及經名
者是諸善男子善女人皆為一切諸佛共所護念皆得不
退轉於阿耨多羅三藐三菩提是故舍利弗汝等皆當
信受我語及諸佛所說
舍利弗若有人已發願今發願當發願欲生阿弥陀佛
國者是諸人等皆不退轉於阿耨多羅三藐三菩提於
彼國土若已生若今生若當生是故舍利弗諸善男子
善女人若有信者應當發願生彼國土
舍利弗如我今者稱讚諸佛不可思議功德彼諸佛等亦
稱說我不可思議功德而作是言釋迦牟尼佛能為甚難
希有之事能於娑婆國土五濁惡世劫濁見濁煩惱濁
衆生濁命濁中得阿耨多羅三藐三菩提為諸衆生說
是一切世間難信之法舍利弗當知我於五濁惡世行此難
事得阿耨多羅三藐三菩提為一切世間難信之法是為
甚難佛說此經已舍利弗及諸比丘一切世間天人阿脩羅
聞佛所說歡喜信受作禮而去
佛說阿弥陀經

BD03126 號　阿彌陀經　（4–4）

者世尊覺悟我等作如是言諸比丘汝等所
得非究竟滅我久令汝等種佛善根以方便
故示涅槃相而汝謂為實得滅度世尊我今
乃知實是菩薩得受阿耨多羅三藐三菩提
記以是因緣甚大歡喜得未曾有尒時阿
若憍陳如等欲重宣此義而說偈言
我等聞無上　安隱授記聲　歡喜未曾有　礼無量智佛
今於世尊前　自悔諸過咎　於無量佛寶　得少涅槃分
如無智愚人　便自以為足　譬如貧窮人　往至親友家
其家甚大富　具設諸餚饍　以無價寶珠　繫著內衣裏
嘿與而捨去　時臥不覺知　是人既已起　遊行詣他國
求衣食自濟　資生甚艱難　得少便為足　更不願好者
不覺內衣裏　有無價寶珠　與珠之親友　後見此貧人
苦切責之已　示以所繫珠　貧人見此珠　其心大歡喜
富有諸財物　五欲而自恣　我等亦如是　世尊於長夜
常愍見教化　令種無上願　我等無智故　不覺亦不知
得少涅槃分　自足不求餘　今佛覺悟我　言非實滅度
得佛無上慧　尒乃為真滅　我今從佛聞　受記莊嚴事
及轉次受決　身心遍歡喜
妙法蓮華經授學無學人記品第九
尒時阿難羅睺羅而作是念我等每自思惟設
得受記不亦快乎即從座起到於佛前頭

BD03127 號　妙法蓮華經卷四　（3–1）

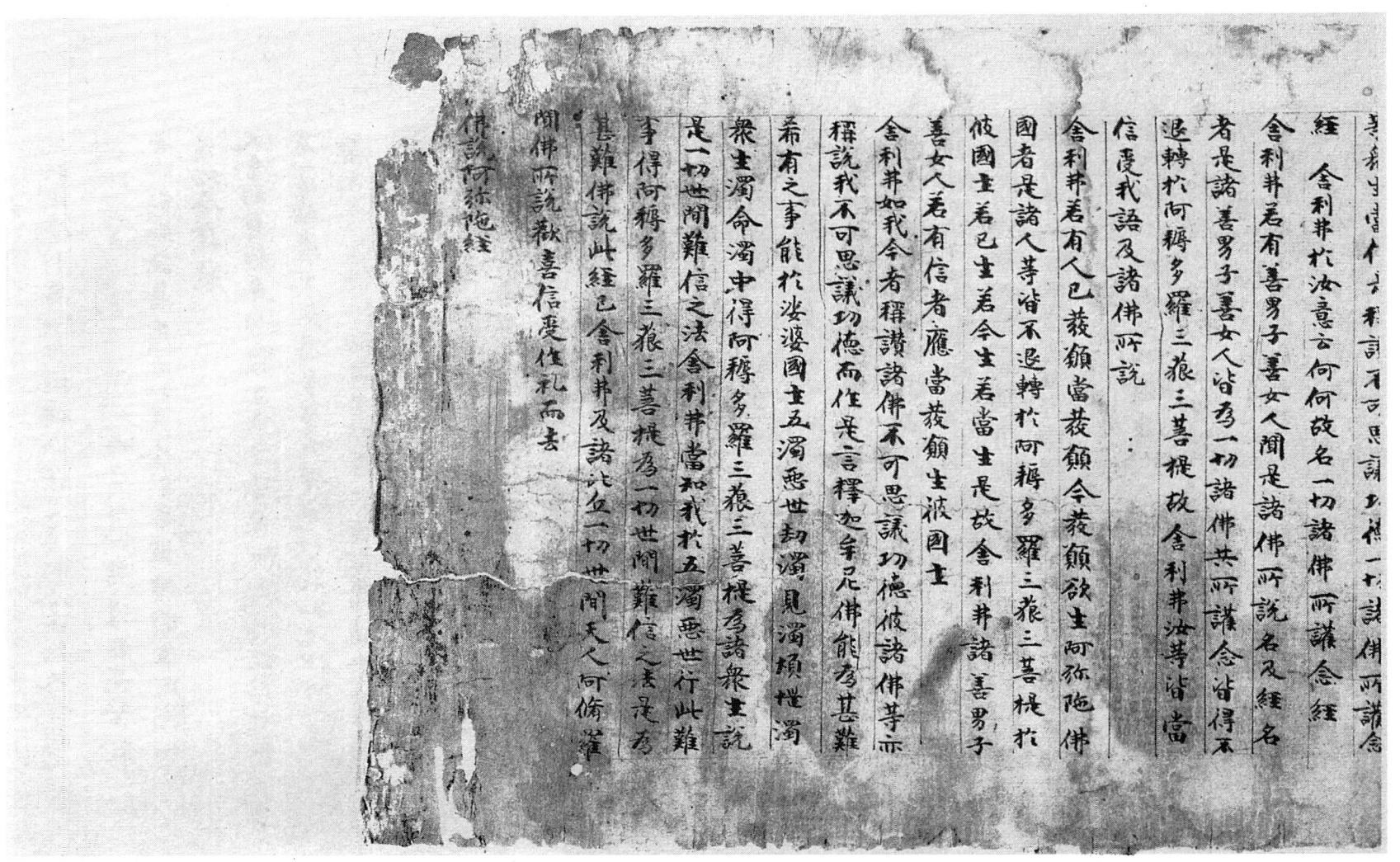

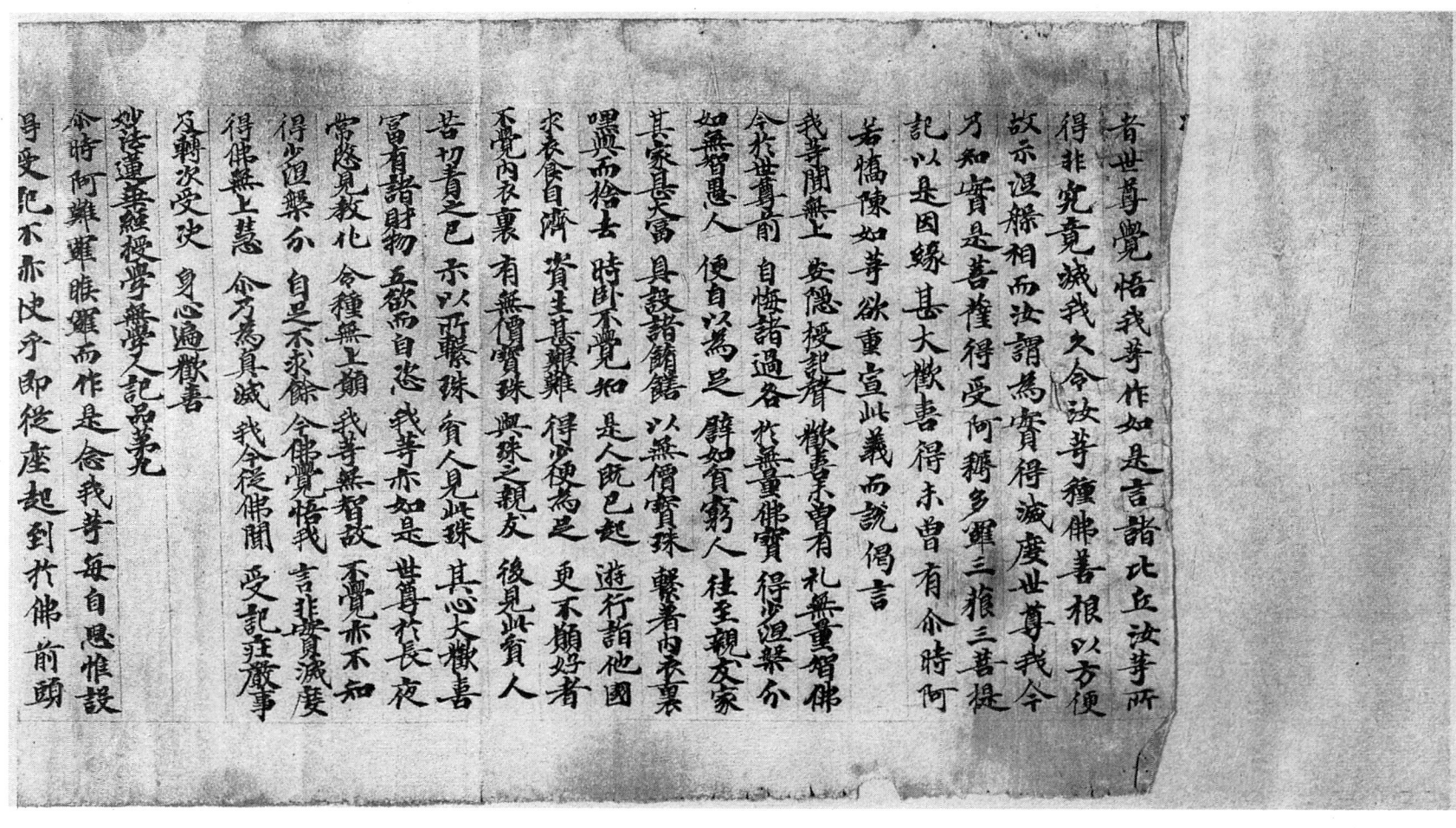

得少涅槃分　自是不求餘　今佛覺悟我　言非實滅度
得佛無上慧　尒乃爲真滅　我今從佛聞　受記莊嚴事
及轉次受決　身心遍歡喜

妙法蓮華經授學無學人記品第九

尒時阿難羅睺羅而作是念我等每自思惟設
得受記不亦快乎即從座起到於佛前頭
面礼足俱白佛言世尊我等於此亦應有分
唯有如來我等所歸又我等爲一切世間天人
阿脩羅所見知識阿難常爲侍者護持法
藏羅睺羅是佛之子若佛見授阿耨多羅三
藐三菩提記者我願既滿衆望亦足尒時學
無學聲聞弟子二千人皆從座起偏袒右肩
到於佛前一心合掌瞻仰世尊如阿難羅睺羅
所願住立一面尒時佛告阿難汝於來世當得
作佛号山海慧自在通王如來應供正遍
知明行足善逝世間解無上士調御丈夫
天人師佛世尊當供養六十二億諸佛護持
法藏然後得阿耨多羅三藐三菩提教化
二十千万億恒河沙諸菩薩等令成阿耨多
羅三藐三菩提國名常立勝幡其土清淨琉
璃爲地劫名妙音遍滿其佛壽命無量千万
億阿僧祇劫若人於千万億無量阿僧祇劫中
筭數校計不能得知正法住世倍於壽命像
法住世復倍正法阿難是山海慧自在通
王佛爲十方無量千万億恒河沙等諸佛如來
所共讚歎稱其功德尒時世尊欲重宣此義
而說偈言

BD03127號　妙法蓮華經卷四　（3–2）

法藏然後得阿耨多羅三藐三菩提教化
二十千万億恒河沙諸菩薩等令成阿耨多
羅三藐三菩提國名常立勝幡其土清淨琉
璃爲地劫名妙音遍滿其佛壽命無量千万
億阿僧祇劫若人於千万億無量阿僧祇劫中
筭數校計不能得知正法住世倍於壽命像
法住世復倍正法阿難是山海慧自在通
王佛爲十方無量千万億恒河沙等諸佛如來
所共讚歎稱其功德尒時世尊欲重宣此義
而說偈言
我今僧中說　阿難持法者　當供養諸佛　然後成正覺
号曰山海慧　自在通王佛　其國土清淨　名常立勝幡
教化諸菩薩　其數如恒沙　佛有大威德　名聞滿十方
壽命無有量　以愍衆生故　正法倍壽命　像法復倍是
如恒河沙等　無數諸衆生　於此佛法中　種佛道因緣
尒時會中新發意菩薩八千人咸作是念我
等尚不聞諸大菩薩得如是記有何因緣而
諸聲聞得如是決尒時世尊知諸菩薩心之
所念而告之曰諸善男子我與阿難等於空
王佛所同時發阿耨多羅三藐三菩提心阿難
常樂多聞我常勤精進是故我已得成阿
耨多羅三藐三菩提而阿難護持我法亦
護將來諸佛法藏教化成就諸菩薩衆其

BD03127號　妙法蓮華經卷四　（3–3）

從阿鼻獄 ……
生死所趣 善惡業緣 受報好醜 於此悉見
又覩諸佛 聖主師子 演說經典 微妙第一
其聲清淨 出柔軟音 教諸菩薩 无數億万
梵音深妙 令人樂聞 各於世界 講說正法
種種因緣 以无量喻 照明佛法 開悟衆生
若人遭苦 厭老病死 為說涅槃 盡諸苦際
若人有福 曾供養佛 志求勝法 為說緣覺
若有佛子 修種種行 求无上慧 為說淨道
文殊師利 我住於此 見聞若斯 及千億事
如是衆多 今當略說 我見彼土 恒沙菩薩
種種因緣 而求佛道 或有行施 金銀珊瑚
真珠摩尼 車璖馬瑙 金剛諸珍 奴婢車乘
寶飾輦輿 歡喜布施 迴向佛道 願得是乘
三界第一 諸佛所歎 或有菩薩 駟馬寶車
欄楯華蓋 軒飾布施 復見菩薩 身肉手足
及妻子施 求无上道 又見菩薩 頭目身體
欣樂施與 求佛智慧 ……

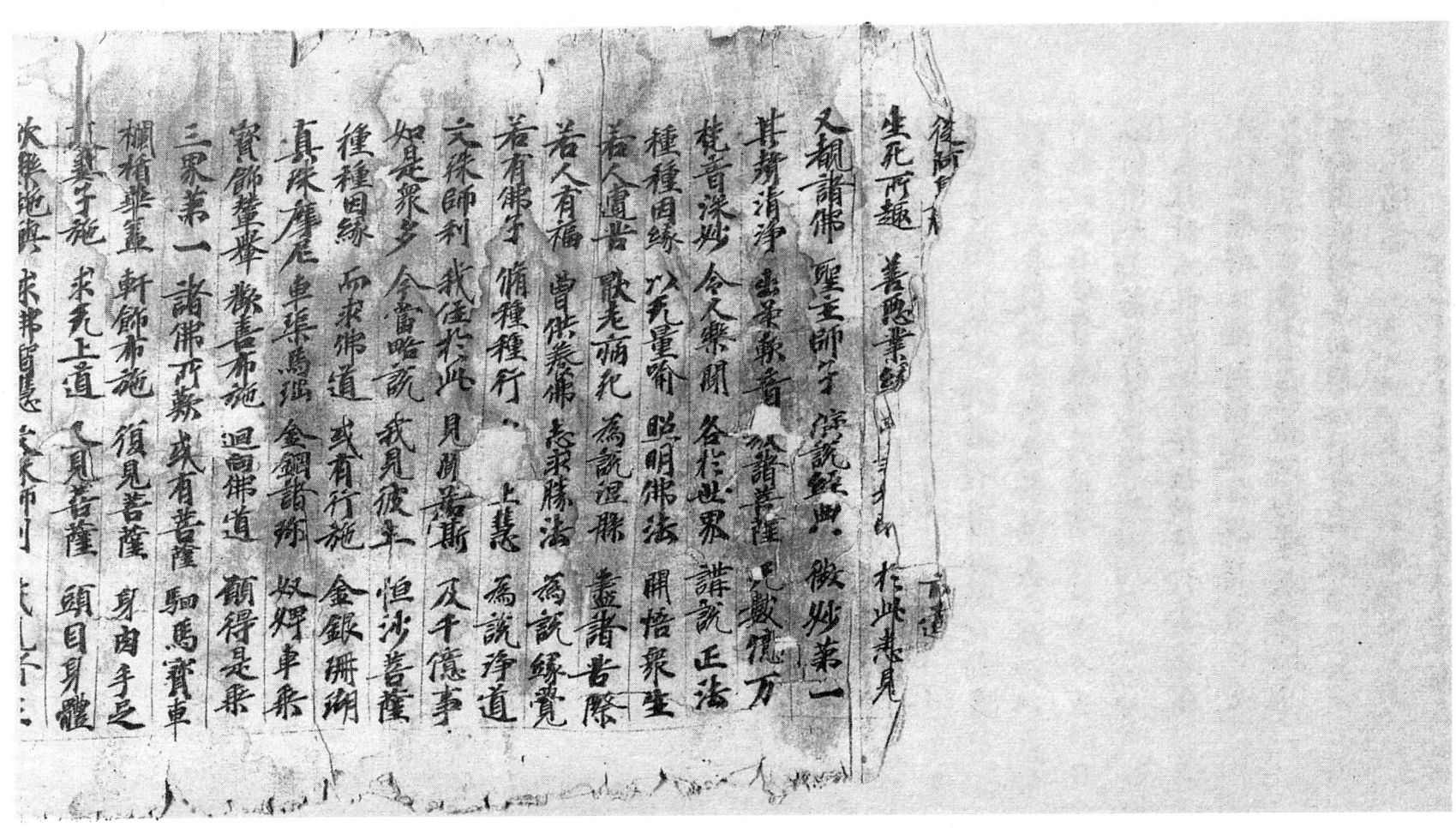

BD03128號　妙法蓮華經卷一　（21–1）

…… 迴向佛道 願得是乘
三界第一 諸佛所歎 或有菩薩 駟馬寶車
欄楯華蓋 軒飾布施 復見菩薩 身肉手足
及妻子施 求无上道 又見菩薩 頭目身體
欣樂施與 求佛智慧 文殊師利 我見諸王
往詣佛所 問无上道 便捨樂土 宮殿臣妾
剃除鬚髮 而被法服 或見菩薩 而作比丘
獨處閑靜 樂誦經典 又見菩薩 勇猛精進
入於深山 思惟佛道 又見離欲 常處空閑
深修禪定 得五神通 又見菩薩 安禪合掌
以千万偈 讚諸法王 復見菩薩 智深志固
能問諸佛 聞悉受持 又見佛子 定慧具足
以无量喻 為衆講法 欣樂說法 化諸菩薩
破魔兵衆 而擊法鼓 又見菩薩 寂然宴默
天龍恭敬 不以為喜 又見菩薩 處林放光
濟地獄苦 令入佛道 又見佛子 未嘗睡眠
經行林中 勤求佛道 又見具戒 威儀无缺
淨如寶珠 以求佛道 又見佛子 住忍辱力
增上慢人 惡罵捶打 皆悉能忍 以求佛道
又見菩薩 離諸戲咲 及癡眷屬 親近智者
一心除亂 攝念山林 億千万歲 以求佛道
或見菩薩 餚饍飲食 百種湯藥 施佛及僧
名衣上服 價直千万 或无價衣 施佛及僧
千万億種 栴檀寶舍 衆妙臥具 施佛及僧
清淨園林 華菓茂盛 流泉浴池 施佛及僧
如是等施 種種微妙 歡喜无猒 求无上道
或有菩薩 說寂滅法 種種教詔 无數衆生

BD03128號　妙法蓮華經卷一　（21–2）

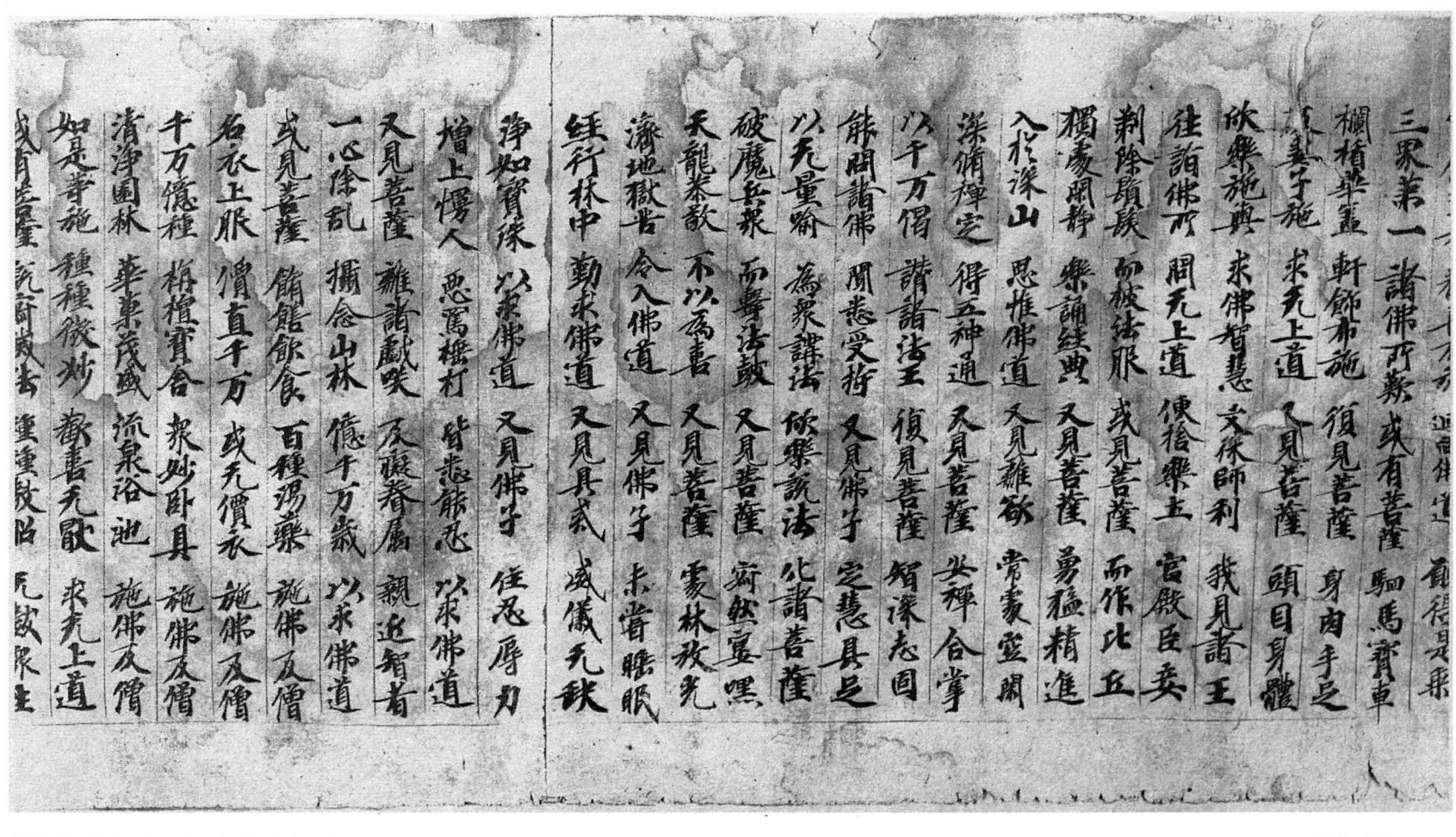

名衣上服　價直千万　或无價衣　施佛及僧
千万億種　栴檀寶舍　衆妙卧具　施佛及僧
清淨園林　華菓茂盛　流泉浴池　施佛及僧
如是等施　種種微妙　歡喜无猒　求无上道
或有菩薩　說寂滅法　種種教詔　无數衆生
或見菩薩　觀諸法性　无有二相　猶如虛空
又見佛子　心无所著　以此妙慧　求无上道
文殊師利　又有菩薩　佛滅度後　供養舍利
又見佛子　造諸塔廟　无數恒沙　嚴飾國界
寶塔高妙　五千由旬　縱廣正等　二千由旬
一一塔廟　各千幢幡　珠交露幔　寶鈴和鳴
諸天龍神　人及非人　香華伎樂　常以供養
文殊師利　諸佛子等　為供舍利　嚴飾塔廟
國界自然　殊特妙好　如天樹王　其華開敷
佛放一光　我及衆會　見此國界　種種殊妙
諸佛神力　智慧希有　放一淨光　照无量國
我等見此　得未曾有　佛子文殊　願決衆疑
四衆欣仰　瞻仁及我　世尊何故　放斯光明
佛子時荅　決疑令喜　何所饒益　演斯光明
佛坐道場　所得妙法　為欲說此　為當授記
示諸佛土　衆寶嚴淨　及見諸佛　此非小緣
文殊當知　四衆龍神　瞻察仁者　為說何等
尒時文殊師利語彌勒菩薩摩訶薩及諸大
士善男子等如我惟忖今佛世尊欲說大法
雨大法雨吹大法螺擊大法鼓演大法義諸
善男子我於過去諸佛曾見此瑞放斯光已

BD03128號　妙法蓮華經卷一　（21–3）

尒時文殊師利語彌勒菩薩摩訶薩及諸大
士善男子等如我惟忖今佛世尊欲說大法
雨大法雨吹大法螺擊大法鼓演大法義諸
善男子我於過去諸佛曾見此瑞放斯光已
即說大法是故當知今佛現光亦復如是欲
令衆生咸得聞知一切世間難信之法故現
斯瑞諸善男子如過去无量无邊不可思議
阿僧祇劫尒時有佛号日月燈明如來應供
正遍知明行足善逝世間解无上士調御丈
夫天人師佛世尊演說正法初善中善後善
其義深遠其語巧妙純一无雜具足清白梵
行之相為求聲聞者說應四諦法度生老病
死究竟涅槃為求辟支佛者說應十二因緣
法為諸菩薩說應六波羅蜜令得阿耨多羅
三藐三菩提成一切種智次復有佛亦名日
月燈明次復有佛亦名日月燈明如是二万
佛皆同一字号日月燈明又同一姓姓頗羅
墮彌勒當知初佛後佛皆同一字名日月燈
明十号具足所可說法初中後善其最後佛
未出家時有八王子一名有意二名善意三名
无量意四名寶意五名增意六名除疑意七
名響意八名法意是八王子威德自在各領
四天下是諸王子聞父出家得阿耨多羅三
藐三菩提悉捨王位亦隨出家發大乘意常
脩梵行皆為法師已於千万佛所殖諸善本
是時日月燈明佛說大乘經名无量義教菩
薩法佛所護念說是經已即於大衆中結加

BD03128號　妙法蓮華經卷一　（21–4）

四天下是諸王子聞父出家得阿耨多羅三
藐三菩提悉捨王位亦隨出家發大乘意常
脩梵行皆爲法師已於千万佛所殖諸善本
是時日月燈明佛說大乘經名无量義教菩
薩法佛所護念說是經已即於大衆中結加
趺坐入於无量義處三昧身心不動是時天
雨曼陀羅華摩訶曼陀羅華曼殊沙華摩訶
曼殊沙華而散佛上及諸大衆普佛世界六
種震動尒時會中比丘比丘尼優婆塞優婆
夷天龍夜叉乾闥婆阿脩羅迦樓羅緊那羅
摩睺羅伽人非人及諸小王轉輪聖王等是
諸大衆得未曾有歡喜合掌一心觀佛尒時
如來放眉間白豪相光照東方万八千佛土
靡不周遍如今所見是諸佛土弥勒當知尒時
會中有二十億菩薩樂欲聽法是諸菩薩
見此光明普照佛土得未曾有欲知此光所
爲因緣時有菩薩名曰妙光有八百弟子是
時日月燈明佛從三昧起因妙光菩薩說大
乘經名妙法蓮華教菩薩法佛所護念六十
小劫不起于座時會聽者亦坐一處六十小
劫身心不動聽佛所說謂如食頃是時衆中
無有一人若身若心而生懈惓日月燈明佛
於六十小劫說是經已即於梵魔沙門婆羅
門及天人阿脩羅衆中而宣此言如來於今
日中夜當入无餘涅槃時有菩薩名曰德藏
日月燈明佛即授其記告諸比丘是德藏菩

BD03128號　妙法蓮華經卷一　（21–5）

於六十小劫說是經已即於梵魔沙門婆羅
門及天人阿脩羅衆中而宣此言如來於今
日中夜當入无餘涅槃時有菩薩名曰德藏
日月燈明佛即授其記告諸比丘是德藏菩
薩次當作佛號曰淨身多陀阿伽度阿羅訶
三藐三佛陀佛授記已便於中夜入无餘涅槃
佛滅度後妙光菩薩持妙法蓮華經滿八
十小劫爲人演說日月燈明佛八子皆師妙
光妙光教化令其堅固阿耨多羅三藐三菩
提是諸王子供養无量百千万億佛已皆成
佛道其最後成佛者名曰然燈八百弟子中
有一人号曰求名貪著利養雖復讀誦衆
經而不通利多所忘失故号求名是人亦以種
諸善根因緣故得值无量百千万億諸佛供
養恭敬尊重讚歎弥勒當知尒時妙光菩薩
豈異人乎我身是也求名菩薩汝身是也今
見此瑞與本无異是故惟忖今日如來當說
大乘經名妙法蓮華教菩薩法佛所護念尒
時文殊師利於大衆中欲重宣此義而說偈言
我念過去世　无量无數劫　有佛人中尊　号日月燈明
世尊演說法　度无量衆生　无數億菩薩　令入佛智慧
佛未出家時　所生八王子　見大聖出家　亦隨脩梵行
時佛說大乘　經名无量義　於諸大衆中　而爲廣分別
佛說此經已　即於法座上　加趺坐三昧　名无量義處
天雨曼陀華　天鼓自然鳴　諸天龍鬼神　供養人中尊

BD03128號　妙法蓮華經卷一　（21–6）

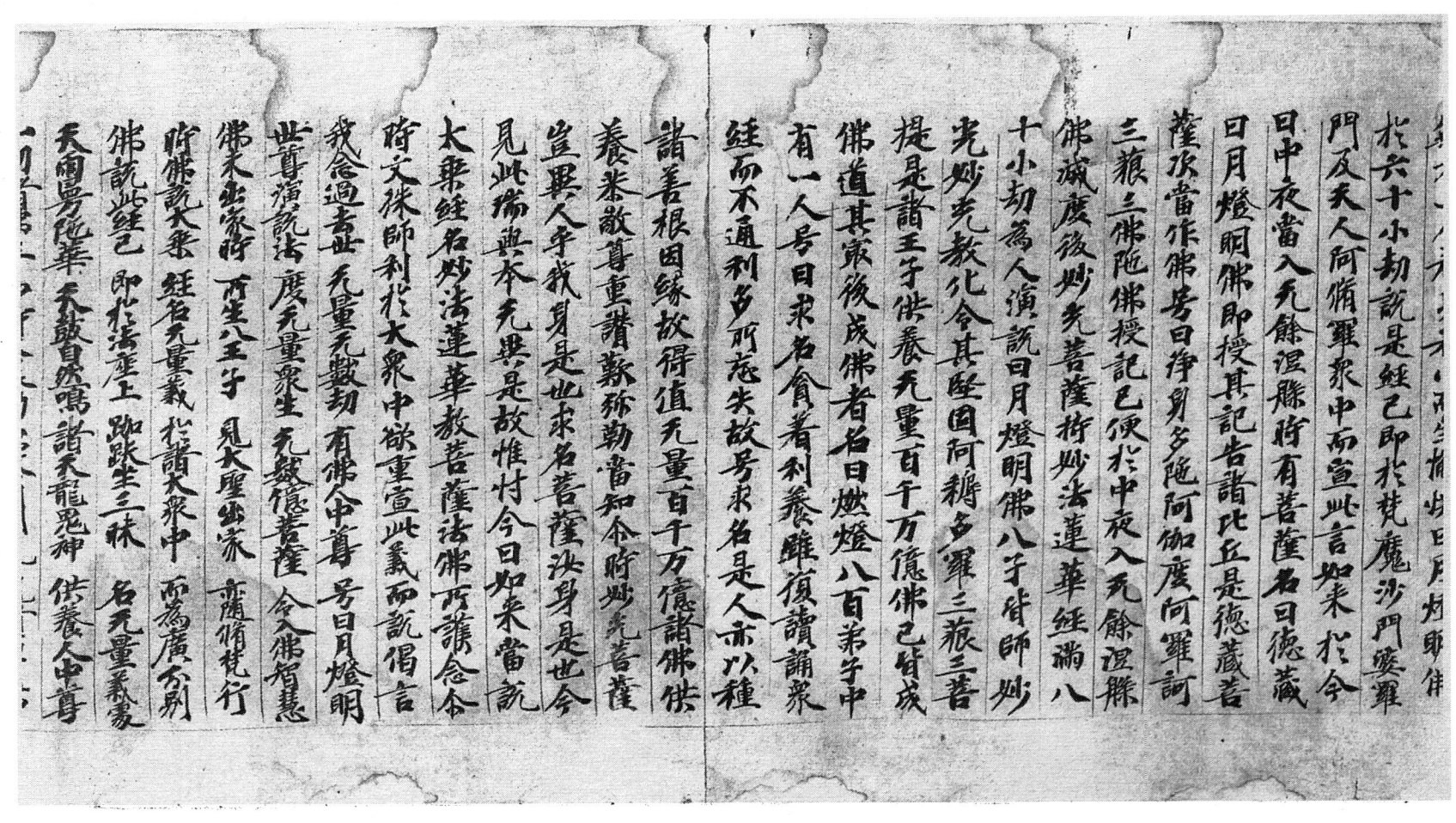

佛未出家時 所生八王子 見大聖出家 亦隨修梵行
時佛說大乘 經名无量義 於諸大眾中 而為廣分別
佛說此經已 即於法座上 跏趺坐三昧 名无量義處
天雨曼陀華 天鼓自然鳴 諸天龍鬼神 供養人中尊
一切諸佛土 即時大震動 佛放眉間光 現諸希有事
此光照東方 万八千佛土 示一切眾生 生死業報處
有見諸佛土 以眾寶莊嚴 瑠璃頗梨色 斯由佛光照
及見諸天人 龍神夜叉眾 乾闥緊那羅 各供養其佛
又見諸如來 自然成佛道 身色如金山 端嚴甚微妙
如淨瑠璃中 內現真金像 世尊在大眾 敷演深法義
一一諸佛土 聲聞眾无數 因佛光所照 悉見彼大眾
或有諸比丘 在於山林中 精進持淨戒 猶如護明珠
又見諸菩薩 行施忍辱等 其數如恒沙 斯由佛光明
又見諸菩薩 深入諸禪定 身心寂不動 以求无上道
又見諸菩薩 知法寂滅相 各於其國土 說法求佛道
尒時四部眾 見日月燈佛 現大神通力 其心皆歡喜
各各自相問 是事何因緣 天人所奉尊 適從三昧起
讚妙光菩薩 汝為世間眼 一切所歸信 能奉持法藏
如我所說法 唯汝能證知 世尊既讚歎 令妙光歡喜
說是法華經 滿六十小劫 不起於此座 所說上妙法
是妙光法師 悉皆能受持 佛說是法華 令眾歡喜已
尋即於是日 告於天人眾 諸法實相義 已為汝等說
我今於中夜 當入於涅槃 汝一心精進 當離於放逸
諸佛甚難值 億劫時一遇 世尊諸子等 聞佛入涅槃
各各懷悲惱 佛滅一何速 聖主法之王 安慰无量眾
我若滅度時 汝等勿憂怖 是德藏菩薩 於无漏實相

BD03128號 妙法蓮華經卷一 （21–7）

我今於中夜 當入於涅槃 汝一心精進 當離於放逸
諸佛甚難值 億劫時一遇 世尊諸子等 聞佛入涅槃
各各懷悲惱 佛滅一何速 聖主法之王 安慰无量眾
我若滅度時 汝等勿憂怖 是德藏菩薩 於无漏實相
心已得通達 其次當作佛 号曰為淨身 亦度无量眾
佛此夜滅度 如薪盡火滅 分布諸舍利 而起无量塔
比丘比丘尼 其數如恒沙 倍復加精進 以求无上道
是妙光法師 奉持佛法藏 八十小劫中 廣宣法華經
是諸八王子 妙光所開化 堅固无上道 當見无數佛
供養諸佛已 隨順行大道 相繼得成佛 轉次而授記
最後天中天 号曰燃燈佛 諸仙之導師 度脫无量眾
是妙光法師 時有一弟子 心常懷懈怠 貪著於名利
求名利无猒 多遊族姓家 棄捨所習誦 廢忘不通利
以是因緣故 号之為求名 亦行眾善業 得見无數佛
供養於諸佛 隨順行大道 具六波羅蜜 今見釋師子
其後當作佛 号名曰弥勒 廣度諸眾生 其數无有量
彼佛滅度後 懈怠者汝是 妙光法師者 今則我身是
我見燈明佛 本光瑞如此 以是知今佛 欲說法華經
今相如本瑞 是諸佛方便 今佛放光明 助發實相義
諸人今當知 合掌一心待 佛當雨法雨 充足求道者
諸求三乘人 若有疑悔者 佛當為除斷 令盡无有餘

妙法蓮華經方便品第二

尒時世尊從三昧安詳而起告舍利弗諸佛
智慧甚深无量其智慧門難解難入一切聲
聞辟支佛所不能知所以者何佛曾親近百
千万億无數諸佛盡行諸佛无量道法勇猛

BD03128號 妙法蓮華經卷一 （21–8）

尒時世尊從三昧安詳而起告舍利弗諸佛
智慧甚深无量其智慧門難解難入一切聲
聞辟支佛所不能知所以者何佛曾親近百
千万億无數諸佛盡行諸佛无量道法勇猛
精進名稱普聞成就甚深未曾有法隨宜所
說意趣難解舍利弗吾從成佛已來種種因
緣種種譬喻廣演言教无數方便引導衆生
令離諸著所以者何如來方便知見波羅蜜皆
已具足舍利弗如來知見廣大深遠无量无
礙力无所畏禪定解脫三昧深入无際成
就一切未曾有法舍利弗如來能種種分別
巧說諸法言辭柔軟悅可衆心舍利弗取要
言之无量无邊未曾有法佛悉成就止舍利
弗不須復說所以者何佛所成就第一希有
難解之法唯佛與佛乃能究盡諸法實相所
謂諸法如是相如是性如是體如是力如是
作如是因如是緣如是果如是報如是本末究
竟等尒時世尊欲重宣此義而說偈言
世雄不可量　諸天及世人　一切衆生類　无能知佛者
佛力无所畏　解脫諸三昧　及佛諸餘法　无能測量者
本從无數佛　具足行諸道　甚深微妙法　難見難可了
於无量億劫　行此諸道已　道場得成果　我已悉知見
如是大果報　種種性相義　我及十方佛　乃能知是事
是法不可示　言辭相寂滅　諸餘衆生類　无有能得解
除諸菩薩衆　信力堅固者　諸佛弟子衆　曾供養諸佛
一切漏已盡　住是最後身　如是諸人等　其力所不堪
假使滿世間　皆如舍利弗　盡思共度量　不能測佛智

BD03128號　妙法蓮華經卷一　（21-9）

如是大果報　種種性相義　我及十方佛　乃能知是事
是法不可示　言辭相寂滅　諸餘衆生類　无有能得解
除諸菩薩衆　信力堅固者　諸佛弟子衆　曾供養諸佛
一切漏已盡　住是最後身　如是諸人等　其力所不堪
假使滿世間　皆如舍利弗　盡思共度量　不能測佛智
正使滿十方　皆如舍利弗　及餘諸弟子　亦滿十方剎
盡思共度量　亦復不能知　辟支佛利智　无漏最後身
亦滿十方界　其數如竹林　斯等共一心　於億无量劫
欲思佛實智　莫能知少分　新發意菩薩　供養无數佛
了達諸義趣　又能善說法　如稻麻竹葦　充滿十方剎
一心以妙智　於恒河沙劫　咸皆共思量　不能知佛智
不退諸菩薩　其數如恒沙　一心共思求　亦復不能知
又告舍利弗　无漏不思議　甚深微妙法　我今已具得
唯我知是相　十方佛亦然　舍利弗當知　諸佛語无異
於佛所說法　當生大信力　世尊法久後　要當說真實
告諸聲聞衆　及求緣覺乘　我令脫苦縛　逮得涅槃者
佛以方便力　示以三乘教　衆生處處著　引之令得出
尒時大衆中有諸聲聞漏盡阿羅漢阿若憍
陳如等千二百人及發聲聞辟支佛心比丘
比丘尼優婆塞優婆夷各作是念今者世尊
何故慇勤稱歎方便而作是言佛所得法甚
深難解有所言說意趣難知一切聲聞辟支
佛所不能及佛說一解脫義我等亦得此法
到於涅槃而今不知是義所趣尒時舍利弗
知四衆心疑自亦未了而白佛言世尊何因
何緣慇勤稱歎諸佛第一方便甚深微妙難

BD03128號　妙法蓮華經卷一　（21-10）

佛所不能及佛說一解脫義我等亦得此法
到於涅槃而今不知是義所趣尒時舍利弗
知四衆心疑自亦未了而白佛言世尊何因
何緣慇懃稱歎諸佛第一方便甚深微妙難
解之法我自昔來未曾從佛聞如是說今者
四衆咸皆有疑唯願世尊敷演斯事世尊何
故慇懃稱歎甚深微妙難解之法尒時舍利
弗欲重宣此義而說偈言
慧日大聖尊 久乃說是法 自說得如是 力无畏三昧
禪定解脫等 不可思議法 道場所得法 无能發問者
我意難可測 亦无能問者 无問而自說 稱歎所行道
智慧甚微妙 諸佛之所得 无漏諸羅漢 及求涅槃者
今皆墮疑網 佛何故說是 其求緣覺者 比丘比丘尼
諸天龍鬼神 及乾闥婆等 相視懷猶豫 瞻仰兩足尊
是事為云何 願佛為解說 於諸聲聞衆 佛說我第一
我今自於智 疑惑不能了 為是究竟法 為是所行道
佛口所生子 合掌瞻仰待 願出微妙音 時為如實說
諸天龍神等 其數如恒沙 求佛諸菩薩 大數有八万
又諸万億國 轉輪聖王至 合掌以敬心 欲聞具足道
尒時佛告舍利弗止止不須復說若說是事
一切世間諸天及人皆當驚疑舍利弗重白
佛言世尊唯願說之唯願說之所以者何是
會无數百千万億阿僧祇衆生曾見諸佛諸
根猛利智慧明了聞佛所說則能敬信尒時
舍利弗欲重宣此義而說偈言
法王无上尊 唯說願勿慮 是會无量衆 有能敬信者

BD03128號　妙法蓮華經卷一　（21-11）

會无數百千万億阿僧祇衆生曾見諸佛諸
根猛利智慧明了聞佛所說則能敬信尒時
舍利弗欲重宣此義而說偈言
法王无上尊 唯說願勿慮 是會无量衆 有能敬信者
佛復止舍利弗若說是事一切世間天人阿脩
羅皆當驚疑增上慢比丘將墜於大坑尒
時世尊重說偈言
止止不須說 我法妙難思 諸增上慢者 聞必不敬信
尒時舍利弗重白佛言世尊唯願說之唯願
說之今此會中如我等比百千万億世世已
曾從佛受化如此人等必能敬信長夜安隱
多所饒益尒時舍利弗欲重宣此義而說偈言
无上兩足尊 願說第一法 我為佛長子 唯垂分別說
是會无量衆 能敬信此法 佛已曾世世 教化如是等
皆一心合掌 欲聽受佛語 我等千二百 及餘求佛者
願為此衆故 唯垂分別說 是等聞此法 則生大歡喜
尒時世尊告舍利弗汝已慇懃三請豈得不
說汝今諦聽善思念之吾當為汝分別解說
說此語時會中有比丘比丘尼優婆塞優婆
夷五千人等即從座起禮佛而退所以者何
此輩罪根深重及增上慢未得謂得未證謂
證有如此失是以不世尊嘿然而不制止
尒時佛告舍利弗我今此衆无復枝葉純有
貞實舍利弗如是增上慢人退亦佳矣汝今
善聽當為汝說舍利弗言唯然世尊願樂欲
聞佛告舍利弗如是妙法諸佛如來時乃說

BD03128號　妙法蓮華經卷一　（21-12）

尒時佛告舍利弗我今此衆无復枝葉純有
貞實舍利弗如是增上慢人退亦佳矣汝今
善聽當為汝說舍利弗言唯然世尊願樂欲
聞佛告舍利弗如是妙法諸佛如來時乃說
之如優曇鉢華時一現耳舍利弗汝等當信
佛之所說言不虛妄舍利弗諸佛隨宜說法
意趣難解所以者何我以无數方便種種因
緣譬喻言辭演說諸法是法非思量分別之
所能解唯有諸佛乃能知之所以者何諸佛
世尊唯以一大事因緣故出現於世舍利弗
云何名諸佛世尊唯以一大事因緣故出現於
世諸佛世尊欲令衆生開佛知見使得清
淨故出現於世欲示衆生佛之知見故出現於
世欲令衆生悟佛知見故出現於世欲令衆
生入佛知見道故出現於世舍利弗是為諸
佛以一大事因緣故出現於世佛告舍利弗
諸佛如來但教化菩薩諸有所作常為一事
唯以佛之知見示悟衆生舍利弗如來但以
一佛乘故為衆生說法无有餘乘若二若三
舍利弗一切十方諸佛法亦如是舍利弗過
去諸佛以无量无數方便種種因緣譬喻言
辭而為衆生演說諸法是法皆為一佛乘故
是諸衆生從諸佛聞法究竟皆得一切種智
舍利弗未來諸佛當出於世亦以无量无數
方便種種因緣譬喻言辭而為衆生演說諸
法是法皆為一佛乘故是諸衆生從佛聞法

BD03128號　妙法蓮華經卷一　（21–13）

是諸衆生從諸佛聞法究竟皆得一切種智
舍利弗未來諸佛當出於世亦以无量无數
方便種種因緣譬喻言辭而為衆生演說諸
法是法皆為一佛乘故是諸衆生從佛聞法
究竟皆得一切種智舍利弗現在十方无量百
千万億佛土中諸佛世尊多所饒益安樂
衆生是諸佛亦以无量无數方便種種因緣
譬喻言辭而為衆生演說諸法是法皆為一
佛乘故是諸衆生從佛聞法究竟皆得一切
種智舍利弗是諸佛但教化菩薩欲以佛之
知見示衆生故欲以佛之知見悟衆生故欲
令衆生入佛之知見故舍利弗我今亦復如
是知諸衆生有種種欲深心所著隨其本性
以種種因緣譬喻言辭方便力故而為說法
舍利弗如此皆為得一佛乘一切種智故舍
利弗十方世界中尚无二乘何況有三舍利
弗諸佛出於五濁惡世所謂劫濁煩惱濁衆
生濁見濁命濁如是舍利弗劫濁亂時衆生
垢重慳貪嫉妬成就諸不善根故諸佛以方
便力於一佛乘分別說三舍利弗若我弟子
自謂阿羅漢辟支佛者不聞不知諸佛如來
但教化菩薩事此非佛弟子非阿羅漢非辟
支佛又舍利弗是諸比丘比丘尼自謂已得
阿羅漢是最後身究竟涅槃便不復志求
阿耨多羅三藐三菩提當知此輩皆是增上
慢人所以者何若有比丘實得阿羅漢若不信

BD03128號　妙法蓮華經卷一　（21–14）

又佛又舍利弗是諸比丘比丘尼自謂已得
阿羅漢是最後身究竟涅槃便不復志求
阿耨多羅三藐三菩提當知此輩皆是增上
慢人所以者何若有比丘實得阿羅漢若不信
此法无有是處除佛滅度後現前无佛所以
者何佛滅度後如是等經受持讀誦解義者
是人難得若遇餘佛於此經中便得決了舍
利弗汝等當一心信解受持佛語諸佛如來
言无虛妄无有餘乘唯一佛乘尒時世尊欲
重宣此義而說偈言
比丘比丘尼　有懷增上慢　優婆塞我慢　優婆夷不信
如是四衆等　其數有五千　不自見其過　於戒有缺漏
護惜其瑕疵　是小智已出　衆中之糟糠　佛威德故去
斯人尠福德　不堪受是法　此衆无枝葉　唯有諸貞實
舍利弗善聽　諸佛所得法　无量方便力　而為衆生說
衆生心所念　種種所行道　若干諸欲性　先世善惡業
佛悉知是已　以諸緣譬喻　言辭方便力　令一切歡喜
或說脩多羅　伽陁及本事　本生未曾有　亦說於因緣
譬喻并祇夜　優波提舍經　鈍根樂小法　貪著於生死
於諸无量佛　不行深妙道　衆苦所惱亂　為是說涅槃
我設是方便　令得入佛慧　未曾說汝等　當得成佛道
所以未曾說　說時未至故　今正是其時　決定說大乘
我此九部法　隨順衆生說　入大乘為本　以故說是經
有佛子心淨　柔軟亦利根　无量諸佛所　而行深妙道
為此諸佛子　說是大乘經　我記如是人　來世成佛道
以深心念佛　脩持淨戒故　此等聞得佛　大喜充遍身

有佛子心淨　柔軟亦利根　无量諸佛所　而行深妙道
為此諸佛子　說是大乘經　我記如是人　來世成佛道
以深心念佛　脩持淨戒故　此等聞得佛　大喜充遍身
佛知彼心行　故為說大乘　聲聞若菩薩　聞我所說法
乃至於一偈　皆成佛无疑　十方佛土中　唯有一乘法
无二亦无三　除佛方便說　但以假名字　引導於衆生
說佛智慧故　諸佛出於世　唯此一事實　餘二則非真
終不以小乘　濟度於衆生　佛自住大乘　如其所得法
定慧力莊嚴　以此度衆生　自證无上道　大乘平等法
若以小乘化　乃至於一人　我則墮慳貪　此事為不可
若人信歸佛　如來不欺誑　亦无貪嫉意　斷諸法中惡
故佛於十方　而獨无所畏　我以相嚴身　光明照世間
无量衆所尊　為說實相印　舍利弗當知　我本立誓願
欲令一切衆　如我等无異　如我昔所願　今者已滿足
化一切衆生　皆令入佛道　若我遇衆生　盡教以佛道
无智者錯亂　迷惑不受教　我知此衆生　未曾脩善本
堅著於五欲　癡愛故生惱　以諸欲因緣　墜墮三惡道
輪迴六趣中　備受諸苦毒　受胎之微形　世世常增長
薄德少福人　衆苦所逼迫　入邪見稠林　若有若无等
依止此諸見　具足六十二　深著虛妄法　堅受不可捨
我慢自矜高　諂曲心不實　於千万億劫　不聞佛名字
亦不聞正法　如是人難度　是故舍利弗　我為設方便
說諸盡苦道　示之以涅槃　我雖說涅槃　是亦非真滅
諸法從本來　常自寂滅相　佛子行道已　來世得作佛
我有方便力　開示三乘法　一切諸世尊　皆說一乘道
今此諸大衆　皆應除疑惑　諸佛語无異　唯一无二乘

亦不聞正法　如是人難度　是故舍利弗　我為設方便
說諸盡苦道　示之以涅槃　我雖說涅槃　是亦非真滅
諸法從本來　常自寂滅相　佛子行道已　來世得作佛
我有方便力　開示三乘法　一切諸世尊　皆說一乘道
今此諸大眾　皆應除疑惑　諸佛語无異　唯一无二乘
過去无數劫　无量滅度佛　百千万億眾　其數不可量
如是諸世尊　種種緣譬喻　无數方便力　演說諸法相
是諸世尊等　皆說一乘法　化无量眾生　令入於佛道
又諸大聖主　知一切世間　天人群生類　深心之所欲
更以異方便　助顯第一義　若有眾生類　值諸過去佛
若聞法布施　或持戒忍辱　精進禪智等　種種脩福德
如是諸人等　皆已成佛道　諸佛滅度已　若人善軟心
如是諸眾生　皆已成佛道　諸佛滅度已　供養舍利者
起万億種塔　金銀及頗梨　車𤦲與馬瑙　玫瑰瑠璃珠
清淨廣嚴飾　莊校於諸塔　或有起石廟　栴檀及沈水
木樒并餘材　塼瓦泥土等　若於曠野中　積土成佛廟
乃至童子戲　聚沙為佛塔　如是諸人等　皆已成佛道
若人為佛故　建立諸形像　刻雕成眾相　皆已成佛道
或以七寶成　鍮石赤白銅　白鑞及鉛錫　鐵木及與泥
或以膠漆布　嚴飾作佛像　如是諸人等　皆已成佛道
彩畫作佛像　百福莊嚴相　自作若使人　皆已成佛道
乃至童子戲　若草木及筆　或以指爪甲　而畫作佛像
如是諸人等　漸漸積功德　具足大悲心　皆已成佛道
但化諸菩薩　度脫无量眾　若人於塔廟　寶像及畫像
以華香幡蓋　敬心而供養　若使人作樂　擊鼓吹角貝
簫笛琴箜篌　琵琶鐃銅鈸　如是眾妙音　盡持以供養

BD03128 號　妙法蓮華經卷一　（21–17）

但化諸菩薩　度脫无量眾　若人於塔廟　寶像及畫像
以華香幡蓋　敬心而供養　若使人作樂　擊鼓吹角貝
簫笛琴箜篌　琵琶鐃銅鈸　如是眾妙音　盡持以供養
或以歡喜心　歌唄頌佛德　乃至一小音　皆已成佛道
若人散亂心　乃至以一華　供養於畫像　漸見无數佛
或有人禮拜　或復但合掌　乃至舉一手　或復小低頭
以此供養像　漸見无量佛　自成无上道　廣度无數眾
入无餘涅槃　如薪盡火滅　若人散亂心　入於塔廟中
一稱南无佛　皆已成佛道　於諸過去佛　在世或滅後
若有聞是法　皆已成佛道　未來諸世尊　其數无有量
是諸如來等　亦方便說法　一切諸如來　以无量方便
度脫諸眾生　入佛无漏智　若有聞法者　无一不成佛
諸佛本誓願　我所行佛道　普欲令眾生　亦同得此道
未來世諸佛　雖說百千億　无數諸法門　其實為一乘
諸佛兩足尊　知法常无性　佛種從緣起　是故說一乘
是法住法位　世間相常住　於道場知已　導師方便說
天人所供養　現在十方佛　其數如恒沙　出現於世間
安隱眾生故　亦說如是法　知第一寂滅　以方便力故
雖示種種道　其實為佛乘　知眾生諸行　深心之所念
過去所習業　欲性精進力　及諸根利鈍　以種種因緣
譬喻亦言辭　隨應方便說　今我亦如是　安隱眾生故
以種種法門　宣示於佛道　我以智慧力　知眾生性欲
方便說諸法　皆令得歡喜　舍利弗當知　我以佛眼觀
見六道眾生　貧窮无福慧　入生死險道　相續苦不斷
深著於五欲　如犛牛愛尾　以貪愛自蔽　盲瞑无所見
不求大勢佛　及與斷苦法　深入諸邪見　以苦欲捨苦

BD03128 號　妙法蓮華經卷一　（21–18）

方便說諸法　皆令得歡喜　舍利弗當知　我以佛眼觀
見六道眾生　貧窮无福慧　入生死險道　相續苦不斷
深著於五欲　如犛牛愛尾　以貪愛自蔽　盲瞑无所見
不求大勢佛　及與斷苦法　深入諸邪見　以苦欲捨苦
為是眾生故　而起大悲心　我始坐道場　觀樹亦經行
於三七日中　思惟如是事　我所得智慧　微妙最第一
眾生諸根鈍　著樂癡所盲　如斯之等類　云何而可度
爾時諸梵王　及諸天帝釋　護世四天王　及大自在天
并餘諸天眾　眷屬百千万　恭敬合掌礼　請我轉法輪
我即自思惟　若但讚佛乘　眾生沒在苦　不能信是法
破法不信故　墜於三惡道　我寧不說法　疾入於涅槃
尋念過去佛　所行方便力　我今所得道　亦應說三乘
作是思惟時　十方佛皆現　梵音慰喻我　善哉釋迦文
第一之導師　得是无上法　隨諸一切佛　而用方便力
我等亦皆得　最妙第一法　為諸眾生類　分別說三乘
少智樂小法　不自信作佛　是故以方便　分別說諸果
雖復說三乘　但為教菩薩　舍利弗當知　我聞聖師子
深淨微妙音　喜稱南无佛　復作如是念　我出濁惡世
如諸佛所說　我亦隨順行　思惟是事已　即趣波羅奈
諸法寂滅相　不可以言宣　以方便力故　為五比丘說
是名轉法輪　便有涅槃音　及以阿羅漢　法僧差別名
從久遠劫來　讚示涅槃法　生死苦永盡　我常如是說
舍利弗當知　我見佛子等　志求佛道者　无量千万億
咸以恭敬心　皆來至佛所　曾從諸佛聞　方便所說法
我即作是念　如來所以出　為說佛慧故　今正是其時
舍利弗當知　鈍根小智人　著相憍慢者　不能信是法

BD03128號　妙法蓮華經卷一　（21–19）

從久遠劫來　讚示涅槃法　生死苦永盡　我常如是說
舍利弗當知　我見佛子等　志求佛道者　无量千万億
咸以恭敬心　皆來至佛所　曾從諸佛聞　方便所說法
我即作是念　如來所以出　為說佛慧故　今正是其時
舍利弗當知　鈍根小智人　著相憍慢者　不能信是法
今我喜无畏　於諸菩薩中　正直捨方便　但說无上道
菩薩聞是法　疑網皆已除　千二百羅漢　悉亦當作佛
如三世諸佛　說法之儀式　我今亦如是　說无分別法
諸佛興出世　懸遠值遇難　正使出于世　說是法復難
无量无數劫　聞是法亦難　能聽是法者　斯人亦復難
譬如優曇華　一切皆愛樂　天人所希有　時時乃一出
聞法歡喜讚　乃至發一言　則為已供養　一切三世佛
是人甚希有　過於優曇華　汝等勿有疑　我為諸法王
普告諸大眾　但以一乘道　教化諸菩薩　无聲聞弟子
汝等舍利弗　聲聞及菩薩　當知是妙法　諸佛之秘要
以五濁惡世　但樂著諸欲　如是等眾生　終不求佛道
當來世惡人　聞佛說一乘　迷惑不信受　破法墮惡道
有慚愧清淨　志求佛道者　當為如是等　廣讚一乘道
舍利弗當知　諸佛法如是　以万億方便　隨宜而說法
其不習學者　不能曉了此　汝等既已知　諸佛世之師
隨宜方便事　无復諸疑惑　心生大歡喜　自知當作佛

妙法蓮華經卷第一

BD03128號　妙法蓮華經卷一　（21–20）

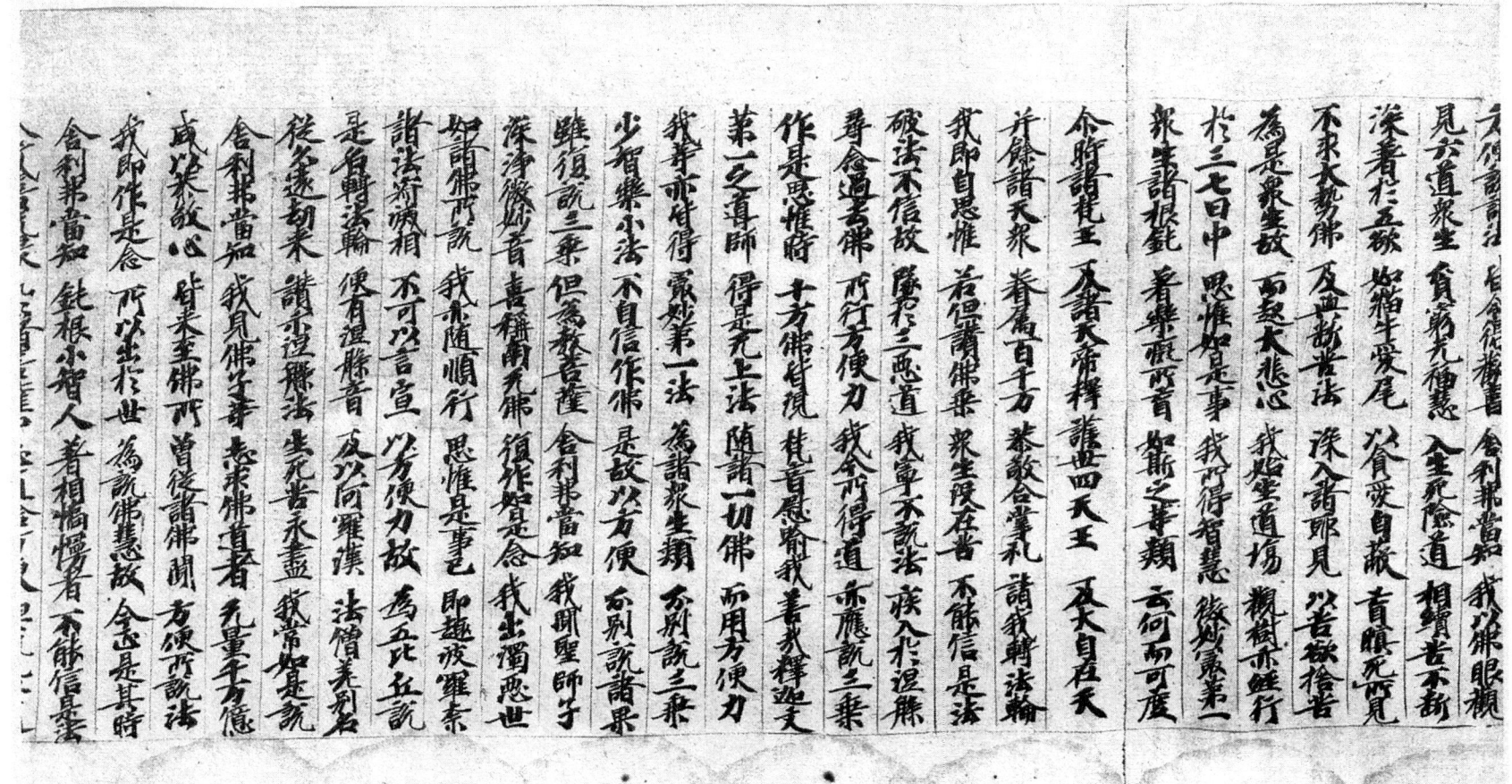

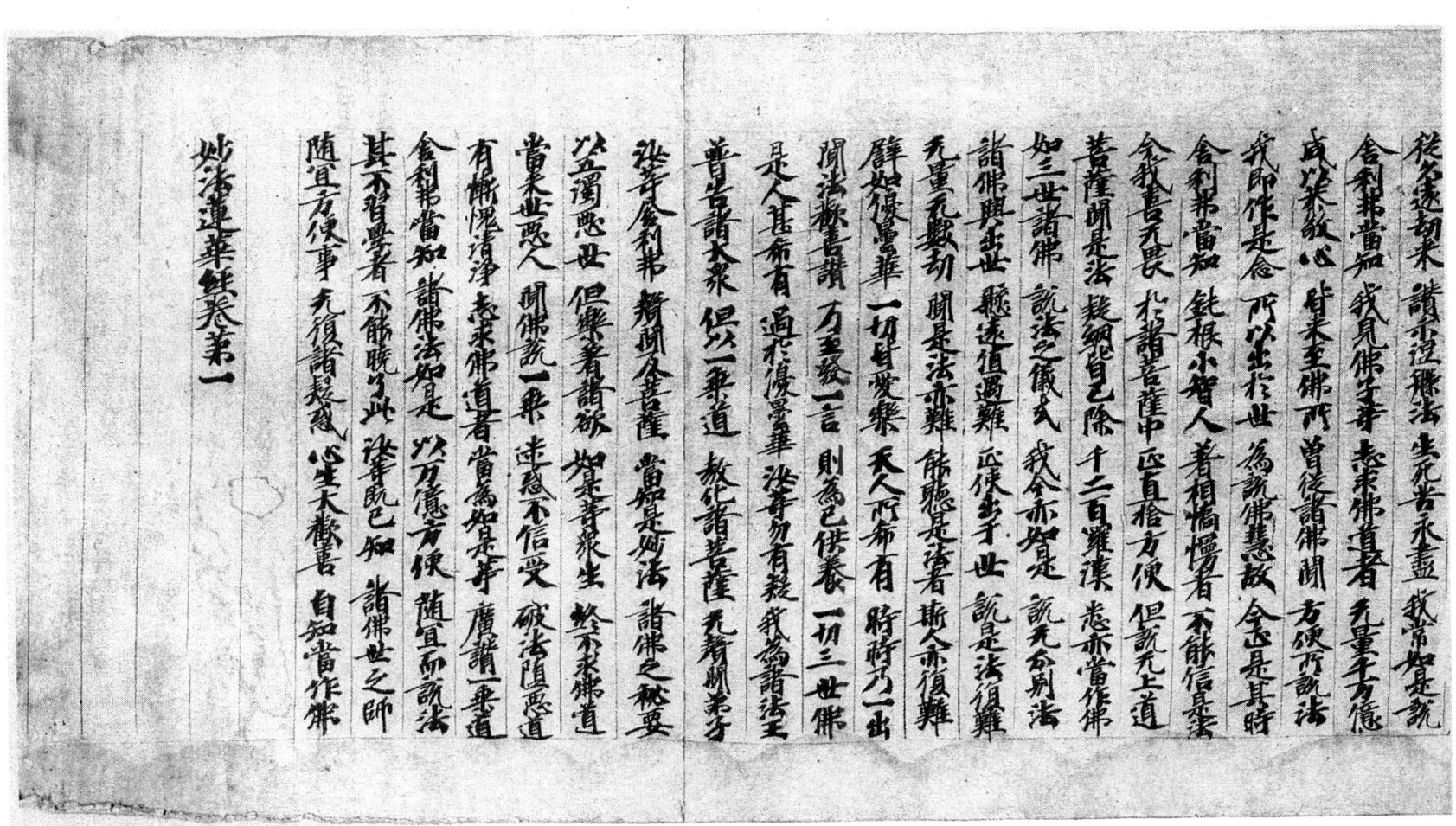

聞法歡喜讚　乃至發一言　則為已供養　一切三世佛
是人甚希有　過於優曇華　汝等勿有疑　我為諸法王
普告諸大眾　但以一乘道　教化諸菩薩　無聲聞弟子
汝等舍利弗　聲聞及菩薩　當知是妙法　諸佛之祕要
以五濁惡世　但樂著諸欲　如是等眾生　終不求佛道
當來世惡人　聞佛說一乘　迷惑不信受　破法墮惡道
有慚愧清淨　志求佛道者　當為如是等　廣讚一乘道
舍利弗當知　諸佛法如是　以万億方便　隨宜而說法
其不習學者　不能曉了此　汝等既已知　諸佛世之師
隨宜方便事　無復諸疑惑　心生大歡喜　自知當作佛

妙法蓮華經卷第一

BD03128 號　妙法蓮華經卷一　　（21–21）

佛說諸經雜緣喻因由記

昔日舍衛國有長者生一女，年既長大，堪可事人。父母嘗則嫁娶與人，後時依
見聟家生一孩子。父母養育，年滿足不從多時，其女忽便懷任，意欲臨
產。妻告夫曰：汝共夫相逐，却往父母之舍而行產去。便共夫婦而行，到於中路，
其夜不至父母之家，當還便依草木之地。夫依樹下如眠，妻共臥於草木林下。
臥至於半夜，妻於中路便而生一男子。我今正產，大聲喚其夫，都不去
來。至曉天曉，抱此新產孩子及舊兒子，至於天曉，遂大喝喚夫，亦不語一言。而
臥直至天明，其夜被一毒蛇從地揻道而來，咬齧夫主死，依中便啼哭，大
啼哭殯殮，安置兒聟，訖，妻就此幼二孩子，取依父母之舍行得三五里，
地見一河水，行我今新產，抱此二男子，自從過去，力不得，欲另依河彼
岸，如坐卧小新產孩子，就於大兒一小過去，至此岸，大欲往彼岸，而
取小兒，行至水中，一狼來喫小兒之去。却往大兒去次，須往毋來行毋
子相接，不得大兒，亦被水溺而逝，在已中路夫及二男子三人一時而死。妻
我而行往父母舍次，見一婆羅門，乎相即向婆羅門言曰：娘子而行往
父母之舍，如何獨一？其此女人便說上來之事。既婆羅門知婆羅
門答曰：汝共娘子夫主是伴儻，欲累不說，是不了。婆羅門言曰：娘子
父母之舍，遭時失火，父母大小，燒被火燒然，今去都無人。婆羅門言

BD03129 號　諸經雜緣喻因由記　　（11–1）

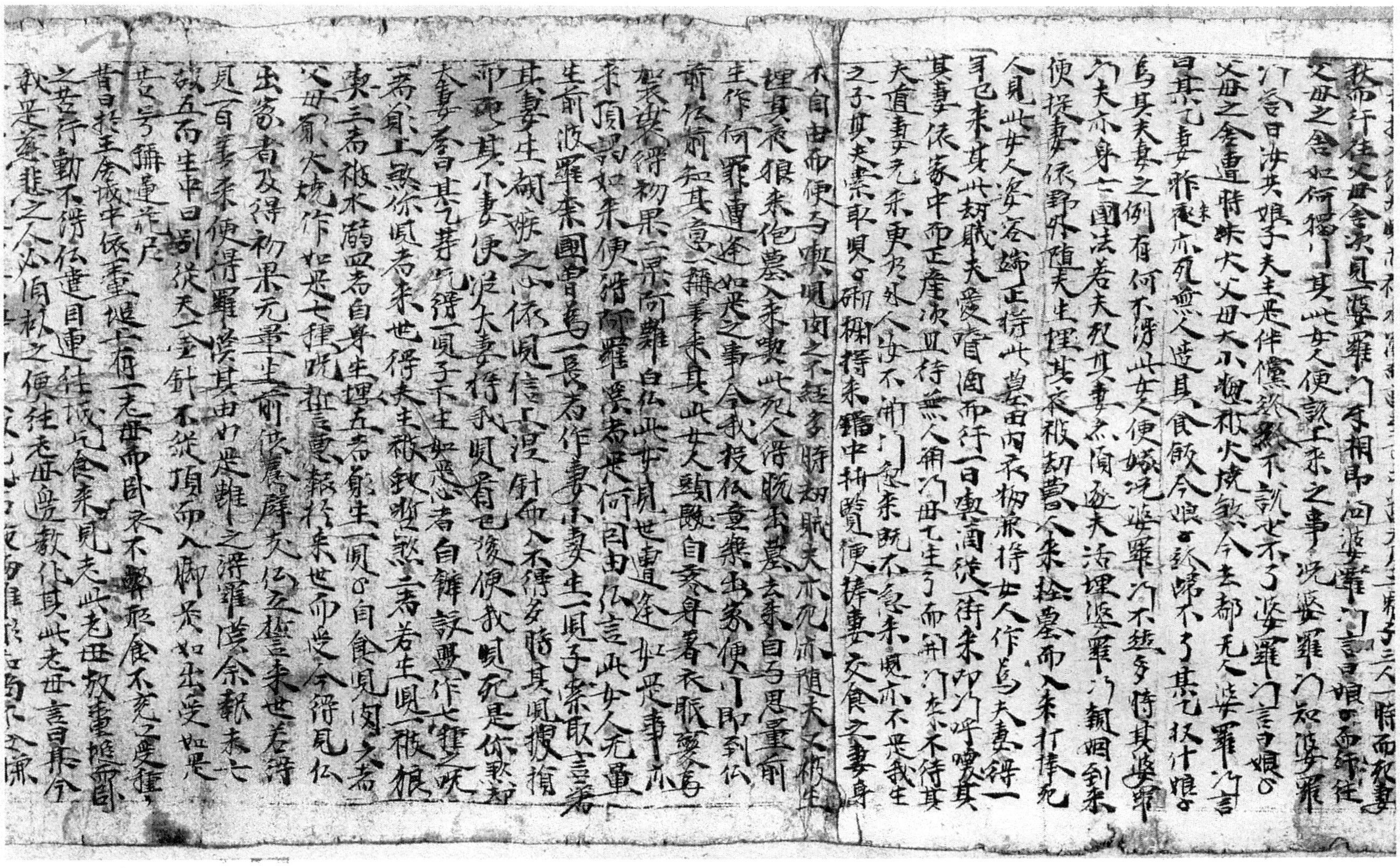

BD03129 號　諸經雜緣喻因由記　（11–2）

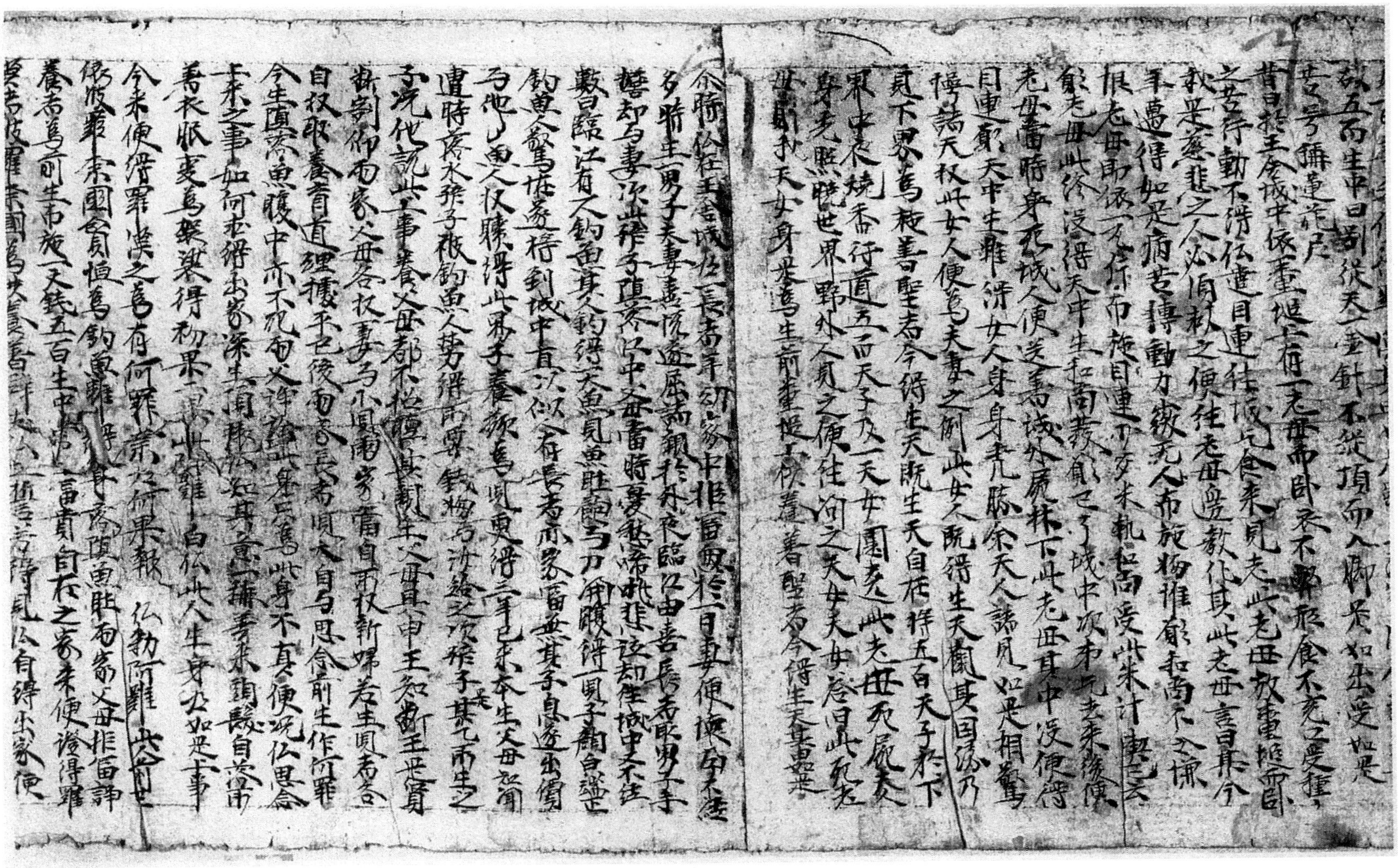

BD03129 號　諸經雜緣喻因由記　（11–3）

今来便得羅漢之道有何罪宿行何果報　佛勅阿難此今亦世
依彼聚落國貧恒為釣魚雖得其魚胎如肚石名父母作恒諍
養者為前生市施一文錢五百生中常富貴自在之家今来便證得羅
漢者彼羅奈國為供養者計以生誓言善得見佛自得出家便
證羅漢今見佛得初果其由此也
佛在世時於王城舍化盡迦旃延敎化至城邊見一老女身不自由
衣不覆形食不充命常被大人驅使見此老母見受如是命中更怕則
去自念我是化利之人奉化利此老母迦旃延已稱老母長年貧業甚
老母答云如何退得生於富貴之家語老母曰何不施便得轉貧生富
老母答云身不自由無市施物此老母往何處水知到其河邊洗浴洗
洗身心息遍我自坐待老母不遠前事老洗得水西沉
知遍便往老母教化況老母言不得若前施見知大人嗔打迦旃延勸不
施況怕怖言亦施衣老母亦怕大人施衣亦吾為稱迦旃延即取水已便
為老母誦法戒信戒歸母迷得天上諸到家中所為作母不急祖
不容大人罵要身已扇車凌夜夜緣若即實取一面家
中去取一好房淵与手數命卧其夜老母命終天明大人房看見
此老母死卧房中便即急罵要言曰生擯令死去亦救房而
卧遣交人把脚繫棄擲依城南屍林下浴却此老母命終便得生
天勝其諸天身光昇曜諸天子見此女人從下界来端正無雙救
取為妻其女乃天力乃見前身在下界屍林便領天乃往下
界到五百天子其香施遍死屍来臨近屍林夜見此五百天子衆天女
各持天花光明赫奕供養此死老母有何所以天女答曰此老母
身者則前身是女為供養迦旃延聖者命終得生天後大人已悔
恨不識尊人共由如是也
爾時佛在於摩竭提國有五百乞兒衣不蔽形食不充口恒逐世尊
乞食余充性命但於一日五百乞兒作何罪業見世得
如是果報各自思量便詣如来頂禮求哀心中思惟要樂出家而立
佛知其意一稱善来鬚髮自落衣服變為袈裟得初果二果證羅漢
佛於城中士庶皆稱世尊自由此五百乞兒出離從今已後更隨世
尊舍衛汗識施主家席器如何不於一日者隨太子自從請世尊說
居宅舍欲余莊娑婆世界羅漢聖者及凡僧受我供養佛告曰
赴駕太子請父及僧于御一樹下而立　佛問太子更有何事太子答曰

BD03129 號　諸經雜緣喻因由記　（11–4）

佛知其意一稱善来鬚髮自落衣服變為袈裟得初果二果證羅漢
佛於城中士庶皆稱世尊自由此五百乞兒出離從今已後更隨世
尊舍衛汗識施主家席器如何不於一日者隨太子自從請世尊說
居宅舍欲余莊娑婆世界羅漢聖者及凡僧受我供養依佛曰
赴駕太子請父及僧于御一樹下而立　佛問太子更有何事太子答曰
求曰世尊未来莫到此五百乞兒出家僧衆来赴我家中及食
器佛知其意衆来曰佛為衆乃住長者家来去行到寺院佛立勅嶽
乞兒僧五百至五前頭我今住者隨太子家中衆去太子歸三十寺五百
汙不應汝等五百僧佛勅交此五百乞兒僧各持一鉢次神通力往
北方世界各請一鉢七寸粳米飯要来行隨身持来飛騰自在
至衆時要食從空而下大廟會太子家次第而坐各自喫七寸飯
米飯乃為香隨太子衆見已盡不自勝白佛世尊其乞兒今日造衆供養
佛及羅漢衆凡僧更為五百羅漢後何方来於空而下各持衣
來亦為太子衆来心中擬甚盡悅唯願世尊誦以說　佛告耆隨太子
無量生前於波羅奈國有一山依此山中常有賢聖辟支佛居住右
無聖者時有凡僧居住凡僧亦無便乃外道五通仙人居住恒
時不定或於一月依此山中天氣星隨不現國中陰陽興旱
卜更為二十年國中大遭飢饉人心黑惡不依山中供養信心便斷或
於百日雲无德長者我自思念依山中養一百遠去人不供養省難
後無此長者便列散向其住此山中前臨其長者及藏
此五百辟支佛了具雲无長者問藏何我供養二百五十羅漢
僧余粮足否藏曰長者若供養者粮斜令足長者便留請二百
五十羅漢僧依山供養更二百五十羅漢供養便從餘去長者問
羅漢曰往他國去長者問藏問我更擬留請者二百五十羅漢
僧供養粮用足否藏答曰但留請供養粮斜亦令足所難
長者便留請五百羅漢依山中養五百人送食差一人每於
諸尼羅漢僧此五百人辛苦送食便罵言此羅漢僧不合
請僧人稱一山尼羅漢僧人便要却不請其稱便隆聲呼
諸羅漢到来五百人於前懺悔不識賢人其曇无長者其年
種田畔頭亦胡蘆並大小受十頭已来兼田中依山沙羅漢去
來今手種物著田畔摶一胡蘆並有何所以羅漢答曰但自於

BD03129 號　諸經雜緣喻因由記　（11–5）

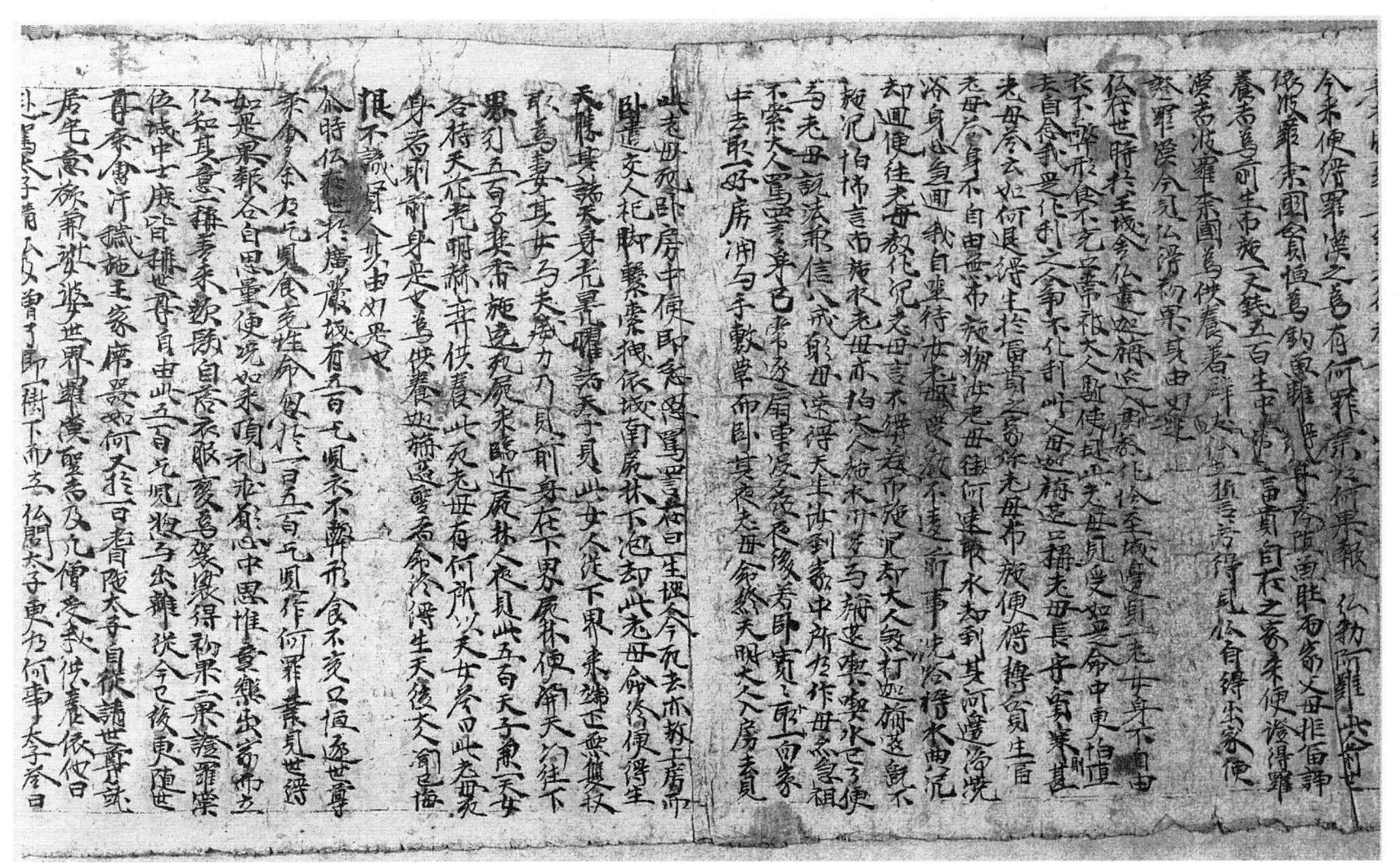

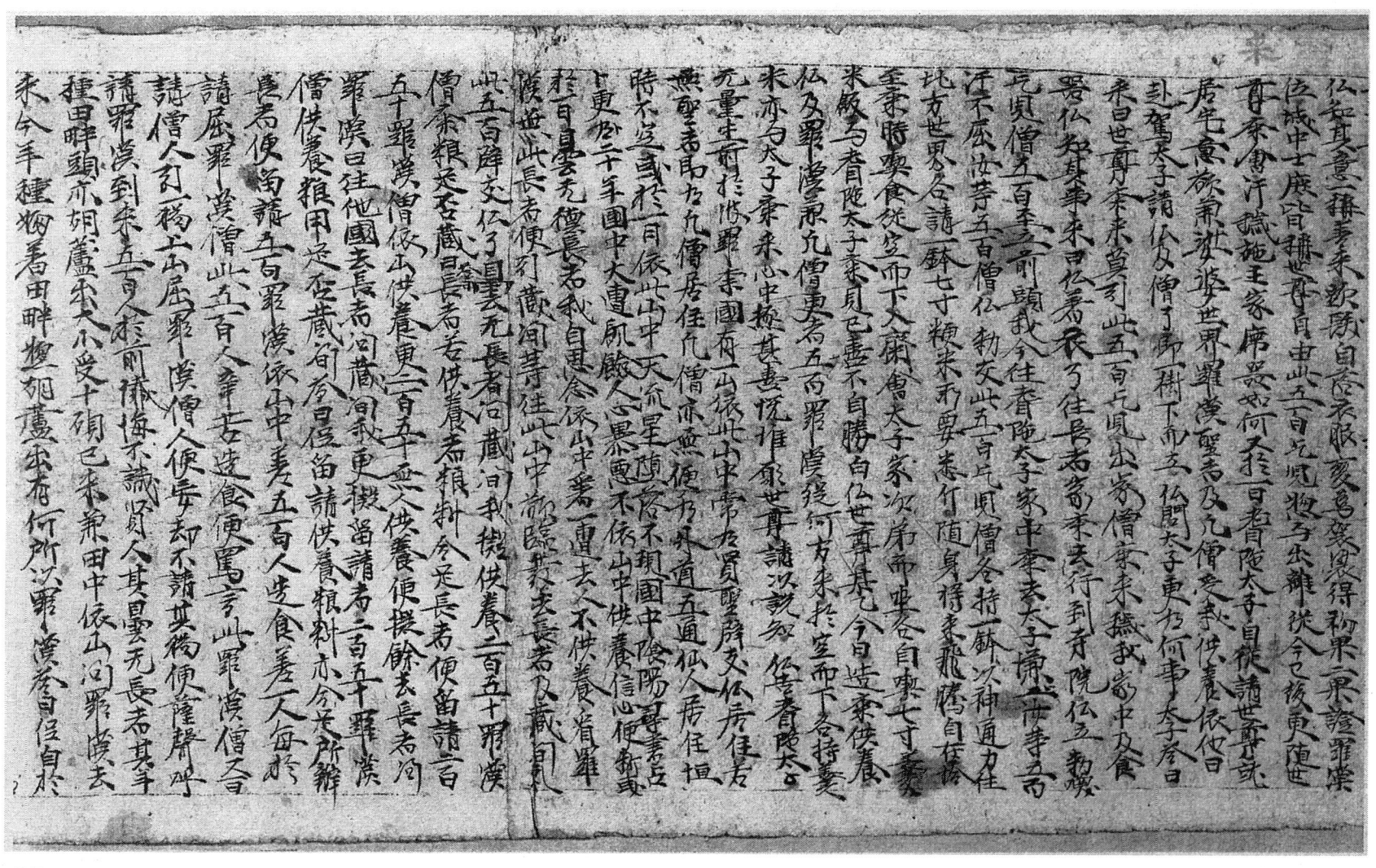

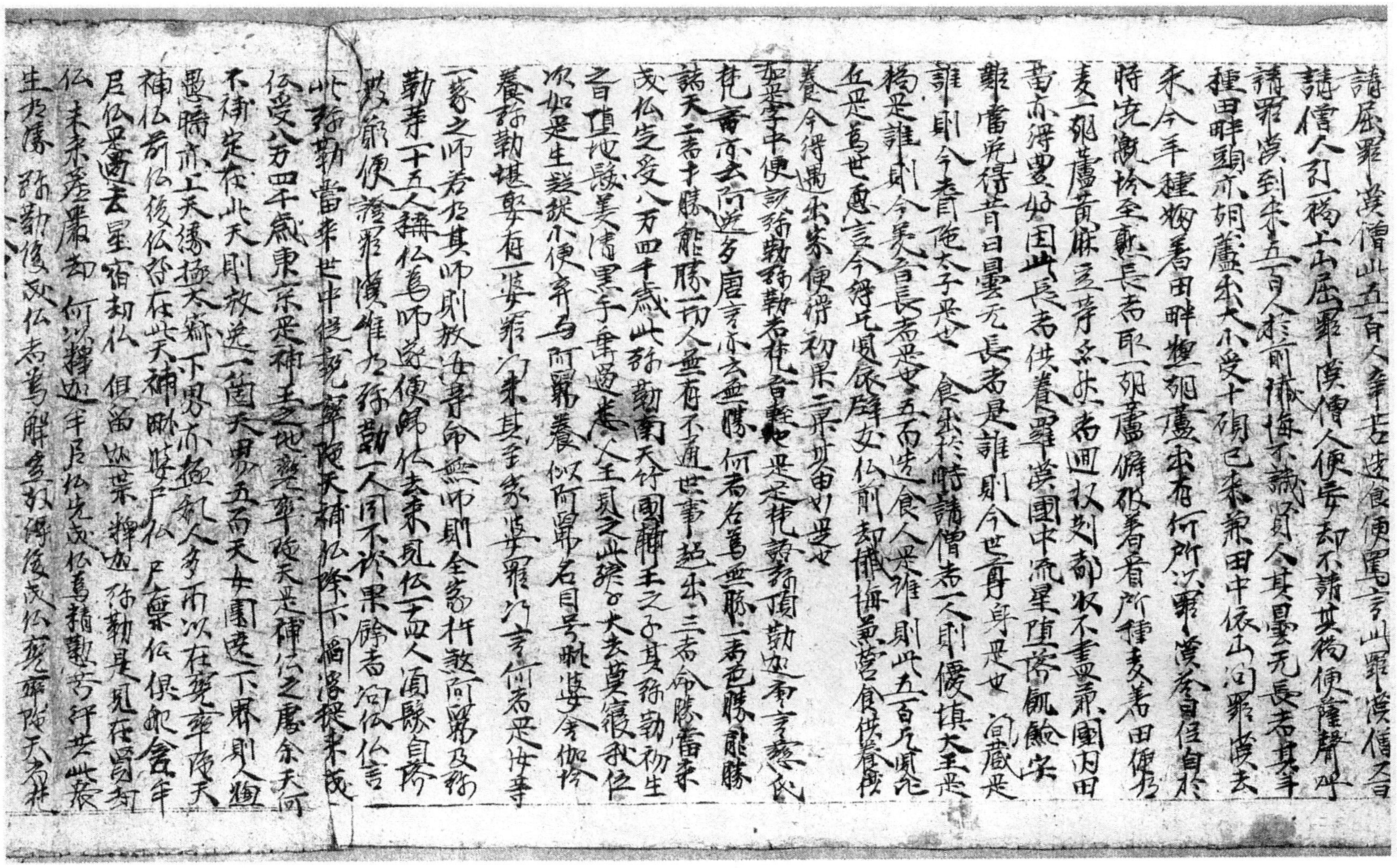

BD03129 號　諸經雜緣喻因由記　（11–6）

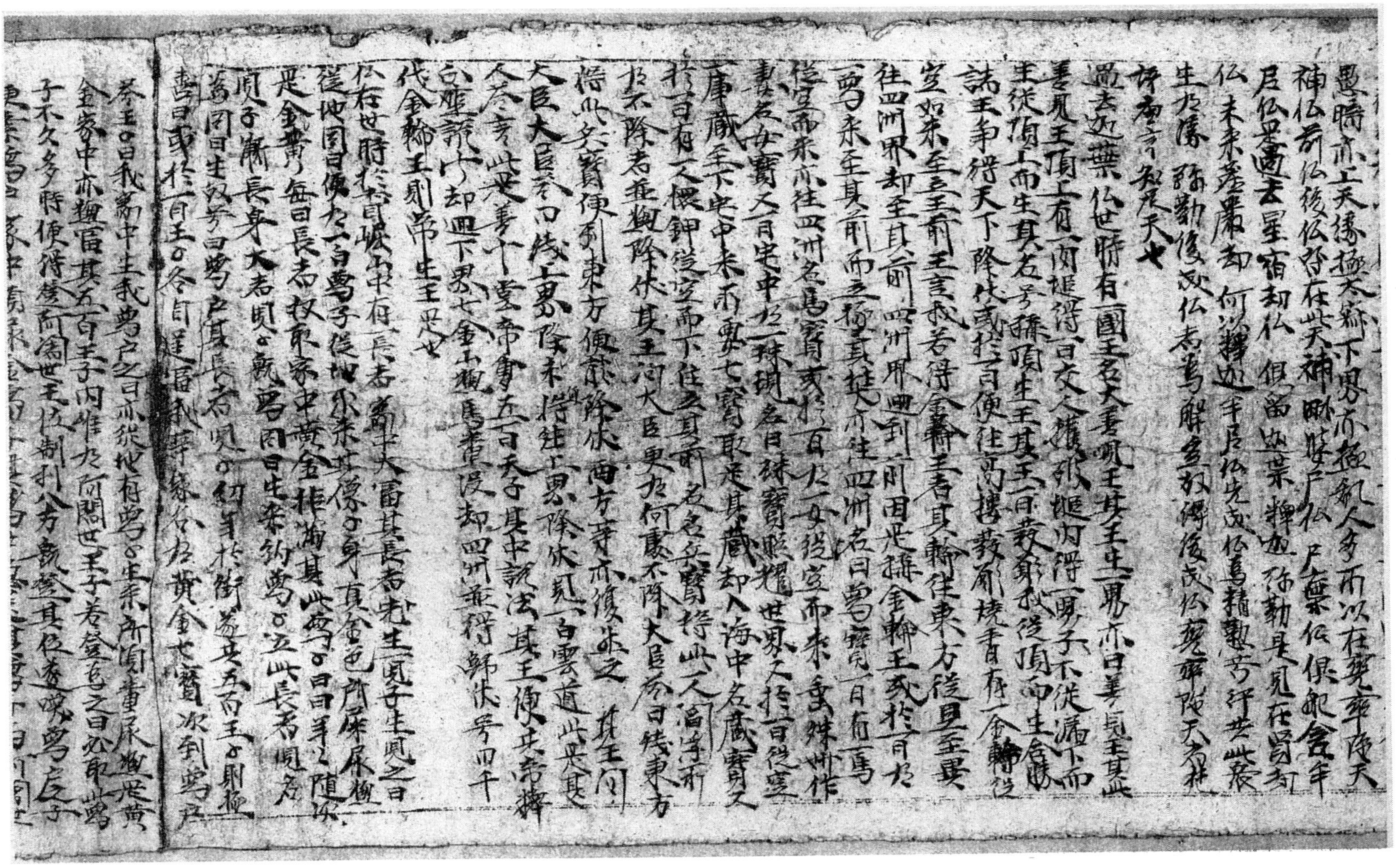

BD03129 號　諸經雜緣喻因由記　（11–7）

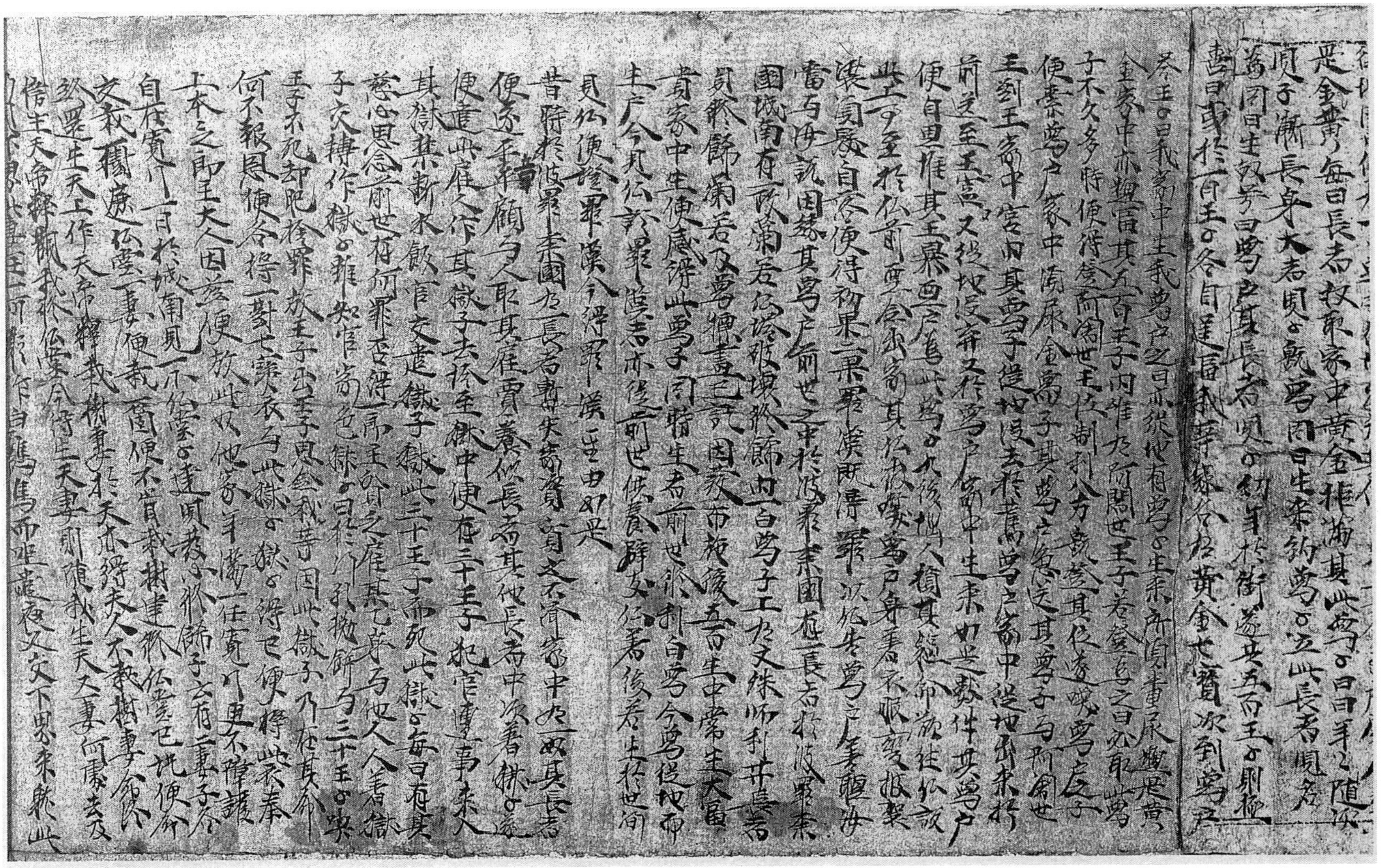

BD03129 號　諸經雜緣喻因由記　（11–8）

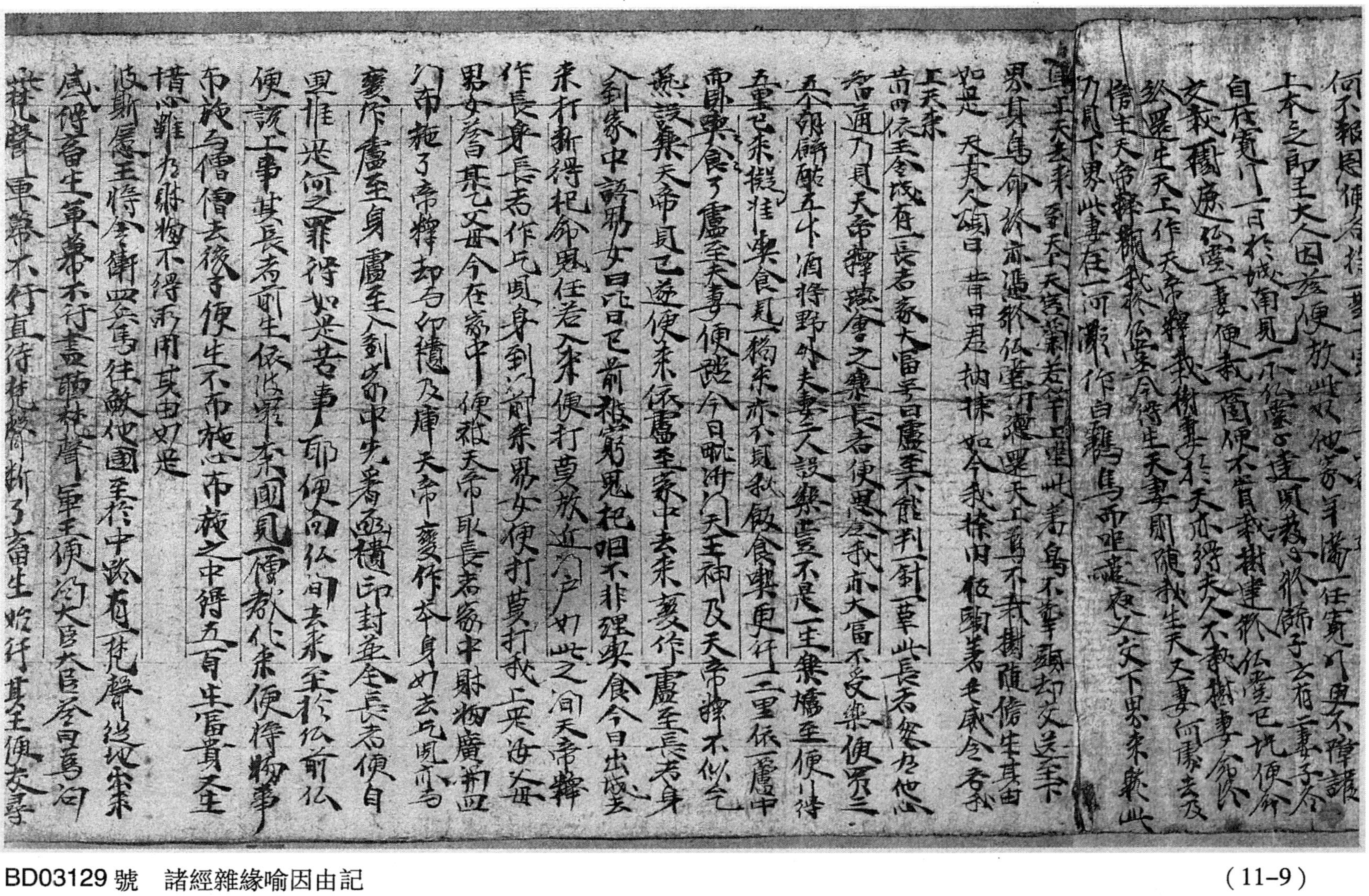

BD03129 號　諸經雜緣喻因由記　（11–9）

布施為僧。僧去後,子便生,不布施心。布施之中,得五百生富貴。至
惜心雖乃將物,不得所用,其由如是。
波斯匿王將兵衛四兵馬往敵他國,至於中路,有梵聲從此而來,
感得畜生,象馬不行,盡聽梵聲。象王便約大臣,大臣答曰:馬向
梵聲,象馬不行,直待梵聲斷了,畜生始行。其王便交尋
覓此聲,從何而出。至一山中,有一蘭若,王親自問知梵者是誰。
住僧答曰:不見。王看,王乃索看住僧,便往驗,取一鉢,落底內有
一五寸比丘,身長五寸。居住僧白王曰:此鉢壞比丘作此梵聲。王便往佛所
來,來至於佛前。其時兵馬行去,來至中路,係一蘭若,有五寸比丘立。
作梵得兵馬不行,是何緣?於此比丘身不長?有一王造一佛塔,闊二十五里,高
三十五里。王遊於其中,前塔去來,問匀當修塔人:此塔大小?匀當答
曰:但小相亦得,何要此大塔?因此一言,得五寸小身。為匀當故,令
得此安身。因此發心造塔國王,則令波斯匿王是也。
已上此開讚大乘不思議解脫十門,其深義取所生,一切獲無量無邊功德。先將
資益梵釋四王、龍天八部,惟願威光轉盛,福力弥增,興運慈悲,救人
護國,使四時順序,八表無虞,九橫不侵,万人安樂,十齋常轉,晝
恒明刀兵不興,疾毒休息,然願鉦聲震響,上徹天宮,鐘梵鈴之
下臨地獄,刀山落刃,劍樹摧峰,爐炭收煙,冰河息浪,針咽餓鬼,永
絕虛羸,鱗甲畜生,莫相食啖,謹乾闥絃管,常鳴飼詠羅
征旗永折,散交大將,護國護人,敬重龍王,調風調雨,西皇聖於
掃出天門,要勤靈龕,潛藏地穴,懷胎難月,母子平安,征客遠行
即命早達,獄囚繫閉,枷鎖離身,病苦纏眠,起居輕利,七過青屬
預羅諸使,今道傷人,恒聞政法,盲者見道,啞者能言,聾者
再聞,愚者得智,以斯不凡是者,願承此功力因緣,未得之相,是是然
後天下成地平,河清海晏,五穀豐稔,千箱萬盈,官神國,彼人知禮
而師弟大衆,命竭精誠,奉為天八部,及土地神祇,大聖辯今摩
[illegible]天公主貴位,惟願千祥四慶,恒昌之休,常歡子貴之榮曰

BD03129號　諸經雜緣喻因由記　（11–10）

得免安身。因此發心造塔國王,則令波斯匿王是也。
已上此開讚大乘不思議解脫十門,其深義取所生,一切獲無量無邊功德。先將
資益梵釋四王、龍天八部,惟願威光轉盛,福力弥增,興運慈悲,救人
護國,使四時順序,八表無虞,九橫不侵,万人安樂,十齋常轉,晝
恒明刀兵不興,疾毒休息,然願鉦聲震響,上徹天宮,鐘梵鈴之
下臨地獄,刀山落刃,劍樹摧峰,爐炭收煙,冰河息浪,針咽餓鬼,永
絕虛羸,鱗甲畜生,莫相食啖,謹乾闥絃管,常鳴飼詠羅
征旗永折,散交大將,護國護人,敬重龍王,調風調雨,西皇聖於
掃出天門,要勤靈龕,潛藏地穴,懷胎難月,母子平安,征客遠行
即命早達,獄囚繫閉,枷鎖離身,病苦纏眠,起居輕利,七過青屬
預羅諸使,今道傷人,恒聞政法,盲者見道,啞者能言,聾者
再聞,愚者得智,以斯不凡是者,願承此功力因緣,未得之相,是是然
後天下成地平,河清海晏,五穀豐稔,千箱萬盈,官神國,彼人知禮
而師弟大衆,命竭精誠,奉為天八部,及土地神祇,大聖辯今摩
又持勝福,次用莊嚴天公主貴位,惟願千祥四慶,恒昌之休,常歡子貴之榮曰
益仙家之茂。　夫人等貴位,體花永曜,雲東分星,質貌恒春,
同月中之桂樹,永保千秋,恒居万代之榮。
又持勝福,次用莊嚴過往傳法和尚等,惟願雖戒定惠足
以資其神,生身之直根,但超於世利,恒氣灑示凱虛接
界,當限生前,不當於玄泉,沒後眾界法垂,以此回付,倍啟心
摧外聞讚之初,奉申迴向。

BD03129號　諸經雜緣喻因由記　（11–11）

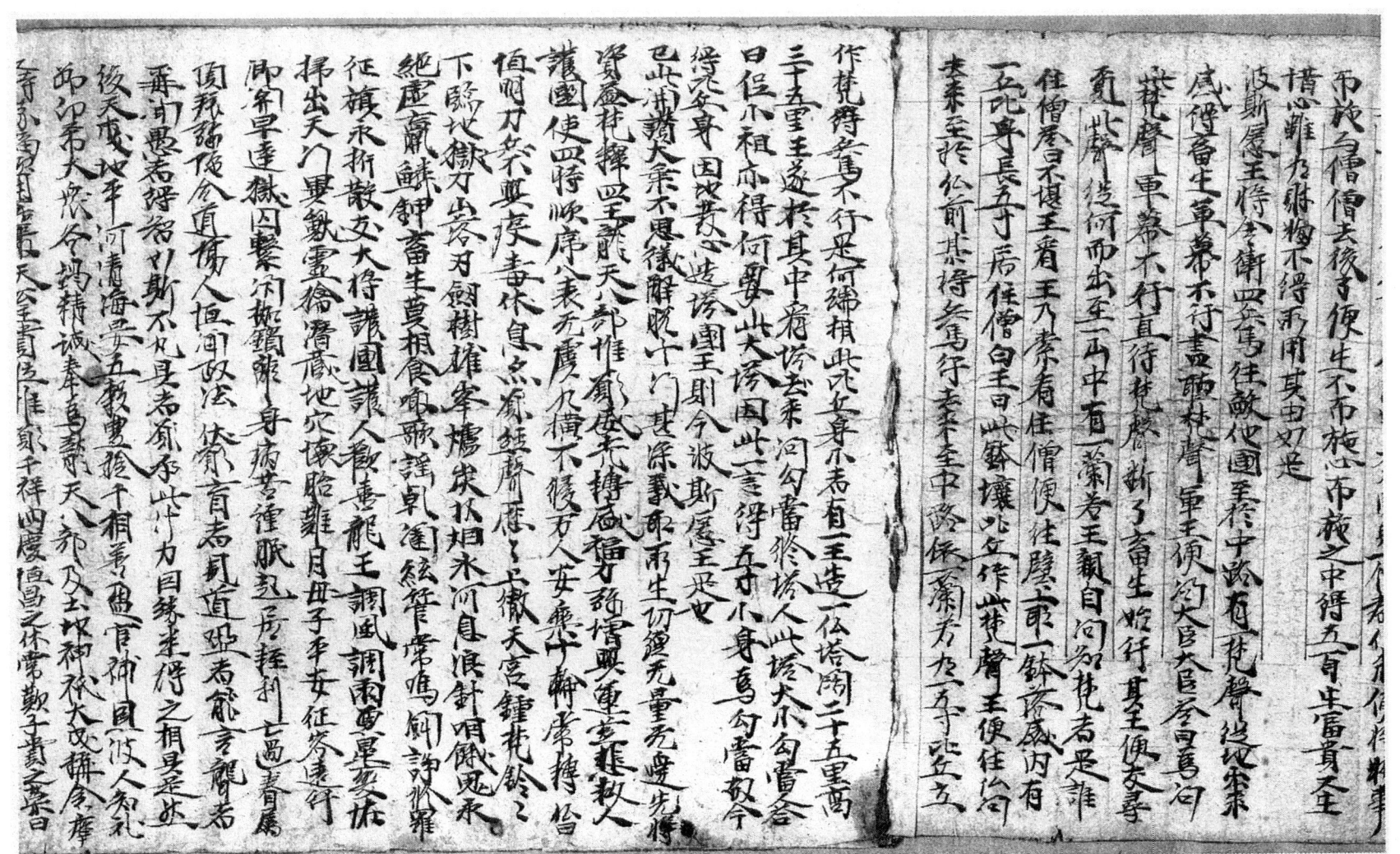

BD03129 號背　雜寫　（2–1）

BD03129 號背　雜寫　（2–2）

時三千大千世界三十
天樂變化天他化自
念我等皆當供養恭敬
薩令阿素洛黨損減使諸
時三千大千世界梵衆天梵
梵天光天少光天無量光天
少淨天無量淨天遍淨天
廣天廣果天無繁天無熱
色究竟天歡喜欣悅咸作是
是菩薩速證無上正等菩提轉妙法輪度
一切舍利子若菩薩摩訶薩修行般若波羅
蜜多增益六種波羅蜜多時彼世界皆善
男子善女人等若見若聞皆大歡喜咸作
我等願為如是菩薩當作父母兄弟姊妹妻子
眷屬知識朋友因此方便修諸善業亦當證
得無上菩提時彼世界四大王衆天乃至色
究竟天若見若聞皆大歡喜咸作是念我等
當作種種方便令是菩薩雖非梵行從初發
乃至成佛常修梵行所以者何若染色欲於
生梵天尚能為障況得無上正等菩提是故
菩薩斷欲出家修梵行者能得無上正

BD03130號　大般若波羅蜜多經卷四　（22–1）

得無上菩提時彼世界四大王衆天乃至色
究竟天若見若聞皆大歡喜咸作是念我等
當作種種方便令是菩薩雖非梵行從初發
乃至成佛常修梵行所以者何若染色欲於
生梵天尚能為障況得無上正等菩提是故
菩薩斷欲出家修梵行者能得無上正
提非不斷者時舍利子白佛言世尊諸菩
摩訶薩為要當有父母妻子諸親友耶世
具壽舍利子言或有菩薩具有父母妻
屬而修菩薩摩訶薩行或有菩薩摩訶
有妻子從初發心乃至成佛常修梵行不
童真或有菩薩摩訶薩方便善巧示受五欲
厭捨出家修行梵行方得無上正等菩提舍
利子譬如幻師或彼弟子善於幻法幻作種
種五妙欲具於中自恣共相娛樂於意云何
彼幻所作為有實不舍利子言不也世尊不
也善逝佛言舍利子菩薩摩訶薩亦復如
為欲成熟諸有情故方便善巧化受五欲實
無是事然此菩薩摩訶薩於五欲中深生厭
患不為五欲過失所染以無量門訶毀諸欲
欲為熾火燒身心故欲為穢惡染自他故欲
為魁膾於去來今常為害故欲為怨敵長夜
伺求作衰損故欲如草炬欲如苦果欲如利
劍欲如火聚欲如毒器欲如幻惑欲如闇井
欲如詐親旃荼羅等舍利子諸菩薩摩訶薩
以如是等無量過門訶毀諸欲既善了知諸
欲過失寧有真實受諸欲事但為饒益所化

BD03130號　大般若波羅蜜多經卷四　（22–2）

劒欲如火聚欲如毒器欲如幻惑欲如闇井
欲如詐親旃荼羅等舍利子諸菩薩摩訶薩
以如是等无量過門訶毀諸欲既善了知諸
欲過失寧有真實受諸欲事但為饒益所化
有情方便善巧示受諸欲
尒時舍利子白佛言世尊云何菩薩摩訶薩
應行般若波羅蜜多佛告具壽舍利子言舍
利子菩薩摩訶薩脩行般若波羅蜜多時應
如是觀實有菩薩不見有菩薩不見菩薩名
不見般若波羅蜜多不見般若波羅蜜多名
不見行不見不行何以故舍利子菩薩自性
空菩薩名空所以者何色自性空不由空故
色空非色色不離空空不離色色即是空空
即是色受想行識自性空不由空故受想行
識空非受想行識受想行識不離空空不離
受想行識受想行識即是空空即是受想行
識何以故舍利子此但有名謂為菩提此但
有名謂為薩埵此但有名謂為菩提薩埵此
但有名謂之為空此但有名謂之為色受想
行識如是自性无生无滅无染无淨菩薩摩
訶薩如是行般若波羅蜜多不見生不見滅
不見染不見淨何以故但假立客名別別於
法而起分別假立客名隨起言說如如言說
如是如是生起執著菩薩摩訶薩脩行般若
波羅蜜多時於如是等一切不見由不見故
不生執著
復次舍利子諸菩薩摩訶薩脩行般若波羅

BD03130號　大般若波羅蜜多經卷四　（22–3）

法而起分別假立客名隨起言說如如言說
如是如是生起執著菩薩摩訶薩脩行般若
波羅蜜多時於如是等一切不見由不見故
不生執著
復次舍利子諸菩薩摩訶薩脩行般若波羅
蜜多時應如是觀菩薩但有名佛但有名般
若波羅蜜多但有名色但有名受想行識但
有名眼處但有名耳鼻舌身意處但有名色
處但有名聲香味觸法處但有名眼界但有
名耳鼻舌身意界但有名色界但有名聲香
味觸法界但有名眼識界但有名耳鼻舌身
意識界但有名眼觸但有名耳鼻舌身意觸
但有名眼觸為緣所生諸受但有名耳鼻舌
身意觸為緣所生諸受但有名地界但有名
水火風空識界但有名因緣但有名等無間
緣所緣緣增上緣但有名從緣所生諸法但
有名無明但有名行識名色六處觸受愛取
有生老死愁歎苦憂惱但有名布施波羅蜜
多但有名淨戒安忍精進靜慮波羅蜜多但
有名內空但有名外空內外空空空大空勝
義空有為空无為空畢竟空无際空散空无
變異空本性空自相空共相空一切法空不
可得空无性空自性空无性自性空但有名
四念住但有名四正斷四神足五根五力七等
覺支八聖道支但有名空解脫門但有名
无相无願解脫門但有名苦聖諦但有名集
滅道聖諦但有名四靜慮但有名四无量四无

BD03130號　大般若波羅蜜多經卷四　（22–4）

可得空无性空自性空无性自性空但有名
四念住但有名四正斷四神足五根五力七等
覺支八聖道支但有名空解脫門但有名
无相无願解脫門但有名苦聖諦但有名集
滅道聖諦但有名四靜慮但有名四无量四无
色定但有名八解脫但有名八勝處九次第
定十遍處但有名陁羅尼門但有名三摩地
門但有名極喜地但有名離垢地發光地焰慧
地極難勝地現前地遠行地不動地善慧地法
雲地但有名上觀地但有名種姓地第八地
見地薄地離欲地已辦地獨覺地菩薩地如
來地但有名五眼但有名六神通但有名如
來十力但有名四无所畏四无礙解大慈大
悲大喜大捨十八佛不共法但有名三十二
大士相但有名八十隨好但有名无忘失法
但有名恒住捨性但有名一切智但有名道
相智一切相智但有名一切智智但有名永
拔煩惱習氣相續但有名預流果但有名一
來不還阿羅漢果但有名獨覺菩提但有名
一切菩薩摩訶薩行但有名諸佛无上正等
菩提但有名世間法但有名出世間法但有
名有漏法但有名无漏法但有名有為法但
有名无為法但有名舍利子如我但有名謂
之為我實不可得如是有情命者生者養者
士夫補特伽羅意生儒童作者使作者起者
使起者受者使受者知者見者亦但有名謂
為有情乃至見者以不可得空故但隨世俗

有名无為法但有名舍利子如我但有名謂
之為我實不可得如是有情命者生者養者
士夫補特伽羅意生儒童作者使作者起者
使起者受者使受者知者見者亦但有名謂
為有情乃至見者以不可得空故但隨世俗
假立客名諸法亦尒不應執著是故菩薩摩
訶薩脩行般若波羅蜜多時不見有我乃
至見者亦不見有一切法性
舍利子諸菩薩摩訶薩如是脩行甚深般
若波羅蜜多除諸佛慧一切聲聞獨覺菩慧
所不能及以不可得空故所以者何是菩薩摩
訶薩於名所名俱无所得以不觀見无執著
故舍利子諸菩薩摩訶薩若能如是脩行般
若波羅蜜多名善脩行甚深般若波羅蜜多
舍利子假使汝及大目乹連滿贍部洲如稻
麻竹葦甘蔗林等所有智慧比行般若波羅
蜜多一菩薩摩訶薩智慧百分不及一千分
不及一百千分不及一俱胝分不及一百俱
胝分不及一千俱胝分不及一百千俱胝分
不及一數分算分計分喻分乃至鄔波尼
殺曇分亦不及一何以故舍利子是菩薩摩
訶薩智慧能使一切有情趣般涅槃一切聲
聞獨覺智慧不如是故又舍利子脩行般若
波羅蜜多一菩薩摩訶薩於一日中所脩智
慧一切聲聞獨覺智慧不能及故舍利子置
贍部洲假使汝及大目乹連滿四大洲如稻
麻竹葦甘蔗林等所有智慧比行般若波羅

慧一切聲聞獨覺智慧不能及故舍利子置
贍部洲假使汝及大目乾連滿四大洲如稻
麻竹葦甘蔗林等所有智慧比行般若波羅
蜜多一菩薩摩訶薩智慧百分不及一千分
不及一百千分不及一俱胝分不及一百俱
胝分不及一千俱胝分不及一百千俱胝分
不及一數分筭分計分喻分乃至鄔波尼殺
曇分亦不及一何以故舍利子是菩薩摩訶
薩智慧能使一切有情趣般涅槃一切聲聞
獨覺智慧不如是故又舍利子脩行般若波
羅蜜多一菩薩摩訶薩於一日中所脩智慧
一切聲聞獨覺智慧不能及故舍利子置四
大洲假使汝及大目乾連滿一三千大千世界
如稻麻竹葦甘蔗林等所有智慧比行般
若波羅蜜多一菩薩摩訶薩智慧百分不及
一千分不及一百千分不及一俱胝分不及一
百俱胝分不及一千俱胝分不及一百千
俱胝分不及一數分筭分計分喻分乃至鄔
波尼殺曇分亦不及一何以故舍利子是菩
薩摩訶薩智慧能使一切有情趣般涅槃一
切聲聞獨覺智慧不如是故又舍利子脩行
般若波羅蜜多一菩薩摩訶薩於一日中所
脩智慧一切聲聞獨覺智慧不能及故舍利
子置一三千大世界假使汝及大目乾連
充滿十方殑伽沙等諸佛世界如稻麻竹葦
甘蔗林等所有智慧比行般若波羅蜜多一
菩薩摩訶薩智慧百分不及一千分不及一

BD03130號　大般若波羅蜜多經卷四　（22–7）

脩智慧一切聲聞獨覺智慧不能及故舍利
子置一三千大世界假使汝及大目乾連
充滿十方殑伽沙等諸佛世界如稻麻竹葦
甘蔗林等所有智慧比行般若波羅蜜多一
菩薩摩訶薩智慧百分不及一千分不及一
百千分不及一俱胝分不及一百俱胝分不
及一千俱胝分不及一百千俱胝分不及一
數分筭分計分喻分乃至鄔波尼殺曇分亦
不及一何以故舍利子是菩薩摩訶薩智慧
能使一切有情趣般涅槃一切聲聞獨覺智
慧不如是故又舍利子脩行般若波羅蜜多
一菩薩摩訶薩於一日中所脩智慧一切聲
聞獨覺智慧不能及故
尒時舍利子白佛言世尊若聲聞乘預流一
來不還阿羅漢智慧若獨覺乘智慧若菩
薩摩訶薩智慧若諸如來應正等覺智慧是
諸智慧皆无差別不相違背无生无滅自性皆
空若法无差別不相違无生滅自性空是法
差別既不可得云何世尊說行般若波羅蜜
多一菩薩摩訶薩於一日中所脩智慧一切
聲聞獨覺智慧所不能及佛告具壽舍利子
言舍利子於意云何脩行般若波羅蜜多一
菩薩摩訶薩於一日中所脩智慧所成勝事
一切聲聞獨覺智慧有此事不舍利子言不
也世尊不也善逝又舍利子於意云何脩行
般若波羅蜜多一菩薩摩訶薩於一日中所
脩智慧作是念言我當脩行一切相微妙智

BD03130號　大般若波羅蜜多經卷四　（22–8）

一切聲聞獨覺智慧有此事不舍利子言不
也世尊不也善逝又舍利子於意云何脩行
般若波羅蜜多一菩薩摩訶薩於一日中所
脩智慧作是念言我當脩行一切相微妙智
一切智道相智一切相智利益安樂一切有
情彼於一切法覺一切相已方便安立一切
有情於无餘依般涅槃界一切聲聞獨覺智
慧有此事不舍利子言不也世尊不也善逝
又舍利子於意云何一切聲聞獨覺頗能作
是念我當證得无上正等菩提方便安立一
切有情於无餘依涅槃界不舍利子言不也
世尊不也善逝又舍利子於意云何一切聲
聞獨覺頗能作是念我當脩行布施淨戒安
忍精進靜慮般若波羅蜜多我當脩行殊勝
四念住四正斷四神足五根五力七等覺支
八聖道支我當脩行殊勝四靜慮四无量四
无色定我當脩行殊勝八解脫八勝處九次
第定十遍處我當脩行殊勝空无相无願解
脫門我當安住內空外空內外空空空大空
勝義空有為空无為空畢竟空无際空散
空无變異空本性空自相空共相空一切法空
不可得空无性空自性空无性自性空我當
安住真如法界法性不虛妄性不變異性平
等性離生性法定法住實際虛空界不思議
界我當安住殊勝苦集滅道聖諦我當脩行
一切陀羅尼門三摩地門我當脩行極喜地

安住真如法界法性不虛妄性不變異性平
等性離生性法定法住實際虛空界不思議
界我當安住殊勝苦集滅道聖諦我當脩行
一切陀羅尼門三摩地門我當脩行極喜地
離垢地發光地焰慧地極難勝地現前地遠
行地不動地善慧地法雲地我當圓滿菩薩
神通成熟有情嚴淨佛土我當圓滿五眼六
神通我當圓滿佛十力四无所畏四无礙解
大慈大悲大喜大捨十八佛不共法我當圓
滿三十二大士相八十隨好我當圓滿无忘失
法恒住捨性我當圓滿一切智道相智一
切相智永拔一切煩惱習氣證得无上正等
菩提方便安立无量无數无邊有情於无餘
依涅槃界不舍利子言不也世尊不也善逝
佛言舍利子脩行般若波羅蜜多諸菩薩摩
訶薩皆作是念我當脩行布施淨戒安忍精
進靜慮般若波羅蜜多乃至我當永拔一切
煩惱習氣證得无上正等菩提方便安立无
量无數无邊有情於无餘依般涅槃界
舍利子譬如螢火无如是念我光能照遍贍
部洲普令大明如是一切聲聞獨覺无如是
念我當脩行布施淨戒安忍精進靜慮般若
波羅蜜多乃至我當永拔一切煩惱習氣證
得无上正等菩提方便安立无量无數无邊
有情於无餘依般涅槃界舍利子譬如日輪
光明熾盛照贍部洲无不周遍如是脩行般
若波羅蜜多諸菩薩摩訶薩常作是念我

有情於无餘依般涅槃界舍利子譬如日輪
光明熾盛照贍部洲无不周遍如是脩行般
若波羅蜜多諸菩薩摩訶薩常作是念我
當脩行布施淨戒安忍精進靜慮般若波羅
蜜多乃至我當永拔一切煩惱習氣證得无上
正等菩提方便安立无量无數无邊有情於
无餘依般涅槃界以是故舍利子當知一切
聲聞獨覺所有智慧比於般若波羅蜜多一
菩薩摩訶薩於一日中所脩智慧百分不及
一千分不及一百千分不及一俱胝分不及
一百俱胝分不及一千俱胝分不及一百千
俱胝分不及一數分筭分計分喻分乃至鄔
波尼殺曇分亦不及一
尒時舍利子白佛言世尊云何菩薩摩訶薩
能超聲聞獨覺等地能得菩薩不退轉地能
淨无上佛菩提道佛告具壽舍利子言舍利
子諸菩薩摩訶薩從初發心脩行布施淨戒
安忍精進靜慮般若方便善巧妙願力智波
羅蜜多住空无相无願之法即能超過一切
聲聞獨覺等地能得菩薩不退轉地能淨无
上佛菩提道時舍利子復白佛言世尊諸菩
薩摩訶薩住何等地能與一切聲聞獨覺作
真福田佛告具壽舍利子言舍利子諸菩薩
摩訶薩從初發心脩行布施淨戒安忍精進
靜慮般若方便善巧妙願力智波羅蜜多住
空无相无願之法乃至安坐妙菩提座常與

靜慮般若方便善巧妙願力智波羅蜜多住
空无相无願之法乃至安坐妙菩提座常與
一切聲聞獨覺作真福田何以故舍利子以
依菩薩摩訶薩故一切善法出現世間謂依
菩薩摩訶薩故有十善業道五近事戒八近
住戒四靜慮四无量四无色定施性福業事
戒性福業事脩性福業事等出現世間又依
菩薩摩訶薩故有四念住四正斷四神足五
根五力七等覺支八聖道支空无相无願解
脫門苦集滅道聖諦等出現世間又依菩薩
摩訶薩故有布施淨戒安忍精進靜慮般若
波羅蜜多出現世間有內空外空內外空空空
大空勝義空有為空无為空畢竟空无際
空散空无變異空本性空自相空共相空一
切法空不可得空无性空自性空无性自性
空出現世間有一切法真如法界法性不虛
妄性不變異性平等性離生性法定法住實
際虛空界不思議界出現世間有八解脫八
勝處九次第定十遍處出現世間有一切陀
羅尼門三摩地門菩薩十地出現世間有五
眼六神通出現世間有佛十力四无所畏四
无礙解大慈大悲大喜大捨十八佛不共法
出現世間有无忘失法恒住捨性出現世間
有一切智道相智一切相智出現世間有成
熟有情嚴淨佛土等无量无數无邊善法出
現世間由有如是諸善法故世間便有剎帝

有一切智道相智一切相智出現世間有成
熟有情嚴淨佛土等无量无數无邊善法出
現世間由有如是諸善法故世間便有剎帝
利大族婆羅門大族長者大族居士大族由
有如是諸善法故世間便有四大王衆天三
十三天夜魔天覩史多天樂變化天他化自
在天由有如是諸善法故世間便有梵衆天
梵輔天梵會天大梵天光天少光天无量光
天極光淨天淨天少淨天无量淨天遍淨天
廣天少廣天无量廣天廣果天无想有情天
无繁天无熱天善現天善見天色究竟天由
有如是諸善法故世間便有空无邊處天識
无邊處天无所有處天非想非非想處天由
有如是諸善法故世間便有預流一來不還
阿羅漢獨覺由有如是諸善法故世間便有
菩薩摩訶薩及諸如來應正等覺
尒時舍利子白佛言世尊諸菩薩摩訶薩為
復須報施主恩不佛告具壽舍利子言舍利
子諸菩薩摩訶薩不復須報諸施主恩何以
故已多報故所以者何舍利子諸菩薩摩訶
薩為大施主施諸有情无量善法謂施有情
十善業道五近事戒八近住戒四靜慮四无
量四无色定施戒脩性三福業事又施有情
四念住四正斷四神足五根五力七等覺支
八聖道支空无相无願解脫門苦集滅道聖
諦又施有情布施淨戒安忍精進靜慮般若
方便善巧妙願力智波羅蜜多又施有情內

BD03130號　大般若波羅蜜多經卷四

(22–13)

量四无色定施戒脩性三福業事又施有情
四念住四正斷四神足五根五力七等覺支
八聖道支空无相无願解脫門苦集滅道聖
諦又施有情布施淨戒安忍精進靜慮般若
方便善巧妙願力智波羅蜜多又施有情內
空外空內外空空空大空勝義空有為空无
為空畢竟空无際空散空无變異空本性空
自相空共相空一切法空不可得空无性空
自性空无性自性空又施有情一切法真如
法界法性不虛妄性不變異性平等性離生
性法定法住實際虛空界不思議界又施有
情八解脫八勝處九次第定十遍處又施有
情陁羅尼門三摩地門菩薩十地又施有情
五眼六神通又施有情如來十力四无所畏
四无礙解大慈大悲大喜大捨十八佛不共
法又施有情无忘失法恒住捨性又施有情
一切智道相智一切相智又施有情布施愛
語利行同事成熟有情嚴淨佛土方便善巧
又施有情預流一來不還阿羅漢果獨覺菩
提又施有情一切菩薩摩訶薩行諸佛无上
正等菩提舍利子諸菩薩摩訶薩施諸有情
如是等類无量无數无邊善法故說菩薩為
大施主由此已報諸施主恩是真福田生長
勝福

初分相應品第三

尒時舍利子白佛言世尊脩行般若波羅蜜

BD03130號　大般若波羅蜜多經卷四

(22–14)

賸福
初分相應品第三
尒時舍利子白佛言世尊脩行般若波羅蜜
多菩薩摩訶薩與何法相應故當言與般若
波羅蜜多相應佛告具壽舍利子言舍利子
脩行般若波羅蜜多菩薩摩訶薩與色空相
應故當言與般若波羅蜜多相應與受想行
識空相應故當言與般若波羅蜜多相應舍
利子脩行般若波羅蜜多菩薩摩訶薩與眼
處空相應故當言與般若波羅蜜多相應與
耳鼻舌身意處空相應故當言與般若波羅
蜜多相應舍利子脩行般若波羅蜜多菩薩
摩訶薩與色處空相應故當言與般若波羅
蜜多相應與聲香味觸法處空相應故當言
與般若波羅蜜多相應舍利子脩行般若波
羅蜜多菩薩摩訶薩與眼界空相應故當言
與般若波羅蜜多相應與耳鼻舌身意界空
相應故當言與般若波羅蜜多相應舍利子
脩行般若波羅蜜多菩薩摩訶薩與色界空
相應故當言與般若波羅蜜多相應與聲香
味觸法界空相應故當言與般若波羅蜜多
相應舍利子脩行般若波羅蜜多菩薩摩
訶薩與眼識界空相應故當言與般若波羅
蜜多相應與耳鼻舌身意識界空相應故當
言與般若波羅蜜多相應舍利子脩行般若
波羅蜜多菩薩摩訶薩與眼觸空相應故當

訶薩與眼識界空相應故當言與般若波羅
蜜多相應與耳鼻舌身意識界空相應故當
言與般若波羅蜜多相應舍利子脩行般若
波羅蜜多菩薩摩訶薩與眼觸空相應故當
言與般若波羅蜜多相應與耳鼻舌身意觸
空相應故當言與般若波羅蜜多相應舍利
子脩行般若波羅蜜多菩薩摩訶薩與眼觸
為緣所生諸受空相應故當言與般若波羅
蜜多相應與耳鼻舌身意觸為緣所生諸受
空相應故當言與般若波羅蜜多相應舍利
子脩行般若波羅蜜多菩薩摩訶薩與地界
空相應故當言與般若波羅蜜多相應與水
火風空識界空相應故當言與般若波羅蜜
多相應舍利子脩行般若波羅蜜多菩薩摩
訶薩與因緣空相應故當言與般若波羅蜜
多相應與等無間緣所緣緣增上緣及從諸
緣所生諸法空相應故當言與般若波羅蜜
多相應舍利子脩行般若波羅蜜多菩薩摩
訶薩與無明空相應故當言與般若波羅蜜
多相應與行識名色六處觸受愛取有生老
死愁歎苦憂惱空相應故當言與般若波羅
蜜多相應
舍利子脩行般若波羅蜜多菩薩摩訶薩與
布施波羅蜜多空相應故當言與般若波羅
蜜多相應與淨戒安忍精進靜慮般若波羅
蜜多空相應故當言與般若波羅蜜多相應
舍利子脩行般若波羅蜜多菩薩摩訶薩與

舍利子脩行般若波羅蜜多菩薩摩訶薩與
布施波羅蜜多空相應故當言與般若波羅
蜜多相應與淨戒安忍精進靜慮般若波羅
蜜多空相應故當言與般若波羅蜜多相應
舍利子脩行般若波羅蜜多菩薩摩訶薩與
內空相應故當言與般若波羅蜜多相應與
外空內外空空空大空勝義空有為空無為
空畢竟空無際空散空無變異空本性空自
相空共相空一切法空不可得空無性空自
性空無性自性空相應故當言與般若波羅
蜜多相應舍利子脩行般若波羅蜜多菩薩
摩訶薩與真如空相應故當言與般若波羅
蜜多相應與法界法性不虛妄性不變異性
平等性離生性法定法住實際虛空界不思
議界空相應故當言與般若波羅蜜多相應
舍利子脩行般若波羅蜜多菩薩摩訶薩與
四念住空相應故當言與般若波羅蜜多相
應與四正斷四神足五根五力七等覺支八
聖道支空相應故當言與般若波羅蜜多相
應舍利子脩行般若波羅蜜多菩薩摩訶薩
與苦聖諦空相應故當言與般若波羅蜜多
相應與集滅道聖諦空相應故當言與般若
波羅蜜多相應舍利子脩行般若波羅蜜多
菩薩摩訶薩與十善業道空相應故當言與
般若波羅蜜多相應與五近事戒八近住戒
空相應故當言與般若波羅蜜多相應舍利
子脩行般若波羅蜜多菩薩摩訶薩與施性

BD03130 號　大般若波羅蜜多經卷四　（22–17）

波羅蜜多相應舍利子修行般若波羅蜜多
菩薩摩訶薩與十善業道空相應故當言與
般若波羅蜜多相應與五近事戒八近住戒
空相應故當言與般若波羅蜜多相應舍利
子修行般若波羅蜜多菩薩摩訶薩與施性
福業事空相應故當言與般若波羅蜜多相
應與戒性修性福業事空相應故當言與般
若波羅蜜多相應舍利子修行般若波羅蜜
多菩薩摩訶薩與四靜慮空相應故當言與
般若波羅蜜多相應與四無量四無色定空
相應故當言與般若波羅蜜多相應舍利子
修行般若波羅蜜多菩薩摩訶薩與八解脫
空相應故當言與般若波羅蜜多相應與八
勝處九次第定十遍處空相應故當言與般
若波羅蜜多相應舍利子修行般若波羅蜜
多菩薩摩訶薩與空解脫門空相應故當言
與般若波羅蜜多相應與無相無願解脫門
空相應故當言與般若波羅蜜多相應舍利
子修行般若波羅蜜多菩薩摩訶薩與一切
陀羅尼門空相應故當言與般若波羅蜜多
相應與一切三摩地門空相應故當言與般若
波羅蜜多相應舍利子修行般若波羅蜜
多菩薩摩訶薩與極喜地空相應故當言與
般若波羅蜜多相應與離垢地發光地焰慧
地極難勝地現前地遠行地不動地善慧地
法雲地空相應故當言與般若波羅蜜多相

BD03130 號　大般若波羅蜜多經卷四　（22–18）

多菩薩摩訶薩與極喜地空相應故當言與
般若波羅蜜多相應與離垢地發光地焰慧
地極難勝地現前地遠行地不動地善慧地
法雲地空相應故當言與般若波羅蜜多相
應舍利子脩行般若波羅蜜多菩薩摩訶薩
與五眼空相應故當言與般若波羅蜜多相
應與六神通空相應故當言與般若波羅蜜
多相應舍利子脩行般若波羅蜜多菩薩摩
訶薩與佛十力空相應故當言與般若波羅
蜜多相應與四無所畏四無礙解大慈大悲
大喜大捨十八佛不共法空相應故當言與
般若波羅蜜多相應舍利子脩行般若波
羅蜜多菩薩摩訶薩與三十二大士相空相
應故當言與般若波羅蜜多相應與八十隨好
空相應故當言與般若波羅蜜多相應舍利
子脩行般若波羅蜜多菩薩摩訶薩與無忘
失法空相應故當言與般若波羅蜜多相應
與恒住捨性空相應故當言與般若波羅蜜
多相應舍利子脩行般若波羅蜜多菩薩摩
訶薩與一切智空相應故當言與般若波羅
蜜多相應與道相智一切相智空相應故當
言與般若波羅蜜多相應舍利子脩行般若
波羅蜜多菩薩摩訶薩與一切智智空相應
故當言與般若波羅蜜多相應與永拔一切
煩惱習氣空相應故當言與般若波羅蜜多
相應舍利子脩行般若波羅蜜多菩薩摩訶

BD03130號　大般若波羅蜜多經卷四　（22–19）

波羅蜜多菩薩摩訶薩與一切智智空相應
故當言與般若波羅蜜多相應與永拔一切
煩惱習氣空相應故當言與般若波羅蜜多
相應舍利子脩行般若波羅蜜多菩薩摩訶
薩與預流果空相應故當言與般若波羅蜜
多相應與一來不還阿羅漢果獨覺菩提空
相應故當言與般若波羅蜜多相應舍利子
脩行般若波羅蜜多菩薩摩訶薩與一切菩
薩摩訶薩行空相應故當言與般若波羅蜜
多相應與諸佛無上正等菩提空相應故當
言與般若波羅蜜多相應舍利子脩行般若
波羅蜜多菩薩摩訶薩與我空相應故當言
與般若波羅蜜多相應與有情命者生者養
者士夫補特伽羅意生儒童作者使作者起
者使起者受者使受者知者見者空相應故
當言與般若波羅蜜多相應舍利子脩行般
若波羅蜜多菩薩摩訶薩與如是等空相應
故當言與般若波羅蜜多相應舍利子脩行
般若波羅蜜多菩薩摩訶薩與如是等空相
應時不見色若相應若不相應不見受想行
識若相應若不相應何以故舍利子是菩薩
摩訶薩不見色若是生法若是滅法不見受
想行識若是生法若是滅法不見色若是染
法若是淨法不見受想行識若是染法若是
淨法舍利子是菩薩摩訶薩不見色與受合
不見受與想合不見想與行合不見行與識

BD03130號　大般若波羅蜜多經卷四　（22–20）

摩訶薩不見色若是生法若是滅法不見受
想行識若是生法若是滅法不見色若是染
法若是淨法不見受想行識若是染法若是
淨法舍利子是菩薩摩訶薩不見色與受合
不見受與想合不見想與行合不見行與識
合何以故舍利子無有少法與少法合本性
空故所以者何舍利子諸色空彼非色諸受
想行識空彼非受想行識何以故舍利子諸
色空彼非變礙相諸受空彼非領納相諸想
空彼非取像相諸行空彼非造作相諸識空
彼非了別相何以故舍利子色不異空空不
異色色即是空空即是色受想行識不異空
空不異受想行識受想行識即是空空即是
受想行識何以故舍利子是諸法空相不生
不滅不染不淨不增不減非過去非未來非
現在舍利子如是空中無色無受想行識無
地界無水火風空識界無眼處無耳鼻舌身
意處無色處無聲香味觸法處無眼界無耳
鼻舌身意界無色界無聲香味觸法界無眼
識界無耳鼻舌身意識界無眼觸無耳鼻舌
身意觸無眼觸為緣所生諸受無耳鼻舌身
意觸為緣所生諸受無無明生無無明滅無
行識名色六處觸受愛取有生老死愁歎苦
憂惱生無行乃至老死愁歎苦憂惱滅無苦
聖諦無集滅道聖諦無得無現觀無預流無
預流果無一來無一來果無不還無不還果
無可羅漢無可羅漢果無獨覺無獨菩提

鼻舌身意界無色界無聲香味觸法界無眼
識界無耳鼻舌身意識界無眼觸無耳鼻舌
身意觸無眼觸為緣所生諸受無耳鼻舌身
意觸為緣所生諸受無無明生無無明滅無
行識名色六處觸受愛取有生老死愁歎苦
憂惱生無行乃至老死愁歎苦憂惱滅無苦
聖諦無集滅道聖諦無得無現觀無預流無
預流果無一來無一來果無不還無不還果
無阿羅漢無阿羅漢果無獨覺無獨覺菩提
無菩薩無菩薩行無佛無佛菩提舍利子脩
行般若波羅蜜多菩薩摩訶薩與如是等法
相應故當言與般若波羅蜜多相應

大般若波羅蜜多經卷第四

智昭寫

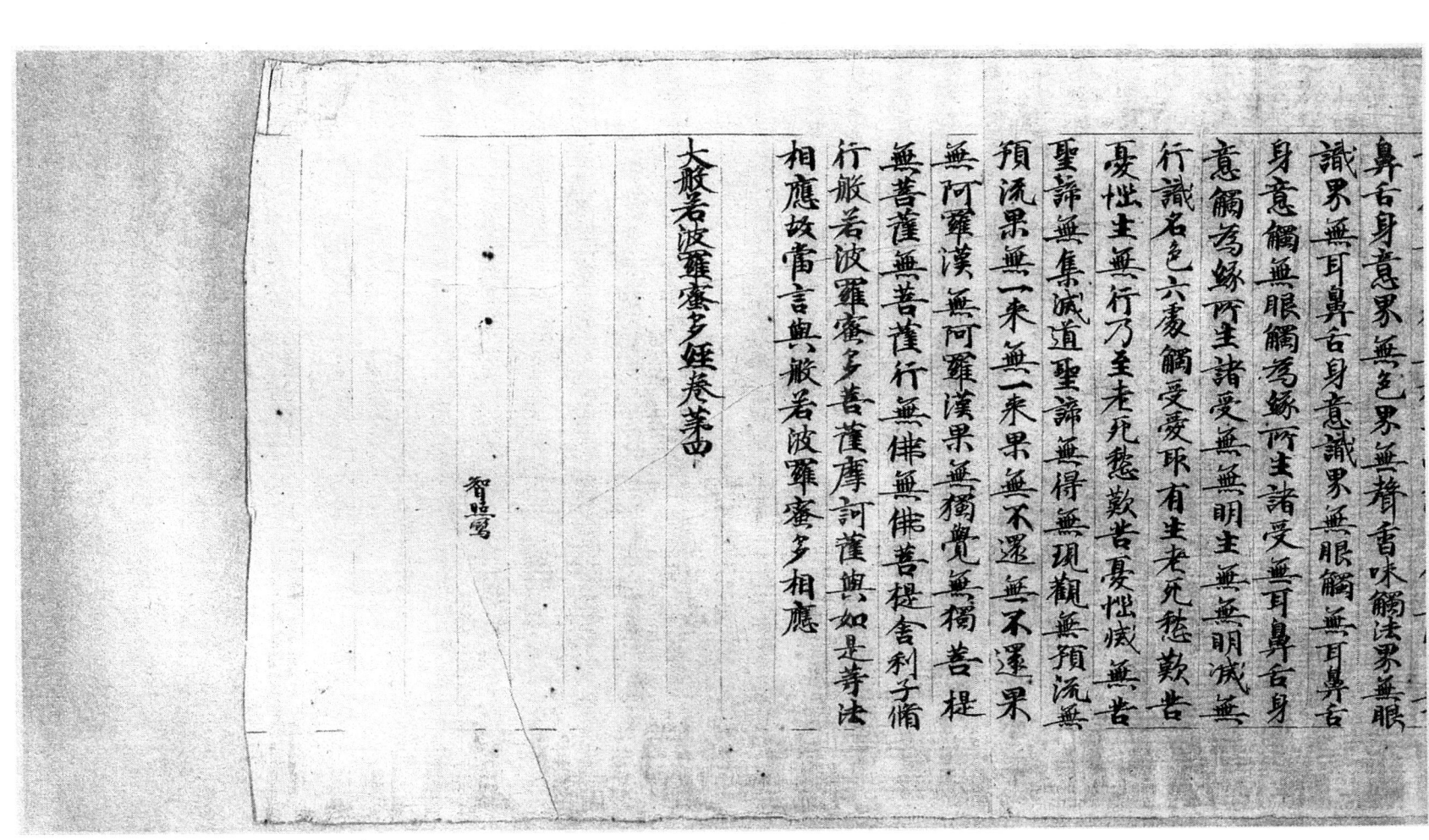

第四

BD03130 號背　勘記　（1–1）

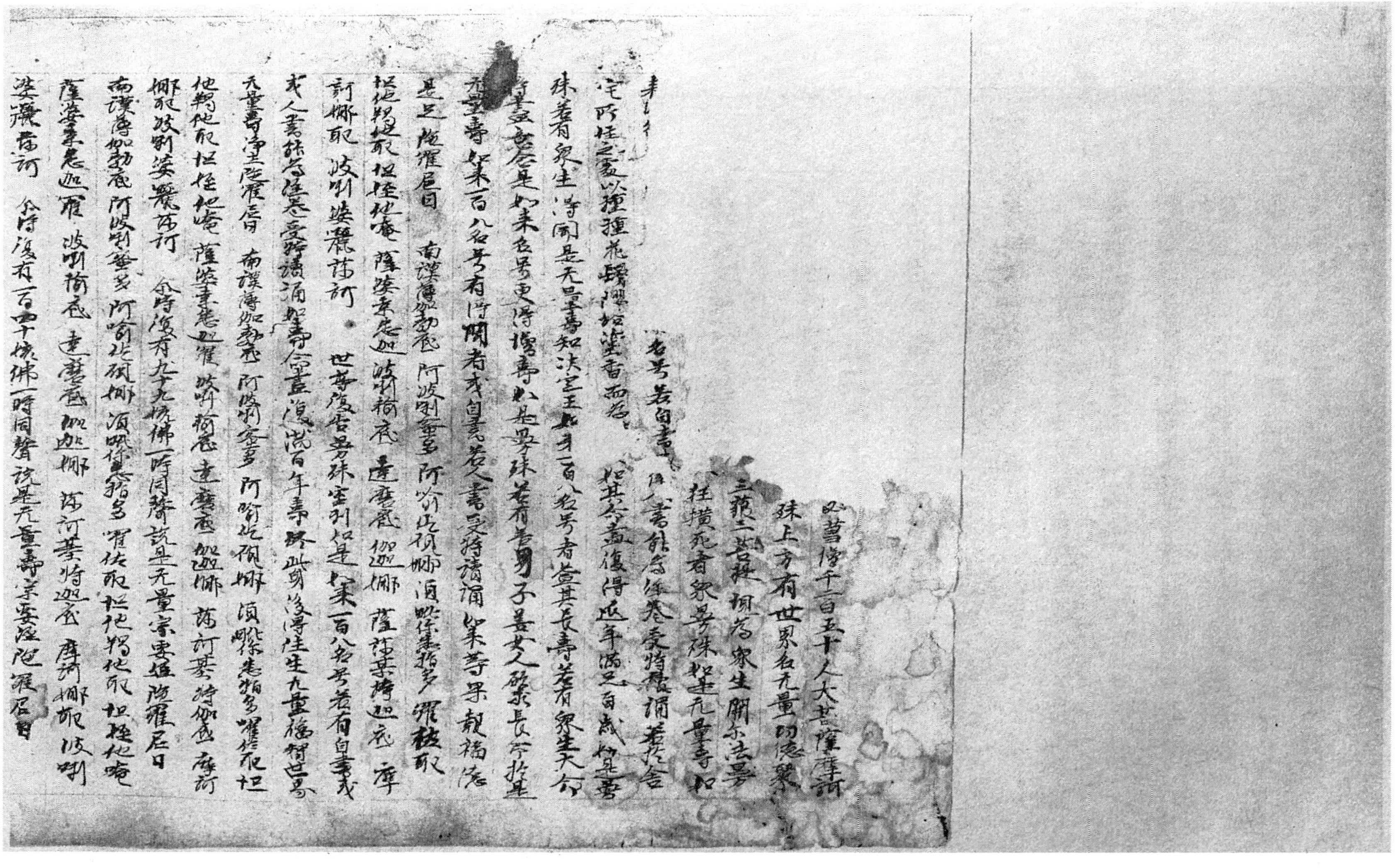
比丘僧千二百五十人大菩薩摩訶
殊上方有世界名無量功德聚
三藐三菩提現為衆生開示法要
枉橫死者衆曼殊是无量壽如
人書能為經卷受持讀誦若於舍
如其命盡復得延年滿足百歲如是曼
名號若自書
宅所住之處以種種花鬘瓔珞塗香而為
殊若有衆生得聞是无量壽知決定王如來一百八名號者益其長壽若有衆生大命
將盡念是如來名号更得增壽如是曼殊若有善男子善女人欲求長壽於是
无量壽如來百八名号有得聞者或自書若人書受持讀誦如是等果報福德
具足陁羅尼曰　南謨薄伽勃底　阿波唎蜜多　阿喻紇硯那　須毗你失指多　囉佐耶
怛他揭他耶　怛姪他唵　薩婆桑悉迦　波唎輸底　達磨底　伽伽那　娑母特伽底　摩
訶那耶　波唎婆羅　莎訶　世尊復告曼殊室利如是如來一百八名號若有自書或
使人書為經卷受持讀誦如壽命盡復滿百年壽終此身後得往生无量福智世界
无量壽淨土陁羅尼曰　南謨薄伽勃底　阿波唎蜜多　阿喻紇硯那　須毗你失指多　囉佐耶　怛
他揭他耶　怛姪他唵　薩婆桑悉迦羅　波唎輸底　達磨底　伽伽那　莎訶某持伽底　摩訶
那耶　波唎婆羅　莎訶　爾時復有九十九俱胝佛一時同聲說是无量宗要經陁羅尼曰
南謨薄伽勃底　阿波唎蜜多　阿喻紇硯那　須毗你失指多　囉佐耶　怛他揭他耶　怛姪他唵
薩婆桑悉迦羅　波唎輸底　達磨底　伽伽那　莎訶某持伽底　摩訶那耶　波唎
婆羅　莎訶　爾時復有一百四十俱胝佛一時同聲說是无量壽宗要經陁羅尼曰

BD03131 號　無量壽宗要經　（6–1）

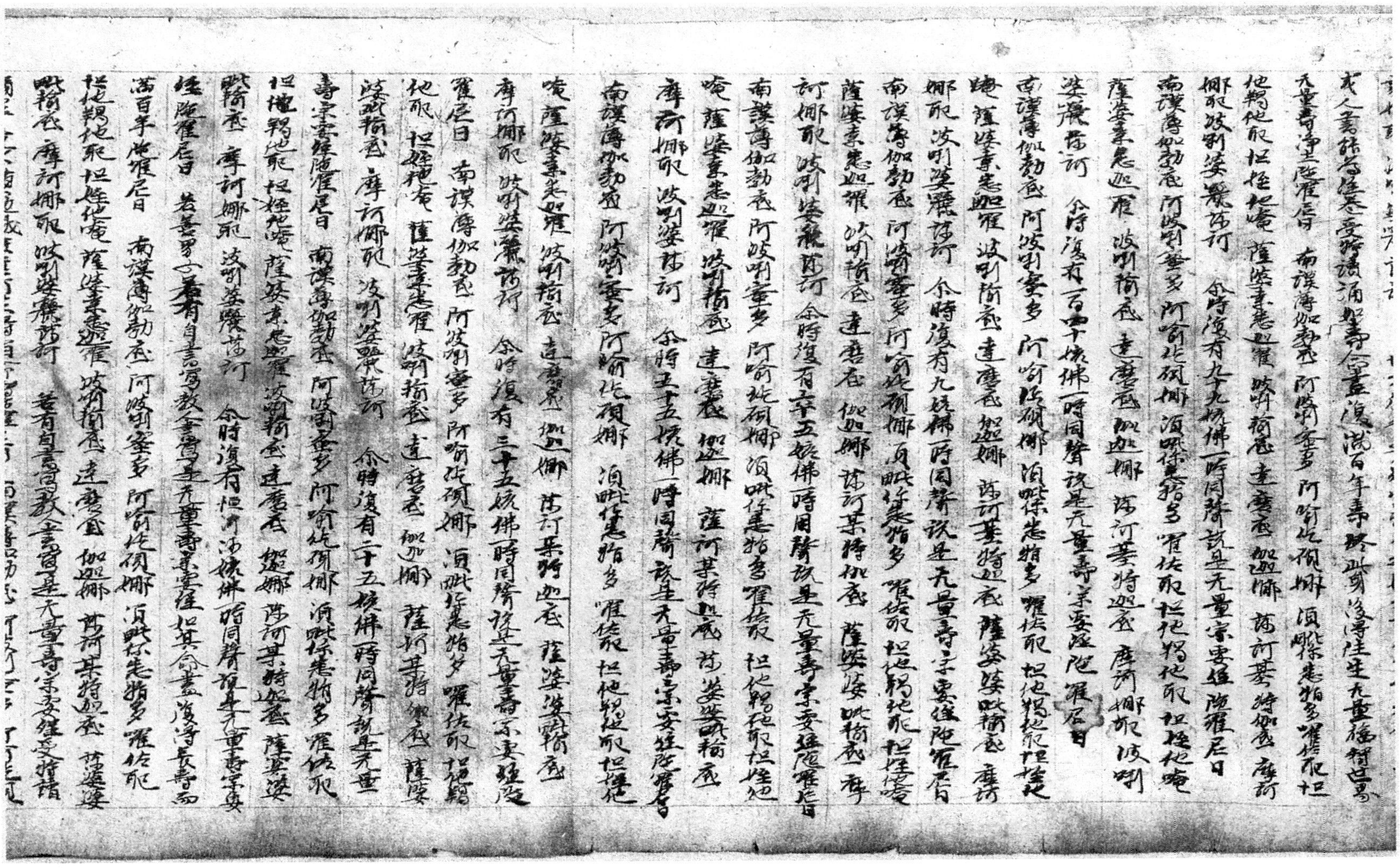

BD03131 號　無量壽宗要經　（6–2）

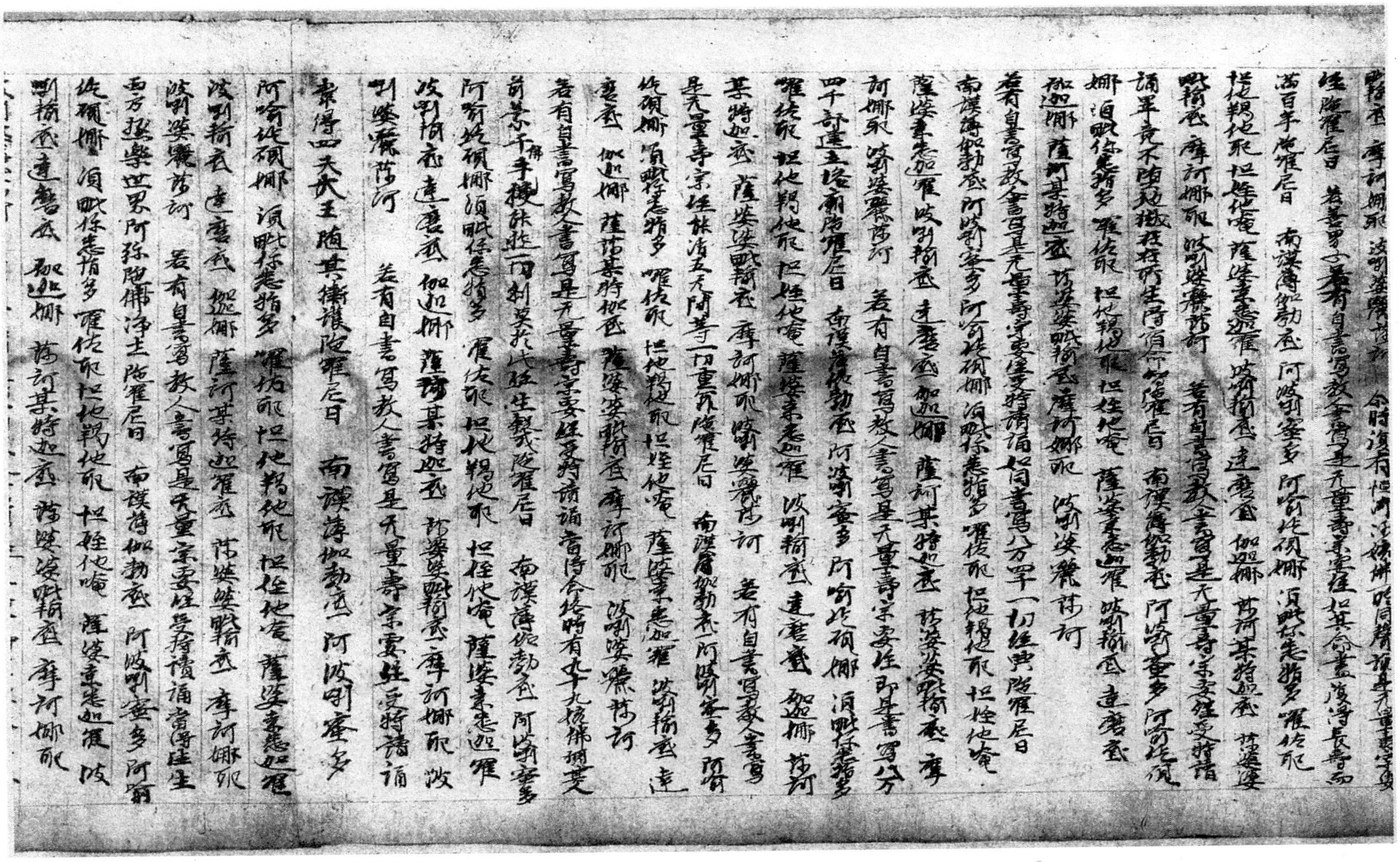

BD03131 號　無量壽宗要經　（6–3）

阿喻紇硯孃 須毗你失指多 囉佐耶 怛他羯他耶 怛姪他唵 薩婆桑悉迦囉
波唎秫底 達磨底 伽伽娜 薩訶某特迦囉底 莎婆婆毗秫底 摩訶娜耶
波唎婆囉莎訶 若有自書寫教人書寫是无量宗要經受持讀誦當得往生
西方極樂世界阿弥陀佛淨土 陁羅尼曰 南謨薄伽勃底 阿波唎蜜多 阿喻
紇硯孃 須毗你失指多 囉佐耶 怛他羯他耶 怛姪他唵 薩婆桑悉迦囉 波
唎秫底 達磨底 伽伽娜 薩訶某特迦底 莎婆婆毗秫底 摩訶娜耶
波唎婆囉莎訶 若有書寫自書寫使人書寫是无量壽宗要經之處則
為是塔皆應恭敬作礼 若是畜生或為鳥獸得聞是經如是等類皆當不久惣成一切
種智 陁羅尼曰 南謨薄伽勃底 阿波唎蜜多 阿喻紇硯孃 須毗你失指多
囉佐耶 怛他羯他耶 怛姪他唵 薩婆桑悉迦囉 波唎秫底 達磨底 伽伽娜
薩訶某特伽底 莎婆婆毗秫底 摩訶娜耶 波唎婆囉莎訶
若有於是无量壽宗要經自書寫若使人書寫是无量宗要經者竟不受
女人之身 陁羅尼曰 南謨薄伽勃底 阿波唎蜜多 阿喻紇硯孃 須毗你失指多
囉佐耶 怛他羯他耶 怛姪他唵 薩婆桑悉迦囉 波唎秫底 達磨底
伽伽娜 薩訶某特伽底 莎婆婆毗秫底 摩訶娜耶 波唎婆囉莎訶
若有能於是經少分能惠施者 等於三千大千世界滿中七寶布施 陁羅尼曰
南謨薄伽勃底 阿波唎蜜多 阿喻紇硯孃 須毗你失指多 囉佐耶 怛他羯他耶
怛姪他唵 薩婆桑悉迦囉 波唎秫底 達磨底 伽伽娜 薩訶某特伽底
莎婆婆毗秫底 摩訶娜耶 波唎婆囉莎訶
若有能供養是經者則是供養一切諸經等无有異 陁羅尼曰 南謨薄勃伽底
阿波唎蜜多 阿喻紇硯孃 須毗你失指多 囉佐耶 怛他羯他耶 怛姪他唵
薩婆桑悉迦囉 波唎秫底 達磨底 伽伽娜 薩訶某特迦底 莎婆婆
毗秫底 摩訶娜耶 波唎婆囉莎訶 如是毗婆尸佛 尸棄
佛 毗舍浮佛 俱留孫佛 俱那含牟尼佛 迦葉佛 釋迦牟尼佛
若有人以七寶供養如是七佛其福有限書寫受持是无量壽經典所有功德
不可限量 陁羅尼曰 南謨薄伽勃底 阿波唎蜜多 阿喻紇硯孃 須毗你失指多
囉佐耶 怛他羯他耶 怛姪他唵 薩婆桑悉迦囉 波唎秫底 達磨底
伽伽娜 薩訶某特迦底 莎婆婆毗秫底 摩訶娜耶 波唎婆囉莎訶
若有七寶等於須弥以用布施其福上能知其限量是无量壽經典其福
不可數 陁羅尼曰 南謨薄伽勃底 阿波唎蜜多 阿喻紇硯孃

BD03131號 無量壽宗要經 （6–4）

若有人以七寶供養如是七佛其福有限書寫受持是无量壽經典所有功德
不可限量 陁羅尼曰 南謨薄伽勃底 阿波唎蜜多 阿喻紇硯孃 須毗你失指多
囉佐耶 怛他羯他耶 怛姪他唵 薩婆桑悉迦囉 波唎秫底 達磨底
伽伽娜 薩訶某特迦底 莎婆婆毗秫底 摩訶娜耶 波唎婆囉莎訶
若有七寶等於須弥以用布施其福上能知其限量是无量壽經典其福
不可數 陁羅尼曰 南謨薄伽勃底 阿波唎蜜多 阿喻紇硯孃
須毗你失指多 囉佐耶 怛他羯他耶 怛姪他唵 薩婆桑悉迦囉 波唎
秫底 達磨底 伽伽娜 薩訶某特迦底 莎婆婆毗秫底 摩訶娜耶 波
唎婆囉莎訶 如是四大海水可知滴數 是无量壽曲經所生
果報不可數量 陁羅尼曰 南謨薄伽勃底 阿波唎蜜多 阿喻
紇硯孃 須毗你失指多 囉佐耶 怛他羯他耶 怛姪他唵 薩婆桑悉迦囉
波唎秫底 達磨底 伽伽娜 薩訶某特迦底 莎婆婆毗秫底 摩訶
娜耶 波唎婆囉莎訶 若有自書若使人書寫是无量宗要經
典又能讚歎供養 即知禮敬一切十方佛土如來无有異 陁羅尼曰
南謨薄伽勃底 阿波唎蜜多 阿喻紇硯孃 須毗你失指多 囉佐耶
怛他羯他耶 怛姪他唵 薩婆桑悉迦囉 波唎秫底 達磨底 伽伽娜 薩訶
某特伽底 莎婆婆毗秫底 摩訶娜耶 波唎婆囉莎訶
布施力能成正覺 悟布施力人師子 布施力能聲普聞 慈悲隨順最能入
持戒力能成正覺 悟持戒力人師子 持戒力能聲普聞 慈悲隨順最能入
忍辱力能成正覺 悟忍辱力人師子 忍辱力能聲普聞 慈悲隨順最能入
精進力能成正覺 悟精進力人師子 精進力能聲普聞 慈悲隨順最能入
禪定力能成正覺 悟禪定力人師子 禪定力能聲普聞 慈悲隨順最能入
智慧力能成正覺 悟智慧力人師子 智慧力能聲普聞 慈悲隨順最能入
尒時如來一切世間天人阿脩羅聞佛所說皆大歡喜 信受奉行

佛說无量壽經

BD03131號 無量壽宗要經 （6–5）

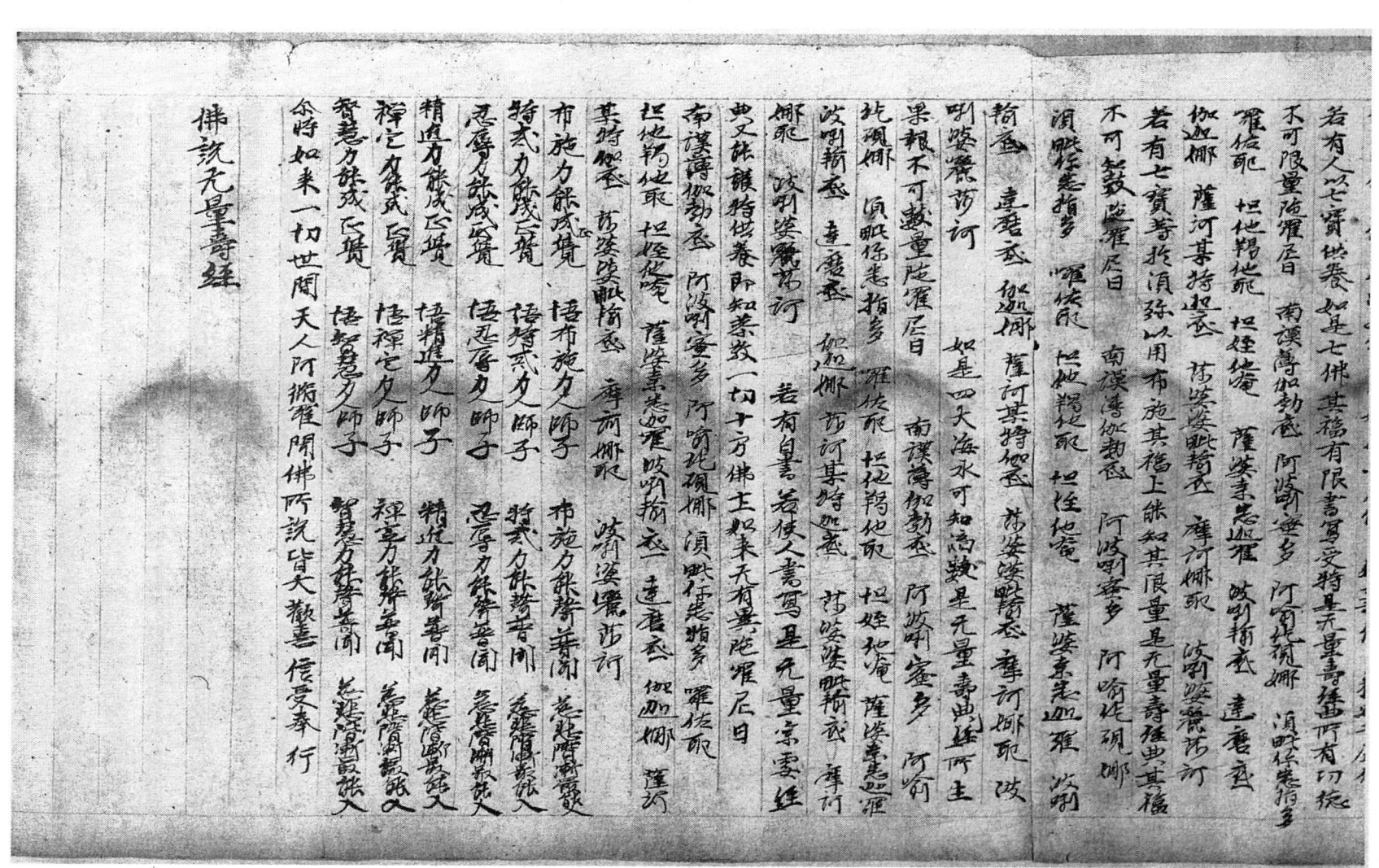

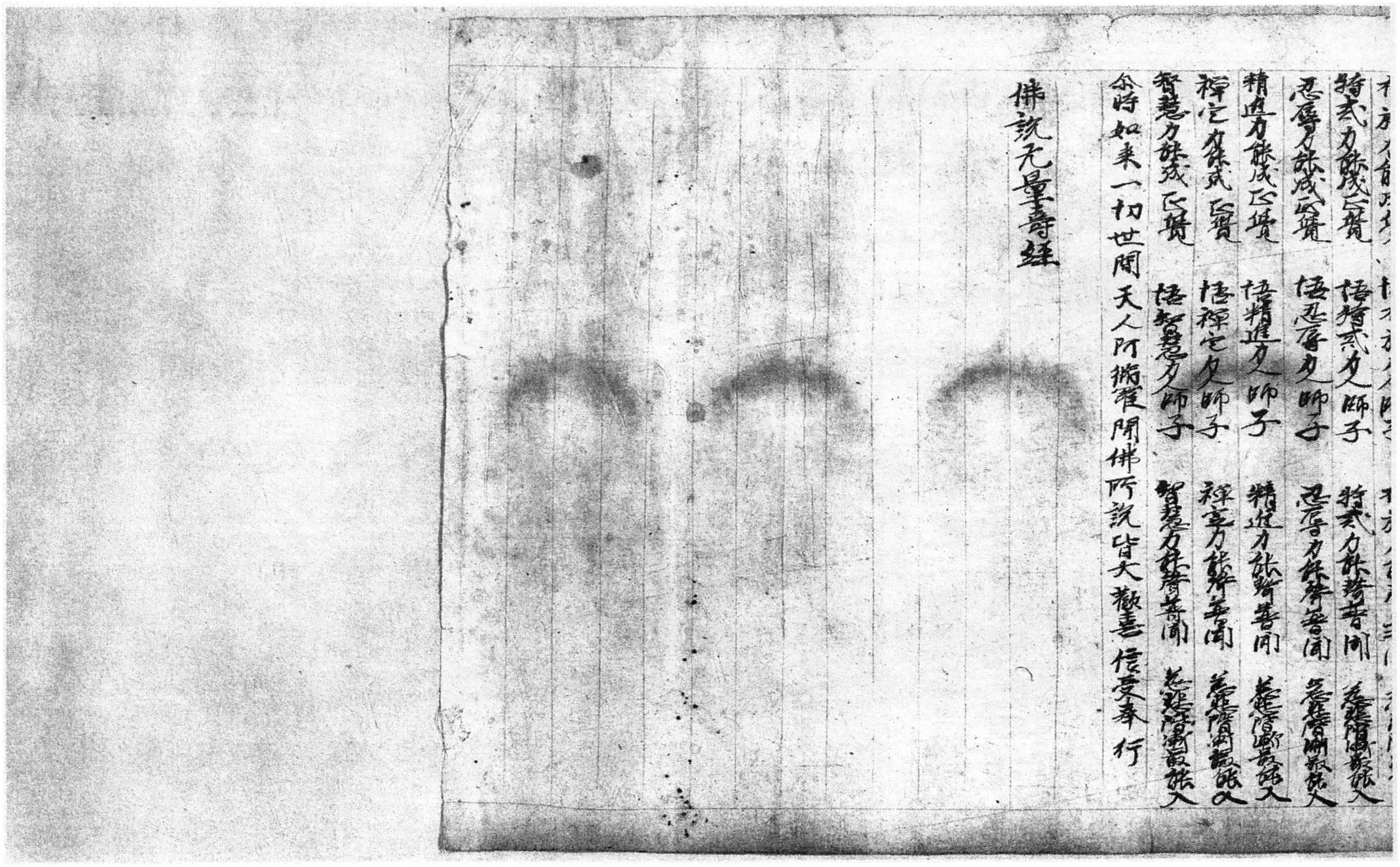

持戒力能成正覺 悟持戒力師子 持戒力能普聞 悉能隨順歡喜入
忍辱力能成正覺 悟忍辱力師子 忍辱力能普聞 悉能隨順歡喜入
精進力能成正覺 悟精進力師子 精進力能普聞 悉能隨順歡喜入
禪定力能成正覺 悟禪定力師子 禪定力能普聞 悉能隨順歡喜入
智慧力能成正覺 悟智慧力師子 智慧力能普聞 悉能隨順歡喜入
尒時如来一切世間天人阿脩羅聞佛所説皆大歡喜信受奉行

佛説无量壽經

BD03131 號　無量壽宗要經　（6–6）

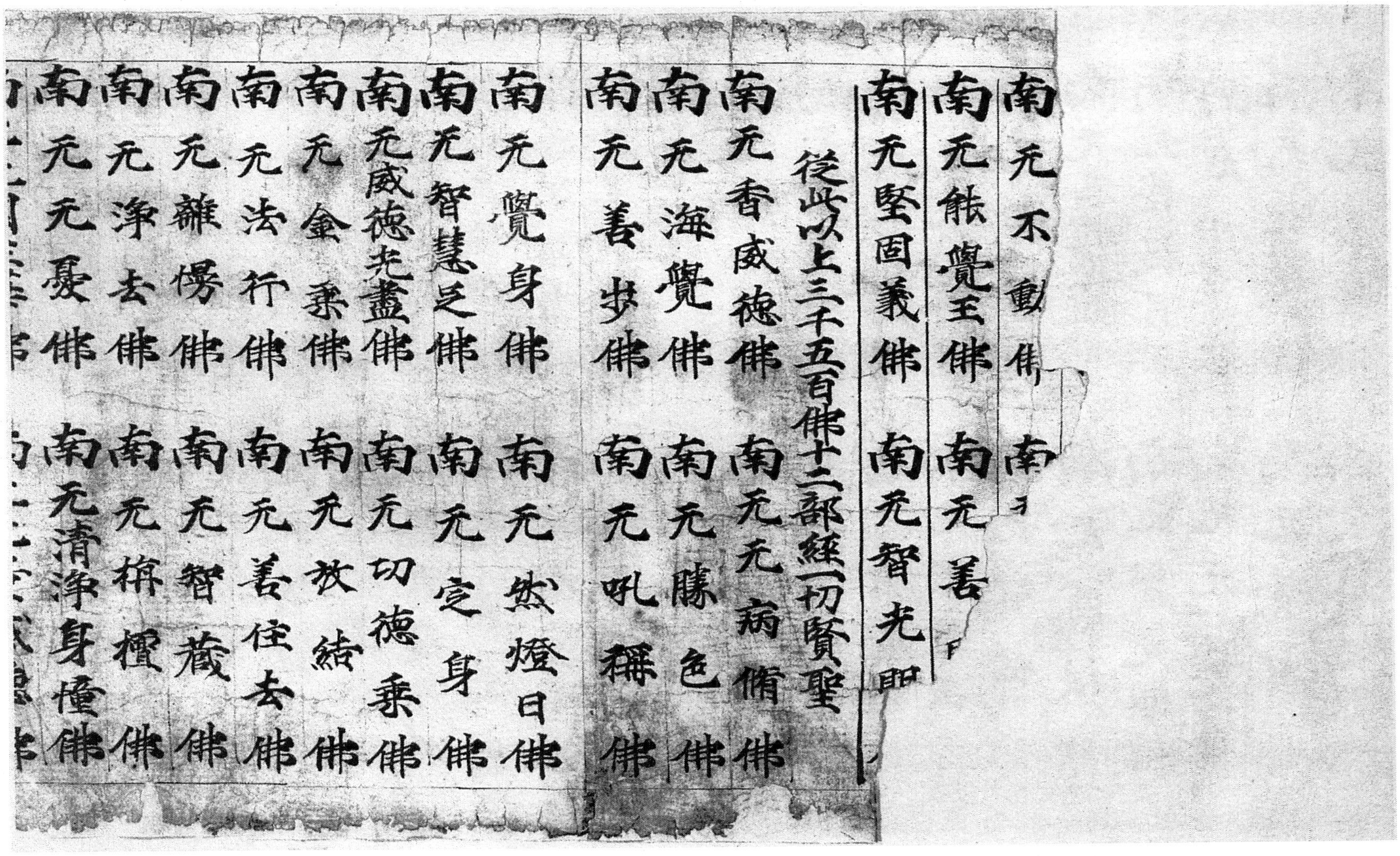

南无不動佛 南无
南无能覺王佛 南无善
南无堅固義佛 南无智光明
從此以上三千五百佛十二部經一切賢聖
南无香威德佛 南无无病脩佛
南无海覺佛 南无勝色佛
南无善步佛 南无吼稱佛
南无覺身佛 南无然燈日佛
南无智慧足佛 南无定身佛
南无威德光盡佛 南无功德乘佛
南无金乘佛 南无放結佛
南无法行佛 南无善住去佛
南无離惕佛 南无智藏佛
南无淨去佛 南无栴檀佛
南无无憂佛 南无清淨身幢佛

BD03132 號　佛名經（十六卷本）卷五　（36–1）

南无法行佛
南无善住去佛
南无離偈佛
南无智藏佛
南无淨去佛
南无栴檀佛
南无无憂佛
南无清淨身幢佛
南无无國土華佛
南无无量威德佛
南无天光明佛
南无智慧華佛
南无成就智佛
南无淨住佛
南无一味手佛
南无自在佛
南无无比說佛
南无勝說佛
南无福德威德佛
南无日佛
南无度世間知佛
南无德成就佛
南无法行佛
南无求安隱佛
南无色智佛
南无合掌光明佛
南无无創佛
南无瑠璃藏佛
南无華天佛
南无自然佛
南无善根光明佛
南无一切功德勝光明佛
南无寶勝佛
南无日月佛
南无降伏怨佛
南无无量光明佛
南无須摩那樹提光佛
南无增上佛
南无樂智慧佛
南无功德自在佛
南无寂靜佛
南无功德積力佛

BD03132號　佛名經（十六卷本）卷五　（36–2）

南无降伏怨佛
南无无量光明佛
南无須摩那樹提光佛
南无增上佛
南无樂智慧佛
南无功德自在佛
南无寂靜佛
南无功德積力佛
南无善眼佛
南无善聲佛
南无善華佛
南无善住佛
南无功德威德聚佛
南无无邊智佛
南无无量聲佛
南无善光佛
南无善智慧佛
南无解脱義佛
南无思惟勝佛
南无勝聲身佛
南无快佛
南无勝行佛
南无寂淨義佛
南无善過佛
南无清淨行佛
南无華作佛
南无善光佛
南无常然燈佛
南无善量佛
南无衆自在佛
南无離畏佛
南无智怖佛
南无善逝樂說佛
南无勝根佛
南无善提月佛
南无寶光明佛
南无月佛
南无无畏佛
南无大鏡佛
南无梵聲佛
南无善聲佛
南无大智慧橋梁佛

BD03132號　佛名經（十六卷本）卷五　（36–3）

南无月佛　南无无畏佛
南无大鏡佛　南无梵聲佛
南无善聲佛　南无大智慧橋梁佛
南无善智慧佛　南无金剛仙佛
南无佛心佛　南无樹王佛
南无數聲佛　南无功德力佛
南无住勝佛　南无愛星佛
南无威德佛　南无樹提味佛
南无妙鼓雲聲佛　南无愛眼佛
南无賢智佛　南无成就功德勝佛
從此以上三千六百佛十二部經一切賢聖
南无寂靜吼聲佛　南无法幢佛
南无虛空功德聲佛　南无功德差別佛
南无功德聲佛　南无威德佛
南无聖行佛　南无有智佛
南无樂說月佛　南无善滅佛
南无月面佛　南无日月无垢佛
南无集功德佛　南无華福德佛
南无幢樂說國土佛　南无恭敬愛佛
南无无量師子力佛　南无自在王佛

BD03132號　佛名經（十六卷本）卷五　（36–4）

南无集功德佛　南无華福德佛
南无幢樂說國土佛　南无恭敬愛佛
南无无量師子力佛　南无自在王佛
南无无量信佛　南无平等思惟佛
南无不動寂靜佛　南无无垢光佛
南无不佛　南无不濁佛
南无善行佛　南无住善調智佛
南无說自在佛　南无大天佛
南无滌意佛　南无无量佛
南无佛　南无供養華光佛
南无三界供養佛　南无應佛
南无日藏佛　南无他供養佛
南无解脫幢佛　南无快結佛
南无甘露清淨佛　南无金剛仙佛
南无寶聚光明佛　南无快步佛
南无日清光明佛　南无功德積佛
南无阿樓那勝佛　南无師子去佛
南无勝佛　南无華德佛
南无放光明佛　南无波頭摩智愛佛
南无快莊嚴佛　南无不空行佛
南无合劍佛　南无幢光明幢佛

BD03132號　佛名經（十六卷本）卷五　（36–5）

南无勝佛　南无華德佛
南无放光明佛　南无波頭摩智愛佛
南无杖荘嚴佛　南无不空行佛
南无合創佛　南无幢光明幢佛
南无樂心佛　南无樂解脫佛
南无智佛　南无聞慧海佛
南无寶住持佛　南无拘峻荘嚴佛
南无孔雀聲佛　南无不屬佛
南无斷愛根佛　南无月起佛
南无海勝佛　南无不動合去佛
南无樂切德然燈佛　南无教聲佛
南无地主佛　南无威德力佛
南无任智慧色佛　南无善月佛
南无覺華佛　南无善讚歎佛
南无善處佛　南无力智威德佛
南无然燈堅固佛　南无奮迅佛
南无天聲佛　南无寂靜佛
南无日面佛　南无樂解脫佛
南无界光明佛　南无住行佛
南无无垢佛　南无堅固起佛
南无樂智自在佛　南无香光明佛

BD03132 號　佛名經（十六卷本）卷五　（36–6）

南无界光明佛　南无住行佛
南无无垢佛　南无堅固起佛
南无樂智自在佛　南无香光明佛
南无廣光明佛　南无念自在佛
南无甘露器佛　南无无㝵幢佛
南无求勝菩提佛　南无住行佛
南无寶勲愧佛　南无法用佛
南无一切戍德佛　南无大氣佛
從此以上三千七百佛十二部經一切賢聖
南无寂靜行佛　南无甘露增上佛
南无弥留佛　南无聖讚歎佛
南无善願果報佛　南无善德荘嚴佛
南无寶光明佛　南无寂靜切德步佛
南无切德海佛　南无種種色佛
南无切德海佛　南无種種色佛
南无降伏魔佛　南无閉塞魔佛
南无度一切難佛　南无不破境智佛
南无海文錺佛　南无得脫衆解脫王佛
南无愛佛　南无佛幢佛
南无智聲佛　南无善勝佛

BD03132 號　佛名經（十六卷本）卷五　（36–7）

南无度一切難佛　南无不破境界佛
南无海文鐃佛　南无得脫衆解脫王佛
南无愛佛　南无佛幢佛
南无智聲佛　南无善勝佛
南无淨命佛　南无智報佛
南无如意幢佛　南无世間自在劫佛
南无地住持佛　南无日愛佛
南无羅睺佛　南无華光明佛
南无生威德佛　南无光明見佛
南无明增上佛　南无威德住持佛
南无樂功德佛　南无樂力佛
南无善聲佛　南无法自在佛
南无梵聲佛　南无善思惟佛
南无无志智慧佛　南无大施佛
南无月彌佛　南无幢佛
南无彌人聲佛　南无樹王佛
南无滅闇佛　南无善量佛
南无善光佛　南无无量樂說幢佛
南无快行福德佛　南无度繫佛
南无无畏愛佛　南无世間愛佛
南无妙行佛　南无憂鉢羅華語佛

南无快行福德佛　南无度繫佛
南无无畏愛佛　南无世間愛佛
南无妙行佛　南无憂鉢羅華語佛
南无无量樂說光明佛　南无住聖人佛
南无精進功德佛　南无堅甘露增上佛
南无高寶信佛　南无得功德佛
南无福德慧佛　南无大実佛
南无无量威功德佛　南无師子步佛
南无不動信佛　南无過有佛
南无龍王聲佛　南无住持輪佛
南无勝色佛　南无世愛佛
南无法月佛　南无无量樂彌佛
南无雲幢佛　南无功德去佛
南无善逝佛　南无无量聲佛
南无虛空天佛　南无摩尼王佛
南无清淨行佛　南无然燈佛
南无寶吼聲佛　南无人自在王佛
南无羅睺護佛　南无无畏佛
南无師子慧佛　南无寶彌佛
南无辯義見佛　南无世間華佛
南无高佛　南无无等佛

南无師子慧佛　南无寶稱佛
南无辯義見佛　南无世間華佛
南无高佛　南无无等佛
南无樂説王佛　南无差別智佛
南无智自在佛　南无師子齒佛
南无快步佛　南无功德然燈月佛
南无无憂國土佛　南无意思智慧佛
南无法天奕尊佛　南无含調佛
從此以上三千八百佛十二部經一切賢聖
南无增上力佛　南无智慧華佛
南无堅固聲佛　南无常樂佛
南无説義佛　南无信愛佛
南无師子藥結佛　南无怖佛
若善男子善女人能受持讀誦是賢劫千佛名
者必見弥勒世尊及見盧至遠離諸難
南无月光明佛　南无不動佛
南无大莊嚴佛　南无多伽羅香佛
南无妙勝佛　南无波頭摩幢佛
南无寶聚佛　南无沉水香佛
南无大莊嚴佛　南无喜勝佛

BD03132號　佛名經（十六卷本）卷五　（36–10）

南无大莊嚴佛　南无多伽羅香佛
南无妙勝佛　南无波頭摩幢佛
南无寶聚佛　南无沉水香佛
南无大莊嚴佛　南无喜勝佛
南无海佛　南无大海佛
南无幢佛　南无梵勝佛
南无大香佛　南无大成就佛
南无大寶輪佛　南无无量壽佛
南无大高勝佛　南无大金臺佛
南无大輪佛　南无語作佛
南无大人佛　南无大手佛
南无師子香稱佛　南无供養勝佛
南无自在大佛　南无安樂作勝佛
南无師子華勝佛　南无寂靜幢佛
南无王佛　南无普勝佛
南无怖鳥佛　南无无憂勝佛
南无憂鉢羅香佛　南无大地佛
南无大龍勝佛　南无清淨王佛
南无大樂佛　南无波頭摩勝佛
南无檜拘蘇摩佛　南无龍妙佛

BD03132號　佛名經（十六卷本）卷五　（36–11）

南无大龍勝佛　南无[illegible]佛
南无大樂佛　南无波頭摩勝佛
南无撿枸蘇摩佛　南无龍妙佛
南无華聚佛　南无香象佛
南无常觀佛　南无正作佛
南无善住佛　南无尼枸律王佛
次礼十二部尊經大藏法輪
南无佛本起甲申大水及月光菩薩王事經
南无大方廣經　南无妙讃經
南无大方廣如來密藏經　南无菩薩本業經
南无波斯匿王十夢經　南无餓鬼報應經
南无摩訶僧祇經　南无龍施經
南无十誦律經　南无明識諦觀經
南无四分經　南无雲忍辱經
南无弥沙塞律經　南无十二門經
南无佛昇忉利天經　南无迦一比丘經
南无五王經　南无遺教經
南无五无返復經　南无不思議光經
南无象腋經　南无須弥四域經
南无藥師瑠璃經　南无清淨毗尼經
南无金剛般若經　南无孝順經

BD03132號　佛名經（十六卷本）卷五　（36–12）

南无五王經　南无遺[illegible]經
南无五无返復經　南无不思議光經
南无象腋經　南无須弥四域經
南无藥師瑠璃經　南无清淨毗尼經
南无金剛般若經　南无孝順經
次礼十方諸大菩薩
南无无垢藏菩薩　南无離垢藏菩薩
南无種種樂說莊嚴菩薩　南无大光明網藏菩薩
南无淨明威德王菩薩　南无大金山光明德王藏菩薩
南无金剛[illegible]德相莊嚴藏菩薩　南无炎熾藏菩薩
南无宿王光照藏菩薩　南无虛空无㝵妙意藏菩薩
南无陁羅尼功德持一切世間願藏菩薩
南无海莊嚴藏菩薩　南无須弥德藏菩薩
南无淨一切功德藏菩薩　南无如來藏菩薩
從此以上三千九百佛十二部經一切賢聖
南无佛德藏菩薩　南无解脫月菩薩
南无金剛慧菩薩　南无法慧菩薩
南无師子慧菩薩　南无調慧菩薩
南无妙慧菩薩　南无月光菩薩
南无寶月菩薩　南无滿月菩薩
南无[illegible]菩薩　南无[illegible]菩薩

BD03132號　佛名經（十六卷本）卷五　（36–13）

南无妙慧菩薩　南无月光菩薩
南无寶月菩薩　南无滿月菩薩
南无勇猛菩薩　南无无量勇菩薩
南无无邊勇菩薩　南无越三勇菩薩
南无觀世音菩薩　南无大勢至菩薩
南无香象菩薩　南无香上菩薩
南无香稽上菩薩　南无手藏菩薩
南无日藏菩薩　南无幢相菩薩
南无大幢相菩薩　南无離垢幢菩薩
南无无邊光菩薩　南无放光菩薩
南无離垢光菩薩　南无喜王菩薩
南无常喜菩薩　南无寶首菩薩
南无虛空菩薩　南无離憍慢菩薩
南无須弥山菩薩　南无光德王菩薩
南无惣持自在王菩薩　南无惣持菩薩
歸命如是等十方无量无邊諸大菩薩
次礼聲聞緣覺一切賢聖
南无須摩辟支佛　南无輪耶辟支佛
南无留闍辟支佛　南无憂波留闍辟支佛

BD03132號　佛名經（十六卷本）卷五　（36–14）

歸命如是等十方无量无邊諸大菩薩
次礼聲聞緣覺一切賢聖
南无須摩辟支佛　南无輪耶辟支佛
南无留闍辟支佛　南无憂波留闍辟支佛
南无毘沙辟支佛　南无牛齒辟支佛
南无漏盡辟支佛　南无冣後身辟支佛
歸命如是等无量无邊辟支佛
礼三寶已次復懺悔
已懺悔身三口四竟次復懺悔佛法僧閒一切諸障
經中佛說人身難得佛法難聞衆僧難值信心難生六
根難具善友難得而今相與宿殖善根得此人身六
根完具又值善友得聞正法於其中閒復各不能盡
心精勤恐於未來長溺萬苦无有出期是故今日
應至到慙愧稽顙歸依佛
南无東方滿月光明佛　南无南方自在王佛
南无西方无邊光佛　南无北方金剛王佛
南无東南方師子音佛　南无西南方香象遊戲佛
南无西北方須弥相佛　南无東北方寶冣高德佛
南无下方寶優鉢華佛　南无上方廣衆德佛
如是十方盡虛空界一切三寶

BD03132號　佛名經（十六卷本）卷五　（36–15）

南无西北方須弥相佛　南无東北方寶㝡高德佛
南无下方寶聚鉢華佛　南无上方廣衆德佛
如是十方盡虛空界一切三寶
弟子等自從无始以来至於今日常以无明覆心煩
惱障意見佛形像不能盡心恭敬輕蔑衆僧殘害
善友破塔壞寺焚燒形像出佛身血或自處華堂
安置尊像卑猥之處使煙熏日暴風吹雨露塵土
汙坌雀鼠殘毀共住共宿曾无礼敬或裸露像身
初不嚴飾或遮掩燈燭開閉殿宇障佛光明如
是等罪今日至誠皆悉懺悔
又復无始以来至於今日或於法間以不淨手把捉
經卷或臨經書非法俗語或安置床頭坐起不敬或
開閉箱篋垂墩朽爛或首軸脫落部黨失次或讒
脫漏誤紙墨破裂自不脩理不肯流轉如是等罪
今悉懺悔
或眠地聽經倚卧讀誦高聲語笑乱他聽法或邪解
佛語僻說聖意非法說法法說非法非犯說犯犯
說非犯輕罪說重重罪說輕或抄前著後抄後著
前前後著中中著前後綺飾文辭安置己典或
為利養名譽恭敬為人說法无道德心求法師過而為

說非犯輕罪說重重罪說輕或抄前著後抄後著
前前後著中中著前後綺飾文辭安置己典或
為利養名譽恭敬為人說法无道德心求法師過而為
論義非理彈擊不為長解求出世法或慢佛語尊
重邪教毀呰大乘讚聲聞道如是等罪无量无邊
今日至到皆悉懺悔
又復无始以来至於今日或於僧間有障教害向羅漢
破和合僧害發无上菩提心人斷滅佛種使聖道不
行或羅脫人道鞭撻沙門楚撻駈使苦言加謗或破
破戒破於威儀或勸他人捨於八正受行五法或假託
形儀關竊賊住如是等罪今悉懺悔或裸刑輕衣
在經像前不淨腳履蹋上殿塔或著屐履入僧伽藍
涕唾堂房汙僧地衆乘車策馬排突寺舍如是等
於三寶間所起罪障无量无邊今日至到向十方佛
尊法聖衆皆悉懺悔
願弟子等承是懺悔佛法僧聞所有罪障生生世
世常值三寶尊仰恭敬无有厭足天繒妙綵寶絞
絡緣萬百千伎樂珎異花香非世所有常以供養若
未成佛先往勸請開甘露門若入涅槃願我常得
㝡後供於衆僧中脩六和敬得自在力興隆三寶

絡繹高百千伎樂琦異花香非世所有常以供養
未成佛先往勸請開甘露門若入涅槃願我常得
憲㝡後供於衆僧中脩六和敬得自在力興隆三寶
上和佛道下化衆生 礼一拜
无慚愧以此罪故墮此地獄寶達聞之悲而去
南无常光佛　南无月勝佛
南无栴檀行佛　南无日藏佛
南无勝藏佛　南无須弥力佛
南无如意藏佛　南无金剛王佛
南无難勝佛　南无勝佛
南无善見佛　南无精進德佛
南无大海佛　南无著莎羅佛
南无宿勝佛　南无佛天佛
南无師子幢佛　南无甘露勝佛
南无无量勝佛　南无功德慧厚勝佛
南无華幢佛　南无首勝佛
南无精進勝佛　南无龍勝佛
南无勝成就佛　南无寶積佛
南无勝足佛　南无大師佛
南无普見佛　南无寶多羅佛

BD03132號　佛名經（十六卷本）卷五　（36–18）

南无勝成就佛　南无寶積佛
南无勝足佛　南无大師佛
南无普見佛　南无寶多羅佛
南无普至佛　南无恭敬勝佛
南无大念佛　南无斷一切衆生疑王佛
南无寶勝佛　南无普蓋佛
南无大蓋佛　南无妙勝佛
南无千供養佛　南无寶華步佛
南无衆勝佛　南无幢慧佛
從此以上四千佛十二部經一切賢聖
南无尼拘律王佛　南无上勝佛
南无普波頭摩佛　南无普勝佛
南无龍王讓衆佛　南无寂滅佛
南无遠離垢佛　南无大聚佛
南无大供養佛　南无大將佛
南无善見佛　南无上勝佛
南无波頭摩勝佛　南无闍輪威德佛
南无則勝佛　南无能仁佛
南无然燈佛　南无大威德佛
南无月面佛　南无旃檀香佛
南无弥留山佛　南无弥留劫佛

BD03132號　佛名經（十六卷本）卷五　（36–19）

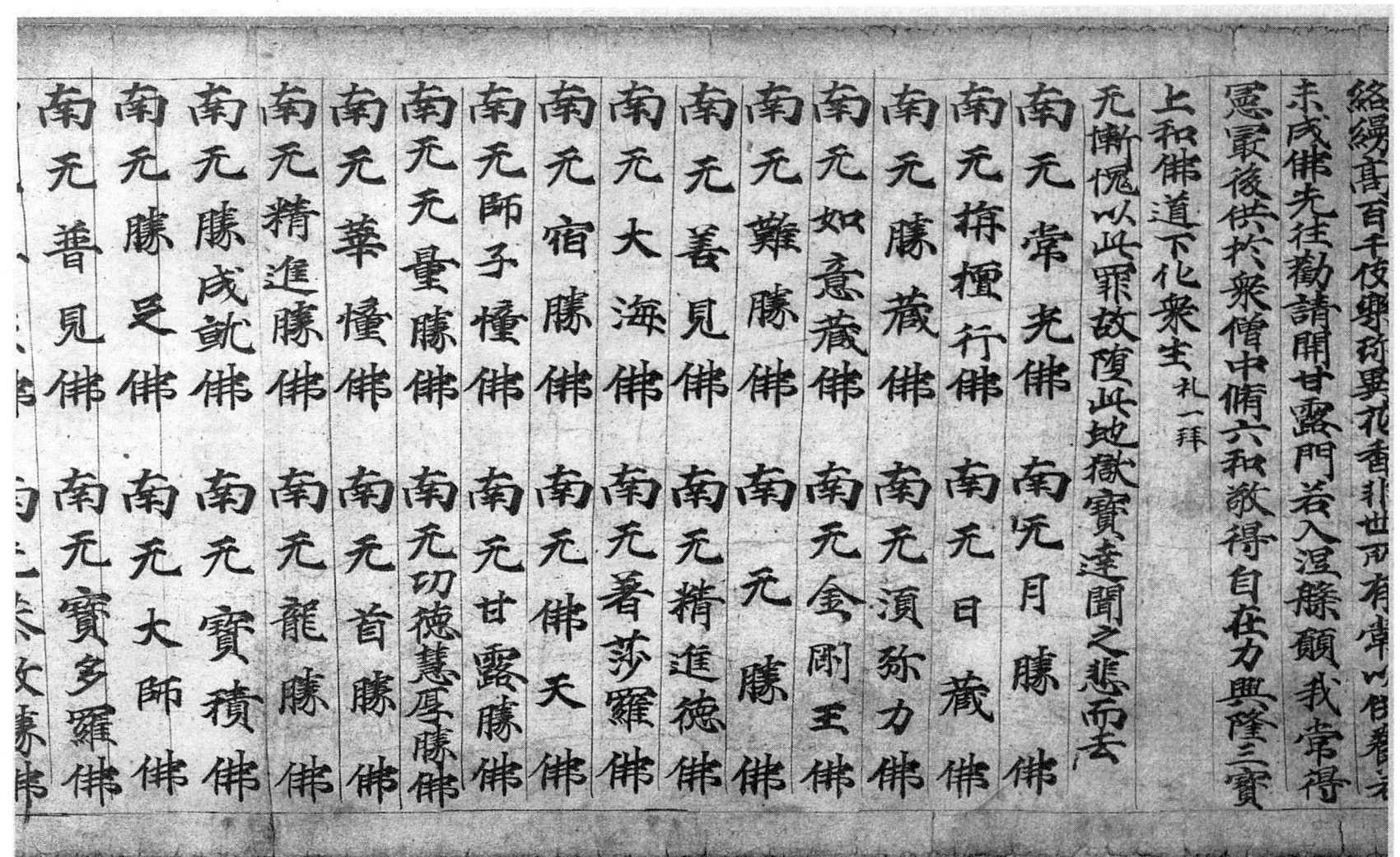

南无財勝佛　南无能仁佛
南无然燈佛　南无大威德佛
南无月面佛　南无旃檀香佛
南无弥留山佛　南无弥留劫佛
南无大面佛　南无无染佛
南无龍天佛　南无山聲自在王佛
南无須弥山佛　南无金藏佛
南无大光佛　南无樹提自在佛
南无地家佛　南无勝瑠璃金光明佛
南无月像佛　南无日聲佛
南无散華光明莊嚴佛　南无海山智慧奮迅通佛
南无金剛光佛　南无大香光佛
南无遠離瞋恨心佛　南无勝瑠璃伏智慧德摩蘊佛
南无日光佛　南无月光佛
南无水月光佛　南无破无明闇佛
南无華鬚色王佛　南无華通佛
南无得樂說佛　南无无畏佛
南无然明佛　南无師子意佛
南无精進堅固佛　南无不壞精進佛
南无堅固勇猛佛　南无人月佛
南无師子慧佛　南无閻浮上佛

BD03132號　佛名經（十六卷本）卷五　（36–20）

南无然明佛　南无師子意佛
南无精進堅固佛　南无不壞精進佛
南无堅固勇猛佛　南无人月佛
南无師子慧佛　南无閻浮上佛
南无精進牟尼佛　南无大勢佛
南无伏聲佛　南无无量光佛
南无妙光佛　南无上首佛
南无上勝佛　南无樂吼佛
南无見寶佛　南无供養佛
南无師子慧佛　南无聲德佛
南无善香佛　南无電燈佛
南无波頭摩光佛　南无大燈佛
南无淨聲佛　南无破疑佛
南无无邊威德佛　南无賒尸面佛
南无无量名佛　南无妙威德佛
南无散異疑佛　南无福德燈佛
南无善見佛　南无愛威德佛
南无不可降伏威德佛　南无无量藏佛
南无光明奮迅佛　南无廣稱佛
南无異幢佛　南无不可勝佛

BD03132號　佛名經（十六卷本）卷五　（36–21）

南无善見佛　南无愛威德佛
南无不可降伏威德佛　南无无量藏佛
南无光明奮迅佛　南无廣稱佛
南无異憧佛　南无不可勝佛
南无威德王佛　南无堅固佛
南无妙稱佛　南无无量色佛
南无大信佛　南无妙聲佛
南无不動步佛　南无无量莊嚴佛
南无威德王聚光明佛　南无住智慧佛
南无堅佛　南无愛解脫佛
從此以上四千一百佛十二部經一切賢聖
南无能與无畏佛　南无甘露藏佛
南无普觀佛　南无大須佛
南无山威德佛　南无天供養佛
南无光明勝佛　南无說重佛
南无莊嚴光明佛　南无師子奮迅佛
南无異見佛　南无見佛
南无甘露步佛　南无月光明佛
南无稱供養佛　南无讓相佛

BD03132號　佛名經（十六卷本）卷五　（36–22）

南无莊嚴光明佛　南无師子奮迅佛
南无異見佛　南无見佛
南无甘露步佛　南无月光明佛
南无稱供養佛　南无讓相佛
南无清淨聲佛　南无障㝵輪佛
南无甘露聲佛　南无生佛
南无空威德佛　南无功德王佛
南无无量色佛　南无大力佛
南无點慧佛　南无見无障㝵佛
南无師子香佛　南无普見佛
南无普德佛　南无善見佛
南无善色佛　南无慧稱佛
南无寶莊嚴佛　南无妙光佛
南无解脫奮迅佛　南无功德莊嚴佛
南无畢竟智佛　南无智高佛
南无不動智佛　南无善威德佛
南无快色佛　南无寶聲佛
南无大聲佛　南无善見佛
南无无量威德佛　南无妙思惟佛
南无愛稱佛　南无功德華佛

BD03132號　佛名經（十六卷本）卷五　（36–23）

南无悦色佛 南无寶聲佛
南无大聲佛 南无善見佛
南无无量威德佛 南无妙思惟佛
南无愛稱佛 南无切德華佛
南无俱蘇摩炎佛 南无難降伏佛
南无妙聲吼佛 南无善見佛
南无衆生可敬佛 南无大明佛
南无无比步佛 南无清淨智佛
南无决聲佛 南无火照佛
南无月照佛 南无智化佛
南无切德莊嚴佛 南无福光明佛
南无智作佛 南无斷有見佛
南无見愛佛 南无无量光佛
南无勝聲佛 南无種種日佛
南无戒步佛 南无天佛
南无放蓋佛 南无波娑婆佛
南无星宿佛 南无覺慧佛
南无增上師子種種鳥吼聲佛 南无吼佛
南无楚聲佛 南无龍吼佛
南无勢自在佛 南无世間自在王佛

南无增上師子種種鳥吼聲佛 南无吼佛
南无楚聲佛 南无龍吼佛
南无勢自在佛 南无世間自在王佛
南无无量命佛 南无然燈佛
南无无垢蓋佛 南无寶光明佛
南无天威德佛 南无然燈佛
南无光明勝王佛 南无普照佛
南无智慧奮迅王佛 南无可量華佛
南无下華佛 南无嚴勝敵華佛
南无盧舍那智慧莊嚴奮迅王佛
南无无量華佛 南无无量衆上首王佛
南无有摩尼光羅網佛 南无无垢威德佛
南无勝威就佛 南无安隱佛
南无高行佛 南无歡喜佛
南无堅固佛
從此以上四千二百佛十二部經一切賢聖
南无善眼佛 南无蓋意佛
南无六十二同名尸棄佛 南无善生佛
南无淨聖佛 南无梵勝佛
南无善見佛 南无上勝佛

從此以上四千二百佛十二部經一切賢聖
南无善眼佛　南无蓋意佛
南无六十二同名尸棄佛　南无善生佛
南无淨聖佛　南无梵勝佛
南无善見佛　南无上勝佛
南无上脩佛　南无妙勝佛
南无寂靜命佛　南无不猒足法佛
南无得切德佛　南无陽炎佛
南无稱上佛　南无吉妙佛
南无星宿佛　南无了見佛
南无无量命佛　南无見義佛
南无高山佛　南无金聖佛
南无一切處自在佛　南无自在幢佛
南无淨聲佛　南无妙聲佛
南无人聲佛　南无寶上佛
南无寶炎佛　南无大寶佛
南无八十億那由他佛　南无同名釋迦牟尼佛
南无八十千同名然燈佛　南无一万八千同名莎羅王佛
南无九万同名拘神王佛　南无五千同名波頭摩王佛
南无无同佛名佛　南无一切德王光明佛

BD03132號　佛名經（十六卷本）卷五　（36–26）

南无八十億那由他佛　南无同名釋迦牟尼佛
南无八十千同名然燈佛　南无一万八千同名莎羅王佛
南无九万同名拘神王佛　南无五千同名波頭摩王佛
南无无同佛名佛　南无一切德王光明佛
南无智勝上王佛　南无无垢智成王佛
南无閻浮檀須弥山王佛　南无无量光明勝王佛
南无常放光明王佛　南无自在王佛
南无師子受象山歡喜佛　南无无垢稱王佛
南无寶杖切德王光佛　南无无盡智慧佛
南无寶幢佛　南无光明輪藏佛
南无奮迅忝歡稱佛　南无高勝山王佛
南无雲讓佛　南无師子奮迅王佛
南无讓妙法幢寶佛　南无寶輪威德佛
南无勝光明切德佛　南无无量國土佛
南无愛星宿佛　南无无量光明佛
南无有德佛　南无十方清淨佛
南无善智慧佛　南无勝廣佛
南无大莊嚴佛　南无勝心佛
南无心智佛　南无華藏佛
南无大力佛　南无常擇智慧佛

BD03132號　佛名經（十六卷本）卷五　（36–27）

南无大□□佛　南无□□心□佛
南无心智佛　南无華藏佛
南无大力佛　南无常擇智慧佛
南无无邊光佛　南无師子聲佛
南无妙智佛　南无波頭摩藏佛
南无那羅延藏佛　南无常決定智佛
南无福德光明佛　南无上首光佛
南无快身佛　南无无垢義佛
南无應威德佛　南无成就智佛
南无德吼佛　南无含地佛
南无妙光佛　南无決定思佛
南无寶日佛　南无威德光明佛
南无華威德佛　南无勝成佛
南无彌高佛　南无信功德佛
南无法燈佛　南无信勝佛
南无上愛面佛　南无師子奮迅佛
南无衆山天佛　南无海智佛
南无華藏佛　南无寶仙佛
從此以上四千三百佛十二部經一切賢聖
南无莎羅王佛　南无日光明佛
南无趣菩提佛　南无宿根佛

BD03132號　佛名經（十六卷本）卷五　（36–28）

南无華藏佛　南无寶仙佛
從此以上四千三百佛十二部經一切賢聖
南无莎羅王佛　南无日光明佛
南无趣菩提佛　南无宿根佛
南无日光佛　南无芬陁利香佛
南无弥留光佛　南无月面佛
南无妙步佛　南无觀十方佛
南无德光明佛　南无清淨式佛
南无无邊智佛　南无无邊步佛
南无堅精進佛　南无天供養佛
南无普智佛　南无宿光佛
南无仁威德佛　南无功德橋梁佛
南无堅固脩佛　南无彌聖佛
南无彌幢佛　南无不異心佛
南无普信佛　南无大威德佛
南无應供養佛　南无上功德佛
南无成就義脩行佛　南无愛供養佛
南无普讓佛　南无信菩提佛
南无心意佛　南无出智佛
南无山聲佛　南无性日佛

BD03132號　佛名經（十六卷本）卷五　（36–29）

南无普護佛　南无信菩提佛
南无心意佛　南无出智佛
南无山聲佛　南无性日佛
南无雲聲佛　南无大衆聚佛
南无勝積佛　南无无憂佛
南无天國土佛　南无師子欣聲佛
南无无量明佛　南无見愛佛
南无燈王佛　南无勝高佛
南无十方聞名佛　南无愛見佛
南无月高佛　南无能與无畏佛
南无星宿王佛　南无月天佛
南无光明日佛　南无火稱佛
南无真聲佛　南无愛說佛
南无稱上佛　南无天王佛
南无甘露明佛　南无樂聲佛
南无心意佛　南无地住佛
南无寂過佛　南无多羅王佛
南无无畏佛　南无清淨智佛
南无能破疑佛　南无慈勝佛
南无勝上佛　南无種種日佛

BD03132 號　佛名經（十六卷本）卷五　（36–30）

南无寂過佛　南无多羅王佛
南无无畏佛　南无清淨智佛
南无能破疑佛　南无慈勝佛
南无勝上佛　南无種種日佛
南无普見佛　南无見月佛
南无降伏魔佛　南无火首佛
南无師子奮迅王佛　南无威德光佛
南无普護佛　南无成就義威德佛
南无光明日佛　南无見聚佛
南无清淨意佛　南无香山佛
次礼十二部尊經大藏法輪
南无法社經　南无憂波離經
南无吴本起經　南无離无三昧經
南无罵王經　南无大比丘清淨經
南无長龍樹自緣經　南无須大泹四功德八室群經
南无呪咤經　南无神九呪經
南无人民求願經　南无遠童女經
南无七女經　南无自度經
南无至心經　南无四願經
南无三昧經

BD03132 號　佛名經（十六卷本）卷五　（36–31）

南无七女經　南无自度經
南无至心經　南无四願經
南无三昧經
從此以上四千四百佛十二部經一切賢聖
南无應行經　南无陽經
南无小道地經　南无阿難念弥勒經
南无法出七王經　南无梵志所問經
南无憂填王經　南无佛臨涅槃金剛力士哀戀經
南无寶雲經　南无百字論經
南无七佛八菩薩呪經
次礼十方諸大菩薩
南无滅衆生病菩薩　南无療一切衆生病菩薩
南无歡喜菩薩　南无嚴意菩薩
南无常獻菩薩　南无普照菩薩
南无月明菩薩　南无寶慧菩薩
南无轉女身菩薩　南无雷音菩薩
南无不虚見菩薩　南无一切法自在菩薩
南无普賢菩薩　南无文殊師利菩薩
南无普正法菩薩　南无普化菩薩
南无普慧菩薩　南无普眼菩薩

BD03132號　佛名經（十六卷本）卷五　（36–32）

南无普賢菩薩　南无文殊師利菩薩
南无普正法菩薩　南无普化菩薩
南无普慧菩薩　南无普眼菩薩
南无普光菩薩　南无普觀察菩薩
南无普照菩薩　南无普幢菩薩
南无普覺菩薩　南无棄諸蓋菩薩
南无普明菩薩　南无離憂菩薩
南无義意菩薩　南无寶勝菩薩
南无華上菩薩　南无德喜菩薩
南无善住意菩薩　南无䟦陁波羅菩薩
南无罽那那迦羅菩薩　南无道師菩薩
南无那羅延菩薩　南无星得菩薩
南无水天菩薩　南无主天菩薩
南无大意菩薩　南无益意菩薩
次礼聲聞緣覺一切賢聖
南无舍利弗　南无大目揵連
南无大迦葉　南无須菩提
南无富樓那　南无摩訶迦旃延
南无阿那律　南无優波離
南无羅睺羅　南无阿難
礼三寶已次復懺悔

BD03132號　佛名經（十六卷本）卷五　（36–33）

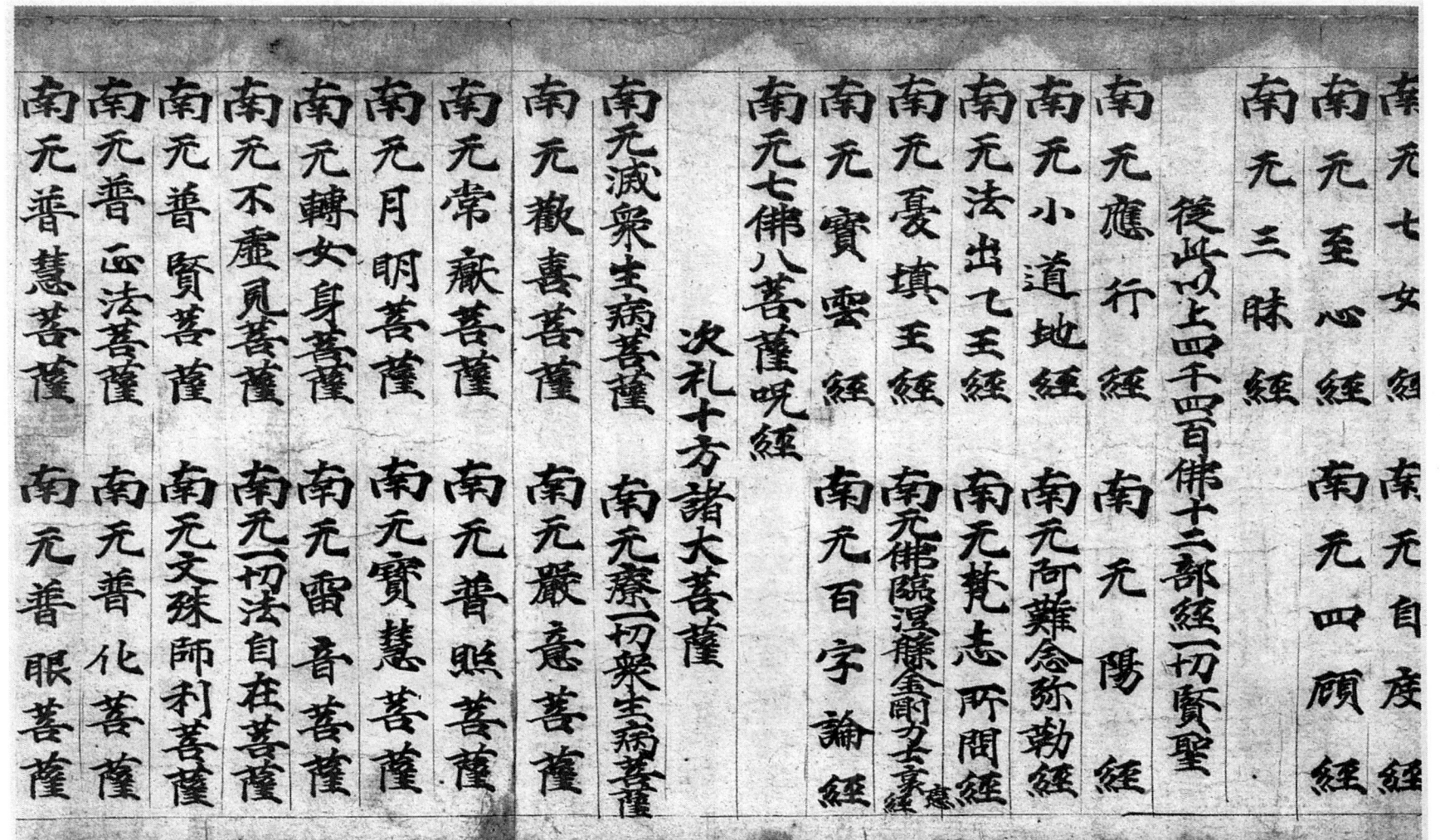

南无富樓那　南无摩訶迦旃延
南无阿那律　南无優波離
南无羅睺羅　南无阿難
礼三寶已次復懺悔
如上所說已懺悔於三寶間輕重諸罪其餘諸惡
今當次第更復懺悔經中佛說有二種健兒一者
自不作罪二者作已能悔又云有二種白法能為衆
生滅除衆障一者慚二者愧慚者自不作惡愧者不
令他作有慚愧者可名為人若不慚愧與諸禽獸
不相異也是故弟子今日慚愧歸依佛
南无東方一寶莊嚴佛　南无南方栴檀德佛
南无西方梵音王佛　南无北方寶智作佛
南无東南方師子相佛　南无西南方寶蓋照空王佛
南无西北方歡喜進佛　南无東北方摩尼清淨佛
南无下方寶香勝王佛　南无上方大名稱佛
如是十方盡虛空界一切三寶
弟子等无始以來至於今日或信邪到見害煞衆生解
奏魑魅魍魎鬼神欲希延年終不能得或妄
言見鬼假稱神語如是等罪今日慚愧皆悉懺悔
又復无始以來至於今日或行動橄誕自高自大或
恃種姓輕慢一切以貴輕賤用強陵弱或飲酒鬪乱不

BD03132號　佛名經（十六卷本）卷五

（36–34）

奏魑魅魍魎鬼神欲希延年終不能得或妄
言見鬼假稱神語如是等罪今日慚愧皆悉懺悔
又復无始以來至於今日或行動橄誕自高自大或
恃種姓輕慢一切以貴輕賤用強陵弱或飲酒鬪乱不
避親踈僭醉終日不識尊卑如是等罪今悉懺悔或
貪嗜飲食无有期度或食生鱠或菩五辛重穢經像
排突清衆縱心肆意不知限極踈遠善人狎近
惡友如是等罪今悉懺悔
或貢高矯假偃蹇自用壼扈坵突不識人情自是
非他希望僥倖如是等罪今悉懺悔　或臨財无讓
不廉不恥屠肉沽酒欺誑自活或出入息利計時責
日聚積慳恡貪求无猒受人供養不慚不愧或无戒
德空納信施如是等罪今悉懺悔　或捶奴僕婢
驅使僮吏不問飢渴寒暑或發撤橋梁杜絕行路
如是等罪今悉懺悔　或放逸自恣无記散亂
樗蒲圍碁羣會七衆飲酒食肉更相僥賤无趣談
話論說天下從年竟歲空喪天日初中後夜禪誦
不脩懈怠嬾墮尸卧終日於六念處心不經理見他勝事
便生嫉妬心懷憀毒倍起煩惱致使諸惡猛風吹罪
薪火常以熾然无有休息三業微善一切俱焚善法
既盡為一闡提墮大地獄无有出期是故弟子等今

BD03132號　佛名經（十六卷本）卷五

（36–35）

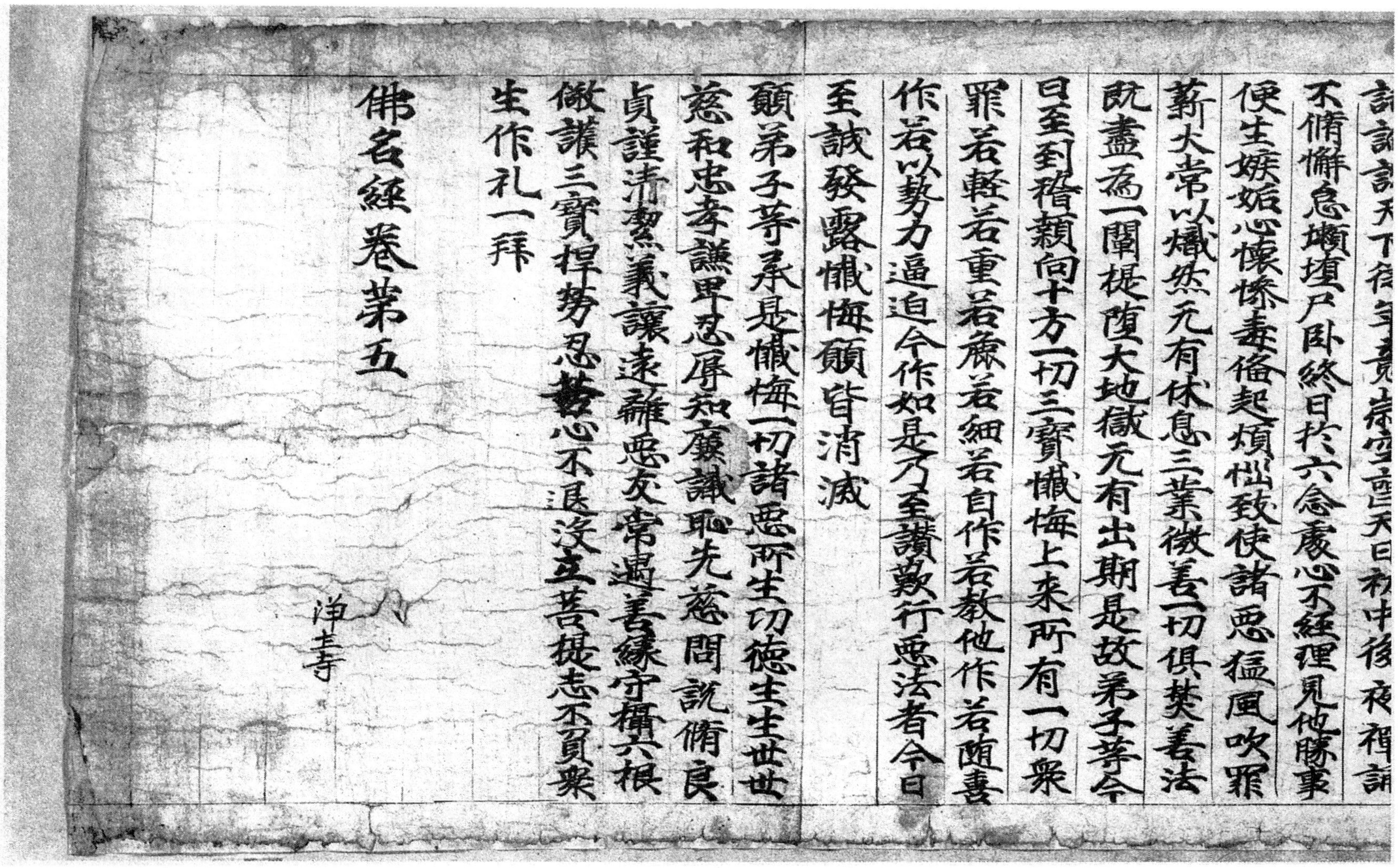

誵誵誵天下待等竟宗空言天日初中後夜禪誦
不脩懈怠嬾墮尸卧終日於六念處心不經理見他勝事
便生嫉妬心懷憏毒俻起煩惱致使諸惡猛風吹罪
薪大常以熾然无有休息三業微善一切俱焚善法
既盡爲一闡提墮大地獄无有出期是故弟子等今
日至到稽顙向十方一切三寶懺悔上來所有一切衆
罪若輕若重若麁若細若自作若教他作若隨喜
作若以勢力逼迫令作如是乃至讚歎行惡法者今日
至誠發露懺悔願皆消滅
願弟子等承是懺悔一切諸惡所生功德生生世世
慈和忠孝謙卑忍辱知廉識恥先慈問訊脩良
貞謹清絜義讓遠離惡友常遇善緣守攝六根
儆謙三寶捍勞忍苦心不退没立菩提志不負衆
生作礼一拜

佛名經卷第五

淨土寺

BD03132 號　佛名經(十六卷本)卷五　　　　(36–36)

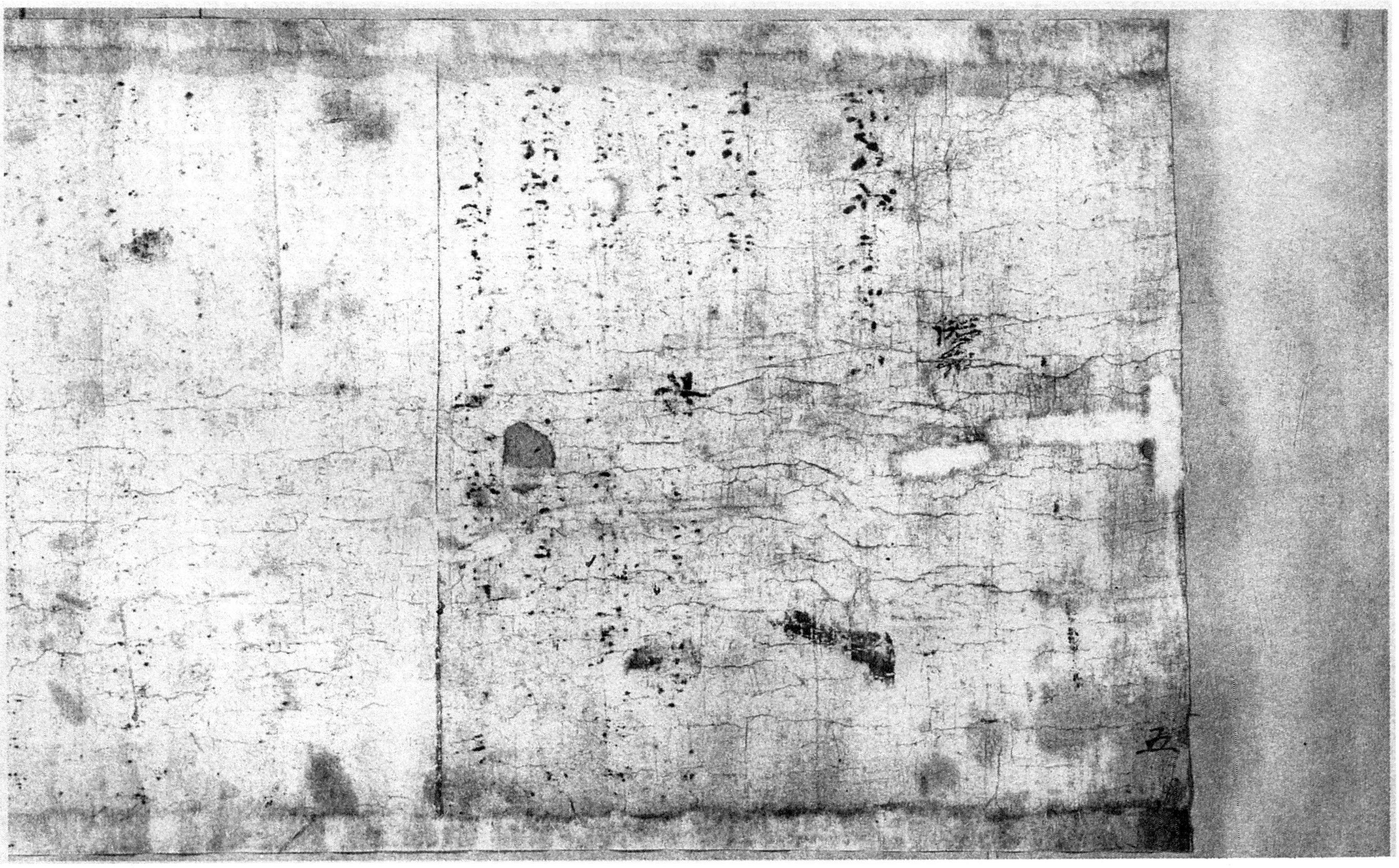

五

BD03132 號背　勘記　　　　(1–1)

著 録 凡 例

本目録採用條目式著録法。諸條目意義如下：

1.1 著録編號。用漢語拼音首字“BD”表示，意為“北京圖書館藏敦煌遺書”，簡稱“北敦號”。文獻寫在背面者，標註為“背”。一件遺書上抄有多個文獻者，用數字 1、2、3 等標示小號。一號中包括幾件遺書，且遺書形態各自獨立者，用字母 A、B、C 等區別。

1.2 著録分類號。本條記目録暫不分類，該項空缺。

1.3 著録文獻的名稱、卷本、卷次。

1.4 著録千字文編號。

1.5 著録縮微膠卷號。

2.1 著録遺書的總體數據。包括長度、寬度、紙數、正面抄寫總行數與每行字數、背面抄寫總行數與每行字數。如該遺書首尾有殘破，則對殘破部分單獨度量，用加號加在總長度上。凡屬這種情況，長度用括弧標註。

2.2 著録每紙數據。包括每紙長度及抄寫行數或界欄數。

2.3 著録遺書的外觀。包括：(1) 裝幀形式。(2) 首尾存況。(3) 護首、軸、軸頭、天竿、縹帶，經名是書寫還是貼簽，有無經名號，扉頁、扉畫。(4) 卷面殘破情況及其位置。(5) 尾部情況。(6) 有無附加物（蟲繭、油污、線繩及其他)。(7) 有無裱補及其年代。(8) 界欄。(9) 修整。(10) 其他需要交待的問題。

2.4 著録一件遺書抄寫多個文獻的情況。

3.1 著録文獻首部文字與對照本核對的結果。

3.2 著録文獻尾部文字與對照本核對的結果。

3.3 著録録文。

3.4 著録對文獻的説明。

4.1 著録文獻首題。

4.2 著録文獻尾題。

5 著録本文獻與對照本的不同之處。

6.1 著録本遺書首部可與另一遺書綴接的編號。

6.2 著録本遺書尾部可與另一遺書綴接的編號。

7.1 著録題記、題名、勘記等。

7.2 著録印章。

7.3 著録雜寫。

7.4 著録護首及扉頁的內容。

8 著録年代。

9.1 著録字體。如有武周新字、合體字、避諱字等，予以説明。

9.2 著録卷面二次加工的情況。包括句讀、點標、科分、間隔號、行間加行、行間加字、硃筆、墨塗、倒乙、刪除、兑廢等。

10 著録敦煌遺書發現後，近現代人所加內容，裝裱、題記、印章等。

11 備註。著録揭裱互見、圖版本出處及其他需要說明的問題。

上述諸條，有則著録，無則空缺。

為避文繁，上述著録中出現的各種參考、對照文獻，暫且不列版本説明。全目結束時，將統一編制本條記目録出現的各種參考書目。

本條記目録為農曆年份標註其公曆紀年時，未進行歲頭年末之換算，請讀者使用時注意自行换算。

條 記 目 錄

BD03066—BD03132

1.1 BD03066 號
1.3 金剛般若波羅蜜經
1.4 雲 066
1.5 094:3990
2.1 (10.5+81+2)×25.5 厘米；2 紙；55 行，行 17 字。
2.2 01：10.5+19，17； 02：62+2，38。
2.3 卷軸裝。首尾均殘。經黃紙。卷後部黴爛，上邊多黴斑，卷尾多蟲繭。有烏絲欄。
3.1 首 6 行上下殘→大正 235，8/750A8～14。
3.2 尾殘→8/750C8～9。
8 7～8 世紀。唐寫本。
9.1 楷書。
11 圖版：《敦煌寶藏》，81/422B～423B。

1.1 BD03067 號
1.3 金剛般若波羅蜜經
1.4 雲 067
1.5 094:4198
2.1 (10+198.7)×26 厘米；5 紙；140 行，行 17 字。
2.2 01：10+23.5，23； 02：44.5，30； 03：44.0，30； 04：42.7，28； 05：44.0，29。
2.3 卷軸裝。首尾均殘。第 5 紙下部殘破。有烏絲欄。
3.1 首 7 行殘→大正 235，8/750C15～23。
3.2 尾殘→8/752B26。
8 9～10 世紀。歸義軍時期寫本。
9.1 楷書。
9.2 每段落之下有硃筆字，2～5 字不等，意義待考。有行間校加字。
11 圖版：《敦煌寶藏》，82/375B～378A。

1.1 BD03068 號
1.3 摩訶僧祇律卷五
1.4 雲 068
1.5 171:7077
2.1 (2+147)×26 厘米；4 紙；正面 88 行，行 19 字。背面 48 行，行約 14 字。
2.2 01：2+35.5，22； 02：37.0，22； 03：37.5，22； 04：37.0，22。
2.3 卷軸裝。首殘尾脫。接縫處有開裂。全卷上下皆有殘破。有上下邊欄。
2.4 本遺書包括 2 個文獻：(一)《摩訶僧祇律》卷五，88 行，抄寫在正面，今編為 BD03068 號。(二)《七階禮懺文雜抄》(擬)，48 行，抄寫在背面，今編為 BD03068 號背。
3.1 首 1 行下殘→大正 1425，22/269C2。
3.2 尾殘→22/270C24。
8 5～6 世紀。南北朝寫本。
9.1 行書。
9.2 有行間校加字。
11 圖版：《敦煌寶藏》，104/91A～94A。

1.1 BD03068 號背
1.3 七階禮懺文雜抄(擬)
1.4 雲 068
1.5 171:7077
2.4 本遺書由 2 個文獻組成，本號為第 2 個，抄寫在背面，48 行。餘參見 BD03068 號之第 2 項、第 11 項。
3.4 說明：
本文獻首殘尾全。乃雜抄《七階禮懺文》而成。末兩句“為帝任(?)聖化無窮敬禮常住三寶。/為太子、諸王福延萬業(葉)敬禮常住三寶/”，值得注意。
8 9～10 世紀。歸義軍時期寫本。
9.1 楷書。

1.1 BD03069 號
1.3 金剛般若波羅蜜經
1.4 雲 069

1.5　094:4199
2.1　(17.5+250)×26 厘米；7 紙；151 行，行 17 字。
2.2　01：17.5，10；　02：48.5，28；　03：49.0，28；
04：49.0，28；　05：49.0，28；　06：48.5，28；
07：07.0，01。
2.3　卷軸裝。首殘尾全。首紙上殘，脫落 1 塊殘片，可綴接。卷面多有黴斑黴爛。第 4、5 紙接縫處脫開，第 5、6 紙上中部有破損。背有古代裱補。有燕尾。有烏絲欄。
3.1　首 12 行上殘→大正 235，8/750C11～23。
3.2　尾全→8/752C3。
4.2　□□［金剛］般若波羅蜜經（尾）。
8　7～8 世紀。唐寫本。
9.1　楷書。
11　圖版：《敦煌寶藏》，82/378B～382A。

1.1　BD03070 號
1.3　無量壽宗要經
1.4　雲 070
1.5　275:7783
2.1　187.5×31 厘米；5 紙；131 行，行 30 餘字。
2.2　01：44.0，30；　02：43.5，32；　03：43.5，32；
04：43.5，32；　05：13.0，05。
2.3　卷軸裝。首尾均全。有烏絲欄。
3.1　首全→大正 936，19/82A3。。
3.2　尾全→19/84C29。
4.1　大乘無量壽經（首）。
4.2　佛說無量壽宗要經（尾）。
8　8～9 世紀。吐蕃統治時期寫本。
9.1　楷書。
11　圖版：《敦煌寶藏》，107/594A～596A。

1.1　BD03071 號
1.3　妙法蓮華經卷六
1.4　雲 071
1.5　105:5826
2.1　(2+407.3)×25 厘米；9 紙；237 行，行 17 字。
2.2　01：2+44，28；　02：47.0，28；　03：47.3，28；
04：47.3，28；　05：47.3，28；　06：47.1，28；
07：47.2，28；　08：47.1，28；　09：33.0，13。
2.3　卷軸裝。首脫尾全。經黃紙。接縫處有開裂。有燕尾。有烏絲欄。
3.1　首殘→大正 262，9/52A4。
3.2　尾全→9/55A9。
4.2　妙法蓮華經卷第六（尾）。
8　7～8 世紀。唐寫本。
9.1　楷書。
11　圖版：《敦煌寶藏》，95/290A～295B。

1.1　BD03072 號
1.3　妙法蓮華經卷六
1.4　雲 072
1.5　105:5690
2.1　(17+400.4)×25.5 厘米；9 紙；232 行，行 17 字。
2.2　01：17+32.5，27；　02：50.2，28；　03：50.0，28；
04：50.5，28；　05：48.3，27；　06：50.5，28；
07：50.4，28；　08：50.0，28；　09：18.0，10。
2.3　卷軸裝。首全尾殘。經黃打紙。卷首殘破嚴重，卷上邊有破裂，尾有殘洞。有烏絲欄。
3.1　首 9 行上殘→大正 262，9/46B21～C1。
3.2　尾殘→9/50A27。
4.1　□…□隨喜功德品第十八，六（首）。
8　7～8 世紀。唐寫本。
9.1　楷書。
11　圖版：《敦煌寶藏》，94/300B～306B。

1.1　BD03073 號
1.3　妙法蓮華經卷三
1.4　雲 073
1.5　105:5099
2.1　697×25.6 厘米；14 紙；388 行，行 17 字。
2.2　01：49.5，28；　02：49.5，28；　03：49.7，28；
04：49.9，28；　05：49.8，28；　06：49.9，28；
07：49.9，28；　08：49.8，28；　09：49.8，28；
10：49.8，28；　11：50.0，28；　12：50.0，28；
13：49.9，28；　14：49.5，24。
2.3　卷軸裝。首脫尾全。卷首殘損嚴重，第 5 紙下有破裂，第 6、7 紙接縫處中間開裂。有燕尾。有烏絲欄。
3.1　首殘→大正 262，9/21B18。
3.2　尾全→9/27B9。
4.2　妙法蓮華經卷第三（尾）。
8　9～10 世紀。歸義軍時期寫本。
9.1　楷書。
9.2　有行間校加字。有硃筆塗抹。
11　圖版：《敦煌寶藏》，88/660B～671A。

1.1　BD03074 號
1.3　金光明最勝王經卷六
1.4　雲 074
1.5　083:1802
2.1　50.5×25.3 厘米；1 紙；27 行，行 17 字。
2.3　卷軸裝。首斷尾脫。有烏絲欄。
3.1　首殘→大正 665，16/431A3。
3.2　尾殘→16/431B3。
8　9～10 世紀。歸義軍時期寫本。
9.1　楷書。

11　圖版：《敦煌寶藏》，70/137B～138A。

1.1　BD03075 號 1
1.3　金剛般若波羅蜜經
1.4　雲 075
1.5　094:3555
2.1　（4.5+458+2.5）27.3 厘米；10 紙；274 行，行 20 字。
2.2　01：4.5+38.5，26；　02：47.0，28；　03：47.0，28；
04：47.0，28；　05：47.0，28；　06：47.0，28；
07：47.0，28；　08：47.0，28；　09：47.0，28；
10：43.5+2.5，24。
2.3　卷軸裝。首尾均殘。卷首有等距離殘缺。有烏絲欄。已修整。
2.4　本遺書包括 2 個文獻：（一）《金剛般若波羅蜜經》，270 行，今編為 BD03075 號 1。（二）《金剛經陀羅尼》，4 行，今編為 BD03075 號 2。
3.1　首 3 行下殘→大正 235，8/748C21～24。
3.2　尾全→8/752C3。
4.2　金剛般若波羅蜜經（尾）。
8　9～10 世紀。歸義軍時期寫本。
9.1　楷書。
11　圖版：《敦煌寶藏》，78/517A～523A。

1.1　BD03075 號 2
1.3　金剛經陀羅尼
1.4　雲 075
1.5　094:3555
2.4　本遺書由 2 個文獻組成，本號為第 2 個，4 行。餘參見 BD03075 號 1 之第 2 項、第 11 項。
3.4　說明：
本《金剛經陀羅尼》與《大正藏》本《金剛經》所附此咒音同字不同。咒前多出持誦金剛經陀羅尼功德文，錄文如下：“金剛經陀羅尼，若有善男子、善女人誦此咒/一遍，勝誦《金剛經》一萬九千遍。/”
本文獻為《金剛經陀羅尼》並附念誦功德。本身雖屬《金剛般若波羅蜜經》的附屬文獻，與《金剛般若波羅蜜經》原為一個整體，但字體與《金剛般若波羅蜜經》正文不同，從形態看，顯然是後人補抄。爲了顯示文本的結構，在此暫且分編為兩號。
4.1　金剛經陀羅尼（首）。
8　9～10 世紀。歸義軍時期寫本。
9.1　楷書。
9.2　有行間校加字。

1.1　BD03076 號
1.3　金光明經卷四
1.4　雲 076
1.5　081:1412
2.1　532.7×27.3 厘米；11 紙；292 行，行 17 字。
2.2　01：49.0，27；　02：48.5，28；　03：48.5，28；
04：48.5，28；　05：48.2，28；　06：48.3，28；
07：48.5，28；　08：48.7，28；　09：48.5，28；
10：48.5，28；　11：47.5，13。
2.3　卷軸裝。首全尾脫。首紙有破裂，通卷上部黴爛。尾有餘空。有烏絲欄。
3.1　首全→大正 663，16/352B12。
3.2　尾缺→16/356A22。
4.1　金光明經流水長者子品第十六，四（首）。
8　9～10 世紀。歸義軍時期寫本。
9.1　楷書。
11　圖版：《敦煌寶藏》，67/422A～428B。

1.1　BD03077 號
1.3　金光明最勝王經卷六
1.4　雲 077
1.5　083:1806
2.1　100.5×25.5 厘米；2 紙；56 行，行 17 字。
2.2　01：50.5，28；　02：50.0，28。
2.3　卷軸裝。首尾均脫。背有古代裱補，已脫落。有烏絲欄。
3.1　首殘→大正 665，16/431B3。
3.2　尾殘→16/432A10。
8　9～10 世紀。歸義軍時期寫本。
9.1　楷書。
11　圖版：《敦煌寶藏》，70/144B～145B。

1.1　BD03078 號
1.3　妙法蓮華經卷四
1.4　雲 078
1.5　105:5330
2.1　617.7×25.5 厘米；15 紙；360 行，行 17 字。
2.2　01：42.7，25；　02：42.7，25；　03：42.5，25；
04：42.5，25；　05：42.8，25；　06：42.5，25；
07：42.5，25；　08：42.5，25；　09：42.5，25；
10：42.5，25；　11：42.5，25；　12：42.5，25；
13：42.5，25；　14：42.2，25；　15：22.3，10。
2.3　卷軸裝。首脫尾全。有烏絲欄。
3.1　首殘→大正 262，9/31C28。
3.2　尾全→9/37A2。
4.2　妙法蓮華經卷第四（尾）。
8　7～8 世紀。唐寫本。
9.1　楷書。
11　圖版：《敦煌寶藏》，91/32A～40B。

1.1　BD03079 號
1.3　金光明最勝王經卷二

1.4　雲 079
1.5　083:1538
2.1　(15.5 +355.2 +7.5) ×25 厘米；9 紙；226 行，行 17 字。
2.2　01：15.5 +27.5，26；　02：46.5，28；　03：47.0，28；
04：46.7，28；　05：47.0，28；　06：47.0，28；
07：46.5，28；　08：47.0，28；　09：07.5，04。
2.3　卷軸裝。首全尾殘。卷首右下殘缺，卷尾破碎嚴重。背有古代裱補。已修整。
3.1　首 9 行下殘→大正 665，16/408B2 ~14。
3.2　尾 4 行下殘→16/411A9 ~12。
4.1　金光明最勝王經分別三身品□…□（首）。
8　8 ~9 世紀。吐蕃統治時期寫本。
9.1　楷書。
11　圖版：《敦煌寶藏》，68/351A ~355B。

1.1　BD03080 號
1.3　佛名經（十二卷本　異卷）卷七
1.4　雲 080
1.5　060:0502
2.1　(4 +845.5) ×28.5 厘米；21 紙；533 行，行字不等。
2.2　01：4 +32，23；　02：41.5，26；　03：42.0，27；
04：41.5，26；　05：41.5，26；　06：41.5，26；
07：41.5，26；　08：42.0，26；　09：42.0，27；
10：41.5，26；　11：41.5，26；　12：41.0，25；
13：42.0，28；　14：43.0，28；　15：42.5，26；
16：43.0，26；　17：43.0，27；　18：42.5，26；
19：42.5，27；　20：42.5，26；　21：15.0，09。
2.3　卷軸裝。首殘尾斷。首紙中下部有殘洞，接縫處有開裂，第 20 紙中下部破裂。有烏絲欄。
3.1　首 3 行中下殘→大正 440，14/144A12 ~16。
3.2　尾殘→14/149C19。
5　與《大正藏》本對照，本號有缺文，缺文部分參見大正 14/149B1 ~6。另，本號分卷相當於《大正藏》本卷六後部分、卷七前部分。與歷代諸藏分卷亦均不同。在此暫按卷七著錄。
8　7 ~8 世紀。唐寫本。
9.1　楷書。
11　圖版：《敦煌寶藏》，59/378B ~390B。

1.1　BD03081 號
1.3　金光明最勝王經卷七
1.4　雲 081
1.5　083:1828
2.1　632.9 ×25.5 厘米；15 紙；380 行，行 17 字。
2.2　01：10.3，06；　02：45.8，28；　03：45.9，28；
04：45.8，28；　05：45.8，28；　06：46.0，28；
07：46.1，28；　08：45.8，28；　09：45.8，28；
10：46.0，28；　11：46.0，28；　12：45.8，28；
13：46.0，28；　14：45.8，28；　15：26.0，10。
2.3　卷軸裝。首殘尾全。前 11 紙下部有火灼殘缺。有燕尾。有烏絲欄。
3.1　首殘→大正 665，16/433A8。
3.2　尾全→16/437C13。
4.2　金光明經卷第七（尾）。
5　尾附音義。
8　8 ~9 世紀。吐蕃統治時期寫本。
9.1　楷書。
11　圖版：《敦煌寶藏》，70/246A ~254A。

1.1　BD03082 號
1.3　妙法蓮華經卷七
1.4　雲 082
1.5　105:5886
2.1　(1.5 +222.5) ×26 厘米；5 紙；131 行，行 17 字。
2.2　01：1.5 +31，19；　02：48.0，28；　03：48.0，28；
04：48.0，28；　05：47.5，28。
2.3　卷軸裝。首殘尾脫。卷面多黴斑，卷後半部上邊有破裂殘缺。有烏絲欄。
3.1　首行上下殘→大正 262，9/56B27 ~28。
3.2　尾殘→9/58B18。
8　9 ~10 世紀。歸義軍時期寫本。
9.1　楷書。
11　圖版：《敦煌寶藏》，95/621A ~624A。

1.1　BD03083 號
1.3　阿彌陀經
1.4　雲 083
1.5　014:0181
2.1　(6 +78.5) ×27 厘米；3 紙；47 行，行 17 字。
2.2　01：06.0，04；　02：39.5，24；　03：39.0，19。
2.3　卷軸裝。首殘尾全。前 2 紙殘破嚴重，後 2 紙有殘洞。上邊及卷尾有蟲繭。已修整。
3.1　首 4 行上下殘→大正 366，12/347B24 ~27。
3.2　尾全→12/348A29。
4.2　佛說阿彌陀經（尾）。
5　與《大正藏》本對照，本件卷尾少“作禮而去”4 字。
8　9 ~10 世紀。歸義軍時期寫本。
9.1　楷書。
11　圖版：《敦煌寶藏》，57/70B ~71B。

1.1　BD03084 號
1.3　維摩詰所說經卷中
1.4　雲 084
1.5　070:1123
2.1　(1.5 +74.5 +1.5) ×25 厘米；2 紙；47 行，行 17 字。

2.2　01：1.5＋26.5，17；　02：48＋1.5，30。
2.3　卷軸裝。首尾均殘。經黄打紙。卷面殘破。有烏絲欄。
3.1　首行上下殘→大正475，14/544B10。
3.2　尾行上殘→14/545A1～2。
8　7～8世紀。唐寫本。
9.1　楷書。
9.2　有硃筆斷句、校改。
11　圖版：《敦煌寶藏》，65/385A～386A。

1.1　BD03085號
1.3　妙法蓮華經卷五
1.4　雲085
1.5　105:5614
2.1　70.2×25厘米；2紙；41行，行17字。
2.2　01：49.7，29；　02：20.5，12。
2.3　卷軸裝。首脱尾斷。經黄打紙。接縫處上部開裂。有烏絲欄。
3.1　首殘→大正262，9/43C19。
3.2　尾殘→9/44B9。
8　7～8世紀。唐寫本。
9.1　楷書。
9.2　有行間校加字。
11　圖版：《敦煌寶藏》，93/377B～378A。

1.1　BD03086號
1.3　大方廣佛華嚴經（唐譯八十卷本）卷二八
1.4　雲086
1.5　002:0050
2.1　432.4×25.3厘米；9紙；共244行，行17字。
2.2　01：48.4，28；　02：48.0，28；　03：48.0，28；
04：48.0，28；　05：48.0，28；　06：48.0，28；
07：48.0，28；　08：48.0，28；　09：48.0，20。
2.3　卷軸裝。首脱尾全。經黄打紙。卷面有油污，第6紙上邊有破裂，尾有蟲繭。有烏絲欄。已修整。
3.1　首殘→大正279，10/154A7。
3.2　尾全→10/156C21。
4.2　大方廣佛華嚴經卷第廿八（尾）。
6.1　首→BD03087號。
8　7～8世紀。唐寫本。
9.1　楷書。
11　圖版：《敦煌寶藏》，56/232B～238A。

1.1　BD03087號
1.3　大方廣佛華嚴經（唐譯八十卷本）卷二八
1.4　雲087
1.5　002:0049
2.1　（4.5＋248）×25.3厘米；6紙；共147行，行17字。
2.2　01：4.5＋8，7；　02：48.0，28；　03：48.0，28；
04：48.0，28；　05：48.0，28；　06：48.0，28。
2.3　卷軸裝。首殘尾脱。經黄打紙。通卷上邊破損，首紙較嚴重；接縫處有開裂。有烏絲欄。已修整。
3.1　首2行下殘→大正279，10/152B4～5。
3.2　尾殘→10/154A7。
6.1　首→BD07866號。
6.2　尾→BD03086號。
8　7～8世紀。唐寫本。
9.1　楷書。
11　圖版：《敦煌寶藏》，56/228B～232A。

1.1　BD03088號
1.3　大般若波羅蜜多經卷二九三
1.4　雲088
1.5　084:2797
2.1　48.5×28.1厘米；1紙；25行，行17字。
2.3　卷軸裝。首尾均脱。尾有餘空。有烏絲欄。
3.1　首殘→大正220，6/488C1。
3.2　尾殘→6/488C24。
8　8～9世紀。吐蕃統治時期寫本。
9.1　楷書。
11　圖版：《敦煌寶藏》，75/137A。

1.1　BD03089號
1.3　無量壽宗要經
1.4　雲089
1.5　275:8006
2.1　（3＋154）×30.5厘米；4紙；105行，行30餘字。
2.2　01：3＋33.5，25；　02：46.5，31；　03：46.5，31；
04：27.5，18。
2.3　卷軸裝。首殘尾全。背有古代裱補。有烏絲欄。
3.1　首2行中上殘→大正936，19/82A15～17。
3.2　尾全→19/84C29。
4.2　佛説無量壽宗要經（尾）。
8　8～9世紀。吐蕃統治時期寫本。
9.1　行楷。
11　圖版：《敦煌寶藏》，108/499A～500B。

1.1　BD03090號
1.3　無量壽宗要經
1.4　雲090
1.5　275:8157
2.1　（103.5＋3.5）×31厘米；3紙；73行，行30餘字。
2.2　01：44.0，30；　02：43.5，30；
03：16＋3.5，13。
2.3　卷軸裝。首脱尾殘。通卷有破裂殘缺。有烏絲欄。

3.1　首殘→大正 936，19/82C14。。
3.2　尾 2 行上下殘→19/84C14。
8　8～9 世紀。吐蕃統治時期寫本。
9.1　行楷。
11　圖版:《敦煌寶藏》，109/159B～160B。

1.1　BD03091 號
1.3　金剛般若波羅蜜經
1.4　雲 091
1.5　094:4297
2.1　(1.8+149)×25.7 厘米；4 紙；86 行，行 17 字。
2.2　01：1.8+3.6，3；　02：48.5，28；　03：48.5，28；
04：48.4，27。
2.3　卷軸裝。首殘尾脱。經黄紙。前 3 紙有等距殘洞。有烏絲欄。
3.1　首行下殘→大正 235，8/751B19～B20。
3.2　尾殘→8/752C2。
8　7～8 世紀。唐寫本。
9.1　楷書。
9.2　有刮改。第 4 紙第 13 行首 4 字被刮去，缺文可見大正 235，8/752B16。
11　圖版:《敦煌寶藏》，82/606B～608A。

1.1　BD03092 號
1.3　佛名經（十六卷本）卷一
1.4　雲 092
1.5　061:0540
2.1　609.5×32.3 厘米；13 紙；334 行，行 17 字。
2.2　01：47.0，27；　02：47.0，27；　03：47.0，27；
04：47.0，27；　05：47.0，27；　06：47.0，27；
07：46.5，26；　08：47.0，27；　09：47.0，27；
10：46.5，27；　11：47.0，27；　12：46.5，27；
13：47.0，11。
2.3　卷軸裝。首脱尾全。首紙下部有殘洞，接縫處有開裂。背有古代裱補。有烏絲欄。
3.1　首殘→《七寺古逸經典研究叢書》，3/第 37 頁第 409 行。
3.2　尾全→《七寺古逸經典研究叢書》，3/第 62 頁第 738 行。
4.2　佛名經卷第一（尾）。
5　與七寺本對照，多“至心歸命，常住三寶”一句。
8　9～10 世紀。歸義軍時期寫本。
9.1　楷書。
11　圖版:《敦煌寶藏》，59/652A～658B。

1.1　BD03093 號
1.3　金光明最勝王經卷三
1.4　雲 093
1.5　083:1593
2.1　(17+555.4)×26 厘米；13 紙；325 行，行 17 字。
2.2　01：17+18.5，20；　02：40.7，24；　03：47.3，28；
04：47.3，28；　05：46.5，27；　06：47.5，27；
07：47.6，27；　08：47.7，27；　09：47.5，27；
10：47.0，27；　11：47.3，27；　12：47.5，28；
13：23.0，08。
2.3　卷軸裝。首殘尾全。卷面多黴斑，接縫處有開裂。有燕尾。有烏絲欄。
3.1　首 10 行上下殘→大正 665，16/413C17～28。
3.2　尾全→16/417C16。
4.2　金光明經卷第三（尾）。
5　尾附音義
8　8～9 世紀。吐蕃統治時期寫本。
9.1　楷書。
11　圖版:《敦煌寶藏》，68/499B～506B。

1.1　BD03094 號
1.3　大方便佛報恩經卷一
1.4　雲 094
1.5　052:0447
2.1　144.3×25.5 厘米；3 紙；82 行，行 17 字。
2.2　01：48.3，26；　02：48.0，28；　03：48.0，28。
2.3　卷軸裝。首全尾脱。有烏絲欄。
3.1　首全→大正 156，3/124A18。
3.2　尾脱→3/125A19。
4.1　大方便佛報恩經序品第一（首）。
8　8～9 世紀。吐蕃統治時期寫本。
9.1　楷書。
11　圖版:《敦煌寶藏》，59/200A～202A。

1.1　BD03095 號
1.3　妙法蓮華經卷一
1.4　雲 095
1.5　105:4578
2.1　(4.5+550.6)×25.7 厘米；12 紙；337 行，行 16～17 字。
2.2　01：4.5+14.4，11；　02：50.1，31；　03：50.0，31；
04：50.1，31；　05：50.5，31；　06：50.3，31；
07：50.4，31；　08：50.1，31；　09：50.2，31；
10：50.2，31；　11：50.0，31；　12：34.3，16。
2.3　卷軸裝。首殘尾全。首 2 紙下邊殘破。卷尾有原軸，兩端塗黑漆。有烏絲欄。
3.1　首 2 行中下殘→大正 262，9/4A20～22。
3.2　尾全→9/10B21。
4.2　妙法蓮華經卷第一（尾）。
8　8～9 世紀。吐蕃統治時期寫本。
9.1　楷書。
9.2　有刮改。

11　圖版：《敦煌寶藏》，84/586B～594A。

1.1　BD03096 號
1.3　金光明最勝王經卷八
1.4　雲 096
1.5　083:1884
2.1　（4+146.6）×26 厘米；3 紙；84 行，行 17 字。
2.2　01：4+46，28；　02：50.3，28；　03：50.3，28。
2.3　卷軸裝。首殘尾脫。經黃紙。背有古代裱補。有烏絲欄。
3.1　首 2 行中殘→大正 665，16/439C15～16。
3.2　尾殘→16/440C25。
8　7～8 世紀。唐寫本。
9.1　楷書。
11　圖版：《敦煌寶藏》，70/478A～479B。

1.1　BD03097 號
1.3　梵網經盧舍那佛說菩薩心地戒品第十卷下
1.4　雲 097
1.5　143:6765
2.1　47.5×25 厘米；1 紙；28 行，行 16～18 字。
2.3　卷軸裝。首尾均脫。經黃打紙，砑光上蠟。背有古代裱補。有烏絲欄。
3.1　首缺→大正 1484，24/1008B21。
3.2　尾缺→24/1008C21。
6.1　首→BD02923 號。
6.2　尾→BD02890 號。
8　7～8 世紀。唐寫本。
9.1　楷書。
11　圖版：《敦煌寶藏》，101/521B～522A。

1.1　BD03098 號
1.3　維摩詰所說經卷上
1.4　雲 098
1.5　070:1020
2.1　（4+77）×25.5 厘米；2 紙；47 行，行 17 字。
2.2　01：4+29，19；　02：48.0，28。
2.3　卷軸裝。首殘尾脫。有烏絲欄。
3.1　首 2 行中下殘→大正 475，14/540A17～19。
3.2　尾殘→14/540C13。
6.2　尾→BD03184 號。
8　8～9 世紀。吐蕃統治時期寫本。
9.1　楷書。
11　圖版：《敦煌寶藏》，64/397A～398A。

1.1　BD03099 號 1
1.3　持誦金剛經靈驗功德記
1.4　雲 099
1.5　270:7681
2.1　（106.6+9.5）×30.4 厘米；4 紙；67 行，行字不等。
2.2　01：42.5，20；　02：43.0，16；　03：41.6，18；
04：33.5+9.5，13。
2.3　卷軸裝。首脫尾殘。全卷接縫處全部脫開。尾有餘空。
2.4　本遺書包括 5 個文獻：（一）《持誦金剛經靈驗功德記》，20 行，今編為 BD03099 號 1。（二）《真言雜抄》（擬），16 行，今編為 BD03099 號 2。（三）《大力金剛心真言》，6 行半，今編為 BD03099 號 3。（四）《水散食偈》，11 行半，今編為 BD03099 號 4。（五）《東方金剛大集想》，13 行，今編為 BD03099 號 5。
3.1　首缺→大正 2743，85/159C10。
3.2　尾全→85/160A16。
8　9～10 世紀。歸義軍時期寫本。
9.1　行楷。
11　圖版：《敦煌寶藏》，107/307A～309A。

1.1　BD03099 號 2
1.3　真言雜抄（擬）
1.4　雲 099
1.5　270:7681
2.4　本遺書由 5 個文獻組成，本號為第 2 個，16 行。餘參見 BD03099 號 1 之第 2 項、第 11 項。
3.4　說明：
本文獻抄寫《五佛心僻毒真言》、《大悲真言》、《釋迦牟尼佛心中心真言》、《請佛真言》、《阿彌陀佛心中心真言》。未為歷代大藏經所收。
8　9～10 世紀。歸義軍時期寫本。
9.1　行楷。

1.1　BD03099 號 3
1.3　大力金剛心真言
1.4　雲 099
1.5　270:7681
2.4　本遺書由 5 個文獻組成，本號為第 3 個，6 行半。餘參見 BD03099 號 1 之第 2 項、第 11 項。
3.4　說明：
本文獻抄寫《大力金剛心真言》，未為歷代大藏經所收。
4.1　大力金剛心真言（首）。
8　9～10 世紀。歸義軍時期寫本。
9.1　行楷。
9.2　有行間校加字。

1.1　BD03099 號 4
1.3　水散食偈
1.4　雲 099
1.5　270:7681
2.4　本遺書由 5 個文獻組成，本號為第 4 個，11 行半。餘參見

BD03099 號 1 之第 2 項、第 11 項。
3.1 首全→大正 1315，21/466C16。
3.2 尾全→21/467A5。
4.1 水散食偈（首）。
8 9～10 世紀。歸義軍時期寫本。
9.1 行楷。
9.2 有倒乙。

1.1 BD03099 號 5
1.3 東方金剛大集想
1.4 雲 099
1.5 270:7681
2.4 本遺書由 5 個文獻組成，本號為第 5 個，13 行。餘參見 BD03099 號 1 之第 2 項、第 11 項。
3.4 說明：
本文獻首尾均全，未為歷代大藏經所收。
4.1 東方金剛大集想一本（首）。
8 9～10 世紀。歸義軍時期寫本。
9.1 行楷。

1.1 BD03100 號
1.3 大般涅槃經（北本　異卷）卷二九
1.4 雲 100
1.5 115:6470
2.1 (4.5 +938.2) ×26 厘米；19 紙；528 行，行 17 字。
2.2 01：45 +36，24；　02：50.0，28；　03：50.0，28；
04：50.0，28；　05：50.0，29；　06：50.0，28；
07：50.0，28；　08：50.0，28；　09：50.0，28；
10：50.0，28；　11：49.0，27；　12：50.0，28；
13：50.2，28；　14：50.0，28；　15：50.5，29；
16：50.5，29；　17：50.5，29；　18：50.5，29；
19：50.0，24。
2.3 卷軸裝。首殘尾全。首紙上下殘缺。背有古代裱補。有烏絲欄。
3.1 首 3 行上下殘→大正 374，12/534B15～17。
3.2 尾全→12/540C14。
4.2 大般涅槃經卷第廿九（尾）。
5 與《大正藏》本對照，分卷不同。經文相當於《大正藏》卷第二十八師子吼菩薩品第十一之二至卷第二十九師子吼菩薩品第十一之三。與其他諸藏分卷均不同。
8 7～8 世紀。唐寫本。
9.1 楷書。
11 圖版：《敦煌寶藏》，99/362A～375A。

1.1 BD03101 號
1.3 維摩詰所說經卷下
1.4 騰 001
1.5 070:1269
2.1 172 ×29 厘米；4 紙；122 行，行 34～35 字。
2.2 01：43.5，30；　02：43.0，30；　03：43.0，30；
04：42.5，32。
2.3 卷軸裝。首尾均脫。上下邊有破裂。有烏絲欄。
3.1 首殘→大正 475，14/553C20。
3.2 尾殘→14/556C26。
8 8～9 世紀。吐蕃統治時期寫本。
9.1 楷書。
9.2 有刮改。
11 圖版：《敦煌寶藏》，66/379A～380B。

1.1 BD03102 號 1
1.3 無量壽宗要經
1.4 騰 002
1.5 275:7784
2.1 342 ×31.5 厘米；8 紙；232 行，行 30 餘字。
2.2 01：45.0，31；　02：45.0，31；　03：45.0，31；
04：45.0，29；　05：45.0，31；　06：45.0，31；
07：45.0，31；　08：27.0，17。
2.3 卷軸裝。首尾均全。首紙有殘缺破裂，接縫處有開裂，尾紙下部殘缺。有烏絲欄。
2.4 本遺書包括 2 個文獻：（一）《無量壽宗要經》，114 行，今編為 BD03102 號 1。（二）《無量壽宗要經》，118 行，今編為 BD03102 號 2。
3.1 首全→大正 936，19/82A3。
3.2 尾全→19/84C29。
4.1 大乘無量壽經（首）。
4.2 佛說無量壽宗要經（尾）。
8 8～9 世紀。吐蕃統治時期寫本。
9.1 楷書。
11 圖版：《敦煌寶藏》，107/596B～600B。

1.1 BD03102 號 2
1.3 無量壽宗要經
1.4 騰 002
1.5 275:7784
2.4 本遺書由 2 個文獻組成，本號為第 2 個，118 行。餘參見 BD03102 號 1 之第 2 項、第 11 項。
3.1 首全→大正 936，19/82A3
3.2 尾全→19/84C29
4.1 大乘無量壽經（首）。
4.2 佛說無量壽宗要經（尾）。
7.1 尾紙末有題記“氾子昇寫”。
7.3 第 8 紙背有雜寫“李昌晨（?）◇”和“賀田奴”。
8 8～9 世紀。吐蕃統治時期寫本。
9.1 楷書。

1.1　BD03103 號
1.3　無量壽宗要經
1.4　騰 003
1.5　275:8007
2.1　(6+156)×31 厘米；4 紙；109 行，行 30 餘字。
2.2　01：6+19.5，18；　02：45.0，32；　03：46.0，32；
　　04：45.5，27。
2.3　卷軸裝。首殘尾全。卷面上下有殘缺，卷尾有蟲繭。有烏絲欄。
3.1　首 4 行中上殘→大正 936，19/82B1～7。
3.2　尾全→19/84C29
4.2　佛說無量壽宗要經（尾）。
7.1　尾紙末有題記“令狐晏兒寫”。
8　8～9 世紀。吐蕃統治時期寫本。
9.1　行楷。
11　本卷內原附有 1 塊殘片，今編為 BD16445 號。
　　圖版：《敦煌寶藏》，108/501A～503A。

1.1　BD03104 號
1.3　佛名經（十六卷本）卷一五
1.4　騰 004
1.5　063:0814
2.1　(3+858.5+16)×25.9 厘米；18 紙；502 行，行 16 字。
2.2　01：3+42，26；　02：49.0，28；　03：49.0，28；
　　04：49.0，28；　05：49.0，28；　06：49.0，28；
　　07：49.0，28；　08：49.0，28；　09：49.0，28；
　　10：49.0，28；　11：49.0，28；　12：49.0，28；
　　13：49.0，28；　14：49.0，28；　15：49.0，28；
　　16：49.0，28；　17：49.0，28；　18：32.5+16，28。
2.3　卷軸裝。首尾均殘。經黃紙。卷面有破裂、黴爛，卷尾有殘洞。有烏絲欄。已修整。
3.1　首 2 行上下殘→《七寺古逸經典研究叢書》，3/第 750 頁第 61 行～第 62 行。
3.2　尾中下殘→《七寺古逸經典研究叢書》，3/第 791 頁第 594 行。
5　與七寺本對照，本卷中部及卷尾多抄《罪業應報教化地獄經》兩段，卷中為 14 行，卷尾為 2 行。
8　7～8 世紀。唐寫本。
9.1　楷書。
11　圖版：《敦煌寶藏》，62/457A～469A。

1.1　BD03105 號
1.3　大般若波羅蜜多經卷二四二
1.4　騰 005
1.5　084:2635
2.1　(1.4+252.7)×24.7 厘米；6 紙；155 行，行 17 字。
2.2　01：1.4+21.4，15；　02：46.0，28；　03：46.2，28；
　　04：46.4，28；　05：46.5，28；　06：46.2，28。
2.3　卷軸裝。首殘尾脫。經黃紙。第 1、2 紙上有縱向破裂。有烏絲欄。
3.1　首 2 行中殘→大正 220，6/219C25～26。
3.2　尾殘→6/221C5。
6.2　尾→BD03111 號。
8　7～8 世紀。唐寫本。
9.1　楷書。
11　圖版：《敦煌寶藏》，74/301A～304A。

1.1　BD03106 號
1.3　大乘五門十地實相論（擬）
1.4　騰 006
1.5　325:8378
2.1　(2.2+712.6+12.1)×28.6 厘米；18 紙；正面 470 行，行約 25 字。背面白畫及雜寫。
2.2　01：2.2+17.2，12；　02：41.5，27；　03：41.5，27；
　　04：41.7，27；　05：41.7，27；　06：41.7，27；
　　07：41.7，27；　08：41.5，27；　09：41.6，27；
　　10：41.7，27；　11：41.8，27；　12：41.8，27；
　　13：41.6，27；　14：41.8，27；　15：41.7，27；
　　16：41.6，27；　17：41.7，27；　18：28.8+12.1，26。
2.3　卷軸裝。首尾均殘。卷面殘破，有殘洞。有烏絲欄。已修整。
2.4　本遺書包括 2 個文獻：（一）《大乘五門十地實相論》（擬），470 行，抄寫在正面，今編為 BD03106 號。（二）《白畫禽鳥、花邊裝飾圖案及雜寫》（擬），在背面，不計行數，今編為 BD03106 號背。
3.4　說明：
　　本文獻首行上下殘，尾 7 行上下殘。未為歷代大藏經所收。
7.3　卷面諸品題下分別有“語”、“分”、“論記之，記之，記調說”等雜寫。
8　5～6 世紀。南北朝寫本。
9.1　行楷。
9.2　有硃筆點標。有墨筆行間校加字、行間加行。
11　圖版：《敦煌寶藏》，110/116B～128B。

1.1　BD03106 號背
1.3　白畫禽鳥、花邊裝飾圖案及雜寫（擬）
1.4　騰 006
1.5　325:8378
2.4　本遺書由 2 個文獻組成，本號為第 2 個，畫在背面。餘參見 BD03106 號 1 之第 2 項、第 11 項。
3.4　說明：
　　第 13 紙背有白畫禽鳥兩隻，上有蔓草花邊裝飾圖案等。
7.3　背面有雜寫多項，擇要錄文如下：
　　①“天剛將軍，守我宅君（居?），永故（固）千秋，百子

萬孫。元 記之。如來菩薩現身。”這條雜寫似南北朝所寫。
②“五月五日天中節，亦（赤）口亦（赤）舌自消滅，急急如［律］令。”
③“道會法律，鄧僧政，故僧政”，“故和尚天福拾年正月一日敦煌”。
④“爾時世尊告無盡意”。
⑤“西方極樂（樂）世界大慈大悲接□吼”。
另有數目、習字及其他各種雜寫多處，不錄文。
8　9～10世紀。歸義軍時期寫本。
9.1　行楷。

1.1　BD03107號
1.3　金剛般若波羅蜜經
1.4　騰007
1.5　094:3783
2.1　（15.5+423）×24.5厘米；10紙；268行，行17字。
2.2　01：15.5+14，19；　02：43.0，28；　03：45.5，28；
04：46.0，28；　05：46.0，28；　06：46.0，28；
07：45.5，28；　08：45.5，28；　09：46.0，28；
10：45.5，25。
2.3　卷軸裝。首殘尾全。經黄紙。首紙有殘洞，接縫處有開裂。卷首2紙為吐蕃時期後補。第8紙背有古代裱補。有烏絲欄。
3.1　首10行上、下殘→大正235，8/749B1～11。
3.2　尾全→8/752C2。
8　7～8世紀。唐寫本。
9.1　楷書。
11　圖版：《敦煌寶藏》，80/322B～328B。

1.1　BD03108號
1.3　妙法蓮華經卷四
1.4　騰008
1.5　105:5366
2.1　（26.5+361.6）×26厘米；8紙；209行，行17字。
2.2　01：26.5+22，27；　02：48.5，27；　03：48.7，27；
04：48.5，27；　05：48.5，27；　06：48.5，27；
07：48.5，27；　08：48.4，20。
2.3　卷軸裝。首殘尾全。卷首殘破嚴重。
3.1　首15行上殘→大正262，9/34A10～28。
3.2　尾全→9/37A2。
4.2　妙法蓮華經卷第四（尾）。
8　9～10世紀。歸義軍時期寫本。
9.1　楷書。
11　圖版：《敦煌寶藏》，91/204A～209B。

1.1　BD03109號
1.3　最妙勝定經
1.4　騰009
1.5　461:8693
2.1　48×25.8厘米；1紙；28行，行18字。
2.3　卷軸裝。首尾均脱。經黄打紙。卷背有鳥糞。有烏絲欄。
3.1　首殘→《藏外佛教文獻》，1/第340頁第16行。
3.2　尾殘→《藏外佛教文獻》，1/第341頁第26行。
8　7～8世紀。唐寫本。
9.1　楷書。
11　圖版：《敦煌寶藏》，111/204A～B。

1.1　BD03110號
1.3　妙法蓮華經卷五
1.4　騰010
1.5　105:5607
2.1　（10.7+418.8）×25.6厘米；10紙；243行，行17字。
2.2　01：10.7+9，11；　02：48.8，28；　03：48.0，28；
04：48.5，28；　05：48.7，28；　06：48.5，28；
07：48.6，28；　08：48.5，28；　09：48.2，28；
10：22.0，08。
2.3　卷軸裝。首殘尾全。經黄紙。有燕尾。有烏絲欄。
3.1　首6行上殘→大正262，9/42B25～C2。
3.2　尾全→9/46B14。
4.2　妙法蓮華經卷第五（尾）。
8　7～8世紀。唐寫本。
9.1　楷書。
11　圖版：《敦煌寶藏》，93/350A～356A。

1.1　BD03111號
1.3　大般若波羅蜜多經卷二四二
1.4　騰011
1.5　084:2636
2.1　470.7×24.6厘米；11紙；271行，行17字。
2.2　01：46.6，28；　02：46.5，28；　03：46.5，28；
04：46.5，28；　05：46.6，28；　06：46.5，28；
07：46.5，28；　08：46.5，28；　09：46.5，28；
10：37.0，19；　11：15.0，燕尾。
2.3　卷軸裝。首脱尾全。經黄打紙。首紙下邊有殘洞，卷上邊多黴斑，第9紙上邊有破裂及殘缺，接縫處有開裂。有烏絲欄。
3.1　首殘→大正220，6/221C6。
3.2　尾全→6/224C13。
4.2　大般若波羅蜜多經卷第二百卌二（尾）。
6.1　首→BD03105號。
8　7～8世紀。唐寫本。
9.1　楷書。
11　圖版：《敦煌寶藏》，74/304B～310B。

1.1　BD03112號
1.3　妙法蓮華經卷七

1.4　騰 012
1.5　105:5949
2.1　535.4×25 厘米；13 紙；320 行，行 17 字。
2.2　01：19.0，11；　02：45.5，28；　03：46.4，28；
　　04：46.5，28；　05：46.5，28；　06：46.5，28；
　　07：46.5，28；　08：46.5，28；　09：46.5，28；
　　10：46.5，28；　11：46.5，28；　12：46.5，28；
　　13：06.0，01。
2.3　卷軸裝。首斷尾全。經黄打紙。卷面有破裂，接縫處有開裂，卷面有鳥糞污跡。背有古代裱補。有烏絲欄。
3.1　首殘→大正 262，9/57C9。
3.2　尾全→9/62B1。
4.2　妙法蓮華經卷第七（尾）。
8　7～8 世紀。唐寫本。
9.1　楷書。
11　圖版：《敦煌寶藏》，96/155B～162B。

1.1　BD03113 號
1.3　金光明最勝王經卷五
1.4　騰 013
1.5　083:1714
2.1　（8.3+650.7）×25.7 厘米；15 紙；392 行，行 17 字。
2.2　01：8.3+16.9，15；　02：45.7，28；　03：45.7，28；
　　04：45.7，28；　05：45.7，28；　06：45.5，28；
　　07：45.2，28；　08：45.7，28；　09：45.5，28；
　　10：44.5，28；　11：45.0，28；　12：44.5，28；
　　13：45.1，28；　14：45.0，28；　15：45.0，13。
2.3　卷軸裝。首殘尾全。卷首殘破。背有古代裱補。有燕尾。有烏絲欄。
3.1　首 5 行下殘→大正 665，16/422C10～14。
3.2　尾全→16/427B13。
4.2　金光明經卷第五（尾）。
5　尾附音義。
7.1　尾有題記“王□□寫”。
7.3　卷背有雜寫“若有善男子、善女人，南無觀世音菩薩”1 行，及“章、張”2 字。
8　8～9 世紀。吐蕃統治時期寫本。
9.1　楷書。
11　圖版：《敦煌寶藏》，69/379B～387B。

1.1　BD03114 號
1.3　佛臨涅槃記法住經
1.4　騰 014
1.5　133:6649
2.1　198.9×26 厘米；5 紙；113 行，行 17 字。
2.2　01：44.2，26；　02：46.1，28；　03：45.8，28；
　　04：45.8，28；　05：17.0，03。
2.3　卷軸裝。首尾均全。卷面多黴斑。有燕尾。有烏絲欄。
3.1　首全→大正 390，12/1112B26。
3.2　尾全→12/1113C23。
4.1　佛臨涅槃記法住經（首）。
4.2　佛臨涅槃記法住經（尾）。
8　8～9 世紀。吐蕃統治時期寫本。
9.1　楷書。
9.2　有行間校加字。
11　圖版：《敦煌寶藏》，101/76B～79A。

1.1　BD03115 號 1
1.3　金光明最勝王經卷二
1.4　騰 015
1.5　083:1495
2.1　（28+231.3）×29 厘米；6 紙；152 行，行 36～38 字。
2.2　01：28+15.8，30；　02：43.0，30；　03：43.0，29；
　　04：43.3，30；　05：43.2，30；　06：43.0，03。
2.3　卷軸裝。首尾均脱。卷首右下殘缺。卷面油污。第 2 紙以下各紙接縫均開脱。尾有餘空。有烏絲欄。已修整。
2.4　本遺書包括 2 個文獻：（一）《金光明最勝王經》卷二，144 行，今編為 BD03115 號 1。（二）《金光明最勝王經》卷三，8 行，今編為 BD03115 號 2。
3.1　首 19 行中下殘→大正 665，16/409A28～C16。
3.2　尾全→16/413C6。
4.2　金光明最勝王經卷第二（尾）。
8　8～9 世紀。吐蕃統治時期寫本。
9.1　楷書。
11　圖版：《敦煌寶藏》，68/103A～105B。

1.1　BD03115 號 2
1.3　金光明最勝王經卷三
1.4　騰 015
1.5　083:1495
2.4　本遺書由 2 個文獻組成，本號為第 2 個，8 行。餘參見 BD03115 號 1 之第 2 項、第 11 項。
3.1　首全→大正 665，16/413C9。
3.2　尾缺→16/413C28。
4.1　金光明最勝王經滅業障品第五，卷三，三藏法師義淨奉制譯（首）。
8　8～9 世紀。吐蕃統治時期寫本。
9.1　楷書。
11　圖版：《敦煌寶藏》，68/103A～115B。

1.1　BD03116 號
1.3　維摩詰所說經卷上
1.4　騰 016
1.5　070:0863

2.1　(5 + 1044.1) × 26.5 厘米；14 紙；581 行，行 17 字。
2.2　01：5 + 65，39；　02：76.0，43；　03：76.0，43；
04：75.0，43；　05：76.0，43；　06：76.0，43；
07：75.2，42；　08：75.2，43；　09：76.5，43；
10：76.0，43；　11：75.0，42；　12：76.2，43；
13：73.0，41；　14：73.0，30。
2.3　卷軸裝。首尾均全。尾有原軸，兩端鑲蓮蓬形軸頭，軸頭塗棕色漆。卷首右下殘破，有等距離水漬。有烏絲欄。
3.1　首 2 行下殘→大正 475，14/537A3 ~ 8。
3.2　尾全→14/544A19。
4.1　維摩詰所說經，一名不可思議解脫，佛□…□（首）。
4.2　維摩詰經卷上（尾）。
8　9 ~ 10 世紀。歸義軍時期寫本。
9.1　楷書。
11　圖版：《敦煌寶藏》，63/193A ~ 206A。

1.1　BD03117 號
1.3　金光明最勝王經卷五
1.4　騰 017
1.5　083：1726
2.1　(19.5 + 303.9) × 25.5 厘米；7 紙；196 行，行 17 字。
2.2　01：19.5 + 26.5，28；　02：45.7，28；　03：46.5，28；
04：46.2，28；　05：46.0，28；　06：46.5，28；
07：46.5，28。
2.3　卷軸裝。首殘尾脫。卷首右下殘破。有烏絲欄。
3.1　首 12 行中下殘→大正 665，16/422C25 ~ 423A7。
3.2　尾殘→16/425A24。
8　8 ~ 9 世紀。吐蕃統治時期寫本。
9.1　楷書。
11　圖版：《敦煌寶藏》，69/481B ~ 485B。

1.1　BD03118 號 1
1.3　梵網經盧舍那佛說菩薩心地戒品第十卷下
1.4　騰 018
1.5　143：6747
2.1　(6 + 315.5) × 25 厘米；8 紙；197 行，行 17 字。
2.2　01：6 + 17，14；　02：43.0，27；　03：43.0，27；
04：43.0，27；　05：43.0，27；　06：43.0，27；
07：42.5，26；　08：41.0，22。
2.3　卷軸裝。首殘尾全。經黃紙。卷面有破裂。尾有原軸，兩端塗黑漆，頂端點硃漆。有烏絲欄。
2.4　本遺書包括 2 個文獻：（一）《梵網經盧舍那佛說菩薩心地戒品第十》卷下，190 行，今編為 BD03118 號 1。（二）《菩薩安居及解夏自恣法》，7 行，今編為 BD03118 號 2。
3.1　首 4 行上下殘→大正 1484，24/1007A21 ~ 23。
3.2　尾全→24/1009C8。
4.2　梵網經（尾）。
5　與《大正藏》對照，卷尾不同，本件少最後一段經文與偈誦。多"梵網經盧舍那佛說菩薩十重四十八輕戒"一句。
8　7 ~ 8 世紀。唐寫本。
9.1　楷書。
9.2　有刮改。
11　圖版：《敦煌寶藏》，101/463B ~ 467B。

1.1　BD03118 號 2
1.3　菩薩安居及解夏自恣法
1.4　騰 018
1.5　143：6747
2.4　本遺書由 2 個文獻組成，本號為第 2 個，7 行。餘參見 BD03118 號 1 之第 2 項、第 11 項。
3.4　說明：
本文獻相當於《梵網經》的附錄，未為歷代大藏經所收。
4.1　菩薩安居及解夏自恣法（首）。
8　7 ~ 8 世紀。唐寫本。
9.1　楷書。

1.1　BD03119 號
1.3　大般涅槃經（北本）卷四〇
1.4　騰 019
1.5　115：6529
2.1　(12 + 737.3) × 25 厘米；16 紙；442 行，行 17 字。
2.2　01：12 + 35，28；　02：46.8，28；　03：46.8，28；
04：47.0，28；　05：46.7，28；　06：46.8，28；
07：46.6，28；　08：47.0，28；　09：47.0，28；
10：47.0，28；　11：46.8，28；　12：46.8，28；
13：47.0，28；　14：46.8，28；　15：46.7，28；
16：46.5，22。
2.3　卷軸裝。首殘尾全。經黃打紙，研光上蠟。卷面有殘破，卷下端有火灼痕跡。背有古代裱補。有燕尾。有烏絲欄。
3.1　首 7 行下殘→大正 374，12/598C12 ~ 20。
3.2　尾全→12/603C25。
4.2　大般涅槃經卷第卌（尾）。
8　7 ~ 8 世紀。唐寫本。
9.1　楷書。
11　圖版：《敦煌寶藏》，100/148B ~ 158B。

1.1　BD03120 號
1.3　禮佛懺悔文（擬）
1.4　騰 020
1.5　305：8314
2.1　(23 + 382) × 30 厘米；9 紙；238 行，行 19 ~ 21 字。
2.2　01：23 + 8，18；　02：46.5，28；　03：45.3，27；
04：46.5，27；　05：46.5，26；　06：46.7，27；
07：47.5，28；　08：47.5，29；　09：47.5，28。

2.3　卷軸裝。首殘尾全。第3紙下部殘損。有烏絲欄。已修整。
3.4　說明：
本文獻首13行上下殘，尾全。為當時所用的禮懺儀軌，形態歧雜多樣，與當時流通的《七階佛名經》有淵源關係。未為歷代大藏經所收。
7.3　背有雜寫詩："云何自從資（?），於是樂寬時，勸諸行道衆，勤學諸無餘。"
《午時無上（常）偈》："聽說午時無上偈：人生不精進，爲若樹無根。菜花至日中，/能得幾時仙（鮮）？花亦不久仙（鮮），色亦非常好。人命一剎那，須臾/難可保。/"
另有"菩惠住記"、"今勸諸衆等，勤來"云云。
8　9～10世紀。歸義軍時期寫本。
9.1　楷書。
9.2　有校改。
11　圖版：《敦煌寶藏》，109/620A～626A。

1.1　BD03121號
1.3　千手千眼觀世音菩薩廣大圓滿無礙大悲心陀羅尼經
1.4　騰021
1.5　245:7461
2.1　（18.6＋398.7＋0.9）×28.3厘米；11紙；312行，行約21字。
2.2　01：18.6＋22.9，34；　02：41.6，34；　03：41.9，19；
04：41.7，21；　05：41.7，34；　06：41.8，34；
07：41.9，34；　08：41.8，35；　09：41.7，34；
10：41.7，32；　11：00.9，01。
2.3　卷軸裝。首尾均殘。卷首殘破嚴重，脫落1塊殘片，文可綴接。各紙下部多有裂損，尾紙有數處殘洞。背有古代裱補。有烏絲欄。
3.1　首15行下殘→大正1060，20/106B19～C8。
3.2　尾全，第304行→20/111C19。
3.4　說明：
卷尾第305行～第312行實爲經文雜寫，所抄為本文獻中的日光菩薩、月光菩薩說咒。參見大正1060，20/111B13～25。
4.2　千手千眼陀羅尼經（尾）。
8　8～9世紀。吐蕃統治時期寫本。
9.1　楷書。
9.2　有校改。有行間校加字。
11　圖版：《敦煌寶藏》，106/324B～333B。

1.1　BD03122號
1.3　大般若波羅蜜多經卷四三二
1.4　騰022
1.5　084:3119
2.1　（6＋681.9）×25.7厘米；17紙；433行，行17字。
2.2　01：6＋3.5，6；　02：44.1，28；　03：43.6，28；
04：43.9，28；　05：43.6，28；　06：44.1，28；
07：43.8，28；　08：43.5，28；　09：44.0，28；
10：43.8，28；　11：43.6，28；　12：43.5，28；
13：44.1，28；　14：44.3，28；　15：44.4，28；
16：44.3，28；　17：19.8，07。
2.3　卷軸裝。首殘尾全。前2紙接縫處上開裂，第2紙上下有破裂殘損，內有殘洞；14紙有殘洞，16紙有破裂殘損。有燕尾。有烏絲欄。已修整。
3.1　首4行上下殘→大正220，7/171C25～28。
3.2　尾全→7/176C24。
4.2　大般若波羅蜜多經卷第四百卌二（尾）。
7.1　卷尾有題記"沙門玄淨校定"。卷端背有卷次勘記"四百卌二"。
8　8～9世紀。吐蕃統治時期寫本。
9.1　楷書。
9.2　有硃筆校改。
11　圖版：《敦煌寶藏》，76/418B～427A。

1.1　BD03123號
1.3　法句經（偽經）
1.4　騰023
1.5　457:8664
2.1　（1.5＋95.2＋3.9）×28.5厘米；2紙；63行，行17～18字。
2.2　01：1.5＋29.2，19；　02：66＋3.9，44。
2.3　卷軸裝。首脫尾殘。卷首上下有殘破或殘缺，卷尾殘破嚴重。有烏絲欄。
3.1　首行上殘→大正2901，85/1432B29。
3.2　尾2行上殘→85/1433B9～11。
8　8～9世紀。吐蕃統治時期寫本。
9.1　楷書。
11　圖版：《敦煌寶藏》，111/125A～126A。

1.1　BD03124號
1.3　妙法蓮華經卷二
1.4　騰024
1.5　105:4960
2.1　225.1×25.4厘米；5紙；120行，行17字。
2.2　01：50.6，28；　02：50.4，28；　03：50.4，28；
04：50.4，28；　05：23.3，08。
2.3　卷軸裝。首脫尾全。經黄打紙。上下邊略殘。背面有古代裱補。有燕尾。有烏絲欄。
3.1　首殘→大正262，9/17B6。
3.2　尾全→9/19A12。
4.2　妙法蓮華經卷第二（尾）。
8　7～8世紀。唐寫本。
9.1　楷書。

11　圖版：《敦煌寶藏》，87/331A～334A。

1.1　BD03125號
1.3　佛頂尊勝陀羅尼經（佛陀波利本）
1.4　騰025
1.5　229:7341
2.1　（2.5+300.7）×25.2厘米；7紙；178行，行17字。
2.2　01：2.5+27.5，18；　02：45.5，28；　03：45.6，28；
04：45.6，28；　05：43.7，26；　06：46.5，28；
07：46.3，22。
2.3　卷軸裝。首殘尾全。經黃打紙。卷面有油污、殘裂，接縫處有開裂，第5紙有殘洞。有燕尾。有烏絲欄。
3.1　首行上殘→大正967，19/350A6。
3.2　尾全→19/352A26。
4.2　佛頂尊勝陀羅尼經（尾）。
5　咒語與《大正藏》本不同，略相當於所附宋本，參見19/352A27～B23。
8　7～8世紀。唐寫本。
9.1　楷書。
11　圖版：《敦煌寶藏》，105/536B～540B。

1.1　BD03126號
1.3　阿彌陀經
1.4　騰026
1.5　014:0168
2.1　（13+114.3）×27.5厘米；3紙；77行，行19～22字不等。
2.2　01：13+14.3，16；　02：60.0，38；　03：40.0，23。
2.3　卷軸裝。首殘尾全。首尾兩紙破碎嚴重，卷首有鳥糞，卷尾有蟲繭。有烏絲欄。已修整。
3.1　首8行殘→大正366，12/347A5～19。
3.2　尾全→12/348A29。
4.2　佛說阿彌陀經（尾）。
5　與《大正藏》對照，漏抄經文一段，缺文參見《大正藏》12/347A7～11。
8　9～10世紀。歸義軍時期寫本。
9.1　楷書。
11　圖版：《敦煌寶藏》，57/43A～44B。

1.1　BD03127號
1.3　妙法蓮華經卷四
1.4　騰027
1.5　105:5280
2.1　91.4×25厘米；2紙；56行，行17字。
2.2　01：45.7，28；　02：45.7，28。
2.3　卷軸裝。首尾均脫。經黃紙。有烏絲欄。
3.1　首行上下殘→大正262，9/29A19。
3.2　尾殘→9/30A7。
8　7～8世紀。唐寫本。
9.1　楷書。
11　圖版：《敦煌寶藏》，90/466B～。

1.1　BD03128號
1.3　妙法蓮華經卷一
1.4　騰028
1.5　105:4547
2.1　（3.5+748.3）×25.2厘米；17紙；430行，行16～18字不等。
2.2　01：03.5，02；　02：47.7，28；　03：47.6，28；
04：47.8，28；　05：47.9，28；　06：48.0，28；
07：48.3，28；　08：48.3，28；　09：48.2，28；
10：48.1，28；　11：48.2，28；　12：48.2，28；
13：48.3，28；　14：48.3，28；　15：48.2，28；
16：48.2，28；　17：27.0，08。
2.3　卷軸裝。首殘尾全。第2紙上部有殘損，接縫處有開裂。卷首背有古代裱補。有燕尾。有烏絲欄。
3.1　首2行殘→大正262，9/2C15～18。
3.2　尾全→9/10B21。
4.2　妙法蓮華經卷第一（尾）。
8　9～10世紀。歸義軍時期寫本。
9.1　楷書。
11　圖版：《敦煌寶藏》，84/322B～332B。

1.1　BD03129號
1.3　諸經雜緣喻因由記
1.4　騰029
1.5　352:8416
2.1　382×30厘米；9紙；256行，行20餘字。
2.2　01：43.5，26；　02：41.0，29；　03：41.0，29；
04：43.0，31；　05：43.0，30；　06：43.0，31；
07：42.0，29；　08：43.0，27；　09：42.5，24。
2.3　卷軸裝。首尾均全。第1、3紙中間有橫向破裂和殘洞。背有古代裱補。有烏絲欄。
3.4　說明：
本文獻首尾均全。乃抄輯衆經諸雜因緣而成，未為歷代大藏經所收。
4.1　佛說諸經雜緣喻因由記（首）。
7.1　尾有長篇題記，錄文如下：
已此開讀大乘不思儀（議）解脫法門，甚深義取（趣）。所生功德，無量無邊。先將/資益梵釋四王、龍天八部，惟願威光轉盛，福力彌增。興運慈悲，救人/護國。使四時順序，八表無虞。九橫不侵，萬人安樂。法輪常轉，佛日/恆明。刀兵不興，疫毒休息。亦願經聲歷歷，上徹天宮；鍾梵（梵鐘）鈴鈴，/下臨地獄。刀山落刃，劍樹摧峯

（鋒）。爐炭收煙，冰河息浪。針咽餓鬼，永/絕虛羸；鱗鉀（甲）畜生，莫相食噉。歌謠乾闥，弦管常鳴；鬥諍修羅，/征旗永折。散支（脂）大將，護國護人；歡喜龍王，調風調雨。惡星變怪，掃出天門；異獸靈［犭＊禽］（禽），潛藏地穴。懷胎難月，母子平安；征客遠行，/鄉關早達。獄囚繫閉，枷鎖離身；病苦纏眠（綿），起居輕利。亡過眷屬，/頂拜彌陀。合道場人，恆聞政（正）法。伏願盲者見道，啞者能言。聾者/再聞，愚者得智。如斯不凡具者，願承此法力因緣，悉得之（諸）相具足。然/後天成地平，河清海晏。五穀豐稔，千相（廂）善盈。官補恩波（被），人知禮/節。仰希大衆各竭精誠，奉為龍天八部及土地神祇。大成（聲）稱念摩［訶般若］。/

又持勝福，次用莊嚴天公主貴位。惟願千祥納慶，恆昌之休。常嘆子貴之榮，日益仙顏之茂。夫人等貴位體茂永曜，雲裹分星。質貌恆春，/同月中之桂樹；永保千寵，恆居萬代之榮。/

又持勝福，次用莊嚴過往傳法和尚等。惟願雖戒定惠足/以資其神，然身口意根恐招於世利。但乞濫蒙示訓，虛接/昇堂。恨生前不審於玄宗，沒（歿）後謬昇法座。以此思忖，倍益心/摧。然開讚之初，奉申迴向。/

靈圖寺僧道/琳再寫賨/

（錄文完）

末行題名後被塗抹。

7.3 卷背騎縫處有雜寫“賨室”。另有雜寫“佛名多（?）”。

8 9～10 世紀。歸義軍時期寫本。

9.1 行楷。

9.2 有硃筆校改、斷句、塗抹、倒乙。

11 圖版：《敦煌寶藏》，110/252A～257A。

1.1 BD03130 號

1.3 大般若波羅蜜多經卷四

1.4 騰 030

1.5 084:2012

2.1 （3.8＋801.2）×25.2 厘米；18 紙；474 行，行 17 字。

2.2 01：3.8＋20，20； 02：47.0，28； 03：47.3，28；
04：47.3，28； 05：47.2，28； 06：47.3，28；
07：47.0，28； 08：47.5，28； 09：47.5，28；
10：47.5，28； 11：47.5，28； 12：47.5，28；
13：47.3，28； 14：47.6，28； 15：47.5，28；
16：47.5，28； 17：47.2，28； 18：23.5，06。

2.3 卷軸裝。首殘尾全。卷首下部殘缺。有烏絲欄。

3.1 首 18 行下殘→大正 220，5/17A11～29。

3.2 尾全→5/22B23。

4.2 大般若波羅蜜多經卷第四（尾）。

7.1 尾紙經名後有題記“智照寫”。首紙背有勘記“一（本文獻所屬袟次）”，第 2 紙背有勘記“第四（本文獻卷次）”。

8 8 世紀。唐寫本。

9.1 楷書。

9.2 有刮改。

11 圖版：《敦煌寶藏》，71/343B～354A。

1.1 BD03131 號

1.3 無量壽宗要經

1.4 騰 031

1.5 275:8008

2.1 （13＋170）×32 厘米；4 紙；109 行，行 30 餘字。

2.2 01：13＋32.5，29； 02：46.0，31； 03：46.0，31；
04：45.5，18。

2.3 卷軸裝。首殘尾全。通卷接縫處下部開裂。有烏絲欄。

3.1 首 7 行中上殘→大正 936，19/82A6～17。

3.2 尾全→19/84C29。

4.2 佛說無量壽經（尾）。

8 8～9 世紀。吐蕃統治時期寫本。

9.1 行楷。

11 圖版：《敦煌寶藏》，108/503B～505B。

1.1 BD03132 號

1.3 佛名經（十六卷本）卷五

1.4 騰 032

1.5 063:0637

2.1 （6.5＋1311.1）×30.8 厘米；30 紙；596 行，行 19 字。

2.2 01：6.5＋9，07； 02：45.0，21； 03：45.0，21；
04：45.0，21； 05：45.5，21； 06：45.2，21；
07：45.2，21； 08：45.2，21； 09：45.5，21；
10：45.5，21； 11：45.2，21； 12：45.5，21；
13：45.5，21； 14：45.5，21； 15：45.5，21；
16：45.5，21； 17：45.8，20； 18：45.8，20；
19：46.0，20； 20：46.0，20； 21：46.0，20；
22：46.5，21； 23：46.5，21； 24：46.5，21；
25：46.5，21； 26：46.3，21； 27：45.8，21；
28：45.8，21； 29：45.8，21； 30：23.0，06。

2.3 卷軸裝。首殘尾全。卷面上下多有殘破。有烏絲欄。已修整。

3.1 首 3 行中下殘→《七寺古逸經典研究叢書》，3/220 頁第 34～36 行。

3.2 尾全→《七寺古逸經典研究叢書》，3/267 頁第 647 行。

4.2 佛名經卷第五（尾）。

7.1 尾題下有寺院題名“淨土寺”。卷尾背有卷次勘記“五”。

7.3 卷背有雜寫。

8 9～10 世紀。歸義軍時期寫本。

9.1 楷書。

11 圖版：《敦煌寶藏》，60/606A～621B。

新舊編號對照表

一、千字文號與北敦號、縮微膠卷號對照表

千字文號	北敦號	縮微膠卷號
雲 066	BD03066 號	094：3990
雲 067	BD03067 號	094：4198
雲 068	BD03068 號	171：7077
雲 068	BD03068 號背	171：7077
雲 069	BD03069 號	094：4199
雲 070	BD03070 號	275：7783
雲 071	BD03071 號	105：5826
雲 072	BD03072 號	105：5690
雲 073	BD03073 號	105：5099
雲 074	BD03074 號	083：1802
雲 075	BD03075 號 1	094：3555
雲 075	BD03075 號 2	094：3555
雲 076	BD03076 號	081：1412
雲 077	BD03077 號	083：1806
雲 078	BD03078 號	105：5330
雲 079	BD03079 號	083：1538
雲 080	BD03080 號	060：0502
雲 081	BD03081 號	083：1828
雲 082	BD03082 號	105：5886
雲 083	BD03083 號	014：0181
雲 084	BD03084 號	070：1123
雲 085	BD03085 號	105：5614
雲 086	BD03086 號	002：0050
雲 087	BD03087 號	002：0049
雲 088	BD03088 號	084：2797
雲 089	BD03089 號	275：8006
雲 090	BD03090 號	275：8157
雲 091	BD03091 號	094：4297
雲 092	BD03092 號	061：0540
雲 093	BD03093 號	083：1593
雲 094	BD03094 號	052：0447
雲 095	BD03095 號	105：4578
雲 096	BD03096 號	083：1884
雲 097	BD03097 號	143：6765
雲 098	BD03098 號	070：1020
雲 099	BD03099 號 1	270：7681
雲 099	BD03099 號 2	270：7681
雲 099	BD03099 號 3	270：7681
雲 099	BD03099 號 4	270：7681
雲 099	BD03099 號 5	270：7681
雲 100	BD03100 號	115：6470
騰 001	BD03101 號	070：1269
騰 002	BD03102 號 1	275：7784
騰 002	BD03102 號 2	275：7784
騰 003	BD03103 號	275：8007
騰 004	BD03104 號	063：0814
騰 005	BD03105 號	084：2635
騰 006	BD03106 號	325：8378
騰 006	BD03106 號背	325：8378
騰 007	BD03107 號	094：3783
騰 008	BD03108 號	105：5366
騰 009	BD03109 號	461：8693
騰 010	BD03110 號	105：5607
騰 011	BD03111 號	084：2636
騰 012	BD03112 號	105：5949
騰 013	BD03113 號	083：1714
騰 014	BD03114 號	133：6649
騰 015	BD03115 號 1	083：1495
騰 015	BD03115 號 2	083：1495
騰 016	BD03116 號	070：0863
騰 017	BD03117 號	083：1726
騰 018	BD03118 號 1	143：6747
騰 018	BD03118 號 2	143：6747
騰 019	BD03119 號	115：6529
騰 020	BD03120 號	305：8314
騰 021	BD03121 號	245：7461
騰 022	BD03122 號	084：3119
騰 023	BD03123 號	457：8664

騰 024	BD03124 號	105：4960	騰 029	BD03129 號	352：8416
騰 025	BD03125 號	229：7341	騰 030	BD03130 號	084：2012
騰 026	BD03126 號	014：0168	騰 031	BD03131 號	275：8008
騰 027	BD03127 號	105：5280	騰 032	BD03132 號	063：0637
騰 028	BD03128 號	105：4547			

二、縮微膠卷號與北敦號、千字文號對照表

縮微膠卷號	北敦號	千字文號	縮微膠卷號	北敦號	千字文號
002：0049	BD03087 號	雲 087	105：4547	BD03128 號	騰 028
002：0050	BD03086 號	雲 086	105：4578	BD03095 號	雲 095
014：0168	BD03126 號	騰 026	105：4960	BD03124 號	騰 024
014：0181	BD03083 號	雲 083	105：5099	BD03073 號	雲 073
052：0447	BD03094 號	雲 094	105：5280	BD03127 號	騰 027
060：0502	BD03080 號	雲 080	105：5330	BD03078 號	雲 078
061：0540	BD03092 號	雲 092	105：5366	BD03108 號	騰 008
063：0637	BD03132 號	騰 032	105：5607	BD03110 號	騰 010
063：0814	BD03104 號	騰 004	105：5614	BD03085 號	雲 085
070：0863	BD03116 號	騰 016	105：5690	BD03072 號	雲 072
070：1020	BD03098 號	雲 098	105：5826	BD03071 號	雲 071
070：1123	BD03084 號	雲 084	105：5886	BD03082 號	雲 082
070：1269	BD03101 號	騰 001	105：5949	BD03112 號	騰 012
081：1412	BD03076 號	雲 076	115：6470	BD03100 號	雲 100
083：1495	BD03115 號 1	騰 015	115：6529	BD03119 號	騰 019
083：1495	BD03115 號 2	騰 015	133：6649	BD03114 號	騰 014
083：1538	BD03079 號	雲 079	143：6747	BD03118 號 1	騰 018
083：1593	BD03093 號	雲 093	143：6747	BD03118 號 2	騰 018
083：1714	BD03113 號	騰 013	143：6765	BD03097 號	雲 097
083：1726	BD03117 號	騰 017	171：7077	BD03068 號	雲 068
083：1802	BD03074 號	雲 074	171：7077	BD03068 號背	雲 068
083：1806	BD03077 號	雲 077	229：7341	BD03125 號	騰 025
083：1828	BD03081 號	雲 081	245：7461	BD03121 號	騰 021
083：1884	BD03096 號	雲 096	270：7681	BD03099 號 1	雲 099
084：2012	BD03130 號	騰 030	270：7681	BD03099 號 2	雲 099
084：2635	BD03105 號	騰 005	270：7681	BD03099 號 3	雲 099
084：2636	BD03111 號	騰 011	270：7681	BD03099 號 4	雲 099
084：2797	BD03088 號	雲 088	270：7681	BD03099 號 5	雲 099
084：3119	BD03122 號	騰 022	275：7783	BD03070 號	雲 070
094：3555	BD03075 號 1	雲 075	275：7784	BD03102 號 1	騰 002
094：3555	BD03075 號 2	雲 075	275：7784	BD03102 號 2	騰 002
094：3783	BD03107 號	騰 007	275：8006	BD03089 號	雲 089
094：3990	BD03066 號	雲 066	275：8007	BD03103 號	騰 003
094：4198	BD03067 號	雲 067	275：8008	BD03131 號	騰 031
094：4199	BD03069 號	雲 069	275：8157	BD03090 號	雲 090
094：4297	BD03091 號	雲 091	305：8314	BD03120 號	騰 020

325：8378	BD03106 號	騰 006
325：8378	BD03106 號背	騰 006
352：8416	BD03129 號	騰 029
457：8664	BD03123 號	騰 023
461：8693	BD03109 號	騰 009